D1293876

Le petit Larousse de la Grossesse

SOUS LA DIRECTION DU DR ANNE THÉAU

21 rue du Montparnasse 75283 Paris Cedex 06

Direction de la publication
Isabelle Jeuge-Maynart

Coordination éditoriale
Nathalie Cornellana
avec la précieuse collaboration de Françoise Maitre

Direction artistique
Emmanuel Chaspoul, assisté de
Martine Debrais, Sylvie Sénéchal et Cynthia Savage

Mise en page
Catherine Le Troquier

Iconographie
Marie-Annick Réveillon

Illustrations
Laurent Blondel

Lecture correction
Sabine Vaillant

Fabrication
Annie Botrel

Malgré tout le soin apporté à la rédaction de cet ouvrage, et en raison de l'étendue des domaines embrassés, une erreur aura pu s'y glisser. Nous ne saurions être tenus pour responsables de ses conséquences ou d'une interprétation erronée.

© Larousse 2009 pour la présente édition

Toute reproduction ou représentation intégrale ou partielle par quelque procédé que ce soit du texte et/ou de la nomenclature contenus dans le présent ouvrage, et qui sont la propriété de l'éditeur, est strictement interdite.

ISBN : 978-2-03-584-359-3

Cet ouvrage a été réalisé sous la direction du
Docteur Anne Théau
gynécologue-obstétricienne (maternité Saint-Vincent-de-Paul, Paris)

avec le concours de

Corinne Antoine, psychologue clinicienne

Docteur Denis Bardou, praticien hospitalier (hôpital Esquirol, Saint-Maurice)
(*dictionnaire médical de la grossesse*)

Docteur Roger Bessis, médecin échographiste
(*échographie fœtale*)

Christine Berteaux, conseillère en allaitement

Docteur Anne Cléry Henry, gynécologue obstétricienne (hôpital Joseph-Ducoing, Toulouse)
(*dictionnaire médical de la grossesse*)

Catherine Clop-Cordesse, sage-femme
(*acupuncture*)

Docteur Dominique Decant-Paoli, pédopsychiatre, psychanalyste,
haptopsychotérapeute (*Le point de vue de bébé*)

Docteur Catherine Gueguen, pédiatre, haptothérapeute

Claudia Kohn, ostéopathe

Benoît Le Goedec, sage-femme
(*Du côté du papa*)

Martine Lochin, sage-femme

Dominique Trinh Dinh, sage-femme
(*rééducation du périnée*)

Ont également contribué aux textes
Élisabeth Andréani, Véronique Blocquaux, Agnès Gualtieri,
Pierre Kanter, Céline Lavignette, Sophie Senart

L'éditeur remercie tout particulièrement :

Jacques Lepercq, Professeur agrégé
service gynécologie obstétrique (maternité Saint-Vincent-de-Paul) et son équipe

le **Docteur Marie-Claude Bertière**, médecin nutritionniste

le **Docteur Chantal Chemla**, médecin homéopathe

le **Docteur Pierre Godard**, médecin échographiste
pour avoir fourni gracieusement les images d'échographie

Préface

Aujourd'hui, dans notre société, nous ne vivons plus au quotidien avec les femmes enceintes, les accouchées et les mamans qui allaitent... Un peu comme s'il y avait d'un côté le monde du travail et de l'autre celui de la maternité. Les femmes étudient et travaillent, mais un jour le désir d'avoir un enfant se dessine et se concrétise. Et avec la grossesse, elles découvrent souvent un univers inconnu, où les mots de « femme enceinte », « accouchement », « mère », « allaitement », « nouveau-né »... deviennent des réalités nouvelles qui vont désormais faire partie de leur quotidien.

Parallèlement à l'évolution de la société, les avancées scientifiques de la médecine n'ont cessé de progresser. Il n'y a pas si longtemps, les femmes accouchaient à la maison avec l'aide d'une sage-femme ; maintenant, elles sont suivies par un ensemble de spécialistes (sage-femme, gynécologue-obstétricien, biologiste, échographiste, anesthésiste, pédiatre, généticien...), dans des structures très médicalisées. Autour de la grossesse sont également intervenues de nouvelles orientations, comme le classement des maternités en niveaux I, II et III, la généralisation de la péridurale, la place faite au fœtus en tant que patient, l'allongement du congé paternel, l'engouement par l'haptonomie.

Ce sont tous ces changements qui ont été pris en compte dans cet ouvrage. Avec l'équipe éditoriale Larousse, nous avons choisi de développer en particulier l'échographie, la mobilisation pendant le travail, la place et le vécu du père, l'haptonomie, mais aussi la vie au jour le jour, ou encore ce qui se passe pour la mère après la naissance, à la maternité, puis de retour à la maison. Pour chaque chapitre, nous avons fait appel à des interlocuteurs spécialisés et reconnus comme experts : une gynécologue obstétricienne travaillant dans un service de grossesse pathologique, un échographiste référent, ancien président du Collège national des échographistes, un médecin formateur auprès des sages-femmes pour les positions d'accouchement, un sage-femme homme, père de cinq enfants, une formatrice de l'équipe de Frans Veldman, fondateur de l'haptonomie, une conseillère en allaitement...

Ces connaissances, je les mets à votre disposition. Pendant la grossesse, les consultations sont en général espacées de un mois et en moyenne ne durent guère plus de vingt minutes. Les préparations à la naissances sont souvent tardives, démarrant au 3e trimestre, et les explications de votre entourage ne seront peut-être pas toujours suffisantes et objectives. Aussi ce livre vous sera-t-il des plus précieux et saura répondre à toutes vos questions. Suivi de la grossesse, préparation à la naissance, déroulement de l'accouchement, mise en route de l'allaitement, soins au nouveau-né et à la mère : vous y trouverez toutes les informations nécessaires, écrites dans un langage accessible à chacune, tout en gardant une rigueur indispensable. Les dernières données médicales sont présentées (réalisation simplifiée de la césarienne par la technique de Cohen, conditions de l'accouchement par le siège, nouvelle rééducation du périnée, etc.). Tous les termes utilisés par les professionnels autour de la maternité sont explicités dans le dictionnaire. L'acupuncture, l'ostéopathie et l'homéopathie sont évoquées, parce qu'elles soulagent certains maux de la grossesse, les nausées du 1er trimestre, les douleurs du dos, les sciatiques… Et quantité de conseils pratiques vous sont proposés pour faciliter votre vie quotidienne pendant la grossesse et après la naissance.

Pour ce livre, je me suis inspirée à la fois de mon métier de gynécologue-obstétricienne, de l'expérience auprès de mes patientes au quotidien, de mon vécu en tant que femme enceinte et accouchée, puis en tant que mère de plusieurs jeunes enfants. Il est conçu pour vous aider dans cette nouvelle voie, dans cette nouvelle partie de votre existence, oh combien précieuse et exceptionnelle. On n'accouche en moyenne que deux fois dans sa vie et la grossesse ne dure que quelques mois ! Ce livre sera votre compagnon de route pour cette aventure unique.

Docteur Anne Théau

Sommaire

Le troisième mois 98

Le quatrième mois 130

Le cinquième mois 156

Le sixième mois 184

Le septième mois 210

Le huitième mois 234

Le neuvième mois 256

L'accouchement et la naissance 274

Le séjour à la maternité 306

Le retour à la maison 338

Guide médical et pratique 392

Devenir maman ?

- Le désir d'enfant
- Pour tout savoir sur la conception
- Calculer la date d'ovulation
- Se préparer à une future grossesse
- Si vous avez une maladie chronique
- Génétique et hérédité
- Et si bébé ne vient pas ?
- Que peut la médecine ?
- Le désir d'enfant au masculin

Le désir d'enfant

Donner la vie est à la fois l'acte le plus banal et le plus extraordinaire qui soit. Depuis toujours, les hommes et les femmes font des enfants, sans forcément s'interroger sur la signification d'un tel désir. Or, la maternité, même si elle est naturelle, n'est parfois pas si facile à expliquer quand on en recherche les motivations conscientes ou inconscientes.

Du désir au projet à deux

« J'ai eu de nombreuses histoires d'amour, mais dès la rencontre avec Pierre, mon désir d'enfant était là, comme cela, simplement. » Le désir d'enfant serait-il un prolongement naturel du couple ? Ou tout autre chose qui serait inné et inéluctable ? En fait, la rencontre amoureuse est souvent décisive. De nombreuses femmes expliquent que leur désir d'enfant est arrivé soudainement, en rencontrant l'homme qu'elles ont considéré d'emblée comme le futur père de leur bébé. Lorsque l'amour soude le couple, le désir d'enfant n'est pas alors seulement le fait de la femme, mais apparaît souvent comme un projet commun réunissant deux êtres. Chacun accroche son désir d'enfant au désir de l'autre.

Quand viendra-t-il ?

Le délai moyen pour que débute une grossesse est d'environ 6 mois. Mais ce n'est là qu'un point de repère, certains couples conçoivent dès le 1er cycle, d'autres patientent près de 2 ans. Ce temps d'attente ne dépend pas du moyen contraceptif pris auparavant, mais d'une série de facteurs (voir page 28), parmi lesquels interviennent la chance, la fertilité de la personne et du couple, et l'âge – la fécondité féminine diminue en effet à partir de 30 ans, et surtout après 35 ans.

Faire un enfant est une façon de vivre plus intensément cet amour, en lui donnant une portée bien plus grande encore, la dimension temporelle prenant tout son sens. Parler de désir d'enfant, c'est parler avant tout de la force de cette pulsion universelle qui entraîne à procréer. Pourtant, aujourd'hui, grâce à la contraception, on peut – en apparence du moins – maîtriser ce désir et l'intégrer dans un « plan de vie » conforme aux idéaux sociaux et familiaux que l'on s'est fixés. Le désir se concrétise alors à un moment que l'on juge pleinement approprié. Un couple peut décider d'avoir un enfant quand l'homme a obtenu un emploi stable ou que tous deux ont acheté une maison. Une femme peut estimer que c'est « le moment », car elle sent qu'elle a acquis une certaine maturité et un équilibre dans son existence.

Quelle est la part de l'inconscient ?

Le désir conscient est souvent « infiltré » de significations inconscientes. Dès que le projet d'avoir un enfant anime une femme, elle est renvoyée à toute une série d'images qui imprègnent malgré elle ses rêves et ses pensées.

RETROUVER SON ENFANCE

Dans l'inconscient féminin, l'enfant aurait une existence rêvée depuis les premières années de la vie, bien avant qu'existe la possibilité physiologique d'être mère. La petite fille se voit un jour maman. Une fois adulte, la femme porte toujours en elle, de manière inconsciente, cet enfant né dans ses rêves de fillette.

« Depuis toute petite, j'ai toujours voulu trois enfants, comme ma mère. D'ailleurs, j'ai presque l'impression d'avoir été programmée, mon désir s'est arrêté après la naissance de mon dernier enfant, et depuis je n'ai plus ressenti cette envie qui avait été si forte précédemment... » Les fantasmes qui viennent se greffer sur le désir d'enfant sont issus en effet de l'enfance et se nourrissent souvent de sentiments ambivalents. Le désir d'enfant s'élabore en référence à notre propre passé d'enfant, que l'on cherche inconsciemment à retrouver à travers la maternité.

LES LIENS AVEC SES PROPRES PARENTS

Pour une femme, désirer un enfant, c'est aussi désirer être mère. Ce passage de l'état de fille à celui de maman n'est pas

De nos jours, le projet d'enfant est souvent le fruit d'une réflexion au sein du couple. Ce désir n'en a pas moins des aspects inconscients.

évident et, au moment où surgit son désir d'enfant, la femme remet souvent en jeu des sentiments qui la lient à ses parents. Elle va souhaiter ressembler à sa mère ou bien, à l'inverse, s'opposer à elle, en fondant une famille analogue ou contraire à celle dont elle est issue.

Le psychanalyste Serge Lebovici explique que « le désir de maternité remonte chez la femme à son enfance, dans les fantasmes dans lesquels sont inscrits la rivalité avec sa propre mère, sa haine et son envie à l'égard de ses parents ainsi que ses propres conflits œdipiens ». Les relations tendues, mêlées d'admiration et de haine, entre la fille et la mère, qui avaient pu être oubliées à l'âge adulte, ressurgissent en effet souvent quand la femme désire un enfant. Tout individu est nourri de désirs inconscients et contradictoires, parfois violents et quelque peu effrayants, dont, la plupart du temps, il n'a pas conscience, même s'ils déterminent une part de son existence. Ces désirs réapparaissent de façon détournée aux moments clés de la vie.

Une première grossesse peut renvoyer vers sa propre mère, à la rencontre des gestes qu'elle a eus envers nous. On peut même parler de demande de « transmission », de « laissez-passer » maternel afin de pouvoir être mère à son tour. Car, au fond, le chemin vers la maternité n'implique-t-il pas de se sentir en quelque sorte « autorisée » par sa propre mère à endosser un rôle qui était jusqu'alors le sien ?

“ Dès que le projet de conception devient réalité, il est temps d'arrêter son moyen de contraception habituel. ”

Pour tout savoir sur la conception

La formation d'un nouvel être humain est le fruit de la rencontre de deux cellules particulières, l'une provenant de la femme, l'autre de l'homme. Avant de décrire comment s'opère cette rencontre, rappelons quels sont les principaux organes qui assurent cette fonction de reproduction.

Les organes génitaux de l'homme

Ce sont les testicules qui fabriquent, selon des cycles réguliers de 120 jours, les cellules sexuelles, ou spermatozoïdes. Ceux-ci se développent dans les tubes séminifères de chaque testicule. Ils sont ensuite acheminés par de longs canaux jusqu'aux vésicules séminales, situées de part et d'autre de la prostate (voir schéma ci-contre). À partir de la puberté, le corps de l'homme produit plusieurs milliards de spermatozoïdes. Lors de l'éjaculation, ceux-ci, inclus dans le sperme, sont propulsés à l'extérieur par le pénis. Recueillis dans le vagin de la femme, ils remontent dans l'utérus où ils peuvent survivre de deux à trois jours.

Vrai ou Faux ?

Une femme enceinte ne peut pas avoir de règles.

Faux. Il peut arriver, très exceptionnellement, d'avoir ce qu'on appelle des « fausses règles », saignements à la période présumée des règles, dues souvent à l'implantation de l'œuf dans l'utérus.

L'appareil reproductif de la femme

L'utérus, les trompes et les ovaires sont, parmi les organes génitaux de la femme, ceux qui sont directement responsables de la reproduction (voir schéma ci-contre). Ils sont soumis notamment à l'action de l'hypothalamus et de l'hypophyse, deux glandes situées à la base du cerveau, qui régulent, entre autres, la production d'hormones (œstrogènes et progestérone) par les ovaires.

LES OVAIRES • La principale fonction des ovaires est d'assurer l'ovulation. Ces deux petites glandes en forme d'amande sont situées de chaque côté de l'utérus. À elles deux, elles renferment de 300 000 à 400 000 cellules sexuelles femelles, les ovules, ou ovocytes – terme plus savant (en fait l'ovule est issu de la maturation d'un ovocyte). Chaque ovule est contenu dans un follicule, lui-même enfoui dans le tissu de l'ovaire. De la puberté à la ménopause, selon des cycles de 28 jours en moyenne, chaque ovaire produit en alternance avec l'autre un ovule fécondable, qu'on appelle « œuf » une fois fécondé.

LES TROMPES DE FALLOPE • Ce sont deux canaux qui relient les ovaires et l'utérus ; leur pavillon reçoit chaque mois un ovule provenant de l'ovaire.

L'UTÉRUS • Ce muscle creux tapissé d'une muqueuse abritera l'œuf, qui deviendra embryon puis fœtus pendant les neuf mois de la grossesse. Il est fermé à sa base par un col, lui-même traversé par un canal. C'est ce col utérin que franchissent les spermatozoïdes, recueillis dans le vagin au moment de l'éjaculation. C'est par là aussi que passe l'enfant lors de l'accouchement.

Le cycle féminin et l'ovulation

L'ovulation correspond au moment où l'ovaire, ou plus précisément un follicule, libère un ovule. Ce dernier est alors happé par la trompe de Fallope où il sera éventuellement fécondé. Tout cela ne dure pas plus d'une journée. La phase

PEU DE SPERMATOZOÏDES

- **Lorsque les spermatozoïdes sont peu nombreux dans le liquide séminal, on parle d'« oligospermie »**, une des causes de l'infertilité masculine.
- **Les spermatozoïdes sont particulièrement sensibles à la chaleur** et leur production diminue si la température est trop élevée. Les testicules sont à une température inférieure de quelques degrés à celle du reste du corps.
- **En cas d'oligospermie, évitez les bains très chauds, les saunas, les pantalons serrés et les slips moulants** (préférez les caleçons).

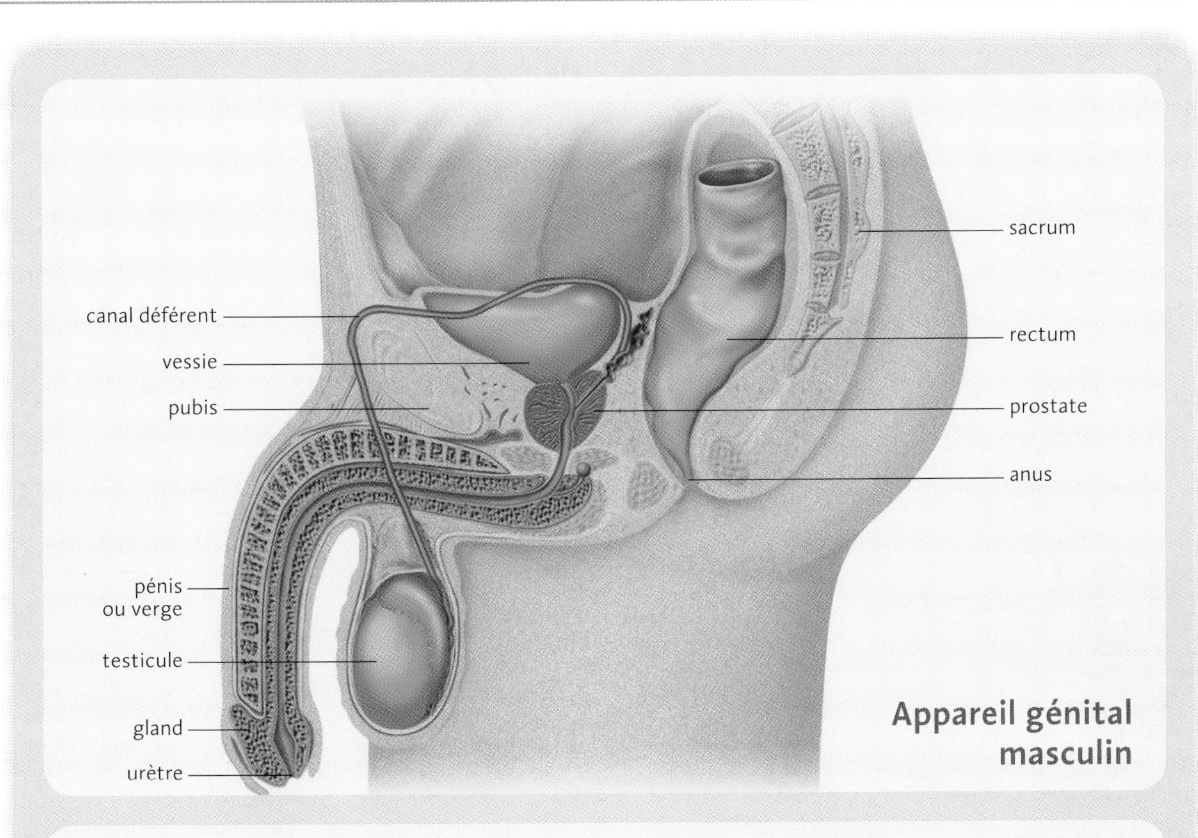

Appareil génital masculin

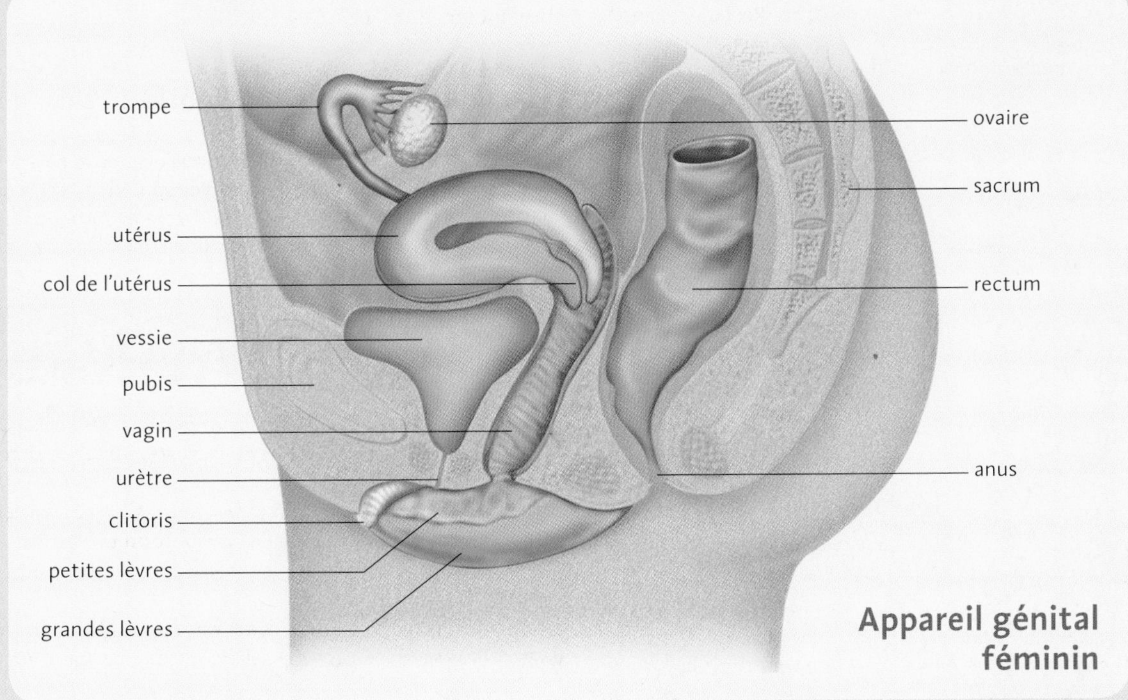

Appareil génital féminin

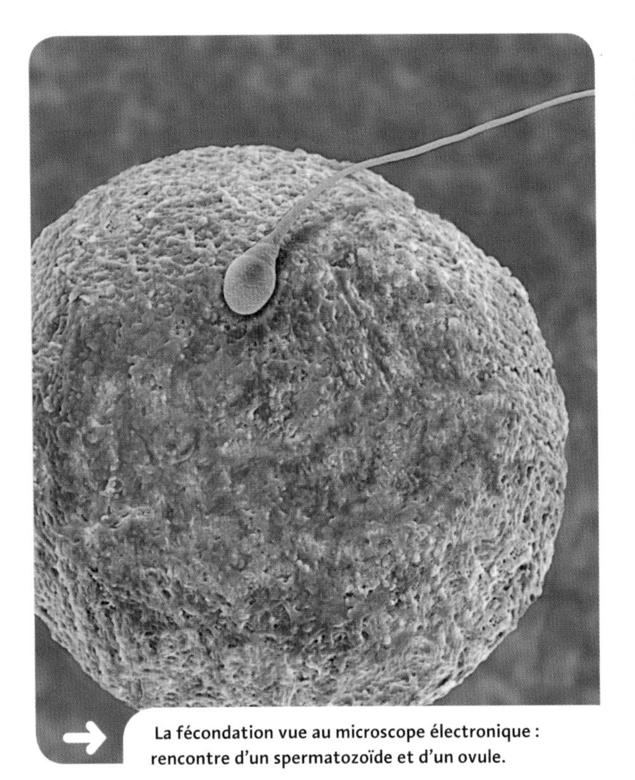

La fécondation vue au microscope électronique : rencontre d'un spermatozoïde et d'un ovule.

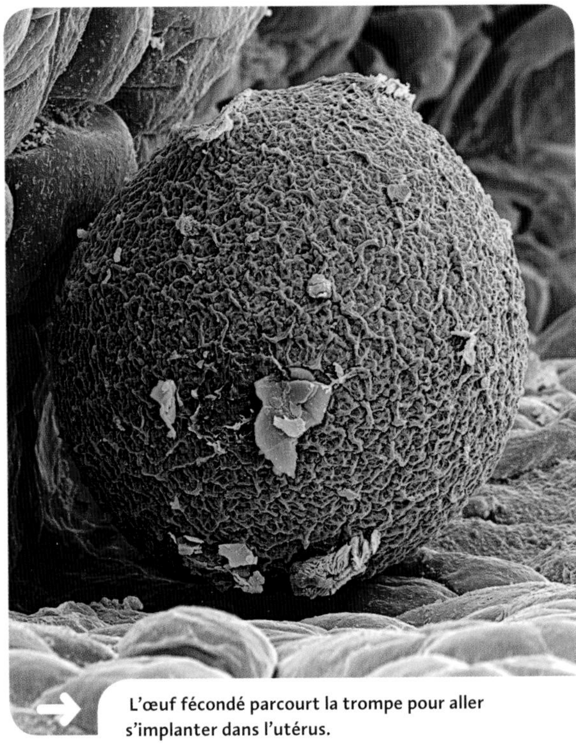

L'œuf fécondé parcourt la trompe pour aller s'implanter dans l'utérus.

qui précède est dite « pré-ovulatoire » ; celle qui suit est dite « post-ovulatoire ».

LA PHASE PRÉ-OVULATOIRE • C'est la phase durant laquelle un des follicules va s'imposer, puis « mûrir » doucement à la surface de l'ovaire. Elle commence au premier jour des règles, aussi le premier jour du cycle. Elle dure en moyenne 14 jours, mais elle peut être plus courte ou plus longue, selon la durée du cycle menstruel.

Toutes les femmes, en effet, n'ont pas des cycles de 28 jours, et toutes n'ont pas des cycles réguliers... Il arrive en outre que certains cycles se déroulent sans ovulation. Savoir à quel moment on est féconde est donc moins évident qu'il n'y paraît.

LA PHASE POST-OVULATOIRE • Elle suit l'ovulation et dure environ 14 jours. Si l'ovule n'a pas été fécondé, il se flétrit et disparaît. Le follicule qui a produit cet ovule se transforme pour sa part en corps jaune, une glande temporaire qui produit la progestérone. Cette phase est marquée par la transformation de la muqueuse utérine. Quand aucun œuf ne vient s'y loger, elle se détache et est évacuée : ce sont les règles et le début d'un nouveau cycle. Au contraire, quand un œuf s'implante dans l'utérus, la muqueuse continue à se développer – d'où l'absence de règles.

La fécondation

Elle correspond à la rencontre des deux cellules reproductrices mâle et femelle, les gamètes (du grec *gamos*, « mariage ») : l'ovule et le spermatozoïde. La fécondation a lieu dans l'une des trompes de Fallope et aboutit à la création de la première cellule embryonnaire humaine : l'œuf. Mesurant un dixième de millimètre, l'ovule a assez de réserves pour survivre jusqu'à la nidation dans l'utérus, s'il est fécondé. Il est composé de 23 chromosomes et n'a pas la possibilité de se déplacer par lui-même, mais, aidé par les cils vibratiles et les mouvements musculaires de la trompe, il progresse lentement dans ce milieu.

De leur côté, les spermatozoïdes possèdent mobilité et pouvoir fécondant. Ils sont formés d'une tête et d'un flagelle pour se déplacer. Comme les ovules, ils comprennent 23 chromosomes chacun. Bien plus petits que l'ovule, ils progressent de 2 à 3 millimètres par minute.

Pénétrant dans le vagin au moment de l'éjaculation, ils atteignent l'utérus par le col utérin et vont parvenir à la trompe où séjourne l'ovule. Sur les millions de spermatozoïdes déposés dans le vagin (de 120 à 300 millions), quelques centaines vont atteindre l'ovule et l'entourer. Mais un seul finira par s'enfoncer dans la cellule féminine. Quand il y est parvenu, il perd son flagelle qui lui servait à se déplacer.

En route vers l'utérus

Dans la trompe, le noyau du spermatozoïde fusionne avec celui de l'ovule pour former le zygote : c'est l'assemblage des 46 chromosomes (23 issus de la cellule mâle et 23 de la cellule femelle) ; il définit déjà le sexe et les caractères génétiques du futur enfant. Puis, l'œuf ainsi formé chemine vers l'utérus. Durant les 3 ou 4 jours de trajet, ses deux cellules initiales commencent à se multiplier. Il parvient ainsi au terme de son voyage sous l'aspect d'une boule de cellules. Là, dans l'utérus, il va faire son nid.

La nidation

À son entrée dans l'utérus, le 4e jour, l'œuf est composé de 64 cellules. Il se fixe dans la muqueuse le 7e jour. Les cellules du centre vont grossir et former le bouton embryonnaire (futur embryon), celles de l'extérieur vont former l'enveloppe, le « chorion », en ménageant une cavité remplie de liquide. Sous l'influence des hormones ovariennes, la muqueuse utérine s'est épaissie depuis l'ovulation. Elle est irriguée par de nombreux vaisseaux sanguins qui se sont dilatés. Une fois enfoui, l'œuf y consolide son implantation et y poursuit sa croissance pendant 9 mois.

La qualité de l'implantation conditionne le déroulement de la grossesse. Cette étape initiale aboutit à l'établissement de rapports étroits entre l'œuf et le corps maternel, lesquels favoriseront les échanges indispensables à la croissance de l'embryon, puis du fœtus.

> « Après avoir souffert pendant des années d'endométriose, je suis finalement enceinte. Cela posera-t-il des problèmes durant la grossesse ? »

CONCEPTION ET ENDOMÉTRIOSE

L'endométriose est associée à deux problèmes : la difficulté à concevoir et la douleur. Si vous êtes enceinte, cela signifie que vous avez vaincu la première difficulté.

Autre bonne nouvelle, la grossesse a des effets bénéfiques sur la douleur : les femmes n'en ressentent aucun symptôme durant leur grossesse. En effet, les symptômes d'une endométriose, à commencer par la douleur pendant les règles, disparaissent quand la femme est enceinte. Ce serait dû aux modifications hormonales. Les kystes endométriaux s'amenuisent et deviennent insensibles.

L'amélioration est plus importante chez certaines que chez d'autres. De plus, l'endométriose n'entraîne pas de complications lors de la grossesse ou de l'accouchement. Néanmoins, une grossesse n'apporte en général qu'un répit, ce n'est pas un remède. Les symptômes peuvent donc réapparaître après un certain temps, mais pas obligatoirement.

De la fécondation à la nidation

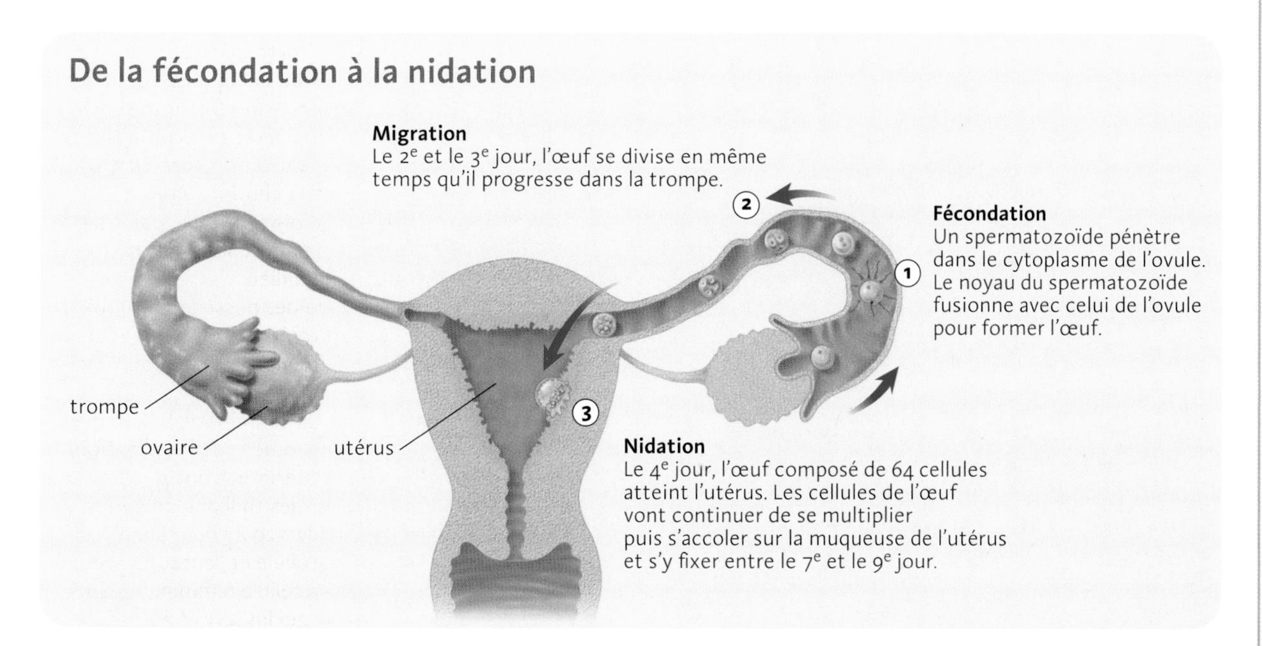

Calculer la date d'ovulation

Savoir quand a lieu la période féconde n'est pas toujours aisé. Si les cycles sont réguliers, on peut la définir facilement en établissant une courbe de température. Si ce n'est pas le cas, on peut rechercher d'autres signes ou effectuer des tests d'ovulation.

Les variations de la température

La courbe thermique d'un cycle menstruel normal se compose de deux parties (elle est dite « diphasique »). Chacune de ces phases se distingue à la fois par une activité hormonale et par une température spécifiques du corps. Dans la première phase, la température est plutôt basse, entre 36,7 °C et 36,8 °C ; dans la seconde, elle est plus haute, avec une température supérieure à 37 °C. La seconde phase dure environ 14 jours et se termine par une chute thermique, avant l'arrivée des règles, sauf en cas de grossesse. La période féconde, elle, ne dure que quelques jours et précède la montée thermique. Une température très variable tout le long du cycle indiquerait qu'il n'y a pas d'ovulation.

Établir une courbe de température

Le décalage de température entre les deux phases du cycle peut permettre de calculer sa période féconde : celle-ci coïncide avec le jour de l'ovulation et inclut aussi les deux ou trois jours qui la précèdent, puisqu'un spermatozoïde a une durée de vie dans l'utérus de 72 heures. Le principe est simple mais contraignant : il faut prendre sa température (par voie rectale) tous les matins, à jeun, à la même heure, avant même de se lever. Puis noter sa température sur un graphique (disponible en pharmacie).

À la fin du cycle, on obtient une courbe : sauf exception, malgré les légères variations d'un jour à l'autre, elle montre un décalage d'au moins 0,5° C (de 0,7° C sur l'exemple illustré par le graphique de la page 19) entre les deux phases du cycle. Pour que la méthode soit efficace, il faut toutefois la pratiquer sur plusieurs cycles : l'ovulation survient en effet le dernier jour avant la remontée de la température, et apparaît donc a posteriori.

LA MÉTHODE « OGINO »

- Pratiquée par de nombreux couples dans les années 1960, **elle consiste à s'abstenir de tout rapport sexuel pendant la période de fécondité de la femme.** Cette période est calculée d'après différents paramètres : sachant que l'ovulation a lieu le 14e jour du cycle, que les spermatozoïdes peuvent survivre trois jours dans la trompe utérine et que l'ovule est fécondable durant deux jours, la période fertile – si l'on ajoute une marge de sécurité d'un jour avant et d'un jour après – irait du 10e au 17e jour du cycle.
- **En réalité, les cycles menstruels ne sont pas réguliers et la méthode d'Ogino-Knaus a une efficacité très relative...**

Principe d'un test d'ovulation

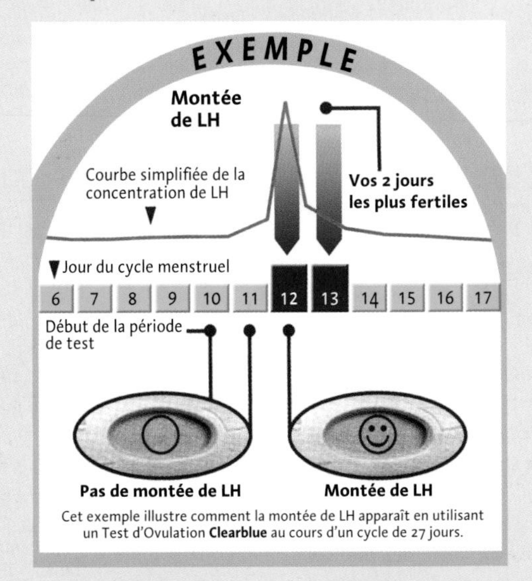

La montée de l'hormone lutéinisante (LH) est mesurée dans les urines. Elle précède la libération d'un ovule. La fertilité est maximale le jour de cette montée et le lendemain.

Si vos cycles sont réguliers, vous saurez en quelques mois quel est le jour exact de l'ovulation. Si ce n'est pas le cas, la méthode vous donnera quand même des informations sur votre ovulation.

D'autres témoins de l'ovulation

Chez certaines femmes, l'ovulation s'accompagne d'une très légère douleur dans le bas-ventre, au niveau de l'ovaire droit ou gauche. Chez toutes, l'ovulation se manifeste par une modification de la consistance de la glaire cervicale présente dans le vagin. La glaire cervicale est, pour simplifier, le « véhicule » qui aide au transport des spermatozoïdes. Sécrétée en début de cycle sous l'effet des œstrogènes, elle est alors opaque et épaisse. Puis, trois à quatre jours avant l'ovulation, elle devient plus claire et filante, un peu comme du blanc d'œuf cru. Repérer les modifications de la glaire implique de bien observer sa consistance entre le pouce et l'index pour l'étirer. La glaire s'épaissit de nouveau après l'ovulation.

Il existe des tests d'ovulation (qu'il ne faut pas confondre avec les tests de grossesse), disponibles en pharmacie, qui permettent de déterminer sa période de fertilité (début et fin) à partir des urines (voir page 18). Leur efficacité est probante à 94 %, mais ils sont très onéreux. Ils sont utilisés aussi à visée contraceptive.

Courbe diphasique ovulatoire

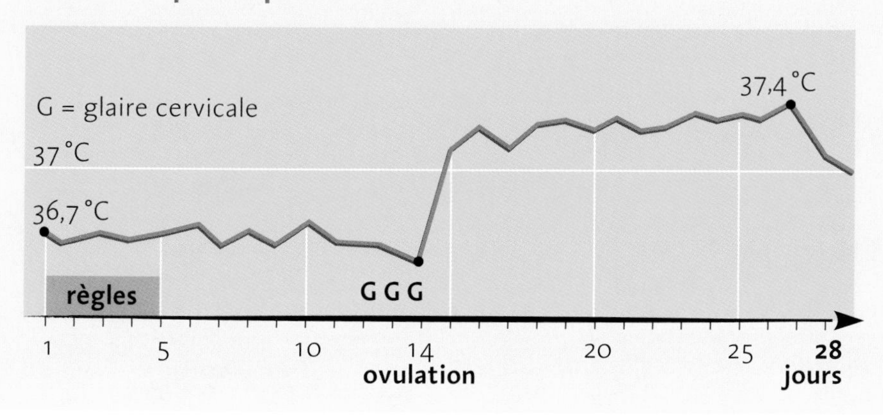

L'ovulation au 14e jour du cycle est accompagnée d'une glaire cervicale (notée G sur le graphique) particulière : elle a l'aspect de blanc d'œuf et on peut l'étirer entre deux doigts. Elle sert de « rail » aux spermatozoïdes pour atteindre l'ovule.

SAIGNEMENTS ET GROSSESSE EXTRA-UTÉRINE

- On parle de « grossesse extra-utérine » (GEU) lorsque **l'ovule fécondé s'implante hors de l'utérus,** le plus souvent dans une trompe de Fallope. Celle-ci n'est pas adaptée pour permettre à un œuf fécondé de se développer et, de plus, elle est composée de nombreux vaisseaux qui peuvent facilement saigner en cas de distension.
- **Les saignements provoqués par une grossesse extra-utérine peuvent être confondus avec des règles retardées ou moins abondantes.** Dans ce cas, le principal problème est de méconnaître la grossesse et donc de ne pas penser à une localisation anormale.
- **Lorsque vos règles sont modifiées, moins abondantes que d'habitude avec un peu de retard, de couleur différente, et que vous ne prenez pas de contraception parce que vous souhaitez être enceinte, il faut faire un test de grossesse.** S'il est positif, consultez rapidement un médecin.
- **Dans tous les cas, des pertes de sang peu abondantes et brunâtres, intermittentes ou continues doivent vous alerter.** Si elles sont accompagnées d'une douleur pelvienne sourde qui peut devenir lancinante, vous devez immédiatement consulter votre médecin. En cas de rupture d'une trompe, l'hémorragie interne peut être massive.
- Grâce aux nouvelles techniques de diagnostic précoce, le traitement des grossesses extra-utérines a permis de supprimer le risque vital. Il peut être médical ou chirurgical.

Se préparer à une future grossesse

Aujourd'hui, concevoir un enfant résulte plus souvent d'une décision que du hasard. Vouloir un enfant sous-entend en général que l'on « programme » sa grossesse. On arrête alors sa contraception le jour où l'on se sent prête. Avant d'accomplir ce premier pas très concret, il est mieux de consulter un médecin, à la fois pour s'informer, pour faire le point sur sa santé et pour prévenir d'éventuels problèmes.

Consulter avant la conception ?

Ça y est. La décision est prise. Vous vous sentez prête à porter et à élever un enfant. Si vous preniez un moyen contraceptif, vous pensez bientôt l'interrompre. Une consultation chez votre gynécologue habituel ou chez votre généraliste, dans les deux cas un médecin qui vous connaît et vous suit depuis un moment, est conseillée. Avant l'arrêt de la pilule ou de tout autre moyen contraceptif, le médecin vous prescrit un bilan sanguin destiné à vérifier votre immunité vis-à-vis de la rubéole et de la toxoplasmose – en cours de grossesse, ces maladies peuvent en effet avoir des conséquences graves sur le développement du fœtus. Si vous fumez, il envisage avec vous la meilleure façon d'arrêter. Enfin, il vous prescrira peut-être une ordonnance d'acide folique, vitamine connue pour la prévention de certaines anomalies fœtales. D'autres questions sont à examiner avec lui dans le cas de traitements réguliers et de maladies chroniques.

Fécondabilité : une histoire de couple avant tout

La fertilité d'un couple dépend de très nombreux facteurs difficiles à identifier et à maîtriser (voir page 28). On estime qu'à chaque cycle menstruel, un couple de moins de 30 ans a 25% de chances d'obtenir une grossesse.

Pourquoi prendre de l'acide folique ?

Dans de rares cas, une carence en acide folique génère certaines malformations du fœtus en rapport avec le système nerveux. C'est pourquoi les médecins préconisent de prendre des folates (vitamine B9), un mois avant la conception et durant les deux premiers mois de grossesse. Si l'on suit un traitement antiépileptique ou si l'on a déjà porté un fœtus avec une anomalie (anencéphalie ou spina-bifida par exemple), les risques sont accrus. L'acide folique est alors prescrit sous forme de comprimés prédosés à 5 mg/j, à prendre pendant la même période.

Pour toutes les autres femmes, les doses préconisées sont moindres (0,4 mg/jour), et une consommation accrue de légumes verts à feuilles, de légumes secs et d'agrumes suffit souvent. Mais il est dans tous les cas intéressant d'en discuter avec son médecin.

Quand on suit un traitement régulier

Dès que l'on a une maladie chronique, ou que l'on suit un traitement régulier, il importe encore plus de consulter avant d'arrêter sa contraception. C'est notamment le cas si l'on souffre d'épilepsie, de diabète, mais aussi quand on connaît certains problèmes cardio-vasculaires, telle l'hypertension. Un rendez-vous avec votre médecin permettra à la fois de mesurer les éventuelles conséquences de ces maladies sur la grossesse et de prévenir les risques, pour vous ou pour le futur bébé. Les solutions ne sont pas nécessairement compliquées, mais elles sont à envisager avant le début de la grossesse. De façon générale, il vaut mieux questionner le médecin chaque fois que l'on prend un médicament sur une plus ou moins longue durée, et même s'il s'agit de soigner des troubles légers.

EN CAS DE DIABÈTE OU D'ÉPILEPSIE • Si vous avez une de ces maladies, le médecin adaptera votre traitement et vous conseillera. La plupart des antidiabétiques oraux (en comprimés) et certains antiépileptiques font courir des risques à l'embryon. Le diabète impose de programmer sa grossesse, car le taux de glucose ne doit pas être élevé au moment de la conception. Si la glycémie était trop forte, le fœtus aurait un risque élevé de malformation. Pour l'épilepsie, il est recommandé de ne prendre qu'un seul médicament. Cela ne signifie pas qu'une femme diabétique ou épileptique rencontre forcément des difficultés. Mais il importe de consulter le diabétologue ou le neurologue avant la grossesse, pour optimiser les conditions et diminuer les risques pour soi-même ou pour le futur bébé.

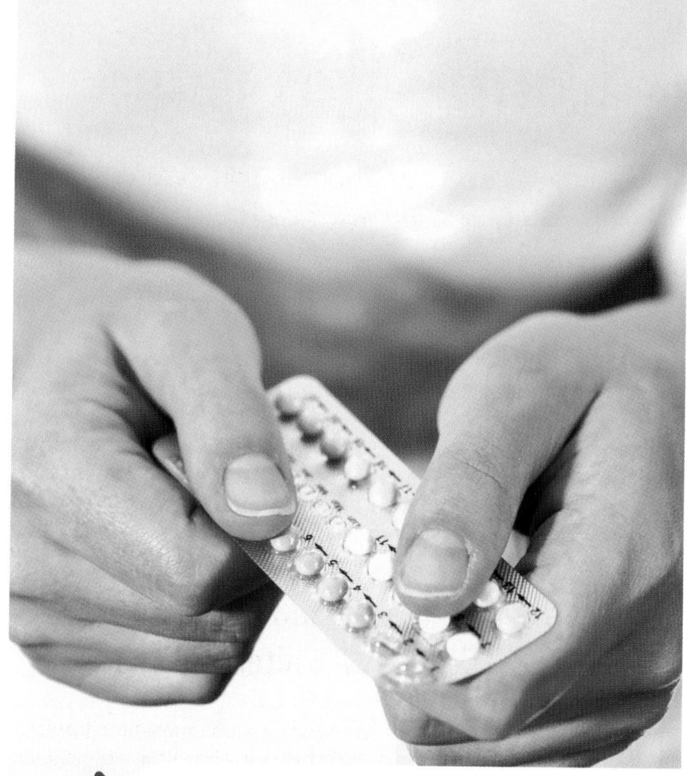

Avant d'arrêter toute contraception, une consultation est conseillée, et encore plus si l'on a des antécédents particuliers.

> « J'ai envie d'en profiter pour arrêter de fumer »

SEVRAGE TABAGIQUE

Vous savez sans doute que le tabac accroît les risques de fausse couche et de retard de croissance intra-utérin (RCIU). Il peut également rendre le futur bébé plus sensible aux infections et aux maladies respiratoires. Sans oublier qu'il diminue la fertilité...

Mais vous savez aussi qu'il n'est pas toujours facile de s'arrêter. Le problème mérite donc sans doute d'être pris à bras-le-corps assez tôt. Vous aurez davantage de choix quant aux traitements possibles avant la grossesse, certains médicaments pour aider au sevrage étant interdits aux femmes enceintes. Pour choisir la solution qui vous convient le mieux, n'hésitez pas à consulter votre médecin.

Quels sont les examens préventifs ?

LA SÉROLOGIE DE LA TOXOPLASMOSE

Elle permet de savoir si vous êtes immunisée contre cette maladie, qui présente des risques pour le fœtus. Si ce n'est pas le cas, vous bénéficierez de conseils préventifs en matière d'hygiène, surtout alimentaires, et vous serez informée des précautions à prendre si vous êtes amenée à côtoyer des chats (voir page 68). Un prélèvement est ensuite effectué tous les mois durant la grossesse pour détecter une éventuelle infection.

LA SÉROLOGIE DE LA RUBÉOLE

Elle a pour but de savoir si vous avez déjà contracté la maladie. Si la réponse est positive, aucun problème, car la rubéole ne survient jamais deux fois. Si elle est négative, vous pourrez vous faire vacciner. Mais attention : on ne vous vaccinera que si vous prenez une contraception efficace, le vaccin étant proscrit aux femmes enceintes. À défaut, vous devrez refaire régulièrement l'examen en début de grossesse, une fois par mois jusqu'au 4e mois inclus. La maladie, bénigne chez l'enfant, est dangereuse pour le fœtus jusqu'au 3e mois révolu.

LA SÉROLOGIE DU VIH

Si elle n'est pas obligatoire, elle paraît pourtant essentielle, tant les conséquences peuvent être graves. Une mère séropositive risque en effet de transmettre le virus du sida à son fœtus. Il est donc important de savoir avec certitude ce qu'il en est, même si l'on ne fait pas partie des personnes dites « à risque » – on n'a jamais été transfusé(e) par exemple, ou l'on a toujours eu des rapports sexuels protégés (avec préservatif).

> « Même si ces examens sont prescrits lors de la première consultation, il peut être intéressant de les faire avant même d'être enceinte. »

Si vous avez une maladie chronique

Si vous souffrez d'une maladie chronique, il est important de programmer votre grossesse. Le suivi fera l'objet d'une collaboration entre votre médecin traitant, votre médecin spécialiste et l'obstétricien exerçant dans une structure adaptée.

Des grossesses à programmer

Une maladie chronique, quelle qu'elle soit (hypertension, diabète, épilepsie...), implique de prendre un avis médical avant d'être enceinte. Le médecin pourra ainsi apprécier le retentissement de la maladie et de son traitement sur la grossesse, et, inversement, évaluer l'impact éventuel de la grossesse sur cette affection. Il autorisera la grossesse uniquement en cas de maladie bien équilibrée par le traitement. Vous bénéficierez d'une surveillance accrue, à la fois de la part du médecin spécialiste de la maladie dont vous souffrez et de la part de l'équipe obstétricale. Certaines maladies graves, telle une atteinte cardiaque sévère, sont une contre-indication à la grossesse, car elles risqueraient de mettre en danger la vie de la mère. Mais ces cas sont heureusement exceptionnels, et la prise en charge de la majorité des maladies permet le plus souvent d'avoir un enfant.

Les hépatites B et C

La transmission du virus de l'hépatite B peut se faire par la salive, le sang, les sécrétions génitales. L'hépatite virale B passe le plus souvent inaperçue, d'où un dépistage obligatoire en cours de grossesse. La transmission au nouveau-né se fait surtout lors de l'accouchement. La prévention de cette transmission est une urgence néonatale; elle repose sur une sérovaccination spécifique et immédiate du bébé.

La transmission de l'hépatite C se fait essentiellement par le sang, plus rarement par la salive, les sécrétions génitales et les urines. La transmission par le lait maternel n'est pas prouvée. Dans la moitié des cas, c'est la toxicomanie intraveineuse qui est responsable de l'hépatite C. Le risque de transmission durant la grossesse est de 10 à 20 %, sans que l'on sache à quel moment et pourquoi. Il n'existe aucun moyen de prévention.

La sclérose en plaques

La sclérose en plaques (SEP) est une maladie qui entraîne des troubles neurologiques et qui évolue par poussées, de façon très imprévisible. La grossesse est possible quand la sclérose en plaques est stable. Ce sera de toute façon au médecin d'apprécier la situation selon l'évolution de la maladie, très variable d'une femme à une autre, et des traitements nécessaires. En général, les symptômes ne s'aggravent pas lors la grossesse, mais la maladie peut évoluer dans les mois suivant l'accouchement. Le suivi médical ne présente aucun caractère particulier.

Les maladies cardiaques

La grossesse entraîne une augmentation du travail du cœur dès le 1er mois de grossesse et jusqu'au 2e mois après l'accouchement. Cet état est bien toléré par un organisme sain, mais peut ne pas être supporté lorsque le cœur est malade (même si la patiente a été opérée). La grossesse sera autorisée ou non en fonction de la sévérité de la maladie et des risques encourus.

De plus, certains médicaments prescrits en cardiologie peuvent être contre-indiqués durant la grossesse; aussi est-il nécessaire d'adapter le traitement au cas par cas avant la conception.

CANCER ET GROSSESSE

- Le cancer n'est pas une maladie chronique mais nécessite une prise en charge médicale spécifique, qui dépend de la date de son apparition.
- **Les cancers les plus fréquents de la femme jeune sont les cancers du sein, du col de l'utérus et de la thyroïde, les mélanomes et les maladies du sang (hémopathies).**
- **Si le traitement de la maladie a permis de préserver la possibilité d'une grossesse, celle-ci est habituellement autorisée au bout de deux à cinq ans de rémission.**
- **Même si les cas sont rares, il peut arriver que le cancer soit découvert en début de grossesse.** Cette situation compliquée doit être prise en charge par une équipe multidisciplinaire.

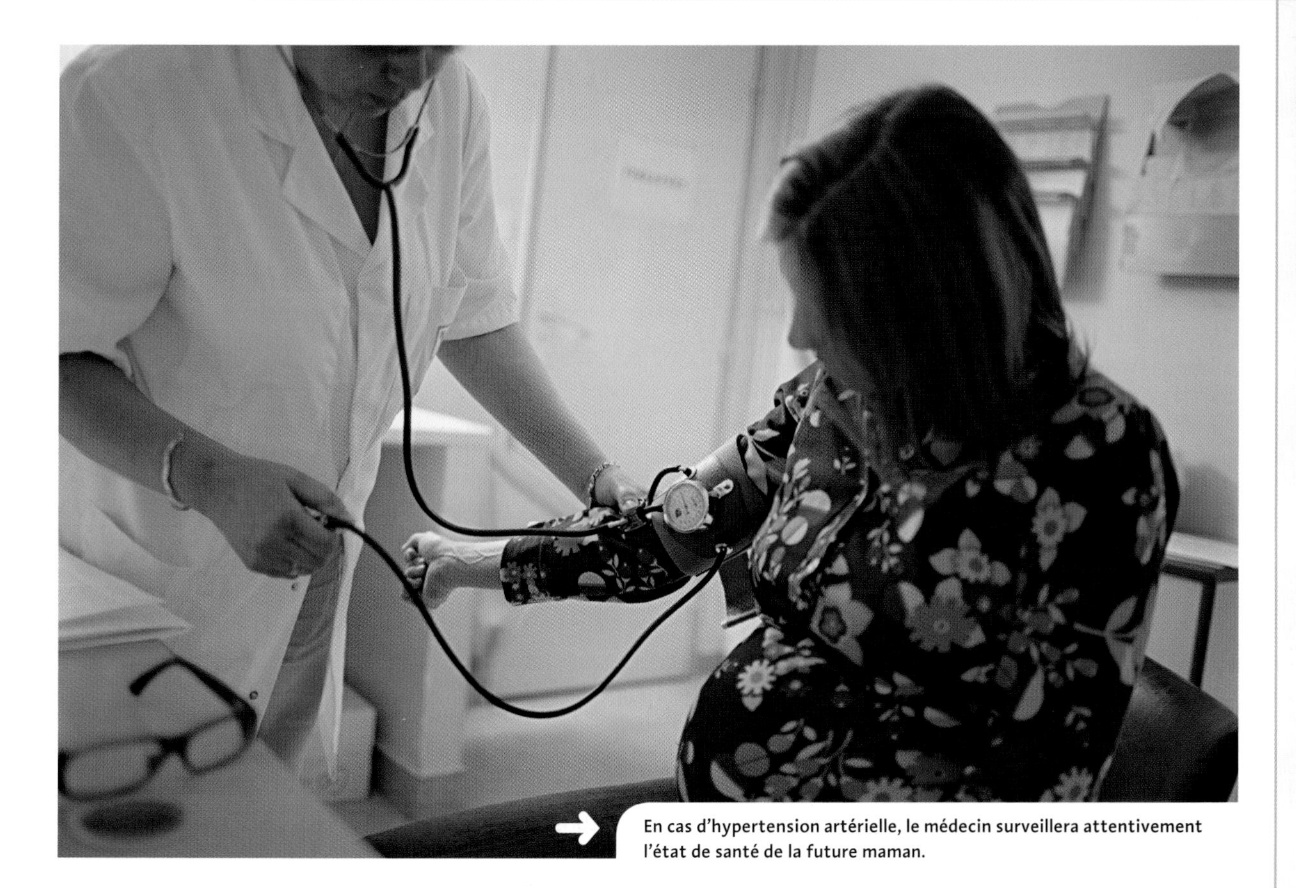

En cas d'hypertension artérielle, le médecin surveillera attentivement l'état de santé de la future maman.

Le diabète

La grossesse doit impérativement être programmée en cas de diabète, que ce dernier soit traité par insuline ou par médicaments hypoglycémiants. Ces derniers, contre-indiqués pendant la grossesse, doivent être arrêtés avant; ils sont alors remplacés par de l'insuline. L'objectif est d'obtenir une glycémie (taux de sucre dans le sang) le plus proche possible de la normale. En effet, une glycémie trop élevée pendant les premières semaines multiplie par trois le risque de malformations graves du fœtus.

Avant la conception, il faut effectuer un bilan des complications rénales et oculaires imputables au diabète. Ensuite, tout au long de la grossesse, le suivi de la glycémie sera strict pour adapter les besoins en insuline. Des échographies contrôleront l'absence de malformations et la croissance du fœtus, qui peut être très gros (macrosome). L'accouchement est le plus souvent déclenché au début du 9e mois pour prévenir le risque d'accidents du dernier mois (mort fœtale in utero) et éviter que le bébé ne soit trop gros (c'est une complication très fréquente du diabète). Le taux de césarienne est plus élevé.

“Je suis atteinte d'un handicap physique et je veux un bébé. Est-ce que je peux mener une grossesse normalement ?”

HANDICAP ET GROSSESSE

Vivre avec un handicap (cécité, surdité, paraplégie...) n'exclut pas la possibilité d'être enceinte. Votre grossesse sera toutefois envisagée en fonction du degré de sévérité de votre handicap et de son éventuel risque de transmission (maladie génétique). Allez en consultation de génétique (voir page 114) avant la conception pour envisager les précautions nécessaires au suivi de la grossesse. Assurez-vous, avant la naissance, de pouvoir compter sur un environnement adéquat pour satisfaire les besoins de votre nouveau-né, en fonction de votre handicap.

L'hypertension artérielle

Avant de débuter une grossesse, il faut évaluer le retentissement de l'hypertension artérielle sur l'organisme et ajuster le traitement. Certains médicaments sont susceptibles d'entraîner des anomalies chez le fœtus: c'est par exemple le cas des inhibiteurs de l'enzyme de conversion de l'angiotensine, qui peuvent être responsables de malformations rénales. Il convient donc de faire le point avec son cardiologue avant la conception.

Pendant la grossesse, l'équipe médicale surveille fréquemment la tension artérielle et se montre très attentive aux signes de prééclampsie, une complication possible (voir page 173). Elle contrôle aussi régulièrement la croissance du fœtus car l'hypertension peut entraîner un retard de croissance intra-utérin.

L'épilepsie

Là encore, la grossesse doit être impérativement programmée pour adapter le traitement avant. Dans l'idéal, il ne faudrait pas prendre plus d'un médicament contre l'épilepsie pendant la grossesse. La maladie n'influe pas en général sur le déroulement de la grossesse et sur l'accouchement lui-même. En revanche, les malformations fœtales sont plus fréquentes. Elles sont dues à des causes génétiques ou liées à l'emploi des médicaments antiépileptiques, notamment si plusieurs d'entre eux sont nécessaires.

Avant la conception et au 1er trimestre, le médecin prescrit de l'acide folique, car les antiépileptiques en diminuent le taux. Cette supplémentation contribue à prévenir la survenue d'anomalie du tube neural (spina-bifida). Le dernier mois, la future mère devra prendre en fonction de son traitement des suppléments de vitamine K, car certains médicaments antiépileptiques gênent l'absorption de cette vitamine, exposant le nouveau-né à des complications hémorragiques. Enfin, les médicaments antiépileptiques traversant le placenta, le bébé peut présenter un syndrome de sevrage qui sera pris en charge par les pédiatres. L'allaitement est contre-indiqué dans la plupart des cas.

La thrombose

Si vous ou l'un de vos proches parents avez déjà souffert d'une phlébite ou d'une embolie pulmonaire, signalez-le à votre médecin dès que vous êtes enceinte. La grossesse est en effet une période à risque, car elle peut, chez une femme prédisposée, déclencher ce genre de problèmes. Le port de chaussettes ou de bas de contention – les modèles actuels sont très esthétiques – et, parfois, un traitement anticoagulant sont recommandés pendant la grossesse et les suites de couches.

Le sida

UNE PRISE EN CHARGE SPÉCIFIQUE • Le sida est une maladie virale qui se transmet par voies sexuelle et sanguine, ainsi que par le lait maternel. La grossesse ne semble pas avoir d'incidence sur l'évolution de la maladie chez une femme enceinte séropositive (c'est-à-dire porteuse du virus et ne présentant aucun signe de la maladie).

QUAND ET COMMENT PASSER UNE RADIOGRAPHIE ?

- Les femmes qui essaient d'être enceinte ou qui sont déjà enceintes redoutent souvent d'avoir à passer des radiographies. En réalité, le diagnostic médical aux rayons X, ou radiographie, est sans conséquence sur le fœtus si certaines conditions sont respectées et si l'on tient notamment compte du moment de la grossesse.
- **Dans l'attente d'une grossesse, les examens radiologiques doivent être pratiqués dans la première partie du cycle, avant l'ovulation,** quand il n'est pas encore possible que vous soyez enceinte, à savoir durant quinze jours à partir du premier jour des règles (un peu moins quand vos cycles sont plus courts).
- **Lorsque vous êtes enceinte, il faut absolument le signaler avant toute radiographie, même dentaire.**
- **Pendant le 1er trimestre, la radiographie présente les risques les plus importants pour le fœtus entre le 15e jour et le 3e mois de grossesse.** Les radiographies éventuellement nécessaires (par exemple celles destinées à diagnostiquer ou à suivre l'évolution d'une maladie telle un cancer) seront de ce fait pratiquées avec un tablier de plomb destiné à arrêter les radiations et à protéger le ventre de la patiente.
- Les examens nécessitant la prise de plusieurs clichés seront à proscrire, en particulier si la région du corps à examiner est proche de l'abdomen et si la grossesse est récente.

En revanche, en l'absence de traitement, le virus est transmis au bébé au cours de la grossesse ou de l'accouchement dans 25 % des cas. Ce taux a diminué de façon très importante grâce aux traitements antiviraux actuels. Les femmes séropositives et enceintes sont orientées vers des centres obstétricaux spécialisés assurant une prise en charge médicale et psychosociale.

LES CONSÉQUENCES POUR L'ENFANT • Le risque de transmission du virus de la mère au fœtus augmente avec la charge virale (quantité de virus présente dans l'organisme de la femme), mais il est impossible de vérifier, lors de la grossesse, si le fœtus est ou non contaminé, car la ponction du sang fœtal risquerait d'inoculer le virus à un fœtus séronégatif. La moitié des enfants qui naissent séropositifs développent la maladie. Quant aux autres, les spécialistes n'ont pas assez de recul pour juger de l'évolution de leur santé.

CE QUE L'ON PEUT FAIRE • Les femmes séropositives sont informées des risques encourus par le fœtus et peuvent décider d'interrompre leur grossesse. Si elles préfèrent la poursuivre, elles font l'objet d'une surveillance médicale et obstétricale à laquelle est associé un médecin infectiologue. Le traitement des femmes enceintes, qui réduit significativement le risque de transmission materno-fœtale, repose sur l'administration de médicaments antiviraux pendant la grossesse et l'accouchement.

Si la charge virale est basse et le nombre de globules blancs suffisant, l'équipe obstétricale pourra autoriser l'accouchement par voie basse ; sinon, elle fera une césarienne. Après la naissance, le nouveau-né est surveillé par l'équipe de pédiatrie. Il est traité systématiquement durant six semaines par des antiviraux. L'allaitement au sein est contre-indiqué. Une aide psychologique est essentielle pour la mère, et une contraception associée au préservatif est conseillée.

Herpès génital et grossesse

L'herpès génital est une maladie sexuellement transmissible (MST) due au virus *Herpes simplex*, qui se manifeste par une éruption douloureuse sur les organes génitaux.

PENDANT LA GROSSESSE

Si vous aviez de l'herpès avant d'être enceinte (ce qui est le cas le plus probable), votre bébé court un risque infime, qui sera encore minoré grâce au suivi médical. Il est donc important d'informer son médecin dès que l'on est enceinte. Dès qu'une poussée survient, il est impératif de consulter votre médecin qui confirmera le diagnostic et prescrira si nécessaire des examens, en cas de doute.

Comme c'est lors d'une première infection que le risque de contamination de la mère à l'enfant est le plus grand, vos devez prévenir votre médecin si vous ressentez : fièvre, maux de tête, malaise, douleurs pendant 2 jours ou plus accompagnées d'une éruption douloureuse sur les organes génitaux avec brûlures, douleurs à l'aine et quand vous urinez, ou encore petites cloques de 1 à 2 mm de diamètre qui finissent par former une croûte. La guérison survient généralement au bout de 1 à 2 semaines pendant lesquelles l'herpès reste contagieux. Une primo-infection en cours de grossesse, ce qui est quand même très rare, augmente aussi le risque de fausse couche et d'accouchement prématuré.

AU MOMENT DE L'ACCOUCHEMENT

Il n'y a quasiment aucun risque que le bébé soit contaminé par cette maladie, surtout si l'équipe médicale qui vous suit prend toutes les mesures qui s'imposent durant l'accouchement. L'infection d'un nouveau-né est très rare. En effet, un bébé n'a que 2 à 3 % de risque d'attraper cette maladie infectieuse si la mère a une infection récurrente (c'est-à-dire si elle avait de l'herpès avant sa grossesse). Même si la première poussée d'herpès de la mère se produit peu avant l'accouchement, le bébé, qui court alors un risque accru, ne sera pas contaminé dans 75 % des cas.

Afin de protéger le bébé, une femme ayant des antécédents d'herpès, et qui fait une poussée dans les 7 jours précédant la naissance, accouchera par césarienne. Pour une première infection herpétique, si la femme rentre en travail dans le mois qui suit, elle doit avoir une césarienne.

Certains médecins, à l'approche du terme de la grossesse, prescrivent un traitement antiviral en préventif.

PRÉVENTION

Rappelons enfin que si vous avez de l'herpès génital, vous devez faire attention à ne pas transmettre ce virus à votre partenaire (qui doit prendre toutes les précautions qui s'imposent si c'est lui qui est infecté). Évitez tout rapport sexuel pendant les poussées d'herpès génital. Lavez-vous soigneusement les mains après avoir été aux toilettes ou eu des relations sexuelles.

« Lors d'une grossesse, l'herpès est source d'inquiétudes mais, grâce à un bon suivi médical, le bébé a toutes les chances d'être en parfaite santé. »

Génétique et hérédité

Chacune des cellules du corps humain abrite 46 chromosomes dont découlent tous nos caractères génétiques: 23 chromosomes issus de l'ovule maternel et 23 chromosomes issus du spermatozoïde paternel. Lors de la fécondation, ils se sont regroupés par paires pour former le noyau de la première cellule.

Quelques notions de base

Science de l'hérédité, la génétique étudie la transmission des caractères héréditaires (la couleur de la peau, par exemple). Pour comprendre un peu ces mécanismes, il faut plonger dans l'infiniment petit, jusque dans le noyau de la cellule.

LES CHROMOSOMES SONT CONSTITUÉS D'ADN • Chaque cellule abrite, dans le noyau, l'intégralité du patrimoine génétique. Ce dernier est unique pour chaque personne. Il se compose de 46 chromosomes regroupés par paires. La forme des chromosomes ressemble à peu près à celle d'un X (deux bâtonnets croisés). C'est chacun de ces brins qui est constitué d'une molécule d'ADN (acide désoxyribonucléique).

LES GÈNES SONT DES SEGMENTS D'ADN • L'ADN est une molécule en forme de double hélice, dont certains segments sont les gènes. L'être humain possède environ 35 000 gènes différents: ces derniers définissent pour partie les traits principaux de chaque individu, du moins ceux transmis par l'hérédité. L'ensemble de tous ces gènes constitue le génome humain.

LA TRANSMISSION DU PATRIMOINE GÉNÉTIQUE • Comme toute cellule du corps, la cellule sexuelle (l'ovule chez la femme, le spermatozoïde chez l'homme) contient des chromosomes, eux-mêmes constitués, via l'ADN, de milliers de gènes. Mais elle présente une particularité. Elle ne comprend que 23 chromosomes. Lors de la fécondation, ces chromosomes vont se réunir par paires pour former la première cellule à 46 chromosomes du nouvel être humain. Chaque paire comprend un chromosome paternel et un maternel.

Va-t-il me ressembler?

Le patrimoine génétique d'un enfant lui vient pour moitié de son père et pour moitié de sa mère. Mais cela ne signifie pas pour autant que l'enfant ressemble pour moitié à son père et à sa mère! En effet, pour la femme comme pour l'homme, la formation des cellules sexuelles constitue un véritable brassage génétique, riche de milliards de possibilités: votre enfant va donc hériter d'une version remaniée de vos gènes, ce qui explique qu'il puisse ne vous ressembler que très peu, et que les frères et sœurs d'une même fratrie puissent n'avoir qu'un vague air de famille.

GÈNES RÉCESSIFS, GÈNES DOMINANTS • Pour schématiser, on peut dire que chaque gène définit un trait bien particulier de l'individu. La fonction de tel gène est par exemple de déterminer la couleur des yeux, tandis que tel autre détermine le dessin de l'oreille. Or, dans une paire de chromosomes, chaque gène est présent en double exemplaire: l'un transmis par le père, l'autre par la mère. Ces gènes équivalents sont appelés « allèles ». Ils ne sont pas toujours identiques et certains priment sur les autres: ce sont les gènes (ou allèles) « dominants », par opposition aux gènes (ou allèles) « récessifs ». Prenons par exemple le gène déterminant la couleur des yeux: si vous avez légué à votre enfant un allèle « yeux bleus » et que son père lui a légué un allèle « yeux marron », il aura les yeux marron, car le gène « yeux marron » est dominant, et le gène « yeux bleus », récessif. Et ainsi de suite...

Fille ou garçon?

Chez une personne de sexe féminin, la paire de chromosomes déterminant le sexe est formée par 2 chromosomes identiques XX, tandis que chez une personne de sexe masculin, elle est constituée de 2 chromosomes différents en taille et en forme, les fameux XY. Chez la femme, les ovules comportent tous un chromosome X. Chez l'homme, la moitié des spermatozoïdes sont porteurs de l'X et les autres de l'Y.

Au moment de la fécondation, le sexe du futur enfant est donc fonction du type de spermatozoïde qui féconde l'ovule (voir schéma ci-contre). Si ce dernier est porteur d'un X, ce sera une fille; si c'est un Y, ce sera un garçon. La combinaison XX égale fille et la combinaison XY égale garçon. Le sexe du futur enfant est donc déterminé par le père... et régi par le hasard. Sans qu'on puisse l'expliquer – la logique voudrait qu'il naisse 50 % de filles et 50 % de garçons –, il naît un peu plus de garçons que de filles, soit environ 105 garçons pour 100 filles.

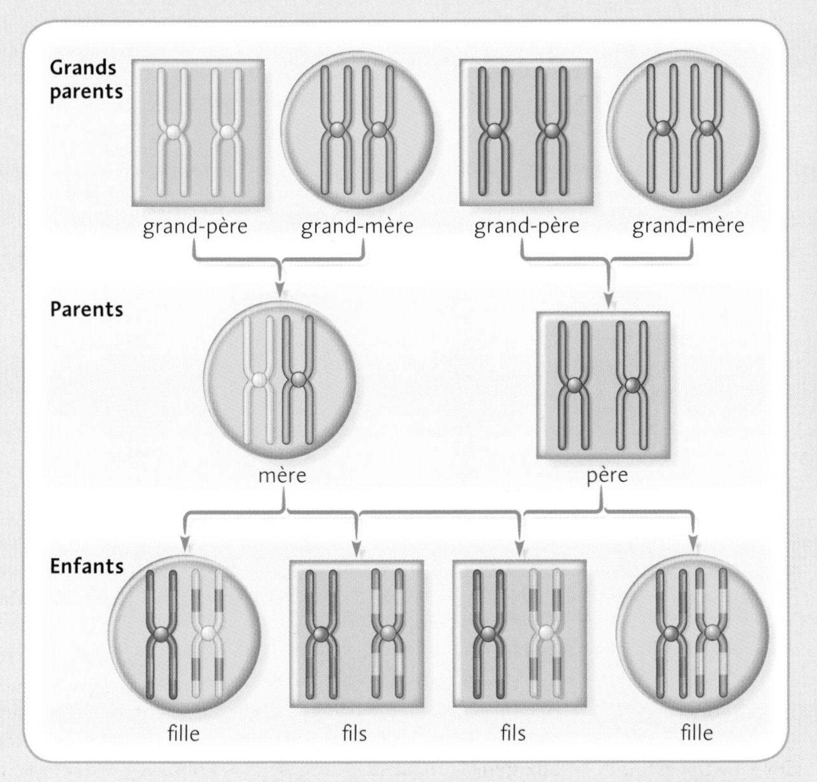

Transmission du patrimoine héréditaire

Les chromosomes vont par paire ; un même parent peut donc léguer l'un ou l'autre des chromosomes de chaque paire à son enfant (sur le schéma ci-contre, le chromosome bleu ou le rouge pour le père, le jaune ou le vert pour la mère). De plus, la division cellulaire qui préside à cette répartition est précédée d'un brassage des gènes lors duquel les chromosomes sont profondément remaniés. Tout cela explique que les enfants d'une même fratrie puissent être si différents.

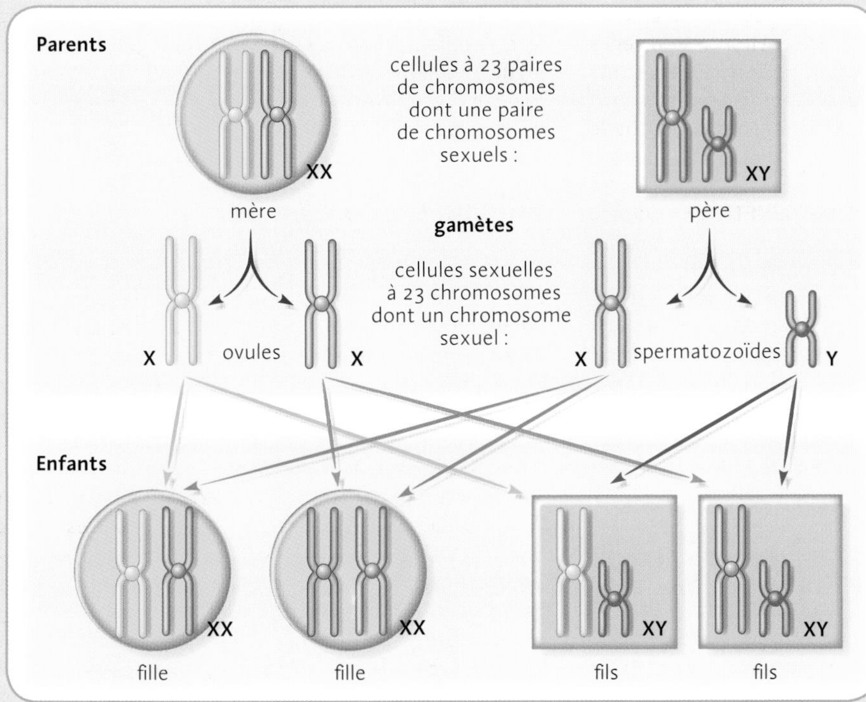

Détermination du sexe

Chez les femmes, les cellules sexuelles ne comportent qu'un seul type de chromosome sexuel, le chromosome X. En revanche, chez les hommes, elles comportent soit un X, soit un Y. Au gré du hasard, environ la moitié des enfants recevront un chromosome X de leur père et seront des filles (paire de chromosomes sexuels XX), et environ la moitié recevront un chromosome Y et seront des garçons (paire de chromosomes sexuels XY).

Et si bébé ne vient pas ?

Un couple qui ne réussit pas à avoir un enfant aussi vite qu'il le souhaiterait n'est pas forcément stérile. Certains ont besoin de plus de temps que d'autres. Mais il arrive aussi que des causes fonctionnelles ou organiques, tant pour l'homme que pour la femme, empêchent la conception. Elles peuvent apparaître lors d'un bilan de stérilité, une série d'examens médicaux que l'on engage quand l'attente devient trop longue... Ce bilan à effectuer en couple est d'une durée variable.

Difficulté à concevoir ou stérilité ?

Environ un couple sur six vient à consulter un jour parce qu'il ne parvient pas à donner la vie. Mais, si l'on se réfère à la définition des dictionnaires (« inapte à la reproduction »), une part infime d'entre eux sont stériles. Il existe de fait une très grande variété de situations. Quelques couples, il est vrai, présentent un dysfonctionnement physique, auquel on peut remédier ou non. Si c'est possible, le médecin met alors en place un traitement adapté et, en dernier recours, il propose l'aide d'une des méthodes de procréation assistée.

Mais certains couples ont simplement besoin de davantage de temps que d'autres pour concevoir un enfant. Parfois parce que leur désir inclut peut-être des peurs ou un refus inconscients. Parfois parce qu'ils sont peu fertiles (hypofertilité) – car nous ne sommes pas tous égaux en la matière. Et le bébé attendu, un jour, vient enfin...

LA FERTILITÉ VARIE SELON LES INDIVIDUS... • La probabilité de concevoir un enfant au cours d'un cycle, appelée « fécondabilité », est en moyenne de 25 % pour les couples les plus fertiles : cela signifie qu'ils ont une chance sur quatre de concevoir à chaque cycle. Mais cette fécondabilité, parfois, n'excède pas 10 %, voire moins. Il s'agit là d'une inégalité naturelle entre individus.

... ET SELON L'ÂGE, LE POIDS, LE STRESS • Un certain nombre de facteurs peuvent en outre influer sur le fait de se trouver enceinte plus ou moins vite. Le premier, incontournable, c'est l'âge, puisque la fécondité de la femme diminue à partir de 30 ans, et surtout à partir de 35 ans. L'obésité peut également retarder une grossesse, de même qu'un fort amaigrissement (perte de 10 à 15 % de son poids habituel). Dans les cas extrêmes, comme l'anorexie, caractérisée par le refus de s'alimenter, il arrive que l'ovulation n'ait plus lieu, voire que les règles s'arrêtent. Le stress a aussi des effets négatifs, ne serait-ce que parce qu'il diminue parfois le désir et trouble la vie sexuelle. Enfin, le tabac a des répercussions sur la fécondité des femmes et des hommes.

Les causes physiologiques

Lorsqu'il existe une cause physiologique à l'infertilité d'un couple, elle est due dans 40 % des cas à la femme, dans 40 % des cas à l'homme et dans 20 % des cas aux deux.

CHEZ LA FEMME • Pour un tiers des cas, le problème est lié à des troubles de l'ovulation. Pour un quart, il provient d'une endométriose ou d'une altération des trompes (pathologie tubaire) due à une ancienne infection qui n'a pas été soignée. Plus rarement, il arrive que la présence dans l'utérus d'un polype ou d'un fibrome empêche l'implantation de l'œuf, ou encore que la composition de la glaire cervicale ne favorise pas la pénétration des spermatozoïdes.

CHEZ L'HOMME • C'est toujours une question de spermatozoïdes. Parfois, ils sont absents du liquide séminal (azoospermie), du fait d'un défaut de fabrication par le testicule ou de transport dans le canal déférent. Parfois, ils sont trop peu nombreux (oligospermie), peu mobiles (asthénospermie) ou il existe des formes anormales en trop

Les examens du bilan de stérilité

Un bilan de stérilité comprend plusieurs examens, outre le dialogue avec le médecin. Celui-ci, dans un premier temps, vérifie les capacités d'ovulation de la femme, l'état du sperme de l'homme et mesure la fertilité du couple par un test postcoïtal (TPC). Il étudie aussi l'utérus et les trompes grâce à une hystérographie. S'il n'a rien trouvé, il réalise une cœlioscopie pour rechercher une endométriose par exemple. La durée du bilan est donc variable (de plusieurs semaines à quelques mois).

LES CAPACITÉS D'OVULATION

La régularité et la durée d'un cycle donnent quelques indications sur l'ovulation. Mais de rares femmes peuvent avoir des cycles très réguliers, sans ovulation. Pour savoir ce qu'il en est, le seul moyen simple est d'établir une courbe de températures (voir page 19).

Après deux ou trois cycles, au vu des données recueillies, le médecin verra si l'ovulation se produit, si elle est imprévisible ou régulière. S'il constate une anomalie, il prescrira des prélèvements sanguins (dosages hormonaux) à différentes périodes du cycle ; il cherchera ainsi une éventuelle cause hormonale.

LE SPERMOGRAMME

Cet examen, pratiqué au début du bilan de stérilité, permet de vérifier l'état du sperme. Le recueil se fait dans un laboratoire spécialisé, après masturbation. L'analyse renseigne à la fois sur le nombre, la mobilité et la morphologie des spermatozoïdes. Une infection latente peut également être diagnostiquée.

LE TEST POSTCOÏTAL (TPC)

Appelé aussi test de Hühner, il permet d'évaluer la fécondité du couple. Pour que les spermatozoïdes pénètrent bien dans le col de l'utérus, deux conditions doivent en effet être réunies : côté masculin, des spermatozoïdes bien mobiles ; côté féminin, une glaire cervicale qui aide à l'ascension de ces derniers. Pour vérifier ces données, on prélève des sécrétions vaginales à l'entrée du col, puis on les analyse au microscope. Cet examen sans douleur se pratique lors de la période féconde, et le lendemain d'un rapport sexuel.

L'HYSTÉROGRAPHIE

Elle consiste à radiographier l'utérus et les trompes après avoir injecté à travers le col de l'utérus un produit opaque aux rayons X. Le but est de rechercher un éventuel obstacle au passage des spermatozoïdes ou de l'œuf fécondé.

LA CŒLIOSCOPIE

Pratiqué sous anesthésie générale, cet examen utilise un tube optique très fin relié à un écran vidéo et de longs instruments introduits par de petits orifices (de 8 à 10 mm de diamètre). Il permet de s'assurer de la perméabilité de la trompe, mais aussi d'apprécier l'état des ovaires, des trompes et de l'utérus.

“Faire un bilan de stérilité peut être assez long car il convient de passer de nombreux examens.”

grand nombre (tératospermie) : ces anomalies sont d'ailleurs souvent associées.

PARFOIS, UNE HISTOIRE DE COUPLE • Il arrive que, dans un couple, la bonne fertilité de l'un compense la faible fertilité de l'autre. Ainsi, des hommes dont les spermatozoïdes sont peu nombreux, ou peu mobiles, parviennent à avoir des enfants quand leur compagne, elle, dispose d'une glaire cervicale qui facilite grandement le trajet desdits spermatozoïdes. À l'inverse, des femmes dont la glaire est de mauvaise qualité voient leur problème résolu quand les spermatozoïdes de monsieur sont très efficaces. Les difficultés sont plus grandes quand les deux sont peu fertiles (hypofécondité). C'est une des raisons pour lesquelles on a parfois des enfants avec un nouveau partenaire, alors qu'un précédent mariage était resté sans fruits…

Quand consulter ?

Selon les statistiques médicales, il existe un risque d'infertilité quand, après deux ans, on n'a pas réussi à concevoir un enfant. Si l'on se réfère à ce délai, cela vaut pour la moitié des couples. Mais, en général, les médecins acceptent d'entamer une série d'examens (bilan de stérilité) après un an de tentatives vaines. Pour les femmes de plus de 35 ans, on conseille même de consulter après six mois. Passé cet âge, en effet, la fertilité de la femme diminue fortement, et il importe donc de réagir plus vite. Dans le meilleur des cas, les différents examens montrent que tout est normal et qu'il suffit de patienter. Quand, en revanche, ils révèlent de véritables facteurs de stérilité, il est encore possible d'envisager un traitement. Le bilan de stérilité, et surtout les éventuels traitements, demandent en effet du temps.

Que peut la médecine ?

Prise de médicaments ou traitements chirurgicaux, les moyens classiques pour traiter une stérilité féminine peuvent être efficaces. Pour les hommes, il existe peu de solutions, hormis le traitement d'une éventuelle infection, ou les techniques de procréation médicalement assistée. Par ce biais, la médecine accomplit des prouesses, mais il serait illusoire de tout en espérer...

Une inégalité hommes/femmes

Quand le sperme est déficient, peu de traitements se révèlent vraiment efficaces. Le seul recours, en cas de stérilité masculine, est souvent la procréation médicalement assistée (PMA).

Les stérilités féminines, elles, se traitent plus facilement par la médecine conventionnelle. Quand une femme n'ovule pas correctement, les médecins prescrivent des médicaments appelés « inducteurs d'ovulation ». Le but est de provoquer plusieurs ovulations simultanées – non sans risque de grossesse multiple. Dans d'autres situations, on effectue une intervention chirurgicale pour enlever un fibrome, une endométriose ou réparer les trompes. De fait, de nombreuses causes connues de stérilité féminine peuvent bénéficier d'un traitement approprié. Il donne souvent de bons résultats, mais n'aboutit pas toujours.

Plus de grossesses multiples

Certains facteurs sont susceptibles d'expliquer le nombre croissant de ces grossesses. Tout d'abord, l'augmentation du nombre de femmes enceintes après 35 ans : passé cet âge, il est plus fréquent que plusieurs ovules soient libérés au même moment. Par ailleurs, nombre de ces femmes ont recours à un traitement contre la stérilité favorisant également la libération de plusieurs ovules. Enfin la FIV, par son procédé même, est à l'origine de grossesses multiples.

La procréation médicalement assistée

La procréation médicalement assistée (PMA) englobe les différentes techniques qui aident un couple à avoir un enfant en dehors de rapports sexuels. Elles ne sont pas utilisées à la légère, mais, sans être la panacée, pallient parfois des stérilités jugées définitives. Voici les principales.

L'INSÉMINATION INTRA-UTÉRINE • Elle consiste à déposer directement dans la cavité utérine un sperme préparé en laboratoire. Pratiquée avec des inducteurs d'ovulation, elle traite certaines hypofécondités masculines, les insuffisances de glaire cervicale et les stérilités mixtes, à condition que la femme possède au moins une trompe perméable.

LA FÉCONDATION IN VITRO (FIV) • Elle permet de faire rencontrer dans une éprouvette les ovocytes d'une femme, dont les ovaires ont été stimulés par des inducteurs d'ovulation (par injection) et les spermatozoïdes de son conjoint. Les embryons obtenus sont replacés dans l'utérus (deux ou trois au maximum), et les surnuméraires sont congelés en vue d'une éventuelle grossesse ultérieure.

L'INJECTION INTRACYTOPLASMIQUE DE SPERMATOZOÏDES (ICSI) • Elle est pratiquée en France depuis 1994. Son but est de pallier une déficience sévère des spermatozoïdes : on injecte un spermatozoïde dans un ovocyte pour obtenir une fécondation. Les spermatozoïdes proviennent soit de sperme obtenu par éjaculation, soit d'un prélèvement au niveau de l'épididyme ou du testicule (par une opération). Cette technique est utilisée dans la moitié des fécondations in vitro.

AVEC L'INTERVENTION DE DONNEURS • Lorsqu'il est impossible de recueillir des spermatozoïdes chez un homme stérile, les médecins peuvent proposer, en dernier recours, une insémination avec sperme de donneur (IAD). De même, quand une femme souffre de ménopause précoce ou n'a plus d'ovaire, on recourt parfois au don d'ovocytes. Les embryons sont alors obtenus par fécondation in vitro avec les ovocytes d'une autre femme et le sperme du conjoint.

Jusqu'où aller ?

Lorsqu'un couple entame un traitement, la route est souvent longue... et douloureuse, a fortiori dans le cas de la procréation médicalement assistée. Quand les échecs se répètent, viennent naturellement des questions : jusqu'où aller ? Combien de solutions se sent-on encore la force d'essayer ? Et jusqu'à quand ? Aucun médecin, si compétent

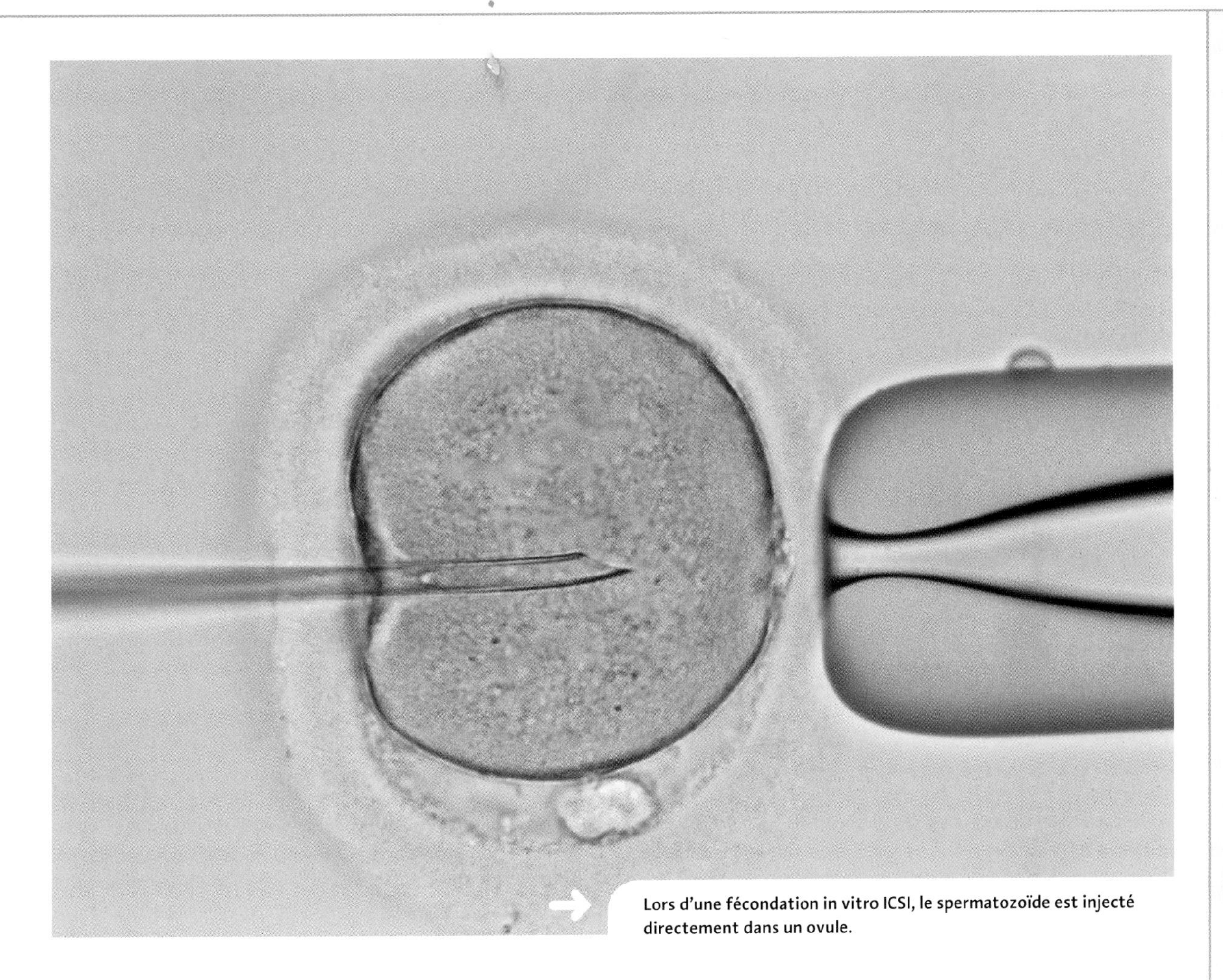

Lors d'une fécondation in vitro ICSI, le spermatozoïde est injecté directement dans un ovule.

soit-il, n'est susceptible d'affirmer qu'il pourra remédier à la stérilité d'un couple.

En outre, la procréation médicalement assistée a progressé si vite qu'elle a laissé des points délicats en suspens. Quand l'enfant naît grâce à l'intervention de donneurs, et que l'un de ses parents n'est pas son père ou sa mère biologique, faut-il le lui dire et comment ? Ou bien se taire ? Et comment porter cela soi-même ? Les problèmes de filiation ne sont jamais anodins. Et les secrets de famille, même les mieux gardés, forment parfois une chape de non-dits lourde à porter. Or, les médecins et la société ne peuvent pas toujours aider les parents face à d'éventuels problèmes.

Autant d'interrogations présentes à l'heure du choix… Elles ne sont pas les seules, loin de là, mais les autres questions relèvent peut-être davantage du domaine intime. La décision, dans tous les cas, n'est jamais facile à prendre : continuer encore, faire son deuil, ou élever un enfant que l'on choisit d'adopter…

FERTILITÉ, STÉRILITÉ ET INCONSCIENT

- **En matière de conception, la médecine ne peut pas toujours répondre aux « pourquoi ? ». Certaines femmes se trouvent enceintes alors qu'elles n'étaient théoriquement pas fécondes,** par exemple dans le cas d'une stérilité liée à une affection des trompes de Fallope et confirmée par des examens.
- **À l'inverse, d'autres femmes consultent parce qu'elles ne parviennent pas à avoir un enfant en dépit de rapports sexuels réguliers,** tandis qu'aucune anomalie n'a été repérée lors des examens. Cette contradiction est illustrée par le cas, qui n'est pas rare, de femmes devenant enceintes immédiatement après avoir adopté un enfant, voire dès que le couple a obtenu l'accord d'adoption.

Le désir d'enfant au masculin

La plupart des hommes envisagent un jour de devenir père, souvent quand la femme aimée le leur demande. Ce désir d'abord assez flou prend force et se construit pour constituer un projet de vie. Mais ce schéma n'est pas systématique, loin de là. De fait, comme chez les femmes, le désir d'enfant chez l'homme revêt différentes formes, avec des contenus clairement assumés, et d'autres plus ambigus.

Le poids des idées reçues

Beaucoup de personnes associent de manière étroite l'amour pour l'autre et le désir d'enfant. Pourtant, les mariages « de raison » montrent que l'on peut très bien fonder une famille sans sentiments amoureux ; l'objectif est alors de transmettre un nom ou un patrimoine... À l'inverse, certains couples ne souhaitent pas d'enfant, mais s'aiment pourtant très fort l'un l'autre.

Dans tous les cas, si votre compagne ne veut pas d'enfant dans l'immédiat, n'en déduisez pas qu'elle ne vous aime pas ou qu'elle ne vous estime pas assez pour cela. Associer amour et projet d'enfant est une idée récente, issue de la société occidentale, l'enfant étant « le fruit ou le prolongement naturel » d'un amour partagé. Mais, moins apparentes, des données sociales, familiales ou très personnelles, entrent toujours en ligne de compte dans le désir d'enfant.

Une envie de toujours...

Pour certains hommes, le désir d'enfant a la force d'une évidence. La paternité fait partie d'un projet de vie. Cette façon de voir est parfois présente de façon très précoce, dès l'enfance, et ne s'atténue pas avec les années qui passent. Si l'on demande à ces hommes à quoi se rattache leur désir d'enfant, certains répondent que c'est un besoin de transmission, ou de « se prolonger » dans un autre être, de laisser une trace de leur passage. D'autres avancent qu'ils conçoivent la paternité presque comme un devoir qui coule de source, une nécessité liée à leur masculinité, et qu'ils entendent jouer au mieux ce rôle durant leur existence.

Dans de nombreuses régions de la planète, une vie d'homme, autant que de femme, ne peut d'ailleurs se concevoir sans enfant, voire sans plusieurs enfants – pour des motifs parfois sociaux ou religieux. Enfin, d'autres hommes perçoivent la paternité comme une source d'épanouissement personnel. Ils ne s'imaginent tout simplement pas sans enfants, ils ont envie de les voir grandir, de partager avec eux mille choses, et ils rêvent d'une grande famille. S'ils ne peuvent pas donner vie, ils adoptent.

En général, le désir d'enfant au masculin inclut tous ces éléments, dans des proportions variables, et d'une manière plus ou moins consciente. Vous y reconnaîtrez peut-être un peu de vous, même si votre projet est d'abord né d'une rencontre amoureuse et de la vie en couple.

... ou un désir initial assez flou

La plupart du temps, dans les sociétés les plus riches, c'est la femme qui initie le désir d'enfant. L'envie de fonder une famille naît souvent d'une relation amoureuse, et émerge quand la compagne pose la question de manière claire. Tout commence donc dans ce cas par un désir assez flou, qui grandit progressivement, parfois sous la pression discrète des parents ou de l'entourage qui suggèrent qu'« il est temps ».

Toutefois, il serait faux de conclure qu'un homme suit avant tout le désir de la femme en matière d'enfants. Nombre d'hommes se trouvent assez valorisés par leur vie professionnelle pour que le besoin de paternité passe en seconde position. Mais, s'ils disent « oui » un jour, c'est qu'ils adhèrent, avec plus ou moins de force, à ce projet. La femme, en réalité, a juste éveillé un désir sous-jacent, même si celui-ci est parfois d'abord plus social qu'intime.

DU TEMPS POUR ÊTRE PRÊT • Peut-être, dans un premier temps, si vous n'êtes pas prêt, opposez-vous à ce désir différents arguments. Vous évoquez même parfois « les guerres et la pollution », et « les difficultés qu'aura un enfant dans ce monde-là ». Plus concrètement, quand l'idée aura fait son chemin, vous vous inquiétez de la situation économique du couple et évoquez tout le confort que vous aimeriez dans l'idéal procurer à l'enfant. Vous aurez de toute façon sans doute besoin d'un peu de temps pour que mûrisse l'idée d'être père. Il faudra que vous vous appropriiez ce projet, pour le faire vôtre.

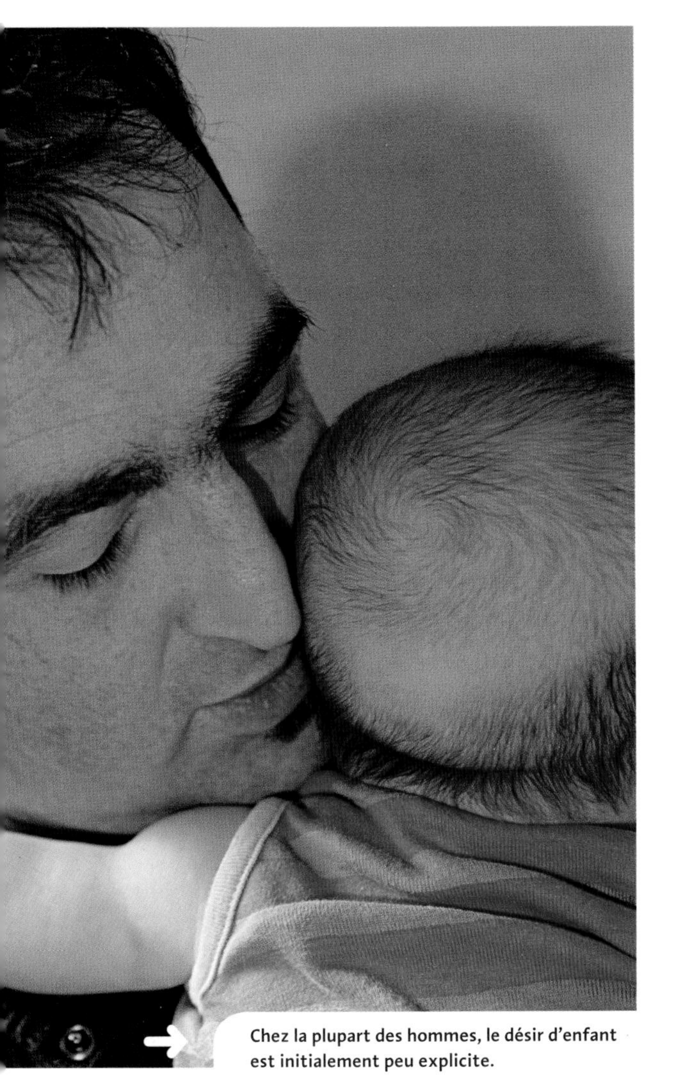

Chez la plupart des hommes, le désir d'enfant est initialement peu explicite.

Désir de faire un enfant ou projet d'avoir un enfant ?

Il arrive qu'un homme éprouve une « pulsion » très charnelle de féconder la femme aimée, sans pour autant envisager sérieusement de vivre avec un tout-petit. Il s'agit d'une envie très forte, viscérale, liée plus à l'élan amoureux qu'à une véritable réflexion. Ce n'est pas réellement un projet d'enfant... Bien sûr, on peut tout à fait concevoir un bébé sur une impulsion si les deux partenaires sont d'accord. Parfois, les parents se sentent comblés quand l'enfant est là.

Mais la naissance du bébé peut aussi susciter un réel désarroi. Il arrive en effet qu'à la naissance, ou un peu avant, le père ait soudain envie de fuir parce qu'il n'avait pas vraiment pensé élever un enfant. Le témoignage de ce jeune homme est par exemple révélateur. Il estime que sa compagne « a profité d'un "oui ", lancé dans la griserie d'un soir de fête », et le regrette toujours, deux ans après la naissance : « J'aurais préféré attendre. Maintenant, je dois faire face, et, même si j'aime mon fils, je ne me sens pas vraiment disponible pour lui. »

Un désir d'enfant prélude ou accompagne souvent le projet réel de prendre en charge un nouvel être, mais ce cheminement n'est pas systématique. Ainsi, donnez-vous la possibilité de réfléchir, surtout si la pensée de vivre avec un enfant suscite chez vous une réaction intérieure de refus. Du désir au projet d'enfant, il reste souvent quelques pas que chacun franchira (ou non) à son rythme.

DES REFUS PARFOIS CATÉGORIQUES • Certains hommes, toutefois, ne veulent pas d'enfant, et toutes les sollicitations n'y changent rien. Dans ce cas, le « non » est en général très clair et très rapide. Il est parfois lié à l'histoire personnelle. Une maltraitance, un fort manque affectif durant l'enfance sont des écueils importants à la paternité.

Pourtant, un homme qui craint de frapper parce qu'il a été lui-même battu peut se montrer un père aimant et non violent. Être conscient que l'on peut reproduire les mêmes gestes peut limiter le risque, surtout si l'on se fait aider dès la naissance en abordant cette question avec un psychanalyste ou un psychiatre, qui, éventuellement, conseilleront une thérapie. Mais le chemin vers la paternité est souvent beaucoup plus long.

ET SI LE BÉBÉ N'EST PAS TRÈS DÉSIRÉ ?

- **De l'avis des chercheurs qui se sont penchés sur le désir masculin, il semblerait que la force du désir d'enfant n'ait aucune incidence sur les qualités du futur papa.** Que vous ayez peu ou beaucoup désiré une naissance n'influerait pas sur votre capacité à aimer et élever cet enfant. Il arrive même que des hommes sans désir initial soient en fin de compte tout contents de la présence du bébé et assument tout à fait cette responsabilité.
- **En revanche, des problèmes surgissent souvent quand la femme décide de son propre chef d'avoir un enfant.** Si elle arrête sa contraception sans le lui dire, si elle ne tient pas compte d'un avis négatif, voire d'un refus, le couple, la plupart du temps, ne survit pas.

Vous êtes enceinte

- Les premiers signes
- Du pressentiment à la certitude
- Connaître la date d'accouchement
- Les toutes premières précautions
- Enceinte après 40 ans
- Bientôt maman, et encore adolescente
- Annoncer la grossesse au futur papa

Les premiers signes

Les premières semaines de grossesse ne s'accompagnent pas toujours de nausées, de fatigue ou d'un gonflement des seins. Plus que ces signes aléatoires, présents chez certaines femmes seulement, c'est d'abord le retard des règles qui vous mettra sur la voie, même s'il ne s'agit pas là d'une preuve absolue.

Nausées et autres signes aléatoires

Certaines femmes vous diront qu'elles savaient dès les premiers jours. Une intuition inexplicable, presque une certitude. Mais il est probable que vous n'ayez nul pressentiment de la sorte. Peut-être même n'éprouverez-vous aucun des effets parfois associés à un début de grossesse : nausées, gonflement des seins, besoin de dormir, fatigue, émotivité accrue...

Tout cela est très relatif et varie beaucoup d'une femme à une autre. Certaines perdent l'appétit, ou sont dégoûtées par certains mets ou parfums, d'autres ont envie de dévorer. Les unes sont constipées, les autres ont envie d'uriner plus souvent. Longue est la liste des effets possibles sur le corps. Mais, d'un point de vue médical, toutes ces manifestations, isolées ou pas, ne garantissent pas que vous êtes enceinte. Et l'absence de ces signes n'implique pas une absence de grossesse. Prudence donc, car l'attention au langage de son corps n'exclut pas les erreurs d'interprétation...

Le retard des règles

Pour la majorité des femmes, le premier indicateur d'une grossesse reste le retard des règles. Mais ce dernier n'est pas toujours facile à calculer, surtout si vos cycles sont irréguliers. Et il ne signifie pas de manière systématique que vous êtes enceinte. En effet, les cycles féminins peuvent se modifier ou s'interrompre à la suite d'un choc émotionnel, pendant une maladie ou même après un changement de mode de vie ou de climat (voyages). L'approche de la ménopause ou la prise de certains traitements sont également des facteurs à prendre en compte.

L'élévation de la température

En fait, le signe le plus sûr que l'on est enceinte est à la fois l'absence de règles à la date prévue et le maintien de la température du corps au-dessus de 37°C à ce moment-là. En effet, la température varie selon les différentes phases du cycle, et redescend juste avant les règles. Lorsque l'on est enceinte, elle reste « en plateau » et ne fléchit pas. Si toutefois vous n'avez jamais pratiqué la méthode des températures (voir pages 18 et 19), une utilisation ponctuelle du thermomètre ne vous sera pas d'une grande utilité. C'est en effet en établissant une courbe au jour le jour, sur plusieurs cycles menstruels, que l'on parvient à bien repérer les différentes phases et sa température « haute ». À défaut, effectuer un test de grossesse sera bien plus efficace.

> “Dès que je me lève, j'ai la nausée et je vomis, jusqu'au soir. Je crains de ne pas garder assez de nourriture pour mon bébé.”

NAUSÉES ET ALIMENTATION

Heureusement, les nausées ne mettent qu'exceptionnellement en danger le fœtus, même lorsque la future mère a du mal à garder la moindre nourriture et maigrit au cours des premiers mois de grossesse. Par ailleurs, ces nausées disparaissent en général à la fin du 3e mois de grossesse. Comme toujours, il y a des exceptions. Les causes des nausées sont multiples et il n'existe aucun traitement efficace à 100 %. Mais vous pouvez en minimiser les effets en suivant quelques recommandations.

Si vous mangez très peu, ayez une alimentation riche en protéines (poisson), en glucides complexes (féculents) et en laitages. Buvez beaucoup, surtout si vous vomissez. Si les liquides passent mieux que les solides, privilégiez les boissons riches en nutriments : jus de fruits, soupes, bouillons. Si les aliments solides vous conviennent mieux, mangez des produits ayant une teneur élevée en eau (fruits, légumes).

Voyez avec votre médecin si vous devez prendre des compléments nutritionnels. Prenez-les alors au moment de la journée où vous êtes le moins sujette aux vomissements.

Évitez de vous lever le matin l'estomac vide. Avant de sortir du lit, prenez une collation riche en glucides.

Du pressentiment à la certitude

Il existe différents moyens de savoir si vous êtes bel et bien enceinte: les tests en vente en pharmacie, les analyses pratiquées en laboratoire ou encore une visite médicale qui vous confirmera l'heureuse nouvelle. Si vous voulez détecter très tôt une grossesse, avant même le retard des règles, le mieux est de recourir à une analyse de sang.

Des tests à partir des urines

Ces tests disponibles en pharmacie sont effectués à partir des urines. Ils sont vendus sans ordonnance et se présentent sous la forme de coffrets avec les accessoires nécessaires. Ils sont simples à utiliser, à condition de bien suivre le mode d'emploi. Il faut en général recueillir, de préférence le matin au lever, quelques gouttes d'urine dans un petit récipient (un gobelet en plastique par exemple). On trempe ensuite dans ces urines le dispositif prévu à cet effet. Le résultat apparaît après quelques minutes, et vous savez ainsi si vous enceinte ou non.

Vous ne pouvez toutefois vous fier au résultat que s'il est positif. Quand il est négatif, il se peut tout de même que vous soyez enceinte, mais sans que cela apparaisse: le test a été fait trop tôt, sa sensibilité est trop faible, ou des urines peu concentrées ont faussé le résultat. Dans ce cas, avant d'être déçue, il est utile d'attendre quelques jours, de refaire un autre test, ou encore de consulter un médecin.

Une analyse de sang

Le plus fiable (à 100 %) est de faire effectuer une prise de sang en laboratoire. Cette analyse sanguine est en général prescrite par le médecin. Mais rien n'interdit que vous la fassiez faire de votre propre chef, au risque de ne pas être remboursée. Si vous êtes enceinte, elle va révéler la présence d'une hormone qui n'est sécrétée que durant la grossesse: l'hormone chorionique gonadotrophine (HCG). Produite par l'œuf dès la fécondation, elle est fabriquée ensuite par le trophoblaste (futur placenta), puis par le placenta lui-même. Son rôle est assez mal connu, mais on la sait essentielle dans les premières semaines. C'est en effet grâce à cette hormone qu'une glande temporaire, le corps jaune, continue de produire de la progestérone, et permet le maintien de l'embryon dans l'utérus. L'analyse de sang permet de diagnostiquer la grossesse à un stade très précoce (huit jours), avant tout retard de règles. Le résultat peut être accompagné d'un chiffre ne présumant pas de la date de la grossesse.

“ J'ai un stérilet et je viens de découvrir que je suis enceinte. Nous voulons garder ce bébé. Est-ce possible ?”

ENCEINTE AVEC UN STÉRILET

Tomber enceinte avec un stérilet est toujours un peu déconcertant. Si l'on veut garder l'enfant, deux solutions sont possibles et doivent être envisagées au plus vite avec le médecin : laisser le stérilet ou le faire retirer, selon que le fil est visible ou non. S'il est invisible, il y a de grandes chances que la grossesse se déroule bien malgré la présence du stérilet, qui sera simplement repoussé contre la paroi de l'utérus au fur et à mesure de l'expansion de la cavité amniotique qui entoure le fœtus. Si le fil est visible, il vaut mieux le retirer au plus vite pour éviter une infection, ce qui augmenterait les risques de fausse couche ou de rupture prématurée des membranes.

Petite visite chez le médecin

Si vous êtes enceinte, le médecin le verra lors de l'examen gynécologique, mais seulement après quelques semaines d'aménorrhée (environ un mois et demi, c'est-à-dire à la deuxième absence de règles). Il constate alors une modification du volume, de la consistance et de la forme de l'utérus, que vous-même ne pouvez percevoir. Il trouve le col de l'utérus fermé, d'une coloration lilas, pauvre en glaire cervicale. La modification des seins renforce son diagnostic : ils grossissent et l'aréole se bombe en verre de montre; les tubercules de Montgomery, ces petites excroissances sur l'aréole du sein, deviennent saillants au 1er trimestre. Si aucune analyse de sang n'a été effectuée, le médecin peut en demander une, qui confirmera votre grossesse, à moins qu'il ne prescrive directement une échographie.

Les tests de grossesse vendus en pharmacie donnent une réponse immédiate. Mais leur fiabilité n'est totale que si le résultat est positif.

JE LE DIS... OU J'ATTENDS ?

- **C'est bien sûr le futur père le premier informé,** même si c'est parfois plus délicat qu'on ne pourrait le penser (voir pages 50 et 51). La famille et les amis l'apprennent plus ou moins tôt, et dans un ordre variable. **Décider « quand le dire » et « à qui » est une affaire strictement personnelle.** Chacune décide en fonction de ses éventuelles craintes, de ses habitudes familiales, de la force des liens avec l'entourage, de l'éloignement géographique... ou de l'âge peut-être.
- **À chacun son choix.** Il est des femmes qui ont besoin d'annoncer aussitôt leur grossesse à leur entourage ; d'autres gardent d'abord précieusement ce secret, et ne le partagent qu'avec l'homme de leur vie. D'autres encore, parfois échaudées par une précédente fausse couche, ne font cette annonce qu'à la fin du 3e mois, quand le risque de tels incidents devient quasi nul. Sans compter que le compagnon a aussi son opinion sur ce calendrier d'annonces...
- **Les réactions de l'entourage seront aussi variées.** Vous serez parfois déçue qu'une amie intime manifeste une certaine froideur. Parfois agacée de l'enthousiasme de vos beaux-parents et de l'avalanche de conseils qui s'ensuit... L'événement touchera de toute façon vos proches, suscitant diverses réactions. Mais vous n'y pouvez rien. Même l'attitude du futur père vous étonnera peut-être, dans un sens ou dans l'autre. S'il ne désirait pas d'enfant, le moment de vérité est plus que délicat. Mais vous seule, là encore, trouverez « comment le dire ».
- **L'annonce aux enfants.** Le seul conseil possible concerne les enfants déjà présents dans la famille. Ils réalisent vite que « quelque chose se passe ». Même s'ils sont tout petits, les pédiatres recommandent de ne pas les abandonner à leurs questions et de leur annoncer assez vite qu'un bébé « grandit dans le ventre de leur maman ». **Les associer à la grossesse les aide à ne pas se sentir exclus** (voir pages 230 et 231).

Connaître la date d'accouchement

Pour calculer soi-même la date théorique de l'accouchement, il existe deux méthodes : soit à partir de la date de conception, soit, plus simplement, à partir de la date du début de ses dernières règles. Si l'on ne connaît ni l'une ni l'autre, il restera à faire une échographie.

Le calcul en semaines d'aménorrhée

C'est la méthode employée par les médecins qui calculent en « semaines d'absence de règles » (ou semaines d'aménorrhée) et utilisent une roulette pour faire ce calcul. Elle est très simple à utiliser avec un calendrier devant les yeux (voir pages 42 et 43). Il suffit d'ajouter 41 semaines à partir de la date de vos dernières règles. Si par exemple vos dernières règles ont débuté le 1er mai, la naissance aura lieu en théorie le 11 février, soit 41 semaines après. Cependant, il peut toujours y avoir quelques jours de décalage.

Une autre méthode est d'ajouter 39 semaines à la date de conception. Elle n'est utile que si l'on connaît sa date d'ovulation. Celle-ci a lieu en théorie au 14e jour d'un cycle de 28 jours, ou au 21e jour d'un cycle de 35 jours ou au 8e jour d'un cycle de 22 jours (un cycle débute au premier jour des règles).

En général, seules les femmes qui ont des cycles bien réguliers ou utilisent la méthode des températures (voir page 19) sont à même d'indiquer le jour de la conception de façon précise.

Dans les autres cas, et surtout si l'on vient d'arrêter de prendre la pilule, le calcul est nettement plus délicat.

Le calcul en mois

Dans la pratique, on distingue souvent le calcul en semaines du calcul en mois. Le terme de « semaines » est plutôt utilisé pour calculer la durée de l'aménorrhée, car on est au moins sûr de la date des dernières règles. En revanche, le calcul en mois est plus souvent utilisé pour donner l'âge du fœtus (ou la durée de la grossesse). Il est défini à partir de la date de la conception. Il est décalé de deux semaines par rapport au calcul en semaines.

Savoir par l'échographie

Si vous avez oublié la date de vos dernières règles et si vous n'avez pas pu déterminer le jour de la conception, reste l'échographie. Quand cet examen est pratiqué entre la 6e et la 8e semaine, le médecin peut définir le début de la grossesse (à trois jours près) grâce aux mesures de l'embryon. Cela implique toutefois que vous fassiez une première échographie avant la date prévue (voir pages 104 à 107). Au-delà du 3e mois, l'échographie renseigne avec moins de précisions sur l'âge exact du fœtus (à plus ou moins une semaine).

LES CORRESPONDANCES ENTRE LES SEMAINES ET LES MOIS

	Date des dernières règles	Début de grossesse	Date attendue des règles									Date prévue d'accouchement
		Ovulation										
		Fécondation										
Jours du cycle	0	14 jours	28 jours									
Semaines d'aménorrhée (SA)	0	2 SA	4 SA	6 SA	10 SA	15 SA	20 SA	24 SA	28 SA	32 SA	37 Sa	41 SA
Mois de grossesse (révolus)		0	2 semaines	1 mois	2 mois	3 mois	4 mois	5 mois	6 mois	7 mois	8 mois	9 mois

CALCULEZ LA DATE DE VOTRE ACCOUCHEMENT

JANVIER	OCTOBRE	FÉVRIER	NOVEMBRE	MARS	DÉCEMBRE	AVRIL	JANVIER	MAI	FÉVRIER	JUIN	MARS
1	**14**	1	**14**	1	**12**	1	**12**	1	**11**	1	**14**
2	**15**	2	**15**	2	**13**	2	**13**	2	**12**	2	**15**
3	**16**	3	**16**	3	**14**	3	**14**	3	**13**	3	**16**
4	**17**	4	**17**	4	**15**	4	**15**	4	**14**	4	**17**
5	**18**	5	**18**	5	**16**	5	**16**	5	**15**	5	**18**
6	**19**	6	**19**	6	**17**	6	**17**	6	**16**	6	**19**
7	**20**	7	**20**	7	**18**	7	**18**	7	**17**	7	**20**
8	**21**	8	**21**	8	**19**	8	**19**	8	**18**	8	**21**
9	**22**	9	**22**	9	**20**	9	**20**	9	**19**	9	**22**
10	**23**	10	**23**	10	**21**	10	**21**	10	**20**	10	**23**
11	**24**	11	**24**	11	**22**	11	**22**	11	**21**	11	**24**
12	**25**	12	**25**	12	**23**	12	**23**	12	**22**	12	**25**
13	**26**	13	**26**	13	**24**	13	**24**	13	**23**	13	**26**
14	**27**	14	**27**	14	**25**	14	**25**	14	**24**	14	**27**
15	**28**	15	**28**	15	**26**	15	**26**	15	**25**	15	**28**
16	**29**	16	**29**	16	**27**	16	**27**	16	**26**	16	**29**
17	**30**	17	**30**	17	**28**	17	**28**	17	**27**	17	**30**
18	**31**	18	**1**	18	**29**	18	**29**	18	**28**	18	**31**
19	**1**	19	**2**	19	**30**	19	**30**	19	**1**	19	**1**
20	**2**	20	**3**	20	**31**	20	**31**	20	**2**	20	**2**
21	**3**	21	**4**	21	**1**	21	**1**	21	**3**	21	**3**
22	**4**	22	**5**	22	**2**	22	**2**	22	**4**	22	**4**
23	**5**	23	**6**	23	**3**	23	**3**	23	**5**	23	**5**
24	**6**	24	**7**	24	**4**	24	**4**	24	**6**	24	**6**
25	**7**	25	**8**	25	**5**	25	**5**	25	**7**	25	**7**
26	**8**	26	**9**	26	**6**	26	**6**	26	**8**	26	**8**
27	**9**	27	**10**	27	**7**	27	**7**	27	**9**	27	**9**
28	**10**	28	**11**	28	**8**	28	**8**	28	**10**	28	**10**
29	**11**			29	**9**	29	**9**	29	**11**	29	**11**
30	**12**			30	**10**	30	**10**	30	**12**	30	**12**
31	**13**			31	**11**			31	**13**		
JANVIER	NOVEMBRE	FÉVRIER	DÉCEMBRE	MARS	JANVIER	AVRIL	FÉVRIER	MAI	MARS	JUIN	AVRIL

Dans les colonnes claires, cherchez la date du premier jour de vos dernières règles (1er janvier par exemple) ; le chiffre en gras à droite (14 octobre dans ce cas) indique la date approximative de la naissance (pour les cycles de 28 jours).

JUILLET	**AVRIL**	AOÛT	**MAI**	SEPTEMBRE	**JUIN**	OCTOBRE	**JUILLET**	NOVEMBRE	**AOÛT**	DÉCEMBRE	**SEPTEMBRE**
1	**13**	1	**14**	1	**14**	1	**14**	1	**14**	1	**13**
2	**14**	2	**15**	2	**15**	2	**15**	2	**15**	2	**14**
3	**15**	3	**16**	3	**16**	3	**16**	3	**16**	3	**15**
4	**16**	4	**17**	4	**17**	4	**17**	4	**17**	4	**16**
5	**17**	5	**18**	5	**18**	5	**18**	5	**18**	5	**17**
6	**18**	6	**19**	6	**19**	6	**19**	6	**19**	6	**18**
7	**19**	7	**20**	7	**20**	7	**20**	7	**20**	7	**19**
8	**20**	8	**21**	8	**21**	8	**21**	8	**21**	8	**20**
9	**21**	9	**22**	9	**22**	9	**22**	9	**22**	9	**21**
10	**22**	10	**23**	10	**23**	10	**23**	10	**23**	10	**22**
11	**23**	11	**24**	11	**24**	11	**24**	11	**24**	11	**23**
12	**24**	12	**25**	12	**25**	12	**25**	12	**25**	12	**24**
13	**25**	13	**26**	13	**26**	13	**26**	13	**26**	13	**25**
14	**26**	14	**27**	14	**27**	14	**27**	14	**27**	14	**26**
15	**27**	15	**28**	15	**28**	15	**28**	15	**28**	15	**27**
16	**28**	16	**29**	16	**29**	16	**29**	16	**29**	16	**28**
17	**29**	17	**30**	17	**30**	17	**30**	17	**30**	17	**29**
18	**30**	18	**31**	18	**1**	18	**31**	18	**31**	18	**30**
19	**1**	19	**1**	19	**2**	19	**1**	19	**1**	19	**1**
20	**2**	20	**2**	20	**3**	20	**2**	20	**2**	20	**2**
21	**3**	21	**3**	21	**4**	21	**3**	21	**3**	21	**3**
22	**4**	22	**4**	22	**5**	22	**4**	22	**4**	22	**4**
23	**5**	23	**5**	23	**6**	23	**5**	23	**5**	23	**5**
24	**6**	24	**6**	24	**7**	24	**6**	24	**6**	24	**6**
25	**7**	25	**7**	25	**8**	25	**7**	25	**7**	25	**7**
26	**8**	26	**8**	26	**9**	26	**8**	26	**8**	26	**8**
27	**9**	27	**9**	27	**10**	27	**9**	27	**9**	27	**9**
28	**10**	28	**10**	28	**11**	28	**10**	28	**10**	28	**10**
29	**11**	29	**11**	29	**12**	29	**11**	29	**11**	29	**11**
30	**12**	30	**12**	30	**13**	30	**12**	30	**12**	30	**12**
31	**13**	31	**13**			31	**13**			31	**13**
JUILLET	**MAI**	AOÛT	**JUIN**	SEPTEMBRE	**JUILLET**	OCTOBRE	**AOÛT**	NOVEMBRE	**SEPTEMBRE**	DÉCEMBRE	**OCTOBRE**

Les toutes premières précautions

Au début, c'est surtout dans la tête qu'être enceinte change le quotidien. Car, d'un point de vue pratique, la vie se poursuit quasi comme avant. On peut continuer à faire du sport, à se montrer gourmande, à sortir le soir… Les seules difficultés éventuelles sont en général liées à l'arrêt du tabac ou de l'alcool.

Quelques principes élémentaires

Un début de grossesse n'implique pas de grands bouleversements de la vie quotidienne. Mais, si vous gardez en tête quelques principes de base, si vous n'hésitez pas à dormir ou à vous reposer dès que vous en ressentez le besoin, tout se déroulera d'autant mieux pour vous et pour le fœtus.

LES MÉDICAMENTS • Finie l'automédication ! C'est la première règle à retenir. Désormais, ne prenez plus de comprimés ou autres médicaments sans prescription médicale. Même les plus anodins en apparence, tels que l'aspirine ou les sirops contre la toux ou encore les crèmes, peuvent avoir des incidences négatives sur le fœtus. Vous pouvez vous soigner, bien sûr, à condition de respecter toujours l'avis d'un médecin.

LES ACTIVITÉS SPORTIVES • Une grossesse n'exige pas de rester sédentaire, loin de là. Mais méfiez-vous de toute activité pouvant entraîner une chute, un coup violent ou un manque d'oxygène : la plongée, le ski alpin, le vélo tout-terrain, les sports de combat… À ces exceptions près, il reste une belle marge de manœuvre (voir pages 148 et 149). Si vous êtes une sportive acharnée, vous pourrez en général continuer à pratiquer votre activité, du moins lors des premiers mois, mais prenez toutefois conseil auprès de votre médecin.

LES PRODUITS TOXIQUES • Le risque d'inhaler des produits toxiques est très faible dans la vie quotidienne. Il suffit d'éviter de repeindre son appartement ou d'épandre des pesticides dans ses champs… Méfiez-vous en revanche si vous travaillez dans un secteur où l'on manipule des peintures ou des produits chimiques : n'hésitez pas alors

DES REPAS À RÉÉQUILIBRER ?

- **Il n'existe pas de régime alimentaire propre à la grossesse.** Si vous mangez de tout sans vous restreindre, sans sauter souvent un repas, tout est pour le mieux (voir pages 144 et 145). Il vous faut juste veiller à ne pas avoir de carences.
- **Certaines catégories d'aliments sont plus que jamais essentielles :** entre autres, les produits laitiers ou les protéines animales (viandes, poissons, œufs). Si, par goût, vous n'en consommiez que de façon épisodique, un petit effort serait bienvenu… Mais la remarque vaut aussi pour les légumes et les fruits, les matières grasses, les féculents et les céréales… **Votre organisme a aussi besoin de plus de fer, d'acide folique, de calcium ou de vitamine D.** Mais n'en déduisez pas pour autant qu'il faut les prendre sous la forme de comprimés, ce qui relève d'une décision médicale. Tous sont présents dans nombre d'aliments : le fer dans les viandes et légumes secs ; le calcium dans les laitages ; l'acide folique dans les œufs et les légumes verts ; la vitamine D dans les poissons gras… Ainsi, en ce début de grossesse, le plus sage reste de privilégier la variété et de ne rien exclure.
- **Un peu de prévention…** Si vous voulez vous montrer prudente, vous veillerez toutefois davantage à l'hygiène alimentaire pour prévenir à la fois la toxoplasmose (si vous n'êtes pas immunisée, voir page 142) et la listériose. Cela consiste à bien laver les fruits et légumes, à maintenir son réfrigérateur propre, et à cuire à point viandes, poissons et fruits de mer. **Face au risque de toxoplasmose,** il est conseillé en outre d'éviter tout contact avec les chats, et, à défaut, ne plus toucher leur litière. Ce sont là les conseils de base. **Pour une prévention maximale de la listériose,** on pourrait ajouter : enlever les croûtes de fromage, éviter le lait cru, les graines germées, tel le soja, les charcuteries à la coupe, les rillettes ou encore les produits en gelée. Mais sachez que la listériose reste une maladie infectieuse rare.

à interroger le médecin du travail sur l'opportunité d'un changement temporaire de poste au sein de l'entreprise (voir pages 94 et 95).

Le tabac, l'alcool, les stupéfiants...

Si vous fumez ou si vous buvez des boissons alcoolisées, même de temps en temps, ce début de grossesse coïncidera peut-être pour vous avec la décision d'arrêter. Tous les médecins vous le recommanderont. La décision vous appartient, mais ayez bien à l'esprit ce que cela implique aussi pour le fœtus.

L'alcool influe de manière défavorable sur son développement, et peut entraîner dans le pire des cas un syndrome d'alcoolisme fœtal, à l'origine de troubles mentaux (voir pages 146 et 147).

Le tabac et le cannabis accroissent les risques d'infection ou de maladies respiratoires après la naissance. Quant à la cocaïne et aux autres drogues dures, elles entraînent des complications dangereuses et une dépendance du futur nouveau-né (voir pages 70 et 71).

L'ALCOOL • Durant la grossesse, toute consommation d'alcool est à proscrire, même en quantités limitées. Quand vous buvez, le fœtus boit aussi. Or, son organisme ne dispose pas des mêmes filtres que le vôtre, puisque son foie n'est pas encore développé. Au 1er trimestre surtout, l'alcool peut être à l'origine de malformations.

Si, au bout de quelques jours, vous vous rendez compte qu'il n'est pas facile de vous passer du verre de vin ou de l'apéritif quotidiens, n'hésitez pas à en parler sans fausse honte à un médecin. La dépendance à l'alcool s'installe parfois de manière insidieuse, et l'un des risques est que le fœtus s'habitue, lui aussi...

LE TABAC • Peut-être aurez-vous la chance que d'éventuelles nausées vous dégoûtent de la cigarette en début de grossesse... et vous aident à arrêter. Mais dans la plupart des cas, même si vous êtes persuadée que c'est une bonne décision, cesser de fumer vous demandera un effort de volonté.

Vous pouvez alors vous faire aider par un médecin ou par un centre spécialisé. Il existe de nombreuses méthodes de soutien. Même les différents substituts à la nicotine, tels les patchs, restent autorisés en cours de grossesse, selon des modalités à définir avec votre médecin. Puis, au-delà de l'aide apportée par les traitements de sevrage, vous pourrez multiplier tous les gestes qui vous aideront à tenir le cap : boire un verre d'eau dès que vous avez envie d'une cigarette, ou sortir marcher quelques minutes, par exemple. Ce sera bien sûr plus facile si votre entourage s'abstient de fumer en votre présence.

Ni alcool ni tabac durant la grossesse, recommandent les médecins. L'un et l'autre ont des conséquences néfastes sur le fœtus.

Attention !

Si, avant que vous ne soyez enceinte, votre médecin vous a conseillé de prendre un complément vitaminique en acide folique, arrêtez-le après deux mois de grossesse.

Enceinte après 40 ans

C'est une tendance générale dans les pays occidentaux: pour différentes raisons, les femmes ont des bébés de plus en plus tard. Mais, si le désir d'enfant se fait plus tardif, les conditions ne sont plus tout à fait les mêmes que pour les femmes plus jeunes, et le suivi est par conséquent différent. La prévention est alors maximale.

Les grossesses de la maturité

L'âge moyen de la maternité s'est considérablement élevé ces dernières années en France: il est passé de 24 ans en 1970 à 29,8 ans en 2006. Parallèlement, le nombre de femmes accouchant après l'âge de 40 ans a doublé en dix ans: à présent, 21 000 nouveau-nés ont une maman ayant passé la quarantaine, ce qui représente 2,8% des naissances. Cette tendance existe bel et bien, favorisée par les progrès médicaux et biologiques. Pourtant, il est moins facile d'avoir un enfant vers la quarantaine. En effet, l'âge joue un rôle très important sur la fécondité: cette dernière baisse progressivement à partir de 20 ans pour devenir presque nulle après 45 ans.

Souvent, les femmes souhaitant être enceintes à cet âge sont engagées dans un nouveau couple. Après quelques années de vie conjugale, il n'est pas rare que survienne une séparation ou un divorce. Puis un nouveau couple se forme avec le souhait d'avoir un nouvel enfant pour souder une famille recomposée. Une autre situation assez caractéristique est celle de la femme qui a privilégié sa carrière professionnelle: le projet de parentalité est plus longuement mûri et devient l'accomplissement d'une vie de couple bien installée.

Aujourd'hui, le suivi médical de la grossesse permet une certaine prévention des problèmes liés à un âge plus avancé: l'échographie, l'amniocentèse, une meilleure surveillance permettent la détection d'éventuelles pathologies. Mais il reste que les femmes sont souvent angoissées car leur « temps maternel » est compté: si la grossesse n'aboutit pas rapidement, elles n'auront peut-être pas la chance d'en mettre une deuxième en route. Cependant, la stabilité de vie sur les plans professionnel, matériel et affectif fera souvent de ces femmes des mamans accomplies.

Une surveillance accrue

La grossesse à 40 ans est prise systématiquement en charge par un spécialiste, à l'instar de toutes les grossesses « précieuses », comme les ont baptisées les obstétriciens. On observe chez les femmes de plus de 40 ans une

> “ J'ai 39 ans, ce sera mon premier enfant et c'est important pour moi qu'il se porte bien. En effet, je pense ne pas en avoir d'autre car j'ai tant lu sur les risques lorsqu'on a plus de 40 ans ?”

DES RISQUES MAÎTRISÉS PAR UNE PRÉPARATION SPÉCIFIQUE

Comme vous le savez sans doute, être enceinte après 35 ans est très courant à l'heure actuelle. Certains risques augmentent effectivement avec l'âge, surtout après 40 ans, mais sont généralement maîtrisables : une fausse couche (à cause de l'âge des ovules) , le diabète et les pathologies vasculaires dont l'hypertension artérielle (surtout en cas de surpoids) ou encore la prééclampsie, et un accouchement avant terme (qui peut souvent être prévenu). En moyenne le travail et la délivrance sont plus longs et un peu plus compliqués.

Ces risques sont heureusement contrebalancés par des points positifs. Aujourd'hui, les mères sont mieux suivies. Une évaluation des anomalies possibles à la naissance peut être pratiquée in utero grâce à toute une batterie d'examens de dépistage et de diagnostic. Devenir mère plus tardivement qu'autrefois n'implique donc pas nécessairement que l'on va se retrouver dans une catégorie de grossesse pathologique à haut risque. En outre, il semblerait qu'une femme déjà bien insérée dans la vie professionnelle et dans la société soit plus à même d'accepter le poids de ses responsabilités et fasse preuve de plus de patience et d'écoute, ce qui est bénéfique au bon développement de leur enfant.

Davantage surveillées que d'autres, beaucoup de femmes enceintes après 40 ans n'en vivent pas moins bien leur grossesse.

augmentation du taux de fausses couches. En France, à partir de 38 ans, l'amniocentèse est proposée de manière systématique (voir pages 112 et 113) et remboursée par la Sécurité sociale, afin de dépister notamment une éventuelle trisomie 21 (ou mongolisme) chez le fœtus. La fréquence des anomalies chromosomiques chez l'enfant augmente en effet sensiblement avec l'âge de la mère : la trisomie 21 touche par exemple une grossesse sur quatre-vingts entre 40 et 44 ans.

La maman fait l'objet d'un suivi particulier, car certains risques sont accentués. Par exemple, le médecin surveillera particulièrement une éventuelle hypertension artérielle, plus fréquente avec l'âge et préjudiciable pour la future mère comme pour le bébé. Le risque d'un diabète gestationnel est également plus élevé et détecté par des glycémies.

Quant aux bébés, ils ont tendance à naître beaucoup plus tôt – le taux de prématurité double – et leur poids moyen à la naissance est plus petit. En outre, les accouchements peuvent durer plus longtemps, l'utérus se contractant moins bien. Ce phénomène entraîne un taux de césarienne qui est multiplié par trois par rapport aux femmes accouchant avant 40 ans. Enfin, le périnée d'une femme de 40 ans garde plus de séquelles que celui d'une jeune femme : les problèmes d'incontinence urinaire touchent la moitié des femmes de plus de 40 ans six mois après leur accouchement. Il importe donc de suivre des séances de rééducation du périnée.

En conclusion, si l'avancée en âge complique la grossesse, elle ne la rend pourtant pas impossible, loin de là. Mais un suivi rigoureux et un accouchement dans un service spécialisé s'imposent.

Bientôt maman, et encore adolescente

Parfois cachées puis annoncées tard, les maternités précoces posent des problèmes délicats à résoudre si elles ne bénéficient pas d'un soutien moral et matériel. Et ces grossesses, désirées ou non, exposent les futures mamans à certains risques liés à leur jeune âge. Une grossesse sur vingt concerne en France les jeunes filles de 14 à 18 ans. Plus de la moitié d'entre elles font une IVG et celles qui veulent un bébé, ou décident de le garder, représentent une naissance sur cinquante.

Vouloir un bébé : la recherche d'un statut ?

Les grossesses à l'adolescence s'observent dans tous les milieux, mais elles sont plus fréquentes dans un contexte familial et social difficile. Un défaut d'information ou d'accès à la contraception les favorise, mais elles peuvent aussi résulter d'un choix. En effet, le projet d'avoir un bébé peut représenter pour une jeune fille une perspective positive qui lui permette de rêver d'accéder à un statut et à une place qui la (re)valorisent.

Parler de la grossesse à ses parents est l'un des premiers problèmes rencontrés, même s'ils admettent le principe de relations sexuelles. Certaines jeunes filles vivent en couple, d'autres connaissent une relation beaucoup plus précaire avec le père de l'enfant. La réaction de la famille peut aller du soutien à la future maman, avec une aide parfois très importante, jusqu'au rejet, par crainte du scandale.

Vis-à-vis de l'entourage autre que familial, le fait de devenir mère représente un acte fort, qui peut aider à stabiliser l'adolescente. Mais les réalités matérielles et les responsabilités qu'elles auront à gérer peuvent les isoler des personnes de leur âge.

Les mois qui suivent l'accouchement sont en effet délicats. Si la relation avec le père du bébé a résisté à l'épreuve, il reste comme pour tous les couples à insérer la place d'un bébé dans une relation à deux.

Les modifications du corps après la naissance (prise de poids, vergetures, épisiotomie...) doivent être prises en compte, mais aussi d'autres problèmes plus spécifiques. L'interruption de la scolarité ou les difficultés pour trouver ou retrouver un travail s'ajoutent au manque de formation initiale et à la question de la garde de l'enfant. Les jeunes pères, s'ils ne sont pas absents, ont souvent du mal à apporter une aide efficace.

Parler à leurs parents est souvent une des premières difficultés rencontrées par les adolescentes enceintes.

Cependant, des études menées dans les années 1990 ont montré que, pour beaucoup de jeunes filles, l'évolution était favorable pour peu que se conjuguent plusieurs facteurs : la poursuite des études, un soutien familial et une bonne maîtrise de la fécondité par la suite.

La question du suivi médical

Les adolescentes évaluent mal les risques de la grossesse, d'autant qu'elles ont rarement à cet âge un suivi médical régulier. Assumant parfois avec peine leur maternité, elles consultent un médecin souvent tard et, de ce fait, ne bénéficient pas de toutes les mesures de dépistage et de prévention.

Pourtant, elles sont plus exposées, du fait de leur âge, à certains risques. Parmi eux la prééclampsie, ou toxémie gravidique, qui associe entre autres une hypertension et des œdèmes, peut être dangereuse à la fois pour la mère et le bébé (voir page 173).

L'hypotrophie du fœtus (bébé de petit poids) et la prématurité sont également plus fréquentes chez les adolescentes, car leur organisme n'est pas parvenu à complète maturité (la situation est d'ailleurs souvent aggravée par le tabac, l'alcool et l'anémie liée à une alimentation peu équilibrée). En revanche, les adolescentes accouchent par les voies naturelles dans 94 % des cas et, de façon plus générale, les risques périnatals sont à peu près les mêmes que pour les autres femmes.

Un soutien après la naissance ?

La compréhension de ce qui s'est passé pendant la grossesse et l'accouchement, comme le développement du sentiment maternel constituent des étapes difficiles. La réalité de la vie avec un bébé, de la relation avec le père de celui-ci, s'avère en général bien différente de ce que ces jeunes mères avaient imaginé. Parallèlement à cette vie maternelle, elles sont dans l'adolescence et ont envie de vivre ce moment-là comme les autres.

Beaucoup ignorent aussi leurs droits à des prestations sociales jusqu'aux 3 ans de l'enfant : c'est le travail des services sociaux de les informer, en particulier lors du suivi de la grossesse. Les maisons maternelles (encore trop peu nombreuses en France) peuvent être une solution pour des adolescentes très isolées. Elles y bénéficient durant la grossesse d'un bon suivi médical, et éventuellement d'un soutien psychologique jusqu'aux 3 ans de l'enfant.

Pour éviter d'importantes difficultés dans la relation mère-enfant et le risque d'une désinsertion sociale, l'ensemble des dispositifs d'aide doit être mis en place aussitôt que possible.

LE DÉNI D'ENFANT

- **Le déni de grossesse désigne la non-reconnaissance inconsciente d'une grossesse au-delà du 1er trimestre.** Il peut se prolonger jusqu'à l'accouchement et recouvrir ce dernier (on parle alors de « déni total » ou de « déni absolu »). **Il touche plutôt des adolescentes qui ont vécu dans un contexte familial où le manque de communication peut s'accompagner de traumatismes sexuels (inceste, interdits).**
- **Il faut distinguer le déni d'enfant des grossesses cachées où la femme, consciente de sa grossesse, la dissimule pour des raisons souvent familiales.**
- Dans le déni de grossesse, la réalité est refusée. **Les modifications du corps sont niées, ou en tout cas expliquées par des facteurs autres que l'état de grossesse** (par exemple, la prise de poids est vécue comme due à quelques excès alimentaires, les mouvements dans le ventre ne sont que des spasmes, etc.). **Ces jeunes femmes « découvrent » leur état lors d'une consultation, parfois en fin de grossesse, plus exceptionnellement lors de contractions utérines lorsqu'elles entrent en travail** (c'est-à-dire au début de l'accouchement). Après la naissance de l'enfant, elles doivent bénéficier d'un encadrement psychologique et thérapeutique.

C'est le temps de...

Bien se nourrir. Une adolescente n'a pas fini sa croissance et doit donc veiller à prendre des repas bien équilibrés pour éviter toute carence alimentaire, pour elle-même et pour le futur bébé.

Annoncer la grossesse au futur papa

Quand l'homme et la femme attendaient ensemble cet instant, l'annonce enfin de la grossesse est en général un moment de grand bonheur. Dans les semaines qui suivent, ce sentiment s'enrichit, se nuance, évolue, se teinte parfois d'inquiétude ou de reculs. Chacun fait à sa façon le chemin vers la paternité. Beaucoup d'hommes ne se sentent d'ailleurs vraiment pères qu'après la naissance.

Une attente plus ou moins sereine

Quand la décision de fonder une famille a été prise à deux, l'homme et la femme attendent chacun à leur manière, avec plus ou moins de sérénité, suivant l'âge et le caractère. Certains couples partagent une même attente impatiente. L'homme, alors, se sent aussi déçu que la femme au moment de ses règles, quand il voit qu'elle n'est pas enceinte. La seule différence est qu'il ne l'exprime pas forcément et, au contraire, réconforte sa partenaire. Parfois se niche dans cette attente le besoin d'être rassuré sur la fécondité de l'un et/ou de l'autre. Mais sachez qu'il est normal de patienter parfois six mois ou un an avant qu'une grossesse débute. Ce n'est de toute façon ni vous ni elle qui décidez.

Ne cherchez pas dans un premier temps à programmer quoi que ce soit. Faites l'amour quand vous le souhaitez. Une sexualité libre, épanouie, favorise bien plus une grossesse que des rapports calés sur le calendrier, sans compter qu'une érection a rarement lieu sur commande. Si, après deux ans, votre femme n'est pas enceinte, vous pourrez tous deux consulter un médecin (voir pages 28 et 29). Sans chercher à généraliser, le fait de se crisper sur une « volonté d'enfant » crée un climat peu serein, et n'aide pas à mieux maîtriser la situation.

Le livret de paternité

La Sécurité sociale l'envoie dès la réception de la déclaration de grossesse. Il contient de nombreux renseignements (aides de l'État, congé parental ou de paternité), et des informations sur la filiation. Quand on n'est pas marié, l'autorité parentale exercée par le père demande certaines démarches.

Diverses réactions à l'annonce

Les sentiments éprouvés à l'annonce d'une grossesse sont de nature si intime que chaque homme les vit de manière unique. Si vous avez attendu et espéré cet événement, ce sera sans doute une grande joie. Dans les semaines qui suivent, ce bonheur prendra une dimension plus profonde ou se teintera d'autres sentiments.

Il est rare que l'on réalise d'emblée tout ce que signifie l'arrivée de ce nouvel être. Très vite, vous saurez pourtant que votre quotidien va changer, bien que cela reste imprécis. Il est normal que l'émotion alors ressentie inclue certaines inquiétudes. Le chemin vers la paternité commence, et ce dernier est lui aussi propre à chaque individu.

UN RESSENTI À LA MESURE DE SON DÉSIR • Parfois, plus qu'une sensation de bonheur, apprendre que sa femme est enceinte peut susciter un vrai choc chez un homme. De manière schématique, plus le désir d'enfant était lié à des facteurs externes, à la pression sociale par exemple, plus les sentiments risquent d'être mitigés. Savoir que l'enfant sera là dans neuf mois est autrement plus bouleversant que de dire « oui » à l'arrêt d'une contraception. Là, on passe à quelque chose de très concret. Certains hommes se sentent d'ailleurs tellement touchés par l'annonce qu'ils se hâtent en apparence d'oublier ce qui a été dit, pour ne réaliser vraiment que quelques mois plus tard, quand la taille de madame s'arrondit.

À CHACUN SA FAÇON DE RÉAGIR • Même les plus heureux des hommes, parfois, s'isolent ou sortent davantage quand ils apprennent que leur femme porte un enfant. C'est leur façon de vivre ce bouleversement. Devenir père renvoie à son passé, à son enfance et à ses propres parents, et contient la promesse d'un avenir différent. Cela bouscule tout le paysage intérieur. Ce n'est jamais simple.

À plus forte raison, quand leur projet d'enfant n'avait pas d'ancrage intime, les futurs pères sont parfois tentés de fuir. Ils ne le font pas vraiment, mais ils sont moins présents, ils semblent ne pas tenir compte de l'état de leur femme, ils vont se distraire et se rassurer ailleurs. La grossesse fait quelquefois entrer le couple dans une zone de tempêtes, qu'il faut affronter.

QUAND L'ATTENTE A ÉTÉ TRÈS LONGUE... • Il existe aussi des situations très particulières et délicates. L'annonce peut provoquer un grand choc quand le couple n'espérait plus, par exemple après plusieurs essais infructueux de fécondations in vitro. Pour le père comme pour la mère, l'attente a alors été tellement longue que le désir initial s'est en quelque sorte perdu, remplacé par le besoin de prouver que « l'on va y arriver ». Dans ce cas, toutes les réactions sont possibles au sein du couple, et chacun peut se sentir très désemparé face à l'annonce de l'arrivée de cet être qu'il n'attendait plus.

" Je perçois que des choses bougent en moi, ce n'est pas très clair, mais je ne me sens pas du tout père »."

QUAND SE SENT-ON PÈRE ?

Cet homme n'est pas un cas isolé, loin de là. Car, pour beaucoup, l'annonce ne coïncide pas du tout avec l'apparition du sentiment de paternité. Le décalage entre « se savoir » et « se sentir » père dure parfois toute la grossesse, et ce n'est qu'à la naissance que l'homme réalise soudain, et éprouve un grand amour pour le bébé. La dimension émotionnelle peut en effet aussi bien apparaître dès les premières semaines qu'en milieu de grossesse ou après la naissance. Tout est possible en la matière.

Tel père se dit très vite « habité, différent », avec la sensation qu'une « autre personne est entrée dans sa vie ». Tel autre n'éprouve rien de tel, mais accomplit une série de gestes qui, pour lui, préfigurent l'organisation future : limiter les déplacements, envisager un changement des horaires de travail, commencer à faire des économies... Chacun découvre le sentiment de paternité à son rythme et lui donne un contenu différent. L'absence d'émotion consciente, d'ailleurs, n'empêche ni que l'idée d'être père fasse son chemin, ni que l'on soit présent pour soutenir sa femme durant sa grossesse.

Même après la naissance de l'enfant, les hommes connaissent parfois des moments de déprime car ils ne se sentent pas encore vraiment pères. Certains fuient le foyer familial, rentrent le plus tard possible, etc. D'autres restent présents mais ont l'impression d'être en décalage avec ce qui les entoure. Mais, dans la plupart des cas, cette détresse n'est que passagère et ces pères parviennent peu à peu à établir de vrais liens avec leur enfant.

" J'ai envie que l'on prenne le temps de savourer la bonne nouvelle à deux avant de l'annoncer à la famille et aux amis."

Le premier mois

- Le développement du bébé
- Du côté de la maman
- Qui va vous suivre ?
- Où accoucher ?
- Les groupes sanguins
- Fausse couche précoce
- Les causes de saignements
- Alimentation: les principes de précaution
- En cas de dépendance
- Côté psy: l'enfant imaginaire

Le développement du bébé

Étape par étape, l'embryon se construit et se prépare à sa vie future. Des milliers d'opérations successives vont se succéder pour qu'un individu tout entier naisse de la rencontre de deux cellules. Le calendrier de cette aventure ne doit cependant pas être pris de manière trop rigide.

La 1re semaine

L'œuf, résultant de la fécondation de l'ovule par le spermatozoïde (voir pages 16 et 17), se déplace du tiers externe de la trompe utérine vers la cavité utérine, où il va s'implanter. Au cours de cette migration, il commence déjà à se diviser en plusieurs cellules.

La 2e semaine

L'œuf se fixe dans la muqueuse de l'utérus : c'est la nidation. Elle débute dès le 7e jour, à l'arrivée de l'œuf dans l'utérus, et se termine le 12e jour, c'est-à-dire au moment des premières règles manquantes. À l'intérieur de l'œuf, le « disque embryonnaire », constitué de deux couches de cellules, ou feuillets, commence à s'organiser : les cellules se multiplient et se différencient pour aboutir à une structure complexe. Le diamètre de l'œuf est d'environ un millimètre.

Attention !

Les descriptions du développement de l'embryon sont faites en semaines de gestation, comptées depuis le début effectif de la grossesse. Pour suivre le développement par rapport aux semaines d'aménorrhée, il suffit de rajouter deux semaines : par exemple, la 1re semaine décrite ci-contre correspond à la 3e semaine d'aménorrhée.

La 3e semaine

Le futur placenta se met en place, des ébauches de vaisseaux sanguins et de cellules sexuelles apparaissent, ainsi qu'un troisième feuillet. Chacun des trois feuillets va donner naissance à des tissus spécialisés, qui eux-mêmes seront à l'origine de toutes les autres cellules, et par conséquent de tous les organes. Par exemple, du feuillet interne (endoderme) dériveront les organes de l'appareil digestif et ceux de l'appareil respiratoire ; le système nerveux et les organes des sens seront formés à partir du feuillet externe (ectoderme), tandis que le feuillet médian (mésoderme) sera à l'origine du squelette et des muscles.

La 4e semaine

C'est une période de transition entre la formation de l'embryon (embryogenèse) et celle des organes (organogenèse) du futur bébé. Les premiers battements cardiaques apparaissent vers le 23e jour, le cœur n'est alors qu'un petit tube pulsatile. L'embryon prend désormais une forme mieux différenciée : il ressemble à un haricot, avec des bourgeons qui deviendront les membres ; les premières ébauches d'organes se développent. Il flotte au sein d'une cavité emplie de liquide amniotique, appelée aussi « poche des eaux ». Par le cordon ombilical, il est relié au placenta, qui lui fournit des éléments nutritifs. À la fin de ce premier mois de développement, l'embryon mesure 5 mm.

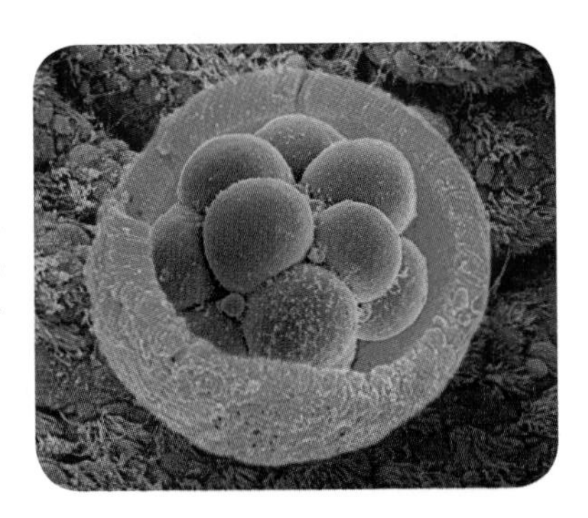

Au 3e jour, l'œuf se divise rapidement en plusieurs cellules, ici le stade 16 cellules appelé aussi « *morula* ».

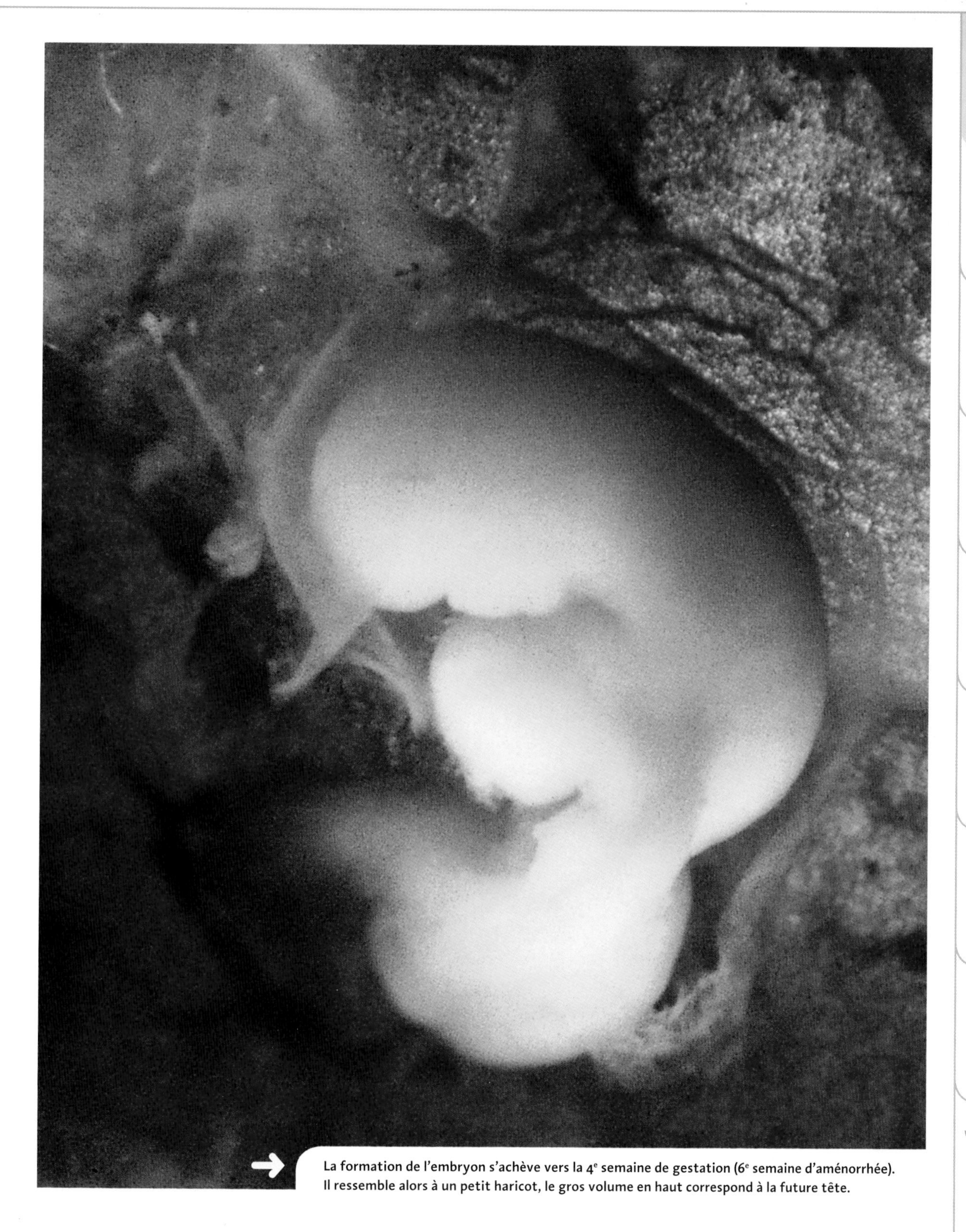

La formation de l'embryon s'achève vers la 4e semaine de gestation (6e semaine d'aménorrhée). Il ressemble alors à un petit haricot, le gros volume en haut correspond à la future tête.

Du côté de la maman

Les quatorze premiers jours, attendant toujours vos règles, vous ne ferez peut-être pas attention à de tout petits signes, qui vous reviendront en mémoire plus tard, quand vous aurez sous les yeux le résultat positif de votre test de grossesse. Vous serez sans doute à la 3e ou 4e semaine de grossesse quand vous ne pourrez plus les ignorer, tant ils feront partie de votre quotidien.

Votre corps se transforme déjà

Vos seins augmentent de volume, les mamelons deviennent saillants après quelques semaines ; l'aréole fonce, se bombe et laisse voir de petites saillies (les tubercules de Montgomery). Vous commencez à prendre du poids, essentiellement pour constituer des réserves en graisses dans lesquelles vous puiserez ensuite pour vos propres besoins en énergie. Ou, plus rarement, vous perdrez du poids, quelques kilos ; cela n'a aucune importance, car l'embryon puise dans votre corps tout ce dont il a besoin.

Votre odorat est plus développé et vous sentirez des parfums agréables, de fleurs par exemple. Mais, en même temps, d'autres odeurs qui ne vous incommodaient nullement auparavant, comme celles de certains aliments, vous donneront peut-être des haut-le-cœur.

D'autres changements passent plus inaperçus

L'utérus commence à grossir dès le début de la grossesse. Pour que le sang de la mère achemine les nutriments nécessaires au développement du fœtus, les vaisseaux maternels se dilatent, et le volume du sang augmente, passant de 4 litres à 5 ou 6 litres. Enfin, le rythme cardiaque s'accélère et le débit cardiaque augmente de 30 à 50 %. Ainsi votre cœur bat plus vite, car il a plus de sang à brasser, et tout le système cardio-vasculaire s'adapte à ces efforts supplémentaires. Quelques désagréments peuvent survenir, variables d'une femme à une autre et même d'une grossesse à une autre, à la grande surprise de chacune. Tous ces inconforts peuvent être présents à des degrés divers, comme ils peuvent être tous absents ; et, entre ces deux extrêmes, toutes les possibilités existent…

“J'ai l'impression que ma bouche est constamment remplie de salive et à force de l'avaler, j'ai la nausée. Qu'est-ce qui se passe ?”

LA SALIVATION EXCESSIVE

Une production excessive de salive est un symptôme qui peut être en effet observé durant la grossesse. Gênante, mais non dangereuse, elle disparaît généralement au bout de quelques mois. Ce symptôme est plus fréquent chez les femmes souffrant de nausées matinales, auxquelles il pourrait contribuer. Il n'existe aucun remède. Brossez-vous les dents avec un dentifrice à la menthe, rincez-vous la bouche avec un bain de bouche ou mâchez un chewing-gum sans sucre.

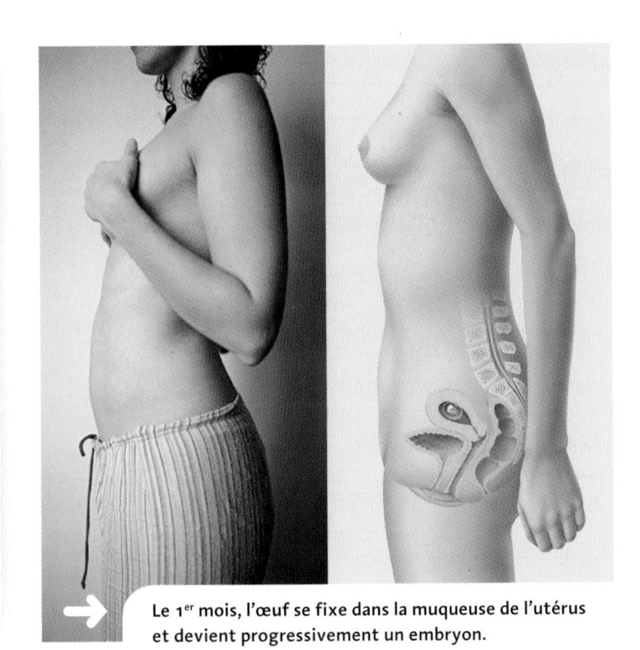

Le 1er mois, l'œuf se fixe dans la muqueuse de l'utérus et devient progressivement un embryon.

Une femme perçoit très vite d'infimes changements qui lui laissent deviner qu'elle est enceinte.

LES DÉSAGRÉMENTS DES PREMIERS MOIS

- **Vous pourrez avoir des nausées et des vomissements.**
- **Vos seins pourront être gonflés, sensibles, voire douloureux.**
- Vous pourrez vous sentir fatiguée, voire épuisée. Une promenade en vélo de 5 km vous paraîtra un effort inenvisageable. **Vous avez souvent envie de dormir dans la journée.** Essayez de vous reposer davantage !
- **Vous pourrez avoir des douleurs pelviennes** (de chaque côté de l'utérus) liées à la tension des ligaments qui soutiennent l'utérus.
- **Vous pourrez avoir des vertiges ou des malaises.** Ne désespérez pas, les nausées ou vomissements, les malaises et la fatigue durent au maximum tout le 1er trimestre. Sachez que ces signes montrent aussi que la grossesse se déroule normalement.

C'est le temps de...

Prendre rendez-vous sans tarder avec votre médecin qui, après confirmation de la grossesse, vous prescrira des examens de laboratoire et vous délivrera une déclaration de grossesse.

Qui va vous suivre ?

Seuls deux spécialistes sont à même de suivre une femme enceinte jusqu'à l'accouchement inclus, puis dans les semaines suivant la naissance. Ce sont la sage-femme et l'obstétricien. La première a davantage vocation à s'occuper des grossesses qui se présentent bien, et le second joue un rôle incontournable dès qu'apparaît un problème concernant la mère ou le bébé.

La sage-femme, un rôle majeur

Les sages-femmes prennent aujourd'hui en charge le suivi de nombre de grossesses. Ayant reçu une fomation médicale, elles assurent les consultations obligatoires dans les mêmes conditions qu'un obstétricien (« elles », parce que la profession est encore féminine à 99 %). Une sage-femme est à même de détecter tout problème éventuel, elle peut effectuer des échographies, prescrire des traitements si besoin. Seule la première consultation ne relève pas de ses compétences, parce que celle-ci implique un passage en revue de l'état de santé général de la femme enceinte.

C'est également une sage-femme qui vous suivra pour tout votre accouchement. Si tout se passe bien, l'obstétricien n'intervient pas du tout. Puis, après la naissance, c'est encore une sage-femme qui vous prodiguera les premiers conseils et vous aidera, entre autres, pour bien allaiter votre bébé.

Le contrôle du poids

Que vous soyez suivie par une sage-femme ou par un obstétricien, à chaque consultation, votre prise de poids sera contrôlée et analysée car elle doit être maîtrisée. Trop grossir peut en effet entraîner nombre de problèmes. Idéalement, une femme enceinte devrait prendre entre 9 et 12 kg selon sa morphologie, mais chaque cas est un cas particulier. En France, la prise de poids est en général comprise entre 10 et 15 kg en moyenne.

L'obstétricien, médecin de l'accouchement

Si tous les obstétriciens sont aussi des gynécologues, l'inverse n'est pas vrai. Tous les gynécologues ne sont pas également obstétriciens, c'est-à-dire spécialisés dans la grossesse, le développement du fœtus et l'accouchement. Un simple gynécologue peut toutefois s'occuper du suivi médical de votre grossesse, mais il ne vous accouchera pas.

Car seuls les obstétriciens et les sages-femmes peuvent effectuer un accouchement. Dès qu'apparaît un problème médical, c'est en général l'obstétricien qui intervient, plus que le gynécologue. Le traitement de tous les troubles pouvant affecter le fœtus est de son unique ressort. Toute

LA QUESTION FINANCIÈRE : PUBLIC OU PRIVÉ ?

- **Dans le secteur public,** tous les frais sont remboursés par la Sécurité sociale, à l'exception des dépenses relevant d'un choix personnel (chambre individuelle, téléphone, télévision), qui sont éventuellement pris en charge par certaines mutuelles.
- **Dans le secteur privé et selon le statut de la clinique,** le coût peut se révéler beaucoup plus important. **Si la clinique est conventionnée,** les frais de séjour sont pris en charge à 100 % par la Sécurité sociale à hauteur du tarif conventionnel, les frais de confort restant à votre charge. Mais informez-vous toutefois auprès de votre mutuelle pour savoir si elle rembourse les éventuels dépassements d'honoraires de l'obstétricien (c'est souvent le cas si ce dernier exerce en clinique privée), ou ceux de l'anesthésiste si vous optez pour un accouchement sous péridurale. **Quant aux cliniques dites « agréées »,** elles ne sont pas conventionnées : cela signifie que vous devez avancer le paiement des actes et que vous serez remboursée a posteriori à hauteur de 80 % par la Sécurité sociale, le complément étant à votre charge ou à celui de votre mutuelle.

Avoir confiance en la personne qui vous suit durant la grossesse que ce soit une sage-femme ou un obstétricien.

difficulté impliquant par exemple un accouchement par forceps ou une césarienne relève de sa compétence. Mais ce spécialiste s'occupe aussi de la grossesse quand elle ne pose aucun problème, c'est-à-dire dans la plupart des cas. Son suivi débute dès les premières semaines et s'achève à la fin des suites de couches.

Peut-on choisir ?

Vous serez orientée de préférence vers un obstétricien si vous avez déjà connu une grossesse ou un accouchement difficiles ou en cas de maladie grave. Mais, quand tout s'annonce sous les meilleurs auspices, vos souhaits seront également pris en compte, dans la mesure du possible. La limite à ce choix sera, bien sûr, l'équipement médical de la région où vous vivez. Dans certains départements, les obstétriciens sont par exemple peu nombreux et se consacrent aux situations les plus délicates.

Certaines femmes préfèrent les sages-femmes qui, parfois, prodiguent davantage de conseils pour la vie au quotidien. D'autres sont suivies par un gynécologue ou un gynécologue-obstétricien depuis des années et n'ont nulle envie de changer.

On peut aussi privilégier un praticien rattaché à telle ou telle clinique, parce qu'il sera présent au moment de l'accouchement. Sachez toutefois que, dans tous les cas, tous ces spécialistes de la naissance travaillent en équipe. Au moindre problème, la sage-femme vous enverra chez l'obstétricien, et, à l'inverse, l'obstétricien vous enverra peut-être chez une sage-femme pour telle ou telle préparation à l'accouchement.

Où accoucher ?

L'accouchement vous semble encore lointain. Pourtant, il est déjà temps de trouver l'endroit où vous allez accoucher. L'inscription doit avoir lieu en effet très tôt, à cause des places limitées. Prenez le temps d'en discuter avec votre compagnon, vos amies et, bien entendu, le médecin qui vous suit. L'essentiel est que votre choix vous donne pendant la grossesse un sentiment de confiance et de sécurité.

Quand s'inscrire ?

L'inscription à la maternité est une priorité. Dans certaines grandes villes, les futures mamans le font même avant la confirmation de leur grossesse, à quelques jours de retard de règles pour les maternités très prisées ! Si vous avez attendu un peu ou si vous êtes sur liste d'attente, inscrivez-vous par prudence dans deux maternités.

Seuls 20 % des bébés naissent à la date prévue !

Depuis que vous avez appris que vous étiez enceinte, vous aimeriez bien pouvoir tout programmer. La vie et les choix que vous avez à faire seraient sans doute plus faciles si vous pouviez être sûre d'accoucher à la date prévue mais les choses ne sont pas toujours aussi simples. Une grossesse menée à terme dure entre 35 et 40 semaines, la majorité des bébés ne voient pas le jour à la date prévue !

Différents critères à examiner

LA PROXIMITÉ • Il n'existe pas en France de sectorisation pour l'inscription dans une maternité : vous pouvez accoucher dans l'établissement de votre choix, même s'il n'est pas dans votre ville. Cela étant, l'un des premiers paramètres à prendre en compte reste la distance. Il est préférable d'éviter une heure de route quand les contractions sont arrivées : ce n'est pas la voiture qui les calmera ! Mis à part le stress qu'un long trajet peut engendrer le jour « J », la proximité de la maternité présente d'autres avantages.

Avant l'accouchement, cela permet de se rendre aux consultations obligatoires en évitant une trop longue distance. Après la naissance, un trajet court permet au papa, surtout s'il y a des aînés, de ne pas perdre trop de temps en allers-retours. Le temps qu'il ne passera pas en voiture, il le passera auprès de vous et du bébé !

L'ENCADREMENT MÉDICAL • Le choix va se faire sur des critères variés et en fonction de sa propre personnalité : vous pouvez être de celles qui ont envie et besoin d'être très entourées par le personnel médical, de celles qui préfèrent une petite structure à un grand établissement, ou encore de celles qui donnent la priorité à un certain confort. Il est vrai que dans un hôpital qui pratique beaucoup d'accouchements – ce qui est en soi sécurisant –, le personnel médical, risque, malgré lui, de consacrer moins de temps aux jeunes mamans et à leurs interrogations, notamment après l'accouchement. Être bien conseillée sur l'allaitement (si c'est votre choix) et sur les premiers soins du bébé vous rassurera et permettra un retour plus serein à domicile. Or, dans les structures de petite taille, la disponibilité du personnel soignant est souvent plus grande.

En ce qui concerne l'équipe médicale elle-même, et notamment l'équipe de garde, il faut savoir qu'en dessous de 1 500 accouchements par an, les obstétriciens ne sont pas astreints à une présence continue. Au-delà, un médecin est présent 24h/24. Le mieux est de vous renseigner au préalable sur l'équipe de garde présente de nuit (obstétricien, anesthésiste, pédiatre).

En clinique privée, le gynécologue-obstétricien est toujours appelé ; dans une maternité publique, il ne se déplace qu'en cas d'intervention médicale (forceps ou césarienne par exemple). Autrement, ce sont les sages-femmes présentes en permanence, jour et nuit, dans toutes les maternités publiques ou privées, qui vous aideront à mettre au monde votre bébé. Si vous voulez bénéficier d'une péridurale, assurez-vous qu'elle pourra être faite et qu'un anesthésiste est toujours présent ou joignable.

LA DURÉE DU SÉJOUR • Il est bien aussi de connaître la durée de séjour moyenne selon l'établissement. Quand il existe un fort taux d'occupation, et c'est le cas dans les hôpitaux, la durée de séjour est souvent courte (trois jours). Dans les plus petites structures, la maman est en général gardée au moins quatre jours après la naissance.

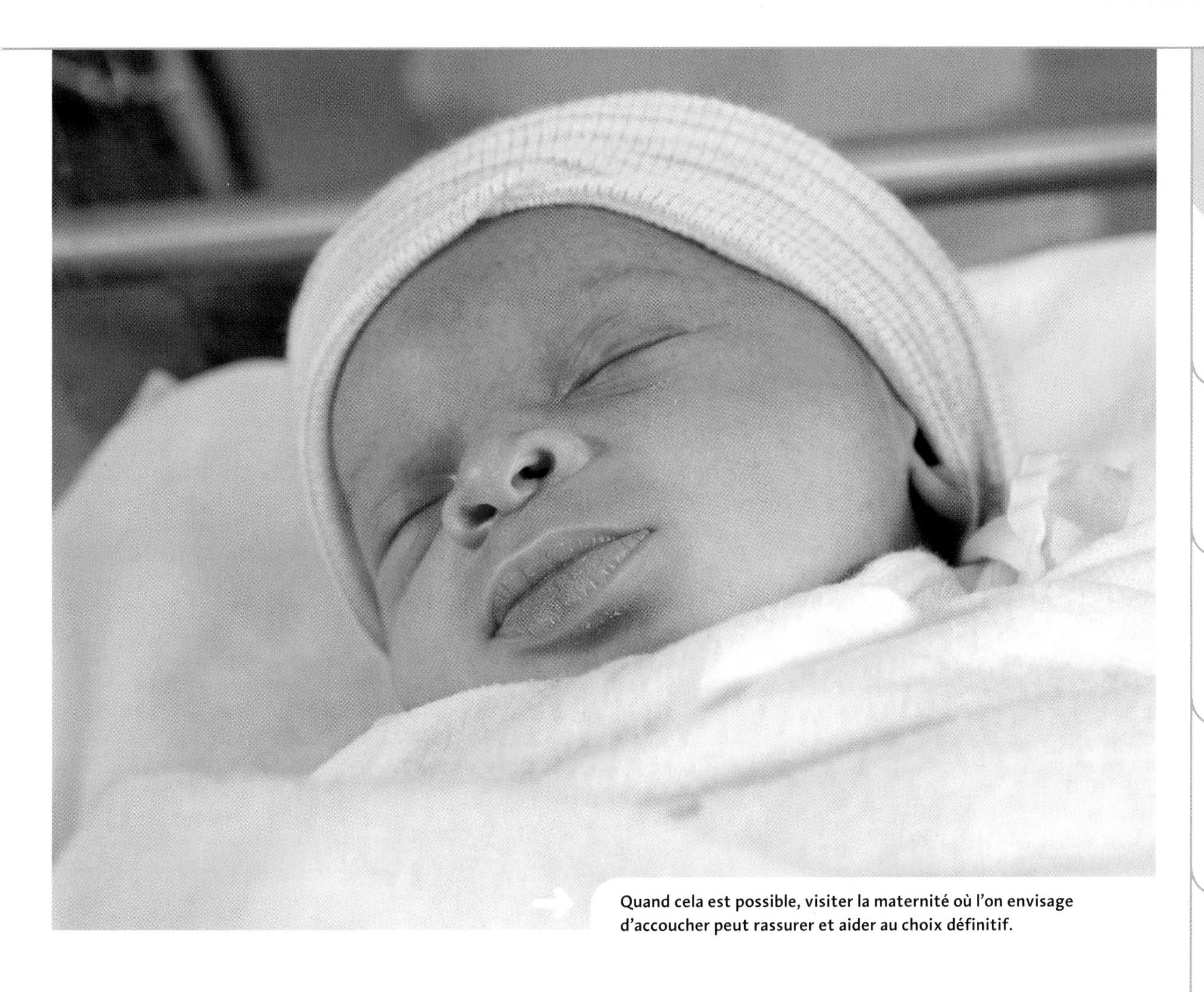

Quand cela est possible, visiter la maternité où l'on envisage d'accoucher peut rassurer et aider au choix définitif.

LA PRÉPARATION À L'ACCOUCHEMENT • Les séances sont dispensées aussi bien dans le public que dans le privé. Cependant, elles peuvent prendre des formes différentes et, là aussi, le choix reste très personnel. Il existe différentes préparations : celle dite « sans douleur ou psychoprophylaxie », qui consiste à réduire l'angoisse, à apprendre à diminuer les tensions au moment de l'accouchement, à se détendre, à respirer ; celle basée sur la sophrologie, au cours de laquelle on apprend à se relaxer par la respiration et à « visualiser » les parties de son corps. Certaines maternités proposent aussi le chant prénatal, qui s'appuie sur le travail respiratoire du chant en pratiquant plusieurs vocalises et en utilisant des sons graves pour abaisser le seuil de la douleur. Enfin, l'haptonomie repose sur l'établissement d'une relation affective entre vous, votre compagnon et le bébé à naître, grâce à un contact particulier.

Il est donc important de savoir si la préparation que vous envisagez est pratiquée dans la maternité où vous voulez accoucher.

ET CÔTÉ CONFORT ? • Si vous souhaitez une douche et des toilettes dans votre chambre, il est préférable d'accoucher dans une maternité privée plutôt que dans un hôpital. Il en va de même si l'idée de partager votre chambre – et donc les pleurs d'un autre bébé ainsi que les visites que recevra votre voisine ! – vous dérange. Dans les établissements privés, les chambres individuelles sont plus nombreuses. À l'hôpital, il y en a moins, et elles sont logiquement réservées aux femmes qui ont rencontré des difficultés lors de leur accouchement.

VOS PROPRES PRÉOCCUPATIONS • Le papa pourra-t-il assister à l'accouchement en cas de césarienne ? Les horaires de visites sont-ils stricts ? Est-il possible de s'occuper de son bébé dans la chambre – équipée d'une table à langer – ou faut-il se rendre à la nurserie ? Renseignez-vous. Et si vous souhaitez un mode d'accouchement particulier – dans l'eau ou accroupie par exemple –, demandez s'il est pratiqué.

Enfin, cherchez aussi à savoir s'il est possible de visiter la maternité avant l'accouchement : il est parfois rassurant de connaître les lieux. Rares sont les établissements qui ne le font pas. À cette occasion, on remet à la future maman et au futur papa un guide d'accueil qui permet de disposer d'informations complémentaires.

La prise en compte du déroulement de la grossesse

En France, en Suisse et en Belgique, les structures de maternité sont à peu près équivalentes, la grande différence étant l'accouchement à l'hôpital public ou dans une maternité privée, affaire de choix et de coût. La grande majorité des accouchements se fait, dans ces pays, à l'hôpital. Il en est de même au Québec, avec une particularité propre à ce pays : les sages-femmes ne jouent qu'un rôle d'accompagnement en milieu hospitalier, mais effectuent des accouchements au sein des maisons de naissance (voir page 63).

Le classement des maternités en niveaux I à III est propre à la France, mais les différences de structure (présence d'un service de néonatalité ou non) se retrouvent à peu près partout.

NIVEAU I, II OU III ? • Les maternités françaises sont maintenant classées en trois niveaux. Les maternités de niveau I offrent une prise en charge pour des accouchements simples, sans complications prévisibles à la naissance. Ces services n'accueillent pas de nouveau-né prématuré et sont en général de petites structures. Les maternités de niveau II disposent d'une unité de néonatalogie ; elles sont destinées aux grossesses à risques, dont les grossesses multiples. Les maternités de niveau III sont pour leur part dotées d'une unité de réanimation néonatale pour les nouveau-nés qui présentent des détresses graves, souvent en rapport avec des naissances très précoces, dès le 6e mois de grossesse. Elles accueillent donc les grossesses dites « pathologiques ». Enfin, elles disposent aussi d'« Unités Kangourou » (voir pages 328 et 329), qui ont pour but d'éviter la séparation des parents et du nourrisson quand l'enfant doit rester hospitalisé.

UN CHOIX DICTÉ PAR LES ASPECTS MÉDICAUX • Le déroulement strictement médical de votre grossesse peut être un élément à prendre en compte dans le choix de la maternité. Si tout se déroule bien, si vous n'attendez pas de jumeaux ou de triplés, vous pouvez accoucher au sein d'un service de maternité public ou privé de niveau I ou II. Dans le cas contraire, votre obstétricien saura, dès les premières visites prénatales ou suivant le cours de votre grossesse, vous orienter ou vous accueillir au mieux et garantir que le nouveau-né recevra aussitôt tous les soins nécessaires, même en cas de problème. De vous-même, vous vous orienterez certainement vers une maternité de niveau III, si l'une de vos précédentes grossesses s'est mal déroulée.

QUI PEUT VOUS AIDER À CHOISIR ?

- **Votre gynécologue est un interlocuteur privilégié** : s'il est obstétricien, il vous proposera en général d'accoucher dans la maternité à laquelle il est rattaché. S'il ne l'est pas, il saura vous orienter vers des établissements et des confrères avec lesquels il a l'habitude de travailler.
- **N'hésitez pas à poser des questions sur l'établissement qui vous intéresse.** Vos interrogations trouveront leurs réponses auprès de votre gynécologue, de la maternité elle-même ou éventuellement d'amies qui ont accouché dans le même établissement.

Accoucher à domicile ?

Le choix d'accoucher chez soi est très rare en France (moins de 1 % des femmes optent pour cette pratique). L'accouchement à domicile a toujours ses adeptes et ses détracteurs. Pour les premiers, l'environnement familial, la présence de personnes aimées, le confort et l'intimité du domicile permettent un accouchement dans une sérénité absolue – à condition d'être prête à affronter l'absence de péridurale. La femme a en outre toujours la même sage-femme pour interlocuteur, du début de sa grossesse jusqu'au post-partum.

Pour les personnes défavorables à cette option, les risques encourus sont plus importants que tout autre avantage. Il est vrai que des complications, même minimes, peuvent survenir lors d'un accouchement. Or ni la césarienne, ni aucune réanimation ne peuvent être pratiquées à domicile. Les aspects médicaux de la question doivent donc aussi être pris en compte, et, dans tous les cas, envisager d'accoucher chez soi mérite une discussion avec son médecin.

D'UN POINT DE VUE PRATIQUE... • Si vous avez choisi cette option, vous devez trouver une sage-femme près de chez vous qui pratique des accouchements à domicile et qui est en relation avec un obstétricien ou une maternité pour pouvoir vous transférer facilement en cas de problème. Inscrivez-vous par prudence dans la maternité la plus proche au cas où la fin de la grossesse se compliquerait. Il

Les maisons de naissance

Les maisons de naissance sont destinées aux femmes enceintes susceptibles d'accoucher dans un environnement peu médicalisé. Ces structures existent dans plusieurs pays européens, mais peinent à s'implanter en France. Les premières maisons de naissance ont été créées aux États-Unis il y a près de trente ans. Le Québec, l'Allemagne, la Suisse ont emboîté le pas.

Aujourd'hui, ces maternités d'un genre un peu particulier existent aussi en nombre très variable en Autriche, en Grande-Bretagne, en Italie, en Espagne et en Belgique.

L'ESPRIT DES MAISONS DE NAISSANCE

Chaque pays a une définition bien précise de la maison de naissance. Mais, de façon générale, il s'agit partout d'un lieu où peuvent accoucher de manière « naturelle » toutes les femmes qui n'ont pas de problème particulier durant leur grossesse, c'est-à-dire la majorité des femmes. L'idée est de respecter le plus possible la physiologie, dans des conditions similaires à celles d'un accouchement chez soi (avec, bien sûr, ses avantages et ses inconvénients). Cela se traduit, par exemple, par le fait de pouvoir accoucher dans la position qui vous convient, que ce soit accroupie, ou assise, voire dans une baignoire d'eau chaude.

QUEL TYPE DE FONCTIONNEMENT ?

La plupart du temps, l'accompagnement en maison de naissance est individualisé et tient compte de tous les aspects de la grossesse. Il est en effet toujours effectué par une sage-femme, qui suit la femme enceinte jusqu'à la fin des suites de couches, accouchement inclus. Les moyens techniques dont disposent ces structures sont assez limités : on ne peut pas par exemple y pratiquer de péridurale, ni d'anesthésie générale. Les seuls actes médicaux possibles sont ceux que peut effectuer une sage-femme ; celle-ci dispose de son matériel (entre autres, un appareil de monitoring, du matériel de perfusion et de suture pour une éventuelle épisiotomie). Souvent, après la naissance, la mère et son enfant ne restent pas sur place plus de 24 heures. Le retour à domicile est donc précoce, avec une surveillance effectuée ensuite par la même sage-femme à la maison. Mais ces modalités varient selon les établissements.

LA SÉCURITÉ LORS DE L'ACCOUCHEMENT

Bien sûr, toutes les femmes enceintes ne peuvent pas accoucher en maison de naissance. Dès qu'il existe la moindre pathologie, pour la mère comme pour le fœtus, c'est un médecin qui prend le relais de la sage-femme, et l'accouchement a lieu dans une maternité classique. De même, si un problème se manifeste lors de l'accouchement, on transfère aussitôt la parturiente dans un établissement susceptible de lui fournir tous les soins nécessaires. C'est pourquoi les maisons de naissance sont toujours situées à proximité d'une maternité bien équipée et travaillent en réseau avec d'autres établissements ou praticiens. Dans d'autres pays, la maison de naissance offre une possibilité aux femmes qui souhaiteraient accoucher chez elles, mais qui habitent trop loin d'une maternité pour que ce soit possible.

QUELQUES TENTATIVES EN FRANCE

En France, les maisons de naissance sont toujours à l'état de projet. Des tentatives ont bien eu lieu, financées par des fonds privés mais sans succès. Pourtant, des sages-femmes, des obstétriciens et des maternités seraient prêts à se positionner en faveur de telle démarche. La difficulté est toutefois de nature juridique : il faut accorder un statut particulier, et prévoir une assurance pour les sages-femmes. En outre, la mise en place de telles structures demanderait des fonds et une réelle volonté de la part des pouvoirs publics.

est préférable d'effectuer les visites prénatales et de suivre les séances de préparation à l'accouchement avec la sage-femme qui vous accouchera. Enfin, il faut demander à votre mutuelle ce qu'elle prendra en charge sur le dépassement d'honoraires de la sage-femme.

LES PAYS-BAS, UN MODÈLE UNIQUE • À la différence des autres pays européens où il est très peu répandu, l'accouchement à domicile est effectué régulièrement aux Pays-Bas. Cette pratique s'y accompagne toutefois d'une grande rigueur et de certaines conditions géographiques et sanitaires. Seules les femmes enceintes sans antécédent particulier et présentant une grossesse normale peuvent accoucher chez elles. La maternité doit être proche du domicile (moins de 30 minutes de trajet), pour un transfert rapide de la mère ou de l'enfant en cas de complication.

DES CONDITIONS PEU PROPICES • En France, ces conditions sont rarement réunies : peu de sages-femmes pratiquent encore des accouchements à domicile, car elles ne sont plus assurées pour cet acte. En outre, les maternités ne sont plus conçues comme des infrastructures de proximité. La possibilité d'accoucher chez soi doit rester soumise à des critères médicaux stricts. Vous ne pouvez accoucher à domicile si, par exemple, vous avez déjà eu une césarienne ou si le bébé se présente par le siège.

Les groupes sanguins

Parmi les premiers examens de la grossesse figure la définition du groupe sanguin et du facteur Rhésus de la mère, et parfois du père. Des précautions s'imposent en effet si l'enfant est issu d'une femme Rh – et d'un homme Rh +.

Qu'est-ce que l'incompatibilité Rhésus ?

Il existe quatre principaux groupes sanguins humains, A, B, AB et O, et divers sous-groupes, dont le plus connu est le facteur Rhésus. Ils sont définis par des substances appelées « antigènes » qui se trouvent à la surface des globules rouges. Les individus sont dits Rhésus positif (Rh +) ou Rhésus négatif (Rh –) selon qu'ils présentent, ou non, l'antigène Rhésus sur leurs globules rouges. L'organisme d'une personne Rh –, au contact de globules rouges portant l'antigène Rh +, se trouve face à un corps étranger et se protège en créant des anticorps. C'est ce que l'on appelle « l'incompatibilité Rhésus ».

Un document précieux !

Une fois que la détermination de votre groupe sanguin et que la recherche de votre facteur Rhésus seront faites, on vous remettra une carte personnelle sur laquelle figureront tous ces éléments. Pensez à l'avoir toujours sur vous. En cas d'urgence, elle pourra vous être très utile.

Définir le Rhésus en début de grossesse

La grande majorité des hommes et des femmes (85 %) ont un Rhésus positif, qu'ils transmettent à leurs enfants. Mais, quand une femme Rh – et un homme Rh + donnent ensemble la vie, il est possible que le futur enfant soit Rh +. Ce problème concerne environ une femme enceinte sur onze. Tant que le sang du fœtus et celui de la mère ne sont pas en contact, la grossesse suit un cours normal. C'est le cas le plus fréquent. Mais, si les globules rouges de la mère et du fœtus se rencontrent, par exemple lors de l'accouchement, les problèmes apparaissent. L'organisme de la mère Rh – va en effet avoir une réaction de défense et produire des anticorps appelés « agglutinines ». Cela n'aura pas d'incidence sur sa santé, mais pourra nuire à celle d'un prochain enfant, s'il est Rh +. Car ces agglutinines vont traverser le placenta et détruire les globules rouges du fœtus.

Des solutions pour préserver le fœtus

Tant que la mère ne produit pas d'agglutinines, le fœtus ne court pas le moindre risque. Mais, si le sang de la mère, quelle qu'en soit la raison, contient déjà ces anticorps en nombre important, la question est plus délicate. C'est une situation exceptionnelle lors d'une première grossesse. Mais, dans tous les cas, la surveillance du fœtus est impérative. Si on détecte une anémie provoquée par les anticorps de la mère, le plus souvent, on déclenche l'accouchement avant terme (entre la 35e et la 37e semaine). Puis, au besoin, on remplace complètement le sang du nouveau-né à la naissance au cours d'une « exsanguino-transfusion ». Mais, si l'anémie devient sévère et que le fœtus est encore trop jeune pour naître, on effectue une transfusion sanguine alors qu'il est encore dans l'utérus (in utero). Ces transfusions ne sont pratiquées que dans des centres spécialisés.

La prévention des risques liés au facteur Rhésus

Aujourd'hui, la fabrication d'anticorps par la mère Rh – peut être stoppée par l'injection de gammaglobulines. Cette injection est pratiquée dès que du sang fœtal risque de passer dans la circulation sanguine maternelle : lors d'une amniocentèse, d'un cerclage ou d'un traumatisme abdominal. De même, dans un souci préventif, quand la femme est Rh –, on pratique cette injection de façon systématique à 6 mois de grossesse et après un accouchement (si le fœtus est Rh +), une fausse couche, une interruption volontaire de grossesse ou une grossesse extra-utérine : autant d'événements où les contacts sanguins sont quasi inévitables.

Le but est d'éviter que les femmes Rh – ne rencontrent des problèmes lors de grossesses ultérieures. Une fois présents, les anticorps restent en effet dans l'organisme et ne manqueraient pas d'agir contre un fœtus Rh +. C'est grâce à toutes ces précautions que l'anémie du fœtus pour cause d'incompatibilité Rhésus est devenue aujourd'hui de plus en plus rare en Europe.

Les principaux groupes sanguins

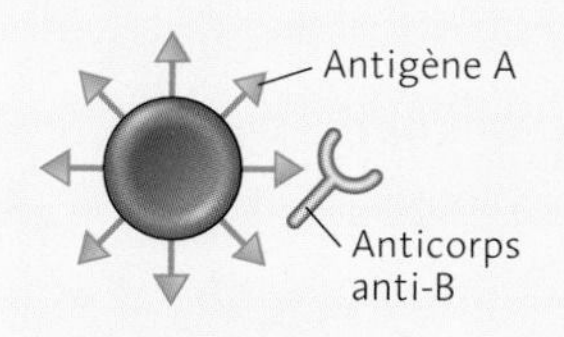

Groupe A
Les hématies ont des antigènes A et le plasma a des anticorps anti-B.

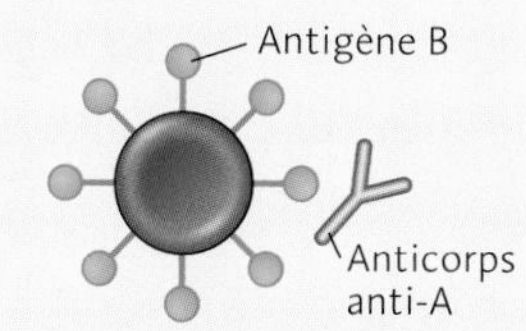

Groupe B
Les hématies ont des antigènes B et le plasma a des anticorps anti-A.

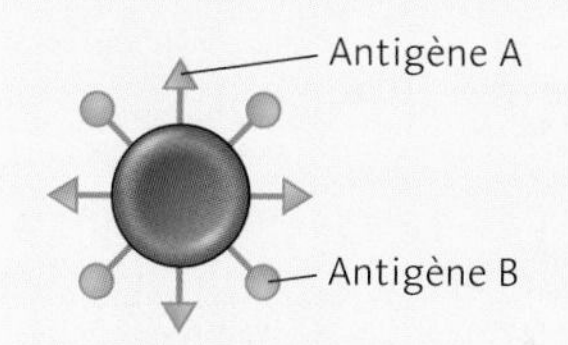

Groupe AB
Les hématies ont des antigènes A et B, et le plasma ne contient aucun anticorps.

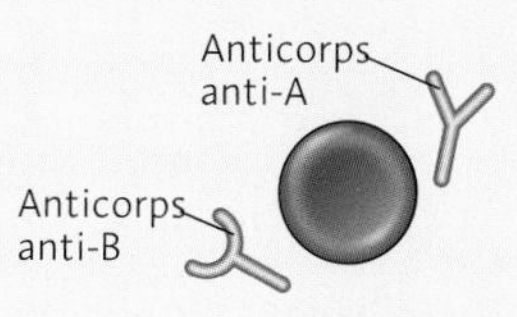

Groupe O
Les hématies n'ont pas d'antigène et le plasma contient des anticorps anti-A et anti-B.

Table de compatibilité du système ABO

Les sujets O sont dits donneurs universels, et les sujets AB receveurs universels.

receveur \ donneur	A	B	AB	O
A	compatible	incompatible	incompatible	compatible
B	incompatible	compatible	incompatible	compatible
AB	compatible	compatible	compatible	compatible
O	incompatible	incompatible	incompatible	compatible

compatible — incompatible

> « D'après le médecin, je suis Rhésus négatif. Quelles vont être les conséquences ? »

QUEL SUIVI MÉDICAL ?

Puisque vous êtes Rh -, vous allez bénéficier d'un suivi médical particulier. On va d'abord chercher à savoir si le père est Rh + ou Rh -. Si votre conjoint est Rh -, le fœtus est obligatoirement Rh - (deux parents Rh - ne peuvent pas engendrer un bébé Rh +), ce qui signifie que votre organisme ne le considérera pas comme un « étranger ». Aucune complication n'est possible.

En revanche, s'il est Rh +, il existe une possibilité que le fœtus hérite de son facteur Rhésus, ce qui créera une incompatibilité entre vous et votre bébé.

Celle-ci ne provoque habituellement aucun problème lors d'une première grossesse. Mais certaines femmes peuvent s'immuniser (c'est-à-dire fabriquer des anticorps Rh +) au cours de leur première grossesse, ce qui peut être néfaste pour les grossesses suivantes – si elles portent de nouveau un enfant Rh +. C'est pourquoi depuis peu de temps, une prévention est organisée en cours de grossesse. Les femmes Rh - mais dont le compagnon est Rh + reçoivent systématiquement une injection de Rhophylac 300 entre 26 et 30 semaines d'aménorrhée. De plus, si une situation particulière survient qui pourrait provoquer le passage de sang fœtal vers celui de la mère (par exemple un traumatisme abdominal), vous devez immédiatement consulter pour voir si votre enfant va bien, mais aussi pour recevoir une injection prophylactique.

Une recherche d'agglutinines irrégulières (RAI) sera aussi réalisée régulièrement au cours de la grossesse (aux 6e, 8e et 9e mois) pour détecter et mesurer la présence d'anticorps potentiellement dangereux.

Actuellement, il est également possible de déterminer le groupe Rhésus du fœtus par une prise de sang maternel. Cette nouvelle technique est utilisée dans certains cas particuliers, pour aider au suivi des femmes déjà immunisées.

Fausse couche précoce

Une fausse couche constitue toujours un événement douloureux pour une femme. On ne peut pas la prévoir, car elle est en quelque sorte le fait de la nature. Il importe toutefois de savoir qu'elle n'affecte pas durablement l'organisme et qu'elle ne met généralement pas en cause le succès des maternités futures.

Qu'est-ce qu'une fausse couche ?

La fausse couche, ou avortement spontané, est le résultat d'une grossesse qui arrête son évolution. L'embryon n'a pu se développer, le plus souvent à cause d'une anomalie chromosomique. Ce type d'anomalie ne présente, la plupart du temps, aucun caractère héréditaire et ne se reproduit pas forcément lors d'une nouvelle grossesse. L'avortement spontané survient le plus souvent durant les trois premiers mois et concerne environ 10 à 15 % des grossesses. C'est donc un fait relativement courant et dont le risque augmente avec l'âge. Certaines femmes font des fausses couches spontanées sans le savoir (pendant les deux premières semaines de grossesse, donc avant les règles). Au-delà du 3e mois, on parlera de fausse couche tardive (voir page 172).

Comment cela se passe-t-il ?

Les premiers symptômes sont des pertes de sang et des contractions utérines, accompagnées d'une disparition des signes de grossesse, comme la tension des seins ou les nausées. Les saignements sont peu importants au début, et deviennent ensuite plus abondants. Ils durent quelques jours et se résorbent rapidement. Puis le cycle menstruel suit son cours normal et les règles arrivent un mois plus tard.

Que doit-on faire ?

CONSULTER DANS TOUS LES CAS • Dès que des saignements surviennent, il faut impérativement consulter votre médecin pour qu'il en détermine la cause probable. Après s'être assuré que vous ne saignez pas trop, il prescrira aussi une échographie et, éventuellement, une prise de sang pour écarter une grossesse extra-utérine.

PASSER UNE ÉCHOGRAPHIE • Le but est d'établir le diagnostic. Quand il s'agit d'une fausse couche, l'échographie montre que l'embryon ne se développe pas et n'a pas d'activité cardiaque. Dans certains cas, deux échographies sont nécessaires à quelques jours d'intervalle pour être sûr du diagnostic.

DEUX POSSIBILITÉS • Le plus souvent, une fois le diagnostic établi, le médecin aide à évacuer l'œuf par un médicament ou procède à son évacuation par aspiration (curetage), un acte effectué sous anesthésie générale. La durée de l'hospitalisation n'excède pas une journée. Il arrive également que l'obstétricien attende, car l'expulsion de l'œuf peut se produire d'elle-même. Il faudra consulter ensuite pour vérifier que l'expulsion de l'œuf est totale. Si la future mère est « Rhésus négatif » (voir page 64), le médecin prescrira des gammaglobulines.

ET APRÈS ?

- Une fausse couche est, pour toute femme, un épisode douloureux à vivre. Quand l'annonce de la grossesse était porteuse de joies et d'espoirs, on vit cela comme un arrêt brutal, une perte. On éprouve souvent une immense tristesse. **Chaque femme réagit différemment** selon que ce bébé a été longtemps attendu ou non, selon son histoire personnelle, et aussi selon le moment où l'interruption survient.
- **Mais le traumatisme psychologique est réel et doit être pris en compte,** en particulier par l'entourage. De nombreuses angoisses peuvent surgir au moment de la fausse couche (la vue du sang, la peur de ce qui arrive et d'éventuelles complications), et à propos de l'avenir (pourrai-je de nouveau être enceinte ? est-ce que cela peut recommencer ?). Il est essentiel de confier ces angoisses à son médecin et d'en parler aussi à son compagnon. Le médecin rassurera sur le fait que la fausse couche n'a aucune incidence sur les grossesses futures. **Pour votre compagnon, cet événement peut aussi être difficile à vivre.**
- Un bilan à la recherche d'une cause est nécessaire après trois fausses couches précoces.

Les autres causes de saignements

Des saignements durant les trois premiers mois de grossesse peuvent avoir de nombreuses causes, bien qu'elles ne soient pas toujours identifiées. Ils impliquent toujours de consulter, car ils peuvent signaler aussi bien un trouble anodin, comme l'ectropion, qu'un problème grave.

Le décollement de l'œuf

Il arrive que les membranes de l'œuf se décollent de la paroi utérine. Cela entraîne des saignements de couleur rouge, qui alarment toujours une femme enceinte, et c'est bien légitime. Mais il existe plusieurs types de décollement, leur gravité dépendant surtout de leur importance et de leur localisation par rapport au placenta. Un petit décollement de quelques centimètres carrés à l'opposé du placenta sera moins dangereux qu'un grand décollement (de 10 cm par exemple) sur le côté du placenta.

Dans tous les cas, il est impossible de présager du devenir de la grossesse. Si cette complication survient, le médecin prescrit le repos, avec arrêt de travail, et il faut éviter les trajets en voiture, le temps que l'œuf se recolle à la paroi utérine. En cas de contractions utérines, le praticien fait prendre un antispasmodique. Si la future mère est « Rhésus négatif » (voir page 64), il prescrira des gammaglobulines. Dans la plupart des cas, cet épisode se résoudra spontanément. Certains écoulements de sang foncé peuvent survenir par la suite, mais ils n'ont pas d'importance.

L'ectropion

Pendant la grossesse, l'aspect du col de l'utérus se transforme. Il devient plus fragile et peut saigner soit après un toucher vaginal, soit après un rapport sexuel. Le médecin diagnostique ce petit trouble à l'aide d'un simple examen au spéculum. Les saignements cesseront sans traitement.

La grossesse extra-utérine

Il s'agit par définition d'une grossesse lors de laquelle l'œuf s'est implanté en dehors de l'utérus, le plus souvent dans une trompe (l'œuf n'a pas réussi à atteindre l'utérus), ou dans le col de l'utérus (l'œuf est trop bas) ou encore à l'intérieur du ventre (sur un ovaire ou sur l'intestin). Les grossesses extra-utérines sont actuellement en augmentation, car elles sont favorisées par les MST (maladies sexuellement transmissibles), qui sont plus fréquentes de nos jours. La trompe est en outre un organe fragile : elle est composée à l'intérieur de cellules ciliées destinées à faire progresser l'œuf. Si elles sont détruites, ces cellules ciliées ne peuvent se régénérer. C'est le cas notamment lors de salpingite (infection de la trompe) : le risque d'avoir une grossesse extra-utérine est alors important, car la trompe n'arrive plus à acheminer l'œuf dans l'utérus. Si vous fumez, le risque est également accru.

QUELS SYMPTÔMES ? • Les signes sont un retard de règles, des douleurs dans le bas-ventre, à droite ou à gauche (selon la trompe touchée) et des saignements de sang foncé et peu abondants. Pour faire le diagnostic, le médecin procède à un examen gynécologique, dose les bêta-HCG dans le sang et prescrit une échographie par voie vaginale. Le diagnostic reste délicat, même si les récents progrès techniques en échographie permettent désormais, dans un certain nombre de cas, de visualiser une grossesse extra-utérine.

QUE PEUT-ON FAIRE ? • Une grossesse extra-utérine ne peut pas se poursuivre, car la trompe n'est pas extensible. Deux traitements sont possibles : par médicament ou par chirurgie. Le médecin choisit l'une des deux méthodes suivant l'âge de la grossesse, la douleur ressentie, le taux de bêta-HCG dans le sang, le stade de la grossesse extra-utérine et la présence éventuelle de sang dans le ventre.

Le traitement médical consiste à faire une, voire deux injections en intramusculaire d'un produit qui entraîne la destruction de l'œuf. La femme est ensuite surveillée de très près jusqu'à ce que le test sanguin de grossesse soit négatif, ce qui peut prendre plus d'un mois.

Le traitement chirurgical consiste à pratiquer une cœlioscopie sous anesthésie générale : on réalise un trou au niveau de l'ombilic de 10 mm de diamètre et deux petits trous de 5-10 mm de diamètre dans le bas du ventre, à droite et à gauche. Cette intervention permet l'extraction de l'œuf après ouverture de la trompe ou, en cas d'impossibilité, l'ablation de la trompe.

ET APRÈS ? • Toute femme qui a déjà fait une grossesse extra-utérine est plus susceptible d'en refaire une (risque mutiplié par cinq). En cas de nouvelle grossesse, il faut s'assurer rapidement par une échographie que l'œuf est, cette fois, bien implanté dans l'utérus.

Alimentation : les principes de précaution

L'alimentation est avant tout source d'équilibre et de plaisir, mais certaines précautions d'hygiène s'imposent au cours de la grossesse pour éviter la listériose et la toxoplasmose. Si elles sont bénignes en temps normal, ces maladies constituent un réel danger pour le fœtus. Il convient aussi de faire attention en cas d'allergies alimentaires, si vous-même, votre conjoint ou vos enfants y êtes sujets.

Quelles précautions contre la listériose ?

Rare et souvent bénigne, la listériose peut être grave pendant la grossesse. Cette maladie se contracte en consommant des aliments contaminés par une bactérie, la listeria. Pour en limiter les risques, évitez donc de consommer :

- les produits de la mer crus : poissons fumés, coquillages, surimi, tarama, sushis… ;
- les charcuteries artisanales : rillettes, pâtés, foie gras, produits en gelée ; préférez les charcuteries (type jambon) préemballées ;
- tous les produits laitiers au lait cru ; préférez le lait pasteurisé, UHT ou stérilisé, les fromages au lait pasteurisé, ceux à pâte cuite (type gruyère) ainsi que les fromages fondus ; enlevez la croûte des fromages ;
- les graines germées crues (soja…).

Attention !

Si vous n'êtes pas immunisée contre la toxoplasmose et que vous avez un chat, surtout ne nettoyez plus vous-même sa litière.

Et veillez à suivre quelques règles élémentaires :

- lavez soigneusement les légumes crus et les herbes aromatiques ;
- cuisez soigneusement les viandes, les poissons et les lardons ;
- conservez séparément les aliments cuits ou prêts à être consommés des aliments crus, de préférence dans des boîtes fermées ;
- consommez rapidement les restes alimentaires et les plats cuisinés ;
- nettoyez régulièrement et désinfectez à l'eau de Javel votre réfrigérateur et le plan de travail où vous préparez les repas ;
- après la manipulation d'aliments non cuits, lavez-vous les mains et nettoyez les ustensiles que vous avez utilisés.

Quelles précautions contre la toxoplasmose ?

Autre maladie dont il faut veiller à se prémunir durant la grossesse, la toxoplasmose est due à un parasite. Un test en début de grossesse permettra de vérifier que vous êtes immunisée.

Si tel n'est pas le cas :

- mangez la viande très cuite (mijotée mais pas grillée) et bannissez le steak tartare ;
- lavez-vous soigneusement les mains après avoir manipulé de la viande crue ;
- épluchez et lavez à grande eau fruits, légumes, salades et herbes aromatiques ; évitez de manger des crudités ailleurs que chez vous quand vous n'êtes pas sûre de l'hygiène ;
- évitez tout contact avec les chats (qui sont souvent porteurs du parasite), et surtout avec leur litière ;
- ne jardinez qu'en utilisant des gants et lavez-vous les mains ensuite.

Pour éviter tout risque de contamination des aliments par la listeria, il convient de respecter des règles élémentaires d'hygiène, notamment au moment de la préparation des repas.

EN CAS D'ALLERGIE ALIMENTAIRE

- **Les allergies alimentaires sont de plus en plus fréquentes chez l'enfant** sans que l'on en connaisse la cause. Les aliments concernés sont, par ordre de fréquence, l'œuf et l'arachide, suivis du lait et du poisson.
- **Si vous-même (ou votre conjoint ou l'un de vos enfants) avez une allergie alimentaire** qui a été confirmée par un spécialiste, votre futur bébé risque lui aussi d'être allergique.
- Dans ce cas, **informez votre médecin et demandez-lui conseil.** Même si des précautions sont à prendre, il ne faudrait pas risquer d'entraîner des déséquilibres alimentaires préjudiciables à votre bébé. Aujourd'hui le seul aliment à supprimer systématiquement – outre bien sûr celui auquel vous êtes allergique – est l'arachide : évitez les cacahuètes ainsi que les fruits à coque.
- **Si vous décidez d'allaiter,** cette recommandation reste valable après la naissance du bébé.

En cas de dépendance

La consommation de tabac ou d'alcool (voir page 45) fait courir des risques plus importants au fœtus. Souvent associée à des problèmes économiques, sociaux et psychologiques, la prise de drogues a des conséquences encore plus néfastes... En cas de toxicomanie, le sevrage durant la grossesse ne peut se faire que sous une stricte surveillance médicale.

Un contexte difficile

La consommation de diverses drogues représente un phénomène important dans les sociétés occidentales, qu'il s'agisse de substances considérées comme « douces » (le haschich par exemple...) ou des drogues dures (cocaïne, héroïne par exemple). Par ailleurs, la toxicomanie s'associe souvent à des pathologies nutritionnelles et infectieuses; les problèmes économiques et sociaux compliquent la prise en charge sociale et médicale.

DES CONDUITES À HAUT RISQUE • L'usage de drogues compromet le bon déroulement d'une grossesse. Celle-ci est souvent découverte tardivement, peu ou non suivie, et il n'est pas rare que la femme ne vienne à la maternité que pour accoucher ou lorsque survient une complication grave. Nombre de femmes toxicomanes sont en effet marginalisées, peu informées et bénéficient d'un suivi médical insuffisant, voire inexistant. En outre, elles peuvent être infectées par les virus des hépatites B ou C, ainsi que par celui du sida.

LES EFFETS DES DIVERSES DROGUES • Les dangers encourus par la future mère et son bébé dépendent de la drogue utilisée. La marijuana et le cannabis ne provoquent pas de malformation, mais leurs effets sont identiques à ceux du tabac (voir page 45), ce qui suffit à justifier leur arrêt. Il est également vivement conseillé aux couples qui essaient d'avoir un enfant de ne plus fumer de majiruana, substance pouvant rendre la conception difficile en diminuant la fertilité. Si vous n'arrivez pas à vous arrêter, demandez conseil à votre médecin ou prenez contact avec une association pour mettre fin au plus vite à cette dépendance. Les méthodes employées sont assez similaires à celles du sevrage tabagique (voir encadré ci-contre).

Les substances hallucinogènes provoquent des avortements et des malformations.

Drogues et poids du bébé

Certaines causes de petit poids à la naissance (en dessous des courbes dites « normales ») pourraient être évitées. Parmi les raisons les plus fréquentes de ce faible poids et des naissances prématurées, la consommation de tabac, d'alcool et de drogues (cocaïne notamment) occupent encore une place importante, en dépit des campagnes de prévention.

Les opiacés (morphine, héroïne) entraînent une dépendance psychique et physique chez la mère ainsi que chez l'enfant après sa naissance. Il en est de même pour la cocaïne. Son usage pendant la grossesse fait en outre courir d'autres dangers: augmentation du risque de fausse couche, d'accouchement prématuré, d'hématome rétroplacentaire (voir page 174) et de bébé de petit poids. Il peut aussi être à l'origine de complications maternelles graves (infarctus du myocarde, convulsions, hypertension artérielle...), mettant en danger sa vie et celle de son bébé. Enfin, on connaît encore mal les effets de l'ecstasy sur la grossesse et le fœtus.

Le suivi de la mère et du bébé

Il est possible de suivre une cure de désintoxication durant la grossesse, mais sous la surveillance de médecins. Un traitement de substitution peut même être envisagé, avec de la méthadone, qui permet d'éviter les complications liées à la toxicomanie intraveineuse. Ce traitement ne semble pas provoquer de malformation chez le nouveau-né. Les doses nécessaires sont diminuées de façon progressive, surtout à l'approche de l'accouchement.

Même si la mère a eu une telle démarche, mais qu'elle est toujours en état de dépendance, le bébé souffre le plus souvent d'un syndrome de sevrage à la naissance, consécutif à l'arrêt de la consommation de drogues: cela peut se traduire par des convulsions et des troubles du comportement. Il en va bien sûr de même lorsque la mère n'a pas été désintoxiquée durant sa grossesse. Dans tous les cas, ces nouveau-nés doivent bénéficier d'une prise en charge spécifique.

Enfin, toute dépendance rend l'allaitement au sein tout à fait contre-indiqué, les substances toxiques des drogues passant dans le lait maternel.

Drogues : un sevrage sous surveillance médicale

Les femmes enceintes qui consomment de la drogue – quelle qu'elle soit, illicite ou médicamenteuse – mettent gravement en danger la vie de leur bébé. Toutes les drogues illicites (héroïne, cocaïne, ecstasy, méthamphétamine en cristaux, LSD ou PCP) et toutes les substances vendues sur prescription médicale et susceptibles de créer une accoutumance (narcotiques, tranquillisants, sédatifs et pilules amaigrissantes) peuvent avoir des répercussions fâcheuses sur le développement du fœtus et/ou le déroulement de la grossesse.

QUE FAIRE ?

Dès lors que la prise de drogue implique une dépendance de la mère et du fœtus, une désintoxication durant la grossesse ne peut s'effectuer que dans un établissement médical spécialisé. Il est essentiel que le sevrage soit progressif, car un arrêt brutal de la consommation pourrait provoquer la mort du fœtus. La future mère est encadrée et soutenue par une équipe au sein d'un hôpital, où elle bénéficie d'un soutien psychologique qui lui permettra, au moins, de réduire sa consommation, si le sevrage est pour elle trop difficile.

OÙ VOUS RENSEIGNER ?

Pour mieux connaître les effets des substances que vous avez consommées avant et pendant votre grossesse, consultez un médecin ou contactez un organisme spécialisé. Mais surtout engagez au plus vite une cure de désintoxication en faisant appel à des professionnels qui sauront vous aider tout au long de votre grossesse tant sur le plan physiologique que psychologique.

Drogues Info Service : 24 h/24 au 0 800 23 13 13
www.drogues.gouv.fr

Écoute Cannabis : 0 811 91 20 20

Institut national de prévention et d'éducation pour la santé (INPES) : www.inpes.sante.fr

SE DÉBARRASSER DE LA CIGARETTE

- **Identifier les motivations** qui vous poussent à arrêter de fumer. Cela devrait être facile si vous êtes déjà enceinte.
- **Choisissez une méthode**. Voulez-vous cesser de fumer du jour au lendemain ou progressivement ? Dans les deux cas, fixez-vous un jour pour arrêter ou diminuer. Pour le jour J, prévoyez des activités qui ne sont pas associées à la cigarette.
- **Identifier ce qui vous pousse à fumer.** Cela vous procure du plaisir, vous stimule ou vous détend, diminue votre stress ou une frustration ? Vous avez besoin d'avoir quelque chose dans la bouche ou entre les doigts ? Vous avez un besoin irrésistible de fumer ? Vous fumez par habitude et vous allumez votre cigarette sans même vous en apercevoir ?
- Une fois que vous avez identifié les situations qui vous poussent à fumer, **essayez de trouver des substituts correspondants :** occupez vos mains quand le besoin est trop fort, prenez un cure-dent ou un chewing-gum, allez marcher (à vive allure), pratiquez des exercices de relaxation, sortez, bannissez les lieux dans lesquels vous aviez l'habitude de prendre une cigarette, évitez les excitants (thé et café) ainsi que les aliments et les boissons que vous associez à la cigarette, etc.
- Si vous craquez et fumez une cigarette, ne soyez pas désespérée. Recommencez sans culpabiliser.
- **Dites-vous que vous n'avez plus le choix**, ni dans les lieux publics, ni ailleurs.
- **N'hésitez pas à demander conseil** en consultant des services spécialisés.
- Renseignez-vous aussi sur les bienfaits que pourraient vous apporter **l'hypnose, l'acupuncture et différentes techniques de relaxation**.
- Attention, **les patchs, les gommes et autres substituts nicotiniques** peuvent présenter certains risques chez la femme enceinte. Parlez-en à votre médecin.

- **Tabac Info Service :** 0 825 309 310
www.tabac-info-service.fr

« Une cure de désintoxication ne peut s'improviser même lorsque la perspective d'être mère augmente la motivation. Un soutien médical est indispensable. »

Côté psy : l'enfant imaginaire

Le désir d'enfant se traduit souvent chez la future mère par une représentation de l'enfant imaginaire, de sa place dans la famille, du prénom qu'il recevra, des traits physiques qu'il aura. Dès que le désir naît, la femme donne une certaine réalité au bébé, le faisant exister dans sa tête bien avant sa conception physique. C'est l'aspect conscient du désir.

Qu'est-ce que l'enfant imaginaire ?

Durant la grossesse, la future mère se projette en lui, avec ses rêves, ses désirs, ses ambitions éducatives et sociales. Elle crée une sorte d'enfant idéal et parfait. En imaginaire, elle le pare de toutes les qualités : « ma fille sera douée pour le piano », « mon fils sera sportif »...

Rien de plus normal et de plus sain : cette image mentale idéalisée constitue le socle sur lequel se construira son amour pour le futur enfant. Mais, une fois né, l'enfant réel remplace l'imaginaire.

Ce passage est parfois difficile, voire douloureux. Il arrive que le bébé déçoive la maman, elle attendait une fille et c'est un garçon, ou l'aspect physique du nouveau-né la gêne. Elle peut être déçue ; elle n'est pas pour autant une « mauvaise mère ». La relation qui se développe à partir de la naissance, et qui était présente dès la conception, va créer l'attachement mutuel.

VOIR LA VIE EN ROSE

- On dit souvent que les optimistes vivent plus longtemps et en meilleure santé. **Aujourd'hui, tout laisse à croire que les femmes enceintes qui pensent que tout ira bien vivent effectivement souvent une grossesse agréable.** Ainsi, le fait de voir le bon côté des choses diminuerait les risques d'accoucher prématurément ou de donner naissance à un bébé de petit poids. On reconnaît aujourd'hui que le stress joue un rôle primordial dans nombre de pathologies, y compris chez les femmes enceintes. Alors, veillez à ne pas laisser la pression s'accumuler sur vos épaules et prenez le temps de respirer.
- **Une mère dont la première grossesse s'est déroulée sereinement revivra probablement une grossesse heureuse.** Cela d'autant mieux qu'elle aura déjà supprimé ses mauvaises habitudes (fumer par exemple) et acquis les bonnes (avoir une alimentation équilibrée, une activité physique adaptée).

Un désir parfois ambigu

Lorsqu'une femme attend un bébé, l'aspect physiologique prend place entre le conscient et l'inconscient. Le fait d'être enceinte concrétise le désir initial d'enfant. Mais le vécu de la grossesse (ou son interruption) va également dépendre de facteurs psychiques. Du désir d'enfant à la maternité, ce n'est pas toujours si simple.

DÉSIRER OU VOULOIR ? • Désirer n'est pas vouloir, même si ces notions sont proches. De nos jours, les femmes, seules ou en couple, ont tendance à vouloir « programmer » le plus possible leur maternité. Cependant, une attitude aussi volontariste n'est pas forcément en adéquation avec la nature : s'il est un domaine où la décision n'implique pas un résultat immédiat, c'est bien celui de la conception. L'affirmation « un enfant, tout de suite, quand je veux » résiste assez rarement à l'épreuve des faits. L'enfant peut arriver quand on ne s'y attend pas. En d'autres termes, vous ne maîtriserez pas tout.

ENVIE D'ÊTRE ENCEINTE OU ENVIE D'ÉLEVER UN ENFANT ? • Le désir de grossesse ne coïncide pas forcément avec le désir d'enfant. Une femme peut désirer voir son ventre s'arrondir sans véritablement souhaiter voir naître l'enfant qu'elle porte. La grossesse à ce moment-là vient juste en quelque sorte « attester » qu'elle n'est pas stérile. C'est alors plus un besoin physique de se sentir femme et d'apparaître comme telle, qu'une envie réelle d'être mère. Plus largement, le désir d'enfant peut être un enjeu comblant des désirs très divers et profonds, qui n'ont parfois rien à voir avec la simple envie de materner ou d'élever un enfant. Cela peut être par exemple une façon de satisfaire la lignée familiale ou encore d'avoir l'impression de payer une « dette » morale à ses parents.

Quelles que soient vos motivations profondes, un nouveau cheminement commencera en vous dès que vous serez enceinte et que vous attendrez l'enfant.

Désirer un enfant, puis le porter en soi sont deux étapes qui préparent, de façon différente, à devenir mère.

Le deuxième mois

- Le développement du bébé
- Du côté de la maman
- Faire face à la fatigue
- La première consultation
- Le premier bilan et les examens complémentaires
- Comprendre vos besoins alimentaires
- Pour une alimentation riche en vitamines
- Pour rester belle
- Concilier travail et grossesse
- Côté psy : vous n'êtes plus la même

Le développement du bébé

Comme pour le premier mois, les indications données ici ne correspondent qu'à un cadre général. L'embryon a maintenant acquis une morphologie d'ensemble, il s'est modelé. Ce phénomène se perfectionnera au cours du deuxième mois. La spécialisation de chaque tissu débute et aboutit simultanément à la formation des organes.

L'embryon prend peu à peu la forme d'un bébé

À l'issue du premier mois (fin de la 4e semaine de grossesse), l'embryon ne mesure que 5 à 7 mm. Au cours du deuxième mois, son aspect va se modifier considérablement et il va commencer à ressembler à un bébé, mais avec des proportions différentes : la partie supérieure du corps est nettement plus importante ; les bras et les mains sont plus développés que les jambes et les pieds. À la fin du deuxième mois, sa taille peut atteindre environ 25 mm et son poids 3 grammes !

Des parents ayant des yeux marrons peuvent donner naissance à un enfant aux yeux bleus.

Vrai. **Si les grands-parents ont les yeux bleus ou ont transmis un gène « yeux bleus » à leurs enfants, qui l'ont eux- mêmes transmis à leur progéniture, ce caractère « masqué » peut alors s'exprimer.**

LES 5e ET 6e SEMAINES • Les quatre cavités cardiaques s'individualisent et le cœur a pris tellement de volume qu'il forme une petite bosse à la surface du thorax; on peut percevoir nettement son rythme à l'échographie. Les autres organes (l'estomac, l'intestin, le pancréas, l'appareil urinaire) commencent à s'organiser. Les ébauches de ses futures dents se mettent en place. Très volumineuse, la tête est entièrement courbée sur la poitrine.

LES 7e ET 8e SEMAINES • Les doigts et les orteils, puis les divers segments des membres sont identifiables. Les glandes sexuelles commencent à se former. Parallèlement, les muscles et les nerfs s'élaborent, ainsi que la moelle osseuse. Les éléments du visage apparaissent plus nets: deux petites saillies pour les yeux (les paupières sont soudées), deux fossettes pour les oreilles, une seule ouverture encore pour le nez et la bouche. La tête commence légèrement à se redresser. Le cœur occupe toujours un espace très important. L'embryon fait spontanément des mouvements qui ne seront perçus par la mère que dans plusieurs semaines. Le développement du placenta sans lequel l'embryon, puis le fœtus, ne pourrait vivre, se poursuit.

LE LIQUIDE AMNIOTIQUE

- C'est le liquide dans lequel baigne le fœtus. **Sa quantité par rapport au volume du bébé augmente puis décroît au dernier trimestre.**
- **Il se renouvelle en permanence ; au 5e mois, le fœtus en absorbe de 0,45 à 0,5 l par jour.** De couleur claire en temps normal, il peut prendre une couleur verdâtre en cas de souffrance fœtale.

Attention !

Les informations données au fil des mois sur l'évolution de l'embryon puis du fœtus ne sont pas à considérer de manière trop rigide. Il existe un cadre général, qui définit l'évolution « normale », mais chaque individu a sa propre dynamique de développement. Tel fœtus sera un peu en avance pour certaines fonctions mais plus lent pour d'autres acquisitions.

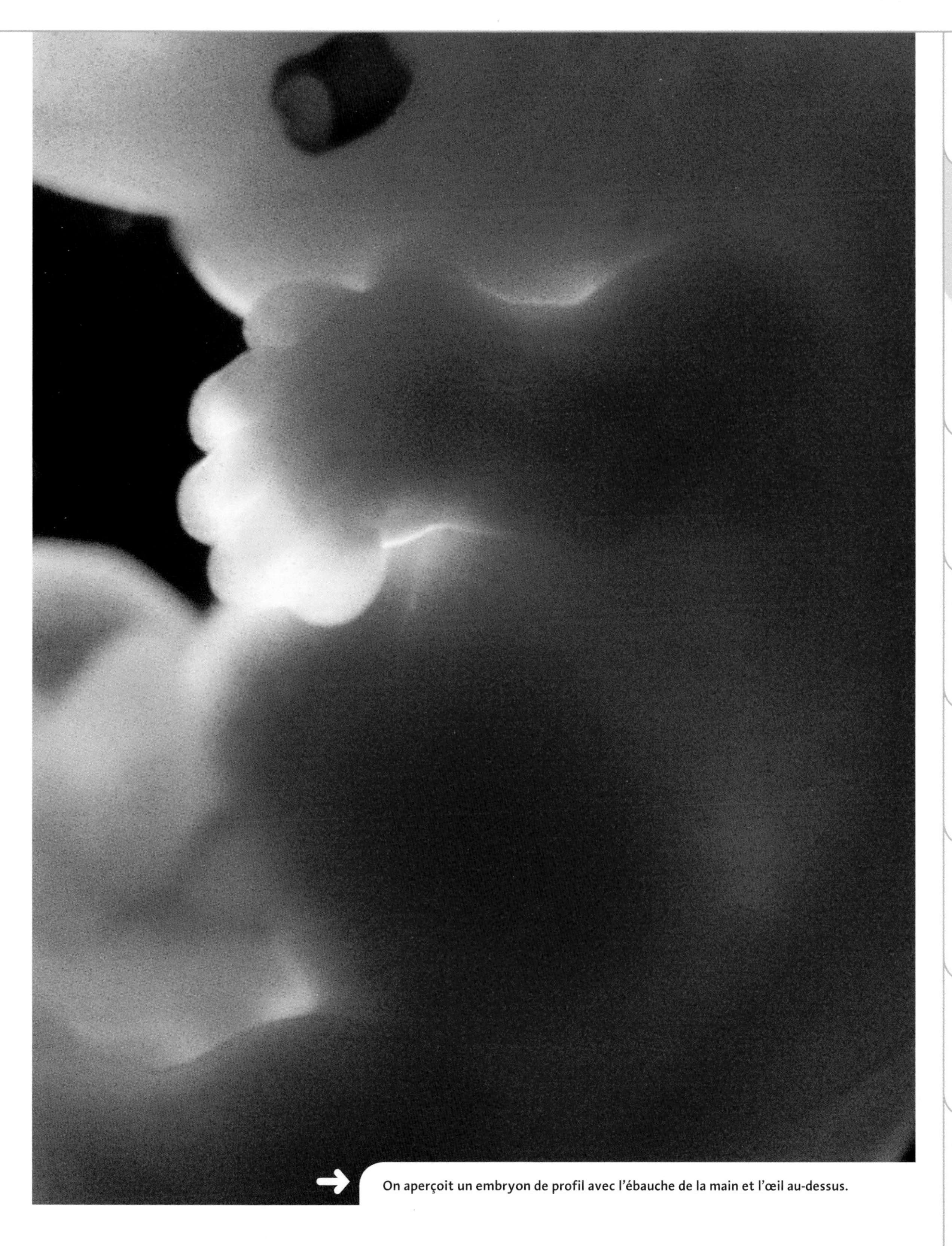

On aperçoit un embryon de profil avec l'ébauche de la main et l'œil au-dessus.

Du côté de la maman

Des nausées le matin, un transit intestinal un peu perturbé, de fortes envies de dormir gênent souvent les femmes enceintes. Ces petits troubles sont dus pour l'essentiel aux sécrétions hormonales propres à la grossesse. La solution ne passe pas toujours par la prise de médicaments. Un simple changement de vos habitudes vous aidera souvent à vous sentir mieux.

Les nausées du matin

Se lever le matin et être en proie à des nausées n'est jamais bien agréable mais ne désespérez pas, elles durent au maximum tout le 1er trimestre. Dans certains cas, elles s'accompagnent de vomissements; dans d'autres, elles se résument à un simple goût désagréable dans la bouche. Si vous avez des nausées le matin, démarrez votre petit déjeuner au lit (une tartine par exemple) et levez-vous en douceur. Si elles se répètent durant la journée, vous repérerez peut-être que des odeurs un peu fortes ou certains aliments les favorisent, et bannirez ces produits de votre réfrigérateur. De façon générale, on limite ce type de désagrément en buvant beaucoup et en mangeant peu à la fois, mais souvent. Si du repos et ces quelques conseils ne suffisent pas, votre médecin pourra vous prescrire des médicaments adaptés: antinauséeux ou antiémétiques.

Bien que ce soit rare, il arrive que l'on vomisse très souvent en début de grossesse, au point d'en perdre l'appétit. On risque alors de maigrir et, surtout, de se trouver en état de déshydratation. Il est donc important d'en parler sans tarder à son médecin.

Un transit paresseux

Peut-être commencerez-vous à être constipée, c'est-à-dire à avoir des selles tous les deux jours seulement. Le transit est effectivement souvent plus lent durant la grossesse: les muscles de l'appareil digestif, sous l'effet des hormones, se relâchent ; plus tard, au 3e trimestre, l'utérus appuie en plus sur l'intestin...

Nombre de femmes enceintes sont donc souvent constipées. Boire 1,5 litre d'eau par jour, consommer davantage d'aliments riches en fibres, comme de la salade, et faire une marche quotidienne d'une demi-heure restent les meilleures solutions. Éventuellement, le médecin pourra prescrire des suppositoires de glycérine ou de l'huile de paraffine,

> « Pourquoi mon tour de taille semble déjà avoir augmenté ? Je pensais que ma grossesse ne se verrait pas avant le 4e mois ? »

DÉBUT DE GROSSESSE ET TOUR DE TAILLE

Le fait que le tour de taille augmente est la conséquence directe de la grossesse. Cette augmentation est d'autant plus visible chez les femmes minces ou chez les femmes qui ont été déjà plusieurs fois enceintes. Cela peut également résulter d'une distension des intestins due à une accumulation de gaz ou à des problèmes de constipation, symptômes très fréquents au tout début de la grossesse.

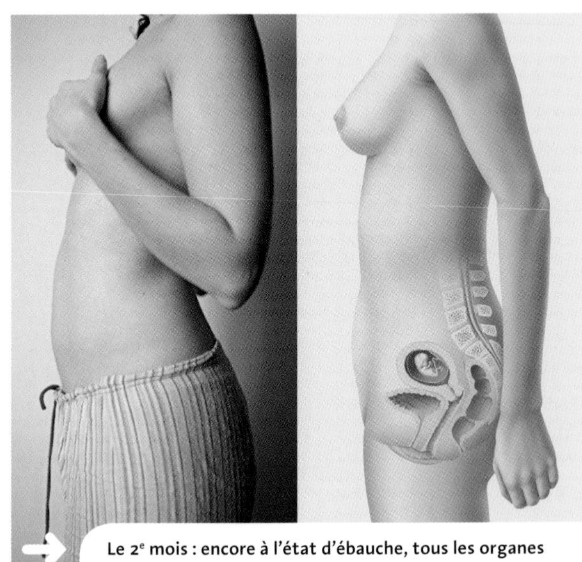

Le 2e mois : encore à l'état d'ébauche, tous les organes apparaissent dans l'embryon.

Boire au moins 1,5 litre d'eau par jour aide à lutter contre la constipation dont souffrent souvent les femmes enceintes.

mais il vous prodiguera surtout des conseils alimentaires et d'hygiène de vie. La plupart des fruits et des légumes verts facilitent le transit, tandis que les féculents sont à éviter le temps que la situation s'améliore. Pour votre ration de pain, vous pouvez privilégier le semi-complet (de préférence biologique). Enfin, un grand verre d'eau non gazeuse au réveil et une eau minérale riche en magnésium faciliteront également le travail de l'intestin. En dernier recours, le médecin pourra vous donner certains laxatifs.

DES MAUX DE TÊTE FRÉQUENTS ?

- Les céphalées des femmes enceintes sont souvent dues aux changements hormonaux, à la fatigue, la tension, la faim, un stress physique ou émotionnel ou l'association de plusieurs de ces facteurs.
- **Si du calme et de l'air frais ne les apaisent pas, vous pouvez prendre du paracétamol, mais surtout pas d'aspirine.** N'utilisez cette solution que de façon épisodique, et demandez l'avis de votre médecin si vous souffrez trop.

Fatigue et somnolence

Même si cela vous gêne un peu, il est normal que vous soyez fatiguée et somnolente durant les premiers mois. Sous l'effet des changements hormonaux, votre corps ressent en effet des « coups » de fatigue. Certaines femmes enceintes ont des envies quasi incontrôlées de tomber dans les bras de Morphée.

La vie quotidienne suit son cours, et il n'est pas toujours possible de se reposer selon son désir. Poursuivre ses activités sans se faire trop violence, en se ménageant davantage, implique parfois de petits réaménagements : dormir par exemple tout son soûl les jours de repos, et éviter les soirées qui s'éternisent (voir page 80). La sensation de lassitude s'atténuera progressivement, et vous devriez retrouver davantage d'énergie au 4e mois de grossesse.

Faire face à la fatigue

Ne soyez pas surprise si la grossesse perturbe vos habitudes. Alors que vous ne pourrez guère résister à l'envie de dormir au 1er trimestre, il deviendra tout aussi difficile de vous abandonner au sommeil dans les derniers mois. Entre les modifications hormonales et les bouleversements psychiques de la grossesse, il est bien normal que vos nuits ne soient plus les mêmes.

Des envies irrépressibles de dormir

En début de grossesse, vous éprouverez certainement un besoin irrépressible de dormir à divers moments de la journée. Cela perturbe parfois votre quotidien. Ce phénomène est fréquent et même banal. Il s'explique par les modifications hormonales que subit votre organisme, et ne signale aucun trouble de santé particulier. Le meilleur des remèdes est le repos.

Le rôle de la progestérone

Indispensable à l'implantation de l'embryon, la progestérone est une hormone, produite d'abord par le corps jaune puis par le placenta. C'est elle qui vous donne une irrésistible envie de dormir. Mais rassurez-vous, vous devriez être moins sommnolente vers le quatrième mois.

DES SIESTES ET DE LONGUES NUITS • Cette tendance à la somnolence n'est pas toujours sans poser de problèmes, surtout si vous travaillez à l'extérieur. Dans la mesure du possible, mieux vaut ne pas lutter contre ce besoin de sommeil (qui ne devrait pas durer). Écoutez votre corps : ménagez-vous ! Spontanément, vous aurez envie de mener une vie plus calme et d'éviter les sorties tardives. Profitez-en donc pour vous accorder des soirées paisibles, de longues nuits et essayez de vous aménager des temps de repos dans la journée.

Comment prévenir la fatigue ?

ORGANISER SES JOURNÉES

Sauf si vous avez des obligations, ne prévoyez rien en fin de journée. Asseyez-vous ou allongez-vous, prenez un livre ou écoutez de la musique. Si vous avez des enfants, racontez-leur une histoire, ou faites un jeu calme. S'ils sont assez grands, faites-les participer aux tâches quotidiennes. Mais n'attendez pas le soir pour vous poser. Si vous pouvez faire la sieste, ne vous en privez pas. Si vous n'arrivez pas à dormir, prenez un livre. Même au travail, essayez de vous accorder une pause: surélevez vos pieds, faites des pauses régulières et profitez de l'heure du déjeuner pour vous reposer (sans pour autant sauter le repas).

N'attendez pas une heure trop tardive pour vous coucher. Demandez à votre compagnon de préparer le petit déjeuner avant de vous lever.

SURVEILLER SON ALIMENTATION

La fatigue ressentie au cours du 1er trimestre est souvent accentuée par une carence en fer. Le petit effet tonus du chocolat est de trop courte durée pour que vous comptiez sur lui pour vous remonter. Dès que le taux de sucre dans le sang redescend, vous êtes à nouveau fatiguée. Misez plutôt sur un bon équilibre alimentaire.

AMÉLIORER SON ENVIRONNEMENT

Au travail comme à la maison, aménagez l'éclairage, ouvrez les fenêtres régulièrement, bougez un peu, fuyez le bruit, pour gérer au mieux votre fatigue dans un cadre confortable.

FAIRE UNE PROMENADE OU UN SPORT ADAPTÉ À LA GROSSESSE

Alliez la nécessité de vous reposer avec une activité physique compatible avec votre grossesse. Marchez le plus souvent possible, inscrivez-vous à un cours de yoga ou de natation pour femmes enceintes.

> « Accepter de changer son rythme de vie et être vigilante sur son hygiène alimentaire sont les meilleurs moyens de prévenir la fatigue. »

Les sensations de fatigue sont particulièrement fréquentes pendant les trois premiers mois.

Méfiez-vous du stress. Durant le week-end, ne multipliez pas les activités extérieures, laissez-vous guider par vos besoins. À vous les longues siestes !

QUAND ON SE SENT ANXIEUSE… • Chez certaines femmes, bien que cela soit plus rare, le 1er trimestre constitue au contraire une période de nuits agitées. Attendre un enfant entraîne des bouleversements psychologiques importants, et la femme enceinte peut être la proie d'anxiétés qui perturbent son sommeil : appréhension à l'aube d'une vie nécessairement différente, crainte de ne pas aimer suffisamment son enfant…

Parfois aussi des malaises

Des malaises, des baisses de tension peuvent survenir. Dès que vous en sentez les prémices (tête qui tourne, sensation de chaleur, atténuation des bruits alentours), trouvez un moyen de vous allonger, la tête bien à plat et les jambes surélevées (voir page 225).

C'est le temps de…

Faire un petit déjeuner bien équilibré chaque matin ; il vous évitera le « coup de pompe » de fin de matinée. Si vous avez des nausées, prenez une boisson avant de poser le pied par terre, puis déjeunez dans le calme.

La première consultation

Étape essentielle du suivi de la grossesse, la première consultation doit avoir lieu obligatoirement avant la fin du 1er trimestre. Elle permet à la fois de faire le point sur votre passé médical, d'effectuer les premiers examens clinique et biologiques, et de calculer la date probable de la naissance de votre enfant. Une échographie en découlera.

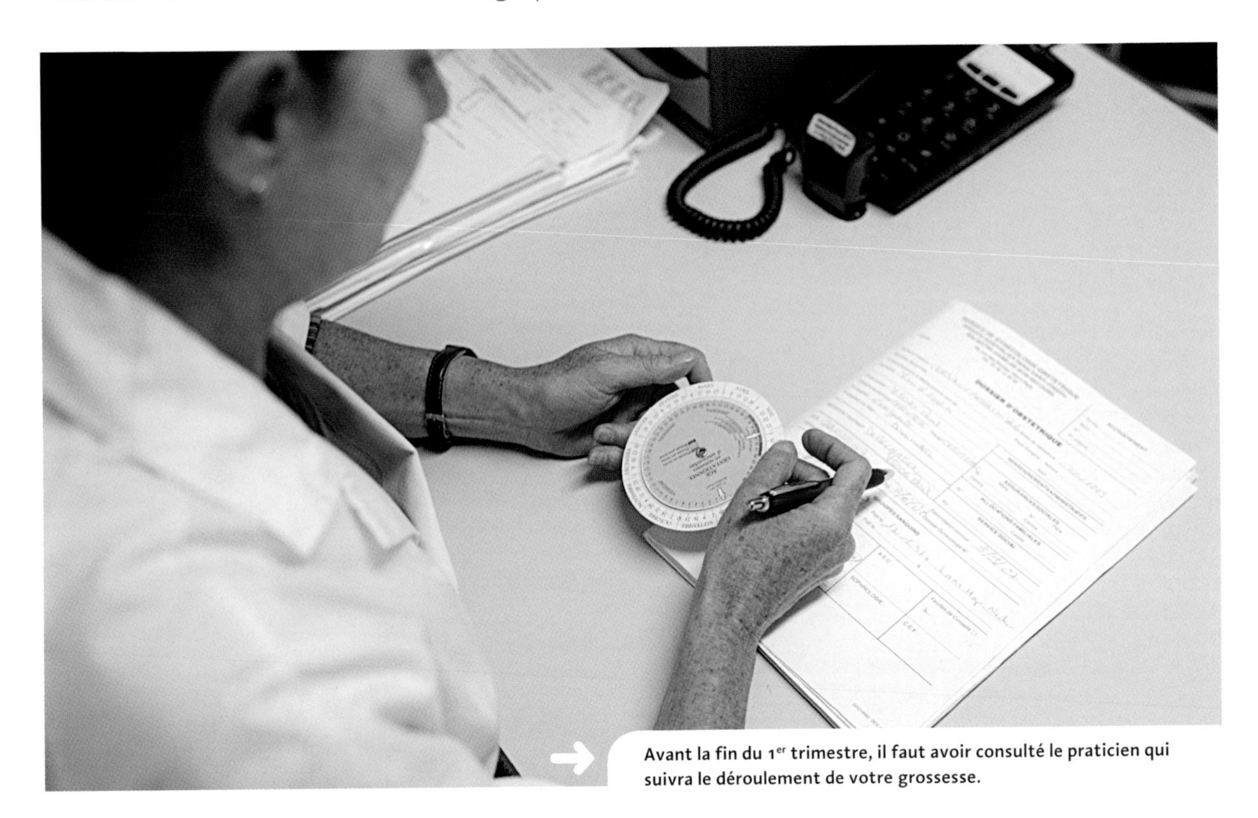

Avant la fin du 1er trimestre, il faut avoir consulté le praticien qui suivra le déroulement de votre grossesse.

Plusieurs consultations en une

Voici venue l'heure du premier examen prénatal. Vous allez bientôt avoir confirmation que vous êtes enceinte. L'essentiel est que vous vous sentiez confiante pour poser toutes vos questions. Pour la déclaration de grossesse, cette consultation doit avoir lieu avant la fin du 1er trimestre, c'est-à-dire avant la 15e semaine d'absence de règles (aménorrhée).

Le médecin évalue votre état de santé passé et présent. Il doit être au courant de votre situation pour assurer le meilleur suivi possible et déterminer ce qui fera éventuellement l'objet d'une surveillance particulière. C'est avec votre aide qu'il fera le point, et avec celle du futur père si celui-ci est présent. Votre compagnon ou époux n'est toutefois pas obligé de vous accompagner, ni de passer un examen médical. Mais il peut être à vos côtés, ne serait-ce que pour exprimer lui aussi ses interrogations. Une des questions que le médecin vous posera concerne la date de vos dernières règles (plus exactement le premier jour de vos dernières règles), car celle-ci permet d'établir la date prévisionnelle de l'accouchement (voir page 40).

VOTRE VIE QUOTIDIENNE • Votre âge, votre mode de vie sont importants, de même que tout ce qui touche à votre corps. Fumez-vous ? Dormez-vous bien ? Quelle est votre alimentation ? Prenez-vous facilement du poids ? Suivez-vous un traitement médical ? Pratiquez-vous un sport ?

Un bilan de A à Z

Une fois que le médecin vous aura posé les questions sur votre vie quotidienne, sur votre passé médical, gynécologique, etc., il va procéder à un examen clinique. Il vous pèse et contrôle votre tension artérielle. Il analyse vos urines à l'aide d'une bandelette urinaire (pour rechercher la présence de sucre ou d'albumine), ou vous prescrit cet examen que vous réaliserez en laboratoire. Il effectue une auscultation cardiaque, puis procède à l'examen gynécologique.

L'EXAMEN GYNÉCOLOGIQUE

Il se déroule sur une table gynécologique où vous êtes allongée sur le dos, les jambes écartées et les pieds posés dans des étriers. Le médecin commence par poser une main sur votre ventre, au-dessus du pubis pour palper votre utérus. Il contrôle l'état de la vulve et examine ensuite le vagin et le col de l'utérus grâce au spéculum (un instrument qu'il insère par la vulve pour écarter les parois du vagin). Si votre dernier frottis du col date de plus de 2 ans, il en réalise un.

Enfin, il introduit deux doigts gantés dans le vagin pour palper de l'intérieur les ovaires, le col de l'utérus qui a pour rôle de fermer l'utérus, et le corps de l'utérus qui abrite l'embryon. Il évalue ainsi l'état du col en début de grossesse (normalement long de 3 cm, postérieur, tonique et fermé) et les modifications de l'utérus qui grossit au fur et à mesure. Il peut également examiner vos seins.

LE DIAGNOSTIC DE GROSSESSE

À quelques jours de retard de règles, une prise de sang est le seul moyen fiable de savoir ce qu'il en est ; elle va vérifier que l'organisme produit bien de l'HCG, une hormone propre à la grossesse. Si le médecin a le moindre doute, il vous enverra l'effectuer dans un laboratoire. Il peut également vous prescrire une échographie pelvienne, qui, par voie vaginale (endovaginale), fait le diagnostic de grossesse à 5 ou 6 semaines d'aménorrhée.

La plupart du temps, dès la 8e semaine, un médecin voit aisément par l'examen des seins et de l'utérus si vous êtes enceinte. La confirmation est toutefois plus difficile avant ce délai ou dans certaines situations : en cas d'utérus rétroversé (orienté vers l'arrière et non vers l'avant), de fibrome ou d'obésité, par exemple. À la fin de cette première consultation, le médecin prescrit toujours une série d'examens à effectuer dans un laboratoire d'analyses.

Le médecin vous interrogera aussi sur votre vie familiale et professionnelle. Une situation financière difficile, un travail stressant, de longs trajets, des horaires de nuit, une certaine solitude… méritent toute son attention. N'hésitez pas à aborder de vous-même ce qui pourrait vous tracasser : vos soucis, petits ou grands, qu'ils soient d'ordre physique, matériel ou psychologique.

VOTRE PASSÉ MÉDICAL • Pour le médecin, les affections ou maladies graves (voir pages 22 à 25), les opérations que vous avez dû subir sont des informations très utiles. Quand vous évoquez votre état de santé, ne faites surtout pas de tri, même si vous jugez que vos troubles actuels sont mineurs. Parlez de tout et n'hésitez pas par exemple à signaler une allergie, un problème oculaire, des maux de dos, des migraines…

VOTRE PASSÉ GYNÉCOLOGIQUE • Dans ce domaine, aussi, le médecin a besoin d'en savoir le plus possible. Êtes-vous suivie par un gynécologue ? De quand date la dernière visite ? Le dernier frottis ? Avez-vous déjà souffert de troubles gynécologiques (un herpès génital par exemple) ? Quels traitements avez-vous suivis ? Quelle contraception preniez-vous jusqu'à présent ? Vos cycles étaient-ils réguliers avant d'être enceinte (et bien sûr en l'absence de contraception) ? Votre mère a-t-elle pris du Distilbène® lorsqu'elle était enceinte de vous ?

VOS PRÉCÉDENTES GROSSESSES • Une interruption volontaire de grossesse, une fausse couche sont des événements qu'il ne faut pas omettre de signaler. Si vous avez des enfants, il est indispensable de raconter vos grossesses précédentes, vos accouchements, vos suites de couches… Avez-vous accouché prématurément ? Avez-vous déjà eu une césarienne ? Si oui, possédez-vous un compte-rendu de cette opération ? Combien pesaient vos aînés à la naissance ? Comment se portent-ils aujourd'hui ? Avez-vous allaité ?

VOTRE HISTOIRE FAMILIALE • Il importe d'en parler dès la première consultation. Existe-t-il dans votre famille ou dans celle du futur père des jumeaux, une prédisposition à l'hypertension, au diabète, ou à une maladie héréditaire, comme l'hémophilie ? Si vous avez consulté un généticien avant votre grossesse, vous pouvez communiquer ses recommandations au médecin (voir page 114).

> « Un bilan complet comporte une partie dialogue avec le médecin, un examen gynécologique et la prescription d'une série d'examens à effectuer en laboratoire. »

Le premier bilan et les examens complémentaires

Selon les pays, certains examens sont systématiques, tandis que d'autres sont seulement recommandés. Quoi qu'il en soit, ils ont tous leur importance pour que le suivi de la grossesse se déroule dans les meilleures conditions. Mais pour que cette surveillance donne les meilleurs résultats, la participation de la future mère est tout aussi importante.

Les examens obligatoires

Tous ces dépistages préventifs s'effectuent par une analyse d'urine ou de sang :
- la recherche de sucre ou d'albumine dans les urines pour déceler un éventuel diabète ou un problème de reins ;
- la détermination du groupe sanguin et du facteur Rhésus et la recherche d'anticorps appelés agglutinines irrégulières (voir page 64) ;
- la sérologie de la rubéole et de la toxoplasmose (maladie parasitaire contractée en mangeant de la viande rouge et souvent véhiculée par le chat (voir page 68) ;
- la sérologie de la syphilis ;
- le dépistage de l'hépatite B (il est obligatoire au 6e mois).

LA DÉCLARATION DE GROSSESSE

- À la fin de la première consultation, **le médecin vous remet un imprimé intitulé « premier examen médical prénatal ».**
- Grâce à ce document, **vous pouvez déclarer votre grossesse auprès de votre centre d'assurance maladie et de votre caisse d'allocations familiales.** C'est une formalité obligatoire en France, à effectuer avant la fin du 3e mois. Elle vous permettra, entre autres, d'être remboursée en totalité pour les examens obligatoires.
- **Vous recevrez un guide de surveillance de la grossesse** qui détaillera toutes les consultations et tous les examens obligatoires et ceux pris en charge à 100 % à partir du 6e mois de grossesse.
- **Le carnet de maternité,** délivré à chaque femme enceinte, sera rempli par tous les praticiens qui suivent la grossesse. On peut y noter les antécédents, les complications... (voir aussi Formalités pratiques en fin d'ouvrage).

Les examens conseillés

Outre les examens obligatoires prévus en France, certains examens complémentaires seront parfois prescrits par le médecin en fonction de l'histoire personnelle de sa patiente.

L'électrophorèse de l'hémoglobine effectuée à partir d'une analyse de sang permet de diagnostiquer deux maladies du sang : la drépanocytose, qui touche des femmes d'origines antillaise, africaine et américaine, et la thalassémie, qui peut atteindre des femmes originaires du pourtour méditerranéen.

Le dépistage du sida n'est pas obligatoire mais fortement conseillé ; le médecin a l'obligation légale de vous demander l'autorisation d'effectuer la sérologie HIV.

Le dépistage de l'hépatite C est recommandé si l'on a eu dans le passé des transfusions sanguines ou si l'on a des tatouages, ou des piercings, qui ont pu être faits dans des conditions d'hygiène incorrectes.

En outre, le médecin fera un frottis cervico-vaginal, si le dernier remonte à plus de deux ans et, s'il le juge utile, une échographie pour vérifier que votre grossesse débute sans problème (en cas de perte de sang ou d'antécédent de grossesse extra-utérine).

Pour une surveillance efficace

Après la première consultation, vous repartirez avec plusieurs ordonnances : pour les examens à faire en laboratoire et pour l'échographie du 1er trimestre (voir page 104) ; gardez et classez soigneusement les prescriptions, les résultats d'analyses et les comptes rendus qui constitueront votre dossier médical.

Au rythme d'une visite par mois, la surveillance s'établit, les contrôles se répètent. Pour que ces rendez-vous soient pleinement efficaces, notez vos questions au moment où vous y pensez, pour les poser ensuite au praticien, qu'elles vous paraissent anodines ou pas.

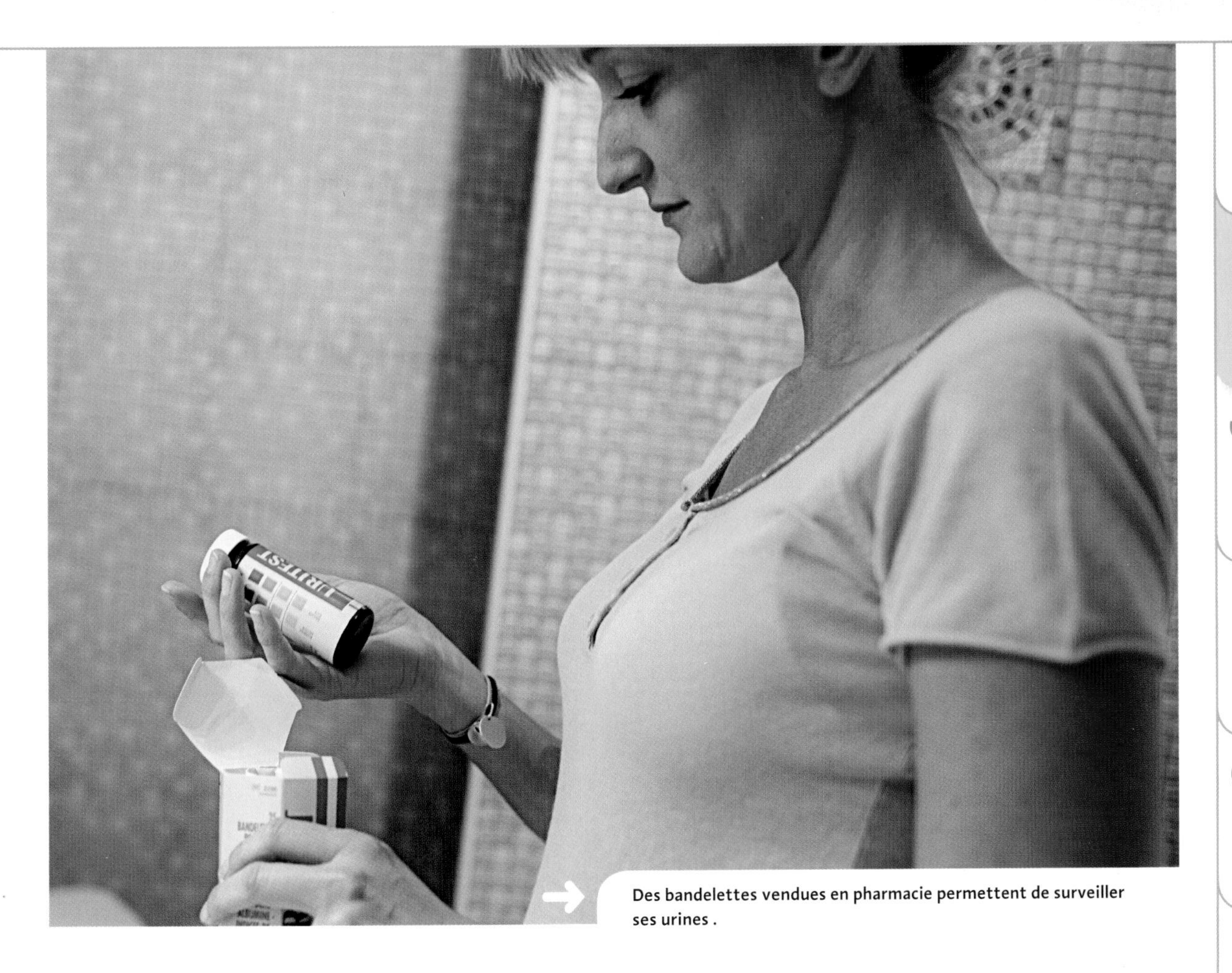

Des bandelettes vendues en pharmacie permettent de surveiller ses urines .

« Des lignes bleutées disgracieuses apparaissent sous la peau de mes seins. Est-ce normal ? »

LES MODIFICATIONS DU SYSTÈME VEINEUX

Pas de panique ! Ce sont les veines qui apparaissent dès le 1er mois de grossesse. Le système veineux se développe pour transporter le surplus de sang pendant que les seins se préparent à la lactation. Les veines sont plus visibles chez les femmes minces et à la peau claire que chez les femmes enrobées ou à la peau mate. Chez les femmes très fortes, elles se remarquent ou s'accentuent seulement en fin de grossesse. Rassurez-vous, dans tous les cas, tout rentrera peu à peu dans l'ordre après la naissance.

C'est le temps de...

Soumettre au personnel médical toutes les questions que vous vous posez et d'évoquer tous les points qui vous préoccupent. Notez-les au fur et à mesure que ceux-ci vous viennent à l'esprit.

Comprendre vos besoins alimentaires

Inutile de changer votre façon de vous nourrir, sauf si vous vous passiez jusqu'alors d'aliments aussi essentiels que produits laitiers, viandes ou poissons, céréales... Le but est d'équilibrer et de varier les apports, et de consommer de tout en quantité raisonnable. Bref, mangez deux fois mieux et non pas deux fois plus.

Les protéines, pour construire

Les protéines permettent de construire et de renouveler les tissus du corps. Pour assurer le développement de votre bébé et entretenir votre propre organisme, vous avez donc besoin d'une quantité de protéines un peu plus importante, surtout au 3e trimestre : 70 g chaque jour contre 60 g avant la conception.

Les protéines les plus couramment consommées sont celles qui sont d'origine animale. On les trouve dans les viandes, les volailles, les poissons, les œufs et les produits laitiers. Mais les céréales (pain, riz, semoule, pâtes...) ainsi que les légumes secs (lentilles, haricots, pois chiches...) contiennent aussi des protéines, d'origine végétale. Elles ne sont pas à négliger, car elles contribuent à l'équilibre nutritionnel global.

Veillez donc à consommer tous les jours des aliments apportant les deux familles de protéines, en essayant de varier, car chacune a son intérêt propre : la viande et le poisson fournissent aussi du fer, les produits laitiers sont très riches en calcium, les céréales et les légumes secs apportent des vitamines et des minéraux.

En variant les huiles d'assaisonnement, vous équilibrerez vos apports en oméga-3 et en oméga-6.

Les lipides, pour le système nerveux

Les lipides sont des graisses et sont composés d'un assemblage d'éléments appelés « acides gras », qui fournissent de l'énergie. Ils ont un rôle essentiel dans l'élaboration des organes du bébé. Ils fournissent en effet des éléments indispensables que l'organisme est incapable de fabriquer : certaines vitamines (A, D, E) et des acides gras particuliers, appelés « acides gras essentiels », très importants dans la formation du cerveau de l'enfant.

Les acides gras essentiels sont classés en deux familles : oméga-6 et oméga-3. L'une ne pouvant remplacer l'autre, il faut veiller à consommer des acides gras appartenant aux deux familles. La première ne vous posera pas de problème particulier : elle est répandue, puisqu'on la trouve dans les huiles de consommation courante : de maïs, tournesol, olive ou arachide. Soyez en revanche plus attentive à la famille oméga-3, dont la consommation est très souvent insuffisante : on la trouve principalement dans l'huile de colza, de soja et dans les poissons gras (maquereau, thon, saumon...).

Sauf cas particulier, vous n'avez pas à restreindre votre consommation de graisses pendant votre grossesse. Pour assurer un équilibre entre les différents acides gras, l'idéal est de varier les sources alimentaires de lipides.

PROTÉINES : LES APPORTS DES MEILLEURES SOURCES	
100 g de viande rouge ou blanche	16 à 20 g
100 g de volaille	18 à 20 g
100 g de jambon maigre	18 à 20 g
100 g de poisson	16 à 20 g
100 g de crevettes décortiquées	18 g
2 œufs	15 à 18 g
1 bol de lait (1/4 de litre)	8 g
1 yaourt	4 à 5 g
100 g de fromage blanc	8 g
1 part d'emmental (30 g)	9 g
1/8 de camembert	7 g
1 part de saint-paulin (30 g)	7 g

GLUCIDES COMPLEXES : LES MEILLEURS APPORTS	
Pain 1/4 baguette	32 g
Pain complet (3 tranches = 50 g)	26 g
Biscottes (2 = 30 g)	20 g
Farine (20 g)	14 g
Riz blanc cuit (100 g)	26 g
Pâtes cuites (100 g)	22 g
Semoule cuite (100 g)	24 g
Pommes de terre cuites (100 g)	18 g
Lentilles cuites (100 g)	12 g
Haricots blancs cuits (100 g)	18 g
Pois chiches cuits (100 g)	18 g
Maïs cuit (100 g)	19 g

BEURRE ET MARGARINE • Crus, ils sont plus digestes : à utiliser pour vos tartines ou à rajouter dans vos plats (une noix, soit 10 g).

HUILES D'OLIVE, DE COLZA, DE TOURNESOL • Pour vos salades, en les alternant ou les mélangeant pour équilibrer vos acides gras (1 c. à soupe, soit 10 g).

HUILE D'ARACHIDE • Pour vos fritures : c'est la plus stable à la chaleur (1 c. à soupe, soit 10 g).

La crème fraîche n'est pas classée parmi les corps gras, car elle est moins grasse qu'on ne le pense. Elle assaisonnera parfaitement les légumes, les soupes ou les fruits.

On trouve aussi des lipides « cachés » dans les aliments tels que viandes grasses, olives, fritures, fruits oléagineux (cacahuètes, amandes, noix), viennoiseries.

Les glucides, pour l'énergie

Les glucides, ou sucres, sont constitués de molécules de glucose. Le glucose étant le principal carburant du fœtus, il est indispensable que vous consommiez des aliments glucidiques à chaque repas, d'autant plus que votre organisme ne possède pas de réserves importantes de glucides. Ces aliments sont classés en deux catégories : les glucides simples, riches en sucres rapides, et les glucides complexes, riches en sucres lents.

LES SUCRES RAPIDES • On les trouve dans les fruits. Mais hélas aussi dans les confiseries, pâtisseries, sodas, confitures, chocolat. Gardez-les pour vous faire plaisir occasionnellement !

LES SUCRES LENTS • Appelés aussi « amidons », ce sont eux qu'il faut surtout privilégier. On les trouve dans le pain, les pâtes, le riz, les pommes de terre, la semoule, les légumes secs. Absorbés plus lentement par le tube digestif, ils rassasient mieux et évitent les « coups de pompe » liés à une hypoglycémie, très fréquents chez la femme enceinte.

Les aliments qui en contiennent ont aussi l'avantage d'apporter des fibres non assimilables qui aident à lutter contre la constipation, l'un des petits maux classiques de la grossesse.

Les meilleures sources de fibres sont le son et les produits céréaliers complets biologiques (pain, riz, pâtes...), les légumes secs (haricots, pois, lentilles...), les fruits secs (figues, dattes, pruneaux...) ainsi que les fruits et légumes frais. Veillez cependant à ne pas en abuser : l'excès de fibres gêne l'assimilation de certains minéraux comme le calcium ou le fer.

Pour une alimentation riche en vitamines

Les vitamines sont présentes, en quantités variables, dans tous les aliments. Elles aident votre corps à transformer et à utiliser au mieux les protéines, les glucides et les lipides. Elles aident aussi à lutter contre les maladies et assurent le bon fonctionnement de l'organisme. Certaines sont essentielles durant la grossesse.

Vitamines : attention, fragiles !

Les vitamines, et notamment celles des groupes B (dont l'acide folique) et C, sont altérées par la lumière, la chaleur et l'air ambiant. Elles sont également solubles dans l'eau. Pour les préserver au maximum, voici quelques conseils.

• Choisissez des fruits et légumes aussi frais que possible, en préférant les produits de saison.
• Consommez rapidement les produits frais ; évitez de les conserver plusieurs jours.
• Lavez soigneusement les fruits et légumes sans les laisser tremper..
• Conservez les aliments au réfrigérateur.
• Épluchez les fruits et légumes au dernier moment et mangez-les souvent crus.
• Évitez les cuissons prolongées et préférez la cuisson vapeur ou en autocuiseur.
• N'hésitez pas à récupérer une partie des vitamines perdues, en consommant l'eau de cuisson, sous forme de bouillon par exemple.

Attention aux comprimés multivitaminés !

Si une carence n'est pas à craindre, l'excès de vitamine A (mais pas celui de bêtacarotène) peut être responsable de malformations. Vous ne risquez pas de « surdosage » par l'alimentation ; mais évitez cependant de consommer trop souvent du foie, naturellement riche en vitamine A. Faites surtout attention aux comprimés multivitaminés fortement dosés, heureusement moins répandus en France qu'aux États-Unis.

De l'acide folique pour le développement des cellules

L'acide folique, ou folates ou encore vitamine B9, a un rôle clé durant la grossesse.

UNE AIDE AU DÉVELOPPEMENT CELLULAIRE • Cette vitamine est indispensable à la multiplication et au renouvellement des cellules, et plus encore à la synthèse de nouveaux tissus. C'est dire à quel point elle est importante dès le tout début de la grossesse pour votre futur enfant, dont tous les organes sont en croissance rapide. Les besoins quotidiens en acide folique, pour assurer un développement optimal de votre bébé, sont de l'ordre de 0,4 mg, soit, pour vous, 0,1 mg de plus qu'en dehors de la grossesse.

UN APPORT SUPPLÉMENTAIRE SOUVENT NÉCESSAIRE • Les meilleures sources d'acide folique sont les légumes verts (salades, choux, endives, épinards, haricots verts, artichauts…), les fruits (melon, fraises, oranges, bananes, kiwis), les oléagineux (amandes, noix…), les fromages à pâte molle et fermentés (camembert par exemple), les abats, les œufs. Mais il ne suffit pas de consommer ces aliments : comme la plupart des vitamines, l'acide folique est fragile et peut perdre ses qualités nutritives, lors de la cuisson par exemple.

Mangez davantage d'aliments riches en acide folique dès que vous vous savez enceinte et même avant, lorsque vous envisagez d'avoir un enfant. Il n'est en effet pas rare que les femmes en âge de procréer n'en consomment pas assez. En prévention, l'acide folique est donné systématiquement (sous forme de comprimés à 5 mg), aux femmes diabétiques ou épileptiques et à celles qui ont un antécédent de spina bifida.

De la vitamine D pour fixer le calcium

La vitamine D permet d'assimiler le calcium, puis de le fixer au niveau des os. Elle est donc essentielle puisque les besoins sont une fois et demie plus élevés quand on est enceinte. L'alimentation en fournit une quantité modérée.

LES VITAMINES

CATÉGORIE	À QUOI SERT-ELLE ?	OÙ LA TROUVER ?
A : rétinol (+ bêtacarotène)	Vue, croissance, peau et muqueuses	Œufs, beurre, lait (fruits et légumes)
D : calciférol	Assimilation du calcium, donc croissance, santé des os et des dents	Œufs, beurre, fromages, lait entier, poissons gras. La vitamine D est surtout fabriquée par la peau sous l'action du soleil
E : tocophérol	Antioxydant	Huiles végétales, germes de blé, fruits oléagineux
K	Coagulation du sang	Légumes à feuilles vertes, foie. Vitamine surtout produite par les bactéries intestinales
B1 : thiamine	Métabolisme des glucides, systèmes nerveux et musculaire	Céréales complètes et dérivés, légumes secs, levure de bière, abats
B2 : riboflavine	Métabolisme des glucides, lipides, protéines	Abats, viande, produits laitiers, céréales, levure
B5 : acide pantothénique	Métabolisme des glucides et des lipides	Viandes, abats, œufs, céréales, levure
B6 : pyridoxine	Métabolisme des protéines, formation de l'hémoglobine	Céréales, levure, viandes, abats, poisson
B8 : biotine	Métabolisme des glucides, lipides et protéines	Abats, œufs, légumes secs, fruits secs
B9 : acide folique	Multiplication cellulaire, indispensable à la croissance	Légumes verts, salades, fruits, fromages fermentés, céréales complètes, légumes secs
B12 : cobalamine	Formation des globules rouges Métabolisme des glucides et des lipides	Viande, poisson, foie, œufs, produits laitiers
C : acide ascorbique	Antioxydant, intervient dans la résistance aux infections, la cicatrisation, etc.	Fruits et légumes
PP : niacine	Métabolisme des glucides et lipides	Viande, abats, poisson, légumes secs levure

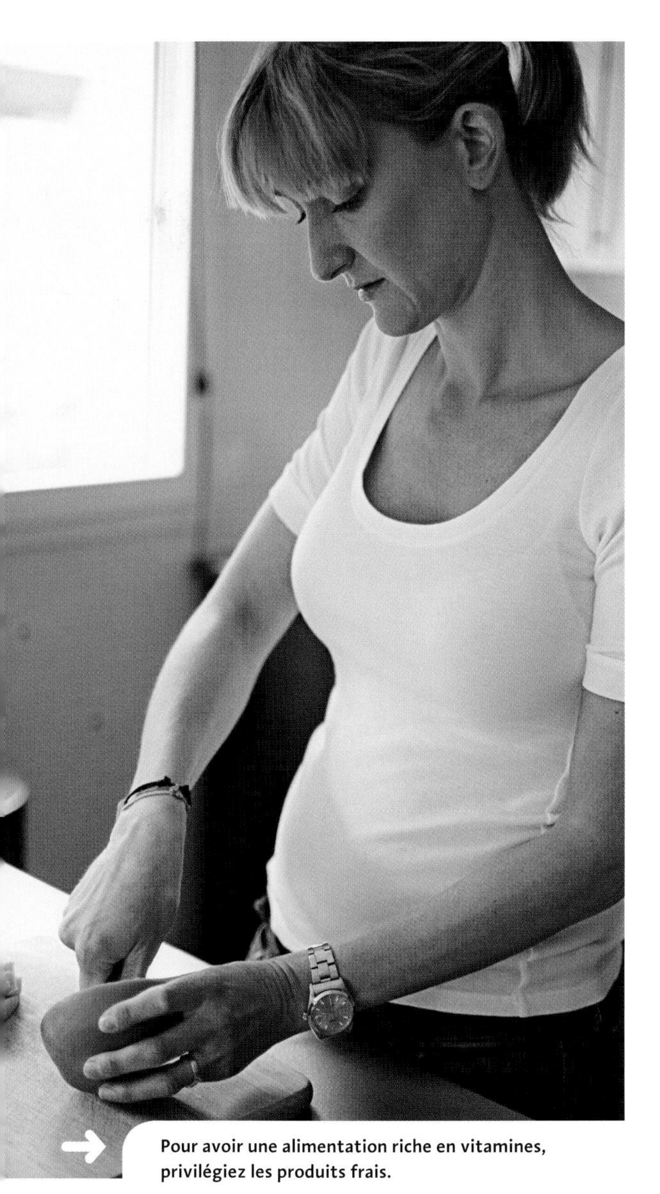

Pour avoir une alimentation riche en vitamines, privilégiez les produits frais.

Les principales sources sont les poissons gras, les œufs et les produits laitiers non écrémés (certains laits aujourd'hui disponibles sur le marché sont même enrichis en vitamine D) .

LA VITAMINE DU SOLEIL • Mais c'est surtout par la peau, sous l'influence des rayons du soleil, que la vitamine D est fabriquée. Cette production, parfois insuffisante, surtout en hiver, n'est pas toujours facile à compenser par l'alimentation. C'est pourquoi votre médecin vous en prescrira probablement, soit sous forme de gouttes à prendre tous les jours, soit à plus forte dose, en une seule fois, au 7e mois de votre grossesse.

De la vitamine A pour la croissance du fœtus

Essentielle aussi pour la croissance et le développement du fœtus, la vitamine A intervient dans le processus de vision ou la formation de la peau. Il en existe deux formes : la vitamine A elle-même, que l'on trouve dans les produits animaux, et le bêtacarotène, apporté par les fruits et les légumes, et qui est transformé en vitamine A dans l'organisme (c'est ce que l'on appelle un précurseur). Lorsque vous êtes enceinte, vos besoins ne sont que très légèrement accrus, et l'alimentation en fournit des quantités suffisantes.

De la vitamine C contre les coups de pompe

Vitamine reine pour lutter contre la fatigue, la vitamine C se trouve dans les fruits – en particulier les agrumes – et les légumes crus. N'hésitez pas à boire un jus d'agrumes ou à commencer votre repas par un fruit et à assaisonner vos plats avec du citron.

ET LES SUPPLÉMENTS ?

- **Dans certains cas précis, les médecins prescrivent des suppléments spécifiques,** adaptés à chaque femme, de vitamines ou de minéraux, sous la forme de gouttes ou de comprimés.
- **Le plus souvent, il s'agit de fer, d'acide folique ou de vitamine D.** Mais, si vous êtes en bonne santé et si vous mangez de tout, vous n'avez nul besoin de suppléments pour mener à bien votre grossesse. **N'en consommez donc pas de votre propre initiative et sans l'avis de votre médecin.** En effet, le bon fonctionnement de votre organisme passe par un équilibre des vitamines et des minéraux : un apport excessif de l'un d'entre eux peut entraîner le manque d'un autre.
- **À fortes doses, certaines vitamines, comme la vitamine A, se révèlent parfois toxiques et dangereuses pour vous et votre enfant.** Soyez donc prudente et profitez de votre grossesse pour apprendre, si besoin est, à vous nourrir de façon plus équilibrée (voir pages 122 à 123).

Pour rester belle

Enceinte, vous êtes souvent rayonnante et lumineuse, mais, parfois, la fatigue se lit sur votre visage, vos traits sont tendus, votre peau est plus fragile. Les kilos supplémentaires sont souvent lourds à porter... Voici quelques conseils et soins simples qui vous permettront de vivre ces neuf mois en toute sérénité.

Préservez votre teint

Vous l'avez peut-être déjà observé, pendant la grossesse, la peau du visage embellit. Elle est plus fine, plus transparente. Les œstrogènes ont la propriété de dilater l'ensemble du réseau sanguin. Votre teint s'avive et prend une couleur légèrement rosée qui vous donne beaucoup de fraîcheur et d'éclat. Bien sûr, le repos et la suppression du tabac et de l'alcool, le respect d'une bonne hygiène alimentaire améliorent votre mine.

Il faut toutefois savoir que les hormones dessèchent aussi la peau. Si vous avez naturellement une peau sèche, évitez les lotions toniques à base d'alcool pour ne pas agresser votre épiderme et appliquez une crème hydratante matin et soir. Pour corriger cette sécheresse, n'oubliez pas non plus de boire beaucoup d'eau (2 litres par jour, soit une bouteille de 1,5 litre, plus le bol du petit déjeuner). En matière de maquillage, faites ce qui vous plaît. L'important est que vous vous sentiez belle. Prenez simplement garde aux produits alcoolisés et parfumés, car vous risquez plus que d'habitude d'avoir des allergies. Pour le démaquillage, choisissez plutôt des produits doux et non astringents. Privilégiez les produits naturels, sans parabens ; en effet, certains de ces conservateurs, courants en cosmétique, ainsi que dans l'alimentation et dans les produits pharmaceutiques, seraient cancérigènes.

Pour garder de beaux seins

Pratiquez le dos crawlé à volonté ! Cette nage renforce les pectoraux, muscles auxquels sont accrochés les ligaments suspenseurs des seins. Sachez que, même si leur fermeté ne sera plus tout à fait la même après la grossesse , vous pourrez conserver de très jolis seins. Si vous avez choisi d'allaiter, 3 mois avant l'accouchement massez chaque jour vos seins avec de l'huile d'amande douce additionnée de quelques gouttes de citron.

LUTTER CONTRE LA CELLULITE

- La cellulite est due à l'accumulation anormale des graisses dans les tissus adipeux qui se déforment et prennent un aspect gaufré (la « peau d'orange »). Lorsque les cellules sont saturées, la circulation sanguine se fait difficilement. La grossesse favorise cette saturation.
- Il faut **stimuler les cellules graisseuses et décongestionner les tissus** en favorisant leur drainage. **Le massage peut contribuer à ce que les tissus retrouvent un peu d'élasticité:** en utilisant une crème, une huile ou un gel, effectuez toujours des mouvements du bas vers le haut des cuisses.
- **L'activité physique, et principalement la marche,** ainsi que les activités douces en piscine favorisent une bonne circulation sanguine.
- **Buvez beaucoup d'eau** et, encore une fois, essayez de contrôler votre poids !

Soignez et nourrissez votre corps

LES MARQUES DE LA GROSSESSE • De petits points rouges en forme d'étoile, appelés « angiomes stellaires », apparaissent entre le 2e et le 5e mois ? Les aréoles de vos seins foncent, une ligne brune et verticale apparaît parfois au milieu de votre ventre, vos cicatrices se colorent au 3e trimestre ? La grossesse, il est vrai, se marque parfois de façon un peu plus inesthétique sur le corps que sur le visage. Tout cela est normal et rentrera dans l'ordre quelques mois après l'accouchement, lorsque vous ne serez plus sous l'influence des modifications hormonales. Utilisez des produits de toilette très doux : savons surgras, laits hydratants, huile d'amande douce.

LES VERGETURES • Voici un désagrément dont on se passerait bien ! Ces petites stries violacées, puis blanches, communément appelées « vergetures », sont une lésion de la peau qui résulte de la rupture des fibres élastiques de l'épiderme sous l'effet d'un étirement trop important ou

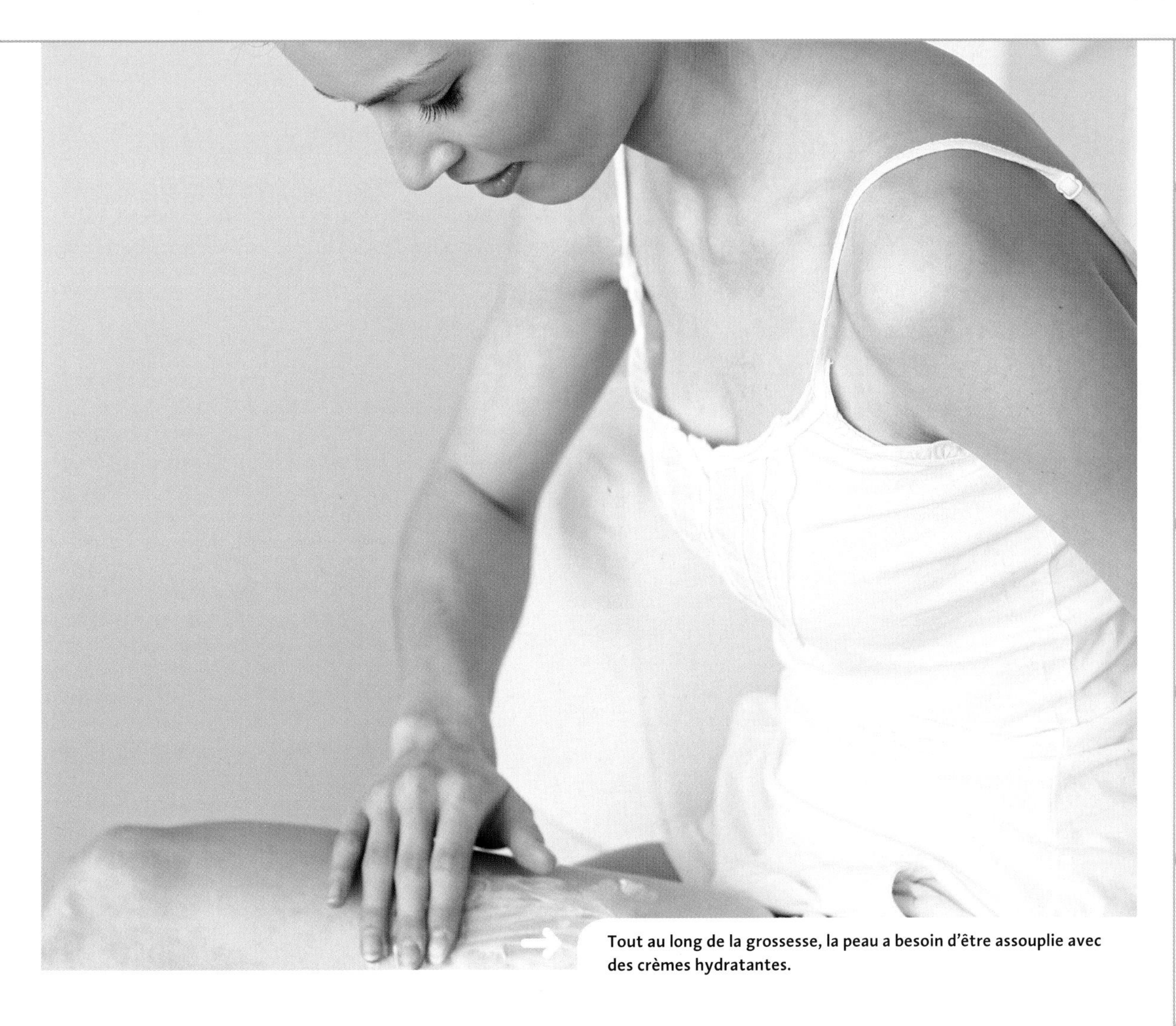

Tout au long de la grossesse, la peau a besoin d'être assouplie avec des crèmes hydratantes.

d'une modification hormonale. Elles apparaissent principalement sur le ventre, les seins, les hanches, les cuisses et les fesses. Souvent multiples, les vergetures se groupent en faisceaux de lignes parallèles, adoptant une disposition souvent symétrique. Certaines femmes y sont plus prédisposées que d'autres (question d'élasticité de la peau), et les crèmes cosmétiques dites « préventives » n'ont jamais prouvé leur efficacité.

Vous pouvez toutefois tenter d'éviter l'apparition des vergetures en contrôlant votre prise de poids et en appliquant chaque jour sur l'ensemble du corps une crème hydratante. Ainsi nourrie, la peau retrouve son élasticité, s'assouplit, se détend et risque moins de se « fissurer ». Un gommage doux, effectué une fois par semaine, permet en outre que la peau absorbe mieux les produits de soins.

SOIGNEZ VOTRE DÉCOLLETÉ • Vos seins sont généreux et votre décolleté superbe : la montée d'œstrogènes et de progestérone a en effet une action immédiate sur la poitrine. Comme vous produisez plus d'eau et de graisses grâce à ces hormones, un petit matelas supplémentaire se glisse sous l'enveloppe cutanée : vos seins se font durs, bombés et pointent vers le haut. Mais, attention ! Si votre poitrine n'a jamais été aussi belle, elle n'a jamais aussi été plus vulnérable. Il faut savoir que le sein n'est pas un muscle et n'en contient aucun. Il s'agit d'une glande, enrobée de tissus conjonctif et adipeux. La qualité et la tonicité de la peau sont donc essentielles à son maintien.

Pour que le poids de votre poitrine ne distende pas trop votre peau, choisissez dès le début de la grossesse un soutien-gorge bien adapté, à bonnets profonds et à bretelles larges. Renforcez la tonicité de votre poitrine par des douches d'eau fraîche, si vous le supportez. Évitez les bains chauds et pensez à mettre un écran total sur votre décolleté à chaque exposition au soleil. Appliquez chaque jour une crème hydratante, de la base des seins jusqu'au cou.

Concilier travail et grossesse

Comme beaucoup de femmes, vous travaillez à l'extérieur et vous vous posez des questions. Comment poursuivre mon activité sans incidences sur ma grossesse ? Est-ce que je fais courir des risques à mon bébé en effectuant de longs trajets matin et soir ? Comment aménager mon travail pour éviter une trop grande fatigue ?

Garder une activité

Contrairement à une idée reçue, le risque d'un accouchement prématuré est plus faible chez les femmes enceintes exerçant une activité professionnelle que chez les autres. Le travail aurait-il donc un effet salutaire sur la future mère ? Indirectement, oui. Car les femmes qui travaillent sont en général davantage informées et mieux suivies sur le plan médical. L'exercice d'une profession n'est pas, en soi, un facteur de risque pour une femme enceinte, même s'il peut le devenir dans certains cas.

Si elle n'est pas synonyme de corvée, poursuivre une activité professionnelle que l'on aime, rester en contact avec des collègues ou des clients, maintenir une ouverture sur le monde extérieur présentent aussi des aspects positifs sur le plan psychologique. Pas de culpabilité donc ! Malgré tout, quelques précautions, qui valent aussi en dehors de la grossesse, sont à respecter.

LES TRANSPORTS • Quel que soit le mode de transport, essayez, si possible, de limiter le nombre de vos déplacements au cours de la journée, et leur durée, à une heure au maximum. Au-delà, vous risquez de vous épuiser et d'accoucher prématurément. Lorsque vous devez utiliser les transports en commun, n'hésitez pas à faire valoir vos droits : vous bénéficiez en priorité des places assises, même si certains rechignent à vous les céder. Ne courez pas dans les couloirs du métro ou pour attraper un autobus qui s'apprête à démarrer sans vous attendre. Faites toujours attention à ne pas buter ou glisser sur une marche et ne cédez pas à la précipitation.

L'ORDINATEUR • Aucune étude n'a prouvé à ce jour que le travail devant un ordinateur était nocif pour le fœtus. En revanche, le fait d'être assise toute la journée peut être préjudiciable à votre confort. Mettez un petit tabouret sous vos pieds pour garder les jambes surélevées. Changez souvent de position, marquez des pauses en marchant un peu ou en faisant des exercices d'étirement pour votre dos et vos jambes. Ayez toujours à côté de vous une bouteille d'eau. Évitez les pièces surchauffées et ne vous couvrez pas trop.

Les conditions de travail

Chez les femmes enceintes qui travaillent dans des conditions difficiles (environ 20 % de la population féminine active), on a observé jusqu'à 40 % de naissances avant terme, contre 6 % en moyenne dans des conditions de travail correctes.

QUAND DEMANDER À CHANGER DE POSTE ? • Quatre catégories professionnelles sont plus particulièrement touchées : les employées de commerce, le personnel médico-social, les ouvrières spécialisées et le personnel des industries de service.

Certaines conditions de travail sont considérées comme des facteurs de risque d'accouchement prématuré et sont à éviter absolument.

- Faire des trajets quotidiens de plus d'une heure.
- Rester debout pendant plus de trois heures.
- Travailler dans une atmosphère froide, ou trop sèche, ou trop humide.

PENSEZ À VOTRE CONFORT

- **Ne vous retenez pas d'aller aux toilettes.** Videz votre vessie dès que vous en ressentez le besoin (environ toutes les deux heures).
- **Évitez de porter des vêtements trop ajustés,** des chaussettes ou des collants qui arrêtent la circulation et des chaussures avec des talons trop hauts. Les collants de contention sont particulièrement appréciés des femmes qui restent souvent debout.
- **Faites des pauses.** Si vous êtes pratiquement toujours assise, levez-vous, allez faire un tour. Si vous êtes très souvent debout, asseyez-vous et surélevez vos pieds.
- **Trop de stress n'est bon ni pour vous, ni pour le bébé.** Faites une pause dès que vous le pouvez. Faites quelques étirements et une marche de 5 minutes.

Faire des pauses régulières pour s'étirer et marcher un peu permet souvent d'éviter d'avoir mal au dos.

• Porter des charges de plus de 10 kg.
• Être exposée à un niveau de bruit élevé, aux vibrations de machines.

Alors, si telles sont vos conditions de travail, il vous faut demander un changement de poste et, au besoin, si votre employeur ne veut pas tenir compte de votre grossesse, en parler à votre médecin.

Si un arrêt de travail vous a été prescrit, observez scrupuleusement les conseils du praticien ou de la sage-femme qui vous suit et sait ce qu'il faut pour vous : une simple réduction d'activité ou un repos alité pendant plusieurs heures chaque jour.

LES MÉTIERS À RISQUE • Certaines professions présentent un réel danger pour la femme enceinte, et plus particulièrement pour le fœtus, parce qu'elles impliquent, par exemple, la manipulation de produits chimiques toxiques ou l'exposition à des rayonnements. Les femmes travaillant dans un service de radiologie ou dans l'industrie chimique peuvent ainsi être concernées par ce type de dangers. Si vous êtes dans ce cas, vous devez prendre des précautions dès le début de votre grossesse et consulter le plus tôt possible le médecin du travail. Les systèmes de protection sociale prennent souvent en compte ces situations, et le médecin pourra essayer de vous faire affecter à un autre poste.

Côté psy : vous n'êtes plus la même

Les deux premiers mois de grossesse donnent souvent lieu à des émotions fortes, très variables d'une femme à une autre. Une aventure très intime commence, même si la vie semble continuer presque comme avant ...

À chacune sa façon de réagir

Lucie est sur un petit nuage. Plus rien ne l'affecte. Sa meilleure amie se moque et lui dit qu'elle a l'air un peu béate. Coralie prend bien moins au sérieux les tracas de sa vie professionnelle, comme si tout cela ne la concernait plus autant. Charlotte, elle, a plus que jamais la larme facile, et tout particulièrement quand son mari se montre tendre et attentionné. Jelila paraît plus distraite à son entourage. Elle parle déjà souvent à son futur enfant et imagine différents scénarios. Marion veut surtout faire comme si de rien n'était. Elle appréhende de devoir changer ses habitudes, et sa fatigue l'énerve. Marie est inquiète certains jours, ravie le lendemain. Il n'est pas deux femmes qui vivent leur début de grossesse de la même façon. Mais, pour toutes, il y a en quelque sorte un avant et un après, même si les changements physiques ou psychiques sont parfois peu perceptibles.

LES EFFETS DE LA FATIGUE

- **La fatigue du premier trimestre n'est pas toujours perçue comme une gêne par les femmes**, bien au contraire. Puisque le corps l'exige, ralentissons la cadence ! Voici enfin une excellente occasion d'en faire un peu moins et de s'écouter davantage.
- **Toutes ne réagissent pas toutefois ainsi.** Certaines ne parviennent pas à se reposer, du fait d'un emploi du temps très contraignant. D'autres n'en ont pas vraiment envie, car cela imposerait de faire des choix. Il est trop tôt pour modifier déjà son mode de vie, trop tôt pour céder aux exigences du corps. La fatigue suscite alors de l'énervement ou de l'irritation. Se laisser un peu aller n'est pas perçu comme un plaisir, mais bel et bien comme une contrainte. Ce repos imposé, ce corps qui obéit déjà moins bien, préfigurent en quelque sorte les renoncements à venir. Chacune l'accepte plus ou moins bien, et surtout à son rythme.
- **La grossesse puis l'arrivée de l'enfant imposeront progressivement des changements dans les habitudes antérieures.** Il est normal et quasi inévitable d'en éprouver de temps en temps de la colère, une envie de remonter le temps ou des sentiments d'hostilité envers le futur bébé. La grossesse n'est pas que bonheur.

La valse des émotions

Les émotions diverses qui surgissent dans les premiers mois sont souvent mises sur le compte des sécrétions hormonales. C'est un peu réducteur, même s'il est avéré que cette chimie interne favorise les variations d'humeur. La femme entre en fait dans un autre temps, dans un autre état. Elle se prépare à sa façon à devenir mère, même malgré elle, même si la naissance lui paraît encore très lointaine. Elle accueille le futur enfant dans son corps, elle l'accueille aussi dans sa tête. C'est parfois moins facile qu'il n'y paraît, car mille questions peuvent surgir. Mais cela se fait parfois aussi très simplement, du moins au début, comme si la grossesse venait combler une profonde attente. Les réactions sont peu prévisibles. Il n'est pas rare que des natures anxieuses montrent un calme olympien dans les premières semaines, et que des femmes sûres d'elles se sentent à l'inverse plus irritables. Beaucoup de femmes se surprennent elles-mêmes et se découvrent autre que ce qu'elles croyaient.

Images de la grossesse

Tant de facteurs influent sur les ressentis de la grossesse : l'histoire personnelle de chacune, le caractère, l'attitude du futur père, le fait que l'enfant soit très attendu ou non, la peur éventuelle d'une fausse couche. La vision imaginaire qu'a chaque femme de cet état entre aussi en ligne de compte. Certaines femmes ont très envie de porter un bébé. Elles voient là une plénitude, une forme d'accomplissement. D'autres se passeraient volontiers de ces neuf mois d'attente et de changements physiques. Lors de la confirmation de la grossesse, les unes et les autres seront bien sûr heureuses, si l'enfant est désiré. Mais de manière presque charnelle pour les unes, et de façon plus intellectuelle pour les autres. Certaines femmes entrent très vite dans leur « nouvelle peau », ce qui se voit même dans leur

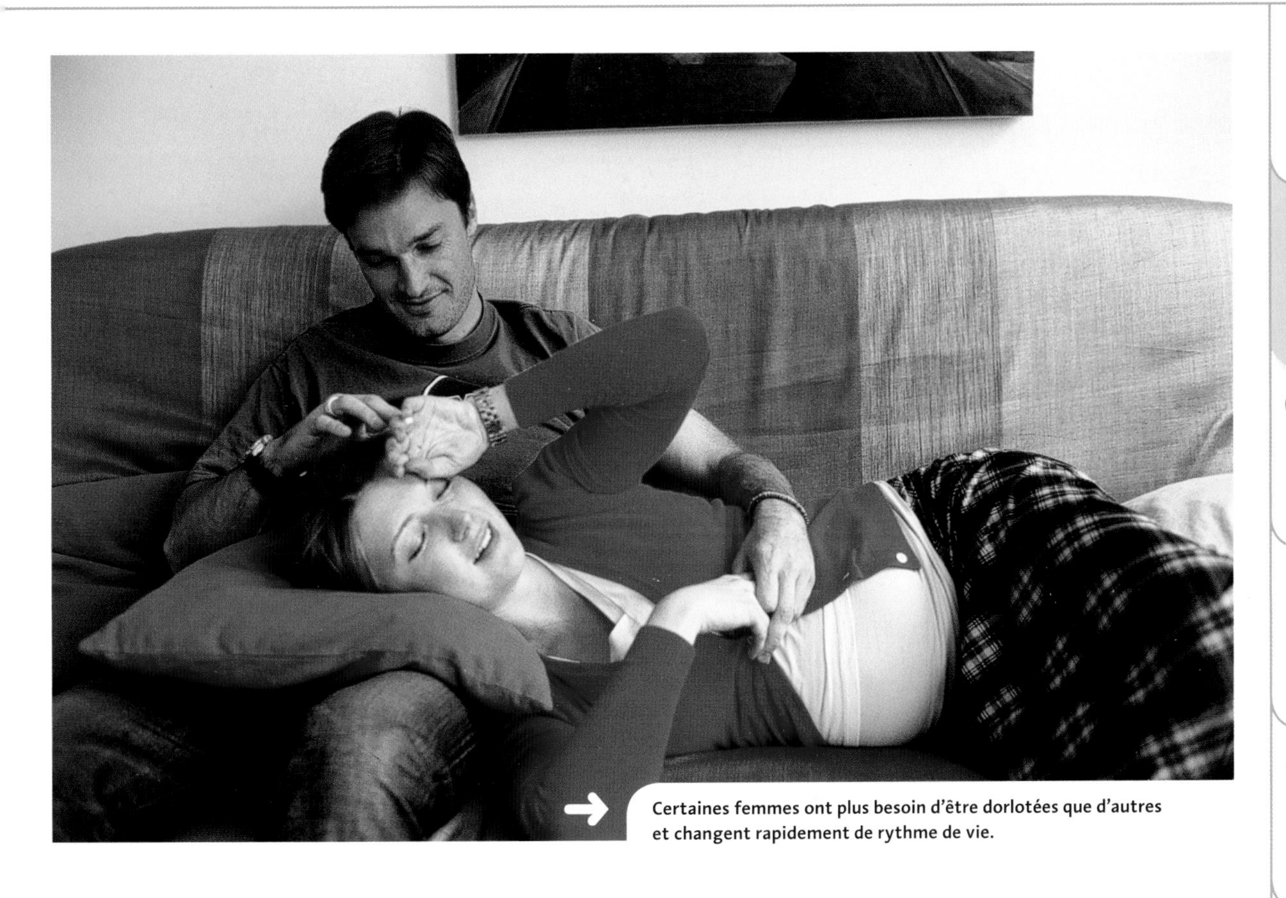

Certaines femmes ont plus besoin d'être dorlotées que d'autres et changent rapidement de rythme de vie.

posture. D'autres ont besoin de plus de temps et perçoivent au début leur grossesse comme quelque chose d'un peu abstrait, de presque éloigné d'elles. D'autres encore préfèrent ne pas s'impliquer émotionnellement, de peur de trop souffrir si elles perdent l'embryon.

Est-ce que c'est vraiment vrai ?

Réalise-t-on vraiment dans les premières semaines ? On a beau savoir, voire sentir de manière intime, que l'on est enceinte, la naissance semble si loin. Tout cela est presque du domaine du rêve. La vie se poursuit comme avant, il faut assumer les mêmes tâches, continuer à aller au travail. On pourrait presque en oublier que l'on est enceinte. Certaines femmes s'en satisfont tout à fait. Elles trouvent aussi prématuré de modifier leur rythme de vie. D'autres, en revanche, s'agacent de ce que le quotidien continue comme avant. Elles aimeraient déjà être un peu dorlotées. Pour beaucoup néanmoins, rien n'est aussi tranché, et, souvent les sentiments contraires alternent, voire s'entremêlent, avec toutes les nuances possibles et ce tout au long de la grossesse.

“ J'ai su très vite.”

« J'ai senti très vite que j'étais enceinte. Il est vrai que j'attendais ce moment depuis un certain temps, et que j'étais assez attentive à mon corps. Quand je suis allée acheter un test de grossesse, j'étais presque sûre d'obtenir un résultat positif, et j'avais d'ailleurs déjà parlé de mon pressentiment à mon compagnon. Mes seins étaient devenus bien plus sensibles, et je n'avais pas cette sensation de mal-être, de fragilité qui précède en général mes règles. Rétrospectivement, je me dis que j'étais déjà plus calme, plus paisible, avec une certaine force en moi. Pour ma belle-sœur, cela a été totalement l'inverse. Elle n'a rien senti au début et a même effectué un second test de grossessse pour arriver à se persuader qu'elle était vraiment enceinte ! »

Le troisième mois

- Le développement du bébé
- Du côté de la maman
- La première échographie
- Les grossesses multiples
- L'amniocentèse
- La consultation de génétique
- Bien choisir sa préparation à l'accouchement
- L'haptonomie : à la rencontre de l'enfant
- L'équilibre alimentaire en pratique
- L'hygiène au quotidien
- Côté psy : une grande sensibilité
- Du côté du papa : participer au suivi médical ?

Le développement du bébé

Au début du troisième mois, la période embryonnaire se termine : on ne parle plus d'embryon mais de fœtus. Vous ne percevez pas encore ses mouvements, mais pourtant il bouge ! C'est entre la 12e et la 14e semaine d'aménorrhée que se déroule la première échographie. Vous l'attendez sans doute avec impatience pour que l'on vous confirme que tout se passe bien.

Une croissance et un développement rapides

La période dite « embryonnaire » se termine, car les différentes ébauches d'organes sont présentes, et l'embryon prend alors le nom de « fœtus ». Cette distinction sémantique est un peu artificielle, car le développement, l'organisation et la maturation des différents organes est un processus progressif, continu, qui s'achèvera au-delà de la naissance.

La taille du bébé va tripler au cours de ce 3e mois pour atteindre 10 cm environ. Les reins apparaissent et les urines commencent à se déverser dans le liquide amniotique. L'embryon déglutit et remplit son estomac. Son cerveau possède deux lobes symétriques. L'intestin, qui avait commencé son développement hors du ventre, a intégré la cavité abdominale. Les organes génitaux externes apparaissent, mais il n'est pas toujours aisé de distinguer le tubercule génital d'une fille de la verge d'un garçon.

La tête est encore très volumineuse mais elle se redresse progressivement. Le visage est reconnaissable car les éléments constitutifs de la face sont présents. Le bébé ressemble désormais à un petit d'homme. Les lèvres se dessinent peu à peu. Les yeux sont davantage sur le devant du visage. Les paupières les recouvrent complètement. À la fin du 3e mois, la bouche s'ouvre et se ferme et présente des mouvements de succion. Quant aux oreilles, elles sont remontées pour prendre leur place définitive.

Les premiers os sont là. Les mains sont plus distinctes et le pouce se détache des autres doigts. Vers la 13e semaine, ceux-ci peuvent se replier à l'intérieur de la main (poing serré). Les membres s'allongent, les bras plus rapidement que les jambes, et peuvent avoir des mouvements individualisés. Le fœtus a commencé à bouger depuis déjà quelques semaines, mais ses mouvements sont si légers que sa mère ne les perçoit pas encore en elle.

Fille ou garçon ?

C'est durant cette période que les organes génitaux externes commencent à se développer. Si c'est une fille, les ovaires commencent à descendre dans l'abdomen. Chez le garçon, le pénis est apparent à la 12e semaine mais il est encore difficile de déterminer le sexe du bébé à l'échographie. Pour connaître le sexe de votre bébé, il faudra attendre l'échographie du 5e mois, sauf si la posture du bébé ne le permet pas (cordon ombilical entre les jambes par exemple).

Attention !

Les descriptions du développement de l'embryon sont faites en semaines de gestation, comptées depuis le début effectif de la grossesse. Pour suivre le développement par rapport aux semaines d'aménorrhée, il suffit de rajouter 2 semaines : par exemple, la 10e semaine correspond à la 12e semaine d'aménorrhée.

Le temps de la première échographie

L'échographie de dépistage a pour but de mesurer la clarté nucale (signe d'appel de la trisomie 21 si elle est élevée) et de s'assurer qu'il n'y a pas de malformations visibles à ce stade. Elle permet aussi de dater le début de grossesse et de voir la présence éventuelle de jumeaux ou de triplés (voir pages 104 à 107).

Le futur bébé mesure alors 6 à 7 centimètres de la tête aux fesses et pèse 50 g environ. Il a déjà tout d'un « grand », mais il a encore besoin de beaucoup de semaines de maturation avant de pouvoir affronter la vraie vie.

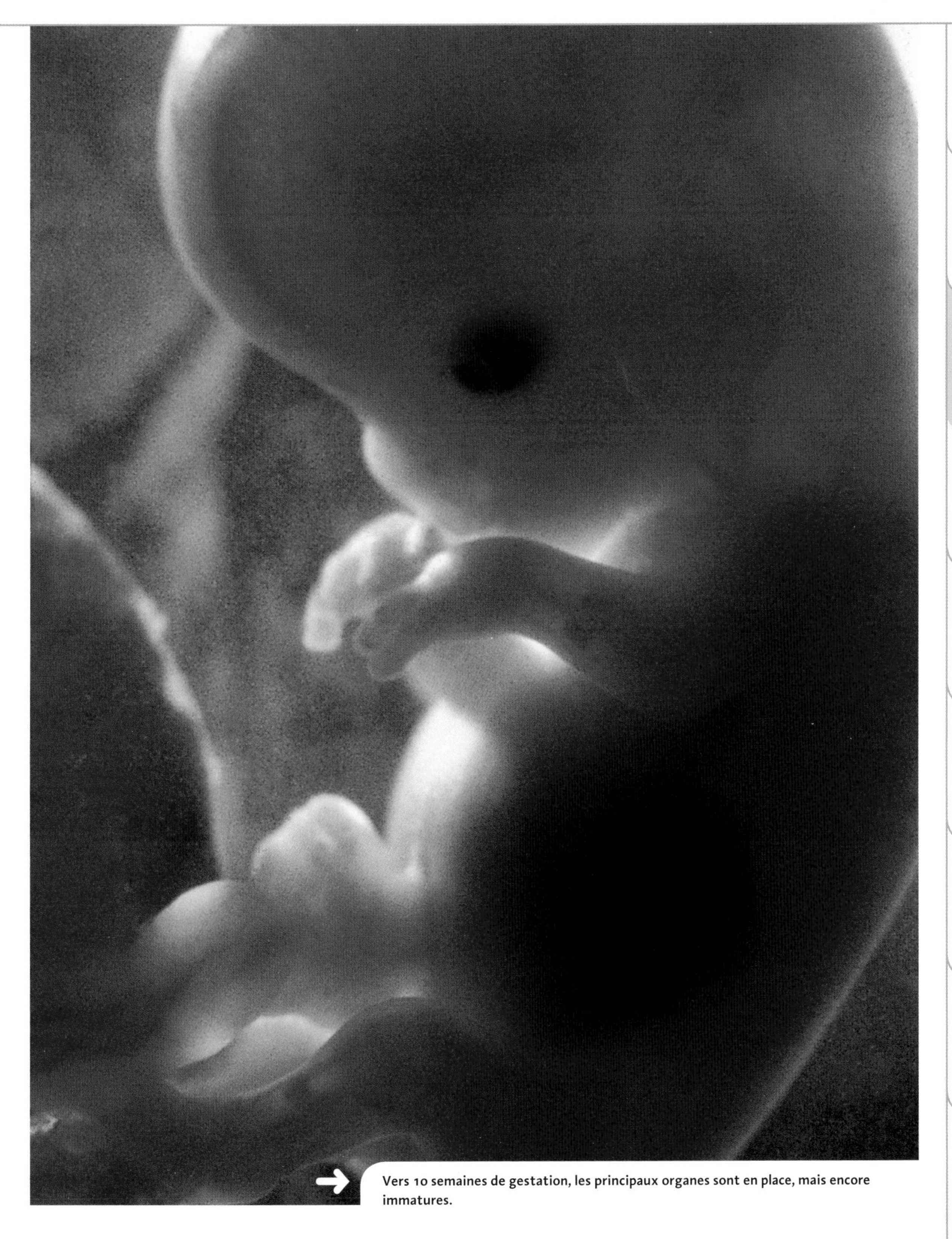

Vers 10 semaines de gestation, les principaux organes sont en place, mais encore immatures.

Du côté de la maman

Au cours du premier trimestre, la fatigue mais aussi certains petits malaises peuvent perturber la vie quotidienne. Ils sont la plupart du temps sans gravité. Le corps continue à se transformer mais, à partir du 3e mois, la majorité des premiers désagréments commencent à s'estomper.

Les principaux petits malaises et leurs remèdes

Le terme de « malaise » recouvre des états différents. On peut juste avoir la tête qui tourne, se sentir mal à l'aise, ou véritablement s'évanouir. La plupart du temps, ce n'est pas grave. Voici les situations les plus fréquentes.

DES VERTIGES • Parfois, des vertiges surviennent lorsque vous vous levez brusquement. Ces petits malaises sont dus à des baisses de la tension artérielle. Vous diminuerez leur fréquence si vous vous redressez toujours doucement : quand vous êtes en position allongée, par exemple, vous devez d'abord vous asseoir avant de vous mettre debout.

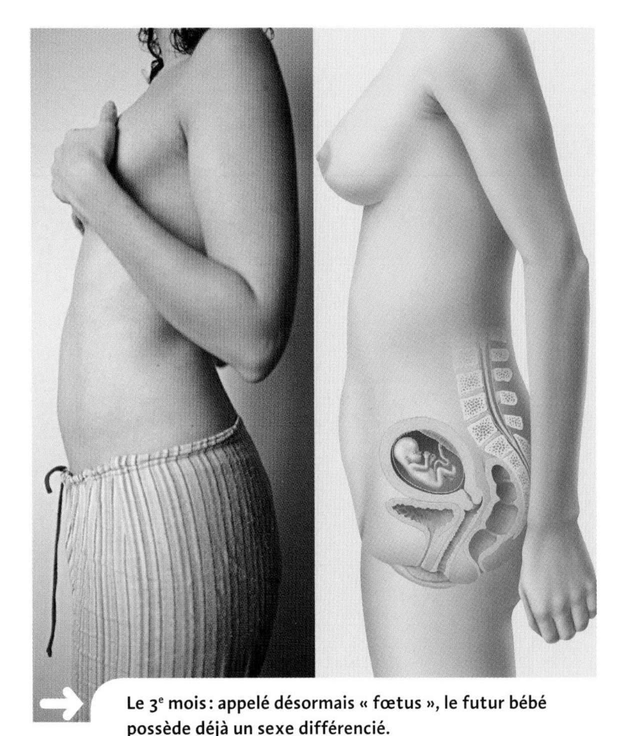

Le 3e mois : appelé désormais « fœtus », le futur bébé possède déjà un sexe différencié.

UN MANQUE DE SUCRE ? • D'autres malaises sont, eux, liés à une baisse du taux de glucose dans le sang (hypoglycémie). Ils surviennent par exemple quand on est à jeun. Prévoyez dans ce cas une collation pour les milieux de matinée et d'après-midi, incluant des fruits, frais ou secs. Cette hypoglycémie, en général anodine, n'est que rarement liée à un diabète. Mais, si vos malaises sont fréquents, parlez-en toutefois à votre médecin.

EXISTE-T-IL UN RISQUE D'ANÉMIE ? • Exceptionnellement, il arrive que des malaises signalent une anémie (schématiquement, une moins bonne oxygénation des tissus due à une carence en fer). Ils surviennent dans ce cas lors d'un effort, quand on est essoufflée et que le cœur bat plus vite. On est de surcroît pâle et fatiguée. Une consultation rapide s'impose.

UNE DÉSAGRÉABLE POUSSÉE D'ACNÉ

- Eh oui, ça arrive ! **Le bouleversement hormonal auquel vous êtes soumise peut provoquer une brusque poussée d'acné en début de grossesse.** Ce phénomène fort désagréable résulte d'une hypersécrétion et d'une rétention du sébum qui n'arrive pas à s'écouler par les pores. Les zones particulièrement touchées sont le visage, la poitrine et le dos.
- Sachez que **votre médecin pourra vous prescrire du zinc,** sous forme de gélules, qui régulera le flux de sébum. C'est le seul traitement possible quand on est enceinte.
- Pour accroître son efficacité, **respectez des règles d'hygiène strictes et lavez-vous avec un pain dermatologique pour peaux sensibles.**
- Sur le plan alimentaire, **évitez les épices, le café et, bien sûr, les boissons alcoolisées.** Progressivement, tout devrait rentrer dans l'ordre en quelques semaines.

Au 3e mois, les changements morphologiques deviennent de plus en plus nets.

L'IMPORTANCE DU SOUTIEN-GORGE

- Depuis le début de la grossesse, vos seins ont pris du volume du fait de la montée d'œstrogènes et de progestérone ; ils sont aussi plus lourds et plus sensibles. Pour qu'ils soient parfaitement maintenus et que leur poids ne distende pas trop votre peau, **ayez tout au long des neuf mois un soutien-gorge bien adapté**. Achetez deux soutiens-gorge, pour en avoir toujours un de rechange, mais pas plus. Vous serez sûrement amenée à changer de taille en cours de grossesse.
- Rendez-vous dans un magasin spécialisé dans les vêtements de grossesse ou une boutique de lingerie pour avoir des conseils sur les différents modèles.
- Optez pour un produit **de qualité, confortable et de préférence en coton.**
- Préférez les armatures pour un meilleur maintien, si elles ne vous gênent pas. **Essayez le soutien-gorge avant de l'acheter pour éviter toute mauvaise surprise.**
- **Le soutien-gorge doit être enveloppant, avec de profonds bonnets** qui séparent bien les seins sans les comprimer, et des bretelles larges.
- Attendez la fin de la grossesse pour acheter un soutien-gorge d'allaitement, et prévoyez alors une taille au-dessus de la vôtre, car vos seins risquent d'augmenter encore de volume.

“ Je suis ballonnée et je me demande si cette gêne qui m'est fort désagréable présente un risque pour mon bébé.”

LES FLATULENCES

Protégé par le liquide amniotique qui absorbe tous les impacts, votre bébé ne souffre absolument pas des troubles digestifs dont vous vous plaignez. Au contraire, il est probablement bercé et apaisé par les gargouillis et les glouglous dans votre ventre. Les ballonnements sont plus importants en fin de journée. Pour les minimiser, pensez à aller régulièrement à la selle, mangez moins mais plus souvent et lentement, détendez-vous avant de vous mettre à table. Essayez enfin de repérer les aliments qui vous donnent des gaz et bannissez-les. Sont le plus souvent incriminés les oignons, les choux, les haricots, les aliments frits et les sauces riches en graisses.

La première échographie

Trimestre après trimestre, cet examen incontournable offre, malgré quelques limites, la possibilité de suivre l'état de santé et le développement du bébé. Au cours du 3e mois, vous passerez la première échographie. Elle est primordiale pour vérifier que tout se déroule normalement.

Comment ça marche ?

L'échographe est une sorte de radar. Il émet des ultrasons qui vont rebondir sur les parties explorées, par exemple les organes du fœtus, et revenir vers la sonde que l'on déplace sur votre ventre. L'information est alors analysée par un système informatique complexe afin de construire, point par point, l'image qui s'affiche sur l'écran. Depuis les débuts de cette technique, les renseignements fournis se sont diversifiés, sont devenus plus précis et surtout plus fiables. La très grande majorité des diagnostics en médecine fœtale sont le fait de l'échographie (ou ont été permis par celle-ci).

En France, la pratique de l'échographie est réservée aux médecins et aux sages-femmes. D'autres pays autorisent la réalisation d'examens de dépistage par des techniciens, sous la responsabilité et le contrôle d'un médecin, qui peut intervenir à tout moment en cas de difficulté.

Les ultrasons sont-ils dangereux pour le fœtus ?

De très nombreuses études ont été menées concernant d'éventuels effets nocifs sur le fœtus des ultrasons émis lors d'une échographie. Dans les conditions du diagnostic médical, il n'est pas apparu à ce jour le moindre effet néfaste. Toutefois, dans un souci de prudence, il est recommandé de limiter l'usage de l'échographie fœtale aux nécessités médicales ; on en fait généralement trois.

Comment se déroule une échographie ?

UN PROTOCOLE BIEN PRÉCIS • Une consultation d'échographie suit à peu près toujours le même protocole. Le médecin, ou la sage-femme, qui réalise l'échographie s'enquiert d'abord des motifs de l'examen : dépistage de routine ou indication particulière ; il prend également connaissance des éléments du dossier : début de grossesse, examens antérieurs, antécédents, incidents éventuels...

Vous vous installez sur le divan d'examen, et le praticien vous enduit le ventre d'un gel destiné à faciliter le passage

POUR UNE « BONNE » ÉCHOGRAPHIE

- Les échographies sont importantes pour la bonne santé, actuelle et future, de votre enfant et sont aussi pour vous un gage de sérénité. Autant mettre tous les atouts dans votre jeu.
- **Choisissez un praticien ayant l'expérience de l'échographie fœtale.** Le médecin ou la sage-femme qui suit votre grossesse vous conseillera.
- **Respectez scrupuleusement le calendrier des examens.**
- **Regroupez les éléments du dossier de votre grossesse et tenez-le à la disposition de l'échographiste.**
- La peau peut faire obstacle au passage des ultrasons. **Évitez par conséquent d'appliquer tout cosmétique, huile, lait ou crème anti-vergetures la semaine précédant l'examen.**
- **Inutile de remplir démesurément votre vessie.** Ne tombez pas dans l'excès inverse en la vidant dans les minutes qui précèdent l'examen.
- **Évitez les vêtements compliqués** et les tissus fragiles ; enlevez un éventuel piercing au nombril.
- **Prévoyez du temps,** votre examen (même sans pathologie) peut se révéler plus long que prévu.
- Faites-vous accompagner par le papa, si vous et lui le souhaitez, **mais évitez les déplacements en famille.**
- **Éteignez votre téléphone portable** dès votre arrivée au cabinet médical ou au centre de radiologie et maintenez-le éteint jusqu'à votre départ.

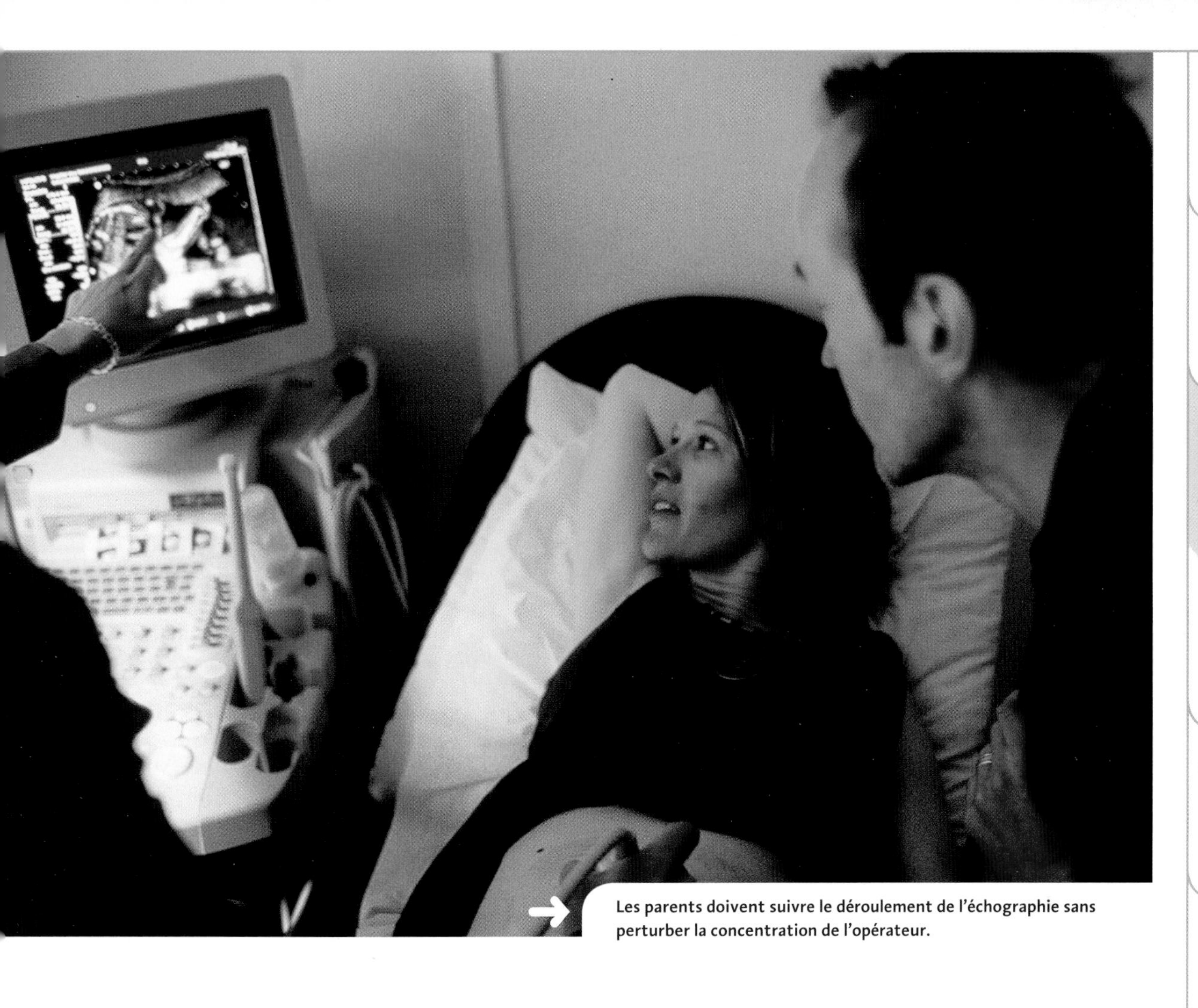

Les parents doivent suivre le déroulement de l'échographie sans perturber la concentration de l'opérateur.

des ultrasons. Un écran supplémentaire est en général disposé de telle manière que les parents puissent suivre le déroulement de l'examen. Si besoin, une sonde d'échographie est placée dans le vagin (échographie endovaginale). Ce n'est ni douloureux pour la mère, ni dangereux pour le fœtus.

UN EXAMEN COMPLEXE ET DÉLICAT • L'opérateur déplace et oriente la sonde afin d'obtenir les coupes représentant les structures qu'il veut examiner. La recherche est souvent complexe, surtout durant le 2e trimestre, et réclame une grande vigilance. Ne soyez donc pas étonnée si l'échographiste se montre peu loquace.

Le regard que le praticien porte sur l'image est très différent de celui des parents. Alors que vous espérez voir votre enfant, lui au contraire a pour objectif d'isoler de très petits détails. Vous ne « voyez » donc pas la même chose, et il en résulte nombre de malentendus. Par exemple, tandis que les parents s'extasient joyeusement sur une splendide image de « profil », le médecin s'inquiète car il ne parvient pas à visualiser une partie du cerveau, petite mais essentielle, habituellement détectable dans ce plan de coupe. Les parents s'agacent du mutisme du praticien, lui se demande comment il va leur annoncer la mauvaise nouvelle, avant de finir par trouver ladite structure. Et de passer à la recherche suivante.

Si la position de l'enfant n'est pas très favorable, si les conditions de pénétration des ultrasons sont difficiles, le même scénario va se reproduire plusieurs fois au cours de l'examen. Patience donc. En outre, la qualité et la lisibilité des images qui se forment sur l'écran sont très inégales. Certains plans (profil fœtal, cœur, colonne vertébrale) seront aisément identifiables, d'autres resteront ésotériques pour les parents, surtout s'il s'agit de détails d'organes que l'on est peu habitué à visualiser.

LA CONCLUSION DE LA CONSULTATION • Des clichés sur papier sont effectués au cours de l'examen. Ils ne servent pas à l'interprétation de l'examen, qui se fait en direct sur l'écran, mais en marquent les différents temps et permettent de stocker les mesures effectuées. Une fois son exploration terminée, le médecin vous donne son opinion et rédige le compte-rendu d'examen qui vous sera remis avec les clichés. Dans la très grande majorité des cas, il sera très heureux de pouvoir vous dire qu'il n'y a « rien de suspect ». Cela tient en une petite phrase. N'en soyez pas déçue, c'est une bonne phrase.

À quoi sert l'échographie ?

L'une des originalités de l'échographie est qu'elle permet tant d'obtenir des informations très simples, comme la position du fœtus dans l'utérus, que d'effectuer des bilans très complexes, comme l'évaluation du pronostic d'une malformation cardiaque. Les objectifs de l'échographie sont donc très divers et étendus.
Voici les principaux :

- la datation précise du début de grossesse ;
- le diagnostic précoce des grossesses gémellaires ou multiples ;
- le diagnostic de certaines malformations ;
- la détection de « signes d'appel » (signalant un risque éventuel, mais sans certitude) ;
- la surveillance de la croissance du fœtus ;
- l'appréciation du « bien-être » fœtal (mouvements, quantité de liquide amniotique, circulation dans le cordon...) ;
- la détermination de la position du placenta.

À quoi sert celle du premier trimestre ?

Cet examen est essentiel, car il permet de dater le début de grossesse, de voir la présence éventuelle de jumeaux ou de triplés, de détecter certaines malformations qui rendraient le fœtus non viable. Il permet aussi, par la mesure de la clarté nucale, de dépister un risque de trisomie 21.

LA MESURE DE LA CLARTÉ NUCALE • La clarté nucale est un petit espace, plus ou moins épais ou étendu, situé sous la peau de la nuque et présent chez l'embryon à la fin du 1er trimestre. Lorsque cette épaisseur est excessive, on parle d'« hyperclarté nucale ». Le seuil à partir duquel la mesure est jugée excessive dépend de la longueur (de la tête aux fesses) de l'embryon et de l'âge maternel. L'hyperclarté nucale n'est pas une maladie mais un « signe d'appel » : un élément pouvant être porté par un fœtus parfaitement sain, mais qui fait évoquer et rechercher certaines pathologies, au premier rang desquelles les anomalies chromosomiques.

La mesure de la clarté nucale, souvent associée au dosage des marqueurs sériques, effectué par prise de sang (voir page 138), est une des méthodes de dépistage de la trisomie 21. D'autres pathologies peuvent être associées à une hyperclarté nucale : certaines malformations du cœur (pas toujours bien graves pour l'avenir de l'enfant). Attention, ce signe peut-être transitoire. Il est donc essentiel de bien respecter la programmation de l'échographie, entre 12 et 13 semaines d'aménorrhée.

Les différents types d'échographie

Plusieurs sortes d'échographies du fœtus peuvent être réalisées au cours de la grossesse. Seules celles de dépistage sont systématiquement proposées.

LES ÉCHOGRAPHIES DE DÉPISTAGE
Elles sont prescrites en France à toutes les femmes enceintes. Leur rôle est de détecter d'éventuels signes pathologiques ou simplement suspects. Il n'est, bien entendu, pas envisageable de tout explorer, et il a fallu de longues années pour parvenir à un consensus portant sur le nombre d'échographies de dépistage, leur programmation et surtout sur ce qu'il convient de rechercher au cours de ces examens.

LES ÉCHOGRAPHIES DE DIAGNOSTIC
Elles sont proposées si un risque particulier a été identifié en raison d'un antécédent, d'un événement survenu au cours de la grossesse ou lorsqu'une échographie de dépistage a permis de détecter un signe suspect ou n'a pu être complète en raison de difficultés techniques. Ces examens sont réalisés par des échographistes spécialisés.

LES ÉCHOGRAPHIES DE CONSULTATION
De nombreux praticiens disposent d'un échographe en salle de consultation. Il ne s'agit pas de réaliser une véritable échographie mais de compléter l'examen clinique. Ces échographies, le plus souvent rapides, ne doivent pas être confondues avec celles de dépistage.

LES ÉCHOGRAPHIES FOCALISÉES
Elles s'inscrivent dans des protocoles de surveillance particuliers et se limitent à quelques points précis : la quantité de liquide amniotique, par exemple.

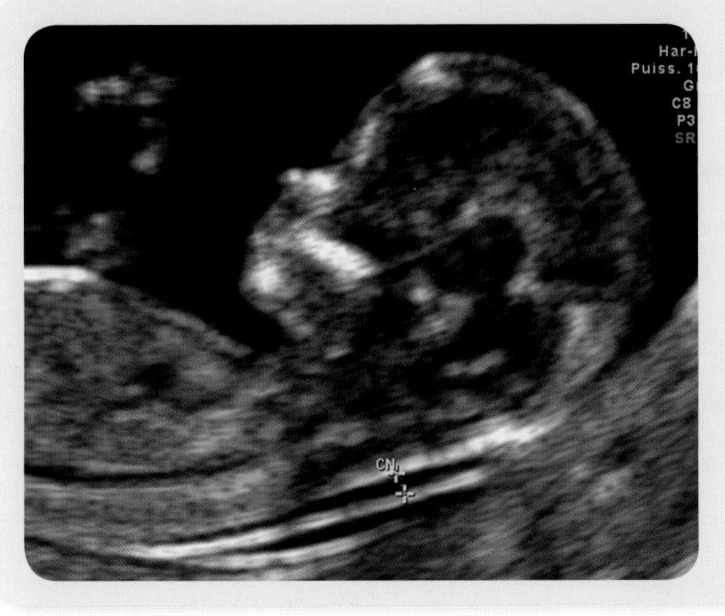

Échographie à 12 semaines d'aménorrhée

Le médecin mesure la clarté nucale, c'est-à-dire l'épaisseur sous-cutanée, espace délimité ici par deux croix jaunes.

Si cette mesure est trop importante, en fonction de la longueur de l'embryon et de l'âge maternel, on parle d'hyperclarté nucale (signe d'appel de la trisomie 21). On s'assure aussi à ce stade qu'il n'y a pas de malformations visibles.

COMBIEN D'ÉCHOGRAPHIES ?

- Faire beaucoup d'échographies n'apporte pas une sécurité supplémentaire. Il est beaucoup plus judicieux de faire les examens au bon moment et dans de bonnes conditions.
- **En France, trois échographies de dépistage sont proposées,** respectivement à 12, 22 et 32 semaines d'aménorrhée révolues. D'autres pays n'ont ni la même législation ni la même politique sociale et ne proposent pas d'échographie systématique au 3e trimestre.
- **À chacun de ces examens répond un projet particulier.** Les professionnels ont établi des règles précises qui en codifient la pratique et la qualité.
- **Toute échographie comporte quatre parties,** dont l'importance relative varie selon le terme de la grossesse et la motivation de l'examen :
  – la biométrie recouvre un certain nombre de mesures pour apprécier la croissance ;
  – la morphologie permet de vérifier que le développement des différents organes du fœtus est conforme pour le terme de la grossesse ;
  – l'évaluation de la vitalité fœtale se fait par l'observation des mouvements et parfois par la mesure Doppler ;
  – l'examen des annexes, qui concerne à la fois le placenta et l'appréciation du volume du liquide amniotique.

Des clichés sont remis aux parents en même temps que le compte-rendu de l'examen.

Les grossesses multiples

Sans parler de véritable phénomène social, ces grossesses sont en augmentation depuis quelques années, et concernent plus de 1 % des femmes enceintes. Elles impliquent une surveillance étroite, à cause du risque plus élevé de complications que pour une grossesse unique.

Un cas plus fréquent

Avoir des jumeaux, à plus forte raison des triplés, était exceptionnel dans les années 1970. Cela arrivait, certes, mais surtout dans des familles où de telles grossesses s'étaient déjà produites. Aujourd'hui, plus de 1 % des grossesses sont des grossesses multiples (jumeaux, triplés...). C'est l'avènement des techniques de procréation médicalement assistée (PMA) qui en a augmenté le nombre – la probabilité de grossesse multiple est de une sur cinq quand on est enceinte grâce à la PMA. Or, les femmes faisant des enfants de plus en plus tard, le recours à la PMA peut devenir nécessaire quand, avec l'avancée en âge, la fécondité est diminuée.

L'éventualité que vous soyez enceinte de jumeaux ou de triplés, etc., est donc bien plus importante si de telles naissances ont déjà eu lieu dans votre famille, ou si vous avez eu recours à une technique de procréation médicalement assistée (stimulation de l'ovulation).

Grossir davantage ?

Un bébé en plus se traduit par une prise de poids plus importante, pas seulement à cause du bébé lui-même mais aussi à cause du second placenta (dans le cas des faux jumeaux, il y en a deux) et de la quantité plus importante de liquide amniotique. En règle générale, les femmes qui attendent des jumeaux prennent entre 12 et 16 kg, soit davantage que pour une grossesse simple.

Quand le sait-on ?

Seule l'échographie permettra de détecter une grossesse multiple. Le diagnostic est établi dès la 1re échographie, qui montre la présence de plusieurs « sacs gestationnels » dans l'utérus. Dans un tiers des cas, il s'agit de « vrais » jumeaux (monozygotes), issus de la fécondation d'un ovule unique par un spermatozoïde, et dans les deux tiers de cas de « faux » jumeaux (dizygotes). Plus tard, le médecin ou la sage-femme pourra constater que l'utérus est effectivement trop volumineux pour ne contenir qu'un seul fœtus.

Des risques mieux maîtrisés

Si la probabilité d'attendre des jumeaux est plus grande de nos jours, les chances de donner naissance à des enfants en bonne santé sont également plus élevées, notamment grâce aux échographies et à une surveillance particulière.

VRAIS OU FAUX JUMEAUX ?

- Lorsqu'on parle de jumeaux, on entend souvent les adjectifs « vrais » et « faux ». Ils désignent deux réalités biologiques tout à fait différentes.
- **Les « vrais » jumeaux sont des jumeaux « monozygotes » : ils sont issus de la fécondation du même ovule par un seul et unique spermatozoïde.** Puis cet œuf se divise en deux. Les fœtus peuvent se développer dans une seule poche amniotique ou dans deux, le placenta peut être unique pour les deux bébés. **Ces deux enfants possèdent donc le même patrimoine génétique, sont du même sexe et se ressemblent comme deux gouttes d'eau.**
- **Les « faux » jumeaux sont aussi appelés « dizygotes » : deux ovules sont fécondés par deux spermatozoïdes lors du même cycle menstruel.** Chaque fœtus se développe dans sa poche amniotique, et les placentas sont distincts. Les patrimoines génétiques sont donc totalement différents, ce qui explique que **les bébés ne soient pas forcément du même sexe, et se ressemblent seulement comme un frère et une sœur.**

Les faux jumeaux n'ont pas les mêmes gènes. Ils peuvent donc être de sexe différent et ne se ressemblent pas plus que des frères et sœurs.

Les grossesses multiples nécessitent en effet un suivi plus étroit, car elles conduisent dans la plupart des cas à des naissances avant terme, avant huit mois (voir page 111). Le risque d'accoucher d'un enfant prématuré est plus grand, de même que celui d'hypotrophie (bébés de faible poids).

En outre, la mère doit suivre une hygiène de vie plus stricte et doit s'accorder beaucoup de repos. Une femme attendant plusieurs bébés a d'ailleurs droit à un congé de maternité plus long (34 semaines pour des jumeaux et 46 semaines pour des triplés en France).

Certaines associations se sont constituées dans le but d'aider ces futures mamans et de les conseiller dans leurs démarches (aides à domicile par des élèves sages-femmes ou infirmières) et dans le choix d'un matériel de puériculture adapté pour faciliter leur vie quotidienne. En France, l'association « Jumeaux et Plus », créée en 1979 et reconnue d'utilité publique depuis 2003, possède de très nombreuses antennes départementales (adresses sur le site www.jumeaux-et-plus.asso.fr).

“J'ai pris beaucoup de poids. Est-il possible que j'attende des jumeaux ?”

POIDS OU GROSSESSE MULTIPLE ?

Vous avez sans doute plutôt pris trop de poids par rapport à la moyenne au cours du 1er trimestre. Si vous avez une petite ossature, l'augmentation du volume de l'utérus se remarquera plus tôt chez vous que chez une femme plus charpentée. Ce n'est pas parce que votre ventre est volumineux que vous portez plusieurs fœtus. Lorsqu'il fera le diagnostic, votre médecin prendra en compte plusieurs éléments : prédisposition génétique, taille de l'utérus (et non celle de l'abdomen) au stade de la grossesse, battements d'un ou de deux cœurs, symptômes (nausées matinales, troubles digestifs) plus prononcés, etc.

“Dans notre entourage, tout le monde trouve que c'est merveilleux d'attendre des jumeaux, mais pas nous ! Que se passe-t-il ?”

GROSSESSE GÉMELLAIRE ET DÉCEPTION

Rares sont les couples qui rêvent de devoir acheter deux berceaux, une poussette à deux places, deux chaises hautes, en un mot, d'avoir deux bébés en même temps ! Les femmes se préparent psychologiquement, mais aussi physiquement, pour l'arrivée d'un seul et unique bébé et l'annonce d'une grossesse gémellaire fait souvent l'objet d'une déception et d'une grande peur. En effet, prendre soin d'un enfant est une énorme responsabilité qui se suffit amplement à elle-même et qui n'a pas besoin d'être multipliée par deux. Acceptez l'ambivalence avec laquelle vous considérez la venue de ces deux enfants et évitez de culpabiliser. Profitez, au contraire, des semaines à venir pour vous faire à l'idée que vous allez bientôt avoir des jumeaux.

Parlez-en avec votre compagnon et rencontrez des parents de jumeaux. Si vous n'en connaissez pas, demandez à votre médecin qu'il vous donne les coordonnées d'associations ou qu'il vous mette en relation avec d'autres parents. Vous pouvez également surfer sur le Net. Découvrir que vous n'êtes pas les premiers parents dans le doute vous aidera à accepter la situation, voire à vous en réjouir. Si, dans un premier temps l'arrivée des jumeaux multiplie le travail par deux, le bonheur qui en découle sera lui aussi multiplié par deux.

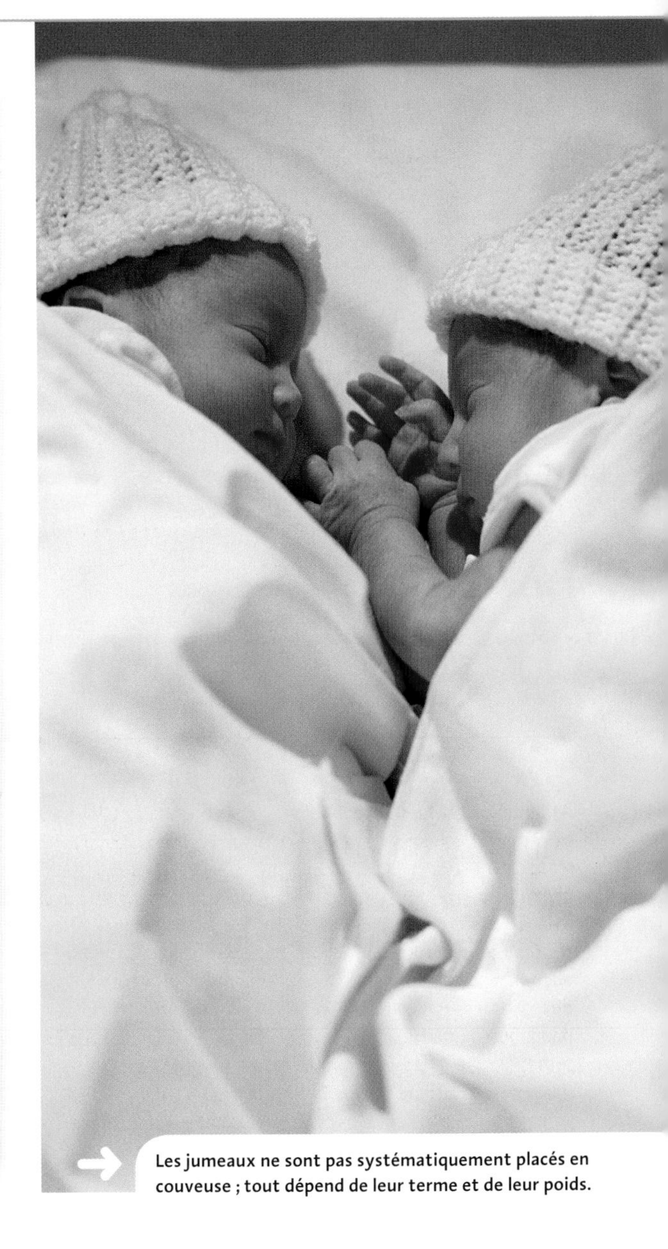

Les jumeaux ne sont pas systématiquement placés en couveuse ; tout dépend de leur terme et de leur poids.

Les trois types de grossesses gémellaires

Quand vous attendez des jumeaux, la première préoccupation du médecin sera de déterminer au moyen de l'échographie, dès le 1er trimestre et le plus vite possible, le nombre de placentas et le nombre de poches amniotiques. La grossesse est dite « bichoriale biamniotique » dans le cas où il existe deux placentas et deux poches amniotiques. Elle est « monochoriale biamniotique » dans le cas où un seul placenta avec deux poches amniotiques sont identifiés. Dans les cas, beaucoup plus rares, où l'on trouve un seul placenta et une seule poche amniotique, c'est une grossesse « monochoriale monoamniotique ». Ces trois types de grossesses gémellaires sont très différents les uns des autres.

La meilleure « configuration » est celle de deux placentas et deux poches amniotiques, car les jumeaux sont alors indépendants. En cas de placenta unique, c'est-à-dire de « vrais » jumeaux, il existe des communications sanguines entre les enfants, et l'un peut recevoir davantage de sang que l'autre (syndrome « transfuseur-transfusé »), être mieux nourri que l'autre, ce qui demande une prise en charge particulière.

Les échographies mensuelles ou même bimensuelles à partir de 22 semaines d'aménorrhée sont alors particulièrement importantes pour surveiller la croissance des deux fœtus. Celui qui n'a pas assez de sang court un risque d'hypotrophie parfois très grave, tandis que l'autre souffre d'un problème cardiaque. Dépistée et prise en charge par une équipe spécialisée, cette situation peut toutefois se poursuivre quelque temps pour atteindre un terme décent d'accouchement.

Si on attend trois enfants ou plus

Les précautions à prendre lorsque l'on attend des jumeaux doivent encore être renforcées dès qu'est prévue l'arrivée de trois enfants ou plus. Ces grossesses sont parfois déroutantes, voire angoissantes, pour la future maman. Celle-ci bénéficie si elle le demande d'une assistance psychologique jusqu'à l'accouchement.

Au-delà de trois fœtus, le risque de complication est encore accru. Il existe alors peu de chances que l'accouchement ait lieu à un terme acceptable, c'est-à-dire après 34 semaines de grossesse. Il faut absolument être suivie de près et accoucher dans une maternité de niveau III (voir page 62).

Une réduction embryonnaire peut être proposée pour revenir à une grossesse gémellaire. Cette décision est souvent difficile à prendre pour les parents, a fortiori – et c'est le cas le plus fréquent – si la grossesse a été obtenue après un traitement pour stérilité (fécondation in vitro notamment). Dans de rares cas, un ou plusieurs embryons arrêtent spontanément leur développement.

Une surveillance accrue

Attendre des jumeaux ou des triplés nécessite de bien prendre soin de soi. Vous serez aidée en cela par l'obstétricien et la sage-femme, qui vous suivront avec une très grande vigilance car différentes complications sont possibles: un accouchement prématuré (environ 25 % des grossesses multiples ne dépassent pas la 32e semaine, c'est-à-dire la fin du 7e mois), une hypertension artérielle (le risque est multiplié par trois ou quatre), un enfant de petit poids (hypotrophie), un syndrome « transfuseur-transfusé »...

DES CONSULTATIONS RAPPROCHÉES

La surveillance clinique est de ce fait plus rapprochée : en général, vous verrez l'obstétricien une fois par mois, voire toutes les deux semaines à la fin de la grossesse. Mais il faudra aussi parallèlement que vous soyez suivie par une sage-femme à domicile une fois par semaine dès 22 semaines d'aménorrhée. Elle s'assurera que, grâce au repos, vous n'avez pas trop de contractions utérines. Elle surveillera également votre tension artérielle et vérifiera qu'il n'y a pas d'albumine dans les urines. Ces visites seront aussi pour vous l'occasion d'obtenir différents conseils, sur votre alimentation par exemple. Il convient en effet de manger un peu plus quand on attend des jumeaux ou des triplés (augmentez les quantités de 10 à 20%).

DAVANTAGE DE REPOS

En outre, vous devrez vous reposer au maximum afin de limiter le plus possible les risques. Sans être constamment allongée – cela peut cependant être nécessaire –, ménagez-vous des temps de repos dans la journée, évitez les longs trajets et les voyages à partir du 5e mois.

Souvent, l'obstétricien prescrit un arrêt de travail précoce, au cours du 2e trimestre, dans le but de prévenir un accouchement prématuré, et vous pouvez bénéficier d'une aide ménagère. Dans certains cas toutefois, une hospitalisation sera indispensable.

UN ACCOUCHEMENT PLUS DÉLICAT

Le terme de la grossesse pour une grossesse gémellaire est de 38 semaines d'aménorrhée, au lieu de 41 semaines pour une grossesse unique. L'accouchement d'une grossesse multiple est plus complexe, surtout pour le deuxième jumeau (en fonction de sa présentation); une césarienne peut s'avérer parfois nécessaire et être programmée. Il est par conséquent recommandé d'accoucher dans une maternité capable de faire face au moindre problème, à savoir une maternité de niveau II ou III en France (voir page 62).

“Au-delà de la deuxième échographie, on prévoit une échographie par mois pour suivre étroitement la croissance des fœtus.”

L'amniocentèse

Complétant éventuellement le dépistage par l'échographie et les marqueurs sériques, l'amniocentèse n'est pratiquée que dans des situations très précises. Les médecins proposent notamment cet examen quand il existe un risque que le fœtus soit atteint de trisomie 21, par exemple parce que la future mère approche la quarantaine.

Que détecte-t-on ?

L'amniocentèse consiste en un prélèvement de liquide amniotique à partir duquel on va réaliser ce qu'on appelle le « caryotype » du bébé, à savoir la carte de ses chromosomes. C'est le seul examen qui permet de déterminer avec une totale certitude si le fœtus est ou non porteur d'une quelconque anomalie chromosomique : la trisomie 21 (appelée encore mongolisme) par exemple. Cet examen spécifique implique bien sûr l'accord de l'intéressée.

Y a-t-il un risque ?

Le plus souvent, la femme ressent ensuite des contractions. Il est donc conseillé de se reposer et d'éviter tout effort pendant 48 heures après l'examen. On observe plus occasionnellement une petite perte de liquide amniotique et, très rarement, une infection ou autre complication pouvant entraîner une fausse couche. C'est pourquoi une amniocentèse ne doit être pratiquée que si les bénéfices sont supérieurs aux risques.

Quand fait-on cet examen ?

UNE DÉCISION TRÈS PERSONNELLE • Le fait de passer ou pas une amniocentèse recouvre une question très délicate : le couple pourrait-il accepter d'aimer et d'élever un enfant trisomique ou présentant une anomalie chromosomique grave ?

Avant même de songer aux risques que comporte l'amniocentèse, certes faibles, mais réels (0,5 à 2 % de fausses couches), c'est ce questionnement au sein du couple qui reste primordial. Certains préféreront ne pas savoir, parce que prêts à assumer un rôle de parents dans tous les cas ; d'autres veulent être informés parce qu'ils ne souhaiteront peut-être pas dans ces conditions poursuivre la grossesse.

Ce choix leur appartient de manière très intime, et à eux seuls. Sur un sujet si sensible, les médecins sont là pour proposer, et non pour décider.

CE QUE PROPOSENT LES MÉDECINS • En France, on ne propose une amniocentèse de manière systématique que si la femme enceinte est âgée de plus de 38 ans, car le risque de trisomie 21 augmente avec l'âge de la future mère. Mais, lors de la première échographie, qui concerne toutes les femmes, les médecins recherchent toujours un risque de trisomie 21 par une mesure de la clarté nucale (voir page 106). De la même façon, ils proposent aussi, entre 14 et 18 semaines d'aménorrhée, un dépistage à partir d'une simple prise de sang, que l'on est libre, là encore, d'accepter ou de refuser. C'est le « dosage des marqueurs sériques de la trisomie 21 » (MT21), qui consiste à doser trois hormones de la grossesse. À partir des résultats, le médecin peut préciser quel est le risque d'avoir un enfant atteint de trisomie 21. Mais il ne peut apporter de certitude absolue. Lorsque le risque apparaît supérieur à 1 sur 250 (par exemple : 1 sur 50), il proposera de pratiquer une amniocentèse. Environ 80 % des cas de trisomie 21 sont dépistés en combinant la mesure de la clarté nucale et le dosage des marqueurs sériques quand la femme a moins de 38 ans ; ce chiffre s'élève à 93 % quand elle est plus âgée. Si la femme a plus de 38 ans, les médecins ne proposent toutefois un dosage des marqueurs sériques que si elle refuse une amniocentèse.

Comment cela se passe-t-il ?

L'amniocentèse est effectuée sans qu'une hospitalisation soit nécessaire. L'examen est en général réalisé autour de la 15e semaine d'aménorrhée.

Après avoir stérilisé la zone dans laquelle va s'effectuer le prélèvement, le médecin s'aide de l'échographie pour localiser le fœtus et le placenta. Puis il enfonce, sous contrôle échographique, une fine aiguille dans la cavité utérine afin d'y prélever 10 à 20 cm³ de liquide amniotique. Cette ponction ne dure pas plus d'une minute, et ne fait pas plus mal qu'une prise de sang. Aucune anesthésie locale n'est donc nécessaire. Le prélèvement est adressé ensuite à un laboratoire spécialisé. Vous en connaîtrez les résultats dans un délai de trois semaines environ.

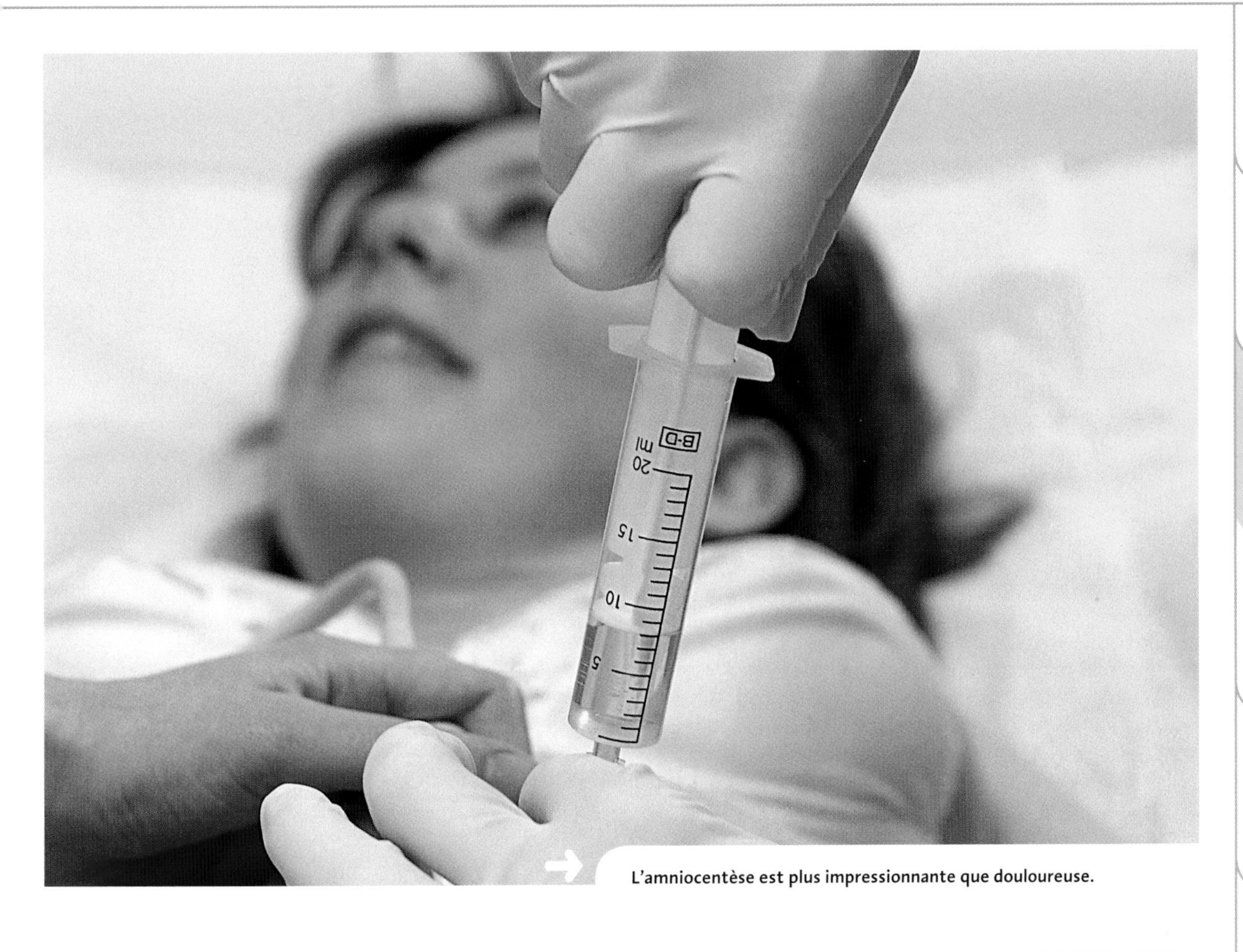

L'amniocentèse est plus impressionnante que douloureuse.

LES PRINCIPALES INDICATIONS DE L'AMNIOCENTÈSE

- **Le risque de trisomie 21.** En effet, 80 à 90 % des amniocentèses sont réalisées uniquement sur la base de l'âge de la femme (plus de 38 ans) et à la suite des examens de dépistage (échographie et marqueurs sériques), essentiellement pour déterminer si le fœtus est atteint de trisomie 21.
- **Un couple ayant déjà eu un enfant atteint d'une anomalie chromosomique** comme la trisomie 21 ou d'un trouble métabolique comme la maladie de Hunter.
- **Une femme porteuse, sur un chromosome X, d'une anomalie génétique comme l'hémophilie** (si elle attend un garçon, le risque de transmission est de 50 %). Dans ce cas, l'amniocentèse permet de savoir si le bébé a hérité du gêne.
- **Dans le cadre d'une incompatibilité sanguine (incompatibilité Rhésus) entre la mère et le bébé.** Elle permet de doser le taux de bilirubine (qui reflète l'intensité de l'incompatibilité) et de décider du traitement à appliquer.
- **Un couple où tous deux sont porteurs d'une maladie génétique récessive autosomique** comme, par exemple, la mucoviscidose ou la drépanocytose (le risque est alors de 25 %).
- **Un des parents connu pour avoir une pathologie comme la chorée de Huntington**, dont la transmission se fait selon un mode autosomique dominant (le risque étant de 50 %).
- **Une suspicion de toxoplasmose ou autre infection fœtale**, comme celle au cytomégalovirus (CMV).
- **Des anomalies détectées lors d'une échographie :** par exemple fente labiale, omphalocèle (anomalie de la paroi ombilicale) et anomalies cardiaques.
- **Le besoin de connaître le degré de maturité des poumons en fin de grossesse** (car c'est l'un des derniers organes capables de fonctionner de manière indépendante).

La consultation de génétique

Il est possible de bénéficier à tout moment d'un conseil génétique. Avant la grossesse, cette consultation spécifique permet d'évaluer le risque de porter un enfant atteint d'une maladie génétique, par exemple quand il existe une maladie héréditaire dans la famille. Après la grossesse, elle s'impose dès que l'on détecte une anomalie.

Une question d'hérédité

Donner un conseil génétique, c'est évaluer la probabilité qu'une maladie survenue dans une famille s'y manifeste à nouveau, et savoir si vous êtes ou non susceptible de transmettre cette maladie à votre enfant. Il s'agit aussi, dans certaines circonstances, de déterminer si le futur bébé est ou non porteur d'une anomalie potentiellement grave (le risque de trisomie 21 augmente après 38 ans). La consultation de génétique s'adresse donc en priorité à des couples supposés « à risque ».

L'évaluation de ce risque repose sur un diagnostic précis de l'affection que vous craignez de transmettre. Le généticien pourra donc avoir recours à l'expertise d'un ou de plusieurs spécialistes. Il pourra également être amené à demander des informations médicales concernant les membres de votre famille.

LES PERSONNES À RISQUE

- Recourir à un conseil génétique avant d'être enceinte est possible et même conseillé dans un certain nombre de cas.
- **Les couples risquant de transmettre une maladie génétique à leur enfant sont d'abord ceux qui ont déjà eu un premier enfant atteint d'une maladie génétique.**
- Cette question peut aussi se poser **s'il existe dans votre famille, ou dans celle du père de l'enfant, une ou plusieurs personnes atteintes d'une affection génétique connue** (telle que l'hémophilie) ou d'un problème potentiellement héréditaire: retard mental ou malformation, par exemple.
- Autre situation pouvant évoquer un risque potentiel, celle **des couples ayant connu des problèmes pour concevoir un enfant** (fausses couches à répétition, par exemple).
- Enfin, **le risque de transmettre une anomalie est plus grand en cas de consanguinité** (quand les parents sont cousins germains par exemple).

L'ENQUÊTE FAMILIALE • Elle concerne les personnes qui craignent d'être porteuses d'une anomalie génétique héréditaire. En recherchant dans votre famille (ou dans celle du futur père) s'il existe plusieurs cas d'une même maladie, le médecin généticien pourra être orienté vers une telle hypothèse. Dans ce cas, l'enquête constitue un élément indispensable, même si les membres de la famille ne désirent pas fournir d'informations concernant leur état de santé. Elle consiste en un interrogatoire qui part de la personne atteinte, puis s'intéresse à ses enfants, à ses frères et sœurs, à ses parents, à ses grands-parents, à ses oncles et tantes ainsi qu'à leurs enfants. Elle est reportée sur un arbre généalogique, qui analyse la répartition de la maladie dans la famille, et établit le mode de transmission. Pour chaque personne, on note, outre son année de naissance, toutes les informations sur son état de santé. On tente aussi d'obtenir des informations sur les parents les plus éloignés et sur les défunts.

LES TESTS GÉNÉTIQUES • Cette enquête peut être complétée par des tests génétiques (analyse de l'ADN, établissement du caryotype) pour mettre l'anomalie en évidence. Ils sont réalisés à partir d'un simple prélèvement de sang, le choix des personnes qui doivent s'y soumettre étant fonction du mode de transmission de la maladie et de la structure de la famille. Mais il faut savoir que tous les gènes responsables des maladies génétiques actuellement connues ne sont pas identifiés et localisés. Or, moins la localisation du gène incriminé est connue, plus les études sont difficiles, donc longues, et plus la précision des tests est mauvaise.

Quels risques de transmission ?

L'enquête familiale et les tests génétiques essaient de répondre à la question: êtes-vous ou non susceptible de transmettre une maladie génétique à votre enfant ? Dès lors, le médecin vous fournira des éléments objectifs pour bien comprendre la situation afin de prendre les décisions qui vous paraissent les meilleures. Les maladies héréditaires ne se transmettent en effet pas toutes sur le même

Une consultation spécifique est conseillée aux parents ayant déjà eu un enfant atteint d'une maladie génétique.

mode. L'un des rôles du généticien est donc de vous expliquer quel est le véritable risque, exprimé en pourcentage, de transmettre cette maladie.

Dans certains cas, quand l'affection est liée à la mutation d'un seul gène, qui a été identifié et dont le mode de transmission est connu, ce risque est facile à établir : il sera de 25 % ou de 50 %, ou, par exemple dans le cas des maladies liées au chromosome X, telle l'hémophilie, sera nul si l'enfant que vous attendez est une fille, mais important si c'est un garçon.

Pendant la grossesse

Il peut arriver qu'une anomalie soit détectée lors d'une échographie ou d'une amniocentèse. Dans ce cas, l'équipe médicale peut orienter la future mère vers un service spécialisé de diagnostic anténatal. Il comporte des spécialistes de l'échographie, des neuropédiatres, des généticiens, des psychologues… L'objectif est de bien analyser la malformation et de déterminer si elle peut être d'origine familiale. Les médecins s'aident donc de l'interrogatoire et d'examens complémentaires. Ce bilan peut déboucher sur un conseil génétique, qui sera utile pour une grossesse ultérieure.

“Je viens de découvrir que ma mère et l'une de mes sœurs avaient toutes les deux perdu un bébé peu après l'accouchement. Personne ne sait pourquoi. Cela peut-il m'arriver ?”

GROSSESSE ET SECRETS DE FAMILLE

Souvent, dans le passé, des familles ont caché des histoires d'enfant malade ou décédé, peut-être parce qu'elles en avaient honte. Aujourd'hui, révéler de tels antécédents peut contribuer à protéger un bébé. La mort de ces nouveau-nés n'est peut-être qu'une coïncidence, mais vous avez intérêt à avertir votre médecin qui jugera de la situation. Tout couple qui n'a aucune information sur d'éventuelles anomalies héréditaires dans sa famille devrait chercher à en apprendre plus, peut-être en questionnant les membres plus âgés. Un diagnostic prénatal permet de dépister certaines maladies héréditaires et, ainsi, de choisir la meilleure conduite à tenir.

Bien choisir sa préparation à l'accouchement

Vous croyez tout savoir sur l'accouchement et pensez que les cours de préparation ne vous apprendront rien ? Ou, certaine d'accoucher sous anesthésie péridurale, vous considérez toute préparation comme inutile ? Même si les progrès médicaux sont tels qu'« enfanter dans la douleur » n'est plus une fatalité, l'accouchement constitue un événement majeur qui nécessite une préparation tant physique que psychologique.

Des séances utiles

La naissance d'un enfant est bien sûr un événement unique dans la vie d'une femme, mais c'est aussi un véritable bouleversement physique. Il est donc indispensable de s'y préparer au mieux. Les nombreuses méthodes de préparation à l'accouchement sont là pour vous aider (elles sont présentées dans le détail pages 118 à 121 et pages 190 à 197). Leur premier objectif est de vous informer sur tous les aspects de la grossesse, de dédramatiser l'accouchement, et de vous éclairer sur ce que vous allez vivre, afin de limiter votre anxiété. Lorsqu'on sait à quoi s'attendre, tout se passe en général bien mieux. Ces séances sont également l'occasion de poser les nombreuses questions que vous avez en tête, d'exprimer vos inquiétudes et vos joies, et de les partager avec d'autres futures mamans si vous optez pour une préparation collective. Souvent, la convivialité n'est pas l'un des moindres mérites de ces séances.

Quelques conseils pratiques

Avant chaque rendez-vous, prenez une petite collation, habillez-vous d'un pantalon assez ample, prévoyez une paire de chaussettes non glissantes à enfiler durant la séance ainsi qu'une bouteille d'eau. En sortant, si possible, n'enchaînez pas aussitôt une autre activité mais réservez-vous un laps de temps pour faire la sieste, car vous vous apercevrez vite que la détente appelle le sommeil.

S'informer pour mieux choisir

Chaque préparation suit une orientation spécifique, mais on peut combiner la préparation classique avec une autre méthode (sauf l'haptonomie). Aucune n'est obligatoire. La meilleure est celle qui répond le plus à vos attentes, à votre sensibilité, au désir d'investissement du futur papa, au temps dont vous disposez, à vos moyens financiers. Votre choix dépendra bien sûr aussi de ce qui est proposé dans le lieu où vous vivez. Dans tous les cas, renseignez-vous et, si possible, prenez rendez-vous à la maternité ou chez une sage-femme libérale dès le 1er trimestre, même si certaines préparations ne débutent qu'à la fin du 2e trimestre ou au 3e trimestre (il en existe en effet de très demandées). Donnez-vous le temps nécessaire pour préparer le grand jour. Assurez-vous que la préparation sera de qualité, délivrée par des personnes compétentes ayant les diplômes requis, et ne se limitera pas à quelques exercices de détente et de respiration. L'un des critères de choix à prendre en compte doit être la proximité du lieu où se déroulent les séances. Inutile, surtout en fin de grossesse, de vous épuiser en de longs trajets. Les cours ayant lieu souvent en petits groupes, assurez-vous que le nombre de participants n'est pas trop important pour que la personne qui assure les cours ait suffisamment de temps à consacrer à chacun ; 5 ou 6 couples est idéal.

Combien ça coûte ?

En France, quels que soient la méthode choisie et le type de séances (individuelles ou collectives), l'assurance maladie prend totalement en charge la préparation à l'accouchement à partir du 6e mois. Si vous souhaitez débuter avant, seules quatre séances seront intégralement remboursées. La Sécurité sociale pose toutefois deux conditions : les séances doivent être menées par un médecin ou une sage-femme et inclure une information théorique et un travail corporel (respiration, travail musculaire pour le dos et le périnée, relaxation). Que ces séances aient lieu à la maternité, chez une sage-femme ou à votre domicile (si vous ne pouvez pas vous déplacer), inutile d'avoir une ordonnance.

Qu'elles soient individuelles ou collectives, toutes les séances de préparation comportent une approche corporelle.

LES PRINCIPALES MÉTHODES

- **La préparation classique, ou « préparation à l'accouchement sans douleur »**, repose essentiellement sur la pratique d'exercices de relaxation et de respiration. Elle démarre en général à partir du 7e mois (voir pages 190 et 191).
- **La sophrologie** privilégie la relaxation en faisant appel à des techniques d'hypnose ou d'autohypnose inspirées du yoga. Elle doit être commencée vers le 5e mois (voir page 192).
- **Le yoga** associe un travail de concentration et des postures physiques dans le but de retrouver, ou de maintenir, un bon état d'équilibre corporel et psychique (voir pages 192 et 193).
- **La préparation en piscine** propose des exercices qui se font d'autant plus en douceur que l'eau favorise la détente et la relaxation (voir page 194).
- **Acupuncture, chant prénatal, musicothérapie, méthode Bonapace, etc.** peuvent aussi préparer l'organisme et apporter une aide psychique précieuse (voir pages 196 et 197).
- **L'haptonomie** vise à approfondir les liens affectifs entre la mère, l'enfant et le père, avant, pendant et après l'accouchement. Il est conseillé de démarrer cette préparation le plus tôt possible (voir pages 118 à 121).

“C'est ma deuxième grossesse. Faut-il vraiment que je suive à nouveau des cours de préparation à l'accouchement ?”

POUR UN SECOND ACCOUCHEMENT

Même les femmes qui ont déjà accouché plusieurs fois peuvent tirer bénéfice d'une nouvelle préparation à l'accouchement. Tout d'abord, chaque naissance est différente, si bien que votre dernière expérience ne vous a pas forcément préparée à ce que vous allez vivre. Et suivre une préparation permet de prendre soin de soi. Même si vous avez accouché il y a quelques années seulement, la situation sera sans doute différente cette fois-ci, particulièrement si vous accouchez dans un autre établissement. Enfin la préparation physique est importante pour chaque grossesse. Vous n'aurez cependant probablement pas besoin d'assister à tous les cours, mais certains vous « rafraîchiront » la mémoire.

L'haptonomie : à la rencontre de l'enfant

Plus qu'une préparation à l'accouchement en tant que telle, l'haptonomie s'attache en quelque sorte à approfondir les liens affectifs entre la mère, l'enfant et le père, avant, pendant et après la naissance. En cela, elle peut modifier grandement le vécu de la grossesse et de l'accouchement.

Premiers échanges

Les toutes premières relations humaines vécues par l'enfant – on préfère, en haptonomie, parler plutôt de l'enfant que du bébé ou du fœtus – se déroulent dans le ventre de sa mère. L'haptonomie aide les futurs parents à approfondir ce lien durant toute la grossesse et permet à l'enfant lui-même de vivre des expériences affectives positives. Ainsi vécues et mémorisées, elles lui procurent un état de sécurité intérieure, qui influera sur son développement ultérieur.

En d'autres termes, cette approche a pour but de développer chez l'être humain, dès sa vie intra-utérine, les capacités à se sentir en sécurité par la reconnaissance de ses semblables, à commencer par ses parents. L'haptonomie est aussi une ouverture affective à « l'autre » : la mère s'ouvre à son enfant et à son compagnon, le père s'ouvre à sa femme et à son enfant.

Comment cela se passe-t-il ?

L'accompagnement périnatal comprend en haptonomie de 7 à 9 séances. Il est effectué par des médecins, des sages-femmes ou des psychologues, tous formés au CIRDH (Centre international de recherche et de développement en haptonomie), et se pratique dans le cadre d'un cabinet libéral ou en milieu hospitalier dans certaines maternités. Vous pouvez commencer tôt, vers le 4e mois de la grossesse. Au-delà du 7e mois, il est en revanche trop tard pour débuter, car il faut du temps pour s'approprier et intérioriser la méthode haptonomique.

Après la naissance, si vous le désirez, l'accompagnement peut se poursuivre durant encore quinze mois afin d'approfondir cette relation affective à trois.

LES SÉANCES SE PASSENT TOUJOURS EN COUPLE • L'haptonomie s'adresse en même temps à la mère, au père et à l'enfant. Les séances se déroulent uniquement en couple, et non en groupe comme c'est le cas pour d'autres préparations. En effet, elles touchent à la vie émotionnelle et affective. Le couple a donc besoin d'un lieu, d'un moment où son intimité est respectée. Si l'haptonomie repose avant tout sur le contact tactile (en grec, *haptein* signifie « prendre contact pour réunir, rassembler »), l'échange, la discussion entre l'accompagnant et le couple est tout aussi nécessaire.

Vous apprendrez comment placer vos mains autour de votre ventre (giron), comment inviter l'enfant à se déplacer une fois que vous le sentirez bouger. Le futur père apprendra de son côté des gestes qui soulageront la mère et la guideront vers de bonnes postures : recentrage de l'enfant dans le bassin, prise de conscience de son centre de gravité, allègement des sensations de lourdeur et de poids du ventre... Il pourra, par exemple, l'aider à bien porter l'enfant lorsqu'elle est debout, à décambrer son dos et permettre ainsi à l'enfant d'être mieux centré au fond de sa « base » (du bassin).

Une fois que vous les aurez assimilés, vous pratiquerez régulièrement ensemble ces gestes doux, mais néanmoins précis, à la maison, entre les séances, au rythme qui vous convient. Ces moments d'échanges à trois resteront inoubliables.

Se sentir déjà parents

Pour les parents, c'est un grand étonnement de sentir cet enfant répondre et venir à leur rencontre. Cette expérience les conforte dans le fait qu'ils sont capables de créer des liens avec lui. L'haptonomie permet à la femme et à l'homme de se sentir déjà parents pendant la grossesse.

Ces moments de plaisir, de bonheur à trois, dans le jeu, développent les liens affectifs à la fois entre eux et avec leur enfant. « L'haptonomie a permis une meilleure communication dans notre couple. Cela m'a obligée à considérer mon mari comme mon égal dans son rôle de père. Grâce aux séances, il a pris conscience de la place qu'il avait dans la grossesse auprès de moi et dans son rôle de père, donc auprès de son enfant. L'haptonomie, en donnant une place réelle au père, empêche une relation trop privilégiée mère-bébé. On prend conscience que l'enfant n'appartient pas plus à sa mère qu'à son père. On comprend surtout qu'il n'appartient à personne sauf à lui-même. »

LE BÉNÉFICE POUR LA MÈRE

Lorsque votre enfant répond à votre invitation pour la première fois, des sentiments très profonds, très bouleversants surgissent. Ne vous étonnez pas si des larmes vous viennent : l'émotion est intense. Certaines femmes entrent facilement dans un rapport très affectif avec leur enfant et se sentiront aussitôt mère, leur compagnon les confirmant dans leur être de femme et de mère. Pour d'autres, le contact affectif pourra être plus difficile, elles auront alors besoin d'être soutenues.

LE RÔLE ESSENTIEL DU PÈRE

L'haptonomie permet à l'homme d'avoir vraiment sa place, aussi bien auprès de sa femme, qu'il aide et soutient, que de son enfant. Il participe à toutes les séances, car il apprend des gestes particuliers qui vont aider et soulager sa compagne durant la grossesse et à la naissance. Certains hommes sont tout de suite dans le contact affectif avec leur femme et leur enfant. Ils vivent alors, comme leurs femmes, des moments très forts qui les confirment dans leur condition d'homme et de père. En revanche, de même que pour certaines femmes, il arrive qu'ils aient des difficultés à être dans un contact tendre, affectif et qu'ils aient besoin d'être aidés.

Un contact tendre

Lors des premières séances, les parents découvrent une forme de contact tendre qui respecte l'autre, le sécurise et le confirme dans ce qu'il a de bon en lui. Cet échange n'est ni dominant ni possessif, il laisse libre et donne confiance. Il ne s'adresse pas au corps mais à la personne tout entière. Si le contact passe en grande partie par le toucher, notamment pour le père, la mère apprendra assez vite que cela n'est pas indispensable pour elle, et que la relation avec son bébé est avant tout intérieure.

En revanche, pour le père, créer un contact affectif nécessite de poser les mains le plus tendrement possible autour du ventre de sa femme pour ensuite entrer en relation avec son enfant. Les mains sont posées comme une invitation, de façon douce. Nul besoin de les plaquer ou d'appuyer pour « appeler » l'enfant, au contraire. Dans un premier temps, le père peut se sentir un peu dérouté ou maladroit, peu à son aise. Pas d'inquiétude. Ces gestes s'acquièrent facilement, d'autant qu'on en sent les bénéfices assez tôt. Et l'haptothérapeute servira de guide.

UNE RELATION À TROIS • Même si, en début de grossesse, la femme ne perçoit pas encore les mouvements de son enfant, le couple sera déjà tendrement autour de lui. Le père, par exemple, berce sa femme. Pour la mère, il est très agréable que son compagnon s'occupe d'elle. Et, tout ce que ressent la mère, l'enfant aussi le ressent. « J'ai appris des gestes qui ont permis à ma femme de soulager les douleurs de la grossesse, la nervosité ou la fatigue. J'ai pu recréer un lien très fort avec ce corps nouveau qui me paraissait fragile. »

LE POINT DE VUE DE BÉBÉ

Je ne me sens plus seul du tout. Leur présence et leurs voix se mêlent à des contacts rassurants et tendres, d'une douceur ample, qui détend aussi maman. Je les sens remplis de chaleur et d'émotion. En même temps, je joue, à ma façon, et j'ose de plus en plus. Je découvre ainsi toutes sortes de nouvelles sensations, d'impressions et de mouvements, qui me donnent confiance en moi et en eux. Quelquefois, je commence même le premier, et c'est moi qui les appelle et les sollicite !

« Ma compagne, elle aussi, a pu acquérir de la confiance en son nouveau corps et en ma capacité à l'aimer et à l'aider. Elle a appris à demander mon soutien et je suis ravi de pouvoir lui prouver mon affection, mon désir de participer, et aussi de pouvoir la soulager. »

UNE APPROCHE AFFECTIVE • Les parents réalisent progressivement qu'ils disposent de facultés qu'ils n'utilisent guère : capacités d'ouverture à l'autre et non de concentration et de repli sur soi. Ces facultés leur permettent de rester détendus, tranquilles et d'avoir un tonus musculaire d'une grande souplesse face à un geste agressant. Quand la mère est affectivement autour de son enfant et de son compagnon, son utérus s'assouplit, accueillant son enfant de façon plus détendue. De même, dès que son compagnon s'ouvre affectivement à sa femme et à son enfant, son tonus musculaire s'assouplit.

La réponse de l'enfant

Au fur et à mesure des séances, la future maman, mais aussi le père, vont se rendre compte que leur enfant recherche le contact affectif qui lui est ainsi offert. Lorsque la mère commence à percevoir les mouvements de son enfant, le couple réalise combien ce contact est rempli de tendresse. L'enfant se niche, se love sous la main qui le câline. Il prend même des initiatives et entre dans le jeu. Il roule, tangue, danse, vient quelquefois chercher une main pour l'accueillir. La mère peut l'inviter à se déplacer vers le haut, le bas, à gauche, à droite, en arrière, et l'enfant y répond, et le père va aussi à la rencontre de son enfant. Au lieu de vivre isolé dans sa bulle, l'enfant échange donc avec ses parents. Il apprend à se manifester, à anticiper, à prendre des initiatives et a déjà sa propre façon de se mouvoir, de se déplacer et de répondre. Certaines mères croiront même entrevoir des traits de caractère (il ou elle réagit vite, il ou elle est espiègle…). Et les parents vivent alors des échanges extraordinaires avec lui. C'est déjà un début de socialisation. En revanche, si le contact n'est pas tendre, l'enfant peut fuir ou même donner un coup.

ACCOMPAGNEMENT PERSONNALISÉ

- **Chaque séance est différente et s'adapte à l'évolution particulière de chaque couple.**
- Mais, attention, **l'haptonomie n'est pas une technique. Si elle est perçue comme un devoir ou un travail, elle risque de décevoir.** Elle nécessite une disponibilité, une présence et une ouverture telles que rencontrer l'autre devient un plaisir, un bonheur d'être ensemble.
- **Ce n'est pas le temps passé qui compte, mais la qualité de la présence affective à l'autre qui est fondamentale.**
- **Selon sa propre histoire personnelle et culturelle, chaque couple et chaque individu réagira de façon différente.** Vous pouvez très vite y adhérer, comme ne pas vous sentir à l'aise, car, finalement, cela vous gêne, ou gêne le père, ou ne correspond pas à ce que vous attendiez. Vous serez bien sûr libre de ne pas continuer.

Pendant l'accouchement

Lors de l'accouchement en haptonomie, le père est actif, au même titre que la mère et l'enfant. La mère aide son enfant à naître, le père aide sa femme à garder le contact avec leur enfant. L'enfant, quant à lui, répond à l'invitation de sa mère. Grâce aux gestes précis appris lors des séances, le père aide la mère à retrouver cet état de sérénité qu'elle a connu au fil de leur apprentissage haptonomique. Certaines femmes arrivent à rentrer aisément dans le contact haptonomique lors de l'accouchement. Mais, pour la plupart, l'intensité de la douleur et la puissance des contractions sont telles que le mari ou le compagnon joue alors un rôle primordial. Ce dernier leur permet réellement, sinon de supporter la douleur, du moins de se recentrer sur l'enfant, sur l'aide qu'elles peuvent recevoir de la part du papa.

Si le couple le désire, père et mère peuvent, pendant la naissance, être l'un contre l'autre. L'homme est alors assis sur la table d'accouchement et accueille sa femme assise sur lui (dos de la mère contre le ventre du père). Mais rien n'est obligatoire. Si l'homme ne se sent pas sécurisé dans cette position, il pourra quand même rester à côté de sa femme.

QUE RESSENT LA MÈRE ? • Une femme qui pratique l'haptonomie a développé, lors de la grossesse, une grande acuité. Même en cas d'anesthésie péridurale, elle garde cette faculté de perception et ressent pleinement la naissance de son enfant. En haptonomie, l'objectif durant l'accouchement est que l'enfant puisse vivre ce passage important en étant accompagné et soutenu affectivement par ses parents. En d'autres termes, quel que soit le mode d'accouchement (même avec forceps ou par césarienne), il sera haptonomique si les parents réussissent à garder le contact affectif entre eux et avec l'enfant.

À LA NAISSANCE • Une fois né et si tout va bien, l'enfant repose sur sa mère, recouvert d'une couverture pour qu'il n'ait pas froid. Puis le père exerce le premier détachement

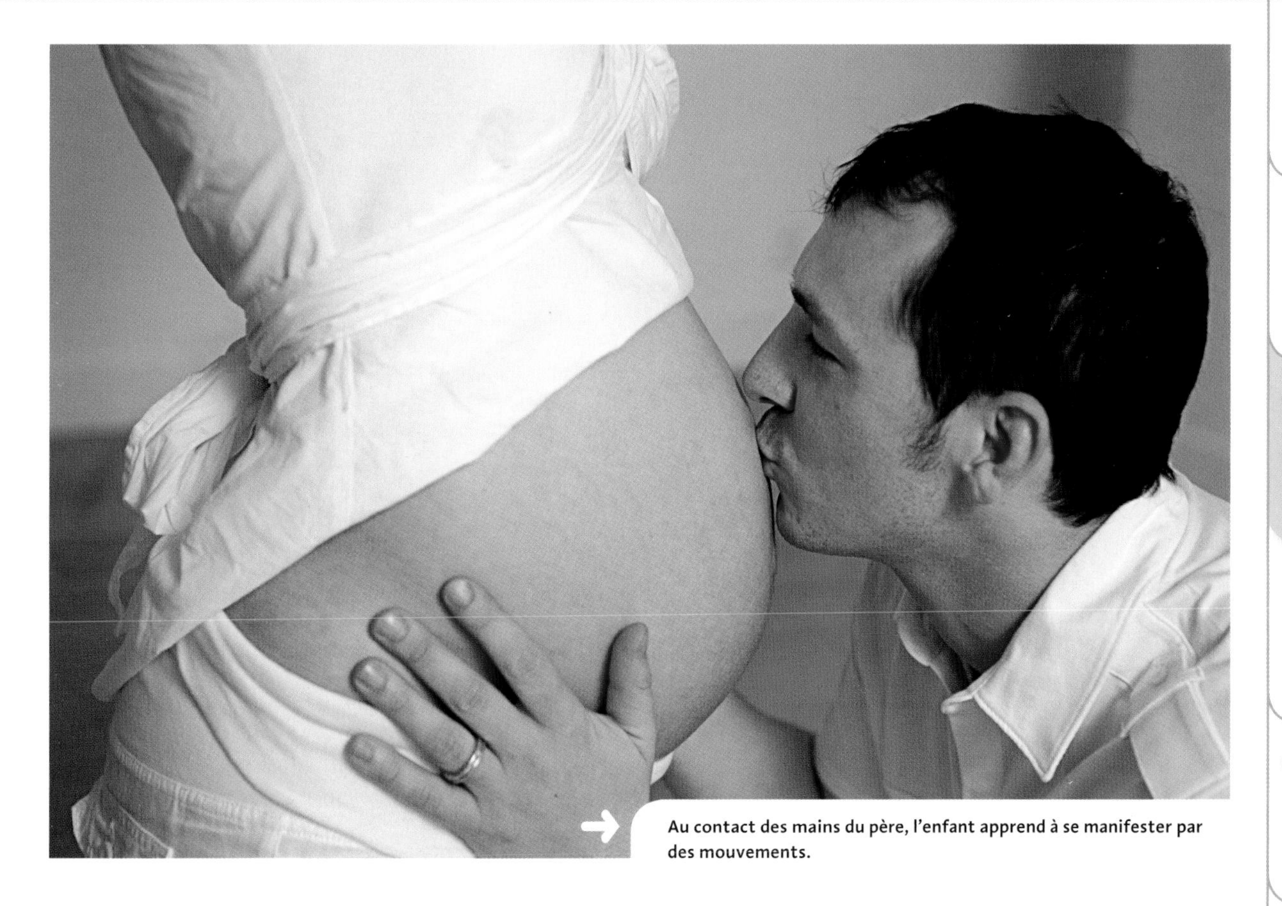

Au contact des mains du père, l'enfant apprend à se manifester par des mouvements.

symbolique et physique de l'enfant : il le tient assis dans sa main, ouvert au monde et aux autres.

L'enfant ainsi porté se tient droit et s'éveille. Il arrive donc au monde en ayant déjà eu cette expérience de n'être seul ni durant la grossesse ni au cours de la naissance. Certain d'être aimé, il peut nouer des liens affectifs avec ses parents. Il naît ainsi beaucoup plus serein.

Et après ?

L'observation postnatale des enfants ainsi accompagnés montre une ouverture au monde importante, une grande qualité de présence, une curiosité, un éveil, un état de « sécurité de base » qui les rend sûrs d'eux-mêmes, assurés dans leurs désirs, rapidement autonomes et sociables ; ils sont sensibles aux contacts, à leur qualité affective. « Dès qu'Anaïs est née, son père a été tout de suite à l'aise avec elle. J'avais l'impression que tous deux se connaissaient déjà et qu'ils ne faisaient que poursuivre une relation commencée plus tôt. C'est une enfant calme, éveillée, heureuse de vivre, qui sait ce qu'elle veut et qui le dit. »

“ J'hésite dans le choix de ma préparation à l'accouchement. Est-ce que je peux envisager de combiner plusieurs méthodes ?”

ASSOCIER L'HAPTONOMIE À D'AUTRES PRÉPARATIONS ?

Ce n'est pas conseillé car la plupart des méthodes de préparation à l'accouchement sont des techniques corporelles à vocation de bien-être et de détente. Elles impliquent de se concentrer d'abord sur soi et sur son corps. Si vous pratiquez une de ces méthodes fondées sur des techniques de concentration ou de respiration, il vous sera difficile d'être à la fois centrée sur vous et d'être ouverte à votre enfant et à votre compagnon, comme c'est le cas pour l'haptonomie. Vous pourriez vous sentir perdue ou ne plus arriver à pratiquer ni l'une ni l'autre des préparations.

L'équilibre alimentaire en pratique

Vous voulez être sûre que votre enfant ne manque de rien, tout en conciliant les plaisirs de la table et la simplicité de repas vite préparés ? Manger de manière équilibrée n'est pas bien difficile si l'on suit quelques règles simples. Voici quelques clés et suggestions concrètes pour bien garnir votre assiette jour après jour.

De la variété dans tous vos menus

L'aliment parfait, qui rassemblerait dans sa composition tous les nutriments indispensables, n'existe pas, comme il n'existe pas non plus de mauvais aliments. Tout est question de quantité et d'équilibre.

Les aliments sont classés en cinq groupes différents: viande ou poisson ou œufs; produits laitiers; féculents ou légumes secs; légumes et fruits; matières grasses. Les aliments d'un groupe ont des caractéristiques communes et sont en principe interchangeables, mais il est préférable de les varier d'un jour à l'autre pour en bénéficier pleinement. En revanche, une famille d'aliments ne peut pas être remplacée par une autre.

Manger équilibré est finalement très simple: pour un apport nutritionnel optimal, il suffit de puiser chaque jour dans les groupes d'aliments suivants et d'en consommer à peu près les quantités indiquées.

VIANDE OU POISSON • Mangez, midi et soir, une portion de 150 à 200 g soit de viande (choisir entre du bœuf, du veau ou de la volaille), soit de poisson, pour leur apport en protéines et, si vous les aimez, des abats, une fois par semaine. Il est aussi possible de remplacer 50 g de viande par un œuf ou un produit laitier.

Vous pouvez manger du poisson deux ou trois fois par semaine; variez les espèces et limitez la consommation de ceux qui pourraient contenir des substances nocives du fait de la pollution (daurade, espadon, thon).

FÉCULENTS OU LÉGUMES SECS • Mangez-en au moins 150 à 200 g (poids après cuisson) à l'un des deux principaux repas ; vous pouvez aussi les répartir sur le déjeuner et le dîner, en les mélangeant avec des légumes verts.

Thé ou café ?

Le thé et le café contiennent respectivement de la théine et de la caféine, des substances excitantes pouvant entraîner, à fortes doses, insomnie et palpitations. La grossesse augmente en général la sensibilité à la caféine, mais l'effet varie selon les femmes. À vous de tester pour savoir quelle quantité de thé ou de café vous convient, en sachant que le robusta contient deux fois plus de caféine que l'arabica, et que le décaféiné n'en contient pas.

LÉGUMES • Mangez-en 200 à 300 g ou plus en fonction de votre appétit ! Consommez au moins une crudité par repas et un plat de légumes cuits par jour.

PRODUITS LAITIERS • Prenez un laitage à chaque repas pour construire le squelette de votre bébé et pour protéger le vôtre. Une portion équivaut à un bol de lait ou un yaourt ou un ramequin de fromage blanc ou une part de fromage, qu'ils soient mangés tels quels ou incorporés dans des plats.

FRUITS • Mangez-en deux ou trois de préférence crus, nature ou mélangés à un yaourt, à du fromage blanc ou des céréales; pourquoi pas en jus, en compote ou au four.

PAIN • Comptez-en 80 à 120 g, soit environ le tiers ou la moitié d'une baguette. Au petit déjeuner, vous pouvez remplacer 40 g de pain par trois biscottes ou 30 g de céréales.

MATIÈRES GRASSES • Consommez-en 30 à 40 g, la moitié sous forme d'huile végétale. Par exemple, deux cuillerées à soupe d'huile (20 g) plus deux noix de beurre (20 g), à répartir entre les trois repas.

Combien de repas par jour?

Votre bébé a des besoins élevés en énergie que vous devez lui fournir de façon continue. C'est pourquoi vous supportez probablement mal de rester longtemps à jeun. Ne sautez surtout pas de repas. Fractionnez votre alimentation en quatre repas, voire plus: les trois principaux plus une collation dans la matinée et/ou l'après-midi. Cette répartition aura en outre l'avantage de vous aider à combattre les nausées des premiers mois et à faciliter la digestion en fin de grossesse.

Légumes et filet de poisson se prêtent bien à une cuisson saine et rapide à la vapeur.

“Je suis stupéfaite car j'ai déjà pris 6 kg au cours du premier trimestre. Que dois-je faire ?”

PRISE DE POIDS AU PREMIER TRIMESTRE

Vous ne pouvez pas revenir en arrière. Les kilos sont là pour un bon moment – ne vous attendez pas à retrouver la ligne immédiatement après l'accouchement. Le fœtus a besoin d'un apport régulier en calories et en nutriments au cours des prochains mois, mais il est cependant nécessaire que vous diminuiez votre apport calorique, sans quoi vous allez continuer à grossir autant, voire plus, à chaque trimestre. Faire un régime pour maigrir n'est jamais recommandé durant la grossesse. Si vous ne pouvez rien faire contre les kilos qui se sont accumulés, vous pouvez en revanche agir afin que cela n'empire pas. Demandez conseil à votre médecin ou à une diététicienne pour mieux rééquilibrer vos repas sans nuire au bon déroulement de votre grossesse.

LE POINT DE VUE DE BÉBÉ

Je peux avaler ce liquide chaud dans lequel je flotte. Cela m'occupe beaucoup et c'est souvent pareil. Mais je peux aussi goûter plein de saveurs différentes selon les moments. Cela me fait des surprises et des découvertes. Quand cela me fait plaisir, je déglutis deux fois plus ce liquide, et cela m'intéresse. Il y a des goûts qui reviennent souvent et je finis par les reconnaître, c'est bon ! Mais, si cela me déplaît, parfois, je fais la grimace, et je préfère sucer mon pouce ou m'endormir.

L'hygiène au quotidien

La grossesse n'affecte pas seulement la forme de votre ventre, mais aussi de nombreuses parties de votre corps qui connaissent des transformations et nécessitent, de ce fait, des soins particuliers. Voici des réponses aux questions les plus fréquentes sur l'hygiène et quelques conseils qui vous permettront de rester belle et en forme pendant toute la durée de votre grossesse.

Vaut-il mieux prendre des bains ou des douches ?

Malgré les idées reçues, les bains ne sont absolument pas déconseillés pendant la grossesse, puisqu'ils ont, au contraire, une action relaxante. Si, comme beaucoup de femmes enceintes, vous éprouvez des difficultés à vous endormir, prenez votre bain en soirée. La douche présente toutefois aussi des avantages : elle a un effet plus stimulant. Petit détail important : équipez-la d'un tapis antidérapant, car une chute serait très malvenue dans votre situation. Et, qu'il s'agisse de bain ou de douche, évitez l'eau trop chaude, car elle est néfaste à la circulation sanguine.

Avec des huiles essentielles ?

Si vous aviez l'habitude d'utiliser des huiles essentielles, vous pouvez continuer à en mettre quelques gouttes dans votre bain. Pendant la grossesse, prenez un bon bain chaud le soir avec 10 gouttes d'huile essentielle de lavande. Sachez aussi que les huiles essentielles ne s'appliquent jamais directement sur la peau.

Peut-on continuer à se colorer les cheveux ?

Certains médecins particulièrement prudents recommandent à leurs patientes de ne pas utiliser de colorants capillaires pendant leur grossesse, même si aucune étude n'a, à ce jour, établi une corrélation entre ces colorants et les malformations fœtales. Apparemment, la quantité de substances chimiques absorbées par la peau est si infime qu'il n'y a rien à craindre. En revanche, durant la grossesse, le risque de réactions allergiques est plus important. Il n'y a donc pas vraiment de contre-indication à colorer vos cheveux en étant enceinte, surtout si les colorations ne contiennent pas d'ammoniaque. Essayez toutefois de ne pas abuser de ce genre de traitement afin de préserver au mieux la qualité de votre chevelure. Et avertissez votre coiffeur de votre état, car il se peut que vos cheveux, durant la grossesse, ne réagissent pas tout à fait de la même manière. Pourquoi ne pas opter plutôt pour des mèches ou un balayage qui permettent d'espacer les soins ?

Quel produit utiliser pour la toilette intime ?

De manière générale, soyez très attentive à votre toilette intime, car les sécrétions vaginales peuvent être plus importantes au cours de la grossesse. Lavez-vous avec de l'eau et un savon ordinaire ou gynécologique. Ce dernier, vendu en pharmacie, se présente sous forme de savon liquide ou de poudre à diluer. Et bannissez tous les produits acides beaucoup trop agressifs pour la muqueuse vaginale. Un conseil, mais pas des moindres : limitez-vous à une toilette externe, et n'ayez jamais recours à des douches vaginales qui endommageraient également la muqueuse. Privilégiez les dessous en coton, faciles à laver à haute température.

Peut-on s'épiler à la cire chaude ?

Comme vous l'avez sans doute remarqué, les poils et les cheveux ont tendance à pousser plus vite et plus drus durant la grossesse. L'épilation à la cire chaude est à éviter quand on a des troubles de la circulation sanguine et les jambes lourdes. Préférez la cire froide ou les crèmes épilatoires vendues en pharmacie (tester préalablement pour vérifier que vous n'êtes pas allergique).

Si vous vous épiliez le petit duvet de la lèvre supérieure, préférez pour un temps la décoloration (même précautions contre les allergies), car il risque de repousser de plus en plus et de devenir vraiment inesthétique.

En raison de ses effets relaxants, le bain est davantage recommandé en soirée.

UNE BONNE HYGIÈNE BUCCO-DENTAIRE

- Chez les femmes enceintes, les gencives, tout comme les muqueuses nasales, peuvent être le siège d'une inflammation et ont tendance à saigner facilement du fait des hormones de la grossesse. Par ailleurs, les gencives sont plus sensibles aux attaques de la plaque dentaire et des bactéries. Des dents mal soignées risquent aussi, à un moment ou à un autre de la grossesse, de se déchausser. Heureusement, ces problèmes peuvent être évités en respectant certaines règles élémentaires.
- **Faites attention à ce que vous mangez, notamment entre les repas.** Ne vous laissez pas tenter par un bonbon.
- **Utilisez du fil dentaire et brossez-vous les dents après chaque repas.** Si vous ne pouvez pas vous brosser les dents après un repas, **mâchez un chewing-gum sans sucre qui a des propriétés bactéricides (vendus en pharmacie).**
- **Faites régulièrement contrôler vos dents tout au long de la grossesse et l'année qui suit la naissance.** Précisez à votre dentiste que vous êtes enceinte pour qu'il veille à prendre les précautions d'usage (radiographie, etc.).
- **Prévoyez régulièrement un détartrage** pour éliminer la plaque dentaire qui augmente le risque de carie et aggrave les problèmes de gencives.
- **Ayez une alimentation riche en vitamine C** qui tonifie les gencives. Veillez aussi à ce que l'apport en calcium soit suffisant.

“Mon parfum habituel m'incommode, est-ce normal ?”

GROSSESSE ET ODORAT

L'afflux d'œstrogènes lié à la grossesse entraîne une hypersensibilité olfactive : votre odorat est plus développé et vous ne supportez plus certaines odeurs que vous adoriez. Sur votre peau, votre parfum peut même « tourner », en raison de l'augmentation de la transpiration. Si c'est le cas, préférez les versions eau de toilette, plus légères que les parfums. Méfiez-vous du cocktail « parfum-soleil », qui favorise l'apparition de taches sur le cou. Vaporisez plutôt un nuage de senteurs autour de vous, quand vous êtes tout habillée.

Côté psy : une grande sensibilité

Source à la fois de bonheur et d'anxiété, la grossesse ouvre un nouveau chapitre dans la vie d'une femme, celui de la maternité. Elle suscite un grand nombre de questions, transforme les relations avec l'entourage et approfondit la connaissance que l'on a de soi-même.

Entre euphorie et inquiétude

Une femme enceinte se préoccupe autant de ce qu'elle vit au présent que de son futur rôle de mère, qu'elle cherche à préparer et anticiper. En général, elle éprouve des sentiments ambigus, mais elle vit aussi une heureuse attente. Elle peut passer durant sa grossesse par différents états ; être tantôt étourdie et rêveuse, voire même déprimée, tantôt au contraire épanouie, avec un sentiment d'invulnérabilité et de plus grande confiance en soi. Il n'est pas rare que des périodes de tristesse succèdent à des moments d'euphorie. L'augmentation importante du taux d'hormones fait qu'une certaine sérénité, ou, à l'inverse, une certaine vulnérabilité s'installe, l'équilibre émotif étant bouleversé. Ces imprévisibles changements d'humeur ne sont pas toujours faciles à vivre ni pour vous ni pour votre entourage, mais ils sont cependant quasi inévitables.

L'idée que l'amour maternel est un fait naturel est souvent répandue, encore aujourd'hui (autrefois, on parlait d'ailleurs de « l'instinct maternel » comme si cela allait de soi). La maternité serait donc nécessairement rayonnante et heureuse. Cependant, l'image d'Épinal de la future maman radieuse et épanouie « dans sa bulle », dans l'attente du jour « J », est plus un rêve qu'une réalité. Mieux vaut savoir dès le début de la grossesse que la plénitude n'est pas toujours au rendez-vous. Ces neuf mois sont une période de très grande sensibilité pendant laquelle un certain nombre de femmes peuvent éprouver un mal de vivre. Chacune réagira en fonction de son tempérament, de sa propre histoire et de la façon dont elle est entourée. Elle pourra ainsi, selon les moments, passer d'un sentiment de bonheur qui la transporte à une certaine inquiétude.

Pour toutes les femmes, la grossesse est une période de vie intérieure très intense.

Une période de questionnements

Beaucoup de femmes, y compris celles qui ont ardemment désiré être enceintes, peuvent ressentir une certaine anxiété à l'idée d'abord de vivre une grossesse et d'accoucher, et ensuite de devenir mères. Doutes et incertitudes font souvent partie de l'attente. Concevoir un bébé est un saut vers l'inconnu et peut faire peur, d'autant plus si c'est votre premier enfant. Il est par conséquent normal que vous vous posiez de nombreuses questions.

« MON ACCOUCHEMENT VA-T-IL BIEN SE PASSER ? » • L'une des sources d'inquiétude tient à l'événement très particulier qu'est l'accouchement. Comment va-t-il se dérouler ? Vais-je avoir mal ? La péridurale sera-t-elle efficace ? L'enfant parviendra-t-il au terme de la grossesse ? Vous pouvez appréhender le jour « J », même si dans les derniers mois vous l'attendez sans doute avec de plus en plus d'impatience. Cette peur, d'ailleurs, n'est pas seulement tournée vers vous. Il arrive que vous craigniez qu'il puisse advenir quelque chose de grave au bébé. Il se peut que cette inquiétude soit plus forte si vous avez subi une fausse couche ou si vous avez déjà vécu une grossesse qui s'est mal passée. Soyez pourtant persuadée que c'est à chaque fois différent. À moins qu'un médecin vous ait prévenue de l'existence de tel ou tel risque, rien n'implique qu'un problème surgira cette fois-ci. En outre, grâce à la prévention, certains risques peuvent être évités.

« VAIS-JE ÊTRE À LA HAUTEUR ? » • Les interrogations, pour un premier enfant, sont souvent aussi liées à la nouvelle condition de mère. Et, parfois, vous doutez de vous : « Est-ce que je saurai m'y prendre avec mon enfant ? Vais-je l'aimer ? Comment vais-je faire pour le comprendre ? » En vérité, vous doutez de votre aptitude à être mère, car, faute de vous être jamais trouvée confrontée à une telle situation, vous ignorez encore tout ce dont vous êtes capable. La plupart des futures mamans connaissent ce genre de questionnement, et leur expérience a posteriori démontre que leurs capacités à être mères se révèlent une fois que l'enfant est né et qu'elles s'occupent de lui.

« AURAI-JE LES MOYENS FINANCIERS D'ÉLEVER MON ENFANT ? » • Des problèmes d'ordre matériel sont aussi parfois source de soucis. Si votre propre famille est de condition modeste, vous aurez peut-être tendance à vous identifier à une mère qui travaillait dur sans parvenir à satisfaire ses besoins. L'argent risque alors de devenir un facteur d'angoisse, avec la peur de manquer.

« JUSQU'À QUEL POINT VA-T-IL TRANSFORMER MA VIE ? » • Enfin, plus d'une femme, et en particulier les plus jeunes, ne sont pas toujours préparées à l'idée que le fait d'être mère entraîne éventuellement certaines frustrations ou, du moins, certains aménagements. Il arrive qu'une future mère craigne que l'enfant ne monopolise tout son temps et son attention, qu'il ne contrarie ses ambitions professionnelles, ne bouleverse ses relations avec son compagnon. Perçue de la sorte, la nécessité d'assumer ce nouveau rôle peut être à l'origine d'un stress insidieux. Mais, en général, quand l'enfant est là, on n'éprouve nul sentiment de perte, loin de là. Progressivement, on réorganisera son quotidien de façon à mener de front sa vie de maman et sa vie de femme, sans pour autant mettre de côté ce qui revêt de l'importance pour soi.

NEUF MOIS POUR APPRENDRE À SE SENTIR CONFIANTE

- Bien sûr, quand une femme attend un enfant, elle a envie que son bébé se développe dans les meilleures conditions possible. **Mais il arrive que, plus on s'attache à faire pour le mieux, plus on en vient à douter de soi et à trouver de nouveaux motifs d'inquiétude.** Le désir de perfection absolue est parfois un ennemi, même s'il est encouragé ou accentué par la pression sociale.
- **Cette volonté de tout contrôler résiste mal au premier malaise, à la première trace de fatigue : très rapidement, une femme enceinte s'aperçoit qu'il va falloir agir et penser autrement, en commençant par ralentir la cadence.** Prendre du repos et en faire moins ne sont pas une marque d'échec. Bien au contraire… C'est même souvent indispensable durant la grossesse. Il faut accepter de ne pas pouvoir tout maîtriser et laisser la nature prendre le dessus, lui faire confiance en quelque sorte. Il ne sert à rien d'aller contre son corps.
- Avec ses doutes, ses angoisses, mais aussi ses bonheurs, ses découvertes, la grossesse est une période de vie intérieure très intense. **Ces neuf mois d'attente ne permettent pas simplement d'aller vers un petit être, de se préparer à l'accueillir. Ils rendent également possible une rencontre riche d'enseignements avec soi-même.**
- Comme toute étape clé de la vie, ils transforment toujours un peu la personne que l'on était jusqu'alors. Peu à peu, vous vous rendrez compte de votre force, vous vous étonnerez des capacités d'adaptation de votre corps, vous apprendrez à avoir confiance en vous. **Les futures mamans « grandissent » en même temps que leur enfant. À la naissance du bébé, elles découvriront leur nouveau statut de mère.** Elles trouveront alors les bons gestes et seront, selon l'expression du pédiatre et psychanalyste Donald Winnicott, des « mères suffisamment bonnes ». Battant en brèche l'idée selon laquelle il faudrait être à tout prix une « bonne mère », il a montré que c'est aussi par la conscience de ses propres limites, de ses sentiments ambivalents à l'égard des siens, que l'on devient sensible aux besoins si complexes de l'enfant. **Pour lui, une mère « suffisamment bonne » n'est donc pas une mère « complètement bonne », mais une mère à même d'apporter une base affective solide, justement parce qu'elle n'est pas « parfaite ».** Il n'en reste pas moins que l'on rêve, durant la grossesse, d'être une mère « idéale » et que ces projections, loin d'être inutiles, permettent aussi de devenir une maman.

Du côté du papa : participer au suivi médical ?

Rien n'oblige un futur père à participer au suivi médical de la grossesse. Certains en ressentent le besoin, pour poser leurs questions, être rassuré ou pour avoir un premier contact avec le bébé. Ils assistent alors à certaines consultations, et/ou aux échographies. C'est toutefois une décision à prendre à deux, ne serait-ce que pour être sûr que cette participation ne gêne pas votre compagne.

Quel accueil pour les futurs pères ?

Durant toute sa grossesse, une femme enceinte est étroitement suivie: sept consultations obligatoires avec un obstétricien ou une sage-femme et trois échographies, effectuées à la maternité ou en cabinet. En théorie, le futur père peut être présent chaque fois qu'il le désire. Certains pères souhaiteront accompagner leur femme aux consultations; d'autres, et c'est le cas pour la plupart, se limiteront aux échographies.

La qualité de l'accueil dont ils pourront bénéficier est souvent une question de personne. Certains médecins ou sages-femmes sauront les mettre aussitôt à l'aise, d'autres prendront parfois moins en compte leur présence. Les praticiens, désormais habitués à recevoir des couples, s'adressent assez facilement au père lors des échographies. Cela reste un peu moins vrai pour les consultations.

De façon générale, votre démarche et votre envie de participer rencontreront une écoute plus attentive si vous avez des demandes précises et que vous les formuliez.

Consulter à deux ?

Si vous vous rendez à une consultation en début de grossesse, puis vers les 4e et 9e mois, ou encore aux échographies, vous devriez être suffisamment informé et rassuré. Mais, avant de décider de vous rendre à telle ou telle consultation ou échographie, parlez-en d'abord avec votre compagne.

Il est en effet possible qu'elle soit gênée et préfère être en tête à tête avec le médecin pour aborder des soucis intimes. Il faut prendre en compte le fait qu'elle-même peut être peu à l'aise dans un environnement médical. Si elle est réticente, ce n'est que par le dialogue que vous trouverez un compromis satisfaisant pour tous deux – en vous respectant l'un l'autre.

Quel est l'intérêt d'être présent ?

Quelles que soient les questions que l'on se pose et sans forcément attendre un dialogue, être présent est déjà un bon moyen de s'informer. Exprimer ses interrogations est, bien sûr, encore mieux. Mais venir pour « lui faire plaisir » et rester spectateur n'est peut-être pas d'une très grande utilité. Il faut que vous y trouviez un intérêt aussi, même s'il ne s'agit que de satisfaire un peu de curiosité sur ce que vit votre compagne ou sur la façon dont se développe le bébé.

S'INFORMER, SE RASSURER • Certains hommes ont besoin d'être rassurés par le praticien lui-même sur le fait que tout se déroule bien. Se repose-t-elle ou mange-t-elle assez ? Est-ce normal qu'elle ait mal ? D'autres ont des interrogations plus personnelles, par exemple sur leur future paternité, sur ce qu'ils ressentent. Il n'existe pas de questions taboues dans les consultations. Le rôle d'une sage-femme ou d'un médecin est aussi d'aider les parents à bien vivre ces neuf mois d'attente, et la future famille à se construire.

Avoir un premier contact avec son bébé

Dans les faits, beaucoup d'hommes se montrent surtout motivés par le désir d'entendre et de voir le bébé. Et c'est une grande émotion aussi pour eux d'entendre le cœur de leur bébé lorsque le praticien place un Sonicaid (une sorte de stéthoscope muni d'amplificateurs) sur le ventre de la maman, ou plus encore lorsque tous deux voient le bébé à travers l'image de l'échographie. Si vous en exprimez le souhait, la sage-femme pourra vous montrer des gestes simples pour rencontrer le fœtus à travers le ventre maternel.

S'informer seul ?

Il arrive que les consultations laissent insatisfait et que l'on se rende compte que l'on n'a pas envie de poser certaines questions devant sa compagne. Même quand le dialogue est riche au sein du couple, chaque individu peut ressentir le désir de s'exprimer dans un autre cadre.

Durant la grossesse, un homme a en général peu d'occasion de parler à un médecin ou une sage-femme en tête à tête, à moins qu'il n'initie une telle rencontre. Les praticiens, à quelques exceptions près, ne pensent que rarement à le proposer au père ; mais ils accepteront pourtant volontiers de vous rencontrer si vous le demandez. Il n'est pas nécessaire de vivre mal sa future paternité pour envisager une telle démarche. La majorité des futurs pères se posent des questions qu'ils n'osent pas toujours formuler. Par exemple : sera-t-elle toujours là pour moi quand l'enfant naîtra ? Ils aimeraient souvent mieux comprendre les réactions de leur femme, ou en savoir plus sur sa physiologie. Ils ont leurs interrogations propres, et ont besoin parfois de les exprimer en privé. Quand la femme refuse que le futur père vienne aux consultations, une telle démarche offre bien sûr encore plus d'intérêt.

“ J'aime assister à chaque échographie. Cela me permet de partager avec ma compagne la joie de voir notre futur enfant, mais aussi de me tenir bien informé en posant moi-même des questions. ”

QUESTIONS DE PUDEUR...

- En dehors d'une période de grossesse, il est très rare qu'un homme accompagne sa femme chez le gynécologue, et, de façon générale, chez le médecin. S'il décide de participer aux échographies ou aux consultations, il va donc pénétrer dans une sphère intime qu'il ne connaît pas. Sa pudeur, comme celle de sa compagne, risque parfois d'être heurtée.
- C'est pourquoi il est **d'abord essentiel de se parler : demander comment cela se passe** (voir pages 136 et 137) et surtout savoir si elle accepte ou non votre présence jusqu'à la fin de la consultation.
- **Sortir durant l'examen ?** Une consultation se déroule en effet en deux temps : d'abord, celui de la parole, puis celui de l'examen. Il est tout à fait possible de rester au début, puis de retourner en salle d'attente quand le médecin ou la sage-femme pratique par exemple un toucher vaginal.
- Si vous restez sur place, vous ou votre compagne pouvez demander au médecin de cacher le bas du corps avec un drap ; quelques praticiens le font systématiquement, mais d'autres n'y pensent pas. **Quand l'échographie est endovaginale** (une sonde vaginale est introduite à l'intérieur du vagin), n'hésitez pas si besoin à exprimer la même demande.
- **Dans tous les cas, parlez au médecin ou à la sage-femme :** faites-lui part de votre gêne éventuelle, ou interrogez-le si vous ne comprenez pas, mais en veillant à respecter aussi la pudeur de votre femme.

Le quatrième mois

- Le développement du bébé
- Du côté de la maman
- Les autres consultations
- Le dosage des marqueurs sériques
- En cas d'infection
- Se soigner lorsqu'on est enceinte
- Des menus variés et une bonne hydratation
- Un changement de mode de vie
- Poursuivre une activité sportive
- Côté psy: un sentiment de plénitude
- Une sexualité épanouie
- Pour le papa: une femme qui change

Le développement du bébé

Un nouveau trimestre vient de commencer. Votre bébé va davantage se manifester, mais vous ne commencerez sans doute à sentir ses mouvements que vers la 18e semaine d'aménorrhée, voire la 21e si c'est votre premier enfant.

Les grandes fonctions s'organisent

LA PÉRIODE DE GRANDS TRAVAUX SE POURSUIT • Au cours des semaines précédentes, on a en quelque sorte assisté aux phases de « commande » et de « livraison » des différents organes. Certains ont déjà commencé à fonctionner. On comprend donc facilement l'importance de cette période… Comme l'absence de quelques simples vis peut empêcher la construction d'un grand ensemble, un petit défaut dans les phases initiales du développement pourra avoir des répercutions plus ou moins graves.

Avoir quelques cellules altérées n'aura pas du tout la même incidence si ces cellules étaient destinées à former une petite partie du foie (car le nombre palliera cela), que si ces cellules devaient à elles seules constituer le futur nerf optique. Fort heureusement, la relative souplesse des mécanismes du développement permet le plus souvent de résoudre les problèmes. Cela aussi contribue à la diversité des individus et fait que nous avons chacun nos petites particularités.

Attention!

Les informations données au fil des mois sur l'évolution de l'embryon puis du fœtus ne sont pas à considérer de manière trop rigide. Il existe un cadre général, qui définit l'évolution « normale », mais chaque individu a sa propre dynamique de développement. Tel fœtus sera un peu en avance pour certaines fonctions mais plus lent pour d'autres acquisitions.

CHAQUE FONCTION VA PROGRESSIVEMENT SE METTRE EN PLACE • Pour certains organes, l'aspect définitif sera rapidement atteint. Mais d'autres organes ne seront pas encore achevés au terme de la grossesse : les reins ou le cerveau, par exemple, vont nécessiter un très long processus de maturation.

Certains développements sont interactifs, ainsi les cavités cardiaques acquièrent du volume grâce aux flux sanguins qui y circulent. C'est pourquoi les fœtus ont un cœur toujours un peu trop « petit » pour eux, ce qui les contraint à avoir une fréquence cardiaque très rapide. D'autres fonctions nécessitent des collaborations ; par exemple, la maturation des poumons serait inefficace si le développement des muscles thoraciques ne permettait pas la mise en route de la respiration. Le fœtus a très tôt des mouvements respiratoires pour permettre à ces muscles de se renforcer et de répéter ce qui sera indispensable plus tard.

La plupart des grandes fonctions vitales, comme l'apport de l'oxygène et de l'alimentation ou l'élimination des déchets, sont fort heureusement assurées par le placenta qui est maintenant complètement formé. Le fœtus peut donc prendre tout son temps pour mettre en place ces fonctions et en roder le fonctionnement, et aller ainsi à son rythme propre.

Des transformations plus ou moins visibles

Votre bébé a bien sûr encore grandi et grossi ; il mesure entre 12 et 14 cm et pèse de 150 à 250 g. Il tient désormais sa tête droite ; ses jambes sont devenues plus longues que ses bras. Les empreintes sur les doigts et les orteils sont apparues ; il suce son pouce. Il n'utilise pas encore ses poumons mais sa poitrine est animée de mouvements respiratoires irréguliers grâce auxquels le liquide amniotique entre et sort des poumons.

La rétine de ses yeux devient peu à peu sensible à la lumière. Son corps se recouvre d'un duvet très fin (le lanugo) ; sa peau est transparente et laisse apparaître des capillaires sanguins.

Grâce au cordon ombilical relié au placenta, le fœtus, ici âgé de 4 mois, reçoit de sa mère de l'oxygène et des éléments nutritifs, et lui renvoie des déchets et du gaz carbonique.

Du côté de la maman

Pour bon nombre de femmes enceintes, le deuxième trimestre est de loin le plus agréable. La première échographie que vous avez passée le mois dernier vous a tranquillisée. De plus, les symptômes les plus désagréables du premier trimestre ont cessé.

Des changements notables

Au 1er trimestre, les nausées et la fatigue sont fréquentes, et au 3e trimestre domine l'impression d'avoir un corps énorme. Au 2e trimestre, en revanche, vous vous sentez bien, votre ventre s'arrondit doucement, tout le monde voit que vous êtes enceinte et se montre attentionné.

Votre prise de poids reste correcte, de l'ordre de 1 kg par mois. Bientôt, vous pourrez connaître le sexe du bébé, si vous le souhaitez.

QU'EN EST-IL DE VOTRE CORPS ? • L'utérus continue d'augmenter de volume, mais, cette fois, vous vous en rendez compte et pouvez suivre sa progression de vos propres yeux. Votre silhouette change. À quatre mois, le sommet de l'utérus arrive au nombril.

Tout au long de la grossesse, vous pourrez avoir des pertes vaginales blanches abondantes ; c'est tout à fait normal. Les seins, très vascularisés, sont parcourus de veines plus apparentes. La tension artérielle baisse légèrement, car la masse de sang est plus importante et les vaisseaux sont dilatés. Des crampes peuvent apparaître, surtout la nuit. Pour les combattre, demandez à votre médecin ou à votre sage-femme une

Petits problèmes d'essoufflement

Ils sont fréquents chez les femmes enceintes à partir du 2e trimestre. Sous l'effet des hormones de grossesse, le système respiratoire est stimulé : les inspirations et les expirations sont plus fréquentes et plus profondes, d'où cette impression d'avoir du mal à respirer. Plus la grossesse avance, plus la respiration devient difficile car l'utérus appuie sur le diaphragme et comprime les poumons qui ont alors plus de mal à s'expandre.

CHEVELURE FOURNIE ET ONGLES DURS

- Depuis que vous êtes enceinte, vos cheveux n'ont peut-être jamais été aussi beaux ni aussi fournis. Sous l'effet des œstrogènes, **la grossesse améliore l'état des cheveux secs et fourchus,** allant jusqu'à ralentir leur chute normale.
- **Ce sont les cheveux gras qu'elle malmène parfois. Il convient alors de les laver souvent avec un shampooing doux,** et d'éviter de les sécher de trop près et sous une chaleur trop forte.
- Pour redonner de l'éclat et du volume à vos cheveux s'ils sont fragilisés, nourrissez-les avec un baume après-shampooing ou un produit restructurant. Dans tous les cas, privilégiez les produits naturels.
- **Sur les ongles, les hormones de la grossesse ont en général un effet bénéfique :** ils sont plus durs et poussent plus vite que d'habitude. **Si, toutefois, vous les trouvez plus fragiles, coupez-les courts.** Ils redeviendront solides et vigoureux après la naissance. Si vous avez l'habitude de les limer et de les vernir, rien ne vous empêche de continuer.

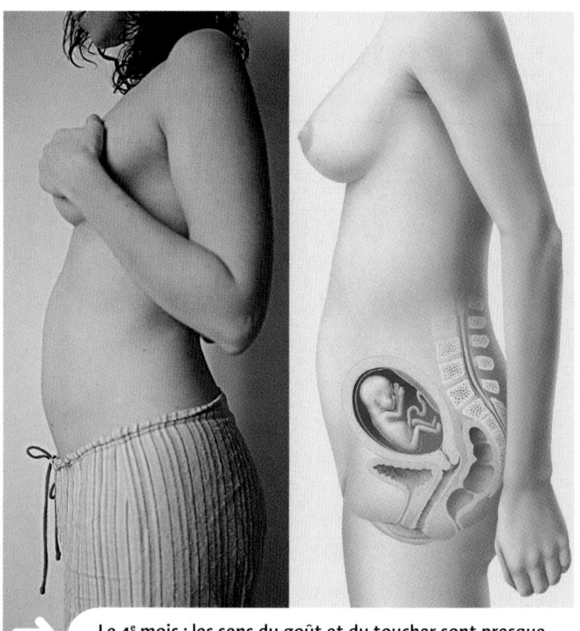

Le 4e mois : les sens du goût et du toucher sont presque arrivés à maturité.

supplémentation en vitamines et minéraux. Les gencives sont plus fragiles et saignent lors du brossage. Il n'y a rien à faire, tout rentrera dans l'ordre après l'accouchement. Consultez votre dentiste, comme à l'accoutumée. La sécrétion de salive peut augmenter.

Vous vous sentez beaucoup mieux physiquement, mais vous n'avez aucune preuve que votre enfant se porte bien. Ces quatre premiers mois paraissent longs, parce que vous ne sentez pas votre bébé bouger. Soyez attentive, surtout le soir (vers 21h), habituellement c'est à ce moment-là que l'on commence à sentir son bébé. Au début, ce ne sera pas tous les jours. Beaucoup de femmes ne se font pas assez confiance et croient percevoir leurs intestins. Avec de l'écoute, on peut le sentir plus tôt. Petit à petit, les coups ressentis seront plus forts, quotidiens et répétés. Une fois que l'on sent le bébé bouger chaque jour, on est rassurée et épanouie.

“ Je n'ai pas encore senti bouger mon bébé. Est-ce que cela signifie qu'il y a un problème ?”

LES MOUVEMENTS DU FŒTUS

Sentir bouger son bébé est probablement la plus grande joie que puisse éprouver une femme enceinte. Plus qu'un test de grossesse positif, plus qu'un ventre qui s'arrondit, ces petits coups de pieds et ces frôlements sont la preuve irréfutable qu'un petit être vivant se développe en vous. Mais rares sont les femmes enceintes qui perçoivent les mouvements du fœtus dès le 4e mois, notamment celles qui attendent leur premier enfant (primipares). Alors que l'embryon commence à bouger spontanément ses bras et ses jambes dès la 7e semaine d'aménorrhée, le plus souvent la mère ne perçoit ses mouvements qu'entre la 18e et la 21e semaine. Les femmes qui ont déjà eu un enfant les identifient souvent plus tôt, d'abord parce qu'elles savent à quoi s'attendre, mais aussi parce que les muscles de leur paroi abdominale sont plus relâchés, ce qui rend les mouvements du fœtus plus perceptibles.

Enfin, certains fœtus donnent des coups de pied vigoureux, pendant que d'autres ne font qu'effleurer la paroi utérine. Ne pas sentir votre bébé bouger avant la 21e semaine d'aménorrhée ne doit donc en aucun cas vous alarmer.

LES VÊTEMENTS DE GROSSESSE

- Votre silhouette de femme enceinte se dessine peu à peu, mais ne vous précipitez pas pour acheter des vêtements que vous n'allez pas porter longtemps.
- **Essayez d'abord toutes les tenues que vous avez dans votre placard et vous serez surprise de constater que certaines d'entre elles vous vont encore.**
- **Achetez au fur et à mesure que votre ventre grossit et que votre morphologie change.**
- **Ne vous limitez pas aux vêtements de grossesse** et n'hésitez pas à sortir du rayon « maternité ».
- **Jouez sur les accessoires.** Une écharpe soyeuse, des boucles d'oreilles originales, une paire de baskets aux couleurs vives vous permettront de varier vos tenues et d'accepter plus facilement les compromis.
- **Gardez votre style.** Si vous avez par exemple l'habitude de porter des vêtements décontractés, inutile de vous mettre en robe à petites fleurs et dentelle. L'idée de ressembler à une femme enceinte peut vous séduire 1 ou 2 mois, mais il y a des chances que votre enthousiasme tourne court.
- **Choisissez avec soin votre lingerie, notamment vos soutiens-gorge** (voir pages 93 et 103). Si vous n'avez pas l'habitude de porter des culottes taille haute, optez pour des modèles bikini qui arrivent sous le ventre. Veillez à ce que l'entrejambe soit en coton.
- Et pourquoi pas, de temps en temps, **demander à votre compagnon de piocher dans sa garde-robe** T-shirts et chemises à porter sur un pantalon, joggings larges et confortables...
- **Ne refusez pas les tenues que vous proposent vos amies,** même si elles ne sont pas vraiment à votre goût. Avoir un pantalon ou une tunique de plus sous la main peut vous dépanner. Personnalisez-les avec un ou plusieurs accessoires.
- **Privilégiez les vêtements en coton** dans lesquels votre corps respirera mieux. Le métabolisme d'une femme enceinte est plus élevé; vous aurez donc plus chaud qu'à l'accoutumée. Les vêtements amples et ceux en maille sont plus agréables à porter quand il fait chaud. Par temps froid, superposez les couches pour pouvoir en enlever une dès que vous rentrerez dans un endroit chauffé.
- **Sachez que les bas sont parfois plus confortables que les collants lorsqu'on est enceinte.** Si vous portez des chaussettes, elles ne doivent surtout pas couper la circulation sanguine.

Les autres consultations

De la fin du premier trimestre jusqu'à l'accouchement, vous allez consulter chaque mois le praticien qui vous suit, obstétricien ou sage-femme, pour vérifier que tout va bien. Ce suivi régulier garantit à tout moment une prise en charge de la moindre anomalie.

Après la première consultation

À l'issue de la première consultation, vous êtes repartie avec plusieurs ordonnances : pour les examens à faire au laboratoire et pour l'échographie du 1er trimestre ; gardez bien les prescriptions, les résultats d'analyses et les comptes rendus qui constitueront votre dossier médical. Au rythme d'une visite par mois, la surveillance s'établit, les contrôles se répètent. Pour que ces rendez-vous soient pleinement efficaces, notez vos questions au moment où vous y pensez, pour les poser ensuite au praticien, qu'elles vous paraissent anodines ou pas. Si vous constatez le moindre problème entre deux consultations ou même si vous avez le moindre doute (voir pages 170 à 173), mieux vaut téléphoner à l'obstétricien ou à la sage-femme qui vous suit ou, en leur absence, au praticien de garde qui vous dira, ou non, de venir en consultation d'urgence. Même si tout est normal, chaque visite médicale a son importance : faire de la prévention, établir une relation de confiance entre vous et le médecin ou la sage-femme, vivre votre grossesse de façon sereine en vous sentant en sécurité.

TOUJOURS LE MÊME DÉROULEMENT

- Toutes les consultations du suivi de la grossesse incluent le dialogue avec le praticien et un examen clinique complet, qui suit toujours le même déroulement. N'hésitez pas à poser les questions que vous avez notées depuis votre dernier entretien et celles qui vous sont venues au cours de l'examen.
- **L'examen général** • Dans un premier temps, l'obstétricien ou la sage-femme vous pèse (vous devez prendre environ 1 kg par mois les six premiers mois, puis 1,5 kg à 2 kg par mois les trois derniers mois, soit un total de 10 à 15 kg). Il prend votre tension artérielle (la tension artérielle doit être inférieure à 14/9, et c'est le second chiffre le plus important). Il examine aussi vos jambes (si elles sont enflées, c'est un signe d'œdème) et fait ou prescrit toujours un examen d'urines.
- **L'examen obstétrical** • En vous palpant l'abdomen, l'obstétricien ou la sage-femme cherche à repérer la position du fœtus. Pour estimer son volume, il mesure la hauteur de votre utérus avec un mètre ruban. Il écoute aussi le cœur du futur bébé au Sonicaid pour s'assurer qu'il bat régulièrement (la normale étant entre 120 et 160 battements par minute). Par un toucher vaginal, il mesure enfin la longueur et la consistance du col de l'utérus, et vérifie que ce dernier est bien fermé.

Les bonnes questions

À chaque consultation, le médecin ou la sage-femme fait le point sur votre état de santé et sur l'évolution de votre grossesse. C'est également l'occasion de vous renseigner sur les réunions d'information existantes, les préparations à l'accouchement, etc., et d'évoquer l'aménagement de vos habitudes de vie : repos, alimentation, activités.

AVEZ-VOUS DES CONTRACTIONS UTÉRINES ? • Vous avez l'impression que votre ventre se durcit, comme si l'utérus se « mettait en boule » par moments. La contraction ne fait pas forcément mal. Rarement, elle se localise dans le dos. Soyez vigilante. Vous pouvez en avoir pendant toute votre grossesse, davantage vers la fin. Mais elles doivent rester peu marquées et peu fréquentes (moins de dix par jour avant le 9e mois).

PERDEZ-VOUS DU SANG ? • Si, au cours du 1er trimestre de la grossesse, les saignements ne sont pas forcément graves ; par la suite, on peut redouter des anomalies du placenta, avec un risque d'hémorragie massive. Si vous perdez du sang au 4e mois, il faut donc consulter immédiatement en urgence. Votre médecin en recherchera la cause.

AVEZ-VOUS DES PERTES ? • Il peut s'agir de pertes vaginales normales (blanchâtres, pouvant être abondantes), ou encore de simples fuites d'urines en fin de grossesse. Quand les pertes vaginales sont liées à une infection, elles sont accompagnées de démangeaisons ou de brûlures, voire odorantes. Dans ce cas, il convient d'en parler au médecin. De même, si vous constatez l'écoulement d'un liquide transparent comme de l'eau, chaud et avec une

Le médecin palpe votre abdomen pour connaître la position du bébé. Cela permet aussi de contrôler la souplesse de l'utérus.

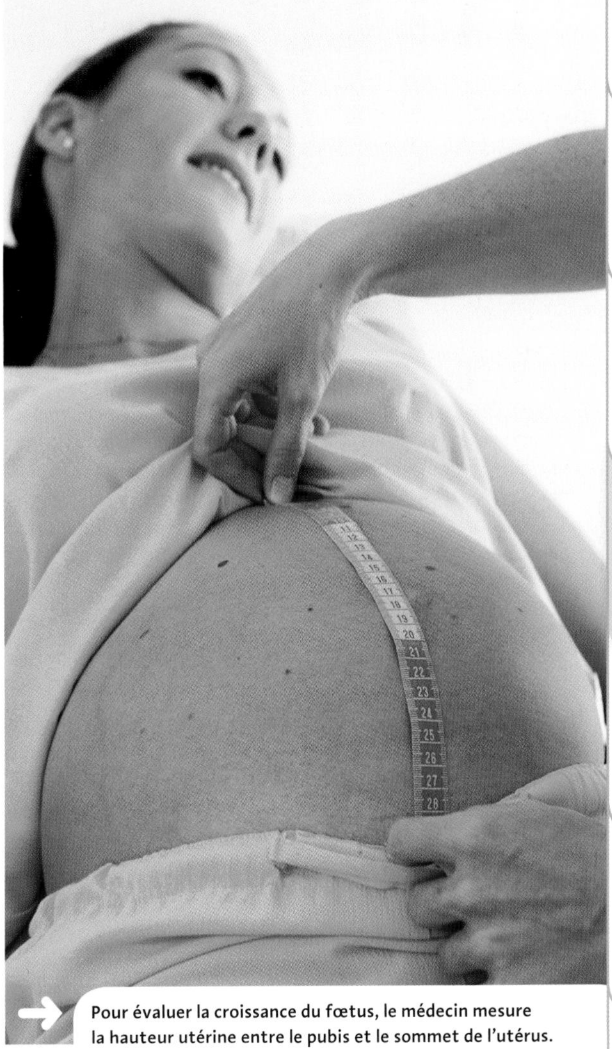

Pour évaluer la croissance du fœtus, le médecin mesure la hauteur utérine entre le pubis et le sommet de l'utérus.

odeur fade, il faut aussitôt consulter, car il s'agit certainement de liquide amniotique.

SENTEZ-VOUS LE BÉBÉ BOUGER ? • D'abord, ce sont des sortes de frôlements, un peu comme des battements d'ailes de papillon (ils sont plus faciles à identifier lors d'une deuxième grossesse), puis ce sont de véritables mouvements, des « coups de pied ».

Au cours du troisième trimestre, vous pourrez ressentir un tressautement très localisé: c'est le hoquet du futur bébé, qui témoigne de son bien-être. En aucun cas, le fœtus ne doit cesser de bouger pendant plus de 12 heures. Votre bébé a une façon de bouger que vous connaissez bien et vous êtes le plus à même de sentir s'il bouge moins que d'habitude. Faites-vous confiance. Mais, au moindre doute, consultez votre médecin.

RESSENTEZ-VOUS DES BRÛLURES OU DES DOULEURS EN URINANT ? • Elles peuvent être le signe d'une infection urinaire. Vous devez consulter votre médecin, surtout si elles s'accompagnent de fièvre.

AVEZ-VOUS DE LA FIÈVRE ? • La fièvre témoigne le plus souvent d'une infection. Si elle persiste plus de 24 heures, vous devez consulter sans délai, d'autant plus qu'elle peut provoquer des contractions utérines.

Le dosage des marqueurs sériques

Le dosage des marqueurs sériques dans le sang maternel permet d'apprécier le risque, pour la femme enceinte, de porter un enfant atteint d'anomalies chromosomiques, notamment d'une trisomie 21. Ce risque est particulièrement élevé chez les femmes de plus de 38 ans.

Principe du test

Le dosage des marqueurs sériques est proposé à toute femme enceinte, et pris en charge par la Sécurité sociale. Il doit être réalisé entre 14 et 18 semaines d'aménorrhée et nécessite le consentement écrit de la femme. Après 18 semaines d'aménorrhées, il peut encore être réalisé, mais uniquement dans certains laboratoires.

Ce test permet le dosage de quatre marqueurs présents dans le sang de la mère à partir d'une prise de sang :

- l'alphafœtoprotéine (AFP) ;
- l'hormone chorionique gonadotrope (HCG) ;
- les sous-unités B libre de l'HCG (B-HCG libre) ;
- l'œstriol.

En fonction des résultats de ce dosage et de l'âge de la mère, ce test donne un taux de risque (par un calcul de probabilité) que le médecin va analyser.

Si le risque est supérieur ou égal à 1/250, un caryotype (cartographie chromosomique) peut être proposé à la femme. Une amniocentèse (voir pages 112 et 113) est alors réalisée toujours avec le consentement écrit de la future maman (ainsi 7 % des femmes enceintes de moins de 38 ans sont amenées à en faire une) Elle permet le diagnostic d'une anomalie chromosomique entraînant un handicap chez l'enfant à naître. Mais il est possible que le test des marquers sériques donne un « faux positif », c'est-à-dire un résultat positif, mais qui ne sera pas confirmé par l'amniocentèse (le fœtus n'est pas porteur d'anomalies chromosomiques).

Pour une meilleure appréciation du risque, certains médecins combinent ce test (en prenant en compte le risque lié à l'âge maternel) et celui lié à la clarté nucale (mesure d'un espace au niveau de la nuque du fœtus, voir page 106) réalisé par échographie. Cela peut être une alternative à l'amniocentèse pour les femmes qui ne la souhaitent pas. Dans ce cas, il est conseillé de choisir un échographiste référent pour réaliser l'échographie morphologique de la 22e semaine d'aménorrhée.

TEST DES MARQUEURS SÉRIQUES ET GROSSESSES GÉMELLAIRES • Les marqueurs sériques reflètent une moyenne de la contribution de chacun des deux fœtus et ont donc une valeur potentielle moins bonne que la mesure de la clarté nucale qui reflète le risque de chaque fœtus.

Choisir ou non de faire le test

C'est un enjeu pour les parents. Même si la plupart des couples choisissent de faire ce test, il est important de se poser la question et de bien comprendre l'enjeu du problème.

Proposez au futur père de vous accompagner pour en discuter lors de la consultation. De nombreuses questions de fond doivent être abordées au moment du choix de faire ou ne pas faire ce test : que décider en cas de trisomie 21 ou d'une autre anomalie chromosomique ? Faire le choix d'élever un enfant atteint d'une trisomie 21 ? Le savoir ou non avant la naissance pour s'y préparer ? Demander ou non une interruption médicale de grossesse ? Vivre sa grossesse en connaissant le risque donné par le test sans faire d'amniocentèse ? Partagez-vous ou non la même vision des choses avec le futur papa ?

Certains préfèrent s'assurer que leur futur enfant est « normal » et décident qu'ils feront une amniocentèse en fonction des résultats du test ; tout en connaissant le risque de faire une fausse couche (1 % environ) liée à 'amniocentèse. D'autres, au contraire, ne veulent rien tenter qui pourrait potentiellement nuire à leur futur bébé.

À vous d'en discuter avec votre conjoint pour décider à deux. C'est un choix extrêmement complexe et personnel qui engage votre vie future.

UTILITÉ ET FIABILITÉ

> **Le dosage des marqueurs sériques permet de dépister d'autres anomalies :**
- **anomalies de fermeture du tube neural (spina bifida). Une échographie morphologique orientée sur le rachis doit alors être réalisée à la 18e semaine d'aménorhée;**
- **trisomies 13 et 18.**

> **La mesure de la clarté nucale seule par échographie permet de détecter 70 % des enfants porteurs d'une trisomie 21 ; couplée au test des marqueurs sériques, elle permet alors la détection de 80 % des enfants atteints de trisomie 21. Il reste malgré ces examens 20 % d'enfants trisomiques non diagnostiqués.**

En cas d'infection

Des infections bénignes en temps normal se révèlent parfois dangereuses pour le fœtus. Il faut donc consulter rapidement quand on a de la fièvre, principal symptôme des maladies infectieuses. Un traitement est souvent possible.

Quand s'alarmer?

Les risques de fausse couche ou d'accouchement prématuré, de contamination du fœtus, plus ou moins grave selon la nature des maladies et selon le moment de la grossesse, ne peuvent qu'inciter à la vigilance. La fièvre (à partir de 38 °C) est le principal symptôme de toute infection: c'est un signal d'alerte qui doit vous conduire à consulter sans tarder, car elle peut suffire, à elle seule, à provoquer des contractions susceptibles de déclencher un accouchement prématuré.

L'herpès génital

Il s'agit d'un virus très répandu, qui entraîne généralement des lésions douloureuses affectant la vulve ou le vagin (mais certaines formes n'entraînent aucun symptôme). En cas d'herpès génital chez une femme enceinte, le principal risque est que le fœtus soit contaminé lors de l'accouchement (voir page 25). Une telle contamination est rare, mais très grave. Si vous avez déjà souffert d'herpès, soyez vigilante et prévenez votre médecin ou votre sage-femme.

Les infections urinaires et les pyélonéphrites

Du fait de leur anatomie, les femmes sont davantage sujettes aux infections urinaires car leur urètre est très court, ce qui facilite la remontée des germes vers la vessie. Ne pas s'hydrater suffisamment constitue un facteur de risque supplémentaire, d'où l'importance de boire au moins 1,5 litre d'eau par jour.

Au cours de la grossesse, le risque est encore accru, notamment du fait de l'augmentation du taux de progestérone qui empêche la vessie de se vider complètement. Ce type d'infection peut provoquer une menace d'accouchement prématuré.

Certains signes doivent amener toute femme enceinte à consulter rapidement son médecin:

- des douleurs au-dessus du pubis;
- des envies fréquentes d'uriner, le jour et la nuit;
- une sensation de brûlure en urinant.

Seul l'examen des urines permetta d'identifier le germe, le plus souvent un colibacille. Le traitement consiste à prendre des antibiotiques. On prévient ainsi une pyélonéphrite (infection des reins), dont les symptômes sont les mêmes, mais avec de la fièvre et une douleur du dos.

La rubéole

La rubéole est une maladie virale qui touche en général les enfants. Elle se caractérise par une éruption sur l'ensemble du corps et par la présence de ganglions au niveau du cou. Mais, chez les adultes, elle passe souvent inaperçue. Cette maladie, en soi tout à fait bénigne, devient dangereuse chez la femme enceinte, non pour la mère elle-même, mais pour le fœtus. Lorsqu'elle survient pendant le 1er trimestre de la grossesse, la rubéole peut en effet être à l'origine d'une fausse couche ou de malformations de l'embryon: cataracte, anomalie cardiaque, surdité, retard psychomoteur. Il n'existe aucun traitement curatif efficace et la vaccination est contre-indiquée au cours de la grossesse. Le traitement est donc purement préventif.

EN PRÉVENTION • Lors de la première consultation (voir pages 82 à 85), en début de grossesse, le médecin vous prescrit toujours une analyse de sang (sérodiagnostic) afin de vérifier si vous êtes immunisée contre la rubéole. Si vous avez déjà eu cette maladie ou si vous avez été vaccinée, votre organisme a développé des anticorps – qui sont détectables dans le sang – qui vous protègent définitivement.

Si vous n'êtes pas immunisée, il est impératif d'éviter d'être en contact avec des enfants qui, eux, sont susceptibles de porter le virus. Il importe donc de faire vacciner ses propres enfants.

LE DIAGNOSTIC • Le temps d'incubation de la rubéole est de 14 à 21 jours. Une femme enceinte qui a été en contact avec un enfant atteint par cette maladie doit faire une analyse de sang (sérologie) dans les 10 jours qui suivent. Un résultat négatif ne permet pas un diagnostic définitif. Un second contrôle s'impose donc 15 ou 20 jours plus tard. Seul ce second prélèvement permettra de vérifier si vous avez été ou non contaminée. Les deux prélèvements doivent être effectués dans le même laboratoire afin d'éviter toute erreur d'interprétation. De la même façon, en cas d'éruption cutanée inexpliquée, il faut demander aussitôt une sérologie de la rubéole.

LES CONSÉQUENCES POUR LE FŒTUS • Les femmes enceintes qui ont contracté la rubéole doivent attendre le 5e mois de grossesse pour savoir si l'enfant qu'elles portent a été contaminé. En effet, la ponction du sang fœtal est impossible avant. Or, seule cette analyse permet de vérifier la présence ou l'absence de l'infection chez le fœtus. Les conséquences diffèrent selon le moment de la grossesse où la femme a été atteinte.

En début de grossesse, les risques de malformation du fœtus sont importants (de 50 à 90 % des cas). Une interruption thérapeutique de grossesse peut alors être décidée. Attendre les résultats de l'analyse du sang fœtal reste également possible.

En milieu de grossesse, les risques de malformation du fœtus sont moins grands, mais ils ne sont pas nuls : dans 15 % des cas, l'enfant aura des séquelles. À cette période de la grossesse, la ponction du sang fœtal peut être effectuée : l'analyse permettra de savoir si l'enfant a été ou non contaminé, mais pas d'évaluer la gravité de l'infection. Il est alors nécessaire de consulter un service spécialisé afin de déterminer la meilleure attitude possible. Si la grossesse est poursuivie, une surveillance échographique régulière est nécessaire.

En fin de grossesse, les risques de malformation du fœtus sont nuls. Seule demeure une menace d'infection pulmonaire, qui justifiera une surveillance prolongée du nourrisson.

Il faut être vigilante sur la fraîcheur des aliments pour éliminer le risque de contamination par la listériose.

La toxoplasmose

Cette maladie est due à un parasite présent dans la viande de mouton et de bœuf mal cuite, et tout simplement dans la terre. Il est aussi porté par les chats : l'animal, contaminé par de la viande consommée crue ou peu cuite, peut transmettre le parasite, qu'il rejette dans ses excréments. Cette maladie, en soi inoffensive, peut se révéler lourde de conséquences si, affectant la mère, elle se transmet au fœtus.

LE DIAGNOSTIC ET LE TRAITEMENT • En début de grossesse, de manière systématique, le médecin cherche à savoir par une prise de sang si vous êtes immunisée ou non contre la toxoplasmose. Il n'existe pas de traitement préventif contre la maladie, et notamment pas de vaccin. Cependant, si vous n'êtes pas immunisée, vous pouvez adopter quelques précautions d'hygiène simples pour éviter d'être contaminée (voir page 68). Une surveillance mensuelle sera indispensable tout au long de la grossesse, car la maladie passe le plus souvent inaperçue. En cas d'infection, un traitement antibiotique, prescrit le plus précocement possible, réduit le risque de contamination de l'enfant, mais ne modifie pas la gravité de son infection si elle existe.

LA SURVEILLANCE DU BÉBÉ • En cas de contamination de la mère, il faudra pratiquer une amniocentèse (voir pages 112 et 113). afin de déterminer si le fœtus a également été touché par l'infection. Les conséquences sont différentes selon le moment de la grossesse où la future mère contracte la toxoplasmose.

Pendant la première moitié de la grossesse, les risques de transmission de la maladie au fœtus sont peu élevés (de 5 à 10 % des cas). Mais, si c'est le cas, l'infection est en général très grave, car elle atteint le système nerveux et oculaire de l'enfant. Dans ce cas, une interruption de grossesse peut être décidée. Sinon, il faudra continuer le traitement jusqu'à l'accouchement, afin d'éviter la propagation de l'infection à différents organes du fœtus. La surveillance échographique régulière de l'enfant dans l'utérus sera aussi indispensable.

En fin de grossesse, les risques de contamination du bébé sont plus élevés, mais les conséquences de l'infection sont alors moins dangereuses pour l'enfant. La grossesse peut donc se poursuivre sous traitement. Dans tous les cas, l'examen du nouveau-né sera rigoureux, et la surveillance se poursuivra jusqu'à l'adolescence.

L'infection à cytomégalovirus

Le cytomégalovirus (CMV) est un virus contracté le plus souvent au contact des petits enfants, âgés de 0 à 2 ans et gardés en collectivité. Les personnes les plus exposées sont les mères de famille et les femmes exerçant le métier d'infirmières ou de puéricultrices, entre autres.

En cas d'infection à cytomégalovirus, 90 % des adultes (et des enfants) ne présentent aucun symptôme. La femme enceinte aura donc tout au plus de la fièvre et des boutons. Le risque d'infection diminue au fur et à mesure que la grossesse avance. Cependant, le cytomégalovirus peut entraîner une surdité, un retard de croissance intra-utérin (RCIU), voire des anomalies cérébrales.

En cas de suspicion d'infection à cytomégalovirus à l'échographie, on fait une prise de sang (sérologie) à la mère; si celle-ci est effectivement positive, on réalise une amniocentèse pour confirmer le diagnostic. En cas d'atteinte sévère d'après les signes échographiques, le médecin peut accepter une interruption médicale de grossesse.

La varicelle

Maladie d'origine virale, la varicelle survient le plus souvent chez l'enfant et très rarement chez l'adulte. Après une incubation de 15 jours, durant laquelle la personne est contagieuse, survient une éruption cutanée, précédée d'un peu de fièvre (38 °C). L'éruption évolue par poussées successives pendant environ deux semaines. Les petits boutons peuvent s'étendre à tout le corps. Ils se transforment ensuite en vésicules avant de sécher.

Lors de la grossesse, la varicelle peut entraîner chez la mère une pneumopathie, qui se manifeste par une toux. Chez le fœtus âgé de moins de 5 mois, elle peut induire un retard de croissance et des lésions de la peau, des yeux, du cerveau, des os... Pour savoir si le fœtus a été contaminé, on réalise une amniocentèse. Si le prélèvement est positif et en présence d'anomalies à l'échographie, on peut décider d'une interruption médicale de grossesse. En revanche, si tout le bilan est négatif, la surveillance échographique est poursuivie tous les mois avec une imagerie cérébrale (IRM) à 7 mois.

Quand la mère contracte la varicelle juste avant ou juste après l'accouchement, les conséquences sont graves car le nouveau-né peut lui-même être atteint par cette maladie.

La listériose

La listériose est une maladie infectieuse due à un bacille, *Listeria monocytogenes*. Elle se transmet notamment par la consommation de produits contaminés (voir page 68). Elle est bénigne, sauf chez la femme enceinte, car elle peut provoquer une fausse couche, un accouchement prématuré ou la mort du fœtus, qui se contamine par l'intermédiaire du placenta. C'est une des infections les plus redoutées pendant la grossesse.

Chez l'adulte, la listériose se traduit par un état comparable à une grippe: fièvre élevée, courbatures, maux de tête... Il faut consulter sans tarder en cas de fièvre subite, inexpliquée et persistant plus de 24 heures. Le médecin prescrira une analyse de sang. Une hospitalisation est nécessaire pour mettre en plan un traitement antibiotique.

“Une amie m'a dit d'éviter les produits laitiers non pasteurisés parce que je risque de tomber malade. Est-ce vrai ?”

ATTENTION À LA LISTÉRIOSE !

N'importe qui peut attraper la listériose en consommant du lait cru ou du fromage au lait cru, mais le risque est majoré si vous êtes enceinte. Certains aliments peuvent renfermer un bacille, *Listeria monocytogenes*, à l'origine de cette maladie qui peut être grave pour une femme enceinte. Ce bacille pénètre directement dans la circulation sanguine et, de ce fait, se transmet rapidement au bébé par l'intermédiaire du placenta.
Il est donc primordial d'éviter les aliments pouvant être contaminés, mais aussi de respecter scrupuleusement les règles d'hygiène de base:

- nettoyez régulièrement votre réfrigérateur et votre plan de travail ;
- veillez à respecter la chaîne du froid lorsque vous faites vos courses ;
- suivez les règles de décongélation des aliments ;
- jetez tout aliment qui ne vous semble pas frais ;
- ne laissez pas traîner les restes à l'air libre ;
- lavez-vous régulièrement les mains quand vous préparez le repas ;
- ne mangez jamais de viande crue ou saignante, faites bien cuire les œufs, lavez soigneusement les légumes que vous mangerez crus.

Se soigner lorsqu'on est enceinte

L'effet des médicaments, des vaccins, des radiographies sur une femme enceinte et son futur bébé suscite des craintes légitimes. Pour éviter tout problème pour vous ou pour le fœtus, le mieux est de ne prendre aucun traitement de votre propre initiative, et de signaler que vous êtes enceinte lors de toute consultation ou radiographie.

Pas d'automédication !

Des médicaments sans danger en temps normal peuvent avoir des conséquences parfois graves pendant la grossesse. Certaines précautions permettent cependant de limiter considérablement les risques. Si vous tombez malade alors que vous êtes enceinte, même s'il s'agit d'un banal rhume, consultez toujours un médecin : il vous prescrira des médicaments qui ont fait la preuve de leur innocuité pour le bébé. Si vous souffrez d'une maladie chronique (diabète, cardiopathie...), il sera peut-être amené à modifier votre traitement (voir pages 22 à 25).

La règle d'or est d'arrêter toute automédication. Ne décidez jamais vous-même des médicaments que vous devez prendre, même si ceux-ci vous semblent a priori sans aucun danger (y compris des médicaments à base de plantes). Demandez toujours conseil à votre médecin, qui décidera seul comment soigner les affections dont vous pourriez souffrir pendant votre grossesse.

CONTRE LA TOUX • Si les expectorants contenant de la carbocystéine ne semblent pas poser de problème, les antitussifs, généralement dérivés de la codéine, sont en revanche à éviter.

CONTRE LE RHUME • Les médicaments qui débouchent le nez ne doivent être utilisés que de façon ponctuelle, en cas d'absolue nécessité. Ils sont en effet suspectés de provoquer des malformations.

CONTRE LES MAUX DE TÊTE ET LA FIÈVRE • Le paracétamol paraît sans risque aux doses usuelles, mais l'aspirine est à proscrire car elle perturbe la coagulation sanguine et semble, en outre, présenter une toxicité pour le rein, le cœur et les poumons du futur bébé.

CONTRE LA FATIGUE ET L'ANÉMIE • Les besoins en fer, en vitamines et en oligo-éléments sont plus importants dès que l'on est enceinte. Des médecins les prescrivent de façon systématique pendant la grossesse pour lutter contre une carence éventuelle (voir pages 204 et 205)..

Quels vaccins ?

S'il existe des vaccins inoffensifs, d'autres peuvent se révéler dangereux pour le futur enfant. Si on tient compte de leurs conséquences pour la femme enceinte ou le fœtus, on peut classer les vaccins en trois catégories.

ET SI JE DOIS PASSER UNE RADIOGRAPHIE ?

- Les femmes enceintes redoutent souvent d'avoir à passer des radiographies. En réalité, si les irradiations massives comportent bien évidemment des risques graves, le diagnostic médical aux rayons X, ou radiographie, est sans conséquence sur le fœtus si certaines conditions sont respectées et si l'on tient notamment compte du moment de la grossesse.
- Retenez surtout qu'**il faut absolument signaler au radiologue que vous êtes enceinte avant toute radiographie, même dentaire.**
- **Les radiographies éventuellement nécessaires seront limitées jusqu'à la fin de la grossesse au diagnostic de maladies graves.** Elles doivent impérativement être pratiquées avec un tablier de plomb destiné à arrêter les radiations et à protéger le ventre.
- **Quant à la radiographie du bassin, ou scannopelvimétrie** (voir page 140), pratiquée au 9e mois de grossesse pour apprécier la forme et les dimensions du bassin maternel et évaluer ainsi les possibilités d'accouchement par les voies naturelles, elle est totalement inoffensive.

HOSPITALISÉE LORS DE LA GROSSESSE

- **Une hospitalisation quand on est enceinte n'est pas exceptionnelle.** Elle se produit lorsque la grossesse présente une complication : menace d'accouchement prématuré, chute, fièvre, saignements, rupture prématurée des membranes, hypertension, diabète, prééclampsie...
- Bien qu'elle constitue toujours une source d'angoisse pour les futurs parents, **elle est parfois indispensable pour qu'une équipe médicale prenne en charge la future mère** et mette en place le traitement et la surveillance nécessaires.
- Les mesures thérapeutiques peuvent être lourdes et contraignantes (nombreuses échographies, analyses sanguines, monitorings répétés dans la journée), et **il arrive que l'on ne comprenne pas toujours la raison de tous ces examens. Il est dans ce cas essentiel de poser des questions au personnel médical** et de ne pas rester dans l'inquiétude. Même si cela implique que la sage-femme ou le médecin prenne du temps pour expliquer et reformuler les informations données !
- **La durée de l'hospitalisation est très variable.** En fonction de la complication, elle peut aller de quelques jours à plusieurs semaines, voire durer un à deux mois ou plus. Il arrive toutefois que le retour à la maison soit possible. Dans la plupart des cas, on met alors en place une surveillance médicale à domicile afin de permettre à la future mère de poursuivre sa grossesse dans les meilleures conditions.

Tout médicament présente un risque potentiel pour le fœtus. Un avis médical s'impose.

DANGEREUX • Sont à éviter les vaccinations contre la poliomyélite par voie orale (le vaccin Sabin, administré sur un sucre), ou contre des maladies telles que la coqueluche, les oreillons, la rougeole, la rubéole (bien que l'on n'ait constaté aucune malformation du fœtus, quand la mère avait été vaccinée en tout début de grossesse), ou contre la fièvre jaune (sauf en cas d'extrême nécessité).

DÉCONSEILLÉS • Ce sont les vaccins contre la brucellose (risque de fortes réactions), la diphtérie (à réserver aux cas d'urgence), la rage (cette vaccination est toutefois nécessaire en cas de suspicion de contact avec un animal enragé, car, une fois déclarée, la maladie est toujours mortelle), la tuberculose par le BCG, la typhoïde (le traitement de la maladie est sans danger pour le fœtus).

INOFFENSIFS • Il s'agit des vaccins contre la grippe, l'hépatite B, la poliomyélite par injection, le tétanos (indispensable quand on vit en milieu rural ou que l'on jardine, mais aussi lorsqu'on fait du bricolage ou que l'on est en contact avec des chevaux), le choléra.

Attention !

Au cours de votre grossesse, certains médicaments pourront aussi être prescrits pour votre futur enfant. Votre organisme servira alors de véhicule pour ces substances qui traiteront les maladies qu'il a pu contracter dans votre ventre.

Des menus variés et une bonne hydratation

Pour garder une alimentation équilibrée tout au long de votre grossesse, il suffit de varier vos menus en puisant chaque jour dans les différents groupes d'aliments et en veillant à ne pas dépasser les quantités conseillées. Une bonne hydratation est également indispensable pour couvrir tous les besoins en eau de votre organisme.

Le petit déjeuner

Pendant la nuit, votre organisme est au repos, mais pas celui de votre bébé. Le petit déjeuner, après le jeûne de la nuit, constitue donc un repas essentiel. Il doit être varié et copieux pour refaire le plein d'énergie. Si vous avez des nausées ou si vous n'avez pas l'impression d'avoir faim quand vous vous levez, fractionnez votre petit déjeuner au cours de la matinée.

QUELQUES SUGGESTIONS • Le petit déjeuner peut être aussi bien sucré que salé, selon votre goût. L'idéal est qu'il inclue une boisson pour vous réhydrater, un produit céréalier (pain ou biscottes ou céréales), un fruit (ou, si vous préférez, un jus de fruits, ou de la compote), et un produit laitier (mais, si vous buvez du thé ou du café avec beaucoup de lait, cela sera aussi bien). Les suggestions de petits déjeuners ci-dessous comprennent tous ces produits :

- un verre de jus de fruits, quatre tranches de pain grillé au miel, un yaourt ;
- du thé ou bien du café au lait, trois tranches de pain complet, une tranche de jambon, une pomme ;
- du thé ou du café, trois tranches de pain, une portion de comté, un jus d'orange ;
- du thé ou du café, un bol de céréales avec du lait, une poire ;
- du thé ou du café, une brioche, un kiwi, un yaourt ;
- du lait, quatre biscottes beurrées avec de la confiture, un demi-pamplemousse.

Le déjeuner et le dîner

Pour être équilibrés, ces 2 repas doivent être composés au minimum d'une portion de viande ou d'un aliment équivalent (poisson, par exemple), de féculents et/ou de pain,

DES BOISSONS POUR BIEN S'HYDRATER

> Une bonne hydratation est indispensable pour bien éliminer les toxines et les déchets – les vôtres ainsi que ceux de votre bébé –, pour prévenir les infections urinaires, pour diminuer les risques de constipation, pour garder une peau souple et ferme, etc.

> Quelle quantité boire ? Pour couvrir ces besoins, **il vous faut boire au minimum 1,5 litre de liquide par jour**. Attention, même en cas d'œdèmes, ne vous privez pas de boire ; vous risqueriez de vous déshydrater, alors que les œdèmes ne dépendent que très peu de la quantité de boisson que vous absorbez.

> Que boire ? **L'eau reste la meilleure des boissons.** Vous pouvez aussi boire des tisanes, du lait ou des bouillons, ainsi que des jus de fruits – si vous achetez des « pur jus » ou si vous pressez les fruits vous-même, ils ne contiendront pas de sucre ajouté, à la différence des nectars de fruits. Méfiez-vous des sodas, qui contiennent l'équivalent de 20 morceaux de sucre par litre. Le café n'est pas interdit, mais n'en abusez pas. **Quant à l'alcool, sous toutes ses formes, n'en prenez pas le moindre verre.** Il traverse en effet la barrière placentaire et risque de perturber le développement de votre bébé. Passé le premier trimestre, vous pourrez éventuellement vous offrir, mais de manière tout à fait exceptionnelle, une petite coupe de champagne ou un demi-verre de vin à l'exclusion de toute autre forme d'alcool.

Pour ne pas céder à l'envie de grignoter, prenez trois repas quotidiens riches en glucides lents et en protéines.

de légumes crus ou cuits, d'un peu de matière grasse pour cuire ou assaisonner, d'un produit laitier et d'un fruit. Selon vos besoins et vos envies, aménagez cette base pour composer vos repas ; si vous aimez le sucré, faites-vous plaisir de temps en temps avec une pâtisserie et n'hésitez pas à manger des crèmes et des entremets, qui présentent l'intérêt de fournir du calcium.

QUELQUES SUGGESTIONS DE MENUS • Incluant toutes les catégories d'aliments nécessaires à votre santé et à celle du bébé, les menus présentés ici ne sont bien sûr que des exemples, qui entendent montrer comment on peut composer midi et soir des menus équilibrés et variés, qui se complètent l'un l'autre.

• Menu 1 - Au déjeuner: du céleri rémoulade, un steak grillé aux herbes, des tomates provençales, un morceau de camembert, une salade de fruits, du pain; au dîner: une soupe au pistou, un filet de merlan aux pommes de terre persillées, du fromage blanc, une poire.

• Menu 2 -Au déjeuner: une salade de concombre et tomates, une darne de saumon au four, du riz créole, une part de saint-paulin, de la compote de pommes avec une boule de glace à la vanille; au dîner: un taboulé, des courgettes farcies en gratin, des fraises au sucre, du pain.

• Menu 3 -Au déjeuner: du veau en sauce aux spaghettis, une salade verte, un yaourt, du raisin; au dîner: une salade de mâche et de betterave, une omelette aux champignons et à l'emmental, des pruneaux, du pain.

• Menu 4 -Au déjeuner: une salade d'endives aux pommes et aux noix, du poulet rôti, une jardinière de légumes, un gâteau de semoule, du pain; au dîner: un potage au cresson, des tagliatelles à la tomate et au parmesan, de la compote de rhubarbe, du pain.

Des collations une ou deux fois par jour

Pour éviter les fringales en dehors des repas, prenez des collations: un goûter et, pourquoi pas, un encas dans la matinée si vous vous levez tôt.

L'idéal est de toujours inclure dans vos collations des aliments riches en glucides lents et en protéines pour vous sentir rassasiée et attendre le repas suivant sans céder à l'envie de grignoter.

Fruits, produits laitiers, céréales sont quelques-uns des aliments qui complètent bien les principaux repas. Si, faute d'appétit, vous prenez rarement un fruit, un fromage ou un dessert en fin de repas, ces collations seront d'autant plus importantes pour votre bon équilibre alimentaire. Voici quelques idées:

• un bol de chocolat au lait, une tartine de pain beurrée, une compote;
• un bol de céréales avec du lait;
• un verre d'eau, un petit sandwich jambon-beurre ou fromage, un fruit;
• un thé, quelques petits gâteaux secs, un yaourt;
• un verre de lait parfumé, deux tranches de pain d'épices;
• du raisin, une tranche de pain beurré;
• des fruits secs, un fromage blanc.

Un changement de mode de vie

Durant les premiers mois de votre grossesse, vous allez très certainement vous sentir fatiguée et vous aurez tendance à ralentir le rythme de vos sorties ou à ne pas veiller très tard. Et c'est tant mieux! Surtout quand vous travaillez à l'extérieur et que vous vous levez tôt, tâchez de vous ménager. Si, par choix, vos portes étaient toujours ouvertes aux amis, le temps est peut-être venu de leur demander de modérer un peu leurs visites.

Du cinéma au restaurant : sortir, oui, mais...

Vous pouvez naturellement continuer à fréquenter les salles obscures ou à assister à des spectacles. Aucun problème particulier si ce n'est l'inconfort des sièges. Attention aux sciatiques! Les rangées trop étroites risquent également de mettre vos jambes à rude épreuve. Privilégiez les sièges près des allées qui vous permettront de les allonger partiellement et de sortir si vous avez besoin de prendre l'air, de marcher un peu ou d'aller aux toilettes (ce qui risque d'être de plus en plus fréquent à partir du 6e mois). Petit conseil pratique, munissez-vous d'une lampe de poche. Grâce à elle, vous trouverez le chemin de la sortie sans risque de chute. Dans tous les cas, évitez les boîtes de nuit et les concerts bruyants et proscrivez toutes les manifestations où vous risqueriez d'être bousculée par la foule.

La fatigue, signe d'alerte

C'est le premier signe qui doit vous alerter sur votre mode de vie. Dès que la fatigue se fait sentir, parlez-en à votre médecin, qui décidera s'il vous faut quelques jours de repos salutaires. Renseignez-vous sur un possible aménagement de vos horaires de travail, prévu par la plupart des conventions, et faites valoir vos droits. Méfiez-vous aussi du stress et évitez de multiplier les activités qui s'ajoutent à votre journée de travail.

Ne fréquentez que les restaurants calmes et qui semblent bien tenus. Limitez quand même ce genre de sortie car c'est toujours un peu plus difficile de respecter son hygiène alimentaire quand on mange à l'extérieur ; c'est aussi souvent l'occasion de dîner et de se coucher plus tard que d'habitude. N'hésitez pas, lors de dîners amicaux, et même si vous êtes invitée, à demander que l'on s'abstienne de fumer en votre présence.

Quelques substances nocives à proscrire

L'ALCOOL • Durant la période clé des trois premiers mois, abstenez-vous de boire de l'alcool sous quelque forme que ce soit. Il passe directement dans le sang, et donc dans celui du fœtus via le placenta, qui ne fait pas office de

LE SYNDROME « FÉE DU LOGIS »

- **La famille va bientôt s'agrandir et peut-être avez-vous décidé de déménager.** Si c'est le cas, essayez de le faire au cours du deuxième trimestre plutôt qu'à la fin de votre grossesse.
- **Si vous avez projeté d'entreprendre un grand nettoyage de printemps,** cherchez à vous faire aider. Pas question de risquer de tomber en montant sur un escabeau. Pour votre bien-être et celui de votre bébé, **soyez attentive aux signaux de votre corps, prenez votre temps et faites une pause dès que vous vous sentez fatiguée.**
- **Dans tous les cas, faites attention aux produits utilisés.** Le fœtus absorbant certains produits toxiques, ce n'est pas le moment de vous enfermer dans une pièce mal aérée pour peindre ou manipuler des détachants, teintures ou solvants.
- **Quant au jardin ou à la terrasse, ils ne sont pas prioritaires :** abstenez-vous de pulvériser des insecticides, pesticides ou autres herbicides.

Afin d'éviter un surcroît de fatigue, il faut accepter de ralentir son rythme de vie et privilégier les sorties sans stress.

filtre. Les risques de malformation ne sont pas négligeables. À partir du 4e mois, vous pourrez vous autoriser un demi-verre de vin ou une coupe de champagne dans les grandes occasions. Durant toute la grossesse (et plus si vous allaitez), supprimez les alcools forts (apéritifs, digestifs, etc.).

LE TABAC • Même si cela vous est pour le moment difficile, viendra le jour où vous remercierez votre enfant de vous avoir aidée à écraser votre dernière cigarette. Alors, tenez bon ! Il ne fait aucun doute que la nicotine et, surtout, les oxydes de carbone et les goudrons absorbés ont des effets très nocifs, provoquant des modifications dans la circulation sanguine de l'utérus et du cordon ombilical et une diminution des mouvements actifs et respiratoires du fœtus. Ces manifestations durent environ 30 minutes après la consommation de la cigarette.

Il faut savoir aussi que le tabagisme est responsable de fausses couches, de grossesses extra-utérines et de naissances prématurées.

Enfin, les nouveau-nés soumis tout au long de leur vie utérine à un fort tabagisme ont souvent un poids de naissance plus faible que la moyenne d'environ 200 g. Les risques sont proportionnels au nombre de cigarettes fumées. Si, malgré votre motivation à arrêter de fumer, vous éprouvez trop de difficultés, sachez que les traitements de substitution (patch à la nicotine) ne sont pas contre-indiqués (voir page 71). Parlez-en à votre médecin ou rendez vous à une consultation antitabac, mais ne prenez pas d'initiative sans avis médical.

Et n'oubliez pas de demander au futur papa de s'abstenir de fumer en votre présence. Le tabagisme passif est aussi nocif !

Poursuivre une activité sportive

À priori, ce n'est pas parce que l'on est enceinte que l'on doit demeurer inactive. Pour autant, bien sûr, il n'est pas question de se livrer durant la grossesse à n'importe quel sport. Avec un peu de bon sens et en respectant quelques règles simples, vous saurez conserver la forme pendant ces neuf mois un peu particuliers.

Que peut-on attendre de l'activité physique?

Bien vivre sa grossesse, c'est aussi se sentir bien dans son corps qui se modifie au fil des mois et garder la forme, sans pour autant changer toutes ses habitudes. L'objectif d'une activité physique, durant cette période, n'est pas la musculation. C'est plutôt de maintenir et d'adapter la musculature, de travailler le souffle, d'activer la circulation sanguine et le transit instestinal, d'agir sur les tensions musculaires.

Dans la perspective de l'accouchement, les exercices corporels amènent une meilleure connaissance de soi, une confiance en son corps, une bonne maîtrise de sa respiration, et un profond bien-être. Il faut donc des exercices adaptés, non épuisants, qui tiennent compte des gênes diverses qui peuvent se présenter.

Respecter quelques règles

Bien sûr, vous éviterez les mouvements trop brusques et les sollicitations trop fortes des articulations, fragilisées par la grossesse. Évidemment, vous vous reposerez un peu plus souvent et vous vous abstiendrez de tout effort lors des grosses chaleurs. Mais pensez aussi à conserver une alimentation saine, assez riche en magnésium, car la survenue de crampes est plus courante pendant la grossesse. À cette fin, il vous faudra consommer en abondance légumes, fruits et viande. N'oubliez pas non plus de boire régulièrement de l'eau, par petites gorgées pendant l'effort, afin de prévenir toute déshydratation.

DURANT LE PREMIER TRIMESTRE • Même si vous vous sentez parfaitement en forme, ne prenez pas de risques inutiles. Cela ne veut pas dire qu'il vous faille rester au lit sans oser bouger! Si vous n'avez jamais pratiqué de sport, ce n'est certainement pas le moment de vous y mettre de façon intensive, dans le but illusoire de conserver une silhouette filiforme. En revanche, si vous étiez accoutumée à pratiquer une activité physique, vous pourrez continuer, à condition que celle-ci ne soit pas trop violente. Si vous êtes en bonne santé, votre médecin vous donnera sans doute son accord, mais parlez-lui en d'abord. Il faudra en effet arrêter, un jour ou l'autre, les sports qui secouent beaucoup (course, équitation, saut...), ceux qui sollicitent trop les abdominaux (athlétisme, escalade), ou qui accélèrent le rythme cardiaque.

À vous de percevoir quand c'est le moment de cesser cette activité sportive. Vous sentirez sans doute la limite car vous ne serez plus à l'aise comme avant, ou vous aurez peur, appréhenderez.

À PARTIR DU 4e MOIS • Attention aux sports qui pourraient entraîner des chutes (équitation, ski...), un risque d'autant plus réel que le déplacement du centre de gravité du corps favorise les pertes d'équilibre. De même, renoncez aux sports qui pourraient vous exposer à des

« J'AIME PAS LE SPORT ! »

- **Certes, rien ne vous oblige à pratiquer un sport!** De nombreuses femmes qui n'ont eu aucune activité physique mènent une grossesse épanouie et vivent sans problème leur accouchement. Mais faire un peu d'exercice permet en général de mieux supporter tous les changements physiques. Pratiquer un exercice apporte aussi un regain d'énergie et un sommeil de meilleure qualité.
- **Marcher un peu tous les jours** (une demi-heure) est à votre portée et est utile pour entraîner le souffle, tonifier les muscles des jambes, améliorer le retour veineux. Équipez-vous d'une bonne paire de chaussures et marchez à un rythme où vous vous sentez à l'aise, en essayant de garder le dos bien droit, sans vous voûter, avachir vos épaules ou vous cambrer.
- **Et pourquoi ne pas vous acheter un vélo d'appartement ?** Sans forcer, vous pourrez ainsi exercer votre respiration et travailler vos jambes tout en écoutant votre émission de radio ou votre disque préféré.

chocs au niveau de l'abdomen : sports de balle collectifs, judo, karaté... Le tennis et le jogging ne sont pas davantage recommandés, car ils provoquent des secousses assez fortes et sont source d'entorses. Enfin, on s'en serait douté, l'alpinisme est vivement déconseillé, et la plongée sous-marine, en apnée ou avec une bouteille d'oxygène, est interdite. De toute façon, vous perdrez de votre mobilité, et vous éliminerez de vous-même les sports qui demandent des déplacements rapides, des positions enroulées ou des appuis sur le ventre.

“Pratiquer une activité physique bien adaptée permet de se sentir bien dans son corps, de travailler son souffle et d'activer la circulation sanguine.”

Choisir le bon sport

LA MARCHE

Activité sportive préconisée entre toutes, avec la natation, la marche peut être pratiquée, y compris par les moins sportives, pendant toute la grossesse. Bouger, s'oxygéner et respirer contribuent à se maintenir en forme et de bonne humeur ! Bien sûr, ne forcez pas. Si vous avez consacré une heure à faire des courses ou du ménage, inutile de partir en randonnée ! Et, surtout, n'hésitez pas à vous arrêter au moindre signe de fatigue ou à la moindre contraction. Certaines femmes ont très vite mal au bas du dos ou du ventre en marchant.

LA NATATION

Parce qu'elle est très relaxante, accroît les capacités cardiaques et ne s'accompagne pas de douleurs articulaires, la natation est l'exercice de choix. Le fait de se trouver « à l'horizontale » et de ne pas être soumise à la pesanteur est très important. Si vous aimez l'eau, vous apprécierez la sensation de légèreté qu'elle vous procurera. Veillez toutefois à choisir une piscine dont l'eau n'est pas trop froide (le froid peut en effet provoquer des contractions). Des cours destinés aux femmes enceintes sont souvent proposés dans les piscines municipales, et la température de l'eau est alors adaptée ; renseignez-vous. Si vous ne pratiquez pas la brasse coulée ou le crawl, privilégiez le dos crawlé. En effet, vous risquez de trop vous cambrer en pratiquant la brasse, tête hors de l'eau. Vous pouvez utiliser des accessoires du type « frite » en mousse ou planche, pour faire des mouvements assez lents, dos bien à plat, qui vous aideront à étirer le dos et à bouger les jambes. Travaillez votre souffle en cherchant à ralentir l'expiration et à augmenter vos capacités d'endurance. Enfin, laissez vous porter par l'eau, détendez-vous.

LA GYMNASTIQUE « DOUCE »

Elle est aussi préconisée et peut s'associer à une préparation à l'accouchement. Si vous voulez faire un peu de gymnastique, préférez des séances d'une vingtaine de minutes deux ou trois fois par semaine plutôt qu'un cours d'une heure et bannissez les séries d'abdominaux. À la maison, n'oubliez pas de vous échauffer quelques minutes avant de commencer vos exercices. Évitez néanmoins les étirements violents, car les ligaments tendent à se relâcher pendant la grossesse.

D'AUTRES ACTIVITÉS POSSIBLES

Si vous pratiquiez la danse, vous pourrez poursuivre avec modération en évitant les sauts et le travail des abdominaux. Le yoga est une activité de choix, permettant de se concentrer sur ses sensations, et de maintenir souplesse et tonus jusqu'à l'accouchement. Les postures seront bien sûr adaptées à votre état. Il s'agira avant tout d'un travail sur la respiration, accompagné de mouvements destinés à vous étirer, à vous assouplir, et à soulager vos douleurs lombaires et ligamentaires.
La bicyclette, quant à elle, si elle n'est pas contre indiquée, sera plutôt pratiquée à la campagne, sur sol plat, et à votre rythme. Mais votre « gros ventre » pourra vous gêner les derniers temps !

Côté psy : un sentiment de plénitude

Le deuxième trimestre est très souvent considéré comme la plus belle période de la grossesse. Fini la fatigue et les éventuelles nausées, fini les premières inquiétudes ! Le bébé est bel et bien là, et on le sent maintenant en soi !

Les premiers signes du fœtus

Au deuxième trimestre, la présence du futur bébé perd son caractère un peu irréel. Les femmes qui étaient un peu inquiètes de ne sentir aucun signe de grossesse, ou celles qui appréhendaient une fausse couche précoce, peuvent enfin savourer pleinement la croissance du futur bébé en elle. Le corps qui s'arrondit doucement affirme, quoique de manière encore discrète, que le processus est en cours. Surtout, un jour, plus ou moins tôt, souvent lors du 4e mois, la future maman sent son enfant bouger pour la première fois. Ce léger frôlement suscite une émotion qui dépasse les mots.

Certaines femmes perçoivent dès le 3e mois la présence de leur futur enfant, même si elles n'osent pas toujours croire, dans un premier temps, que cette petite bulle ou ce gargouillis sont de son fait. Puis, plus rien, parfois pendant plusieurs jours. Mais, au fur et à mesure que le fœtus grossit et s'agite davantage, sa présence et ses réactions deviennent de plus en plus perceptibles. Il est dès lors très rassurant, et apaisant, de sentir son futur enfant vivre et bouger en soi.

Comme dans une bulle...

Le contact physique avec le fœtus change tout. Le dialogue avec lui, jusqu'alors strictement mental, se fait aussi charnel. Il est désormais là un être à qui l'on peut parler en pensée, mais aussi par le contact de la main. Certaines commencent déjà à avoir un réflexe de protection, à envelopper leur ventre avec ce geste si caractéristique de l'avant-bras. Pour de nombreuses femmes commence alors la plus belle période de la grossesse. L'état physique est en général meilleur que lors des premiers et derniers trimestres. Le conjoint, l'entourage ou les collègues se montrent parfois plus attentionnés, et leur regard est valorisant.

Dans les situations les plus favorables, la future mère se sent forte, sûre d'elle, comblée en quelque sorte ; elle a le sentiment de vivre un moment unique. Dans ses moments de rêverie, elle crée parfois comme une sorte de bulle autour d'elle et de l'enfant, se plonge en elle-même tout en étant tournée vers lui. Pour le psychanalyste Donald Winnicott (1896-1971), une future mère se trouve dans un état mental particulier, proche de l'état amoureux ; cela lui

QUAND ON RETROUVE SA PROPRE ENFANCE...

- **Le plus souvent, la période de la grossesse amène à la fois à se projeter vers l'avenir, à imaginer les relations avec son enfant par exemple, et à se replonger dans le passé, en se tournant vers son enfance.** Ce balancement entre le passé et le futur permet notamment de s'imaginer en tant que future mère. Va-t-on agir comme l'a fait sa propre mère ? ou, au contraire, chercher à tout prix à se détacher de ce modèle ? A-t-on des souvenirs de tendresse ou de manque ? Chaque femme connaît bien des rêveries et des questions sur ce qu'elle a vécu... Ses pensées seront plus ou moins sereines selon son enfance, selon qu'elle est en paix, ou non, avec sa propre mère.
- **La psychanalyste Monique Bydlowski a parlé d'état de « transparence psychique » concernant la femme enceinte.** Cela signifie schématiquement que les barrières entre conscient et inconscient deviennent plus perméables et que la femme accède mieux que jamais à sa petite enfance.
- Cela peut amener une femme à ressentir tout l'amour qu'elle a reçu, à dépasser d'éventuels conflits avec sa mère, et à se sentir ainsi plus sûre d'elle. **Mais il arrive aussi que des événements ou des ressentis douloureux, jusqu'alors enfouis, refoulés, ressurgissent et fassent mal.** La femme peut alors éprouver un mal-être qu'elle ne parvient pas à surmonter. Les psychologues travaillant en maternité connaissent bien ces états psychiques. Il peut être très réconfortant de leur en parler, et d'initier au besoin une thérapie afin de se libérer de ces émotions passées et de les dépasser.

permettrait de développer jusqu'à la naissance une capacité croissante d'identification et d'empathie avec le futur bébé, ce qui l'aiderait ensuite à comprendre et à satisfaire ses besoins.

Plénitude et inquiétudes

Le deuxième trimestre de grossesse est souvent associé à la plénitude, mais cela ne correspond pas au vécu de toutes les femmes, ou du moins pas de façon permanente. Une grossesse désirée suscite en théorie beaucoup de bonheur. Mais cela n'exclut qu'elle puisse aussi s'accompagner d'un certain mal-être, voire de crises d'angoisse. Dans certains cas, le malaise ressenti, souvent dissimulé au conjoint et aux proches, est lié à l'enfance même de la femme, dont la propre mère a pu se montrer peu présente.

Dans d'autres situations, c'est un certain isolement affectif qui favorise une mélancolie ou un manque de confiance en soi. La grossesse n'efface pas non plus les inquiétudes plus profondes ; elle peut même les réveiller et favorise en général les questionnements d'ordre existentiel. De nombreux psychologues comparent la grossesse au passage de l'adolescence à l'âge adulte, le fait de devenir mère impliquant une véritable révolution intérieure. Pour certaines femmes, la transition semblera facile et amènera en effet un sentiment dominant de plénitude, ou plus simplement, de tranquillité, si la grossesse se passe bien ; pour d'autres, elle sera plus délicate, suscitant, entre autres possibilités, une alternance d'euphorie et d'inquiétude, reflets de tout ce qui se joue alors en soi.

“Je voudrais voir à travers mon ventre”

« J'ai eu une terrible angoisse quand il fallut faire une amniocentèse pour vérifier que mon bébé était normal. Je crois que l'attente du résultat a été un des pires moments que mon mari et moi avons vécu depuis longtemps. Du coup, même si tout ça s'est heureusement fini, je suis plus inquiète que lors de ma première grossesse. Parfois, quand je ne sens plus Loïc bouger, j'aimerais que mon ventre soit transparent pour vérifier qu'il va bien. Je pense que je vais m'apaiser peu à peu. J'étais en effet sereine quand j'attendais mon fils aîné. Cela avait même étonné mes proches, et moi-même, car je suis plutôt quelqu'un de très stressé. J'étais devenue bien plus calme, j'avais vraiment profité de ma grossesse, et cela s'était super bien passé. »

Au cours de la grossesse, il n'est pas rare qu'une femme retrouve des souvenirs très forts de sa propre enfance.

Une sexualité épanouie

Durant la grossesse, la fréquence et la qualité de vos relations intimes dépendent surtout de la façon dont vous vous sentez. Le désir connaît des hauts et des bas, selon votre état physique, votre état d'esprit et celui de votre partenaire. Pour certains couples, le fait d'attendre un bébé stimule les élans amoureux; pour d'autres, cela les affaiblit.

Un dialogue indispensable

Votre envie et celle de votre compagnon restent en la matière essentiels, mais le dialogue est parfois nécessaire pour que tout se passe bien. Si vous trouvez votre compagnon moins fougueux, par exemple, n'hésitez pas à lui demander pourquoi, et n'en concluez pas qu'il ne vous désire plus; il peut éprouver seulement un peu d'appréhension devant les mouvements du bébé qui agitent votre ventre (voir encadré ci-contre).

Bien des facteurs psychologiques entrent en jeu dans le désir, parfois pour le meilleur. Les couples qui ont attendu longtemps l'heureuse nouvelle sont parfois ravis de pouvoir enfin faire l'amour sans se lancer dans des calculs savants pour déterminer la date de l'ovulation, jongler avec les jours et les tests d'ovulation, les tableaux, etc.

Vrai ou faux ?

Quand on fait l'amour, on peut ressentir des contractions.

Vrai. Mais ces spasmes n'ont aucun effet sur l'ouverture du col et ils ne nécessitent pas l'interruption du rapport sexuel. Ce sont des contractions réflexes, comme lorsque passe de la position debout à la position couchée.

Des bouleversements physiques et hormonaux

Outre ces aspects psychiques, les bouleversements physiologiques et hormonaux peuvent avoir, il est vrai, une incidence sur votre désir et sur votre plaisir. Les situations évoquées ci-après sont fréquentes, sans prétendre correspondre, bien sûr, à ce que vivent toutes les femmes…

UNE BAISSE DE LA LIBIDO POSSIBLE LES PREMIERS MOIS • Durant le 1er trimestre, votre corps se transforme. Votre poitrine augmente et vos mamelons sont parfois douloureux. Pour certaines femmes, les nausées, des envies irrépressibles de dormir, une émotivité et une irritabilité accrues font que la sexualité passe au second plan. Ces gênes passagères ne concernent toutefois pas toutes les femmes, et, quand elles sont présentes, chacune les perçoit à sa façon. Les rapports amoureux, alors, peuvent rester inchangés.

UNE SEXUALITÉ ÉPANOUIE AU DEUXIÈME TRIMESTRE • À partir du 2e trimestre, il arrive souvent que votre libido augmente. Vous vous sentez mieux et pas encore « trop volumineuse ». Les hormones accentuent la lubrification du vagin et le rendent plus congestif et sensible. C'est une période où la sexualité peut être intense. En général, rien ne s'oppose aux rapports sexuels. Bien au contraire, les jeux amoureux permettent de maintenir un équilibre dans le couple, et le plaisir donne un meilleur moral. Le bébé, de son côté, est parfaitement accroché et le liquide amniotique fonctionne comme un airbag protecteur. L'interdiction des rapports sexuels n'est prescrite par le gynécologue que de

PEUR DE FAIRE L'AMOUR ?

- **C'est parfois l'homme qui freine les rapports amoureux en milieu de grossesse.** Une raison assez fréquente est la peur de faire mal au bébé en faisant l'amour, voire de le souiller avec son sperme, surtout quand ses mouvements deviennent apparents. Cette crainte est sans fondement. Le pénis ne pénètre jamais dans l'utérus, et le bébé n'est pas gêné du tout par la pression du corps de l'homme sur le ventre maternel (ô combien élastique !), même dans les dernières heures.
- **Une autre réticence, peut-être moins souvent avouée, provient du regard de l'homme sur la maternité.** Certains sacralisent tant ce ventre rond qu'ils introduisent une notion de « péché » dans l'acte d'amour. La situation est alors plus délicate.
- **Dans tous les cas, parlez si possible de vos éventuelles appréhensions à votre compagne,** car, si vous lui tournez le dos sans explications, elle peut en déduire qu'elle n'est plus désirable, voire, pire, qu'elle n'est plus une amante pour vous.

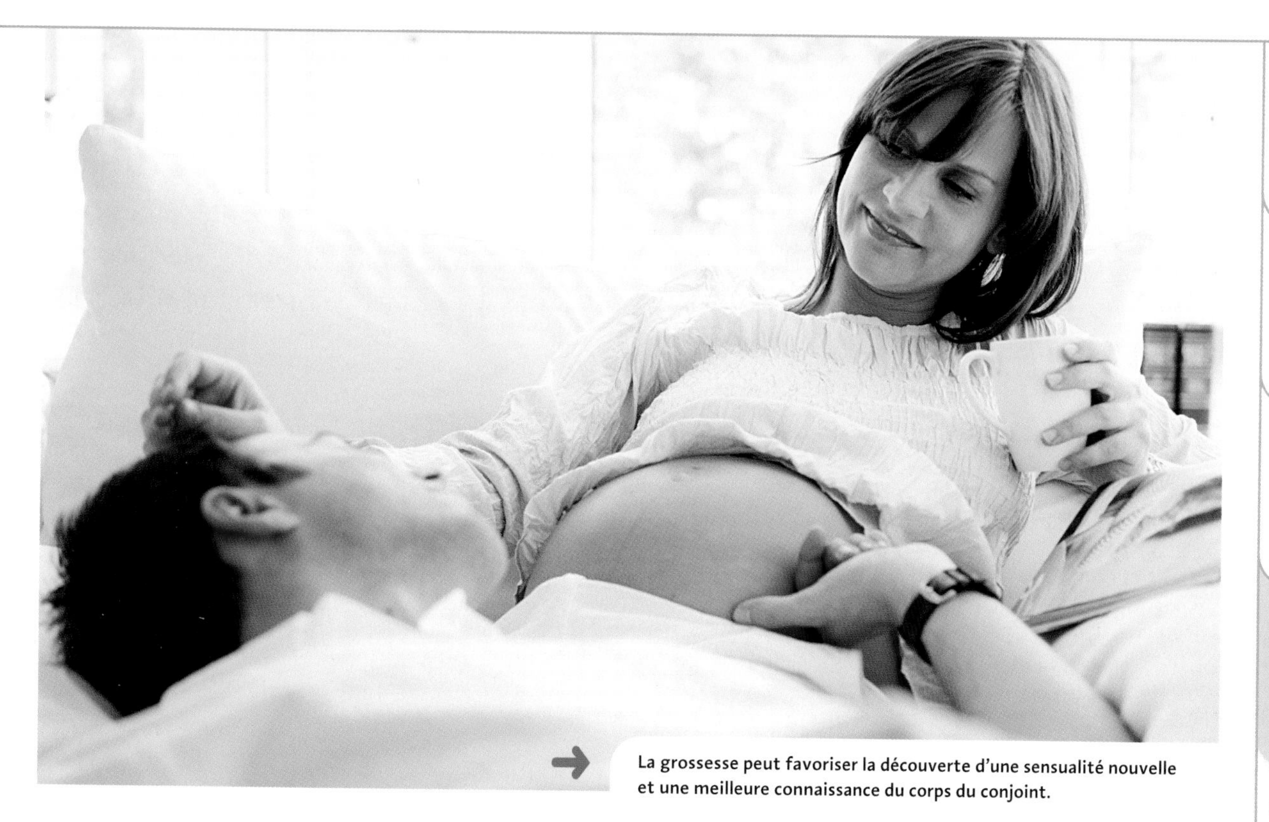

La grossesse peut favoriser la découverte d'une sensualité nouvelle et une meilleure connaissance du corps du conjoint.

façon exceptionnelle (risque d'accouchement prématuré très important, par exemple).

UN VENTRE ENCOMBRANT AU DERNIER TRIMESTRE • Sauf contre-indication médicale, vous pouvez faire l'amour jusqu'aux dernières heures de la grossesse. Le volume du ventre constitue parfois une gêne; mais cette « difficulté » rend certaines personnes très imaginatives. C'est en effet l'occasion d'explorer de nouvelles positions, où les partenaires sont côte à côte ou assis, au lieu d'être couchés l'un sur l'autre. On peut aussi seulement caresser le partenaire, de toutes les manières possibles, et éprouver ainsi du plaisir sans pénétration. Quand la femme est fatiguée et a surtout envie de tendresse, les contacts corporels se font parfois plus chastes, et certains y découvrent une sensualité nouvelle en touchant des zones du corps jugées moins érogènes et auparavant négligées. Et tout cela fait que, pour certains couples, la grossesse, favorisant une meilleure connaissance du corps de l'autre, donne un nouvel élan aux jeux amoureux.

Quelques conseils

Une vie sexuelle épanouie et qui dure se construit rarement en un jour. Elle se développe avec le temps, de la patience, de la compréhension et de l'amour. C'est encore plus vrai pour une relation sexuelle qui traverse les métamorphoses, physiques et psychologiques de la grossesse. Voici quelques conseils pour vous aider.

• Ne vous demandez pas si vous faites l'amour suffisamment souvent. La qualité compte plus que la quantité, et plus encore durant la grossesse.

• N'hésitez pas à essayer de nouvelles positions en vous donnant du temps pour vous y habituer.

• Si vous êtes trop fatiguée à la fin de journée, faites l'amour quand vous en avez envie (lors d'une sieste par exemple).

• Ayez conscience de la pression que vous fait vivre votre responsabilité de futurs parents et de toute modification de l'intensité du désir. Parlez-en ouvertement entre vous, sans chercher à les nier. Si vous n'arrivez pas à les résoudre vous-même, n'hésitez pas à faire appel à un spécialiste.

• Faites preuve de réalisme. Certaines femmes ont parfois un orgasme pour la première fois de leur vie quand elles sont enceintes, mais d'autres ont moins de plaisir durant leur grossesse. Ne vous focalisez pas sur l'orgasme si vous avez peur qu'il déclenche des contractions utérines (même si les contractions après l'orgasme n'ont rien à voir avec celles qui annoncent l'accouchement). L'important est de rester physiquement proche de votre partenaire tout en lui donnant du plaisir. Il est possible de faire l'amour sans pénétration.

Pour le papa, une femme qui change

Votre compagne, dès les premières semaines, n'est déjà plus tout à fait la même, même si son corps apparaît encore inchangé. Puis, progressivement, à partir du 4e mois, elle s'arrondit et s'épanouit. Témoin au quotidien de cette évolution, vous êtes tantôt inquiet, tantôt très fier, ou encore agacé, ou très heureux...

Le décalage des premiers mois

Vous ne remarquez que peu de changements corporels chez votre femme durant les trois premiers mois. Parfois, vous avez même l'impression que la vie continue exactement comme avant, et vous avez du mal à réaliser que votre compagne porte bel et bien un futur bébé.

Divers signes peuvent toutefois déjà témoigner de la présence du fœtus, mais ils diffèrent selon chaque femme : vertiges, fatigue, envie de dormir, irritation ou pleurs passagers sont autant de manifestations possibles mais non obligatoires.

Ce qui est certain, c'est que votre femme sent déjà cette nouvelle vie en elle et qu'elle ne peut pas vraiment vous transmettre cela. Vous risquez donc parfois de vous trouver en léger décalage, elle sachant au plus profond d'elle-même que l'enfant est là, et vous ne réalisant pas vraiment la situation. Ces premiers mois peuvent ainsi susciter entre vous certaines petites incompréhensions.

Une humeur changeante ?

Un début de grossesse n'influe pas toujours sur l'humeur ou le caractère. Mais il est assez fréquent qu'une femme réagisse alors de manière plus émotionnelle à des faits en apparence anodins. Ses pleurs ne signifient d'ailleurs pas qu'elle est très triste, ni ses irritations qu'elle est vraiment fâchée : toutes ces manifestations, comme le rire, sont avant tout l'expression de son émotion.

Bien avant que son ventre s'arrondisse, la femme ressent très fort le bouleversement qui a lieu en elle. Ses éventuels changements d'humeur peuvent vous rendre perplexe, mais ils sont tout à fait normaux. Votre compagne redevient souvent plus sereine vers le 2e trimestre. Mais peut-être est-ce vous à ce moment-là qui entrerez dans une phase de turbulences parce que vous commencez seulement à réaliser...

Ainsi, chacun à votre tour, soyez patient l'un envers l'autre, si vous le pouvez. Quoi que vous fassiez, la grossesse suit son cours. L'important, pour votre femme, est avant tout que vous restiez un compagnon aimant.

Pour vivre pleinement sa grossesse, une femme a besoin avant tout de la tendresse de son compagnon.

Fier de ses rondeurs ?

Dès le début du deuxième trimestre, vous allez voir le corps de votre compagne changer progressivement. Certains hommes se sentent alors très fiers du ventre rond de leur femme. Ils éprouvent un plaisir très masculin à marcher dans la rue auprès d'elle. Ils ont l'impression que leur virilité s'affermit. De même, certaines femmes se sentent plus féminines que jamais. Ces sentiments vont d'ailleurs souvent de pair dans le couple. De façon générale, plus la femme se sent bien dans son corps, plus l'homme la trouve belle, et réciproquement.

Mais vous pouvez aussi par moments trouver bizarre ce corps qui change. Parfois, c'est aussi la femme qui porte un regard critique sur elle-même, quand son ventre grossit au point qu'il faut changer toute la garde-robe, quand le surplus de poids rend la station debout pénible ou entraîne divers désagréments. Votre regard sur elle a alors d'autant plus d'importance.

Si elle se plaint souvent...

Certaines femmes vivent leur grossesse sans aucun désagrément physique, ou presque. D'autres, en revanche, ont quelquefois mal au ventre, ou connaissent des troubles digestifs, ou encore ne peuvent pas rester longtemps debout... Tout cela varie vraiment beaucoup d'une femme à une autre.

Le plus souvent, les éventuels troubles ou douleurs se manifestent en début ou en fin de grossesse. Quand ils apparaissent dès les premières semaines, certains hommes ont parfois du mal à les prendre au sérieux, voire en sont agacés. Ils ont l'impression qu'il leur faut déjà soutenir leur compagne, et ne s'y sentent pas prêts. Celle-ci leur demande pourtant en général juste d'entendre que cela ne va pas très bien. La situation s'améliore d'ailleurs au plus tard au 4e mois.

Faire face aux plaintes de sa femme, il est vrai, n'est pas toujours simple, surtout si elles vous angoissent. Souvent, vous êtes un peu perdu parce que vous ne savez pas très bien si la situation est normale ou s'il y a un quelconque problème. Ou alors vous avez envie d'aider, mais vous ne voyez pas comment. Le mieux est d'en parler. Parfois, votre compagne ne réalise simplement pas que vous êtes inquiet ou perplexe.

CELUI QUI ALERTE PARFOIS... • En théorie, comme elle voit régulièrement la sage-femme ou l'obstétricien, votre femme sait ce qui mérite, ou non, une consultation rapide. Mais vous pouvez jouer également un rôle de sentinelle. Soyez attentif et conseillez-lui par exemple de consulter si vous voyez qu'elle vomit tout le temps, ou qu'elle a trop souvent mal au ventre. De façon générale, toute douleur ou troubles de l'humeur qui persistent n'est pas bon signe. Vous la connaissez sans doute assez pour savoir à quel moment elle perd pied et se trouve trop fatiguée pour réagir. Dans ce cas, n'hésitez pas à l'accompagner chez le médecin.

Savoir faire confiance

Même si elle a de temps en temps besoin de votre aide, votre femme n'est pas plus fragile parce qu'elle est enceinte. Certaines trouvent dans cet état un épanouissement qui les rend plus fortes, plus sûres d'elles. Dans la plupart des cas, la future maman, suivie et conseillée par les médecins, sait ce qui est bon pour elle et pour l'enfant.

Si, du fait des contraintes professionnelles, il lui arrive parfois de tirer un peu trop sur la corde, vous pouvez l'inviter à se ménager. Mais, de façon générale, faites-lui confiance. Si elle vous dit qu'elle peut très bien mener une activité, laissez-la en décider. Elle n'a pas besoin de votre sollicitude, mais de votre amour. Si vous avez l'impression de ne pas assez participer à sa grossesse, dites-vous bien que l'important est d'être avec elle.

QUAND LE PÈRE PREND DU POIDS...

- **Il arrive, durant la grossesse, qu'un homme prenne du poids, ou ait des douleurs dorsales inhabituelles, ou présente des symptômes ressemblant à ceux d'une femme enceinte.** Cette situation suscite parfois un sourire amusé ou attendri de l'entourage, qui y voit la preuve d'une grande implication du futur père.
- **Les médecins, eux, parlent de « couvade »,** en référence à un rite en usage dans certaines civilisations indiennes d'Amérique : l'homme, dans ce cas précis, mime la grossesse et l'accouchement, en accomplissant certains gestes très codifiés, et devient de la sorte père de son enfant devant la société.
- **En Europe, ce qu'on appelle la couvade révèle plutôt un désir très ambigu de maternité chez l'homme,** un désir impossible. Ce n'est pas bien grave, mais cela mériterait une attention sans doute plus grande de la part de l'entourage et des médecins.
- **Ces hommes auraient peut-être besoin de parler plus que d'autres de ce qu'ils ressentent... Ne serait-ce que lors d'une consultation en tête à tête avec la sage-femme ou le médecin.** La couvade ne serait pas tant une preuve que l'homme s'implique qu'une question d'identité.

Le cinquième mois

- Le développement du bébé
- Du côté de la maman
- La deuxième échographie
- De nombreuses petites douleurs
- Si le sang circule moins bien
- Autres désagréments de la grossesse
- Quand consulter en urgence ?
- Les complications liées à la grossesse
- Alimentation : un poids à surveiller
- Choisir ses vêtements
- Côté psy : vivre sa vie de couple
- Pour le papa : premiers contacts avec le fœtus

Le développement du bébé

Au cours de ce 5e mois, qui s'étend de la 18e à la 22e semaine de grossesse, votre bébé va se manifester de plus en plus nettement par des mouvements mieux coordonnés car ses muscles sont plus vigoureux, son squelette est plus solide et son système nerveux plus évolué.

Les premières galipettes

Votre bébé a donc acquis une bien meilleure motricité et peut même faire des galipettes ; vous le sentez enfin bouger et pousser avec ses pieds sur votre paroi abdominale ! Lorsqu'il remue ses bras et ses jambes, une petite bosse peut apparaître sur votre ventre ; la première fois, vous serez surprise et émue, puis cela deviendra un jeu de lui faire un petit signe en le caressant à ce moment-là. Il a des périodes d'activité et des périodes de sommeil, nettement plus longues, et qui ne coïncident pas avec les vôtres ; autrement dit, il peut se mettre à gigoter pendant que vous dormez, et vous réveiller…

La métamorphose continue

Il va encore grandir et, dès la fin du 5e mois, il mesurera déjà entre 18 et 24 cm. En grandissant et en grossissant, son corps prend des proportions plus équilibrées, de sorte que sa tête commence à paraître un peu moins volumineuse par rapport au reste du corps. Votre bébé fait toutes sortes de grimaces et fronce les sourcils. Même s'ils sont encore très fins, ses cheveux et ses cils sont visibles. Les ongles se forment. Sa peau est fripée et rosée, mais un peu moins translucide (à la fin du 5e mois, on ne voit plus les petits capillaires sanguins). Elle est recouverte d'un enduit blanchâtre appelé « vernix », riche en graisse et en vitamines, qui le protège du liquide amniotique.

Si c'est un garçon, ses testicules ont commencé à descendre depuis la cavité abdominale vers le scrotum. Si c'est une fille, le vagin commence à se former.

Attention !

Les descriptions du développement de l'embryon sont faites en semaines de gestation, comptées depuis le début effectif de la grossesse. Pour suivre le développement par rapport aux semaines d'aménorrhée, il suffit de rajouter deux semaines : par exemple, la 18e semaine correspond à la 20e semaine d'aménorrhée.

SENTIR LES MOUVEMENTS DU FŒTUS

- L'anxiété liée à l'attente du premier mouvement de son bébé est vite remplacée par celle que l'on ressent s'il ne bouge pas suffisamment ou si l'on ne sent rien depuis un certain temps. Au 5e mois, ces frayeurs sont souvent inutiles, même si elles sont bien compréhensibles.
- **La fréquence des mouvements est très variable.** Le fœtus est pratiquement toujours actif, mais seuls les mouvements les plus importants sont perceptibles. Certains peuvent vous échapper : vous pouvez, par exemple, être trop occupée pour les remarquer.
- Sachez également que **votre activité, si vous marchez ou bougez beaucoup, le berce et l'endort.**
- **Enfin, c'est souvent la nuit, quand vous dormez, qu'il est le plus actif** (c'est le cas de la majorité des bébés).
- **Pour le sentir bouger, si vous n'avez rien perçu dans la journée, allongez-vous le soir une heure, de préférence après avoir pris une boisson, par exemple un verre de lait.** Cet apport d'énergie associé à votre repos devrait vous permettre de mieux percevoir les mouvements du bébé.
- **Avant la 20e semaine d'aménorrhée, il est fréquent de ne constater aucun mouvement du fœtus pendant 1 ou 2 jours,** voire 4 jours consécutifs.
- Après la 28e semaine d'aménorrhée, ses mouvements deviennent plus évidents et vous les sentirez un peu plus facilement.

Au 5e mois, le nez et la bouche sont déjà bien dessinés, les traits du visage sont assez fins.

1er mois
2e mois
3e mois
4e mois
5e mois
6e mois
7e mois
8e mois
9e mois

Du côté de la maman

Après la disparition des symptômes désagréables du premier trimestre, vous voilà rassurée par la deuxième échographie et, peut-être même savez-vous si vous attendez une fille ou un garçon... Tous les désagréments n'ont pas pour autant disparu, de nouveaux peuvent apparaître. Vous travaillez sans doute encore et parfois la fatigue se fait plus forte. Raison de plus pour prendre le temps de vous occuper de vous.

De nouveaux désagréments

Même si vous vous sentez de mieux en mieux parce que les nausées ont probablement disparu et que votre ventre n'est pas encore encombrant au point de vous empêcher d'être très active, vous êtes aussi assez vite essoufflée, ce qui vous incite à limiter les efforts physiques. Pensez à faire des exercices de relaxation, ils vous aideront à mieux respirer.

Mal de dos, douleurs abdominales, brûlures d'estomac, crampes et fourmillements dans les membres, jambes lourdes, varices, pieds gonflés, démangeaisons, saignements de nez sont les désagréments les plus souvent cités par les femmes enceintes à ce stade de leur grossesse (voir pages 166 à 169). Vous ressentez également sans doute une sensibilité plus forte à la chaleur ; vous avez souvent trop chaud et vous transpirez davantage.

Ne vous découragez pas, il existe en effet de nombreuses solutions pour vous aider à passer ce nouveau cap et vous soulager de ces divers maux. N'hésitez pas à demander conseil à votre médecin et à en parler à vos amies qui ont été confrontées à des soucis similaires.

L'esprit vagabond

Voilà que vous oubliez vos clefs, que vous n'arrivez plus à vous plonger dans vos lectures, que vous laissez brûler le repas... Le futur bébé influerait-il sur vos capacités de concentration ? Il est vrai qu'il habite vos pensées autant que votre corps. Il n'y a donc rien d'étonnant à ce que parfois votre attention vagabonde et que vous ayez l'esprit ailleurs. Peut-être même ne reconnaissez-vous plus certaines de vos réactions. Ainsi, avec une sensibilité à fleur de peau, vous vivez l'attente à votre façon.

C'est le temps de...

Parler du bébé à votre aîné. Utilisez des mots simples, en tenant compte de son âge et en vous mettant à sa place. Choisissez des moments calmes et laissez-le libre de poser des questions.

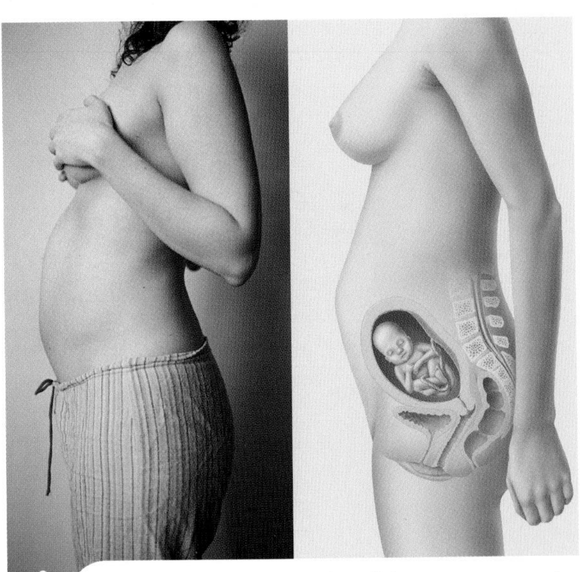

Le 5e mois : dans le cerveau, les cellules nerveuses se sont multipliées, et tout est en place.

Votre silhouette

Au 5e mois, votre ventre s'arrondit vraiment et votre grossesse devient particulièrement visible. Pour certaines femmes, le ventre reste discret et c'est tout à fait normal. C'est souvent la période durant laquelle vous commencez à avoir besoin de nouveaux vêtements (voir pages 178 et179).

Les femmes ont plusieurs manières de porter leur bébé. Les possibilités sont illimitées. Elles dépendent de votre taille, de votre morphologie, du poids que vous avez pris, du poids et de la position du fœtus (s'il se trouve vers le haut ou le bas, s'il est vertical ou horizontal).

J'ai des taches foncées sur le visage. Vont-elles rester après la grossesse ?"

ATTENTION AU SOLEIL !

Des taches de couleur marron sur le front, les tempes, les joues à la première apparition du soleil ? Il s'agit du fameux masque de grossesse. Appelé aussi « chloasma », il touche 70 % des femmes enceintes, à partir du 4e mois. Les peaux mates sont les plus touchées par ces défauts de pigmentation, dus, durant la grossesse, à une forte poussée des hormones qui favorise une augmentation de la synthèse de la mélanine.

Que faire pour prévenir ce phénomène ? Évitez toute exposition au soleil, naturellement. Appliquez un écran solaire total, même en ville, dès les beaux jours. Chaussez vos lunettes et coiffez-vous d'un chapeau à larges bords en cas de fort ensoleillement. Si des taches surviennent malgré ces précautions, sachez qu'elles disparaissent en général six mois après l'accouchement.

Quand elles persistent, il est nécessaire d'utiliser une crème dépigmentante que vous prescrira votre dermatologue. Appliquée sur les taches chaque soir, pendant quelques mois, en complément d'un écran solaire le jour, elle viendra à bout du masque le plus tenace. On utilise habituellement les crèmes à base d'hydroquinone associée à un corticoïde, la vitamine A acide ou les alpha hydroxyacides (AHA).

Après votre accouchement et une fois la peau dépigmentée, évitez de prendre une pilule contraceptive à base d'œstrogènes (parlez-en à votre gynécologue).

THALASSOTHÉRAPIE ET MASSAGES

- **Personne ne mérite et n'a autant besoin de prendre soin de soi qu'une femme enceinte!** (à l'exception d'une jeune maman, mais il lui est plus difficile d'en trouver le temps). Rien de tel qu'un massage pour faire disparaître les douleurs, le stress, et les tensions liés à une grossesse. Il n'y a aucune appréhension à avoir si vous suivez quelques conseils.
- **Vérifiez tout d'abord auprès de votre médecin que rien ne s'y oppose.**
- **Lorsque vous prenez rendez-vous, précisez que vous êtes enceinte** afin que l'on vous fasse des soins adaptés. Sur place, assurez-vous que le personnel qui s'occupe de vous est au courant, surtout si votre grossesse n'est pas encore très visible lorsque vous êtes encore habillée.
- **Vérifiez que le masseur est formé aux techniques prénatales.**
- **Évitez les huiles essentielles** car leurs effets sur une femme enceinte sont encore peu connus. Soyez vigilante si un soin ou un massage les utilise.
- **Évitez de rester allongée trop longtemps sur le dos.** Tous les soins du visage, des mains, des pieds peuvent être effectués en position assise, inclinée dans une chaise longue ou allongée sur le côté gauche.
- Votre peau étant très sensible à cause des hormones produites lors de la grossesse, évitez les soins du visage utilisant des produits irritants, à commencer par les gommages à base d'acide glycolique. Parlez-en à l'esthéticienne qui s'occupe de vous.
- **Évitez sauna, bain en eau trop chaude et enveloppement aux plantes** car ils risquent de trop élever la température de votre corps. En revanche, un bain juste chaud dans le cadre d'une hydrothérapie est sans danger et relaxant.
- **Évitez d'inhaler des produits chimiques agressifs:** un soin des mains ou des pieds doit toujours être pratiqué dans un lieu bien ventilé.
- **En rentrant de votre séjour, si vous avez pris goût aux massages, cherchez un thérapeute qualifié et membre d'un organisme national accrédité,** comme la Fédération française du massage de bien-être ou la Fédération française des masseurs kinésithérapeutes. Cherchez un thérapeute formé pour masser une femme enceinte. Il doit posséder une table adaptée afin que vous soyez confortablement installée lorsqu'il vous massera le dos. Il ne doit pas vous masser le ventre ou, à la limite, le faire avec beaucoup de légèreté. Enfin, il ne doit pas utiliser d'huiles essentielles.

La deuxième échographie

Programmée à mi-parcours de la grossesse, la deuxième échographie est primordiale pour la surveillance du développement du bébé. Mais elle est aussi l'occasion d'exprimer éventuellement le souhait de connaître le sexe de son bébé.

À quoi sert l'échographie du deuxième trimestre ?

La deuxième échographie de dépistage, proposée autour de la 20e semaine de grossesse (22e semaine d'aménorrhée), joue un rôle très important. D'une part, on s'assure que la mise en place de l'architecture de base des différents organes du bébé s'est bien effectuée. D'autre part, on recherche des signes, pas toujours pathologiques, qui vont entraîner un suivi particulier de la grossesse : par exemple, un trouble modéré de la croissance du fœtus va induire d'abord une mise au repos de la maman, puis un nouveau contrôle quelques semaines plus tard, pour s'assurer d'un retour à la normale.

Peut-on tout détecter ?

La fiabilité de l'échographie ne cesse d'augmenter, et les « surprises » à la naissance sont de moins en moins fréquentes. Mais, comme toute méthode, cet examen connaît des limites, et on ne peut espérer tout détecter.

LES LIMITES DU DÉPISTAGE • Certaines pathologies ou certaines malformations, comme la surdité, ne seront jamais accessibles à l'échographie. D'autres ne le sont pas encore, mais pourraient le devenir. Par ailleurs, certaines maladies ne sont pas recherchées lors des examens de dépistage, parce qu'elles sont sans conséquence pour l'avenir de l'enfant, que leur diagnostic prénatal ne lui serait d'aucun profit ou encore qu'elles sont trop exceptionnelles. Enfin, des malformations ou pathologies ne se manifestent pas toujours par des symptômes prénatals : 5 à 10 % des enfants trisomiques 21, par exemple, ne présentent aucun signe évocateur prénatal.

QU'EST-CE QU'UN « SIGNE D'APPEL » ? • Souvent l'échographie révèle un « signe d'appel », c'est-à-dire un symptôme échographique qui ne signifie pas qu'il y a une maladie ou une malformation, mais qui signale l'éventualité d'un risque. On réalise alors un autre examen (échographie orientée, amniocentèse, IRM...) pour affirmer la pathologie

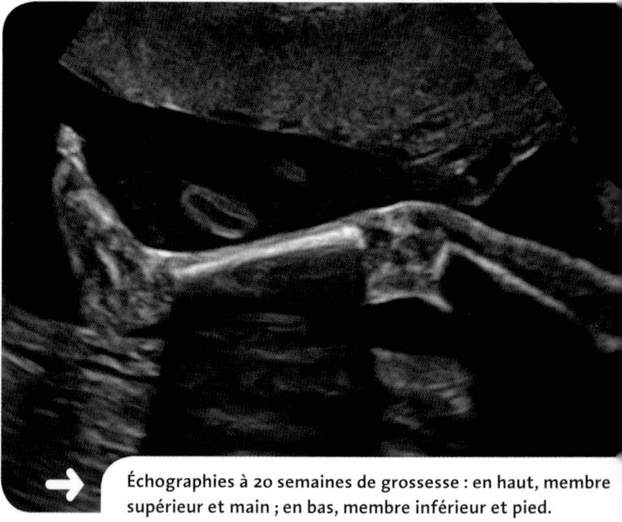

Échographies à 20 semaines de grossesse : en haut, membre supérieur et main ; en bas, membre inférieur et pied.

CONNAÎTRE OU NON LE SEXE DU BÉBÉ

- **La détermination du sexe du fœtus est rarement utile, d'un strict point de vue médical.**
- Certains parents souhaitent ardemment connaître le plus tôt possible le sexe de leur enfant notamment pour des raisons pratiques (choix du prénom et de la layette, par exemple), d'autres couples, moins nombreux, s'y opposent fermement et préfèrent faire durer le suspense.
- **Parfois, les parents ont des positions opposées sur la question,** ou sont influencés par la pression insistante de l'entourage.
- **Quoi qu'il en soit, l'information n'est jamais neutre** et, une fois que l'on sait, on ne peut plus faire comme si on l'ignorait. Le mieux est certainement d'adopter une position commune au sein du couple et **d'en informer l'échographiste en début d'examen.**
- Si vous avez choisi de demander à connaître le sexe de votre bébé, **n'oubliez pas pour autant que même lorsqu'il s'agit d'une échographie pratiquée par un échographiste expérimenté, l'erreur est exceptionnelle mais qu'elle peut toujours arriver.**

ou, bien souvent, l'exclure. Certains diagnostics demandent une recherche particulière, parfois à un moment très précis de la grossesse. C'est toute la différence entre les échographies de dépistage, qui concernent toutes les grossesses, et les examens spécialement orientés en raison d'un antécédent ou d'un contexte particulier. Les progrès technologiques, l'expérience acquise, la collaboration entre les différentes disciplines médicales font que la détection des pathologies est moins aléatoire et que leur évaluation est plus précise.

Tout est normal, docteur ?

Toute consultation d'échographie se termine par la remise d'un compte-rendu dans lequel sont énumérés les points explorés, les constatations faites et les différentes mesures. Ce document est un élément important du dossier médical de la grossesse et il est destiné à informer tous les intervenants (famille et médecins) des résultats de l'examen. Il est donc sincère par nécessité. En cas de pathologie, il est rare qu'un diagnostic précis, définitif soit fait sur un seul examen. Le plus souvent, c'est le contrôle ultérieur, l'évolution, la confrontation avec d'autres examens ou le recours à d'autres spécialistes qui permettront d'avoir une idée claire de la situation. La règle de transparence est bien appliquée et, à chaque étape, vous serez honnêtement informée. Le médecin vous exposera les éléments concrets dont il dispose, et ce qu'ils peuvent laisser craindre. Mais il sera réservé sur les points encore en suspens. Cette nécessaire prudence n'est pas très confortable pour les parents, qui voudraient bien tout savoir d'emblée.

Fort heureusement, les situations compromettant sévèrement l'avenir de l'enfant sont exceptionnelles. Une proposition de contrôle échographique ou de bilan complémentaire répond le plus souvent, à des motivations bénignes : tel élément a une valeur « limite » et l'on vérifie par deux examens successifs qu'il reste stable ou se normalise, telle structure n'a pas été explorée de manière satisfaisante en raison de difficultés techniques…

Parfois, rarement, il s'avère qu'il existe une authentique malformation. Avant tout, l'essentiel est de confirmer l'hypothèse au moyen d'échographies spécialisées ou d'autres explorations, afin de pouvoir éclairer les parents sur les décisions qui pourraient être prises. Selon les cas, des consultations avec des spécialistes de la pathologie en question sont proposées. En France, ce sont en général les centres pluridisciplinaires de diagnostic prénatal (il en existe quarante-huit) qui assurent ce type de prise en charge.

Exceptionnellement, un traitement in utero se révèlera utile. Parfois, le pronostic paraît si péjoratif qu'une interruption de la grossesse est envisagée. Celle-ci peut être décidée à tout moment si la mère en fait la demande auprès d'un centre pluridisciplinaire de diagnostic prénatal.

Le plus souvent, la pathologie découverte est accessible à un traitement et c'est la possibilité d'anticiper, de prévenir les complications, en organisant au mieux les conditions de la naissance et la prise en charge pédiatrique, qui offre les meilleures chances de succès thérapeutique.

LE POINT DE VUE DE BÉBÉ

On appuie sur le ventre de maman et à plusieurs endroits. Que se passe-t-il ? Je sens des vibrations inhabituelles qui me surprennent. Curieux, ça me suit ! Cela, je ne connais pas. J'ai envie de jouer à cache-cache, presque envie d'aller de l'autre côté si on insiste trop. Voudraient-ils savoir ? Fille ou garçon, je ne vais pas leur montrer ! Coucou, ce sera moi, devinez ! Et en attendant le grand jour, sentez-moi avec votre cœur, vos yeux du dedans et vos bonnes mains !

De nombreuses petites douleurs

Des douleurs ponctuelles sont fréquentes durant la grossesse et varient selon chaque femme: les unes sont davantage gênées par le mal de dos, d'autres par des crampes, d'autres encore ont mal au ventre, simplement à cause de l'étirement de certains ligaments du bassin. Dans la plupart des cas, le repos peut soulager ces douleurs diverses.

« J'ai mal partout »

DES DOULEURS ABDOMINALES • Avoir mal au ventre est parfois angoissant, car on craint des contractions. Celles-ci sont toutefois assez caractéristiques: on a mal dans tout l'utérus et ce dernier prend la forme d'une boule dure. En cas de doute, mieux vaut en parler à son médecin. Dans la plupart des cas, il vous rassurera. Près de la moitié des femmes, en effet, souffrent dès les premiers mois de tiraillements, puis, à partir du 5e mois, de véritables douleurs au niveau de l'abdomen ou de l'aine. Parfois, ces douleurs sont liées à des difficultés digestives. Souvent, elles sont aussi dues à l'étirement des ligaments et font souffrir en bas du ventre et sur les côtés. Dans ce cas, le médecin vous prescrira éventuellement des vitamines et des relaxants musculaires. Mais c'est avant tout le repos qui vous soulagera.

DES DOULEURS DANS LE DOS • Le mal au dos est fréquent à partir du 5e mois. Ne serait-ce que parce que l'utérus, devenu plus gros, sollicite la colonne vertébrale et que votre cambrure s'accentue. Certains exercices (voir pages 222 à 225) ou la nage sur le dos peuvent alors renforcer tous les muscles, soumis à un effort accru. De façon préventive, il est conseillé d'éviter les longues stations debout et de ne pas porter de lourdes charges. Pour soulever un objet pesant, ne courbez jamais le dos, mais fléchissez plutôt les jambes. Veillez à vous asseoir le dos bien droit (voir page 198) et ne restez jamais assise trop longtemps; essayez de limiter la station assise à 1 heure, puis marchez et étirez-vous. Surveillez aussi votre poids: tout kilo excédentaire serait une charge supplémentaire pour votre dos, déjà mis à mal.

En cas de douleurs, du repos, dans un lit, bien au chaud, sera le meilleur des remèdes. Toutefois, quand la douleur part de la fesse et se prolonge de l'arrière de la jambe jusqu'aux orteils, elle révèle en général l'existence d'une sciatique, et mieux vaut alors consulter.

Brûlures d'estomac

Contrairement aux nausées matinales et à la fatigue, les brûlures d'estomac restent parmi les troubles physiques les plus souvent cités. Entre le 4e et le 9e mois de grossesse, elles sont accentuées par la pression exercée sur l'estomac par l'utérus, de plus en plus volumineux. Si vous avez après les repas des brûlures d'estomac, accompagnées ou pas d'un goût acide dans la bouche, il s'agit là d'un reflux gastro-œsophagien: le sphincter (une sorte de clapet) situé en bas de l'œsophage ne se ferme plus bien, et laisse remonter l'acidité gastrique contenue dans l'estomac. Les brûlures seront moindres si vous évitez les repas copieux, les sodas, le thé, le café, et des aliments tels que les plats en sauce ou pimentés, les substances acides, les épices, les crudités, les graisses cuites.

Il est aussi déconseillé de s'allonger sitôt après le repas. Si vous avez besoin de repos, restez semi-assise, le buste surélevé. Certains médicaments soulagent la douleur causée par ces brûlures. Mais ne prenez rien sans prescription médicale, et surtout pas de bicarbonate de soude.

Crampes et fourmillements

Les crampes aux pieds et aux mollets surviennent le plus souvent la nuit, en position allongée. Si la douleur vous réveille, voici comment votre compagnon peut vous aider : vous maintenir la jambe bien tendue en poussant les orteils vers vous, et masser le mollet de bas en haut. Si ces crampes sont fréquentes, un médecin vous prescrira éventuellement de la vitamine B6 et du magnésium.

“Depuis que je suis enceinte, j'ai en permanence des problèmes de digestion et des régurgitations. Y a-t-il un risque pour mon bébé ?”

PROBLÈMES DIGESTIFS

Ces troubles ne sont pas perçus par votre bébé et n'affectent pas sa santé.

Si les problèmes de digestion observés au cours de la grossesse ont, le plus souvent, la même origine (généralement des abus) que les troubles ressentis par tout un chacun, d'autres causes viennent s'ajouter. Dès le début de la grossesse, le corps produit des hormones qui ont tendance à relâcher les tissus des muscles lisses dans toutes les parties du corps y compris le système gastro-intestinal. De ce fait, les aliments sont acheminés plus lentement à travers les voies digestives, ce qui entraîne des ballonnements et des troubles de la digestion. Sachez toutefois que ce phénomène est bénéfique au bébé car ce ralentissement favorise une meilleure absorption des nutriments par le système sanguin et, de ce fait, par le placenta qui assure la croissance du bébé.

Rares sont donc les femmes qui ne souffrent pas de troubles de la digestion à un moment ou à un autre de leur grossesse. Voici quelques conseils pour les éviter.

- Veillez à ne pas prendre trop de poids.
- Faites 5 ou 6 petits repas par jour plutôt que 3 copieux. Mangez lentement et mâchez consciencieusement.
- Ne faites pas un repas copieux juste avant de vous coucher.
- Évitez les aliments acides (vinaigre, citron, pamplemousse) et trop épicés ; les aliments à base de fibres irritantes (poireaux, asperges, etc.) ; le café, le thé, le chocolat ; les boissons gazeuses ; le chewing-gum.
- Ne portez pas de vêtements trop ajustés à la taille pour ne pas couper la digestion.
- Dormez avec la tête surélevée d'environ 15 cm.
- Décontractez-vous le plus souvent possible et appliquez la méthode de relaxation qui vous convient.
- Parlez de vos troubles à votre médecin s'ils persistent.

LA BONNE POSITION POUR DORMIR

- Pour limiter un grand nombre de troubles liés à la grossesse, la qualité du sommeil est essentielle.
- Si vous aimez dormir sur le dos ou sur le ventre, vous allez rapidement prendre conscience qu'il va falloir changer vos habitudes car votre ventre commence à vous gêner.
- **La position sur le dos n'est pas la plus confortable parce que tout le poids de l'utérus pèse alors sur votre dos, sur vos intestins et sur les deux vaisseaux principaux du corps :** l'aorte (qui amène le sang du cœur au reste du corps) et la veine cave inférieure (qui ramène le sang du bas du corps au cœur). Rien de tel pour aggraver des douleurs au niveau du dos ou des hémorroïdes, ralentir la digestion, gêner la respiration, etc.
- **L'idéal pour vous et votre bébé est de vous placer sur le côté** (gauche de préférence), en « chien de fusil » ou allongée, en mettant éventuellement une jambe par-dessus l'autre et en y intercalant un coussin. Ainsi, l'apport de sang et de nutriments est optimal. En outre, cela accroît la fonction rénale : vous éliminez mieux les déchets et l'eau, ce qui diminue le risque d'œdèmes aux chevilles, aux pieds et aux mains.
- **Ne vous inquiétez pas si vous vous réveillez sur le dos ou sur le ventre.** Contentez-vous de vous remettre sur le côté si cette position vous est inconfortable. De toute façon, vous sentez très bien ce qu'il convient d'adopter comme position.

C'est le temps de...

Pour les différents maux de la grossesse (douleurs du dos, insomnies, problèmes digestifs...), vous pouvez vous tourner vers les médecines naturelles à condition que les praticiens vous soient recommandés.

Si le sang circule moins bien

Les jambes lourdes, les varices, les hémorroïdes sont autant de signes d'une mauvaise circulation sanguine. Dans la plupart des cas, ces troubles sont temporaires et résultent d'une dilatation globale des veines. En général, tout rentre dans l'ordre après l'accouchement. Quelques précautions limitent la gêne et permettent d'éviter d'éventuelles complications.

La sensation de jambes lourdes

Aggravée dès qu'il fait chaud, la sensation de jambes lourdes est le plus souvent liée à la circulation sanguine. Elle peut s'accompagner de gonflements et de fourmillements. Dès que ces petits troubles apparaissent, il est conseillé de bannir si possible les longues stations debout sans bouger, la position jambes croisées, les talons plats, les ceintures, les bottes et chaussettes serrant les mollets.

Tout ce qui peut accroître la chaleur au niveau des jambes est également proscrit: les bains chauds, l'épilation à la cire chaude, les séances de bronzage, le chauffage par le sol. En revanche, la marche et la natation ne pourront que vous faire du bien. Tout cela permettra la plupart du temps d'éviter un inconfort croissant avec l'avancée de la grossesse ou éventuellement l'apparition de varices (dilatations anormales des veines).

Si les pieds ou les chevilles enflent

Il arrive que de petits gonflements au niveau des pieds, des chevilles ou des jambes apparaissent; ils sont le résultat de l'obstacle veineux imposé par l'utérus volumineux. Ces petits œdèmes n'empêchent pas de se déplacer, mais n'en sont pas moins gênants. Pour vous soulager, le médecin vous prescrira le port de bas de contention et éventuellement des veinotoniques. Mais il est inutile, voire nocif, de limiter sa consommation de sel.

EN CAS DE VARICES • Les varices apparaissent le plus souvent sur les jambes, et parfois aussi sur les cuisses. Problème esthétique mis à part, leur présence n'entraîne pas toujours une gêne. On peut avoir des varices sans souffrir et, à l'inverse, sentir souvent ses jambes lourdes sans qu'apparaissent des varices. Quoi qu'il en soit, il est conseillé de respecter tous les conseils qui précèdent. Pour soulager vos jambes, douchez-les à l'eau froide, dormez en les surélevant grâce à un traversin placé au pied

PRENDRE SOIN DE SES PIEDS ET DE SES JAMBES

- Pour limiter les problèmes de circulation sanguine, il est important de bien se chausser et de ménager ses jambes.
- **Choisissez des chaussures confortables; ne portez ni talons hauts ni talons plats,** l'idéal étant des talons bien larges d'environ 3 cm de haut, avec des semelles antidérapantes.
- Privilégiez le cuir ou la toile pour que vos pieds puissent respirer; ils gonfleront moins.
- **N'hésitez pas à essayer une pointure supérieure à celle que vous prenez habituellement si vos pieds s'élargissent** du fait des œdèmes ou de votre prise de poids (pour choisir la bonne taille, faites un essayage de préférence en fin de journée, lorsque vos pieds sont gonflés).
- **Évitez impérativement les bottes si vous avez les jambes lourdes et souffrez de problèmes vasculaires.**
- **Il existe des chaussures et des semelles spécialement conçues pour corriger le déplacement de votre centre de gravité, ce qui soulagera votre dos mais aussi vos pieds et vos jambes.** Demandez conseil à votre médecin ou dans un magasin spécialisé.
- N'hésitez pas à porter des chaussons plusieurs heures par jour pour soulager les douleurs aux pieds et aux jambes.
- **Quand vous êtes assise, ne croisez ou n'étendez pas les jambes** pour éviter des problèmes vasculaires (varices, varicosités, œdèmes). L'idéal serait de surélever légèrement ses pieds.
- **Ne restez pas assise plus de 1 h** d'affilée et marchez quelques minutes pour stimuler la circulation sanguine.

Se relaxer avec les jambes à la verticale contre un mur est un moyen tout simple de stimuler la circulation sanguine.

du lit, et multipliez les pauses dans la journée. Le médecin ne pourra pas beaucoup vous aider, même si certains médicaments soulagent. Il vous conseillera sans doute le port de bas de contention. Les varices disparaissent en général dans les six mois suivant l'accouchement.

Soigner les hémorroïdes

Les hémorroïdes sont aussi une dilatation des veines ; ce sont des varices situées autour de l'anus. Elles sont surtout fréquentes en fin de grossesse, font davantage mal après l'accouchement et s'atténuent ensuite progressivement. Provoquant des douleurs ou une sensation de pesanteur, elles deviennent moins sensibles quand on fait attention à son alimentation. Un meilleur transit intestinal soulage la gêne provoquée ; si vous luttez contre votre tendance à la constipation, par exemple en mangeant des aliments riches en fibres, la situation s'améliorera. Évitez également les aliments très épicés qui accentuent l'irritation.

Il existe aussi des pommades et des médicaments oraux, à prendre sur prescription médicale en cas de crise. Si la douleur devient très intense, mieux vaut d'ailleurs consulter car un caillot s'est peut-être formé (thrombose) : ce n'est pas grave, mais une petite intervention chirurgicale est dans ce cas nécessaire.

Autres désagréments de la grossesse

Transpiration excessive, hypersalivation, saignements du nez... ne sont pas graves. Pour nombre de ces petits troubles, il n'existe pas de réelle solution, et il est seulement possible de limiter l'inconfort au quotidien. En revanche, certains problèmes urinaires et génitaux, ainsi que de fortes démangeaisons, doivent être rapidement signalés au médecin ou à la sage-femme qui vous suit.

Une envie plus fréquente d'aller aux toilettes ?

Plus les mois passent, plus le futur bébé se fait lourd et appuie sur la vessie. Il est donc normal que vous alliez plus souvent aux toilettes, et que le besoin s'en fasse sentir dès que votre vessie est à moitié pleine. C'est un désagrément dont il faudra, hélas, vous accommoder. En revanche, de petits picotements en urinant peuvent être évités en buvant davantage. Si vous ressentez de vraies brûlures, il conviendra de vérifier par une analyse l'absence d'infection urinaire.

Et l'homéopathie ?

Elle peut soulager certains maux de la grossesse. Elle présente l'avantage d'être sans risques pour le fœtus. Mais toute automédication est déconseillée. Même si, avant d'être enceinte, vous aviez l'habitude de prendre tel ou tel remède, vous ne devez pas continuer sans en parler à votre médecin. Et si vous consultez durant votre grossesse à la fois un médecin homéopathe et un obstétricien (ou une sage-femme), il faut que chaque praticien soit informé des traitements que vous prenez.

ÉDUQUER SON PÉRINÉE • Parfois, il est difficile de se retenir d'uriner quand on tousse ou quand on fait un effort. Nombre de femmes connaissent ce type de souci, enceintes ou pas. Il existe pourtant une solution : suivre une rééducation du périnée (plancher musculaire soutenant le petit bassin). Celle-ci consiste en divers exercices proposés parfois lors de la grossesse et, surtout, après la naissance.

Les pertes vaginales

Du fait des bouleversements hormonaux, on a parfois des pertes vaginales plus abondantes, blanchâtres et indolores. Elles ne signalent une infection que si elles s'accompagnent de démangeaisons ou de brûlures. Dans les autres cas, elles ne prêtent pas à conséquence. La seule précaution utile est de proscrire les douches vaginales, et d'éviter le port de protège-slips et de culottes en tissu synthétique (préférez le coton), car cela favorise les mycoses et les germes.

COMMENT LES DISTINGUER DU LIQUIDE AMNIOTIQUE ? • Les pertes vaginales ne doivent toutefois pas être confondues avec un écoulement de liquide amniotique, qui indique que la poche des eaux s'est fissurée. Quand le trou de la poche amniotique est petit, ce liquide ne coule pas de façon abondante. Mais, à la différence des pertes vaginales banales, il est chaud, d'odeur fade, transparent comme de l'eau et s'écoule lors des changements de position. Si vous avez un doute, il ne faut surtout pas hésiter à consulter.

Des démangeaisons ?

Les démangeaisons de la peau en général sont fréquentes en fin de grossesse et d'intensité variable. Elles se manifestent sur le ventre quand on a des vergetures (voir page 92). Pour limiter la gêne due à l'irritation, évitez les produits de toilette allergisants (parfums, déodorants), optez de préférence pour le savon de Marseille et hydratez bien votre peau. Des vêtements en coton seront d'un contact plus agréable sur la peau. Quand les démangeaisons ne se limitent pas au ventre, augmentent durant la nuit, il convient toutefois de consulter votre médecin, car elles peuvent être le signe d'un dysfonctionnement du foie.

Transpiration, bouffées de chaleur, essoufflements

J'AI TROP CHAUD ! • Si vous êtes gênée par une transpiration plus abondante, voire par de fréquentes sensations de chaleur, seuls les talcs et lotions rafraîchissantes sans alcool ou un bain tiède le soir atténueront la gêne. Quelquefois, des bouffées de chaleur surviennent brusquement, lorsque vous vous trouvez dans des endroits confinés ou surchauffés, et peuvent s'apparenter à des malaises. Quand vous sortez, n'oubliez pas de prendre avec vous une petite bouteille d'eau, voire des lingettes rafraîchissantes ou un brumisateur, surtout l'été.

JE SUIS ESSOUFFLÉE • Il est possible que vous soyez souvent essoufflée dans les cinq derniers mois, voire même avant. Mais n'en déduisez pas pour autant que vous avez des problèmes cardiaques ! Ces essoufflements sont notamment dus à la pression de l'utérus sur le diaphragme, un muscle qui dirige la respiration. Comme ce dernier dispose de moins de place, la respiration se fait plus courte. Pour combattre cette sensation et reprendre votre souffle, inspirez par le nez et expirez par la bouche calmement et le plus profondément possible.

Des saignements de nez...

Les saignements de nez sont assez fréquents durant la grossesse, mais il n'existe aucun traitement. Ils sont dus à une fragilité accrue des vaisseaux sanguins.

... ET DE GENCIVES • Quant aux gencives, elles saignent souvent lors du brossage. On peut limiter cet inconvénient par l'emploi d'une brosse à dents douce et des massages avec un jet dentaire modéré. Un détartrage chez un dentiste aidera également. Excepté ces gingivites, il n'existe pas de problèmes dentaires propres à la grossesse.

L'HYPERSALIVATION • La salivation, enfin, augmente parfois beaucoup dans les dernières semaines de grossesse, mais il n'existe aucun traitement. Tout reviendra à la normale après l'accouchement.

« Depuis que je suis enceinte, j'ai remarqué d'horribles lignes rouge violacé en forme d'araignée sur mes jambes. Est-ce que ce sont des varices ? »

VARICES OU VARICOSITÉS ?

Ces lignes peu esthétiques ne sont pas des varices. Ces petites varicosités apparentes (vaisseaux dilatés) ou « télangiectasies » sont dues aux changements hormonaux ou, chez certaines femmes, à une prédisposition génétique. En règle générale, elles s'atténuent, voire disparaissent, après l'accouchement.

Dans le cas contraire, elles peuvent faire l'objet de soins dermatologiques – injection d'une solution saline ou laser – qui détruisent, diminuent puis font disparaître les vaisseaux sanguins incriminés. Inutile d'avoir recours à des crèmes à base de vitamine K car elles sont inefficaces (les molécules sont trop grosses pour pénétrer sous la peau).

MULTIPLES SOURCES D'INQUIÉTUDE

- **Certaines femmes enceintes ont constamment la paume des mains rouge.** Rien de grave, c'est encore une histoire d'hormones, qui rendent la paume des mains (et parfois la plante des pieds) rouge et prurigineuse (qui démange). Ce désagrément disparaît après l'accouchement.
- **Vos ongles poussent vite mais sont peut-être devenus plus durs ou, au contraire, plus cassants.** Les vernis, surtout ceux à séchage rapides, et les dissolvants contenant beaucoup d'acétone ont tendance à assécher les ongles et donc à les fragiliser. Si vous avez l'habitude de vernir vos ongles, préférez les dissolvants doux et vérifiez que vos apports en calcium sont suffisants.
- **Une éruption cutanée liée à la sueur est très fréquente chez les femmes enceintes** à cause de l'augmentation de la transpiration impliquée dans la régulation thermique. Pour soulager et limiter les lésions, appliquez du talc sur les vésicules après une douche. La transpiration des glandes situées sous les aisselles, sous les seins et dans la région génitale diminue pendant la grossesse. Vous serez plus sujette à une éruption sudorale, mais votre transpiration aura moins d'odeur.
- **Toutes sortes de dermatoses et d'éruptions sont possibles durant la grossesse.** Elles sont rarement sérieuses, mais il faut toujours les montrer à votre médecin, surtout si les démangeaisons sont intenses et vous empêchent de dormir.
- **Il est fréquent de voir moins bien lorsqu'on est enceinte,** toujours pour des raisons hormonales. Si vous portez des lentilles rigides, vous constaterez sans doute qu'elles sont moins confortables et que vos yeux sont irrités car plus secs. Optez pour des lunettes ou des lentilles souples le temps de votre grossesse et tout rentrera dans l'ordre après l'accouchement. Si vous envisagez une chirurgie correctrice au laser, sachez que les ophtalmologues conseillent d'éviter ce type d'intervention pendant la grossesse ainsi qu'au cours des 6 mois qui la précèdent et qui la suivent.

Quand consulter en urgence ?

Lors des visites médicales, n'hésitez pas à vous renseigner sur les signes qui doivent vous inquiéter et sur les symptômes qui nécessitent d'aller aux urgences. En cas de problème, notez précisément ce qui s'est passé et ce que vous ressentez pour pouvoir, le moment venu, donner au médecin le maximum d'informations qui l'aideront à poser le bon diagnostic.

Quels sont les symptômes et situations qui justifient de consulter en urgence ?

La plupart du temps, vous pourrez attendre les consultations du suivi habituel pour évoquer les maux de la grossesse et leurs éventuelles solutions. Mais certains symptômes exigent une consultation plus rapide, voire urgente. En voici la liste.

- Des douleurs aiguës intermittentes au niveau du bas-ventre, comme celles que l'on peut ressentir au moment des règles.
- Des douleurs intermittentes dans le bas du dos qui peuvent correspondre à des contractions.
- Des contractions utérines fréquentes.
- Une douleur permanente au ventre.
- Des saignements, en particulier lorsqu'ils sont accompagnés de douleurs au niveau de l'abdomen.
- La perte des eaux franche ou minime.
- La diminution ou l'absence des mouvements fœtaux.
- Une forte poussée de fièvre (dès que vous avez plus de 38,5 °C, prenez du paracétamol pour faire baisser la fièvre).
- Syndrome grippal.
- Des douleurs ou des brûlures au moment d'uriner.
- Des diarrhées fréquentes (plus de trois par jour) ou encore la présence de sang ou d'une substance muqueuse dans les selles.
- Une éruption cutanée accompagnée ou non de fièvre.
- De fortes démangeaisons non limitées au ventre et qui empirent durant la nuit.
- Douleurs au niveau de la vulve (herpès génital).
- Des céphalées.
- Des œdèmes ou gonflements au niveau des jambes, des mains, ou du visage, associés à une prise de poids importante alors que l'alimentation est inchangée.
- Des troubles de la vision : mouches devant les yeux.
- Des troubles de l'audition : bourdonnements d'oreille.
- Des vomissements importants associés ou non à du sang.
- Un traumatisme abdominal dû à une chute par exemple ou à la suite d'un accident sur la voie publique.

QUAND APPELER VOTRE MÉDECIN ?

> Même s'ils ne figurent pas dans la liste des urgences, certains symptômes ou certaines situations doivent vous inciter à contacter votre médecin sans tarder. C'est lui qui décidera s'il doit vous examiner rapidement ou non, ou si vous devez faire des examens complémentaires. Dans certains cas, il préférera peut-être que vous alliez directement aux urgences de la maternité où vous devez accoucher.

- **Saignements après des rapports sexuels ou un examen gynécologique.**
- **Œdèmes ou gonflements au niveau des jambes.**
- **Prise de poids soudaine sans que les habitudes alimentaires n'aient été modifiées notablement.**
- **Violents maux de tête pendant plus de 2 ou 3 heures.**
- **Démangeaisons sur tout le ventre.**
- **Des malaises répétés.**
- **Un contact avec un enfant atteint d'une maladie contagieuse (varicelle par exemple).**
- **Une anomalie à l'échographie.**
- **Des résultats d'analyse de sang ou d'urines anormaux.**

En aucun cas, vous ne devez présumer de vos connaissances sous peine d'orienter le médecin vers une mauvaise piste. Décrivez-lui vos symptômes le plus précisément possible, mais ne faites pas de diagnostic.

Comment procéder ?

En cas d'urgence, appelez votre médecin ou son secrétariat. S'il est absent, allez directement aux urgences de la maternité où vous êtes inscrite, à l'hôpital le plus proche ou bien appelez les urgences médicales (15) ou les pompiers (18). Indiquez précisément au médecin ce qui vous arrive, tout ce que vous ressentez, même si vous pensez qu'il n'y a, a priori, aucune corrélation. Précisez quand le (ou les) symptômes(s) est(sont) apparu(s), la fréquence à laquelle il(s) se produit(sent), ce qui semble le(s) soulager ou le(s) accentuer, etc.

Si vous présentez des symptômes inquiétants, contactez votre médecin et décrivez-lui précisément ce que vous ressentez.

“Je sais bien qu'après le 3e mois, on dit qu'une fausse couche n'est plus à craindre. Pourtant, je connais une femme qui a perdu son bébé au 5e mois.”

UNE FAUSSE COUCHE EST-ELLE ENCORE POSSIBLE À CE STADE ?

En règle générale, il n'y a plus à craindre de fausse couche après le premier trimestre, mais il arrive effectivement parfois qu'une grossesse s'arrête entre la 16e et la 22e semaine d'aménorrhée. C'est ce qu'on appelle une « fausse couche tardive ».

Si une fausse couche au premier trimestre est souvent liée au fœtus, elle est plutôt liée à la mère quand elle a lieu au trimestre suivant. Elle peut souffrir d'une infection sévère, d'une malformation de l'utérus ou d'une béance du col qui s'ouvre prématurément. Un traumatisme physique important, comme un accident grave, peut également déclencher une fausse couche à n'importe quel stade de la grossesse.

C'est pourquoi il faut être attentive à des petits signes tels que des saignements, des maux de ventre et ne pas hésiter à consulter au moindre doute. Si vous venez assez tôt, un cerclage en urgence pourra être réalisé.

SAVOIR S'ORGANISER

- **Pensez à vous organiser pour ne pas perdre de temps à chercher les numéros de téléphone** et que votre entourage sache aussi réagir en cas d'urgence. Enregistrez dans votre répertoire téléphonique (poste téléphonique fixe et portable) le numéro du médecin qui vous suit, celui de la maternité où vous êtes inscrite pour l'accouchement ainsi que tous les numéros qui peuvent être utiles (numéros des urgences, taxi, ambulance, etc.).
- **N'hésitez pas non plus à les afficher chez vous** avec les consignes de base dans un endroit bien visible (sur le réfrigérateur, par exemple) ; cela pourra éventuellement être utile si vous devez faire appel à quelqu'un qui ne vous connaît pas bien, une voisine par exemple.

Les complications liées à la grossesse

La plupart des complications survenant en milieu ou en fin de grossesse peuvent aujourd'hui être prises en charge ou soignées sans effets à long terme sur la mère ou le fœtus. Mais une hospitalisation, ou au moins du repos, est souvent indispensable.

Éviter une fausse couche tardive

Les fausses couches tardives surviennent au 2e trimestre, autour des 4e et 5e mois de grossesse, et sont toujours une épreuve pour la mère. Elles sont toutefois beaucoup plus rares que celles du 1er trimestre. Elles s'annoncent par quelques contractions, voire des pertes de sang. Les signes sont peu parlants, mais l'examen clinique révèle que le col est ouvert, et que la poche des eaux fait issue dans le vagin.

Dans ce cas, l'hospitalisation est indispensable. Elle permet un repos strict, la mise en place d'un traitement pour arrêter les contractions et, si possible, la réalisation d'un cerclage sous anesthésie générale pour refermer le col. En même temps, un prélèvement vaginal est effectué à la recherche d'une infection particulière. Le pronostic est rarement bon. La femme sera arrêtée à la suite de l'hospitalisation pour le cerclage. En cas de nouvelle grossesse, le repos sera de rigueur et un cerclage préventif sera effectué à 3 mois de grossesse.

Une fausse couche tardive est particulièrement douloureuse pour la maman et nécessite qu'elle soit bien entourée. Le deuil est difficile, et la perspective d'une autre grossesse ne doit pas être envisagée à court terme. Pour le couple, il est important de bien comprendre et d'intégrer les informatons données par le médecin, mais une aide psychologique peut se révéler nécessaire quand on ne parvient pas à surmonter cette épreuve.

RAPPORT SEXUEL ET CONTRACTIONS

- **Même si l'utérus se contracte pendant l'orgasme, parfois de manière très intense, ces contractions n'ont rien à voir avec celles qui annoncent l'accouchement et sont sans danger si la grossesse est normale.**
- **Vous pouvez donc continuer à avoir des relations sexuelles sans crainte.** C'est seulement en cas de menace d'accouchement prématuré très sévère qu'elles sont contre-indiquées.

Déceler les signes d'un accouchement prématuré

Quand apparaissent avant la fin du 8e mois (ou 37 semaines d'aménorrhée) des contractions utérines accompagnées de modifications du col de l'utérus, il existe une menace d'accouchement prématuré. Après 37 semaines d'aménorrhée, l'enfant n'est donc plus considéré comme prématuré.

LES SIGNES D'ALERTE • Les contractions sont courantes pendant la grossesse, mais, quand elles sont fréquentes (plus de dix par jour) et douloureuses, il ne faut pas hésiter à consulter. Ce qui doit alerter, c'est une douleur intermittente (elle dure une minute, s'arrête quelques minutes, puis reprend). Certaines contractions utérines entraînent aussi des douleurs dans le dos. Au moindre doute, là encore, il faut consulter.

Seuls la sage-femme ou le médecin peuvent dire si le col de l'utérus s'est modifié depuis la dernière consultation. Ils seront attentifs à sa longueur, à son ouverture, à sa consistance, à sa position. En outre, ils rechercheront la position de la tête du bébé: trop basse et qui appuie sur le col de l'utérus. Pour confirmer une menace d'accouchement prématuré, le médecin fait ensuite une échographie par voie vaginale pour mesurer la longueur exacte du col. Si celle-ci est inférieure à 25 mm, il existe un risque, et une hospitalisation s'impose.

On réalisera alors un bilan pour en rechercher la cause: hyperactivité, grossesse multiple, infection, exposition au Distilbène® (voir Dictionnaire médical), antécédent de conisation (ablation d'une partie du col de l'utérus)...

UN TRAITEMENT ET DU REPOS • Si la menace est réelle, avant 34 semaines, on hospitalise et on administre des corticoïdes pour accélérer la maturation pulmonaire du fœtus, et des tocolytiques, qui font cesser les contractions. Le traitement est important pour arrêter les contractions et bloquer le processus d'ouverture du col. Mais un repos strict est obligatoire et reste primordial. Le but est de sauvegarder la grossesse le plus longtemps possible et d'écarter les risques de la grande prématurité.

Saignements en milieu et en fin de grossesse

Dès que vous perdez du sang, prévenez immédiatement votre médecin ou sage-femme, qui en recherchera l'origine. Une échographie permet souvent d'aider au diagnostic. Voici les causes les plus fréquentes d'un saignement. Même s'il arrive parfois que la cause demeure inconnue.

ECTROPION
L'ectropion est une fragilisation du col de l'utérus, fréquente pendant la grossesse, qui peut se mettre à saigner à la suite d'un toucher vaginal ou d'un rapport sexuel. C'est sans gravité.

FAUSSE COUCHE TARDIVE
Des pertes rosées ou brunâtres, accompagnées de douleurs au ventre, peuvent faire craindre l'imminence d'une fausse couche.

PLACENTA PRÆVIA OU BAS INSÉRÉ
Le sang est généralement rouge vif, mais aucune douleur n'est ressentie. Les saignements débutent souvent spontanément, mais des contractions utérines sont parfois un facteur déclenchant. Que la métrorragie soit faible ou non, elle impose une hospitalisation pour surveillance. Le repos est impératif tant que le placenta reste « bas inséré ».

HÉMATOME RÉTROPLACENTAIRE
En fonction de l'importance et de la localisation du décollement placentaire, les métrorragies sont plus ou moins abondantes. Elles sont associées à une douleur abdominale ou à des contractions utérines très rapprochées. Une césarienne doit être réalisée immédiatement pour sauver l'enfant.

ACCOUCHEMENT PRÉMATURÉ
On parle d'accouchement prématuré s'il a lieu après la 22e et avant la 38e semaine d'aménorrhée. Des contractions douloureuses et répétées peuvent entraîner des modifications du col de l'utérus qui devient alors plus court et ouvert sur toute sa longueur. Ces modifications du col peuvent être accompagnées de saignements. De même, à l'approche du terme, des saignements accompagnés de contractions peuvent indiquer le début du travail.

AUTRES MÉTRORRAGIES
Il s'agit exceptionnellement d'une rupture utérine. La paroi de l'utérus se rompt, ce qui s'accompagne d'une violente douleur et éventuellement de métrorragies.

En général, si les contractions ont cessé, après avoir pris toutes les mesures nécessaires, et si le col de l'utérus n'est pas ouvert, on peut rentrer chez soi, à condition d'être secondée à la maison et de se reposer jusqu'à 36 semaines d'aménorrhée. Une sage-femme effectue alors une visite médicale à domicile chaque semaine.

Si la menace d'accouchement prématuré est sévère et que l'on est suivie dans une maternité de niveau I, on doit être transférée dans une maternité de niveau II ou III (voir page 62), suivant le terme de la grossesse.

L'hypertension artérielle et la prééclampsie

Une hypertension artérielle apparaît parfois au cours de la grossesse (elle est définie par un chiffre supérieur à 14/9). Elle peut rester isolée ou être associée à des œdèmes (du visage, des mains et des jambes) et à une protéinurie (présence de protéines dans les urines) définissant la prééclampsie (ou toxémie gravidique).

Ce trouble serait lié à une insuffisance placentaire pouvant entraîner un retard de croissance, une souffrance fœtale, voire la mort in utero. L'hospitalisation est alors obligatoire. La surveillance des femmes présentant une prééclampsie doit être étroite, car deux complications graves peuvent survenir brutalement qui imposent une césarienne en extrême urgence : l'hématome rétroplacentaire (voir page 175) et l'éclampsie. Cette dernière est un état convulsif, suivi d'un coma plus ou moins profond. Elle peut être précédée de maux de tête, de troubles visuels, de bourdonnements d'oreilles, de douleurs abdominales qui doivent alerter.

Le traitement vise à stabiliser la tension artérielle et à prévenir les convulsions. L'équipe médicale peut décider de faire une césarienne en fonction de la date du terme de la grossesse et de la gravité des symptômes ainsi que des résultats des examens. La maladie cesse d'évoluer après l'accouchement, mais un contrôle de la tension artérielle est nécessaire jusqu'à la normalisation.

Lors d'une grossesse ultérieure, un traitement préventif sera prescrit, et la surveillance sera minutieuse pour dépister une récidive, même si celle-ci est rare (15 %).

Le retard de croissance intra-utérin ou hypotrophie

Le retard de croissance intra-utérin (RCIU) est, comme son nom l'indique, une insuffisance de croissance du fœtus. On parle aussi d'« hypotrophie ». Au cours de la grossesse, la croissance du fœtus est surveillée à la fois par l'examen clinique mensuel en mesurant la hauteur utérine (distance entre le pubis et le sommet de l'utérus), mais surtout à trois reprises, lors des échographies. L'échographie la plus orientée sur la croissance est la dernière, réalisée à 7 mois (ce qui correspond à 32 semaines d'aménorrhée). En effet, la plupart des retards de croissance apparaissent lors du 3e trimestre. Lorsqu'un retard de croissance est diagnostiqué, deux situations sont possibles, selon que le retard de croissance est modéré ou sévère.

SI LE RETARD EST MODÉRÉ • La femme est suivie régulièrement tous les quinze jours avec une échographie pour vérifier la croissance du bébé. Le médecin recommande du repos et prescrit l'arrêt de toute activité professionnelle. C'est le seul traitement possible, avec bien sûr l'arrêt du tabac pour celles qui fument encore.

EN CAS DE RETARD DE CROISSANCE SÉVÈRE • La femme enceinte est hospitalisée jusqu'à l'accouchement pour surveiller étroitement le bébé, qui est plus fragile. La femme est forcément au repos et elle reçoit des corticoïdes avant 34 semaines d'aménorrhée (ou 7 mois et demi), en vue d'un accouchement prématuré (les corticoïdes aident le bébé à mieux respirer à la naissance).

Pour déterminer la cause de ce retard, l'équipe médicale recherchera d'autres signes à l'échographie et au Doppler, et effectuera un bilan complet. Les causes sont diverses : malformation du fœtus, infection, prééclampsie (hypertension artérielle avec protéines dans les urines), tabagisme et alcoolisme, anomalie du placenta ou du cordon… Une surveillance du fœtus a lieu une à trois fois par jour au moyen du monitoring. Des Doppler sont réalisés deux fois par semaine pour apprécier la vascularisation du fœtus et des échographies sont pratiquées tous les 10 ou 14 jours pour vérifier la croissance fœtale.

Si le retard de croissance ne s'aggrave pas, on peut poursuivre la grossesse jusqu'à 37 semaines d'aménorrhée (ou 8 mois), date à laquelle l'accouchement sera déclenché. Par contre, si le retard de croissance s'accentue, l'enfant finira par ne plus grossir et des anomalies apparaîtront sur les Doppler puis au monitoring. C'est le moment de prévoir la naissance pour permettre au bébé de grossir en couveuse. L'accouchement nécessitera probablement une césarienne si le bébé est trop fragile pour supporter un accouchement par les voies naturelles.

La rupture prématurée des membranes

La rupture des membranes est une ouverture de la poche des eaux qui laisse s' écouler le liquide amniotique. Habituellement, elle a lieu lors de la naissance (avant l'apparition des contractions ou en cours d'accouchement). Mais il arrive, en raison d'une infection ou de contractions utérines précoces, qu'elle se rompe avant terme (avant le 9e mois ou 37 semaines d'aménorrhée). Dans certains cas, on ne retrouve aucun facteur déclenchant. Cette éventualité est toujours très éprouvante pour la future mère, car elle témoigne d'une complication. L'accouchement sera forcément prématuré.

Quand on perd du liquide amniotique, il faut se rendre sans tarder à la maternité. Une sage-femme pratique alors plusieurs examens. Elle pose, entre autres, un spéculum pour confirmer que du liquide s'écoule et effectue par la même occasion un prélèvement vaginal pour dépister une éventuelle infection. Elle recherche des contractions utérines. Elle détermine la position du fœtus, puis réalise un monitoring (enregistrement du cœur du bébé et des contractions utérines).

UNE HOSPITALISATION EST NÉCESSAIRE • Quand il y a bien un écoulement de liquide amniotique, la femme enceinte est systématiquement hospitalisée jusqu'à la fin de la grossesse. L'équipe médicale effectue un bilan complet. Dans la moitié des cas, l'accouchement a lieu dans la semaine qui suit. La femme doit rester alitée, et ne se lève que pour se rendre aux toilettes ou à la salle de bains. Elle reçoit, entre autres, une injection de corticoïdes en intramusculaire deux jours de suite, pour accélérer la maturation pulmonaire du fœtus et l'aider à mieux respirer à la naissance. Chaque jour, la sage-femme ou le médecin vérifie notamment la température ainsi que la couleur du liquide qui s'écoule et effectue un monitoring pour apprécier l'état du bébé.

En cas de contractions utérines apparaissant avant le 8e mois de grossesse, l'obstétricien peut être amené à les bloquer avec une perfusion, à condition d'être sûr qu'il n'y a pas d'infection sous-jacente : il vaut mieux qu'un enfant naisse prématurément et non infecté, plutôt que la grossesse se poursuive avec une infection susceptible de le mettre en péril. En cas d'infection, un accouchement rapide est obligatoire. Souvent ces femmes accouchent rapidement, en 1 h environ ; c'est pourquoi l'hospitalisation reste obligatoire, bien que contraignante (de quelques jours à plusieurs semaines).

Si la femme enceinte était suivie dans une maternité de niveau I ou II, suivant le terme de la grossesse, elle doit être transférée en maternité de niveau III (voir page 34).

Le diabète gestationnel

Du fait des modifications biologiques inhérentes à l'état de la femme enceinte, on constate parfois la présence de diabète dans la seconde partie de la grossesse. Ce diabète, dit « gestationnel », est dépisté chez les femmes à risque par la recherche du sucre dans le sang après absorption de glucose (hyperglycémie provoquée par voie orale) : on en suspecte l'existence lorsque la femme a donné naissance à un premier enfant de plus de 4 kg, présente un surpoids, a un parent diabétique…

Si le diagnostic se confirme, une consultation auprès d'un diabétologue est nécessaire et un traitement, indispensable (régime alimentaire, éventuellement injections d'insuline). Le risque de mort in utero est pratiquement nul lorsque le diabète est bien équilibré. Le traitement vise à éviter la naissance d'un enfant trop gros. Pour cela, on provoque parfois l'accouchement 3 semaines avant.

À la naissance, le bébé est surveillé pour vérifier l'absence de baisse du taux de sucre dans le sang (hypoglycémie).

Les anomalies du placenta

LE PLACENTA PRÆVIA • Une grossesse peut présenter des difficultés en raison d'une mauvaise insertion du placenta. Lorsqu'il s'interpose entre le fœtus et le col de l'utérus, le placenta interdit un accouchement par les voies naturelles. Il engendre, en outre, un risque d'hémorragie, car le placenta peut saigner spontanément ou sous l'effet des contractions. Lorsque l'échographie révèle cette anomalie, appelée « placenta prævia » dit « bas inséré » en échographie, plusieurs précautions s'imposent : le repos est impératif ainsi que l'abstinence sexuelle ; les examens vaginaux sont évités. Une hospitalisation est nécessaire en cas de saignement et l'accouchement ne peut avoir lieu que par césarienne. Un placenta « bas inséré » est simplement trop proche du col. Dans certains cas, il peut remonter avec l'évolution de la grossesse.

L'HÉMATOME RÉTROPLACENTAIRE • Il arrive aussi que le placenta se décolle avant l'accouchement. Il provoque alors des saignements, associés à une contracture utérine douloureuse et permanente. Les femmes enceintes hypertendues sont davantage exposées à cet accident que les autres. Il peut entraîner la mort du fœtus et déclencher une hémorragie grave chez la mère. Pour prévenir ces risques et si le fœtus est viable, une césarienne est réalisée en urgence.

L'hématome rétroplacentaire peut récidiver lors d'une grossesse ultérieure. Dans la moitié des cas, aucune cause n'est retrouvée et la grossesse suivante sera suivie de très près.

Alimentation : un poids à surveiller

Durant votre grossesse, vous allez prendre du poids. Voici une évidence qu'il serait inutile, voire dangereux, de vouloir combattre. C'est votre organisme, et lui seul, qui fournit au futur bébé tous les éléments dont il a besoin et lui assure un bon développement. Gardez tout de même un pied sur la balance et un œil averti sur la qualité de votre alimentation.

Des calories en plus ?

Comme tout être vivant, votre bébé a besoin d'énergie. Cette énergie, ce sont les calories contenues dans votre alimentation qui vont la lui donner. Elles sont en effet le carburant de l'organisme : le corps humain les utilise pour fonctionner, tout comme un moteur. On estime que les besoins énergétiques moyens d'une femme adulte sont de 1800 à 2000 calories par jour. Bien entendu, cette moyenne varie en fonction du poids, de la taille, de l'âge et de l'activité physique pratiquée.

Enceinte, vous consommez inévitablement davantage de calories. C'est nécessaire pour votre métabolisme qui assure le développement de votre bébé, par l'intermédiaire de l'utérus et du placenta.

Cependant, étant donné que vous avez probablement restreint vos dépenses énergétiques (en faisant moins de sport ou en évitant les tâches fatigantes par exemple), il n'est pas utile d'augmenter de beaucoup la quantité d'aliments que vous consommez. Même si vous n'ingérez guère plus de calories qu'avant, vous pouvez avoir une grossesse tout à fait normale et donner naissance à un beau bébé.

Bref, si vous n'aviez pas de problèmes de poids avant d'être enceinte, il n'est pas besoin de commencer à faire des calculs savants. Soyez plutôt à l'écoute de votre corps et veillez à avoir une alimentation équilibrée.

Vrai ou Faux ?

Il faut manger pour deux durant la grossesse.

Vrai. Mais cela ne signifie pas manger deux fois plus, mais deux fois mieux pour apporter au bébé tout ce dont il a besoin au cours de son développement. Savoir comment avoir un bon régime alimentaire est donc très important (voir pages 86 à 91).

Combien de kilos ?

Pendant longtemps, on a considéré qu'un gain de 12 kg durant une grossesse était idéal et valable pour toutes les femmes. Aujourd'hui, on sait que la prise de poids optimale, celle qui assure le bon développement de l'enfant sans nuire à la mère, varie selon chacune et dépend en particulier de la corpulence, c'est-à-dire du rapport entre le poids et la taille, lors de la conception (voir encadré ci-dessous). Si vous êtes particulièrement mince, voire très

PRISE DE POIDS CONSEILLÉE SELON SA CORPULENCE

- La prise de poids optimale, celle qui assure le bon développement de l'enfant sans nuire à la mère, varie selon chaque femme et **dépend en particulier de la corpulence, c'est-à-dire du rapport entre le poids et la taille.**
- **Comment évaluer votre corpulence ?** Il suffit de calculer votre indice de masse corporelle (IMC) en divisant votre poids (en kilos) par votre taille (en mètre) élevée au carré.

Exemple, si vous pesez 62 kg pour 1,65 m, votre IMC est de 62 : (1,65 x 1,65) = 22,8.

IMC	Corpulence
< 18,5	maigre
18,5-24,9	normale
> 25	surpoids

- **Si vous êtes de corpulence normale,** vous pouvez prendre entre 10 et 15 kg.
- **Si vous êtes mince ou très mince,** vous pouvez en prendre un peu plus, jusqu'à 16 ou 18 kg.
- **Si vous êtes forte,** il vaudra peut-être mieux prendre moins de poids : 6 à 10 kg peuvent suffire, car le bébé puisera alors dans vos réserves.
- **Si vous avez moins de 20 ans :** vous n'avez pas fini votre croissance, et il serait souhaitable que vous preniez 15 à 16 kg.

mince, à l'annonce de votre grossesse, il n'est pas gênant de prendre jusqu'à 18 kg. Cela évitera que votre enfant n'ait à la naissance un poids trop faible. Inversement, si vous êtes naturellement ronde, il vous faudra veiller à ne pas trop grossir. Une prise de poids importante risquerait d'entraîner une hypertension ou un diabète et rendrait l'accouchement plus difficile si votre enfant est trop gros. Sans compter la difficulté que vous auriez à reperdre tous ces kilos superflus après la naissance de votre bébé...

Des kilos, oui, mais au bon moment

Votre prise de poids va être progressive. Durant le 1er trimestre, vous prendrez 3 à 4 kg, ce qui est normal; puis votre poids augmentera plus vite surtout au cours des quatre derniers mois. Les kilos du début de la grossesse n'ont pas la même utilité que ceux des derniers mois.

EN DÉBUT DE GROSSESSE • Pendant les quatre premiers mois, vous allez constituer des réserves de graisses dans le tissu adipeux, principalement au niveau du ventre et des cuisses; en d'autres termes, c'est à vous que vont profiter les kilos supplémentaires, alors que le poids du fœtus, lui, augmentera très peu. Ces réserves ne sont pas superflues: cette phase de stockage prépare la seconde partie de la grossesse et, plus tard, la période d'allaitement.

APRÈS LE 4e MOIS • Au cours des mois qui suivront, votre prise de poids sera surtout liée à la croissance de votre futur bébé: son poids passe en effet de 400 à 500 g à quatre mois et demi de grossesse à 3-4 kg à neuf mois! Les stocks seront alors bien utiles pour faire face à cette période de croissance rapide. L'objectif est donc toujours d'assurer la croissance optimale de votre bébé.

EN FIN DE GROSSESSE • Quand le terme de votre grossesse est tout proche, la prise de poids est répartie entre le poids du bébé (environ 3,5 kg à la naissance), ceux du placenta (0,7 kg) et du liquide amniotique (1 kg), l'augmentation du volume de l'utérus et des seins (1,6 kg), l'augmentation du volume sanguin (1,5 kg) et enfin les graisses de réserve (entre 3 et 4 kg).

ET APRÈS ? • Après l'accouchement, il reste en général quelques kilos parfois difficiles à perdre. Cela dépend de votre hérédité, de votre âge, de vos précédentes grossesses, et de votre histoire pondérale. Si vous aviez un poids normal ou si vous étiez mince, vous réussirez à les perdre en quelques mois, spontanément ou parfois avec des efforts alimentaires et sportifs. Si vous étiez déjà un peu ronde, vous aurez sans doute plus de difficultés à les perdre ; limitez donc le plus possible votre prise de poids.

Halte aux régimes !

Une alimentation trop restrictive est dangereuse et risque de perturber le développement de votre bébé. Quelles que soient les raisons de votre prise de poids excessive, sachez que le fœtus ne s'accommode pas d'un régime alimentaire restrictif ou fantaisiste. Suivre un régime dissocié, supprimer les graisses ou les sucres, par exemple, ne pourrait que générer chez vous des carences et entraîner chez votre bébé des troubles de la croissance. Demandez conseil à votre médecin ou à votre sage-femme. Il (ou elle) vous adressera peut-être à une diététicienne : en étudiant votre régime alimentaire, elle saura s'il est souhaitable de le modifier en quantité et en qualité, tout en veillant à ce que vous (et le bébé) ne manquiez de rien. Ne supprimez aucune catégorie d'aliments, mais limitez ceux qui sont gras et/ou sucrés.

- Mettez peu d'huile dans vos salades, mais pensez aux herbes aromatiques et aux condiments.
- Évitez les desserts et boissons sucrés.
- Choisissez des viandes peu grasses (bœuf maigre, veau, volailles sans la peau...), du jambon dégraissé et du poisson.
- Préférez les produits laitiers allégés.
- Diminuez votre ration de pain et de féculents.
- Mangez à volonté crudités, légumes verts et fruits, qui ont l'avantage de « remplir » l'estomac.
- Préférez les cuissons sans matières grasses (vapeur, micro-ondes, papillotes).

SUPPLÉMENTATION NUTRITIONNELLE

> **Une supplémentation quotidienne ne remplacera jamais une alimentation saine et équilibrée.** Elle est rarement indispensable si votre alimentation est équilibrée et permet de couvrir les besoins de votre bébé.

> Par ailleurs, prendre un complément nutritionnel en acide folique durant les premiers mois de grossesse (voire avant la conception) diminue considérablement les risques d'anomalies du tube neural (notamment du *spina-bifida*) et autres malformations.

> **Même si certaines supplémentations sont en vente libre, ne prenez pas de compléments nutritionnels sans avis médical.**

> **À partir du 4e ou 5e mois, votre médecin vous prescrira probablement un complément en fer si vous êtes anémiée ou si vos réserves en fer sont trop basses (voir page 204).** Cette supplémentation peut être responsable de constipation ou, au contraire, de diarrhées. Il suffit parfois d'opter pour une présentation pharmaceutique différente ou de séparer le fer des autres nutriments pour que tout aille mieux.

Choisir ses vêtements

En temps « ordinaire » déjà, il arrive bien souvent que l'on ait l'impression « de ne plus rien avoir à se mettre »... À fortiori, quand le corps se transforme semaine après semaine, se sentir élégante apparaît parfois comme un casse-tête. En privilégiant votre confort, vous serez sûre de vous et tout à fait séduisante.

Se sentir à l'aise avant tout

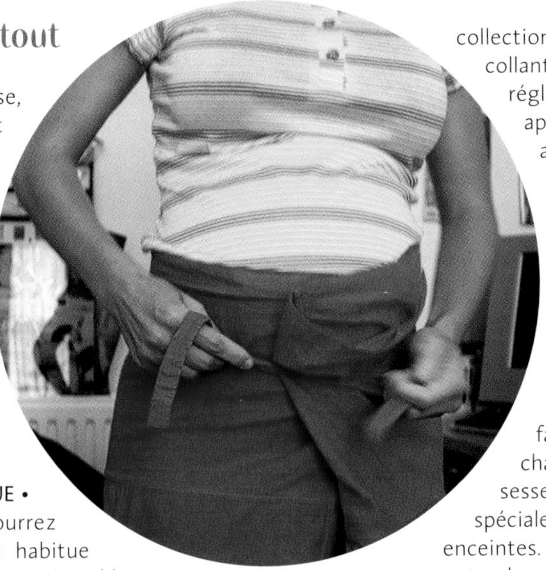

La seule règle, durant la grossesse, est de choisir des vêtements et des chaussures confortables, dans lesquels vous n'êtes pas trop comprimée. Vous vous sentirez alors bien dans votre corps et naturellement séduisante. À vous de jouer ensuite avec des accessoires, foulards, broches, colliers, pour rehausser des tenues que vous jugerez peut-être monotones au fil des mois.

DE HAUT EN BAS, SOYEZ PRATIQUE • Dans un premier temps, vous pourrez continuer à porter vos tenues habituelles, car votre prise de poids sera négligeable, et votre silhouette peu modifiée. Toutefois, vos seins se développant déjà rapidement... votre premier achat de femme enceinte sera un soutien-gorge, bien enveloppant et confortable (voir page 103). Au fil des semaines, vous choisirez des chemisiers et des tee-shirts plus larges, des grands pulls et, pourquoi pas, ceux du futur papa ? Pour le haut, la solution n'est donc pas compliquée, mais ce n'est pas aussi simple pour le bas. De façon générale, c'est à la fin du 1er trimestre que l'on ressent le besoin de plus d'aisance au niveau de la taille. À ce stade, les jupes et pantalons à taille élastique conviennent bien. Si vous souhaitez porter un caleçon, choisissez-le deux tailles au-dessus et roulez-le soigneusement sur vos hanches afin que l'élastique ne comprime pas l'utérus.

DES VÊTEMENTS SPÉCIAUX ? • Il viendra peut-être un moment où vous serez cependant tentée de faire un peu de shopping dans un magasin spécialisé. Bonne nouvelle, aujourd'hui, les lignes « futures mamans » sont au goût du jour et vous ne serez plus obligée de vous affubler de robes à smocks couleur pastel si vous n'aimez pas ça ! En outre, les grandes chaînes de vêtements proposent désormais des collections sympathiques, comprenant collants spéciaux, pantalons ou jupes réglables... Et n'hésitez pas à vous appuyer sur l'expérience de vos amies pour choisir telle ou telle option : boutons ou élastiques ?

SOUS-VÊTEMENTS, BAS ET COLLANTS • Privilégiez les sous-vêtements en coton pour éviter les allergies et les mycoses, en particulier si vous avez déjà eu ce type de problèmes. En effet, les tissus synthétiques favorisent la prolifération des champignons aussi pendant la grossesse. Vous trouverez des collants spécialement conçus pour les femmes enceintes. Si vous avez les jambes lourdes ou une tendance aux varices, achetez des bas de contention. Ne vous laissez pas rebuter par cette appellation : il en existe aujourd'hui dans toutes les teintes, et vous y trouverez un confort insoupçonnable.

LES CHAUSSURES • Votre centre de gravité s'est déplacé et vos articulations sont plus fragiles. Si vous aimez les talons, vous pouvez continuer à en porter, mais seulement s'ils ne sont pas trop hauts : 5 cm est un maximum ! Ils doivent également être assez larges. Quant aux modèles à talons compensés, ils ne sont pas désagréables à porter mais attention en cas de semelle trop haute, car votre équilibre sera alors instable. L'idéal est de choisir des chaussures confortables, qui fournissent un bon équilibre et ne vous serrent pas trop, car vos pieds auront tendance à gonfler en fin de grossesse.

Quant aux bottes, oubliez-les jusqu'à l'année prochaine, car, en vous comprimant les mollets, elles pourraient faire gonfler vos jambes et vos pieds (œdèmes), voire favoriser l'apparition de varices. Si votre activité professionnelle vous le permet, optez pour les tennis. Extrêmement confortables, il en existe de toutes les couleurs, que vous pourrez assortir à vos vêtements.

Bien en toute saison

Avant même que n'arrivent les températures d'été, vous aurez souvent trop chaud parce que votre métabolisme fonctionne à plein régime. Vous êtes sûrement moins sensible au froid que d'habitude, mais il faut quand même vous protéger pour ne pas prendre froid.

SE PROTÉGER DU FROID

Les femmes enceintes sont moins sensibles au froid que le commun des mortels, mais mieux vaut prendre quelques précautions. Habillez-vous chaudement (sans oublier de mettre un bonnet ou un chapeau). Superposez les vêtements pour pouvoir facilement retirer une « couche » quand vous vous réchauffez.

VAINCRE LA CHALEUR

Pour avoir moins chaud, portez des tissus qui respirent, du coton ou du lin par exemple, et des vêtements amples. Évitez de faire de l'exercice aux heures chaudes de la journée, promenez-vous en début de matinée ou le soir. Faites du sport dans une salle climatisée, en vous arrêtant avant d'avoir trop chaud. Fuyez le soleil et, quand vous sortez, appliquez une protection solaire pour limiter la pigmentation de la peau. Prenez une douche ou un bain tiède pour vous rafraîchir, ou allez nager.

Buvez le plus possible, et encore davantage dès que vous transpirez. La déshydratation risque en effet de provoquer un malaise ou une infection urinaire. Ayez toujours une bouteille d'eau à portée de main. Évitez la caféine et l'alcool (qui déshydrate), ainsi que les boissons sucrées (l'eau reste dans l'appareil digestif au lieu de circuler rapidement dans votre corps).

Le plus important est d'adapter ses tenues à son activité pour ne jamais avoir le ventre comprimé.

Quelques conseils pour vous mettre en valeur

Les superpositions aident à structurer la silhouette: essayez par exemple une longue chemise accompagnée d'un petit gilet court sans manches, un pull large et court sur un tee-shirt long et près du corps, ou encore un chemisier large et déboutonné sur une robe tee-shirt... Pour rompre la monotonie, embellissez vos tenues avec des ceintures en jersey élastique ou des écharpes nouées qui soulignent le ventre. Optez pour des vêtements colorés qui donnent bonne mine. Souvent, des teintes que vous n'auriez jamais imaginé porter avant vous donneront, enceinte, une superbe allure. La tendance actuelle est aux vêtements qui soulignent sans complexe les formes les plus arrondies. Mais ne sacrifiez pas nécessairement à la mode, choisissez vos tenues en fonction de votre goût, de votre style et de votre silhouette.

Retenez seulement que toutes les fantaisies sont permises, à une seule condition: que vous ne soyez pas comprimée dans vos vêtements. Et, en hiver ou par temps humide, veillez à bien vous couvrir le ventre, surtout en fin de grossesse.

Côté psy : vivre sa vie de couple

Les liens affectifs se transforment tout au long de la vie, mais ils se trouvent particulièrement bouleversés au moment d'une grossesse. Ces changements, qui touchent aussi bien la mère que le père, sont une étape nécessaire de la relation au sein du couple. Un nouvel équilibre va se construire entre les deux partenaires.

Une dynamique conjugale bouleversée

Avec la grossesse, une bonne part de l'énergie du couple se trouve axée sur le futur enfant. L'avenir est passionnant et s'ouvre dans mille directions nouvelles. Mais l'événement comporte parfois des aspects moins agréables, auxquels aucun des deux partenaires ne s'attendait.

Il renvoie chacun à sa propre enfance, et les sentiments ambivalents du passé ressurgissent – avec quelquefois la nécessité de régler des conflits sous-jacents avec ses propres parents (voir pages 12 et 13). Tout cela peut troubler l'enthousiasme qui porte la future mère et le futur père jusqu'à la naissance, et perturber pour un temps l'équilibre amoureux.

PASSER DU DUO AU TRIO • L'attente d'un enfant modifie la vie à deux et peut engendrer une désorganisation dans les liens affectifs. Le couple change de structure et se métamorphose, au fil des mois, en famille. Selon des termes employés par les psychologues, la « dyade », au sein de laquelle s'était formé un réseau privilégié d'interactions entre les deux partenaires, est en train de devenir une « triade ». Le futur bébé prend de l'importance à la fois dans le ventre de la mère et au sein du couple. Ce petit être encore étranger force l'homme et la femme à lui faire une place.

DES REGARDS RÉCIPROQUES QUI CHANGENT • Vous étiez la femme, l'amante, et vous devenez la mère. De même, l'homme avec qui vous vivez et que vous aimez devient le père. En passant du statut de conjoints à celui de parents, vous commencez à percevoir différemment le monde et à poser un autre regard sur votre partenaire. Les rôles de père et mère que vous allez devoir bientôt assumer contribuent à renforcer les stéréotypes de masculinité et de féminité. Les deux membres du couple ne peuvent plus être mis à égalité et, inévitablement, chacun ressent la nécessité de jouer son nouveau rôle au sein de la future famille et surtout d'en être à la hauteur.

Un rapprochement entre mères et filles ?

Il arrive souvent qu'une femme enceinte ait spontanément tendance à se rapprocher de sa mère et trouve auprès d'elle le plus fort soutien. En devenant mère à son tour, elle a en effet besoin d'être encore un peu maternée et dorlotée, comme si son changement de statut nécessitait cette phase de « régression ». Parfois, pour diverses raisons, ce sera une amie ou une autre femme de la famille qui jouera ce rôle.

Le besoin d'être entourée

Pendant la grossesse, vous avez besoin de beaucoup d'attention. Les modifications hormonales, entre autres, sont parfois difficiles à gérer ; vous pouvez éprouver une fragilité et une émotivité exacerbées, avec souvent un immense désir de tendresse et d'écoute. Si votre partenaire est bien présent, la complicité qui vous unit pourra être consolidée, ce qui permettra un riche dialogue. Toutefois, vous pourrez parfois ressentir de la solitude. Vous aurez peut-être alors envie de voir davantage vos parents ou vos amies.

VOTRE COMPAGNON, UN SOUTIEN NÉCESSAIRE • Le soutien de votre compagnon vous aidera, bien sûr, à rester plus sereine. Dans les derniers mois, si vous vous sentez plus lourde, plus fatiguée, si vous sortez et recevez moins vos amis, vous aurez d'autant plus besoin de l'homme que vous aimez. Et, à la fin de votre grossesse, lorsque vous pourrez difficilement cumuler un grand nombre d'activités, vous apprécierez qu'il vous aide à préparer la chambre du bébé, qu'il fasse plus souvent les courses et, surtout, qu'il soit présent, vous procurant attention et affection.

Idéalement, le compagnon joue, en quelque sorte, le rôle d'un cocon autour de la mère et du bébé. Par cette fonction protectrice, il découvre son nouveau statut de père et aide sa compagne à se sentir mère. En outre, en favorisant le bien-être de sa femme, il influe indirectement sur les sensations de son enfant, puisque le bébé perçoit déjà les émotions de sa maman. La façon dont la grossesse est vécue joue un rôle dans les premières relations entre la

Certaines futures mamans découvrent que le soutien de leur mère est indispensable pendant leur grossesse.

mère et l'enfant. La présence du père est donc très importante. Toutefois, votre compagnon n'aura pas toujours le comportement que vous espériez. Entre ce que vous lui demandez et ce qu'il est susceptible de vous apporter, il existera parfois un décalage. Car lui aussi a une vie intérieure intense durant cette période (voir pages 232 et 233), ce qui l'amène à adopter différentes attitudes.

Ne pas oublier le père

Le comportement du futur papa est souvent très variable. Certains hommes s'investissent énormément, d'autres paraissent indifférents. D'autres encore éprouvent des sentiments ambivalents – jalousie, envie –, ou craignent d'être un peu dépassés par les responsabilités à venir. Mais, pour tous, même si cela n'est pas toujours visible, il s'agit d'une période de profond bouleversement.

DU SENTIMENT D'EXCLUSION… • Certains futurs pères se sentent très exclus, voire abandonnés, lors de la grossesse. Non seulement la femme a tendance à reporter sur le futur bébé une part de l'énergie qu'elle consacrait à son compagnon, mais elle accapare aussi toute l'attention de l'entourage. Les proches se préoccupent en général avant tout de sa santé et de ses états d'âme, et manifestent peu d'intérêt pour ce que ressent le père. Dans cette situation, que peut éprouver votre mari ou compagnon, qui vit lui aussi une période clé ? Certains hommes ont l'impression d'être en position de rivalité avec leur femme et trouvent cela très pénible. Elle a tout, se disent-ils inconsciemment – l'enfant et la sollicitude de son entourage –, alors qu'eux doivent se dépasser et être toujours à la hauteur.

… À L'ENVIE D'ÊTRE « ENCEINTE » ? • Il arrive aussi que cette période de changements se traduise chez le futur père par des signes qui rappellent la grossesse: certains hommes prennent du ventre et connaissent l'inconfort des nausées, diarrhées, maux de tête ou d'estomac – c'est la « couvade » (voir page 155). Ils deviennent parfois anxieux à mesure que l'accouchement approche et ne tiennent plus en place, cherchant différents moyens pour canaliser leur angoisse.

Un nouvel équilibre à trouver à deux

Les nouvelles responsabilités qui s'ébauchent pour le futur père ne sont pas forcément faciles à assumer. Va-t-il pouvoir subvenir aux besoins de sa famille et consacrer du temps à sa femme et à son bébé ? Il lui est en général délicat de parler de ses inquiétudes avec vous ou avec ses proches, car il peut avoir peur de ne pas se sentir compris ou avoir honte de révéler ses doutes.

LA TENTATION DE FUIR • Parfois, face au sentiment d'exclusion qu'ils vivent au sein de leur couple, ou au poids des questions qui les assaillent, certains hommes tentent, en apparence, d'échapper à leurs responsabilités. La future maman aura par exemple envie de rester à la maison, alors que le futur papa préférera sortir, voyager, voir ses amis. Il arrive qu'il passe davantage de temps hors de chez lui durant cette période, comme pour montrer que rien ne change pour l'instant, que l'équilibre d'avant est toujours là. Ce décalage entre ce que vit la future maman et ce que ressent son compagnon peut engendrer des tensions dans le couple, ce qui est tout à fait normal. Mais la venue d'un enfant peut aussi être l'occasion d'une nouvelle relation à deux, plus intense, centrée sur ce que le couple est en train de construire.

Pour le papa : premiers contacts avec le fœtus

À partir du 3e mois de grossesse, le père et l'enfant peuvent sentir mutuellement leur présence à travers le ventre maternel. Certains pères éprouvent une grande émotion en sentant le bébé sous leurs doigts. D'autres n'ont pas envie de ce type de contacts. Chacun en la matière est totalement libre: ni ces gestes ni leur absence n'influent sur le développement du fœtus.

Des sens qui s'éveillent

Aujourd'hui, les médecins en savent beaucoup sur la vie du fœtus et sur le développement de ses sens avant la naissance. On reconnaît désormais que la maman peut bel et bien entrer en contact avec le bébé au moyen de ses pensées et de ses émotions quand elle lui « parle » dans sa tête. On sait aussi que le fœtus est sensible au toucher dès le 3e mois, et aux voix vers le 5e mois. Ces découvertes ont un peu modifié les attitudes des futurs pères. Parfois encouragés en ce sens par leur femme et par les sages-femmes, ils sont plus nombreux à « aller vers le bébé » avant sa naissance. Sachez toutefois que les bébés sont tout aussi vigoureux quand les pères n'ont pas cette démarche. C'est aussi pour vous que vous cherchez éventuellement à faire sentir votre présence au fœtus. Vous pouvez, en effet, y trouver un plaisir empreint d'une émotion toute personnelle ou la joie d'un moment d'intimité à trois. Vous pouvez aussi en retirer une meilleure conscience de l'existence de l'enfant.

LE « RITE » DES ÉCHOGRAPHIES

- **Les pères sont de plus en plus nombreux à assister aux échographies.** Dès la première échographie, beaucoup éprouvent une grande émotion à voir ainsi le fœtus. Il est bien visible de profil et bouge déjà.
- **Certains affirment même que c'est la première échographie qui leur a permis de prendre vraiment conscience de l'existence de l'enfant,** bien plus que l'annonce par la mère. Cette première radiographie serait-elle en passe de devenir un rite d'initiation moderne pour les pères ? Peut-être… Il est vrai que, en pratique, la première échographie revêt autant d'importance pour l'homme que pour la femme. Le futur père, en ce début de grossesse, ne dispose pas de beaucoup d'autres moyens d'appréhender la réalité charnelle du bébé.
- **Même si la première échographie est un moment d'émotion particulièrement intense,** les deux échographies suivantes sont aussi l'occasion pour le père d'avoir une perception accrue de la réalité de son futur bébé.

Parler par la main et la voix

Dès le 3e mois, avant même que la mère ne sente le bébé bouger, celui-ci perçoit la pression, le poids, la chaleur d'une main. Vous pouvez donc indirectement communiquer avec lui.

N'AYEZ PAS PEUR D'APPUYER UN PEU • Ce toucher, vous l'effectuez… comme vous le sentez. L'essentiel est d'être vous-même. Une main posée bien à plat sur le ventre suffit à ce que le fœtus sente une présence. Mais, si vous le souhaitez, n'hésitez pas à appuyer un peu pour aller à sa rencontre et le toucher davantage. Vous ne risquez pas de lui faire mal – le bébé est bien plus secoué chaque fois que sa maman contracte ses muscles abdominaux, par exemple quand elle éternue. Éventuellement, vous pouvez d'une main caresser et rassurer, et, de l'autre, effectuer une pression. À votre demande, toute sage-femme peut vous montrer ces gestes simples lors d'une consultation avec votre compagne.

IL VOUS ENTEND DE TOUTE FAÇON • Vous pouvez également établir un contact au moyen de votre voix, en vous plaçant près du ventre maternel si vous en avez envie. De toute manière, dès le 5e mois, le bébé entend votre voix chaque fois que vous parlez à sa maman, puisqu'il est sensible aux sons venant de l'extérieur. Si vous discutez à deux de lui, vous êtes en fait déjà dans une relation à trois. Car lui perçoit à la fois vos deux voix et la tendresse de sa mère à son égard.

Dès le 5e mois, le bébé entend votre voix chaque fois que vous parlez à sa maman.

ALLER PLUS LOIN AVEC L'HAPTONOMIE ? • Pour approfondir ces contacts à trois, tactiles et par la voix, vous et votre femme pouvez en outre suivre des séances d'haptonomie (voir pages 118 à 121). Elles sont proposées aux parents à partir du 4e mois dans le cadre de la préparation à l'accouchement.

Si vous n'avez pas envie de toucher le futur bébé...

Parfois, vous ressentirez un besoin de contacts avec le bébé seulement en fin de grossesse, parfois jamais. Ne vous le reprochez pas. Si vous vous forcez, ces gestes n'auront aucun sens. Les relations sensitives avant l'accouchement n'ont pas d'incidence sur les rapports ultérieurs que vous aurez avec l'enfant. Même si vous n'avez jamais touché le fœtus à travers le ventre maternel, votre bébé vous reconnaîtra de toute façon à votre voix après la naissance.

Toutefois, votre femme risque parfois de mal interpréter votre attitude durant sa grossesse. Elle peut prendre pour de l'indifférence ce qui n'est, éventuellement, que de la gêne ou de l'appréhension. Dans le désir de partager avec vous, elle peut oublier que vos sensations, lors d'un toucher, n'ont pas la même intensité que les siennes car vous ne portez pas le bébé. Pour éviter tout malentendu, il vous faudra peut-être la rassurer, rappeler que vous attendez aussi, mais à votre façon. Que ce soit par des mots d'explication ou en lui montrant simplement que vous êtes heureux...

LE FŒTUS ENTEND TOUT

- **C'est un fantasme fréquent chez les futurs parents.** Le fœtus serait un voyeur capable de regarder « par le trou de la serrure » et de juger la sexualité de ses parents !
- **Même s'il est sensible à votre voix dès le 5e mois,** le fœtus « n'entend rien », mais il ressent le bien-être, l'amour et le plaisir de ses parents.

Le sixième mois

- Le développement du bébé
- Du côté de la maman
- La préparation classique
- La sophrologie et le yoga : apprendre à se relaxer
- Les autres méthodes
- Bien se tenir
- Mieux dormir
- Prévenir l'anémie
- Quel mode de garde envisager ?
- Du côté du papa : lorsque la femme a besoin de soutien

Le développement du bébé

Au cours du 6e mois, votre bébé va beaucoup s'agiter, en faisant des mouvements nettement mieux coordonnés pendant ses périodes d'éveil. Il va également commencer à ouvrir les yeux et, maintenant, il perçoit les sons grâce à ses oreilles. Peut-être parlez-vous désormais de lui en disant « il » ou « elle » !

Une présence toujours plus affirmée

Le fœtus s'agite beaucoup : il effectue de 20 à 60 mouvements par demi-heure, avec bien sûr des variations au cours de la journée. D'autant que, maintenant, il connaît des phases d'éveil et de sommeil, et commence à réagir aux bruits extérieurs (une raison de plus pour vous de fuir les endroits trop bruyants). Il lui arrive hélas fréquemment d'être particulièrement actif la nuit et il vous réveille… Ses mouvements sont plus coordonnés (il pédale et pousse des pieds contre la paroi utérine, peut-être pour s'entraîner à marcher). Avec sa main, il peut sentir le cordon ombilical. Il a souvent le hoquet, ce qui secoue l'utérus.

Un développement bien avancé

Son visage s'affine : les sourcils sont apparents, les oreilles plus grandes, le dessin du nez est plus net, le cou se dégage. Ses yeux, dont les paupières s'ouvrent et se referment, sont capables de réagir à la lumière (le fœtus peut même utiliser les mains pour protéger ses yeux si une lumière vive frappe le ventre). Ses cordes vocales fonctionnent, mais il faudra attendre sa venue au monde pour qu'il pousse son premier cri. Le futur bébé suce souvent son pouce.

La différenciation sexuelle est nette. Les poumons sont déjà bien développés, mais ils ne seront tout à fait prêts à fonctionner qu'à la fin du 8e mois. S'il devait naître maintenant, de façon prématurée, l'enfant pourrait peut-être survivre avec des soins intensifs, mais ses chances seraient minimes. Il mesure environ 37 cm et pèse 800 g.

Attention !

Les informations données au fil des mois sur l'évolution de l'embryon puis du fœtus ne sont pas à considérer de manière trop rigide. Il existe un cadre général, qui définit l'évolution « normale », mais chaque individu a sa propre dynamique de développement. Tel fœtus sera un peu en avance pour certaines fonctions mais plus lent pour d'autres acquisitions.

“Certains jours, mon bébé bouge beaucoup et d'autres, il est très calme. Est-ce normal ?”

L'ACTIVITÉ DE VOTRE BÉBÉ

Comme nous, le fœtus a ses jours « avec », où il s'active, et ses jours « sans ». Le plus souvent, son activité est liée à la vôtre et, comme les bébés, les fœtus dorment beaucoup. Si vous êtes très active en journée, vous ne sentirez pas grand-chose, parce qu'il dort et que vous êtes trop occupée. Quand vous vous reposerez ou que vous ralentirez le rythme, il repartira de plus belle. C'est pour cela qu'une femme enceinte sent plus son bébé la nuit, ou la journée quand elle est couchée. Son activité peut également augmenter après un repas, peut-être suite à l'afflux de sucre (glucose) dans votre sang. Il se peut enfin qu'il remue plus quand vous êtes excitée ou nerveuse. Sans doute parce qu'il est stimulé par une décharge d'adrénaline, en réponse à vos émotions. Les bébés bougent entre la 24e et la 28e semaine d'aménorrhée (SA) du fait de leur petite taille. Leur activité s'intensifie entre la 28e et la 32e SA, avec des phases de repos et de sommeil.

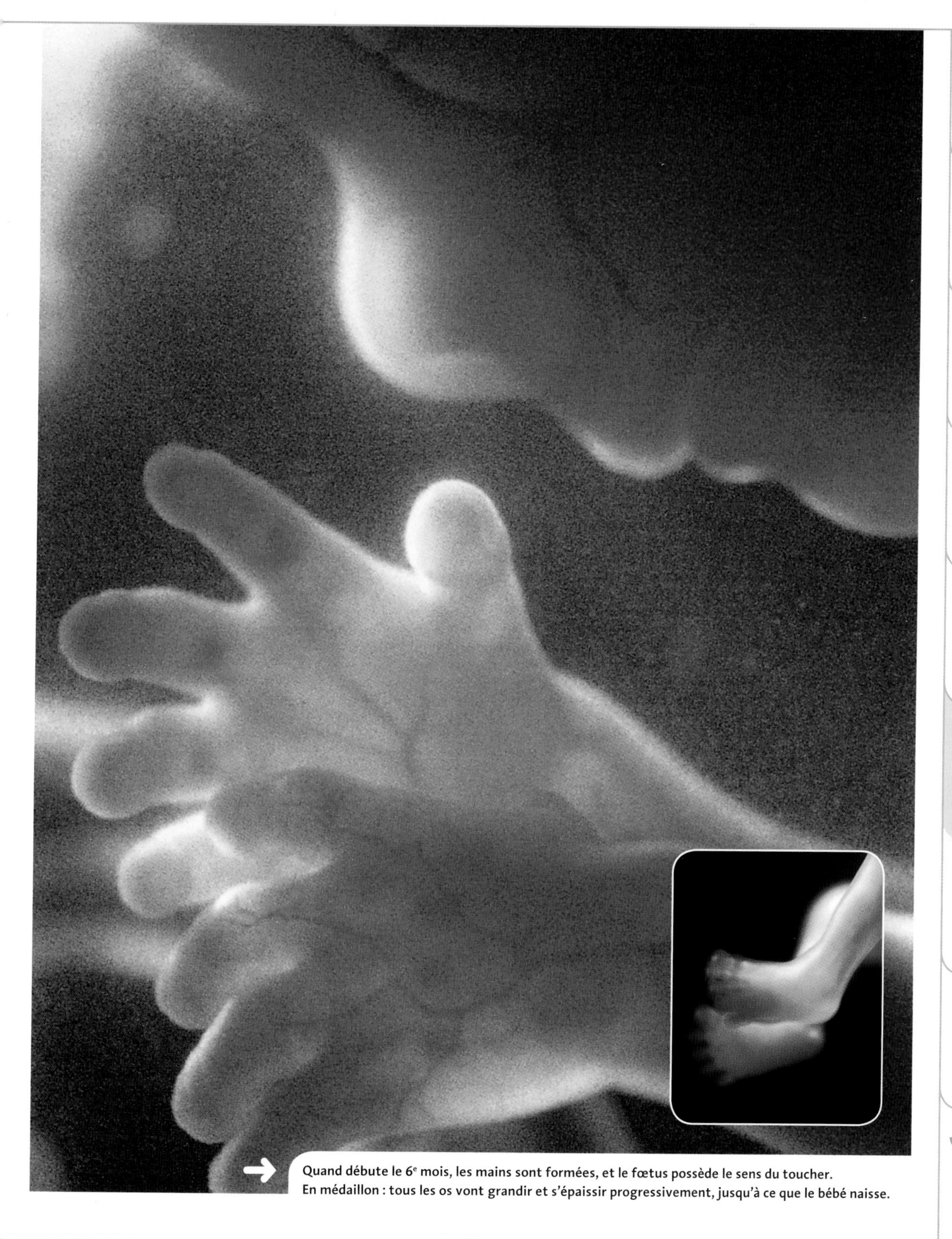

Quand débute le 6e mois, les mains sont formées, et le fœtus possède le sens du toucher.
En médaillon : tous les os vont grandir et s'épaissir progressivement, jusqu'à ce que le bébé naisse.

Du côté de la maman

Vous vous êtes habituée à votre nouvelle silhouette mais votre ventre volumineux et de nouveaux petits désagréments commencent vraiment à perturber votre quotidien. Apprendre à vous relaxer et à préparer votre corps à l'accouchement devient peu à peu une priorité.

Qu'en est-il de votre corps ?

L'utérus continue d'augmenter de volume : vous pouvez même suivre sa progression de vos propres yeux. Vos seins, très vascularisés, sont parcourus de veines plus apparentes. Votre tension artérielle baisse légèrement, car la masse de sang est plus importante et les vaisseaux sont dilatés.

Des crampes et des fourmillements peuvent apparaître, en particulier durant la nuit (voir pages 164 et 202). Pour les combattre, demandez conseil à votre médecin ou votre sage-femme, qui prescrira une supplémentation en vitamines et minéraux.

Les gencives sont plus fragiles et saignent souvent lors du brossage. Il n'y a rien à faire, tout rentrera dans l'ordre après l'accouchement. Consultez votre dentiste régulièrement, comme à l'accoutumée.

Un nombril proéminent

« Avant d'être enceinte, mon nombril était parfaitement rentré. À présent, il est vraiment saillant. Est-ce qu'il va rester ainsi après l'accouchement ? » Rassurez-vous, un nombril qui est proéminent est courant chez une femme enceinte. Le ventre qui s'arrondit finit en effet par repousser le nombril, parfois dès le 6e mois. Après l'accouchement, il reprendra généralement sa place, même s'il est probable qu'il sera un peu plus large.

Pensez aux médecines douces !

Un nombre croissant de méthodes permettent de soulager la douleur sans recourir à des médicaments. Elles sont idéales pour les femmes qui préfèrent éviter tout produit chimique pendant leur grossesse ou pour celles qui sortent d'un récent sevrage à l'alcool ou aux drogues (les analgésiques et les tranquillisants qui altèrent l'humeur leur sont contre-indiqués).

La sophrologie, le yoga, l'acupuncture, l'hydrothérapie… sont autant de méthodes que vous découvrirez peut-être lors de votre préparation à l'accouchement (voir pages 190 à 197) et qui peuvent vous aider à lutter contre l'insomnie, la fatigue, l'anxiété, certaines douleurs, etc. N'hésitez pas à prendre conseil auprès de professionnels spécialisés dans l'accompagnement des femmes enceintes.

TONIFIER LES MUSCLES DU PLANCHER PELVIEN

- **Il n'est jamais trop tôt pour apprendre à tonifier les muscles du plancher pelvien.** À la fin des années 1940, Arnold Kegel, gynécologue américain, a mis au point des exercices destinés à tonifier ces muscles situés à l'intérieur du bassin, autour du vagin et de l'anus. La gymnastique périnéale (voir page 191) vous préparera également à accompagner l'expulsion du bébé.
- **Ces exercices sont des mouvements simples.** Le principal intérêt d'une pratique régulière de ces exercices est de réduire les risques de souffrir ultérieurement d'une incontinence urinaire. Ils peuvent être pratiqués n'importe où et n'importe quand, et s'adressent à toutes les femmes enceintes.
- **Vérifiez d'abord que ce sont bien les muscles pelviens qui travaillent en essayant par exemple de stopper le jet urinaire.** Si vous y parvenez, c'est que vous sollicitez les bons muscles.
- **Contractez aussi longtemps que vous le pouvez les muscles pelviens (pendant environ 10 secondes), puis relâchez-les doucement et décontractez-vous.** Faites-en trois séries par jour.
- **Vous pouvez également vous entraîner – debout ou assise, à n'importe quel moment de la journée,** avant comme après l'accouchement – en comptant jusqu'à 10 ou 20 : contractez et relâchez les muscles pelviens à chaque chiffre.

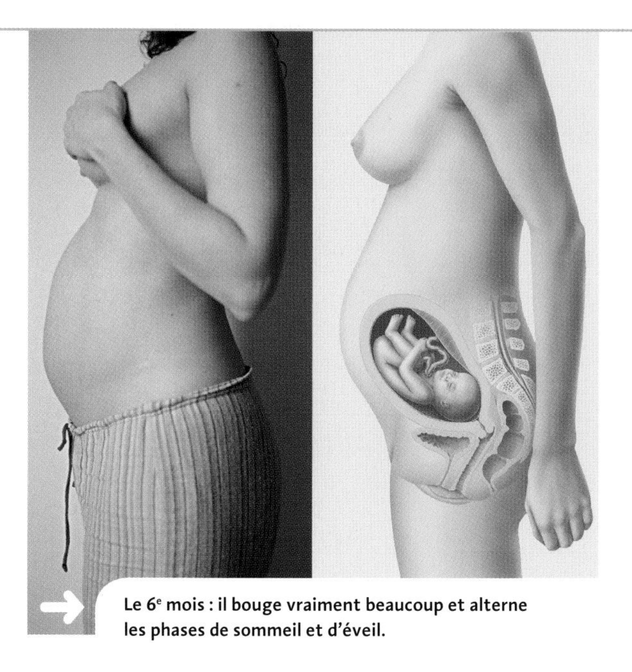

Le 6e mois : il bouge vraiment beaucoup et alterne les phases de sommeil et d'éveil.

C'est le temps de...

Faire le point sur les incidences financières de la naissance du bébé et définir votre budget. Renseignez-vous auprès de la Caisse d'Allocations familiales pour savoir de quelles aides vous pouvez bénéficier.

Jouez partout la sécurité

Les risques les plus importants qui menacent les femmes ne sont pas souvent des complications directement liées à la grossesse, mais des accidents en tout genre. Souvent dus à un manque d'attention – souvent de la part de la victime elle-même – ils auraient pu être évités avec un peu de prudence et de bon sens. Voici quelques mesures à prendre afin de limiter au maximum les risques.

CEINTURE EN TOUTES CIRCONSTANCES

Attachez toujours votre ceinture de sécurité – et gardez-la attachée durant tout le trajet – en voiture, mais aussi en avion. N'ayez pas peur que la pression, en cas d'arrêt brutal, ne fasse du mal au fœtus. Il est parfaitement protégé par le liquide amniotique et le muscle utérin qui l'entourent. Dans une voiture, lorsque vous êtes à la place du passager, reculez au maximum votre siège afin de ne pas être blessée par l'airbag en cas d'accident. Placez la ceinture sous-abdominale le plus bas possible sous le ventre et l'autre, comme d'habitude, entre les seins. Si vous conduisez et s'il y a un airbag dans le volant, relevez votre volant afin qu'il pointe non pas vers votre ventre mais votre poitrine et laissez au minimum 25 cm entre vous et le volant. Veillez à ce qu'il n'y ait aucun objet sur le tableau de bord susceptible d'être projeté en cas de choc. Dès que cela est possible, montez à l'arrière.

Ne grimpez jamais sur une chaise, un escabeau ou autre.

FINIS LES TALONS AIGUILLES

Vous n'êtes plus aussi souple et alerte qu'il y a encore quelques semaines. Plus votre ventre grossit, plus votre centre de gravité change et plus vous avez de risques de perdre l'équilibre. Par ailleurs, vous aurez de plus en plus de difficultés à voir vos pieds. Tous ces changements favorisent les accidents.

Ne portez pas de chaussures à talons aiguilles, à semelle souple, ou de chaussons à la semelle glissante sous peine de tomber ou de vous tordre la cheville. Ne marchez pas en chaussettes ou en collants sur un sol glissant.

SÉCURISEZ VOTRE ENVIRONNEMENT

Faites attention en entrant et en sortant de la baignoire. Mettez un tapis antidérapant dans la baignoire et dans la douche. Si besoin, faites installer 1 ou 2 barres d'appui auxquelles vous vous tiendrez lorsque vous serez gênée par votre gros ventre.

Enlevez tout ce qui peut causer un accident dans la maison ou le jardin : les tapis qui ne sont pas antidérapants notamment en haut d'un escalier, les jouets en travers d'une porte ou qui encombrent le vestibule, les câbles qui jonchent le sol.

La nuit, allumez une lampe lorsque vous allez aux toilettes. Le soir, avant de vous coucher, enlevez tous les objets à même le sol susceptibles de vous faire trébucher.

Veillez à ne pas vous surmener et dormez suffisamment. Nombre d'accidents sont dus à la fatigue.

La préparation classique

Également connue sous le nom de « préparation à l'accouchement sans douleur », la préparation classique a déjà bien fait la preuve de son efficacité. Par l'information et la pratique d'exercices de relaxation et de certaines techniques respiratoires, elle entend limiter les tensions le jour de l'accouchement.

Ne plus avoir peur

Mise au point en Russie et introduite en France en 1951 par le docteur Fernand Lamaze, cette méthode de préparation à l'accouchement entendait remettre en question le précepte selon lequel toute femme enfantera dans la douleur, en s'appuyant sur un double constat. D'une part, la peur naît très souvent de l'inconnu. En expliquant en détail aux femmes le processus de la naissance, une grande part des appréhensions peut être supprimée. D'autre part, la certitude a priori de souffrir durant l'accouchement « conditionne » les femmes. En les préparant au travail que leur corps devra effectuer, elles n'oublieront pas la douleur, mais pourront mieux l'intégrer.

Attention aux revêtements de sol

Si vous faites régulièrement de la relaxation ou des exercices de gymnastique périnéale chez vous, procurez-vous un tapis de sol en mousse pour que ce soit plus confortable et installez-vous de préférence sur un parquet ou sur une moquette. Ne soyez jamais en chaussettes ou en collants sur un sol glissant. Évitez également les chaussons à semelle glissante.

QUAND DÉBUTER ET AVEC QUI ? • Les séances sont assurées par des sages-femmes, parfois des médecins. Elles démarrent en général à partir du 7e mois de grossesse et sont organisées le plus souvent par petits groupes. Certaines femmes reprochent parfois à cette méthode de ne pas être très personnalisée. D'autres regrettent de ne pas commencer les cours plus tôt. Libre à vous, bien sûr, de la conjuguer avec d'autres approches plus en accord avec votre sensibilité.

LES PREMIÈRES SÉANCES • Elles ont une vocation informative, complétée dans certains cas par la projection de documentaires : sur votre corps, sur la grossesse et les modifications qu'elle implique pour votre organisme, sur l'accouchement (et les différentes interventions médicales éventuelles : péridurale, épisiotomie, forceps, césarienne), sur les suites de couches, l'allaitement, etc.

LE LIEU • Si elles se déroulent dans la maternité où vous devez accoucher, vous pourrez, dans certains cas, rencontrer l'équipe médicale qui vous assistera et visiter les salles de naissance et les chambres de la maternité. Aussi aurez-vous peu à peu une idée beaucoup plus concrète du déroulement d'un accouchement.

Apprendre à respirer et à se détendre

Sous l'effet de la douleur, quelle que soit son origine, la respiration se bloque, le corps se raidit et tous les muscles se crispent. Cette réaction en chaîne crée une vive tension, à la fois physique et psychique, et accentue la sensation première de douleur. L'apprentissage des techniques de relaxation et de respiration vous aidera à rester, dans la mesure du possible, calme, détendue et parfaitement « oxygénée » dès que vous ressentirez les premières contractions utérines marquant le début du travail.

LA RELAXATION • Les exercices de relaxation se pratiquent le plus souvent en position allongée, sur le côté. Ils consistent à détendre progressivement chaque partie du corps. Ils permettent aussi d'apprendre à contracter un muscle particulier, indépendamment des autres, afin de pouvoir, par la suite, accueillir une contraction dans un corps détendu.

LA RESPIRATION • Au cours de la grossesse, vos besoins en oxygène augmentent. Durant l'accouchement lui-même, comme lors de tout effort musculaire intense, une bonne oxygénation est également primordiale : elle favorise la décontraction musculaire et la dilatation.

Les techniques de respiration constituent un entraînement physique en favorisant l'oxygénation de tout l'organisme. Vous apprendrez donc à respirer en inspirant profondément par le nez et en expirant par la bouche le plus lentement possible jusqu'à vider complètement les poumons. La respiration superficielle et accélérée dite « respiration du petit chien » ne se pratique plus. Elle peut provoquer une hyperventilation (augmentation de la quantité d'air dans les poumons), et occasionner ainsi des maux de tête chez la future maman.

Apprendre à pousser

La respiration joue un rôle important au moment de la poussée. Lors des dernières contractions, qui vont aboutir à l'expulsion, vous allez aider votre bébé à franchir le bassin. À chaque contraction, poussez trois fois, sur l'expiration ou respiration bloquée après avoir vidé complètement vos poumons. Il est préférable de faire cet exercice après celui du demi-pont (voir page 223), grâce auquel votre colonne vertébrale est étirée et votre bassin, bien orienté.

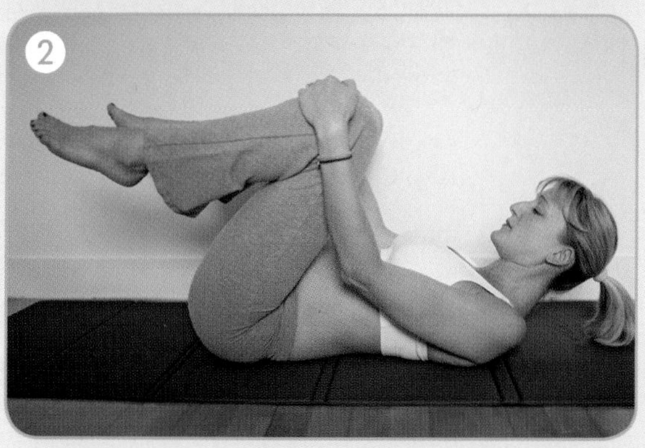

① Allongée sur le dos, les jambes légèrement écartées, vous ramenez les genoux de chaque côté du ventre.

② Avec les mains, saisissez vos jambes.
Inspirez profondément, en gonflant le ventre puis la poitrine. Soufflez. Inspirez de nouveau profondément (le diaphragme descend), tout en soulevant légèrement la tête et le haut du dos. Bloquez la respiration (le diaphragme comprime le fond de l'utérus), puis poussez en ramenant les genoux vers les épaules. Les abdominaux vont faire pression sur l'utérus (dans un mouvement de haut en bas) et ainsi aider l'enfant à descendre.

On peut également pousser en relâchant un tout petit peu d'air.

La gymnastique périnéale

Pour bien préparer l'expulsion, on peut aussi travailler le périnée. Pour cela, commencez les exercices dès le 4e mois et continuez après la naissance.

① Placez-vous à quatre pattes, la tête posée sur vos avant-bras, puis détendez votre périnée.

② Allongée sur le dos, les jambes pliées sur une chaise. Sur l'expiration, faites pivoter votre jambe gauche vers l'extérieur. Puis ramenez-la dans l'axe vertical en inspirant et en contractant le périnée.

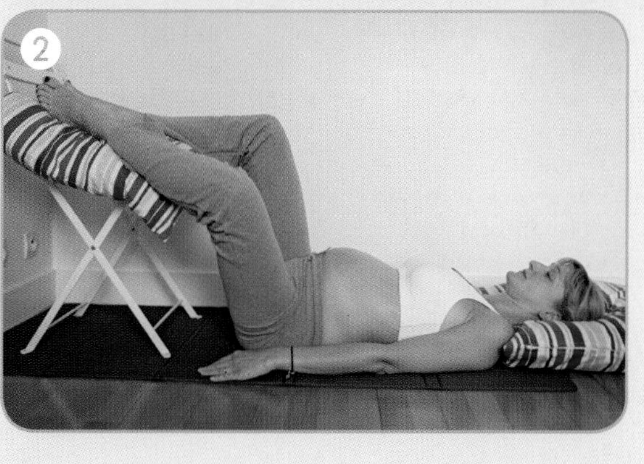

La sophrologie et le yoga : apprendre à se relaxer

Mise au point en Espagne au début des années 1960, la sophrologie privilégie la relaxation, en faisant appel à des techniques d'hypnose ou d'autohypnose inspirées du yoga. Quant au yoga lui-même, c'est une philosophie, une « voie » qui développe la connaissance de soi. Pour autant, il ne s'agit pas de faire de vous des yogis ou de vous lancer dans des postures compliquées.

La sophrologie : repos et confiance

La préparation commence en général au 5e mois. Elle demande un investissement personnel assez important. En effet, si vous souhaitez mettre à profit cette méthode lors de votre accouchement, vous devrez, en dehors d'une dizaine de séances collectives (à raison d'une séance par semaine), vous entraîner pendant 20 minutes chaque jour à l'aide des indications de la sage-femme enregistrées sur une cassette.

AU SEUIL DU SOMMEIL • Debout, assise ou allongée, vous vous laissez guider par la voix douce, paisible et monocorde du sophrologue, et entrez dans un état de conscience à mi-chemin entre le sommeil et l'éveil. Un état proche de celui que vous rencontrez chaque jour, juste avant de vous endormir, et dans les toutes premières minutes du réveil. Autrement dit, vous n'êtes ni en transe, ni sous le contrôle de quelqu'un. Vous n'êtes pas non plus endormie, mais tout simplement détendue et en pleine possession de vos moyens. Vous apprenez ainsi à vous servir de votre respiration pour vous relaxer et relâcher toutes les tensions de votre corps (articulaires, dorsales, musculaires).

Pendant la grossesse, cette pratique aide à visualiser l'accouchement et à envisager cet événement sans angoisse et de manière positive. Après plusieurs semaines de pratique, et un entraînement régulier chez vous en réécoutant sur cassette la voix de votre sophrologue, il vous suffit de fermer les yeux et de vous souvenir de cette voix pour retrouver rapidement cet état.

UNE DISCIPLINE ANTIFATIGUE • Une demi-heure de cet exercice en état de demi-sommeil conscient permet de récupérer environ deux heures de sommeil, d'où l'intérêt de son utilisation régulière durant la grossesse. Le jour de l'accouchement, en faisant appel à cette technique, vous retrouverez une respiration calme et lente et créerez ainsi un climat d'équilibre propice au bon déroulement du travail.

ET APRÈS L'ACCOUCHEMENT • La sophrologie pourra vous être très utile au-delà de votre grossesse. Quand bébé sera là et que les nuits seront interrompues par les tétées ou les biberons, elle sera d'un grand secours pour lutter contre le manque de sommeil, le surcroît de fatigue et votre fragilité émotionnelle.

Le yoga : pour un meilleur équilibre

Selon le docteur Frédérik Leboyer, qui a largement contribué à en populariser la pratique dans le cadre de la grossesse, le yoga ne se réduit pas à une simple gymnastique, pas plus qu'à un sport ou encore à une thérapeutique. C'est une méthode qui développe une meilleure connaissance de soi.

UN ÉQUILIBRE CORPOREL ET PSYCHIQUE • Même si vous n'avez jamais pratiqué cette discipline auparavant, la grossesse est une bonne période pour vous initier. Le yoga associe en effet un travail de concentration et des postures physiques, dans le but de retrouver, ou de maintenir, un bon état d'équilibre corporel et psychique. Il permet l'union du physique et du mental, ce qui est l'état même de la grossesse. Grâce à une prise de conscience à la fois musculaire et articulaire, cette préparation a une action bénéfique sur les petits maux de la grossesse (sciatique, etc.), et sur le ressenti intérieur. Elle aide à maîtriser le stress par la respiration, à améliorer la circulation, le transit, l'oxygénation du bébé.

Elle est bénéfique aussi pour le périnée, car elle le prépare à l'accouchement et facilite la récupération du tonus musculaire après la naissance.

À QUEL RYTHME ? • Les séances de yoga spécialement destinées aux femmes enceintes sont en général dirigées par une sage-femme ou un médecin. Elles durent en moyenne une heure ou une heure et demie, à raison d'une ou deux séances par semaine, à votre convenance. Vous pouvez aussi pratiquer des exercices chez vous, chaque jour, pendant 15 à 20 minutes.

PAS DE MODÈLE TOUT FAIT • Le yoga ne se conçoit pas sans un apprentissage de la relaxation, qui conduit à prendre conscience de son corps, de sa respiration et de diverses sensations telles la chaleur ou la pesanteur. Le yoga, en effet, est avant tout une recherche personnelle, et vous devez toujours adapter vos positions en fonction de votre bien-être. Les exercices proposés ne sont jamais des modèles tout faits, à reproduire tels quels. C'est à vous de les modifier afin de les sentir vraiment.

DES POSTURES ADAPTÉES • Elles visent à faire travailler les muscles mis à l'épreuve lors de la grossesse et de l'accouchement. Vous apprendrez à vous allonger, vous lever et vous retourner sans effort et sans douleur. Les dernières séances sont consacrées aux positions utiles pour les contractions, et au travail de la poussée. Cette méthode est peu violente pour le bébé et pour le périnée maternel. de toute façon, si vous sentez qu'une posture ne vous convient pas, ne la maintenez-pas. Pour trouver une préparation par le yoga, vous avez deux solutions : trouver une sage-femme qui s'est formée au yoga, ou, mieux, dénicher un professeur de yoga qui adapte un de ses cours pour les femmes enceintes.

LES 3 DEGRÉS DE LA RELAXATION

- Pour que la sophrologie soit vraiment utile, il vous faut bien maîtriser les trois degrés de la « relaxation dynamique ».
- **La concentration.** Il s'agit de vous faire mieux connaître et accepter la réalité de votre corps, qui se modifie au cours de la grossesse et après l'accouchement.
- **La contemplation.** L'objectif est de vous aider à prendre conscience de vous-même parmi les autres, à vous préparer aux changements qui vont intervenir dans votre vie familiale, et notamment à accueillir votre enfant dans un état d'esprit harmonieux.
- **La méditation.** Vous allez chercher à augmenter vos capacités de concentration à partir d'une posture héritée du zen et du yoga, que vous pourrez utiliser pendant l'accouchement, dès que l'intensité des contractions utérines commencera à menacer votre équilibre.

Les postures de yoga enseignées aux femmes enceintes visent à faire travailler les muscles sollicités lors de la grossesse.

Les autres méthodes

Que vous optiez pour la préparation en piscine, le chant prénatal, la musicothérapie – ou d'autres préparations plus proches de pratiques médicales, comme l'acupuncture –, toutes ces méthodes sont en mesure de vous apporter une aide physique et psychique, en petit groupe ou en séance individuelle. À vous de choisir.

La préparation en piscine : légèreté et bien-être

Dans l'eau, le corps est moins lourd. Vous vous sentez plus légère en dépit des kilos supplémentaires et les exercices qui préparent à l'accouchement se font en douceur et en souplesse, d'autant que l'eau favorise la détente et la relaxation. La pression de l'eau exerce également un massage drainant qui détend les jambes lourdes et favorise la circulation sanguine. Si vous souffrez de sciatique, d'insomnie ou de constipation, vous serez d'autant plus sensible aux vertus de cette préparation. Enfin, vous retrouverez dans le cadre de ces séances d'autres femmes enceintes, et oserez montrer votre corps, ce qui vous aidera à l'assumer.

ACQUÉRIR UNE RESPIRATION AMPLE • Les séances durent une heure environ et accueillent en général une dizaine de femmes enceintes. Leur objectif premier est de développer votre capacité respiratoire, ce qui sera utile pour la fin de votre grossesse et pour l'accouchement. Vous travaillez également votre périnée pour le préparer à la phase d'expulsion et aux suites de couches. Des exercices de musculation, d'étirement et de relaxation peuvent aussi vous être proposés selon les cas.

Accoucher dans l'eau ?

L'immersion dans l'eau permet d'atténuer, lors du travail, la gêne et la douleur des contractions, tout en travaillant sur la respiration. L'accouchement dans l'eau n'est pratiqué que dans certains établissements, soit dans une baignoire, soit dans une piscine. Le futur père peut être autorisé à aller dans l'eau avec sa compagne : il se place derrière elle et glisse ses bras sous ses aisselles afin de la soutenir pendant l'accouchement.

EN TOUTE SÉCURITÉ • Il est inutile de savoir nager pour participer à ces séances. Celles-ci ont lieu dans une zone réservée à cet effet. La température de l'eau est de 30 °C environ, et l'hygiène de la piscine fait toujours l'objet d'un contrôle rigoureux. Lors de votre inscription, il vous faudra toutefois fournir un certificat médical indiquant que vous ne présentez aucune contre-indication à pratiquer ce type de préparation.

Les séances sont animées par un maître nageur, qui veille aussi à la sécurité de la piscine, ainsi que par une sage-

QUAND COMMENCER UNE PRÉPARATION À L'ACCOUCHEMENT ?

- **Préparation classique** (voir pages 190 et 191) : à partir du 7e mois de grossesse.
- **Yoga** : au 5e ou 6e mois, ou même avant si vous vous sentez fatiguée.
- **Sophrologie** : vers le 5e mois, ou plus tôt si vous êtes anxieuse.
- **Méthode Bonapace** : la préparation débute au 6e mois, à raison de 4 séances de 2 heures ou de 6 séances de 1 h 30.
- **Piscine** : c'est une activité qui peut être pratiquée tout au long de la grossesse.
- **Chant prénatal** : dès le 1er trimestre, car le fœtus perçoit déjà les sons par conduction osseuse. À partir du 5e mois, il les entend par ses oreilles.
- **Musicothérapie** : à n'importe quel stade de la grossesse ; en général à partir du 6e mois.
- **Haptonomie** (voir pages 118 à 121) : dès le 4e mois, c'est-à-dire peu avant que la future maman ne commence à sentir son bébé bouger.
- **Acupuncture** : à tout moment de la grossesse, mais la préparation proprement dite s'échelonne sur les trois dernières semaines. Elle vise à rétablir l'équilibre des énergies dans le corps.

Dans l'eau, vous vous sentez plus légère, et les exercices se font tout en douceur.

femme, qui assure la surveillance médicale et est spécialement formée à cette préparation. Vous pouvez commencer dès que vous le souhaitez, et selon un rythme que vous définissez vous-même.

Le chant prénatal : des vocalises en toute intimité

Cette préparation, créée par la cantatrice française Marie-Louise Aucher, est fondée sur l'impact qu'ont les sons sur le corps. Mais il est inutile de savoir chanter pour suivre cette méthode.

DES EFFETS SUR LA MAMAN ET LE BÉBÉ • Le chant prénatal favorise à la fois le développement du souffle, la tonicité des abdominaux, la bascule du bassin et le travail du périnée. Par ailleurs, il permet d'exprimer, autrement que par les mots, des sentiments, des inquiétudes, voire des angoisses inconscientes. Et, bien sûr, votre bébé, enveloppé d'une ambiance sonore privilégiée, en profite pleinement puisqu'il se trouve en quelque sorte aux premières loges. Sachez que le fœtus perçoit la voix de sa mère, dans un premier temps par conduction osseuse puis, à partir du 5e mois environ, par son oreille. Il réagit de façon différente selon le registre – grave ou aigu – des mélodies. Pendant les exercices, le bébé est donc à la fois massé naturellement par les mouvements internes de votre corps et sécurisé par votre voix.

LE DÉROULEMENT DES SÉANCES • La préparation peut démarrer à tout moment et se déroule en groupe. Les séances débutent en général par de petits tapotements sur tout le corps, afin de réveiller toutes les zones. Puis, après quelques exercices permettant d'échauffer la voix, elles se prolongent par des vocalises. Les maternités organisant des séances de chant prénatal restent en France malheureusement rares. Si vous n'avez pas la possibilité d'y participer, essayez de vous adresser à une chorale ou à un professeur de chant spécialisé en psychophonie.

Après la naissance, vous pourrez continuer à chanter au bébé des mélodies qu'il a déjà entendues dans votre ventre. Une manière douce et efficace d'apaiser ses pleurs.

L'acupuncture : rééquilibrer les énergies

Bien que l'on ne puisse pas classer l'acupuncture aux côtés des préparations à l'accouchement proprement dites, cette médecine traditionnelle chinoise peut être très intéressante en complément d'une autre méthode. Elle permet de préparer l'organisme lors de la grossesse, mais elle reste encore peu utilisée pour soulager la douleur au moment de l'accouchement.

De manière générale, le but de l'acupuncture est de maintenir ou de rétablir chez l'être humain la libre circulation des énergies dans le corps.

Cette énergie (en médecine chinoise, on considère en effet que la vie est énergie) se compose de deux pôles : le yin, qui correspond à l'énergie statique, et le yang, qui correspond à l'énergie dynamique. Or la grossesse entraîne un important bouleversement de l'équilibre énergétique. Durant l'accouchement, l'énergie yin, statique, présente au niveau du bassin, va devoir se transformer radicalement en une énergie dynamique (yang). Une telle transformation se fera de manière bien plus naturelle et plus harmonieuse si l'équilibre énergétique initial était satisfaisant.

PRÉPARER LE PÉRINÉE ET LE COL DE L'UTÉRUS • Dans l'idéal, la préparation par l'acupuncture devrait commencer dès la conception. Mais les séances peuvent également démarrer à tout moment de la grossesse, et la préparation à l'accouchement s'échelonne en général sur les trois dernières semaines, à raison d'une séance par semaine. Quinze jours avant le terme prévu, cela permet de préparer le périnée, puis, lors de la dernière semaine, de mettre en route le processus de maturation du col de l'utérus.

Il existe d'autres indications de l'acupuncture en obstétrique : aider le fœtus se présentant par le siège à se tourner tête en bas, et atténuer la douleur lors de l'accouchement. Mais ces pratiques restent très peu utilisées en France.

COMMENT PROCÈDE LE PRATICIEN ? • L'acupuncteur, qui peut être parallèlement un médecin, un obstétricien ou une sage-femme, pose de fines aiguilles en différents points du corps, selon des « lignes de forces » vitales, en évitant la région de l'abdomen. Les aiguilles, à usage unique, sont laissées environ quinze à vingt minutes. Rassurez-vous, cette méthode est très peu douloureuse, voire indolore. Les premières appréhensions disparaissent très vite pour laisser place à un état de relaxation totale.

La musicothérapie : se préparer en musique

Par la musique, il est possible d'accéder à une relaxation très profonde, comparable à celle que permet le yoga. Les sons graves par exemple, et notamment ceux de la contrebasse, favorisent beaucoup la détente et même l'endormissement. C'est pourquoi la musicothérapie s'intègre parfois dans d'autres techniques de préparation comme la sophrologie ou le chant prénatal.

SONS GRAVES ET SONS AIGUS • Lors de la préparation à l'accouchement, cette méthode associe en général l'écoute de divers morceaux de musique, enregistrés ou joués en direct, et l'émission par la future maman de sons graves, pour développer la capacité respiratoire et l'oxygénation, ou aigus pour fortifier le périnée. Le but reste avant tout de favoriser la relaxation, mais aussi de stimuler les perceptions auditives du bébé. Les séances commencent en général au 6e mois, mais vous pouvez, en fonction de votre désir, débuter bien avant. Elles sont soit individuelles (vous pouvez être accompagnée de votre compagnon et/ou de vos autres enfants), soit collectives et durent une vingtaine de minutes.

LE POINT DE VUE DE BÉBÉ

C'est déjà formidable d'avoir tous ces bruits qui accompagnent ma vie dans le chaud liquide qui m'entoure. Certains sons me donnent envie de dormir, d'autres me rendent attentif ou éveillent ma curiosité. Mais, quand maman devient un immense espace de variétés sonores, vibrant et rythmé, c'est vraiment formidable. Je suis massé, bercé et balancé dans la plénitude de sa voix et du mouvement de plaisir qui l'accompagne. Rien n'est meilleur, et j'en suis marqué, pour toujours.

Lorsqu'on chante, on développe le souffle, on tonifie ses abdominaux et, surtout, on se sent plus détendue, on évacue ses peurs.

“J'ai des idées très arrêtées sur la manière dont je voudrais que l'accouchement se passe. En fait, j'ai peur de perdre le contrôle de la situation sous l'effet de la douleur.”

SAVOIR AUSSI LÂCHER PRISE

Vous voulez que l'équipe médicale prenne bien soin de vous et de votre bébé, mais, si vous êtes du type qui « assure » dans la vie de tous les jours, vous voulez aussi garder un minimum le contrôle de la situation. Il y a toutes les chances que cela soit possible si vous vous préparez bien au travail en faisant consciencieusement les exercices proposés lors des cours de préparation à l'accouchement, en vous familiarisant avec ce qui vous attend et en développant une relation de confiance avec l'obstétricien et la sage-femme – si ce n'est déjà fait.

Cela étant dit, comprenez bien que vous ne dirigerez pas les opérations lors de l'accouchement, même si vous y êtes très bien préparée. Vous pensiez ne pas avoir d'épisiotomie, mais la sage-femme trouve que votre périnée est trop tonique et craint des déchirures au moment de l'expulsion...

Vous pensiez ne pas avoir recours à la péridurale, mais les contractions ont été si intenses et prolongées que vous l'avez demandée... Vous avez donc tout intérêt à savoir quand « lâcher prise » pour votre bien et celui de votre bébé. C'est une partie importante de ce qu'on apprend lors de la préparation à l'accouchement.

La méthode Bonapace : un futur papa très actif

Mise au point par la Québécoise Julie Bonapace à partir de l'acupuncture et de la stimulation de certains points du corps, cette méthode est apparue au début des années 1990. Elle peut être utile en complément de la préparation classique (voir pages 190 et 191). Toutefois, elle est encore très peu développée en France.

Son originalité ? La participation totale du futur papa. Son principe ? Diminuer la douleur en utilisant à la fois la digitopression (une sorte d'acupuncture sans aiguilles), les massages et la relaxation.

MASSAGES ET PRESSIONS DU DOIGT • C'est à votre compagnon que l'on enseignera, entre autres, à localiser ce que l'on appelle les « zones gâchettes »: huit points situés sur les mains, les pieds, le sacrum et les fesses, et qu'il pourra presser pour vous aider à mieux supporter la douleur. Le but est de créer un second point sensible, afin que le cerveau sécrète des endorphines qui atténuent la souffrance. Il apprendra à masser la région lombaire, pour apaiser les tensions du dos après chaque contraction.

Bien se tenir

Pour rester en forme durant toute votre grossesse, il est indispensable d'apprendre les postures à respecter pour ne pas avoir mal au dos, lutter contre les troubles de circulation sanguine, vous allonger sans être gênée par votre ventre, etc. Voici quelques exercices et conseils.

Être bien assise...

① Veillez, lorsque vous êtes assise, à ce que l'axe de vos cuisses fasse un angle droit avec celui de votre colonne vertébrale. Si besoin, surélevez vos pieds, mais ne croisez pas les jambes, cela gêne la circulation sanguine.

... et se relever

② Pour vous relever, penchez-vous en avant, prenez appui sur vos cuisses tout en maintenant votre dos droit.

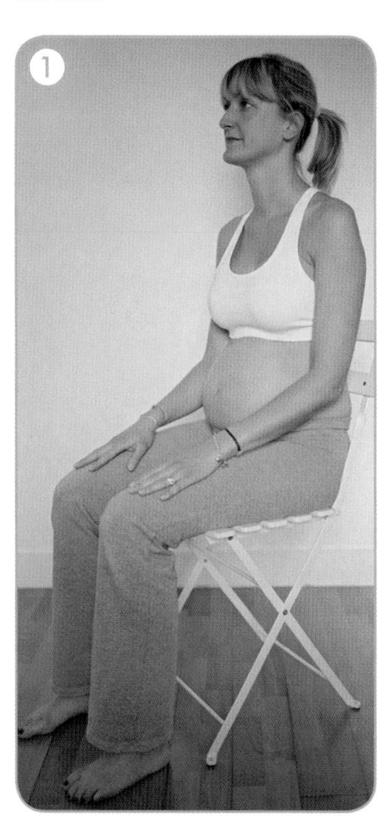

Se tenir debout correctement

Cet exercice permet d'étirer les vertèbres et les muscles cervicaux.

③ Mettez-vous debout, les pieds légèrement écartés d'une largeur égale à celle de votre bassin. Vérifiez en plaçant une main au creux des reins que vous n'êtes pas cambrée et rectifiez éventuellement votre position. Fermez les yeux. Cherchez à sentir comment vous vous tenez en équilibre. Imaginez alors qu'un vase est posé sur le haut de votre crâne et que vous cherchez à le hisser vers le haut sans le faire tomber.

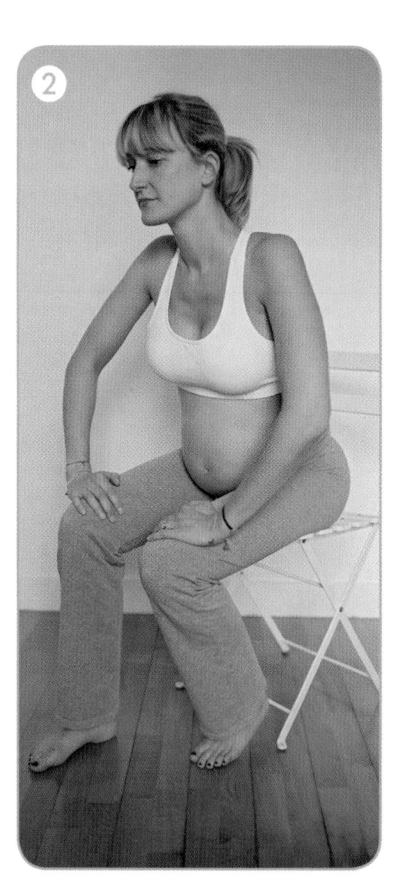

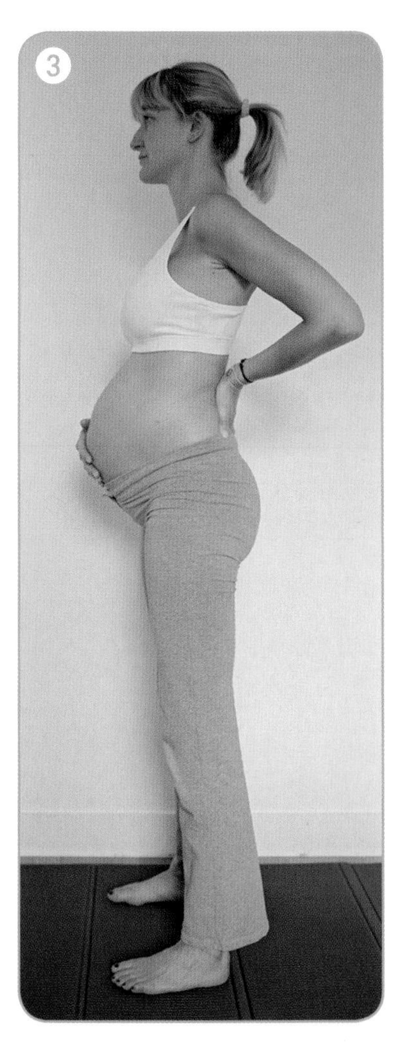

S'allonger sur le sol

Vous êtes moins souple, peut-être gênée par votre ventre. Voici quelques conseils pour passer de la station debout à la position allongée sur le sol. Cette manière de procéder doit devenir un réflexe. Répétez l'exercice plusieurs fois de suite : vous serez surprise de sa facilité.

① D'abord, accroupissez-vous en maintenant votre dos bien droit. Tout le poids du corps repose ainsi sur vos jambes et vous ne forcez ni le dos ni les abdominaux.
Si vous accroupir est difficile, posez d'abord un genou au sol, puis l'autre.

② Une fois à genoux, posez les fesses légèrement en appui sur les talons.

③ Asseyez-vous sur le côté, en prenant appui sur vos mains. L'axe de votre corps se déplace doucement.

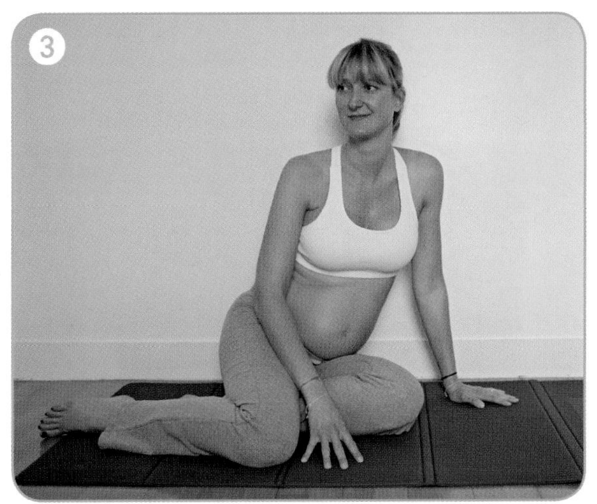

④ Allongez-vous délicatement sur le côté, écartez doucement vos bras, en appui sur vos mains. Maintenant, vous allez pouvoir vous coucher complètement. Pliez les bras et roulez doucement sur le dos.

Variante. La position couchée sur le dos vous semblera peut-être pénible, jusqu'au malaise parfois. En ce cas, modifiez-la en vous allongeant sur le côté gauche.
Cet éventuel malaise s'explique par la compression exercée sur certains vaisseaux sanguins par le poids du fœtus et le volume de l'utérus. L'utérus seul pèse en effet 1 kg au terme de la grossesse, l'enfant, 3 kg environ, le liquide amniotique, un peu plus de 1 kg, et le placenta, environ 500 g. Avec cette charge inhabituelle de quelque 6 kg, il n'est donc pas étonnant que la paroi des vaisseaux, bien que tonique, se trouve comprimée, et le retour du sang au cœur, nécessairement ralenti.

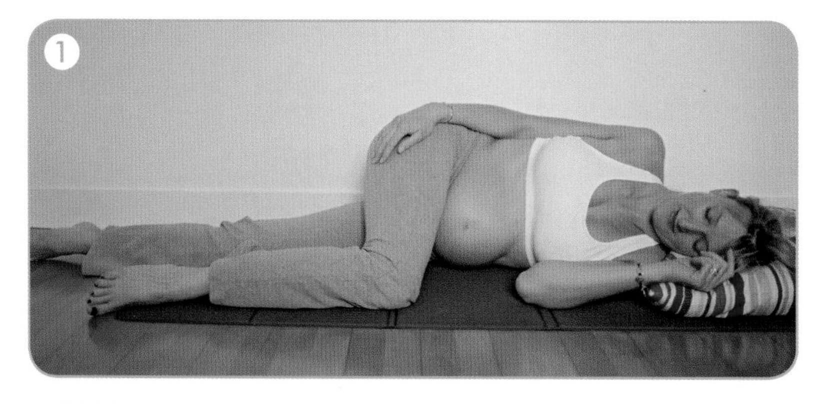

Se relever par étapes

En vous redressant par étapes, vous éviterez de trop faire travailler vos muscles abdominaux ou de faire des mouvements qui fragilisent votre dos.

① Vous êtes couchée dans votre lit ou par terre après un exercice sur le dos. Fléchissez les jambes, les pieds à plat, puis tournez sur le côté. Posez votre main libre pour prendre appui ; redressez-vous sur l'autre coude. Enroulez-vous sur vous-même pour vous mettre à quatre pattes.

② Vérifiez que vous êtes bien fermement posée sur vos genoux et vos mains. Ramenez les mains vers les genoux.

③ Posez un pied par terre en veillant à le mettre le plus près possible du genou opposé, et gardez le dos droit. Relevez-vous en appuyant sur ce pied et en venant placer le second à côté.

Détendre sa nuque

La nuque est le siège de nombreuses tensions ; certains mouvements favorisent la détente musculaire et la circulation sanguine dans cette zone. Commencez par vous installer dans une position confortable, par exemple assise les jambes en tailleur. Surélevez éventuellement un peu les fesses de façon que le plan des cuisses fasse un angle droit avec celui du dos.

① Tenez-vous droite, les mains posées sur les genoux. Fermez les yeux si cela vous aide à vous concentrer et à mieux sentir les mouvements. Vous allez d'abord faire des mouvements d'avant en arrière.

Penchez la tête en avant, en essayant de pousser la nuque vers le plafond, et non en cherchant à descendre le menton. Puis relevez doucement la tête.

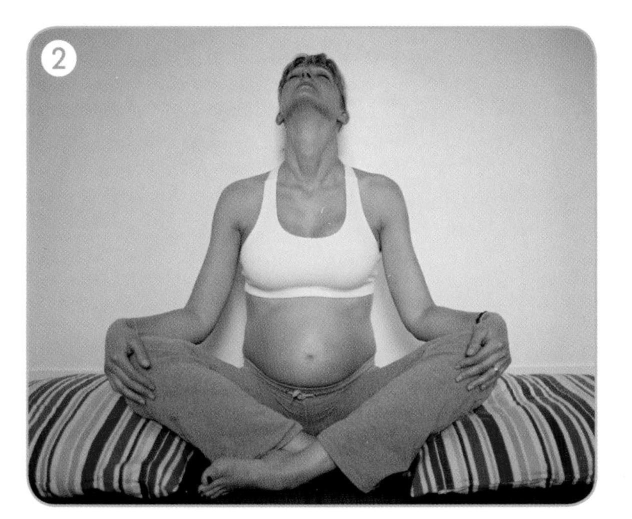

② Penchez ensuite la tête en arrière, puis redressez-la en douceur. Recommencez cinq fois de suite cet exercice-là.

③ Maintenant, vous allez faire des mouvements de droite à gauche. Regardez d'abord droit devant vous et tournez la tête en évitant de la pencher.

④ Tournez ensuite la tête de l'autre côté. Répétez l'exercice cinq fois de suite. Pour finir, vous pouvez aussi amener l'oreille droite vers le plafond, sans vous préoccuper de la gauche. Le but est de bien étirer la nuque. Relevez la tête, puis faites l'autre côté.

Mieux dormir

À partir du 6e mois, vous avez davantage de difficultés à faire de bonnes nuits car, votre ventre étant de plus en plus volumineux, vous avez du mal à trouver une position confortable et quand ce n'est pas bébé lui-même qui vous réveille, c'est l'envie d'uriner, des crampes, etc.

Difficile de trouver une bonne position

À partir du 5e ou du 6e mois, vous ne pourrez plus dormir dans la position de votre choix ; vous avez souvent envie d'uriner ; des crampes vous incommodent ; votre sommeil est agité de rêves (voir pages 218 et 219), quand ce ne sont pas les mouvements du bébé qui vous réveillent. Tout cela explique que la fin de grossesse soit souvent marquée par des insomnies.

Celles-ci n'ont d'ailleurs aucune incidence sur le futur enfant, qui, lui, suit ses propres rythmes de sommeil et d'éveil. Mais la fatigue qui en résulte pourra vous contraindre à prendre davantage de repos pendant la journée. Si, malgré tout, vous ne parvenez pas à dormir, le médecin vous prescrira éventuellement des sédatifs légers, afin que vous n'accumuliez pas trop de fatigue avant l'accouchement. Attention, ne prenez jamais de somnifères, ni tout autre médicament sans un avis médical !

DORMIR PLUTÔT SUR LE CÔTÉ • Dormir sur le dos devient quasi impossible en fin de grossesse, car on a l'impression d'étouffer. Dormir sur le ventre n'est pas non plus idéal, même si l'on peut se positionner de trois quarts avec une jambe repliée – le bébé, bien protégé par la poche des eaux, n'en sera pas gêné. Le plus souvent, c'est la position sur le côté qui reste la plus pratique (voir page 203). Vous vous sentirez mieux en étant allongée du côté gauche, mais n'hésitez pas à changer de temps en temps pour éviter les engourdissements.

Un sommeil souvent perturbé

DES MOUVEMENTS QUI VOUS RÉVEILLENT • En fin de grossesse, le bébé bouge davantage et ses mouvements vous réveillent peut-être en pleine nuit. À cela, il n'y a guère de remède. Mais au moins, rassurez-vous : un fœtus témoignant d'une grande activité nocturne pourra parfaitement devenir un nourrisson dormant très bien la nuit.

DES CRAMPES DOULOUREUSES ET DES FOURMILLEMENTS • Si ce sont des crampes dans les jambes ou dans les pieds qui vous réveillent, massez longuement le muscle

“Je me réveille au milieu de la nuit parce que plusieurs doigts de ma main droite sont engourdis et parfois même douloureux. À quoi cela est-il dû ?”

DES DOULEURS DANS LES MAINS

Les engourdissements et les fourmillements aux doigts des mains sont normaux durant la grossesse. S'ils concernent le pouce, l'index, le majeur et la moitié de l'annulaire, il s'agit probablement d'un syndrome du canal carpien. Ce problème touche surtout les personnes pratiquant des activités utilisant le poignet mais aussi les femmes enceintes. Il disparaîtra alors après l'accouchement. Le canal carpien est un espace, limité par les os du poignet, dans lequel passent les nerfs des doigts. Durant la grossesse, ces nerfs sont comprimés par un œdème diffus, provoquant des engourdissements, des fourmillements, des brûlures et des douleurs. Ces symptômes peuvent également toucher la main et le poignet, et irradier tout le bras. Ils sont plus importants quand la main est au chaud et la nuit. Évitez alors de dormir sur vos mains et surélevez-les sur un oreiller quand vous êtes assoupie. En cas d'engourdissements, levez la main et secouez-la vigoureusement.

La mise au repos par le port d'une attelle au poignet est parfois efficace, tout comme l'arrêt de la caféine. Quelques séances d'acupuncture sont, en général, bénéfiques. Si le problème est lié à vos habitudes de travail et à votre grossesse, faites des pauses fréquentes quand vous travaillez avec vos mains, arrêtez dès que vous avez mal, soulevez des objets en vous aidant de toute la main et utilisez un clavier aux touches souples, en vérifiant que vos poignets sont droits et que vos mains sont plus basses que vos coudes. Les anti-inflammatoires généralement prescrits dans ce cas étant contre-indiqués pendant la grossesse, votre médecin prescrira un traitement adapté.

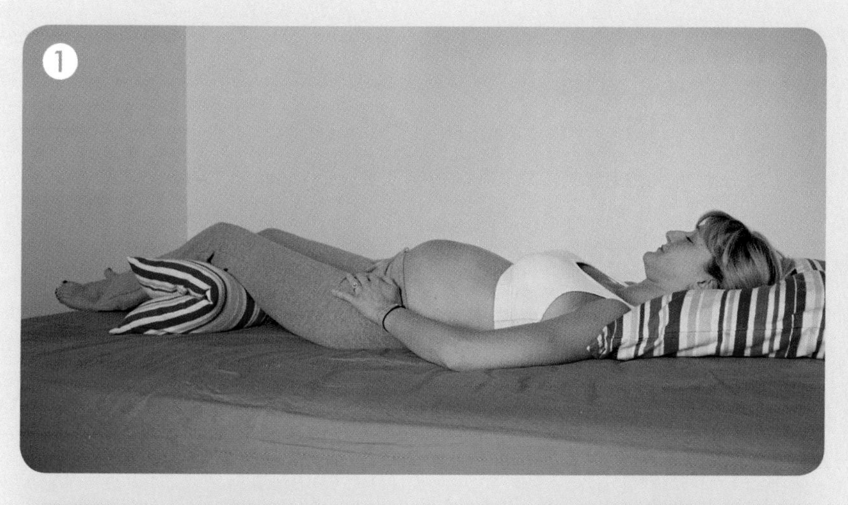

COMMENT DORMIR ?

① **SUR LE DOS**
Lorsque le volume et le poids du bébé deviennent plus importants, dormir sur le ventre vous est désagréable. Couchée sur le dos, vous éprouvez une sensation de malaise, d'étouffement. Installez-vous confortablement en mettant un coussin sous la tête et un autre sous les jambes pour corriger votre cambrure (hyperlordose).

② **SUR LE CÔTÉ GAUCHE**
Vous vous sentirez peut-être aussi plus à l'aise en mettant sous votre genou droit un oreiller ou un coussin, et sous votre nuque un oreiller plat.

douloureux en maintenant la jambe bien tendue, le pied étant fléchi sur la cheville et les orteils ramenés vers vous, jusqu'à ce que la douleur disparaisse. Si elles se répètent, parlez-en à la sage-femme ou au médecin, car une carence en minéraux ou en vitamines peut être à l'origine de ces raideurs musculaires. Un traitement à base de magnésium et de vitamine B pourra éventuellement vous soulager.

Des fourmillements et des douleurs dans les doigts, surtout la nuit, surviennent parfois au dernier trimestre. Il s'agit du syndrome du canal carpien, dû à la compression d'un nerf au niveau du poignet. Ce phénomène est favorisé par la grossesse. Pour vous sentir mieux, surélevez la main en la posant sur un coussin. La gêne éprouvée disparaîtra après l'accouchement.

Attention !

Si vous avez des problèmes pour vous endormir, ne prenez aucun sédatif, somnifère, tranquillisant... Parlez-en d'abord à votre médecin.

Prévenir l'anémie

Les femmes qui n'ont pas suffisamment de réserves en fer pour répondre aux besoins plus importants de l'organisme pendant la grossesse souffrent souvent d'anémie à la fin du deuxième ou au début du troisième trimestre. Un état de fatigue qui ne s'améliore pas malgré le repos peut être le signe d'une carence en fer.

Du fer pour une bonne oxygénation

Le fer intervient dans la formation de l'hémoglobine, qui est indispensable à la vie, car cette protéine assure la bonne oxygénation des tissus, en captant l'oxygène de l'air au niveau des poumons.

DES BESOINS ACCRUS • Au cours de la grossesse, les besoins en fer augmentent considérablement – les vôtres, car le volume de sang et de globules rouges s'accroît pour faciliter les échanges avec le fœtus, et ceux du futur bébé, qui doit constituer ses propres stocks. Au 3e trimestre, ils sont deux à trois fois plus importants qu'en temps normal. Vous devriez alors théoriquement consommer de 20 à 30 mg de fer par jour.

En début de grossesse, une prise de sang est réalisée afin de vérifier que vous ne présentez pas de carence. Pas de panique si l'on dépiste chez vous un manque de fer : votre médecin vous demandera de manger davantage d'aliments riches en fer assimilable et vous en prescrira sous forme de comprimés.

Les futures mères adolescentes, surtout si elles sont encore en pleine croissance, de même que les femmes qui attendent des jumeaux (ou, a fortiori, des triplés, voire plus) ont des besoins accrus en fer et doivent particulièrement veiller à un apport conséquent. Les alimentations végétariennes peuvent aussi être à l'origine de carence, ainsi que les grossesses rapprochées, l'organisme n'ayant pas toujours eu le temps et la capacité de refaire des réserves.

QUELS ALIMENTS SONT RICHES EN FER ? • Le fer se trouve dans des aliments d'origine animale (viandes, poissons, œufs) ou végétale (lentilles, haricots secs, fruits secs, légumes...). En règle générale, privilégiez le fer d'origine animale et consommez de la viande ou du poisson au moins une fois par jour. Si vous les aimez, mangez régulièrement du boudin ou même de la viande de gibier. En effet, le fer contenu dans les produits d'origine animale est mieux assimilé (25 % environ) que le fer fourni par les aliments d'origine végétale (5 à 10 %). Or, cette capacité du fer à être absorbé par l'organisme est essentielle, car une partie, plus ou moins importante, est toujours éliminée dans les selles.

Certaines situations et certains facteurs influencent cette assimilation. Ainsi, la nature étant prévoyante, votre capacité à assimiler le fer, qu'il soit d'origine animale ou végétale, est accrue durant la grossesse. Évitez toutefois de boire trop de thé ou de manger du pain ou du riz complets, riches en fibres, en même temps que les aliments sources de fer. Les tanins contenus dans le thé gênent l'assimilation du fer, de même que l'excès de fibres, alors que la vitamine C la favorise.

“Comment puis-je savoir si je suis anémiée ou non ? Que faut-il faire pour ne pas l'être ?”

QUEL RISQUE DE CARENCE ?

Au 6e mois, le médecin prescrit un bilan sanguin afin de voir notamment si vous souffrez d'une anémie. En début de grossesse, c'est rare. Lorsque la carence en fer est minime, la femme ne ressent aucun symptôme. Lorsqu'elle est importante, le nombre de globules rouges transportant l'oxygène diminue, entraînant des symptômes divers : teint pâle, très grande fatigue, faiblesse, palpitations, problèmes respiratoires, voire étourdissements et tension artérielle basse. Les besoins du fœtus sont comblés avant ceux de la mère. Ainsi, rares sont les bébés qui naissent avec une carence en fer.

Pour prévenir tout risque d'anémie, les femmes enceintes doivent avoir une alimentation riche en fer. Attention toutefois aux associations alimentaires. La quantité de fer puisée dans les aliments est généralement insuffisante pour répondre aux besoins de l'organisme, les médecins prescrivent souvent une supplémentation de 30 à 50 mg. Un apport de 30 mg supplémentaire peut être décidé si une anémie est diagnostiquée.

Quel mode de garde envisager ?

Préparer l'arrivée de bébé, c'est aussi penser à son avenir et au vôtre, en termes d'organisation : qui va le garder quand vous allez reprendre votre activité ? C'est un choix très personnel, parfois difficile. La première chose à faire est de s'informer très précisément sur les avantages et les inconvénients des différentes formules.

Les critères de choix

Le premier critère de choix est souvent très personnel : quand certaines femmes préfèrent confier leurs enfants à une seule et même personne, d'autres ne jurent que par la collectivité.

Mais votre décision dépendra aussi des possibilités locales (ce que propose votre commune) et, bien évidemment, du budget dont vous disposez.

Avant de trancher, prenez le temps de vous interroger sur ce qui est important pour vous et votre enfant, pour son papa, et pour les aînés s'il y en a. Tout naturellement, vous arriverez ainsi à cerner la formule de garde qui répond le mieux à votre situation. Une chose est certaine : il faut s'y prendre vraiment à l'avance et vous faire confirmer par écrit toute inscription ou engagement afin de partir accoucher l'esprit tranquille.

La famille d'abord

En France, les aides à la garde des tout-petits sont encore insuffisantes. Bien que la crèche collective soit le mode de garde le plus souvent souhaité par les parents, moins de 10 % des enfants y ont accès. Dans les foyers modestes, le congé parental à taux plein est ainsi souvent choisi pour des raisons financières, éloignant ainsi un grand nombre de femmes du marché du travail. Environ 5 % des enfants sont gardés par leurs grands-parents avant la maternelle.

Les différents modes de garde

LES CRÈCHES COLLECTIVES • Elles accueillent des enfants âgés de 2 mois et demi à 3 ans, du lundi au vendredi et, en moyenne, entre 7 h 30 et 19 heures. La plupart du temps, seuls les enfants dont les deux parents travaillent sont admis en crèche. D'ailleurs, plus les places sont rares, et plus il faut réunir de conditions pour postuler. Néanmoins, la proximité de son lieu de domicile est un facteur de sélection, car priorité est donnée aux riverains. Aujourd'hui, les crèches collectives sont très prisées : c'est donc dès le début de la grossesse – dans certaines grandes villes, c'est même dès que l'on envisage de mettre un enfant au monde – qu'il faut se renseigner afin d'être prête pour l'inscription qui a lieu en général au 6e mois.

LES CRÈCHES FAMILIALES • Les crèches familiales sont composées d'un réseau d'assistantes maternelles, qui accueillent à leur domicile un ou plusieurs enfants âgés de 2 mois et demi à 3 ans. Le contrat de travail est passé entre les parents, la directrice de la crèche familiale et l'assistante maternelle, et il définit les modalités d'accueil (horaires, repas...) et de rémunération.

LES CRÈCHES PARENTALES • Il s'agit d'associations de parents gérant des structures similaires aux crèches collectives. La crèche parentale est soumise aux mêmes normes de fonctionnement et de sécurité que les crèches municipales. Mais ce sont les parents – encadrés par un ou plusieurs spécialistes de la petite enfance – qui prennent en charge à tour de rôle les enfants, ainsi que le fonctionnement du lieu.

LES ASSISTANTES MATERNELLES AGRÉÉES EN SECTEUR LIBÉRAL • Pour exercer, ces assistantes maternelles doivent avoir reçu l'agrément de la PMI (Protection maternelle et infantile), qui s'est assurée à la fois du bon état de leur logement, de leur santé et de leurs qualités éducatives. Elles sont suivies professionnellement par la PMI de secteur.

C'est donc au service de la PMI que vous pouvez vous procurer la liste des assistantes maternelles agréées. Les horaires font l'objet d'un accord entre vous et l'assistante ; la formule peut présenter certaines souplesses, mais cela varie selon les personnes.

LA JEUNE FILLE AU PAIR • Elle peut venir de n'importe quel pays du monde pour s'occuper de vos enfants, mais pour un nombre d'heures limitées. En contrepartie, vous la nourrissez, vous la logez et vous l'indemnisez. Elle peut aussi assurer des soirées de baby-sitting et un peu d'entretien de la maison. Elle est inscrite pour suivre des cours de français et aucun travail ne peut lui être demandé pendant ses heures de cours.

Crèches et halte-garderies disposent d'un personnel qui propose des activités adaptées au niveau du développement des tout-petits.

EMPLOYER UNE ASSISTANTE MATERNELLE

- Engager une assistante maternelle ne va pas sans son lot de papiers administratifs et d'obligations.
- **Vous devez d'abord vous faire enregistrer comme employeur auprès de l'URSSAF (Union de recouvrement des cotisations de Sécurité sociale et d'allocations familiales)**, c'est-à-dire payer les charges salariales déduites du salaire brut de votre nourrice, auxquelles s'ajoutent les charges patronales.
- **Pour vous renseigner et vous enregistrer, contactez les services de l'URSSAF de votre département.**
- **Vous devez également établir un contrat de travail et remplir des bulletins de paie mensuels** (si vous employez votre nourrice moins de 8 heures par jour, vous pouvez utilisez des chèques emploi-service). La CAF ou l'URSSAF peuvent vous aider à remplir les bulletins de salaire.
- **Les frais de garde font l'objet d'un crédit d'impôt.**

C'est le temps de...

Si vous avez finalement choisi de placer votre bébé en crèche collective, c'est au 6e mois de grossesse que l'inscription doit être régularisée (à la crèche dans laquelle vous avez déposé votre demande).

Du côté du papa : lorsque la femme a besoin de soutien

Le plus souvent, quand tout se déroule sans souci, la participation de l'homme au suivi médical reste facultative. Mais, dans certains cas, la sage-femme ou l'obstétricien demandera sa présence. Si la femme doit suivre par exemple une hygiène de vie particulière, un régime strict, il vaut mieux que le mari ou compagnon soit bien informé. Cela permettra une bonne prise en charge à deux…

Savoir aider au quotidien

En général, dès qu'une femme enceinte (ou le fœtus) rencontre un problème médical, les médecins souhaitent que le futur père soit informé en direct, lors d'une consultation en couple. Une femme qui apprend à son compagnon que tout ne va pas au mieux, même si ce n'est pas grave, n'est pas toujours « objective ».

Si elle est inquiète et parle avec beaucoup d'émotion, vous risquez vite de dramatiser la situation. À l'inverse, si elle cherche à vous rassurer (et à se rassurer !), vous pouvez ne pas bien mesurer ce qui se passe. Entendre de vive voix les explications du médecin évitera ces deux écueils. En outre, vous obtiendrez tous les éléments pour apporter éventuellement votre aide…

COMMENT SE SOUTENIR MUTUELLEMENT • Même si elles ne sont pas graves, certaines affections impliquent des précautions particulières. Un diabète gestationnel (lié à la grossesse), par exemple, nécessite de respecter des règles strictes sur le plan alimentaire. Si vous n'êtes pas obligé de suivre son régime, vous aiderez votre compagne en évitant de la tenter. Mieux vous êtes informé, mieux vous saurez l'aider à ne pas craquer.

Les situations d'hypertension artérielle ou de sevrage tabagique seraient d'autres exemples du même ordre… De fait, la plupart des recommandations médicales sont plus faciles à respecter quand on est deux à s'en soucier. Votre participation, même s'il ne s'agit que d'encourager, constituera un réel soutien.

QUAND LE BÉBÉ RISQUE DE NAÎTRE AVANT TERME • Ce type de situations implique souvent de changer votre façon de vivre. La future mère doit parfois rester allongée ou, du moins, faire plus attention à elle. La plupart du temps, elle trouvera pénible de limiter ainsi son activité. Il est donc essentiel que le futur père mesure lui aussi l'importance de respecter tel ou tel conseil. Votre femme se sentira davantage autorisée à se reposer si vous l'encouragez en ce sens et si vous la soulagez en effectuant le plus possible de tâches domestiques (ou en engageant une personne pour le faire…).

Vous, de votre côté, vous vous sentirez plus rassuré si vous savez que tout se déroule suivant les prescriptions du médecin.

Parfois, malgré toutes ces précautions, le bébé naît avant terme. Mais, si chacun s'est préparé à cette éventualité, les semaines après la naissance seront peut-être moins délicates, les problèmes, là encore, étant abordés à deux…

QUAND LE MÉDECIN SE FAIT MÉDIATEUR

- **Il peut arriver qu'une femme enceinte rencontre des difficultés liées à son environnement social ou familial.** Souvent, pour différentes raisons, le médecin (ou la sage-femme) est mis au courant par sa patiente avant le mari, et il jouera alors un rôle de médiateur.
- **Il conseillera parfois au conjoint de faire office de bouclier, et de protéger sa compagne quand elle est importunée et ne parvient pas à se défendre elle-même.** Cela peut se traduire de différentes façons : obliger par exemple un employeur indélicat à respecter la légalité, faire cesser un harcèlement professionnel, ou encore tenir à l'écart un ami dépressif qui téléphone à toute heure, voire une famille un peu trop envahissante…
- Le rôle du futur père passe aussi parfois par là. **Car aucune femme ne vit bien sa grossesse si elle est submergée par ce genre de soucis.**

> “Je sais que la grossesse et l’accouchement sont plus sécurisés aujourd’hui qu’autrefois, mais je ne peux pas m’empêcher d’imaginer que le pire pourrait arriver à la femme de ma vie.”

LUTTER CONTRE L’ANGOISSE

La femme enceinte a, indéniablement, quelque chose de vulnérable et il est tout naturel que vous souhaitiez la protéger. Mais… détendez-vous ! Elle ne court pratiquement aucun danger. Dans les pays industrialisés, les décès dus à la grossesse, à l’accouchement ou aux suites de couches ne sont plus que très, très rares. La plupart des cas de mortalité en couches concernent des femmes qui n’ont, malheureusement, pas pu bénéficier d’un suivi prénatal ou de soins adéquats.

Toutefois, même si les risques sont aujourd’hui minimes, vous pouvez aider à les réduire encore plus. En effet, l’homme contribue à rendre la grossesse plus sûre et confortable de bien des façons :

- en s’assurant que sa compagne reçoive les meilleurs soins possibles et ait un suivi régulier, une bonne alimentation – vous pouvez même l’y aider en faisant vous-même attention à votre alimentation ;
- fasse un peu de sport (avec l’accord des médecins) ;
- faites les exercices de relaxation ensemble ;
- se repose davantage – pendant que vous vous occupez des tâches ménagères : lessive, cuisine, ménage…

Apportez également à votre partenaire ce soutien psychologique qu’elle ne trouvera auprès de personne d’autre. Quels que soient les progrès du corps médical en matière d’obstétrique, la femme enceinte aura toujours besoin d’être aidée psychologiquement.

> “Ma femme est encore souvent sujette à des bouffées d’angoisse. Je sais que ce n’est pas de sa faute si elle est vulnérable, mais c’est parfois lourd à porter et difficile de trouver les mots pour la sécuriser.”

Le septième mois

- Le développement du bébé
- Du côté de la maman
- La troisième échographie : pour la croissance du fœtus
- Sommeil agité : les rêves et les cauchemars
- L'importance du calcium et du magnésium
- Soulager son dos et ses jambes
- Faites le bon choix pour vos déplacements et vos vacances
- Enceinte et déjà maman
- Pour le papa : des questions plein la tête

Le développement du bébé

Si le bébé venait à naître à ce stade, ce serait un grand prématuré, mais il aurait de grandes chances de survivre. Il est désormais plus replet. Son cocon utérin lui laissant de moins en moins de place pour sa gymnastique, vous profitez d'une accalmie des ruades et coups de poing.

De plus en plus à l'étroit dans l'utérus

Le futur bébé a maintenant tant grandi qu'il commence à se trouver un peu à l'étroit dans l'utérus. Il remuera par conséquent bien moins à la fin de ce 7e mois. Tout comme le nouveau-né, il alterne des périodes de sommeil actif, de sommeil profond, de grande activité et de repos tout éveillé. Le bébé mesure alors entre 40 et 42 cm et pèse de 1,5 à 2 kg à la fin du mois. Sa peau a l'air moins fripée maintenant que la graisse sous-cutanée remplit ses formes. Des petits plis, que vous embrasserez bientôt, apparaissent déjà autour des poignets et du cou, des coudes et des genoux.

Des poumons presque prêts

Les mouvements respiratoires du fœtus sont de moins en moins désordonnés. La maturation de ses poumons se poursuit. S'il venait à naître maintenant, il aurait de grandes chances de survivre, grâce à des soins intensifs. Son cerveau continue de se développer à une vitesse fulgurante. L'estomac et l'intestin fonctionnent; les reins sont pratiquement achevés, mais ils ne seront vraiment au point qu'après la naissance.

Ses oreilles définitives étant en place depuis la fin du 6e mois, l'enfant est sensible aux sons et le manifeste. Il sursaute aux bruits de portes qui claquent, et s'agite ou se calme selon les musiques que ses parents écoutent. Il est également sensible à vos émotions les plus fortes, mais a priori il n'en pâtit pas. Par l'intermédiaire du liquide amniotique qu'il avale chaque jour en grande quantité, il découvre peu à peu le sens du goût.

C'est à la fin de ce mois que se déroule en principe la troisième échographie (32 semaines d'aménorrhée ou 30 semaines de grossesse).

Attention !

Les descriptions du développement de l'embryon sont faites en semaines de gestation, comptées depuis le début effectif de la grossesse. Pour suivre le développement par rapport aux semaines d'aménorrhée, il suffit de rajouter deux semaines : par exemple, la 30e semaine correspond à la 32e semaine d'aménorrhée.

UN PETIT POIDS À LA NAISSANCE

- De tels bébés se situent en dessous des courbes minimales dites « normales » et sont plus fragiles. Certaines des causes de petit poids à la naissance peuvent être prévenues.
- **Les plus fréquentes sont le tabac, l'alcool ou les drogues (la cocaïne en particulier), et des conditions de vie défavorables.**
- Bien évidemment, **certains bébés ont un poids à la naissance inférieur à 2,5 kg pour des raisons impossibles à corriger: poids de naissance de la mère faible, placenta mal irrigué, anomalie génétique.** Cependant, une alimentation parfaitement équilibrée et un bon suivi médical sont primordiaux.
- **Lorsque le bébé naît avec un petit poids, la qualité des soins à la naissance (si besoin, en réanimation néonatale) permet le plus souvent la survie et une bonne santé par la suite.**
- **Le cas d'un bébé de faible poids du fait d'une naissance prématurée est différent.** Né entre la 26e et la 37e semaine d'aménorrhée, il s'agit d'un bébé dont le développement est normal: son poids correspond donc à son stade de développement. Néanmoins, en cas de naissance prématurée, avoir un enfant dont le poids est supérieur à la moyenne est toujours préférable ; le pronostic en est meilleur.

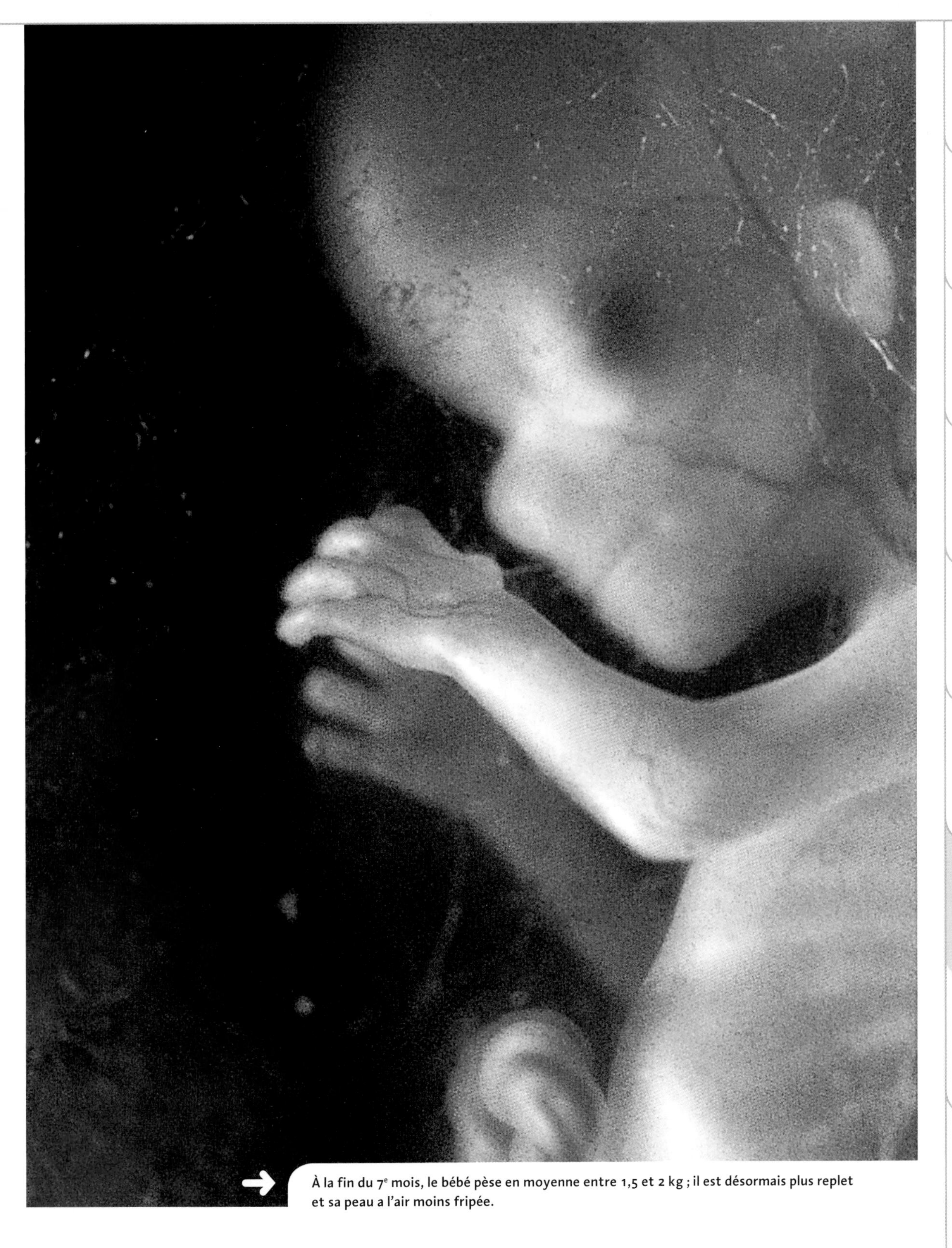

À la fin du 7e mois, le bébé pèse en moyenne entre 1,5 et 2 kg ; il est désormais plus replet et sa peau a l'air moins fripée.

Du côté de la maman

Le dernier trimestre qui commence est le plus dur physiquement, surtout à cause du volume de votre bébé (à la fin de la grossesse, votre enfant pèse plus de 3 kg et mesure 50 cm en moyenne). Mais le vécu de chaque femme est très différent. Certaines ne ressentent aucun désagrément, et ne sont jamais aussi heureuses qu'enceintes; d'autres souffriront encore de nombreux inconforts.

Les principaux désagréments

Certains ne sont pas nouveaux mais s'accentuent; d'autres apparaissent. Lors des visites médicales, n'hésitez pas à parler à votre médecin de ces nouveaux symptômes en lui décrivant précisément ce que vous ressentez.

UN VENTRE DE PLUS EN PLUS PROÉMINENT • Pour cette dernière ligne droite, votre forme est peut-être toujours aussi éblouissante, ou bien – autre possibilité fréquente – les douleurs vous mènent la vie dure. Votre ventre est de plus en plus volumineux, et cela affecte votre dos, vos jambes, ainsi que votre moral. L'utérus a pris tant de volume (il mesure à terme 32 cm en moyenne) qu'il écrase un peu les organes voisins (estomac, intestins, vessie, diaphragme) et vous force à changer vos habitudes. Votre bassin commence à s'élargir en vue du passage du bébé, qui se met en position tête la première pour y descendre bientôt.

La taille de l'utérus

Lors des visites médicales, le médecin mesure la hauteur utérine avec un mètre ruban, depuis le bord supérieur du pubis jusqu'au sommet de l'utérus. La valeur trouvée plus 4 cm correspond à peu près au nombre de semaines d'aménorrhée (sauf à la fin de la grossesse). Par exemple, si vous êtes à 32 semaines d'aménorrhée, votre utérus mesure environ 28 cm depuis l'os pubien jusqu'au fond utérin.

VOS JAMBES, PIEDS OU MAINS RISQUENT DE GONFLER • L'été, avec la chaleur, ces œdèmes sont plus importants. Il existe peu de solutions: surélevez les jambes en position allongée et aspergez-les d'eau froide sous la douche. Adaptez vos chaussures et n'hésitez pas à mettre des mules pour être à l'aise. Vos mains aussi peuvent gonfler: ôtez vos bagues avant de ne plus pouvoir le faire. Ce gonflement des mains peut entraîner une compression d'un nerf passant au niveau du poignet. Cela n'a pas de conséquence fâcheuse, mais peut être désagréable et provoquer des fourmillements, surtout la nuit (voir pages 202 et 203). Essayez de trouver une position adéquate, par exemple en posant vos mains sur un oreiller pour les surélever.

DES MALAISES PEUVENT SURVENIR • Quand vous êtes couchée sur le dos, la veine cave est comprimée par l'utérus, ce qui peut provoquer des malaises. Changez de position en vous fiant à ce que vous sentez: mettez-vous sur le côté gauche pour dégager le vaisseau comprimé.

DES MARQUES DISGRACIEUSES • La pigmentation de la peau s'accentue au niveau des mamelons et de la ligne qui relie le nombril au pubis. Des vergetures apparaissent peut-être, surtout sur le ventre et les cuisses. Elles sont dues à l'étirement de la peau notamment en cas de prise de poids rapide et excessive. Pour les minimiser, contrôlez régulièrement votre poids et veillez à maintenir une alimentation équilibrée.

C'est le temps de...

La date de l'accouchement se rapproche et il est temps de penser à vous y préparer. Si ce n'est déjà fait, inscrivez-vous à des cours de préparation à l'accouchement (voir pages 190 à 197).

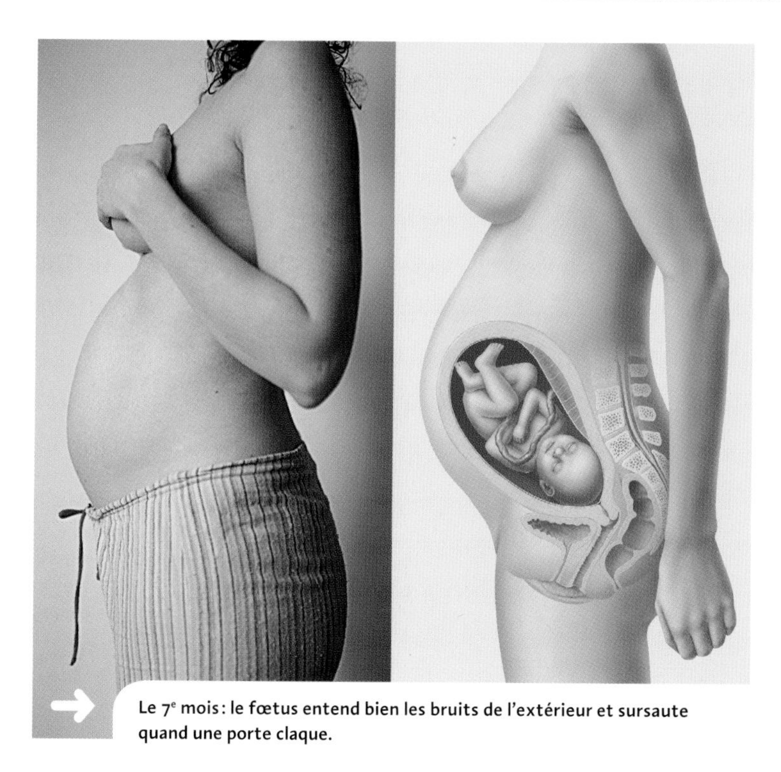

Le 7e mois : le fœtus entend bien les bruits de l'extérieur et sursaute quand une porte claque.

« J'ai mal au bas du dos, au niveau de la fesse droite. La douleur irradie le long de ma jambe. De quoi s'agit-il ? »

LA SCIATIQUE

Voici encore un mal dont souffrent de nombreuses femmes enceintes ! L'utérus, plus volumineux, sollicite grandement la colonne vertébrale, ce qui provoque des douleurs au bas du dos, à la fesse et le long d'une jambe. La marche et la station debout deviennent alors très pénibles à cause d'une sciatique.

Le repos et, localement, de la chaleur soulagent la douleur. La natation peut aussi parfois faire du bien. Une sciatique peut disparaître ou durer jusqu'à l'accouchement. Si la douleur est intense, on vous conseillera de garder le lit plusieurs jours, puis de faire des séances de kinésithérapie pour renforcer les muscles de soutien.

Des médecines douces, comme l'ostéopathie et l'étiopathie, qui soignent au moyen de manipulations et l'acupuncture sont parfois efficaces.

« Depuis que les désagréments des premiers mois ont disparu, je ne me suis jamais sentie aussi sereine et bien dans mon corps. »

La troisième échographie : pour la croissance du fœtus

En France, une échographie est systématiquement prévue lors de la 32e semaine d'aménorrhée (30e semaine de grossesse). Elle fait partie des trois échographies dites « de dépistage ». Vous en connaissez donc maintenant bien le déroulement, ce qui n'empêche pas que ce soit encore un grand moment d'émotion.

Que cherche-t-on à savoir ?

Cette troisième échographie est, en principe, le dernier dépistage avant la naissance. Elle permet notamment de vérifier la position du placenta, de dépister d'éventuels problèmes (un trouble de la croissance ou de la morphologie du fœtus) ou encore un mauvais positionnement du fœtus pour l'accouchement. Elle peut entraîner une surveillance plus étroite de la fin de la grossesse ou des précautions particulières pour l'accouchement ou l'accueil de l'enfant.

Le bébé perçoit-il quelque chose ?

Le bébé est capable d'entendre les ultrasons de haute fréquence émis par l'appareil, un peu à la manière des notes les plus aiguës d'un piano. Cependant, entendre ces sons ne cause aucun dommage au fœtus, mais stimulerait ses sens, ce qui le ferait bouger.

PEUT-ON FAIRE UN ENREGISTREMENT ?

- La réalisation d'un enregistrement vidéo (ou numérique) de l'examen destiné aux parents est de moins en moins pratiquée. **Implicitement, elle sous-entend que l'examen se révélera normal et détourne l'attention du médecin de l'objet premier de sa recherche.**
- Paradoxalement, **elle ne favorise pas la communication entre le praticien et les parents en cas de souci, bien au contraire.**
- Par ailleurs, **l'expérience montre que les parents ont très rarement envie de revoir ces images lorsque l'enfant est né.**
- **Des sociétés commerciales proposent des enregistrements « non médicaux ». Cette pratique, qui soulève certaines questions d'ordre psychologique et médical, est combattue par les instances sanitaires de nombreux pays,** notamment en raison de l'exposition prolongée du fœtus aux ultrasons.

Imagerie en 3 D ? ou 4 D ?

En additionnant plusieurs coupes d'échographie, l'ordinateur de l'échographe peut construire une image en trois dimensions (3 D). L'ensemble des appareils employés en échographie fœtale sont progressivement équipés de cette possibilité. Mais peu d'échographistes l'utilisent encore. Ce sont principalement les échographistes référents (c'est-à-dire ceux qui reçoivent les femmes enceintes pour lesquelles est suspectée une malformation du fœtus). Seuls ces échographistes ont besoin de cet outil supplémentaire. Si le 3 D est attractif pour certains parents qui pensent y reconnaître leur enfant, d'autres sont heurtés par l'imagerie, qu'ils trouvent trop réaliste ou au contraire trop artificielle. Le 4 D, qui permet l'animation des images 3 D, ajoute au spectaculaire. L'obtention d'une image 3 D satisfaisante est aléatoire, très dépendante des conditions de l'examen (position fœtale, quantité de liquide...).

Sur le plan médical, le 3 D n'a pas encore fait la preuve de son utilité et il est considéré comme une voie de recherche. La précision des coupes obtenues en imagerie conventionnelle (2 D) reste supérieure, et l'emploi du 3 D n'est pas du tout un critère de meilleure performance diagnostique. En pratique, c'est l'échographiste qui jugera lors de l'examen s'il est opportun et possible de passer en 3 D.

À l'heure actuelle, l'échographie 3 D peut être utile dans la détection de certaines malformations, par exemple la fente labiale ou bec de lièvre. La visualisation d'images en 3 D aide les parents à se préparer à l'accueil de leur enfant. Effectivement, l'annonce d'une malformation est toujours une grande épreuve pour les parents. En cas d'anomalie de la face, l'image de l'échographie 3 D est souvent moins impressionnante que ce que l'on peut imaginer et permet de mieux l'accepter.

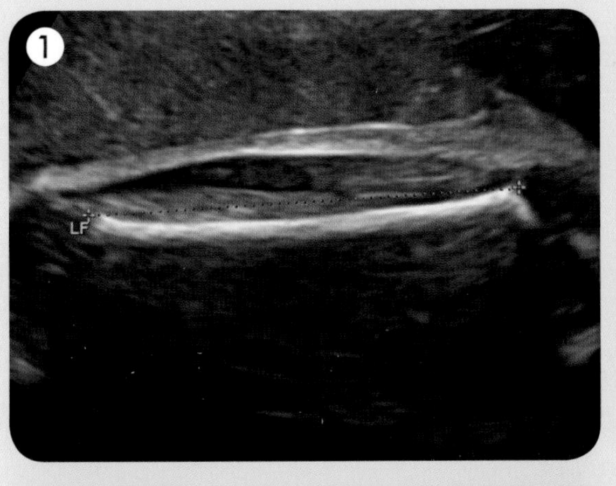

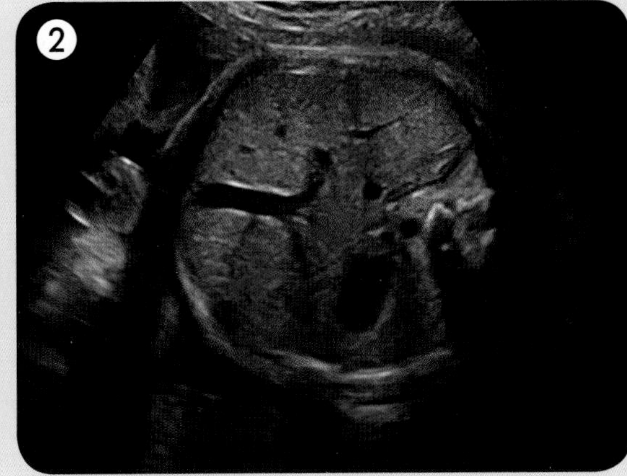

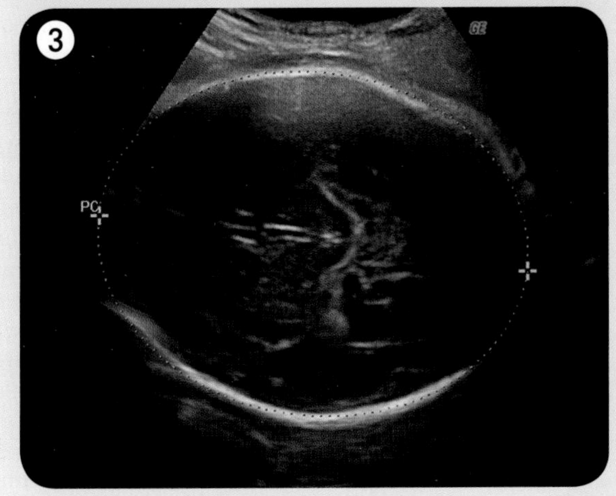

Échographies à 32 SA

① Image du fémur, os de la cuisse, du fœtus pour mesurer sa longueur.

② Photo de la coupe transversale de l'abdomen permettant d'obtenir le périmètre abdominal et le diamètre abdominal transverse.

③ Vue de la tête du fœtus, en coupe transversale, à partir de laquelle seront évalués le diamètre bipariétal et le périmètre céphalique (périmètre du crâne) du futur bébé. Toutes ces mesures sont destinées à vérifier la croissance du fœtus et à dépister un éventuel retard de croissance in utero.

④ L'imagerie en 3D donne une image, ici, du visage de l'enfant à naître.

C'est le temps de...

L'obstétricien ou la sage-femme va vous demander de prendre rendez-vous avec l'anesthésiste en prévision d'une éventuelle péridurale ou de toute anesthésie qui serait nécessaire durant l'accouchement.

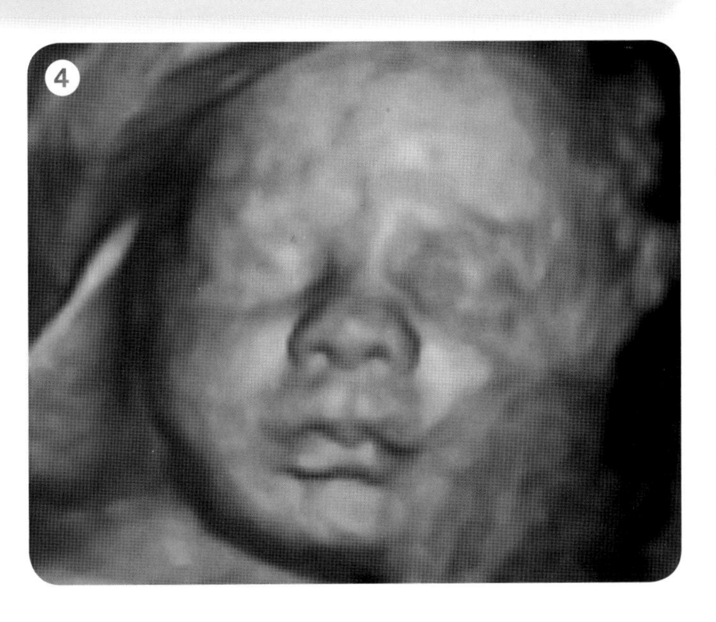

Sommeil agité : les rêves et les cauchemars

Durant la grossesse, et surtout quand le terme approche, vos rêves deviennent plus présents. Vous êtes plus réceptive, vous vous réveillez dans un demi-sommeil car le bébé a bougé… et vous vous souvenez d'images étranges, voire effrayantes. De nombreuses futures mamans connaissent ainsi une vie nocturne très intense.

Interpréter ses rêves ? … un exercice très délicat

Vos nuits sont peuplées de rêves un peu étranges… S'ils permettent d'exprimer vos angoisses, ils ne sont pas pour autant à prendre au pied de la lettre ! Les rêves ne sont en aucun cas des signes prémonitoires ; ils sont les avant-postes de votre pensée enfouie, non de la réalité à venir. Il n'y a aucun symbole universel : tel événement ou tel objet aura un sens totalement différent selon la personne qui les projettera dans ses rêves. Un rêve n'a de sens que par rapport à l'histoire de celle qui le rapporte. En d'autres termes, vous êtes la seule à pouvoir donner un sens à vos rêves.

Sentez-vous le bébé bouger ?

À ce stade de la grossesse, si vous n'avez pas senti votre bébé bouger comme à l'accoutumée, il faut consulter d'urgence votre médecin ou vous rendre à la maternité. On procèdera alors à un monitoring et à une échographie et pour vérifier le bien-être du fœtus et vous rassurer.

Comprendre ce qui se passe

Mais pour quelles raisons connaissez-vous en dormant une vie imaginaire et émotionnelle d'une telle richesse ? Vous ne rêvez pas nécessairement davantage, mais vous êtes sans doute plus vigilante et plus sensible à tout ce qui se passe physiquement et psychiquement à l'intérieur de vous-même. En rêvant, vous anticipez votre vie future avec le bébé.

En fin de grossesse, si vous vous réveillez en phase de sommeil paradoxal (le moment où l'on rêve) à cause du bébé qui bouge, vous vous souvenez beaucoup plus facilement de vos songes.

Toute future maman traverse une crise existentielle. Elle cesse d'être la fille de sa mère pour devenir la mère de son enfant. Et pendant cette période, ce qui a été refoulé remonte à la surface, et les rêves, qui traduisent tout cela en images, affluent. Ils permettent de dire ce que vous n'osez pas raconter à haute voix.

Pourquoi des cauchemars ?

Certains rêves prennent parfois l'allure de cauchemars et peuvent vous faire peur ou honte (vous avez oublié votre bébé dans un coin, vous avez accouché sans vous en rendre compte, vous étouffez votre bébé, ou bien il se noie…). Soyez rassurée, vous n'êtes pas la seule future maman dont les nuits sont traversées par de telles images. D'une manière générale, les rêves des femmes enceintes expriment leurs craintes : crainte d'une liberté perdue, de l'accouchement, de la séparation d'avec le bébé, de ne pas être une bonne mère…

Si vos rêves sont trop lourds à porter, parlez-en. Très souvent, le simple fait de raconter vos rêves à une amie ou à un proche suffit à atténuer vos inquiétudes. Toutefois, si un sentiment de malaise persiste, n'hésitez pas à vous confier lors des consultations médicales ou des séances de préparation à l'accouchement.

Des exercices de relaxation pour mieux se rendormir

La relaxation favorise en général la venue du sommeil, et, à défaut, procure une détente musculaire qui repose tout le corps. Certains exercices vous ont peut-être été enseignés lors de la préparation à l'accouchement (voir pages 190 à 197), que vous participiez à des séances fondées sur la méthode classique, le yoga ou encore la sophrologie par exemple. Vous pouvez également procéder de la façon suivante :

UNE TECHNIQUE ASSEZ SIMPLE • Vous êtes allongée sur le dos, les yeux fermés. Concentrez-vous sur votre

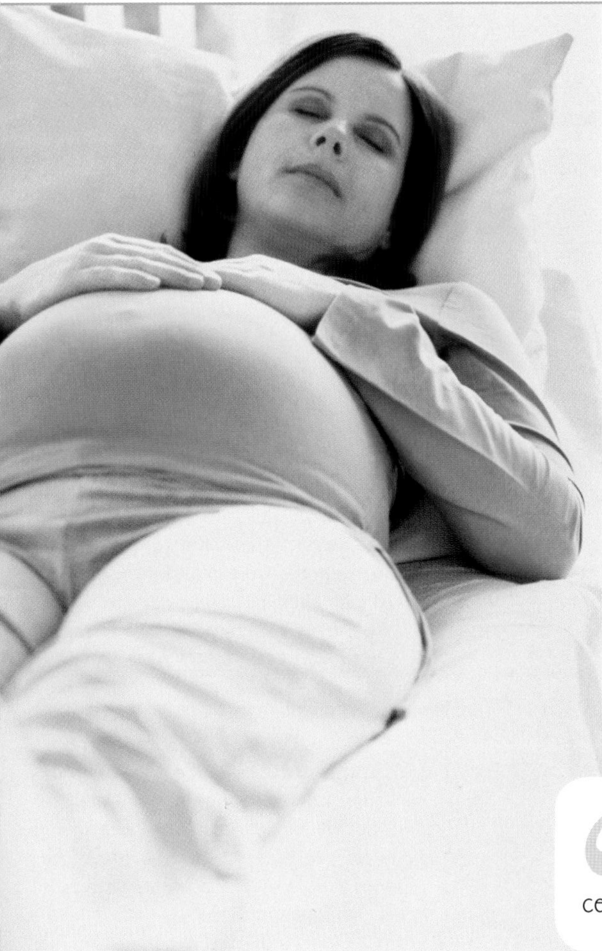

POUR TROUVER LE SOMMEIL

- Tout d'abord, évitez de vivre les insomnies comme un drame. Certes, il n'est pas agréable de rester éveillée la nuit, mais, plus vous vous énerverez, moins le sommeil viendra.
- **Pensez à faire une sieste ;** elle vous permettra de récupérer dans la journée.
- **Mangez léger le soir et évitez les excitants** tels que le café ou le thé dans la journée.
- **Prenez un bain tiède** juste avant de vous mettre au lit.
- **Buvez une tasse de lait chaud ou de tilleul** avant d'aller vous coucher.
- Lorsque vous vous réveillez la nuit, ouvrez une fenêtre et prenez quelques bouffées d'air frais, marchez un peu, écoutez de la musique relaxante.
- **Si rien n'y fait, parlez-en à votre médecin et demandez-lui de vous prescrire un léger sédatif** pour vous aider à retrouver un bon sommeil.
- Et rassurez-vous, **vos troubles du sommeil n'ont aucune incidence sur votre bébé,** qui, lui, vit à son propre rythme.

« Depuis que je suis enceinte, je me souviens davantage de mes rêves, ce qui est parfois très troublant. »

respiration. Étirez bien l'arrière du cou, en amenant votre menton contre la poitrine et en maintenant vos épaules basses. Posez les mains au bas de votre ventre afin de suivre avec elles le rythme de votre souffle. Respirez bien lentement jusqu'à ce que vous adoptiez une expiration la plus longue et la plus lente possible, suivie d'une inspiration sans effort. À partir de ce moment-là, allongez-vous sur le côté en repliant les jambes. Placez un ou deux coussins sous votre tête et un autre entre vos jambes. Soyez de nouveau attentive à votre respiration, et laissez votre corps se relâcher de plus en plus à chaque expiration. Commencez par bien détendre les muscles de vos pieds, puis de vos jambes, et remontez jusqu'au bassin. Décontractez ensuite l'ensemble de votre dos, des reins jusqu'aux épaules. Relâchez enfin vos bras, votre cou, et détendez tous les muscles de votre visage en laissant vos paupières se faire lourdes.

LE POINT DE VUE DE BÉBÉ

Il y a des moments très plaisants, où je sens ma maman devenir très tranquille. Tous les bruits réguliers que j'entends tout le temps en elle, et qui me bercent et m'accompagnent, deviennent plus lents, moins forts à mes oreilles. Elle me fait beaucoup de place dans son ventre, et je sens qu'elle est attentive. J'entends qu'elle est environnée de jolis sons qu'elle aime et qui la reposent, et je perçois qu'elle se sent bien. Au fur et à mesure, je reconnais ces rythmes tranquilles, et ça me calme.

L'importance du calcium et du magnésium

Outre le fer, le calcium et le magnésium sont des minéraux dont l'apport à votre organisme ne doit pas être négligé. Ils jouent en effet un rôle indispensable, notamment dans le développement des os et des dents du bébé. Si, en principe, vous ne risquez pas de manquer de magnésium, vous devez être vigilante sur vos apports quotidien en calcium.

Du calcium pour les os du bébé

Le calcium est un constituant essentiel des os et des dents. Le calcium joue également un rôle dans le développement des systèmes musculaire, cardiaque et nerveux, mais aussi dans la coagulation sanguine et l'activation des enzymes.

Pour élaborer son squelette et ses bourgeons dentaires, le fœtus doit accumuler 30 g de calcium. Vous devez donc pouvoir les lui fournir sans vous décalcifier vous-même, d'où l'importance d'un régime alimentaire riche en calcium. En outre, le calcium semble exercer un effet bénéfique sur la tension artérielle, puisqu'il réduit le risque d'hypertension pendant la grossesse. Une partie seulement du calcium alimentaire est absorbée par l'organisme (environ 30 %) et, même si l'assimilation du calcium s'accroît lorsqu'on est enceinte, les besoins demeurent importants (au moins 1 000 mg par jour).

Et le fluor ?

On a longtemps discuté de l'intérêt de prescrire du fluor aux futures mamans pour améliorer l'état des dents de leurs enfants. On sait aujourd'hui que la minéralisation définitive des dents ne commence qu'après la naissance. Vous donnerez du fluor à votre enfant pendant ses premières années, pour améliorer la qualité et la résistance de ses dents. En revanche, pendant la grossesse, vos besoins ne sont pas augmentés, l'alimentation (poisson, eau, sel, etc.) en apporte assez.

PRENDRE UN PRODUIT LAITIER À CHAQUE REPAS • Comme vous le savez probablement, les produits laitiers sont les aliments les plus riches en calcium. Varier la forme sous laquelle vous le prenez (lait, yaourts, fromage blanc, fromages...) est aussi primordial. Par ailleurs, ce calcium est particulièrement bien assimilé par l'organisme. Pour couvrir vos besoins en calcium, consommez donc un produit laitier à chaque repas, soit trois ou quatre par jour, en les variant.

FAUSSES ENVIES OU VRAIES FRINGALES ?

- Envie de fraises en novembre, ou de fenouil à 3 heures du matin ? On serait tenté de ranger ces situations au rayon des idées reçues, d'autant que ces fameuses « envies » n'ont aucune explication physiologique ou médicale. Toutefois, il serait injuste de les nier totalement.
- Si la plupart d'entre vous n'en ont aucune durant leur grossesse, **certains goûts alimentaires peuvent changer,** notamment au 1er trimestre, sous l'action des hormones, avec une modification de la perception des saveurs (dégoût du café, par exemple).
- **La cause peut aussi être d'ordre psychologique :** besoin d'être choyée, d'être au centre de l'attention... Parfois aussi, ces pulsions alimentaires cachent une petite anxiété. Elles peuvent aussi être la conséquence d'un sevrage tabagique auquel vous vous êtes fort heureusement astreinte.
- Dans tous les cas, **si vous avez de vraies fringales, faites-vous plaisir de temps en temps.**
- En revanche, **si ces envies surviennent plusieurs fois par jour, elles risquent d'entraîner une prise de poids excessive et de vous couper l'appétit au moment des repas principaux. Prudence donc...**

CALCIUM : LES APPORTS DE DIFFÉRENTS ALIMENTS

Aliment	Calcium (en mg)
1 bol de lait entier, écrémé, ou demi-écrémé (250 ml)	300
1 yaourt (tous types)	150
1 ramequin de fromage blanc (100 g)	120
1 part de fromage (30 g)	
• type emmental	300
• type bleu	210
• type saint-paulin	180
• type camembert	210
• type chèvre sec	60
1 verre d'eau calcique (125 ml)	30 à 75
Amandes, noix, noisettes (25 g)	50
Légumes verts (100 g)	30 à 50
Viande, poisson (100 g)	10 à 20
Pâtes, riz (100 g cuits)	6
Pain (1/4 baguette)	6

Les apports en magnésium sont en général couverts par une alimentation équilibrée.

Les fruits et les légumes, moins riches en calcium (globalement moins bien assimilé), ainsi que les eaux de boisson complètent les apports.

PETITES ASTUCES POUR AUGMENTER VOS APPORTS CALCIQUES • Pensez à ajouter quelques dés d'emmental ou de cheddar dans vos salades ou votre potage, et un nuage de lait dans votre thé ou votre café si vous le supportez. Au goûter, un yaourt ou une portion de fromage pourront compléter votre ration journalière. L'été, un verre de lait glacé remplacera une boisson sucrée. L'hiver, pensez aux soufflés, aux flans, aux gratins de légumes ou même de fruits.

Du magnésium, modérément

Théoriquement, les apports alimentaires en magnésium sont bien suffisants pour faire face à une grossesse. Cependant, si vous avez tendance à restreindre votre alimentation et à supprimer les aliments riches en magnésium pour limiter les calories absorbées, il est possible que vous en manquiez. Par ailleurs, certaines technologies, comme le raffinage des céréales, diminuent leur teneur en magnésium. Si vous souffrez de nervosité ou si vous avez des crampes, augmentez vos apports (sans forcément augmenter vos calories si vous le souhaitez) en choisissant judicieusement vos aliments.

En pratique, consommez des légumes verts (épinards, bettes, brocolis) et des coquillages cuits. Privilégiez les eaux minérales riches en magnésium. Préférez les produits céréaliers complets : pain complet, riz complet… N'éliminez pas les légumes secs : ils sont une excellente source de magnésium et « raisonnablement » caloriques compte tenu des quantités consommées. N'abusez pas des fruits secs (dattes, figues ou abricots secs…) et oléagineux (amandes, cacahuètes, noix, noisettes, pistaches…), ni du chocolat, riches en magnésium certes, mais très caloriques.

Soulager son dos et ses jambes

Massage du dos : le bercement

Cet exercice, qui constitue un véritable massage du dos, est apprécié, car il soulage les douleurs lombaires, fréquentes en fin de grossesse. Il s'agit d'un automassage se pratiquant seule et aussi souvent que nécessaire. Dès que votre ventre devient plus volumineux, vous pouvez effectuer cet exercice les genoux écartés.

① Allongée sur le dos, les cuisses remontées vers le ventre, saisissez vos jambes juste sous vos genoux. Vos bras doivent rester souples, ils ne tirent pas vos genoux vers votre poitrine.

② Laissez-vous rouler doucement sur le côté gauche, sans excès, afin de ne pas avoir à développer une force trop importante pour revenir au centre. Puis revenez dans la position initiale. Votre tête, votre nuque et votre dos doivent toujours rester dans l'axe de vos jambes.

③ Roulez maintenant sur le côté droit. Laissez-vous guider par le mouvement, par son rythme.

Profitez pleinement des bienfaits calmants du bercement. Votre respiration est de plus en plus libre, votre dos, de plus en plus détendu, alors que vous roulez doucement d'un côté à l'autre.

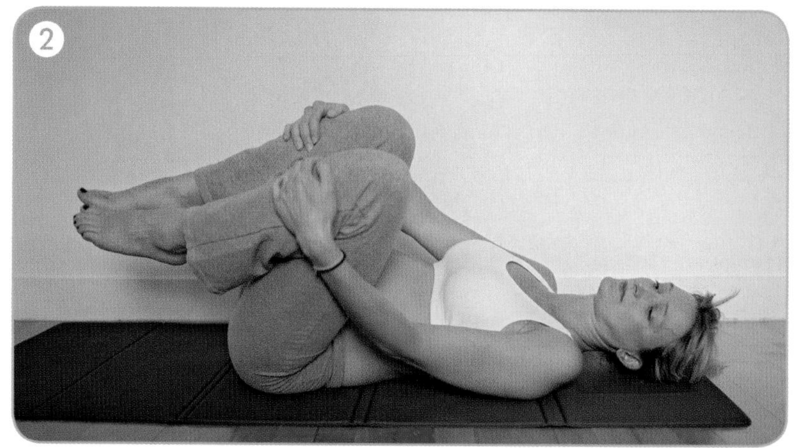

Détendre son dos : le demi-pont

Cet exercice, qui conjugue les bienfaits de l'étirement de la colonne vertébrale et ceux de la bascule du bassin, doit précéder tout autre exercice en position allongée. Renouvelez ce mouvement cinq fois, en essayant de respecter votre rythme respiratoire. L'objectif est d'étirer votre colonne vertébrale : c'est pourquoi vos fesses se placeront plus loin des épaules qu'elles ne l'étaient en début d'exercice ; la cambrure va s'effacer, ou nettement diminuer.

① Vous êtes couchée sur le dos, les bras le long du corps, les jambes pliées et les pieds écartés de la largeur du bassin. Vous êtes cambrée : un creux existe au niveau de votre taille.

② En expirant, soulevez lentement les fesses et le bas du dos. Vous pouvez prendre appui sur vos mains pour vous aider. Maintenez cette posture quelques secondes en respirant tranquillement.

Expirez de nouveau, en reposant doucement le dos sur le sol, vertèbre après vertèbre, en commençant par celles qui sont près de la nuque et en descendant jusqu'au niveau du bassin. Tout votre dos repose sur le sol. Le creux lombaire réapparaîtra, mais nettement atténué.

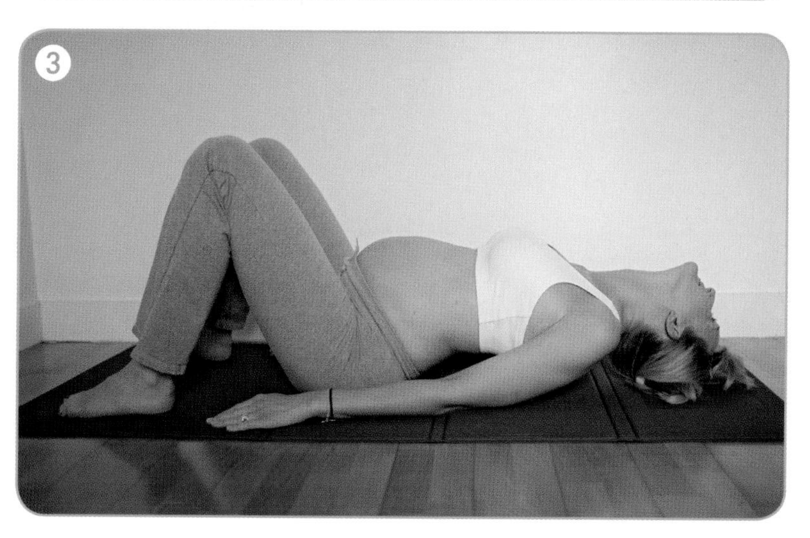

③ Si une sciatique vous empêche de soulever les fesses comme indiqué précédemment, vous allez essayer, sans forcer, d'étirer votre colonne vertébrale, en soulevant le haut du dos, des reins aux épaules.

Maintenez les fesses au sol et en prenant appui sur l'arrière du crâne, soulevez la colonne vertébrale. Replacez peu à peu votre colonne vertébrale, en commençant par le bas du dos et en remontant jusqu'aux épaules et à la nuque. Votre tête va glisser vers le haut.

Le chat ↓

L'exercice du chat se pratique à quatre pattes. Cette posture soulage donc le dos et le périnée du poids de l'utérus. Il est bon de le pratiquer dès les premiers mois de grossesse et jusqu'à l'accouchement en vue de prévenir ou de soulager les douleurs dorsales.

① Placez-vous à quatre pattes, vos bras sont tendus, vos mains à plat au sol ; vos genoux sont au-dessous de vos hanches et écartés de la largeur de votre bassin. Inspirez en levant la tête et en creusant la région lombaire.

② Expirez en baissant la tête, en serrant le ventre, et en faisant le dos rond, « comme un chat ». Allez jusqu'au bout de votre expiration, puis à nouveau inspirez en redressant la tête et en creusant le bas du dos.

La posture du fœtus ↑

La « posture du fœtus » est intéressante car elle soulage le dos en étirant la région lombaire. De plus elle permet un relâchement périnéal. Venez vous asseoir sur vos talons tout en prenant soin d'écarter vos genoux. Portez votre front au sol. Votre ventre se place entre vos cuisses.

① Placez vos bras vers l'arrière, parallèles à vos cuisses, mains placées paumes ouvertes vers le ciel. Respirez tranquillement.

② Placez vos mains à plat au sol, à hauteur de votre front, et concentrez-vous sur votre respiration. Vous pouvez également surélever le front sur vos poings superposés.

Faire travailler ses jambes

Pour favoriser la circulation du sang dans les jambes, voici un exercice à pratiquer régulièrement (si possible après celui du « demi-pont », qui vous a permis d'étirer votre colonne vertébrale, voir page 223). Faites travailler chaque jambe plusieurs fois de suite.

① Vous êtes allongée sur le dos, jambes fléchies, les bras le long du corps ; vous respirez librement. Tendez la jambe droite à la verticale. Faites effectuer à votre pied des mouvements circulaires, dans un sens puis dans l'autre.

② Posez ensuite le pied droit au sol et reprenez l'exercice avec la jambe gauche. Si tendre la jambe vers le plafond provoque douleurs ou tensions, ne forcez pas. Posez simplement votre cheville droite sur votre genou gauche (ou l'inverse). Puis faites tourner votre pied, toujours comme si vous vouliez dessiner un rond.

③ Pour soulager vos jambes, surélevez-les sur une chaise ou un tabouret. Et, pour plus de confort, vous pouvez ajouter un coussin.

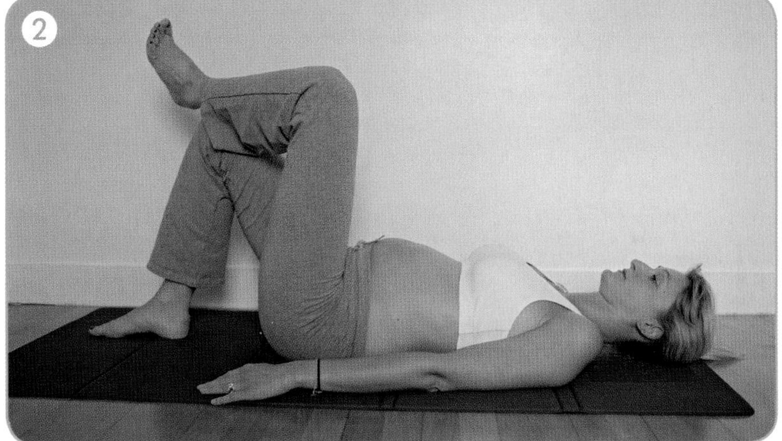

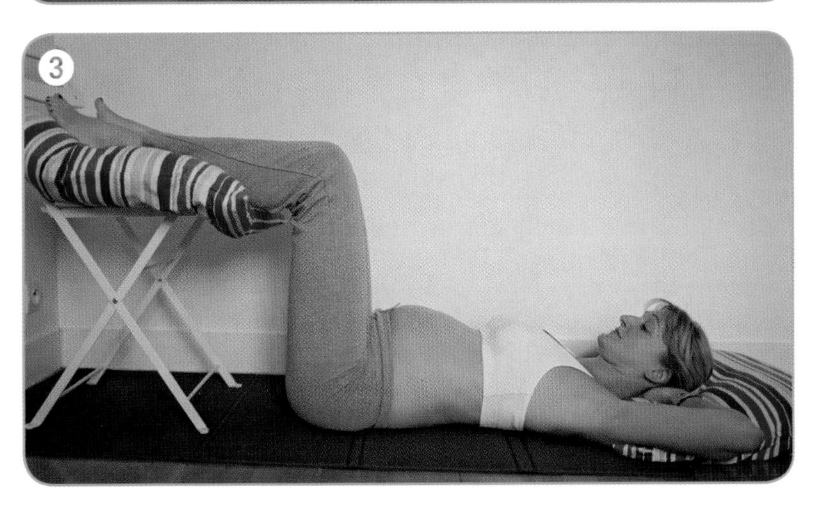

Faites le bon choix pour vos déplacements et vos vacances

Que ce soit pour un week-end, des vacances prolongées ou votre travail, et si votre grossesse évolue sans problème, rien a priori ne vous interdit de voyager durant les deux premiers trimestres, mais il convient de suivre quelques règles de prudence. À partir du 7e mois, la sagesse commande d'éviter les longs déplacements.

Les moyens de transport

Entre une courte randonnée à vélo en terrain plat, un trajet en autobus ou en voiture et un long voyage en train ou en avion, il n'est guère de comparaison. Pour les déplacements en dehors de votre région, et dès que le trajet doit durer plus de 3 heures, retenez que le train est préférable à la voiture et l'avion au train.

LE VÉLO • Certes, c'est un moyen de transport pratique, mais très inconfortable. Il soumet le corps à de nombreuses trépidations. Il est peu recommandé à partir du 3e trimestre à cause des risques de chute ou d'accident. Donc, en dehors des petites balades à la campagne sur sol plat, renoncez-y dès que votre ventre s'arrondit.

L'AUTOCAR ET LE MÉTRO • Les petits parcours en bus ne posent aucun problème, à condition de voyager assise. Dans les transports urbains, des places vous sont d'ailleurs réservées: faites valoir vos droits sans hésitation, même si vous rencontrez parfois quelque mauvaise volonté... Toutefois, essayez de ne pas emprunter les transports en commun aux heures d'affluence et, bien sûr, ne courez pas pour prendre un bus ou un métro prêt à redémarrer.

LA VOITURE • En ville ou pour des trajets de moins d'une heure, la voiture ne présente aucun inconvénient. Encore faut-il ne pas rouler trop vite et éviter les parcours comportant dos-d'âne et nids-de-poule. Attention, n'oubliez pas que le port de la ceinture de sécurité reste obligatoire pour vous. Attachez-la en plaçant la sangle abdominale sous votre ventre et non en travers, comme vous en aviez jusqu'alors l'habitude. Dès que vous devez parcourir de longues distances en voiture, il convient en revanche de respecter quelques règles de prudence qui font surtout appel au bon sens.

- Évitez les préparatifs fébriles à la toute dernière minute ! Organisez-vous bien à l'avance.
- Consultez le médecin avant votre départ. Il vérifiera que ce mode de transport n'est pas déconseillé pour vous. S'il ne décèle aucun risque, il pourra vous prescrire un antispasmodique à prendre en cas de contractions.
- Que vous soyez à la place du passager ou derrière le volant, la conduite doit être tranquille, sans accélérations, ni coups de freins brusques.

POUR UN VOL PLUS CONFORTABLE

- Lorsque vous voyagez en avion, prenez quelques précautions pour améliorer nettement votre confort et vous éviter des désagréments inutiles.
- **Pendant la durée du vol, buvez beaucoup d'eau** car l'air ambiant est très sec.
- **La veille de votre voyage, évitez de manger des aliments provoquant des flatulences.** La pression atmosphérique peut en effet dilater les intestins et provoquer des douleurs fort désagréables lorsqu'on est enceinte.
- **Installez-vous confortablement, enlevez vos chaussures, faites quelques mouvements pour vous détendre et n'hésitez pas à marcher dans l'allée** (au moins une fois toutes les heures) pour activer la circulation sanguine, car vos jambes risquent de gonfler.
- Plus que jamais, portez des vêtements amples et qui ne vous compriment pas, surtout au niveau du ventre.
- **À l'arrivée, même consigne qu'après un trajet en voiture : reposez-vous !**

Le bonheur de ne rien faire... juste profiter du calme. Des vacances paisibles sont précieuses quand on attend un enfant, et souvent, vous aspirerez avant tout au repos.

- Ne faites pas trop de kilomètres d'affilée. La recommandation de s'arrêter toutes les 2 heures, valable pour tous les automobilistes, se justifie maintenant plus que jamais, compte tenu de la fatigue qu'engendre un déplacement en voiture. Ne prévoyez donc ni week-end sur les routes, ni vacances touristiques uniquement en voiture. Et, dès que vous arrivez à destination, offrez-vous avant tout du repos et rien que du repos !
- Au besoin, faites une étape.
- Évitez absolument les randonnées tout-terrain, même en véhicule 4 x 4 « confortable ».

LE TRAIN • Si vous avez le choix, et surtout à partir du 7e mois de grossesse, privilégiez le train pour les trajets de plus de 3 heures. En effet, ce moyen de transport est plus confortable que la voiture, car il provoque moins de mouvements saccadés. En outre, vous ne serez pas contrainte de rester assise et immobile pendant des heures, et vous pourrez vous déplacer à l'intérieur des wagons. En France, n'hésitez pas à utiliser le service «Bagages à domicile» proposé par la SNCF. Une personne viendra chercher vos valises, chez vous, chez un voisin, ou au bureau, et une autre vous les apportera à l'endroit où vous vous rendez, en 24 heures porte à porte.

L'AVION • Pour les longues distances, l'avion reste le mode de transport le plus indiqué. La plupart des compagnies aériennes vous accepteront jusqu'au 8e mois de grossesse inclus, à condition de fournir un certificat médical. Au-delà, ce type de voyage est contre-indiqué (non parce que l'avion présente des dangers, mais parce que le personnel n'est pas forcément compétent pour pratiquer un accouchement en plein vol !). Rassurez-vous, tout se déroule en général fort bien, et la baisse de la concentration en oxygène de l'air, provoquée par l'altitude, est très bien tolérée par le fœtus.

En vacances

Grossesse et vacances font plutôt bon ménage. En effet, rien ne vous sera plus bénéfique que de vous reposer, loin des soucis du quotidien. Et si vous êtes plutôt du genre baroudeuse, toujours prête à découvrir de nouveaux horizons lointains, vous trouverez bien le moyen de passer de vraies vacances découvertes sans pour autant vous engager dans des expéditions aventureuses.

QUELLE QUE SOIT LA DESTINATION • Même si vous restez en France, il est bénéfique de faire la sieste aussi

BIEN PRÉPARER SON VOYAGE

> Avant de partir, **pensez à demander à votre médecin ou à votre sage-femme une lettre récapitulant les éléments figurant dans votre dossier médical, et/ou prenez votre carnet de maternité** si celui-ci a été rempli tout au long de la grossesse.

> **Si vous suivez un traitement,** il est bon que le praticien précise le nom du principe actif du médicament sur l'ordonnance, afin que vous puissiez trouver un équivalent local, le cas échéant.

> **Dès votre arrivée ou même avant votre départ, cherchez à localiser le médecin ou l'hôpital les plus proches.**

Attention !

Pour l'étranger, pensez à contracter une assurance voyage et annulation comprenant les frais médicaux et le rapatriement. Certaines cartes de crédit couvrent l'annulation si la grossesse est déclarée avant le départ. Renseignez-vous bien.

souvent que possible, de préférence à l'ombre ou dans une pièce fraîche, plutôt que de visiter sans répit tous les monuments historiques de la région ou d'arpenter, sac au dos, les collines environnantes. Pour sortir, prévoyez des vêtements amples et aérés et des chaussures confortables. Méfiez-vous du soleil, et renoncez aux expositions prolongées sur une plage ou près d'une piscine. En bord de mer, n'hésitez pas à marcher un moment dans l'eau (un chapeau sur la tête et la peau du visage protégée d'une crème écran total) pour soulager vos jambes.

Enfin, vous serez sans doute plus tranquille si vous pensez à repérer quelques adresses de médecin ou d'infrastructure médicale proches de votre lieu de villégiature pour pouvoir consulter sur place, sans délai, à la moindre alerte (fièvre, contractions, saignements).

SI VOUS SOUHAITEZ PARTIR LOIN • Voyager dans des pays exotiques n'est pas sans risque : décalage horaire important, changement brutal de climat ou d'alimentation exigent de la part de l'organisme de gros efforts d'adaptation et engendrent une fatigue évidente. Vous pouvez anticiper le décalage horaire avant votre départ en règlant progressivement votre montre à l'heure de votre destination.

Il est donc sage de bien se renseigner avant de choisir sa destination de vacances lorsque l'on est enceinte. Ce sont surtout les pays tropicaux qu'il conviendra d'éviter. En effet, le vaccin de la fièvre jaune est contre-indiqué dans votre état ; or cette maladie peut être mortelle. Le paludisme, lui aussi, menace à la fois la vie de la future maman (risque d'infection) et celle du fœtus (risque de fausse couche ou de naissance prématurée). La prévention nécessaire se fait parfois par l'absorption de Nivaquine®, médicament sans danger. Mais, dans plusieurs pays, le Lariam® est devenu le seul traitement efficace, or il est contre-indiqué lorsque l'on est enceinte.

Sachez enfin que les diarrhées, communément appelées « turista », ne font l'objet d'aucun traitement préventif fiable. Leur principal danger est de provoquer une importante déshydratation de l'organisme.

Avant d'entreprendre un voyage en Afrique tropicale, en Asie ou en Amérique du Sud, renseignez-vous sur les maladies endémiques de ces pays (dans les centres hospitalo-universitaires en province ou auprès de l'Institut Pasteur à Paris).

Ces vérifications faites, n'oubliez pas non plus de vous assurer que la nourriture locale pourra couvrir vos besoins. Si l'eau courante n'est pas potable, assurez-vous que vous trouverez de l'eau embouteillée (ou emportez de quoi purifier l'eau), et évitez de manger des aliments crus, tels que salades, crudités ou fruits.

Sur place, s'il fait chaud, il est important de boire deux à trois litres d'eau minérale par jour (ou purifiée si besoin est), afin de lutter contre la déshydratation, aggravée en cas de diarrhée.

Il est toujours préférable de ne pas se baigner dans les rivières, lacs ou marigots, et de ne pas marcher pieds nus dans la boue ou sur la terre humide (et même dans les campagnes européennes !). L'eau contient souvent des parasites susceptibles de pénétrer par votre épiderme.

Sur la plage, chapeau, écran total et bouteille d'eau sont indispensables. Une longue exposition au soleil est déconseillée.

LE POINT DE VUE DE BÉBÉ

Je déteste les bruits très forts que je ne connais pas et qui surprennent maman. Elle me secoue dans ce cas. Tous mes bruits-amis habituels, dans son ventre qui devient dur et me serre, se mettent à battre très vite et très fort autour de moi. Cela ne me plaît pas du tout ! Je me mets à trépigner, à toquer à la porte de son ventre jusqu'à ce qu'elle se rappelle ma présence. Si elle me parle au-dedans, ou en posant sa main, alors nous nous retrouvons, et cela va mieux.

Enceinte et déjà maman

L'annonce d'une naissance dans la famille touche tous ses membres, proches ou lointains. Si le bébé que vous attendez n'est pas le premier, l'enfant unique ne le sera plus, le benjamin deviendra le cadet... La famille va s'agrandir et chacun doit se préparer à faire une place au nouvel arrivant.

Préparer l'aîné

Donner la vie à un nouvel enfant est une décision prise par deux adultes, la mère et le père. Les enfants n'ont pas à intervenir dans ce choix. C'est pour cela qu'il est déconseillé de demander, même sur le ton de la plaisanterie : « Est-ce que tu voudrais avoir un petit frère ou une petite sœur ? » Vous ne faites pas un enfant pour vos autres enfants, mais bien parce que vous l'avez décidé au sein de votre couple. Cela étant, ce n'est pas pour autant que votre aîné doit être tenu à l'écart de cet événement familial, même sous prétexte de le protéger. Bien au contraire.

ANNONCER NI « TROP TÔT » NI « TROP TARD » • Les parents cherchent souvent à savoir quel est le moment idéal pour annoncer la grande nouvelle. Méfiez-vous du « sixième sens » de vos enfants. Ils sentent souvent les choses : une maman un peu plus fatiguée, une ambiance de mystère dans la maison, des conversations chuchotées... À partir du moment où vous commencez à informer votre entourage, annoncez la nouvelle à l'aîné. Il serait d'ailleurs préférable qu'il soit au courant en premier.

Si l'enfant devine et vous interroge, ne démentez pas, et dites simplement que vous attendiez que le bébé ait un peu grandi dans votre ventre pour lui en parler. La fin du 1er trimestre semble une date tout à fait acceptable pour lui annoncer la venue prochaine du bébé : votre grossesse peut commencer à se voir et, statistiquement, le risque de fausse couche se réduit. L'âge de l'aîné est aussi un paramètre à prendre en considération.

LA FAÇON DE LE DIRE • Choisissez enfin un moment privilégié : le câlin du matin, un repas ou même une promenade. La présence des deux parents est souhaitable afin que l'enfant comprenne bien que c'est une histoire entre maman, papa, lui – ou eux – et le bébé à venir. Dites les choses tout simplement : « Papa et maman ont fait un bébé qui est en train de grandir dans le ventre de maman. Il ne sera pas là tout de suite. » Essayez de situer la naissance avec un événement du calendrier qui sera parlant pour lui : par exemple, avant Noël, après son anniversaire, au retour des grandes vacances.

À chacun sa réaction

Comment va réagir l'aîné à cette bonne nouvelle ? Pas toujours comme on l'avait imaginé ! Une seule certitude : cette annonce ne le laissera pas indifférent. Certains enfants peuvent ne faire aucun commentaire et retourner à leurs occupations sans plus de réactions. Il est préférable de respecter ce comportement « à chaud » et de revenir sur le sujet un peu plus tard. D'autres vont s'enthousiasmer, s'imaginant en train de jouer avec le nouveau venu : expliquez-leur que le bébé ne sera pas là tout de suite et que, lorsqu'il arrivera, il sera trop petit pour être aussitôt un compagnon de jeux. Enfin, certains enfants vivent la nouvelle comme une catastrophe, qui correspond souvent à l'angoisse de ne plus être aimé par ses parents.

DES RÉGRESSIONS SONT POSSIBLES • L'aîné va vite comprendre que ce bébé qui grandit dans le ventre de sa maman fait l'objet de toutes les attentions. Il n'est pas rare que certains enfants réagissent alors en opérant une régression. Elle se traduit différemment en fonction de l'âge. Vers 2 ou 3 ans, l'enfant propre peut de nouveau avoir de petits accidents, se mettre à ramper, ou encore stagner dans son apprentissage du langage en parlant « bébé ». Vers 7 ou 8 ans, il arrive qu'il suce son pouce à nouveau. Toutes ces attitudes sont en fait des appels pour que l'attention soit de nouveau tournée vers lui. Mais, même s'il régresse, c'est aussi un enfant qui grandit : quelques pas en arrière pour mieux accomplir le grand pas en avant !

Que faire pour le soutenir ?

AVANT TOUT, RASSURER • Quelle que soit la réaction initiale de l'aîné, rassurez-le : oui, le cœur des mamans et des papas est fait de telle façon qu'ils peuvent aimer un deuxième ou un troisième enfant sans cesser d'aimer le premier. Au fond, la question qu'il se pose est : « Faut-il être un bébé pour être aimé ? » Il va craindre de ne plus être le centre de votre vie ou s'imaginer qu'il ne vous suffit plus. Expliquez-lui que ce n'est pas parce qu'un autre enfant arrive qu'il ne vous suffit plus. Au contraire, c'est

Pour favoriser les premiers échanges, vous pourrez peu à peu proposer à l'aîné de sentir les mouvements du bébé.

parce qu'il est ce qu'il est que vous avez eu envie d'en avoir un autre ! Face à ses « retours en arrière », il ne sert à rien de gronder ou de punir : profitez-en au contraire pour lui parler de sa naissance. À l'aide de photos ou de vidéos, montrez-lui comment il a été attendu, fêté et dorloté. C'est peut-être aussi l'occasion de lui dire qu'un bébé demande beaucoup de temps, des soins et de l'attention, mais que ce n'est pas pour autant que vous ne vous occuperez plus de lui.

UNE JALOUSIE INÉVITABLE • Le plus grand peut aussi réagir avec agressivité, voire avec une certaine violence. Ses propos peuvent être durs : « J'en veux pas, je le jetterai quand il sera né ! » ou bien encore « Je ne veux pas que ce bébé soit dans ma maison ! ». Il peut aussi tenter de vous donner des coups de pieds dans le ventre. Il exprime ainsi sa jalousie naissante et son désarroi face à une situation qui brouille ses repères et qu'il ne maîtrise pas. Vous n'avez pas à culpabiliser face à sa détresse en vous disant : « Nous aurions dû attendre qu'il soit plus grand. » N'oubliez pas qu'il s'agit d'une décision d'adulte. Et il ne sert à rien non plus de lui dire qu'il est méchant. Laissez-le libre de ses sentiments vis-à-vis du futur nouveau-né : « Si tu ne veux pas l'aimer pour l'instant, tu en as le droit. Tu verras cela quand il sera arrivé. Et on en reparlera. »

L'ASSOCIER AUX PRÉPARATIFS • Vous pensiez être assaillie de questions et rien ne vient ? Ce n'est pas grave : parlez-lui du bébé de temps en temps, donnez-lui quelques informations, mais sans pour autant centrer toutes vos conversations sur ce sujet. En revanche, quand les préparatifs commencent à s'accélérer, proposez-lui d'y participer. Vous refaites une chambre ? Mettez-le à contribution pour la couleur du papier. Vous allez acheter les premiers vêtements ? Laissez-le choisir entre quelques habits que vous avez sélectionnés. Et donnez-lui également la possibilité de jeter son dévolu sur un jouet pour le bébé.

ALLER À LA RENCONTRE DU FUTUR BÉBÉ • Il est possible de montrer à l'aîné les échographies, il aura ainsi le sentiment de participer à la découverte du nouveau venu. Faites-lui sentir les mouvements du bébé. Vous pouvez poser des petits cubes en pyramide sur votre ventre ; lorsque le bébé bougera, ils tomberont. Succès garanti chez les moins de 5 ans ! Mais sachez que la représentation du bébé à l'intérieur du corps est parfois angoissante pour lui. Aidez-vous de livres pour enfants, qui expliquent très simplement ce qui se passe dans le ventre de maman.

PRÉSERVER LA PLACE DE L'AÎNÉ. Il est important de le préparer à votre séjour à la maternité : confiez-le à quelqu'un avec lequel il est en confiance. Dites-lui qu'il pourra venir vous voir et découvrir le bébé. Prévoyez pour lui un cadeau de la part du bébé. Évitez, si vous le pouvez, la période de l'accouchement pour inscrire pour la première fois votre enfant à la crèche ou à l'école : il se sentirait exclu. Si l'arrivée du nouveau-né implique qu'il intègre un grand lit, procédez plusieurs mois à l'avance.

LE POINT DE VUE DE BÉBÉ

Je sens des présences différentes qui m'entourent. Elles n'ont pas la même note ni le même rythme et elles ne me font pas signe de la même façon. Il y a une petite boule de présence, chaude, vive, tantôt brusque, tantôt tendre, qui a un son aigu et qui aime bien me parler tout près du ventre de maman. Parfois, elle crie très fort, ou elle appuie brusquement sur le ventre de maman pour me dire bonjour, et maman se crispe. Mais je retrouve avec plaisir cette petite voix quand elle est plus calme.

Pour le papa : des questions plein la tête

Imaginer l'avenir, votre vie de famille, l'attitude de votre femme quand elle sera mère fait aussi partie du chemin vers la paternité. Si ce futur bébé est votre premier enfant, vous vous inquiétez souvent de vos futures responsabilités, et de tout ce qui va changer dans votre vie quotidienne et dans vos relations de couple... non sans noircir le tableau.

Chacun le vit à sa manière

À quelques détails près, la vie quotidienne suit son cours durant l'attente de l'enfant. Certains se replient sur leur couple et sortent moins, comme pour construire, déjà, leur nid ; d'autres profitent de ce « répit » pour vivre davantage dehors. Ces neuf mois imposent peu de contraintes au futur père. Mais il n'est pas passif pour autant. Même si rien n'est visible, il suit lui aussi un chemin, un voyage intérieur. Le besoin de prendre quelques distances, un refus temporaire de sa paternité sont parfois les étapes indispensables pour avancer vers sa nouvelle vie.

Tout ce qui se joue à ce moment-là n'est pas pleinement conscient. Une part reste cachée, secrète, se développe à votre insu et influe sur vos comportements. Les questions, les doutes, les projections vers l'avenir ne sont que la partie visible. Même les hommes qui souhaitaient devenir pères depuis longtemps connaissent ce bouleversement mental. Il fait partie de la route vers la paternité. Chacun vit toutefois cela en son temps : les uns dès l'annonce de la grossesse, les autres bien plus tard, et d'une façon rarement linéaire. Il n'existe aucun schéma type.

Face à ses futures responsabilités

Il arrive qu'un futur père s'inquiète de sa relation avec l'enfant à naître, mais, le plus souvent, ses questions portent davantage sur le quotidien. L'arrivée d'un enfant suppose aussi un changement matériel : nouvelle organisation du temps et des tâches, dépenses à prévoir... des questions qui finalement renvoient aux responsabilités qui sont à venir : vais-je pouvoir y faire face ? Et, si l'un des membres du couple se trouve dans une situation professionnelle précaire, la question financière peut cristalliser bien des inquiétudes.

En outre, la plupart sont conscients que la vie de famille implique certains réaménagements. Vous allez moins sortir, rester davantage à la maison, moins recevoir éventuellement, du moins dans les premiers mois. Vous allez sans doute prendre une part plus importante aux tâches ménagères et autres, que votre femme ne pourra assumer seule. Ces remises en question de la vie quotidienne font peur. Pourtant, quand l'enfant est là, la réalité est souvent moins « terrible » qu'on ne l'imaginait ! Passer du temps avec le bébé, par exemple, est un « sacrifice » bien agréable. Face à la réalité, certaines de vos inquiétudes vont sans doute se concrétiser, mais vous les vivrez peut-être différemment, car vous aurez aussi des plaisirs nouveaux et de bien grandes satisfactions...

Des inquiétudes pour le couple

Avant la naissance, beaucoup d'hommes s'inquiètent aussi du devenir de leur couple. La maternité peut faire peur, et encore plus quand la femme manifeste un très grand bonheur d'être enceinte. L'enfant ne va-t-il pas combler tout son besoin affectif ? Quelle place vais-je garder auprès d'elle en tant qu'amant ? Va-t-elle encore s'intéresser à moi autrement qu'à travers mon rôle de papa ? Autant de questions très fréquentes chez les futurs pères... Il est vrai que la femme change en devenant mère, mais vous changez aussi en devenant père.

Il peut être inquiétant de ne pas avoir de prise sur cette évolution. Mais elle n'en reste pas moins inéluctable. Cela étant, il n'y a aucune raison que diminue l'amour que vous éprouvez l'un pour l'autre. Peut-être faudra-t-il juste veiller à ne pas négliger ces sentiments. Bien sûr, si vous regardez vous-même votre femme avant tout comme une mère, il y a de fortes chances qu'elle centre toute sa vie affective sur l'enfant. Cela pourra arriver si vous n'êtes jamais là, si vous ne vous occupez pas d'elle, si vous négligez ses anciens plaisirs, sous prétexte que la maternité suffirait à son bonheur. Quand l'homme reste un amant attentionné, il est rare que la femme s'en détourne au profit exclusif de l'enfant. Face à une telle situation, il serait alors important qu'il parle de son malaise, pour lui, mais aussi pour elle.

Imaginer l'avenir

Il est normal que vous imaginiez plus ou moins l'avenir durant ces neuf mois de transition, et votre compagne fait bien sûr de même. Vous vous représentez le père que vous voulez être et vous imaginez aussi l'enfant et le comportement de votre femme à son égard. Toutes ces projections contiennent une part de fantasme, elles sont avant tout le reflet de vos désirs profonds, et la réalité sera autre.

Peu importe, car ces visualisations permettent aussi d'évoluer. L'essentiel est que, le moment venu, vous vous adaptiez à la situation telle qu'elle est, et non pas telle que vous l'aviez rêvée. C'est ce qui se passe le plus souvent, avec toutefois des réajustements plus ou moins délicats selon l'histoire de chacun.

QUAND ON ESPÈRE UN FILS

Les hommes, souvent, imaginent moins que les femmes les traits physiques de leur futur enfant. Les éventuels projets le concernant, ou l'envie de partager avec lui certaines activités apparaissent en général après la naissance. En revanche, il arrive que des futurs pères aient une idée bien précise sur le sexe de l'enfant à venir. Ils veulent par exemple un fils, et cela a pour eux beaucoup d'importance. Si ce désir est si fort qu'il risque d'entraîner le rejet d'une fille à la naissance, vous avez intérêt à demander à connaître le sexe du bébé à l'avance (c'est possible à partir du 5e mois). Cela évitera éventuellement une déception trop grande quand l'enfant sera là. Ce laps de temps permet en outre de réfléchir au fait que l'on donne vie à un individu à part entière, qui n'appartiendra qu'à lui-même (et qui ne devra pas être un faire-valoir), car on ne fait pas un enfant pour soi.

LE RÊVE DE LA MÈRE IDÉALE

En fonction d'une image idéale, de désirs parfois très profonds, ou peut-être plus simplement de votre propre mère, vous allez sans doute imaginer que votre femme aura telle ou telle attitude vis-à-vis du bébé. Vous pouvez, par exemple, vous la représenter très câline, très « tactile », mais elle ne sera pas forcément comme vous le pensiez. Là encore, il va falloir vous adapter à la réalité. L'important, pour que tout se passe bien, est que vous évitiez les jugements de valeur. Il n'existe pas de « bonne mère standard ». Si vous remettez en question la capacité de votre compagne à être mère, toute la famille en pâtira. Vous-même aurez d'ailleurs besoin qu'elle ait confiance en vous en tant que père. Ce sera une autre étape de votre vie de couple que de vous découvrir chacun dans ce nouveau rôle, parfois avec étonnement.

“Je n'arrête pas de me demander si ce bébé ne va pas chambouler notre vie.”

DEVENIR PARENTS

C'est fréquent et normal d'appréhender un peu l'arrivée d'un bébé, à l'instar de n'importe quel changement majeur de la vie (nouvelles responsabilités au travail, mariage, etc.). Cela étant, si vos attentes sont réalistes, vous serez certainement très heureux de ce nouveau venu. En revanche, si vous vous attendiez à ce qu'il soit obéissant, souriant et… parfait, il y a fort à parier que vous serez déçus. Un nouveau-né est difficile à comprendre au début. En outre, il peut pleurer souvent – presque immanquablement quand vous vous apprêtez à manger, à vous dire des mots tendres, à vous doucher ou, pire encore, quand vous êtes épuisés.

Si votre vision de futurs parents se limite à des promenades paisibles dans le parc, à des journées radieuses au zoo ou à des heures de bonheur passées à coordonner sa garde-robe miniature, la réalité risque de vous décevoir. Parfois, vous verrez la nuit tomber, sans avoir vu la journée passer et mis le nez dehors. Toutefois, vous pouvez vous attendre à vivre l'une des expériences les plus merveilleuses de votre vie. Le bonheur ressenti lorsque l'on berce dans ses bras ce petit être tout chaud (même s'il hurlait de douleur peu avant parce qu'il avait mal au ventre) est incomparable. Tout comme son premier sourire. Cela vaut largement les nuits sans sommeil, les repas annulés à la dernière minute, les tonnes de linge et les moments d'intimité tombés à l'eau !

Serez-vous heureux avec votre bébé ? Oui, bien sûr, tant que vous ne vous bercerez pas d'illusions.

“Durant les neuf mois d'attente, l'imagination va bon train concernant le futur bébé, mais aussi sa mère.”

Le huitième mois

- Le développement du bébé
- Du côté de la maman
- Les contractions
- La dernière consultation et la visite chez l'anesthésiste
- Prévoir l'arrivée de bébé à la maison
- Préparer la valise
- Côté psy : quand le bébé prend davantage de place…
- Du côté du papa : ensemble et seuls à la fois

Le développement du bébé

Si l'enfant venait à naître maintenant, il aurait de grandes chances d'être en bonne santé. Son cocon utérin lui laissant maintenant très peu de place pour bouger, il va prendre une position qu'il conservera jusqu'à l'accouchement, sauf si le médecin décide de le faire basculer parce qu'il est mal engagé.

En position pour l'accouchement

Le fœtus prend sa position définitive pour l'accouchement en général vers le 8e mois : le plus souvent, il se place tête en bas, fesses en haut et, si ce n'est pas le cas, l'obstétricien peut essayer de le faire basculer (voir pages 242, 262 et 263).

Selon les moments, le fœtus déglutit du liquide ou en régurgite, par la bouche mais aussi par les narines. Il ne s'agit pas d'un simple exercice de préparation à l'alimentation buccale. Le liquide avalé circule dans l'ensemble du tube digestif, ce qui le stimule ; certains composants du liquide amniotique vont contribuer à la maturation des poumons. Le futur bébé urine beaucoup, proportionnellement aux quantités de liquide amniotique qu'il ingère.

Les jumeaux sont souvent prématurés.

En grandissant les jumeaux se sentent vite à l'étroit dans l'utérus et vous n'y pouvez rien. Mais vous et votre médecin pouvez retarder au maximum une arrivée trop précoce (voir page 111). Le terme idéal pour la naissance de jumeaux est la 38e SA révolue.

Toujours plus ressemblant à un bébé

Le futur bébé se fait aussi une beauté : une petite couche de graisse tend la peau, le duvet est peu à peu remplacé par un enduit protecteur, le vernix caseosa. Si le nouveau-né n'est pas baigné à la naissance, ce vernix disparaîtra à son tour environ un jour après la naissance.

Les iris des yeux sont à présent bleus chez les bébés à peau claire et marrons chez ceux à la peau plus foncée ; mais il faudra attendre plusieurs mois après la naissance pour que leur couleur soit définitive.

Ses os continuent de s'allonger et de s'épaissir. Vers la fin du mois, le futur bébé pèse 2,5 kg (il prend plus de 15 g par jour) et mesure 47 cm.

Attention !

Les informations données au fil des mois sur l'évolution de l'embryon puis du fœtus ne sont pas à considérer de manière trop rigide. Il existe un cadre général, qui définit l'évolution « normale », mais chaque individu a sa propre dynamique de développement. Tel fœtus sera un peu en avance pour certaines fonctions mais plus lent pour d'autres acquisitions.

COMMENT LE BÉBÉ SE PRÉSENTE-T-IL ?

- **Le fœtus se place le plus souvent tête en bas** (c'est la présentation « céphalique »), mais il peut se présenter d'autres façons (voir pages 262 et 263).
- **Les « sièges » revêtent diverses formes :** siège décompleté – le bébé a les fesses en bas et les jambes tendues vers le haut ; siège complet – il est assis en tailleur (les deux pieds dirigés vers le bas). L'enfant peut aussi se présenter avec un pied en bas et un pied en haut vers la tête (en siège semi-décompleté).
- **Enfin dans la présentation transversale** (appelée aussi « par l'épaule »), le bébé est couché horizontalement avec la tête d'un côté, décentrée par rapport au col de l'utérus. Dans ce cas, c'est l'épaule qui se présenterait en premier si on laissait faire, ce qui est tout à fait exclu.

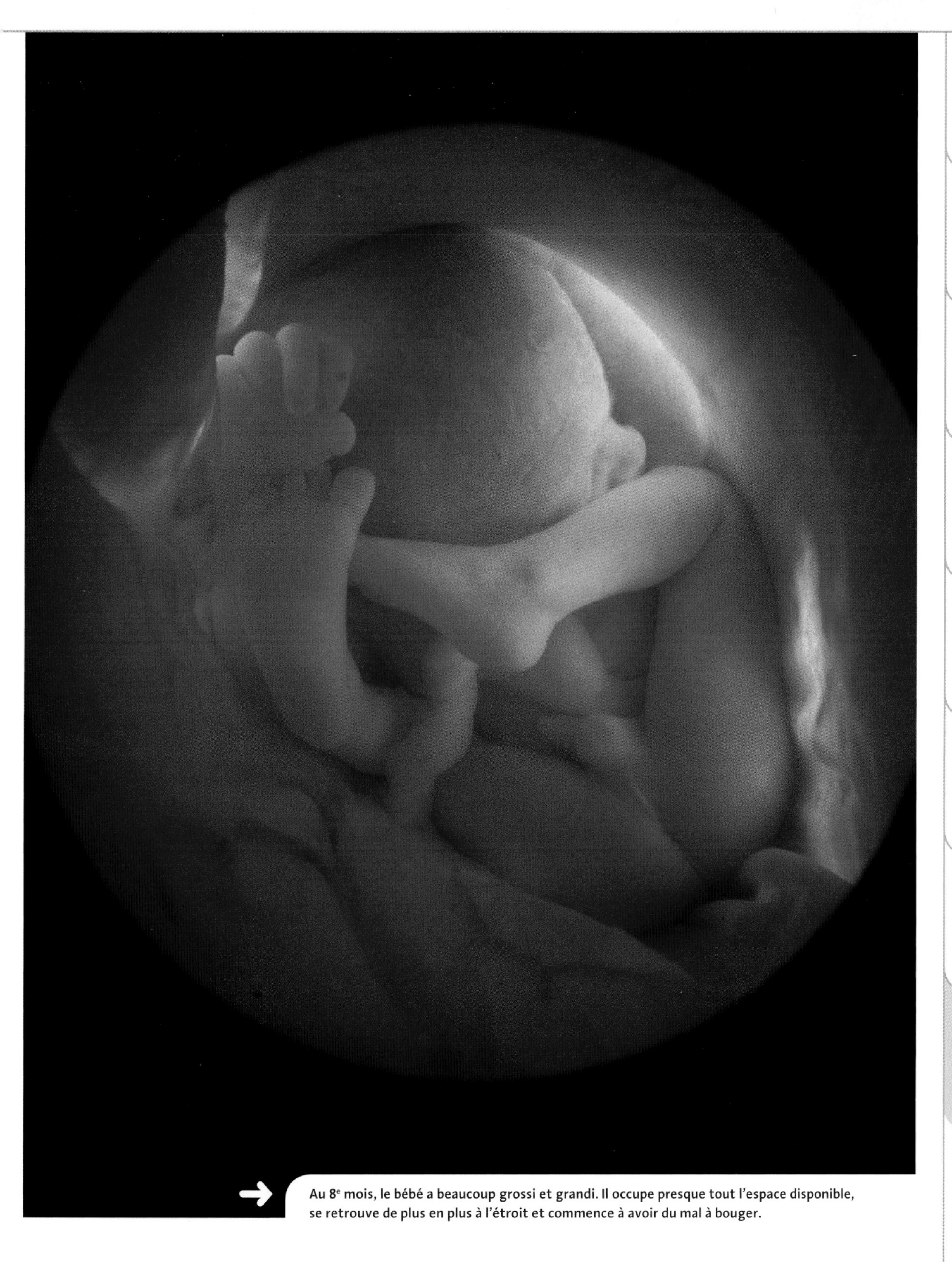

Au 8e mois, le bébé a beaucoup grossi et grandi. Il occupe presque tout l'espace disponible, se retrouve de plus en plus à l'étroit et commence à avoir du mal à bouger.

Du côté de la maman

Au cours de cet avant-dernier mois, vous savourez ces dernières semaines ou au contraire vous supportez difficilement de vous déplacer avec ce « joli bidon » bien arrondi, et encore moins de devoir dormir avec. Vous commencez de toute façon à vous préoccuper de l'événement tant attendu: la naissance.

Enthousiasme et angoisse

Vous et votre compagnon êtes tout à votre enthousiasme et cela ne va pas sans quelques appréhensions, surtout si vous avez des contractions utérines ou faites vos premières armes en tant que parents. Tous les parents passent par cette phase où des sentiments paradoxaux se mêlent. Vous pourrez vous en apercevoir en discutant avec des amis ou des membres de vos familles qui ont vécu cette expérience.

Vous êtes tout à tour impatiente de voir la grossesse se terminer, inquiète sur la santé du bébé à venir et angoissée en essayant d'imaginer le déroulement de l'accouchement...

Soyez vigilante !

Depuis quelque temps déjà, vous avez très souvent envie d'uriner. Ne prenez pas la mauvaise habitude qui consiste à retarder le moment d'aller aux toilettes: cela risque de provoquer des contractions utérines et une infection urinaire. Alors, allez-y dès que le besoin se fait sentir et même plusieurs fois pendant la nuit s'il le faut. Pensez alors à éclairer le trajet qui mène aux toilettes.

Les prédictions selon la forme du ventre

Il n'existe pas deux silhouettes de femmes enceintes qui soient identiques. La manière dont vous portez votre futur enfant, dont votre ventre grossit, en volume comme en forme, dépend de nombreux facteurs. Votre apparence indique rarement la taille du fœtus. Les médecins sont souvent les seuls à pouvoir donner une information précise sur la croissance et le bien-être du fœtus. Tant que vous n'êtes pas dans un cabinet médical, ne faites pas attention aux réflexions, aux comparaisons indélicates entre votre ventre et celui d'autres futures mères qui sont plus grands, plus gros, plus petits, plus bas, plus hauts, etc.

Quant aux prédictions sur le sexe de l'enfant à venir, n'ouvrez pas les paris : il vient au monde 105 garçons pour 100 filles. Cela vaut aussi pour les « C'est un garçon ? » si le ventre pointe vers l'avant ou pour les « Ah! Ce sera une fille! » si votre ventre déborde sur les hanches... ainsi que pour toutes les autres prévisions ne découlant pas du rapport d'une échographie.

Une mobilité de plus en plus réduite

Les activités les plus simples sont devenues difficiles telles que se préparer le matin, préparer les repas, dormir, se déplacer... Vous aurez du mal à entrer dans la baignoire, à vous laver. Vous appréhenderez de vous mettre sur un pied par peur de perdre l'équilibre et de tomber; vous vous laverez assise par précaution.

Vous peinerez aussi à vous habiller avec aisance, l'épreuve la plus hasardeuse étant de lacer ses chaussures – puisque vous ne pourrez plus vous pencher en avant sans être bloquée par votre ventre, devenu particulièrement volumineux Pour vous aider, ramenez le pied sur l'autre cuisse en étant assise. Ensuite, redressez-vous en soufflant et prenez quelques secondes avant de vous sentir de nouveau bien, après tous ces efforts!

Vous ne pourrez plus courir et vous marcherez avec difficulté, selon la marche des canards, en faisant passer le poids de votre corps d'un pied sur l'autre. Un court trajet jusqu'à l'école avec l'aîné par exemple vous paraîtra un marathon. Pour une femme enceinte, les derniers jours, « le bout du monde, c'est le bout de la rue ».

Il sera aussi délicat de passer de la position allongée à la position debout, et vice-versa. Pour vous redresser, n'oubliez pas de passer toujours en premier sur le côté (voir page 200) pour ne pas solliciter vos abdominaux distendus, puis de rester quelques secondes en position assise avant de vous lever complètement.

Enfin, vous serez souvent obligée de prendre votre temps, même pour les activités les plus anodines telles que faire la vaisselle car votre ventre vous tient trop éloignée du robinet (faites-vous aider le plus possible), donner le bain à un enfant (si personne ne peut le faire à votre place, vous serez obligée de vous asseoir), travailler sur ordinateur (après une heure ou deux, vous aurez besoin de vous redresser).

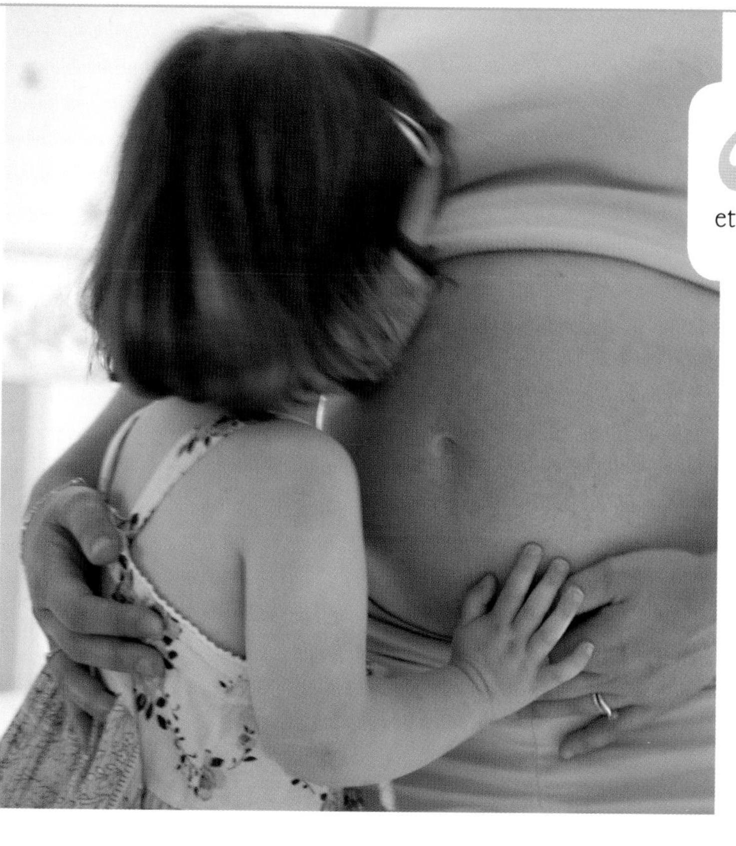

“J’aime bien quand maman me laisse toucher son ventre et faire un bisou à mon petit frère.”

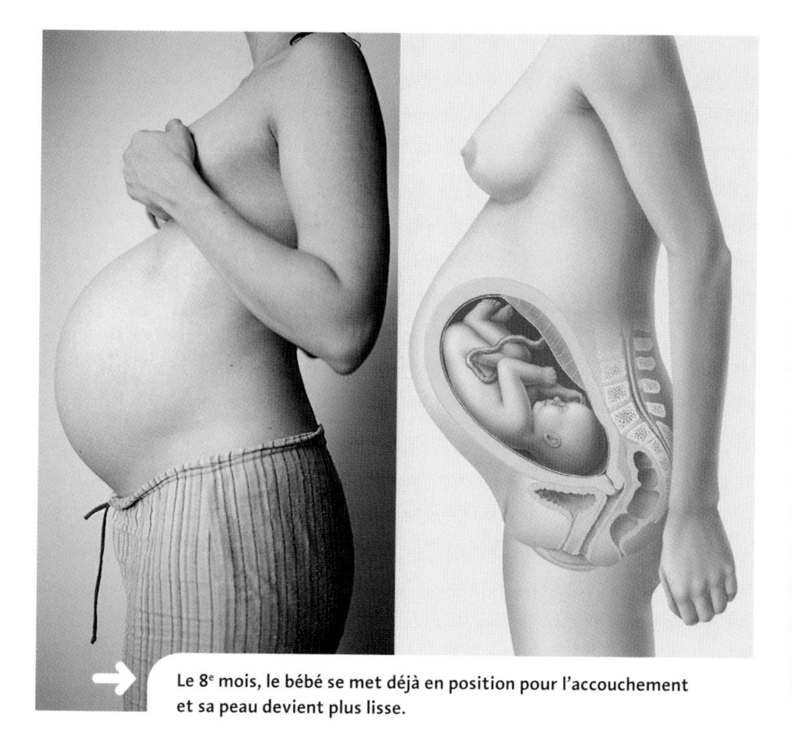

Le 8e mois, le bébé se met déjà en position pour l’accouchement et sa peau devient plus lisse.

“Mon mari me dit que depuis quelque temps, je ronfle la nuit – ce qui ne m’était jamais arrivé. Y a t-il matière à s’inquiéter ?”

LES RONFLEMENTS

Les ronflements perturbent le sommeil à la fois de celle qui ronfle et de celui qui partage son lit. Dans la mesure où, après la naissance de votre bébé, vous risquez de dormir en pointillé, autant essayer de bien vous reposer tant que vous en avez encore la possibilité. Commencez par placer un humidificateur dans votre chambre et dormez la tête légèrement surélevée.

Les ronflements s’accompagnent parfois d’apnées du sommeil, c’est-à-dire d’interruptions momentanées de la respiration durant le sommeil, ce qui diminue temporairement l’oxygénation. Dans la mesure où une femme enceinte respire pour deux, l’apport en oxygène est d’autant plus important. L’apnée du sommeil est une affection qui nécessite un traitement. Une prise excessive de poids favorise les ronflements et l’apnée du sommeil ; une autre bonne raison pour garder un œil sur la balance. Abordez donc le sujet avec votre médecin lors de la prochaine visite prénatale.

Les contractions

Durant les derniers mois de votre grossesse, vous avez parfois ressenti des contractions de votre utérus, en principe indolores. Le jour de l'accouchement, elles deviendront douloureuses et vont s'intensifier au cours du prétravail. Il faut les reconnaître et les chronométrer pour décider quand il faudra partir à la maternité.

Les contractions de grossesse

Si certaines femmes ne découvrent les contractions que le jour de l'accouchement, d'autres en ressentent plus tôt et s'en inquiètent. Ces contractions pendant la grossesse sont normales si leur nombre ne dépasse pas une dizaine par jour, si elles sont indolores et de faible ampleur. En revanche, si elles sont fréquentes et douloureuses, consultez votre médecin.

À votre chronomètre !

Lorsque le travail débute, chronométrez vos contractions en mesurant le temps écoulé entre le début d'une contraction et le début de la suivante sur une période de 30 minutes ou sur une période plus longue si elles sont espacées. Inutile toutefois de garder les yeux rivés sur la pendule. Pensez aussi à noter l'heure à laquelle les contractions ont commencé et leur fréquence pour informer la sage-femme lorsque vous arriverez à la maternité.

Des contractions d'accouchement

À l'approche du grand jour, des contractions surviennent souvent le soir pour préparer le col utérin plusieurs jours de suite. Lorsque ces premières contractions cèdent la place à d'autres, plus fortes, plus douloureuses et plus fréquentes, vous vous demandez si le moment est arrivé. C'est probablement le cas dans les situations suivantes :

- Les contractions vont s'intensifier, au lieu de se calmer. Chaque nouvelle contraction n'est pas forcément plus douloureuse et longue que la précédente (elle dure généralement de 30 à 70 secondes), mais cela va peu à peu en augmentant lorsque le travail progresse. De même, l'augmentation de la fréquence des contractions n'est pas constante, mais va en s'intensifiant.
- Les contractions deviennent souvent plus régulières.
- Les douleurs provoquées par les contractions évoquent parfois un trouble intestinal lié à l'apparition de diarrhées, mais elles s'accompagnent toujours d'un durcissement du ventre en totalité comme si l'utérus était moulé.
- Les premières contractions du travail précédant l'accouchement peuvent être similaires aux douleurs ressenties lors des règles.
- Vous perdrez le bouchon muqueux (pertes vaginales, glaireuses, plus ou moins teintées de sang).

Évolution au cours du travail

La courbe de dilatation du col comporte trois phases.

- La première est une phase de latence, c'est la plus longue, la dilatation atteint 2 à 3 cm ; c'est à l'issue de cette phase que vous serez conduite en salle de naissance et que vous pourrez, éventuellement, avoir une péridurale.
- Lui succède une phase plus rapide, pour arriver à une dilatation comprise entre 4 et 8 cm.
- La dernière phase, appelée de « décélération », se situe au-delà de 8 cm et précède la phase d'expulsion. Elle se nomme ainsi parce que le travail se ralentit de nouveau. Elle comporte une dilatation du col de 8 à 10 cm, ainsi que la descente du bébé dans le bassin.

Une fois le travail bien installé, les contractions qui ne sont plus espacées que de 2 à 3 minutes, sont extrême-

Attention !

Ce n'est pas parce que vous ressentez des contractions que vous allez accoucher ; la plupart sont en effet physiologiques. Mais soyez vigilante.

ment fortes et durent de 60 à 90 secondes. Plus intenses chez les multipares, elles semblent ne jamais finir.

Les symptômes d'un faux travail

Ce sont des contractions utérines régulières et douloureuses qui ne débouchent pas sur la mise en route du travail. Elles peuvent même commencer à modifier le col utérin, mais au bout d'un moment, elles s'arrêtent complètement et il faut attendre la prochaine alerte, pouvant se produire quelques jours plus tard, d'où les allers-retours possibles entre le domicile et la maternité. C'est ce qu'on appelle des « fausses alertes ». Pour arriver à différencier un faux travail d'un « vrai travail », on peut vous proposer un antispasmodique ou un tocolytique pour faire cesser les contractions utérines. Si ce traitement arrête les contractions, c'est que vous n'étiez pas encore en travail..

La dystocie de démarrage

Parfois il arrive que les contractions utérines soient régulières et douloureuses, alors que le col ne s'ouvre pas. Dans ce cas, la sage-femme peut vous proposer de vous soulager avec des analgésiques (type Nubain). Mais cette thérapeutique n'est pas toujours suffisante. À ce moment-là, on décide de diriger le travail, c'est-à-dire que l'on pose une péridurale pour soulager la douleur et après on procède au déclenchement (perfusion d'ocytocine, puis rupture artificielle de la poche des eaux).

À QUOI SERT UNE CONTRACTION ?

- La contraction utérine provoque un raccourcissement de la fibre musculaire. **À chaque contraction, le col de l'utérus est « tracté ».** Imaginez un col roulé qui, tiré vers le bas, se transformerait en un col ras, et vous aurez une idée du mouvement du col durant la première partie de l'accouchement : il s'efface.
- **Puis il s'ouvre, se dilate complètement, et l'enfant, sous la pression de la contraction, se trouve poussé vers l'extérieur.**
- **La contraction utérine est donc indispensable pour accoucher : c'est elle qui va permettre au bébé de naître.**
- **Plus vous serez attentive au rôle de la contraction, moins vous serez focalisée sur la douleur,** au point de parvenir à la dépasser.
- **L'un des objectifs de la préparation classique est de vous aider à associer aux contractions l'idée non plus de souffrance, mais celle d'efficacité.**

« Par moment mon utérus se contracte et semble se mettre en boule. Qu'est-ce que cela veut dire ? »

LES CONTRACTIONS DE BRAXTON HICKS

Votre utérus s'entraîne déjà. Vous ressentez probablement ce qu'on appelle en anglais des contractions de « Braxton Hicks » qui, dès la 20e semaine d'aménorrhée, préparent l'utérus pour le travail à venir. Les femmes ayant déjà eu des enfants les ressentent souvent plus tôt et de manière plus intense. Les fibres musculaires de l'utérus ne font, dans ce cas, que se contracter par réflexe. Au départ, ces contractions vous paraîtront indolores, bien que gênantes. Vous sentirez votre utérus se durcir progressivement de haut en bas pendant environ 15 à 30 secondes.

À mesure que vous approchez du terme, elles se feront plus fréquentes, intenses et, parfois aussi, douloureuses. Certaines peuvent durer de 1 à 2 minutes. Sans jamais atteindre l'efficacité nécessaire pour l'accouchement, elles préparent à l'avance l'effacement et la dilation du col.

Pour qu'elles ne soient pas trop désagréables, changez de position : allongez-vous ou asseyez-vous pour vous détendre si vous étiez debout. Au contraire, levez-vous et marchez si vous étiez assise. À cette occasion, vous pouvez vous entraîner aux techniques apprises pour la respiration, afin de mieux faire face aux contractions de l'accouchement le moment venu.

Ces contractions ressemblent à celles du vrai travail. Vous aurez du mal pourtant à les distinguer d'éventuelles contractions de l'utérus intervenant avant le terme lors d'un accouchement prématuré. N'oubliez jamais de décrire ce que vous ressentez à votre médecin lors de la prochaine visite.

Si les contractions sont trop fréquentes (plus de 4 par heure) et s'accompagnent de douleurs (abdominales ou dorsales) ou de pertes vaginales inhabituelles, ou si vous présentez un risque d'accouchement prématuré, consultez rapidement un médecin ou rendez-vous à la maternité.
Il peut alors vous être prescrit des comprimés antispasmodiques pour permettre à votre utérus de se relâcher.

La dernière consultation et la visite chez l'anesthésiste

Vers la fin du huitième mois, vous allez avoir deux consultations médicales essentielles. L'une, avec le médecin ou la sage-femme qui vous suit, sert notamment à faire le point sur l'accouchement. L'autre, la visite obligatoire avec un anesthésiste, a pour but de recueillir les informations nécessaires à une éventuelle péridurale ou à tout autre anesthésie.

La dernière consultation

Lors de la dernière consultation avant l'accouchement, le médecin ou la sage-femme va déterminer notamment la façon dont se présente le futur bébé. Il ou elle évalue aussi, par un toucher vaginal, les dimensions de votre bassin: celui-ci doit être assez large pour permettre à l'enfant de passer.

FAIRE TOURNER LE BÉBÉ AVANT L'ACCOUCHEMENT • Quand le bébé se présente par le siège, on peut essayer de le faire tourner pour qu'il se positionne tête en bas.

> « Comment puis-je savoir si le bébé est déjà dans la bonne position pour l'accouchement ? »

LA POSITION DU BÉBÉ

Vous passerez d'excellentes soirées à essayer de deviner ce qui se cache sous telle ou telle bosse (les pieds, le coude, les fesses... ?). Cela ne vous permettra pas pour autant de déterminer avec précision la position du bébé.

Le médecin sera mieux à même de le faire en palpant simplement votre abdomen du plat de sa main experte. Il reconnaîtra, par exemple, le dos à son contour plutôt convexe et lisse bien différent des formes irrégulières des coudes, des genoux ou des pieds. Au 8e mois, la tête s'est habituellement déjà rapprochée du bassin; elle est ronde, d'une consistance assez ferme au-dessus du pubis. Les fesses forment une bosse similaire, mais moins dure. En cas de doute, l'échographie pourra trancher.

Il existe plusieurs méthodes très différentes. La plus fréquente est la « version manœuvre externe », réalisée par l'obstétricien à la fin du 8e mois. Après avoir vérifié la position du fœtus à l'échographie, le praticien le soulève à l'aide de ses mains vers la tête de la maman pour le dégager du bassin, puis il lui imprime un mouvement de bascule pour faire tourner sa tête vers le bas. Cette manœuvre réussit dans la moitié des cas.

Les autres méthodes, à pratiquer soi-même, sont la position du « pont indien » et l'acupuncture. La position du « pont indien » consiste à prendre une posture particulière deux fois par jour, pendant 10 à 20 minutes. Couchée sur le dos, surélevez le bassin de 30 à 35 cm à l'aide de coussins. Votre tête repose à 15 cm du sol grâce à un autre coussin, vos jambes sont tendues et vos talons touchent terre.

L'acupuncture, elle, utilise la technique dite de « moxibustion » (on brûle certaines plantes à proximité de la peau). En faisant brûler un bâtonnet de moxa (armoise) près du petit orteil tous les jours, pendant une semaine, on cherche à augmenter la mobilité du fœtus pour qu'il tourne de lui-même.

SI VOUS AVEZ DÉJÀ SUBI UNE OPÉRATION DE L'UTÉRUS • Si vous avez déjà accouché par césarienne ou si vous avez été opérée d'un fibrome, par exemple, votre utérus comporte une cicatrice (on parle alors d'« utérus cicatriciel »). Celle-ci est plus ou moins résistante, mais aucun examen ne permet de savoir à l'avance, de façon formelle, si, lors de cette nouvelle naissance, elle résistera ou non aux contractions utérines. Si cela n'était pas le cas, une césarienne s'imposerait alors.

Le médecin évalue ce risque au plus tard lors de la dernière consultation. Si le bassin apparaît normal sur la radiopelvimétrie, le bébé pas trop gros d'après la dernière échographie et que la césarienne précédente se soit déroulée sans complication, on ne recourt pas de façon systématique à une césarienne, mais vous devrez vous rendre à la maternité dès les premières contractions.

La dernière consultation est l'occasion de poser au médecin vos dernières questions avant l'accouchement.

« Mon gynécologue vient de m'avertir qu'il faudrait sans doute recourir à une césarienne. Est-ce plus dangereux qu'un accouchement normal ? »

LES RISQUES D'UNE CÉSARIENNE

Même s'il s'agit d'une opération chirurgicale considérée comme « lourde », une césarienne ne présente que des risques souvent mineurs.

Les césariennes sont, aujourd'hui, presque aussi sûres pour la mère que les accouchements naturels. Une césarienne n'est pas dangereuse en soi pour le bébé. Lorsqu'elle est véritablement nécessaire, l'enfant est, au contraire, plus en sécurité que s'il naissait par les voies naturelles. Chaque jour, des milliers de nouveau-nés qui n'auraient pas survécu à leur passage par le canal pelvi-génital quittent ainsi sains et saufs le ventre maternel. Les bébés nés par césarienne avec leur tête ronde (et non pointue comme les autres), ont un petit avantage esthétique.

La césarienne présente l'inconvénient de ne pas permettre l'évacuation d'une partie des mucosités accumulées dans les voies respiratoires comme lors de l'expulsion naturelle. Au besoin, cet excès sera aspiré après la naissance. Les complications de l'intervention sont rares.

Après une césarienne, certaines femmes éprouvent des sentiments qui interfèrent temporairement dans leur relation avec leur enfant. Ces réactions peuvent être évitées en reconnaissant que le choix de la césarienne ne dépend pas de vous.

La visite obligatoire chez l'anesthésiste

À l'issue de votre visite de ce mois, l'osbtétricien ou la sage-femme vous a demandé de prendre un rendez-vous avec l'anesthésiste en prévision d'une éventuelle péridurale ou de toute anesthésie qui serait nécessaire durant l'accouchement.

POUR BIEN SE PRÉPARARER À L'ACCOUCHEMENT • Consulter l'anesthésiste à la fin du 8e mois est obligatoire pour préparer au mieux les conditions de l'accouchement. Cette visite comprend un interrogatoire très approfondi sur vos antécédents médicaux et chirurgicaux, sur vos éventuelles allergies (antiseptiques, antibiotiques…), sur la prise de médicaments, etc. Elle prévoit également un examen clinique complet. Cette consultation vise à déterminer le risque hémorragique et allergique, à rechercher une éventuelle contre-indication à la péridurale et à évaluer la facilité des gestes anesthésiques (examen de la colonne vertébrale, de la bouche). Le but est de bien vous connaître avant l'accouchement. Ce rendez-vous avec l'anesthésiste peut paraître superflu, car la plupart des femmes enceintes sont jeunes et en bonne santé, mais il s'avère utile pour parer à toute urgence durant l'accouchement.

DES INFORMATIONS SUR LA PÉRIDURALE • L'anesthésiste va également vous expliquer en quoi consiste la péridurale, comment elle se pratique et quels sont ses retentissements sur l'accouchement. Il vous précisera qu'une éventuelle césarienne peut également être pratiquée sous péridurale. Souvent en parallèle, la maternité organise une séance d'information en groupe sur ce sujet.

Prévoir l'arrivée du bébé à la maison

Vous avez réfléchi à l'espace que vous allez aménager pour le bébé. Que ce soit une chambre qui sera tout à lui ou un endroit aménagé dans une autre pièce, l'essentiel est qu'il ait bien sa place. Quand vous rentrerez chez vous, accompagnée de votre bébé, vous serez sûrement fatiguée et désireuse avant tout de vous occuper de vous et de l'enfant. Pour que ce retour se passe dans les meilleures conditions, vous pouvez aussi contacter des professionnels qui vous épauleront si besoin.

Rien que pour lui

Quel que soit l'endroit retenu, celui-ci doit pouvoir être facile à aérer, simple d'accès – pensez aux nuits lorsqu'il se réveillera ! – et assez lumineux en journée. Déterminez en premier l'emplacement du lit ou du berceau : celui-ci devra être assez éloigné du chauffage et des fenêtres. Prenez aussi en considération la température de la pièce : il est souhaitable qu'elle se situe entre 17 °C et 19 °C – mieux vaut donc éviter si possible un espace très exposé au soleil ou sous les toits.

DU CALME AVANT TOUT • Pour que le bébé ne soit pas agressé par les sons venant de l'extérieur – Klaxons, sirènes, etc. –, privilégiez par exemple une pièce qui ne donne pas sur la rue. Il est important de prendre aussi en compte les bruits de la vie quotidienne : dans la mesure du possible, éloignez-le de la télévision ou de la chaîne hi-fi. Si vous craignez de ne pas entendre les pleurs de votre bébé, il existe tout un choix d'interphones pour surveiller son sommeil à distance.

UN LIEU FONCTIONNEL ET ACCUEILLANT • Une fois l'endroit choisi, avec le futur papa et peut-être avec les aînés, à vous le plaisir de le décorer et de l'aménager – en laissant toutefois tous les travaux de peinture ou de tapisserie à votre compagnon. Prenez des matériaux faciles à entretenir : papier peint ou peinture lavables, carrelage, sol plastique ou parquet vitrifié. S'il existe une tendance allergique dans la famille, évitez moquette et tapis. En revanche, si la pièce est un peu fraîche, la moquette l'isolera.

Pour la décoration, n'oubliez pas que le nouveau-né est surtout sensible aux contrastes. Il sera indifférent à la teinte du papier peint ou de la peinture, mais appréciera par exemple de voir des mobiles. Quand vous envisagez de garder le revêtement mural quelques années, le plus simple est peut-être de choisir des couleurs gaies et douces, ou des motifs discrets, quitte à ajouter ensuite une frise. Et, si vous avez préféré ne pas connaître le sexe de votre enfant, optez pour un décor qui convienne à un garçon et à une fille.

LA LUMIÈRE ET L'ÉCLAIRAGE • Selon votre goût, vous choisirez stores ou rideaux, mais n'oubliez pas que le filtrage de la lumière est essentiel pour que le bébé apprenne progressivement à distinguer le jour et la nuit. Les rideaux sont sans doute plus chaleureux. Si vous n'avez pas de volets, doublez-les afin de créer vraiment l'obscurité.

MANIAQUERIE MÉNAGÈRE...

- **Cette période de préparatifs et d'achats s'accompagne souvent d'une véritable obsession de la propreté ou du rangement.** Mais aussi du nettoyage à fond des placards et des carreaux, de l'astiquage de chaque recoin, du réaménagement éventuel de certaines pièces...
- Ces accès ménagers font souvent sourire l'entourage, et on s'en souvient avec amusement une fois que le bébé est là et ne laisse plus guère le loisir de jouer les fées du logis...
- **Beaucoup de femmes enceintes ont connu ces élans,** qui tournent parfois à l'excès maniaque et déconcertent plus d'un futur père. **Tout cela est parfaitement normal.** Les futures mamans ressentent le besoin de s'assurer que tout sera parfait pour l'arrivée du bébé.
- **Peut-être aussi est-ce une manière d'évacuer certaines angoisses qui peuvent se faire sentir à l'approche du terme.**

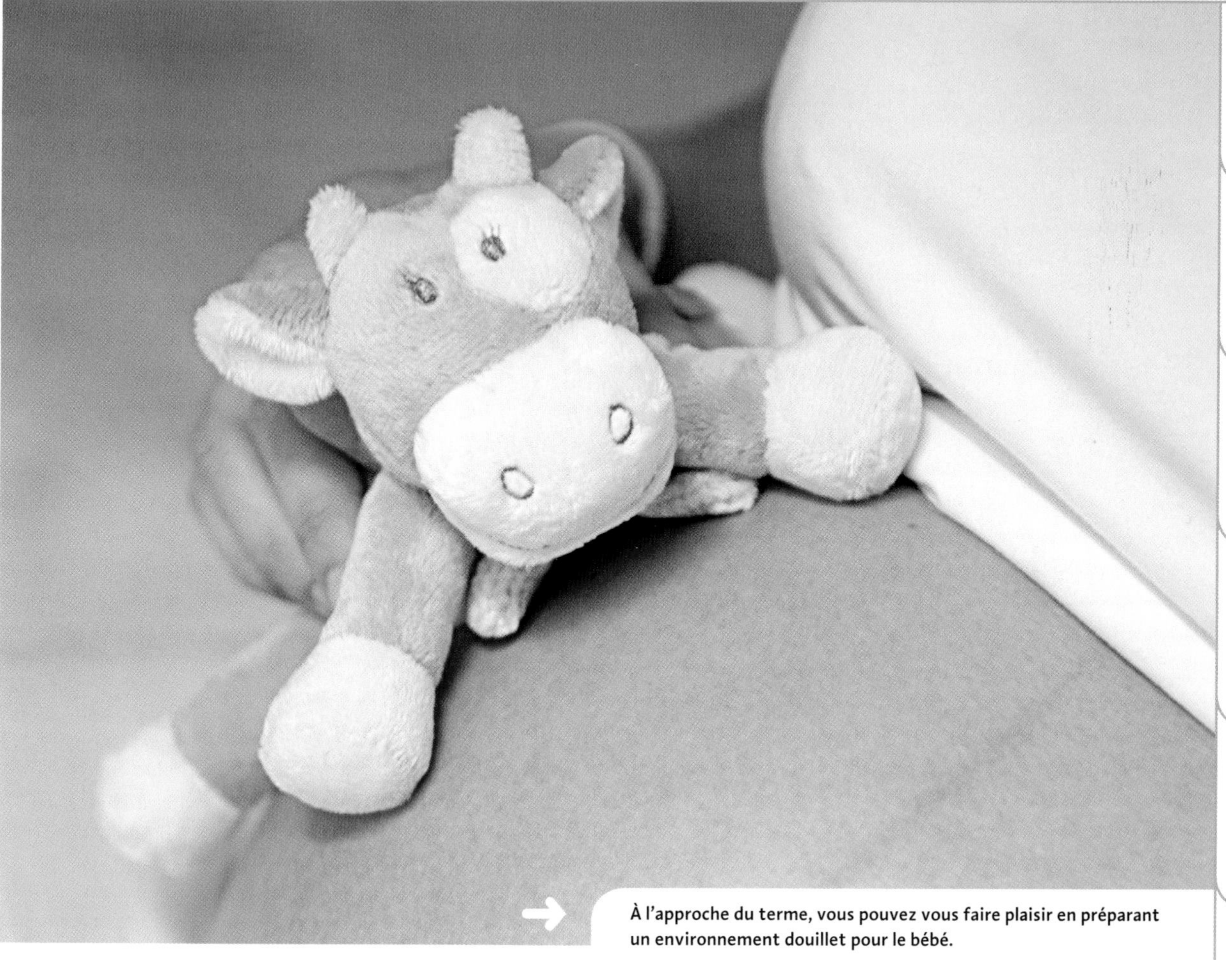

À l'approche du terme, vous pouvez vous faire plaisir en préparant un environnement douillet pour le bébé.

Lorsque l'enfant n'est qu'un nouveau-né, il est bien d'avoir un plafonnier avec un variateur et une autre petite lampe du côté de la table à langer, voire une petite veilleuse. Plus tard, l'éclairage devra pouvoir s'adapter aux diverses activités de l'enfant, par exemple aux moments où il jouera ou à ceux précédant le sommeil.

La sécurité avant tout

Pour que le bébé soit dans sa chambre en toute sécurité, il faut anticiper sur tout ce qu'il pourrait attraper (les voilages d'un berceau, par exemple), et veiller à ce que rien ne le gêne. Évitez par exemple d'installer une étagère au-dessus de son lit ou un luminaire juste à côté : rapidement, il saura s'emparer de ce qu'il y a dessus ou s'en servira pour se redresser. Ne placez pas non plus le lit à côté des rideaux : ses petites mains apprendront vite à en saisir le tissu ou les cordons.

CHOISIR SON PRÉNOM

- Voilà un sujet qui va vous occuper l'esprit et animer bien des conversations.
- Une chose est certaine : **le choix ne dépend que de vous et du papa.** Il se fera en fonction de vos goûts, de vos influences culturelles et familiales.
- **Certains écueils sont à éviter :** attention aux engouements du moment qui se « démodent » vite (une fois scolarisé, votre enfant aura le même prénom que cinq autres dans la classe !).
- **Pensez à associer le prénom à votre nom de famille.**
- **Si vous hésitez, gardez vos choix pour vous et attendez de voir votre bébé :** cela laisse un peu de suspense pour l'entourage.
- **Sachez aussi que l'officier d'état civil peut refuser certains prénoms** s'il les juge trop fantaisistes.

ATTENTION AU LIT ET AU MATELAS • Si vous optez pour un lit à barreaux, choisissez un tour de lit pour les premiers mois et assurez-vous que les barreaux sont assez hauts pour éviter les chutes. Veillez également à la qualité du matelas. Il doit être bien adapté aux mesures du berceau, ou du lit, afin qu'il n'y ait aucun espace autour. Vérifiez également sa fermeté et son épaisseur. Il ne doit pas être mou, ni faire de creux ou de bosses.

Anticiper les premiers besoins

UNE AIDE POUR LE MÉNAGE ? • Si vous pensez avoir besoin d'aide, renseignez-vous auprès de votre mairie ou de la CAF (Caisse d'allocations familiales) pour savoir si vous pouvez bénéficiez d'une aide à domicile qui vous soulagera pour les tâches quotidiennes telles que le ménage ou les courses. Sinon, quand vos moyens financiers vous le permettent, faites appel à une femme de ménage.

UNE SAGE-FEMME À DOMICILE ? • Vous pouvez aussi envisager de faire venir une sage-femme à domicile : son aide peut être précieuse pour les soins suivant l'accouchement et si vous allaitez. En effet, la mise en place de l'allaitement n'est pas toujours aboutie lorsqu'on sort de la maternité et une professionnelle chez soi permet de se sentir plus à l'aise. Pensez éventuellement à rechercher un kinésithérapeute ou une sage-femme pour votre rééducation postnatale. Ce sera une démarche de moins à faire après la naissance.

TROUVER UN MÉDECIN • Enfin, avant de partir, il est plus rassurant de trouver le médecin généraliste ou le pédiatre qui va prendre en charge la santé de votre bébé. Vous pourrez ainsi compter sur lui si vous avez rapidement besoin de consulter : certains se déplacent même à la maternité pour la première visite. Le bouche-à-oreille est un moyen très sûr pour trouver le bon praticien. N'hésitez pas à demander conseil autour de vous (amies, pharmacien...).

Des courses aux faire-part

Ce n'est pas en rentrant de la maternité que vous irez faire le plein de courses. Avec votre compagnon, vous pouvez anticiper vos besoins. Certains produits vous seront nécessaires en grande quantité au retour : couches, produits de soins pour le bébé, eau minérale ou de source, lait, etc. Des réserves de conserves et de surgelés seront peut-être utiles pour assurer vos premiers repas sans avoir à sortir.

Vous pouvez de même préparer vos faire-part. Vous n'aurez plus qu'à téléphoner à l'imprimeur pour lui donner le prénom et la date de naissance. Mais libre à vous d'attendre la naissance pour vous en préoccuper. Avant de partir, faites avec le père une liste des personnes que vous souhaitez prévenir, avec les numéros de téléphone.

Pensez aussi à votre confort

Le moment du change et de l'habillage est un moment particulier, souvent l'occasion de complicité, de rires, de bisous – mais aussi éventuellement d'un peu d'énervement si le bébé a décidé de ne pas se laisser faire... Toujours est-il que la personne qui s'occupe de l'enfant ne doit jamais le laisser sans surveillance sur la table à langer ou le meuble qui en fait office.

POUR LE CHANGE

Prévoyez une installation pratique. La table à langer peut se trouver aussi bien dans la chambre que dans la salle de bains, selon l'espace dont vous disposez dans l'une ou l'autre pièce. L'essentiel est que vous puissiez changer le bébé sans le quitter des yeux, et que vous ayez donc tout le matériel nécessaire à portée de main : couches, lait de toilette, sérum physiologique, coton, etc. Il existe bien sûr des meubles spécialement conçus pour ranger tout cela. Il suffit d'y installer un matelas à langer et d'entreposer le nécessaire du bébé près de vous. Mais vous pouvez aussi utiliser une table de votre choix. Il importe surtout que le meuble présente une hauteur qui vous évite de trop vous pencher (vous le ferez souvent et durant au moins une année !).

LES AUTRES ÉQUIPEMENTS

Vous avez le lit, un coin pour le change, il faut maintenant penser à tout ce dont bébé va avoir besoin pour être habillé, nourri, lavé, promené... La liste de ces équipements peut paraître longue : landau, poussette, siège auto, porte-bébé, petite baignoire, chaise haute, lit de voyage, etc.

Faites-vous prêter ou offrir certaines choses et achetez plutôt ce qui vous tient à cœur. Ces équipements étant souvent très onéreux, pensez aux ventes de matériel d'occasion (dépôt vente, internet...) au moins pour certains (siège auto, par exemple).

ni repris,
ni échangé !

Préparer la valise

S'il est inutile de tenir la valise prête dès le quatrième mois de grossesse, n'attendez pas pour autant le dernier moment pour la préparer. Vous pouvez très bien accoucher au début du neuvième mois, quatre semaines avant la date prévue. Voici, pour l'essentiel, ce dont vous aurez besoin le jour de l'accouchement et lors du séjour à la maternité.

Pour le jour « J »

POUR VOUS • Préparez un sac à part pour le jour de sa naissance dans lequel vous mettrez pour vous un grand tee-shirt ou une chemise ample (vous devez vous sentir complètement à l'aise), de quoi relever vos cheveux s'ils sont longs, un brumisateur pour vous rafraîchir, une bouteille d'eau. Vous pouvez apporter de quoi écouter discrètement de la musique ou la radio, et, si l'accouchement doit être déclenché, de la lecture (facile !) pour que les heures d'attente vous paraissent moins longues.

POUR LE BÉBÉ • Emportez des petites serviettes de bain (pour l'envelopper à la naissance et pouvoir le garder sur vous tout en le séchant : il sort tout mouillé et ne doit surtout pas attraper froid), un body, un pyjama, une brassière (plus ou moins chaude selon la saison) et un bonnet en coton ou en laine. Préférez des matières naturelles et prenez, si possible, à la fois des vêtements de naissance et d'autres pour 1 mois.

Quant au futur papa, il doit penser à ne pas trop se couvrir – il fait toujours chaud dans les salles d'accouchement ! –, prévoir quelques euros pour le distributeur de boissons, et de quoi grignoter et lire car l'attente est souvent longue.

Pour le séjour de maman

Prévoyez de grands tee-shirts ou des chemises de nuit (s'ouvrant largement sur le devant si vous allaitez), un peignoir, une robe de chambre ou un long gilet et des chaussons. Emportez aussi des soutiens-gorge d'allaitement (et les coussinets) ainsi que des slips (ils pourront être jetables). De préférence en filet, pas du tout sexy mais plus confortables !

Côté toilette et soins, il vous faudra des serviettes, des serviettes hygiéniques « spécial maternité ». Prenez votre nécessaire de toilette habituel en y ajoutant des lingettes nettoyantes, une petite bouée gonflable (en cas d'épisiotomie), un sèche-cheveux, des mouchoirs.

Pensez aussi à préparer à la maison ce que vous aimeriez que votre compagnon vous apporte comme vêtements le jour de votre sortie (prévoyez des vêtements amples car vous n'aurez bien sûr pas encore retrouver votre taille habituelle !).

CE QUI POURRA AUSSI VOUS ÊTRE UTILE OU AGRÉABLE

- **Une montre,** pour contrôler la durée et la fréquence des contractions, mais aussi ensuite pour repérer le rythme de votre bébé.
- **Un crayon et un bloc-notes** pour noter les heures de réveil, de tétées ou de biberons, vos questions et les réponses au sujet de votre santé et de celle de votre bébé, pour vous en servir de pense-bête. **Il pourra aussi vous être utile si vous avez envie de tenir un petit journal intime.**
- **Votre répertoire téléphonique** ou une liste des numéros de téléphone des personnes de votre entourage que vous souhaiterez appeler.
- **Un oreiller personnel** pour être plus à l'aise.
- **Un appareil photo** pour photographier le bébé même quand son papa n'est pas là pour le faire.
- Pour vous chouchouter, emportez **quelques fruits (frais ou secs) et pourquoi pas vos gâteaux préférés et des boissons (thé...) que vous aimez.** Vous pourrez ainsi satisfaire votre gourmandise, les repas dans les maternités n'étant pas toujours à la hauteur des envies.
- Un livre où vous trouverez l'essentiel de ce qu'il faut savoir sur les premières semaines de la vie d'un bébé.

Dans un souci pratique, mieux vaut réserver un de vos bagages à tout ce dont vous aurez besoin juste après la naissance du bébé.

Pour le séjour du bébé

Prévoyez un body et un pyjama (ou grenouillère) par jour, sauf si quelqu'un peut faire des lessives durant votre séjour, deux ou trois brassières ou petits gilets en lainage, deux paires de chaussons ou des chaussettes, un bonnet en coton ou en lainage très fin, des bavoirs, une turbulette, une tenue de sortie.

Pensez à prendre deux paires de draps de berceau (les maternités ne fournissent souvent que les couvertures), un doudou à placer dans le lit et des serviettes de toilette ou sorties de bain.

N'oubliez pas son nécessaire de toilette (lait de toilette, huile d'amande douce, savon bébé liquide, brosse à cheveux et peigne), auquel il faut ajouter des produits pour les soins: sérum physiologique, éosine, coton et un thermomètre. Souvent, les maternités communiquent au préalable une liste, qui tient compte de ce qu'elles fournissent aux mamans.

Attention!

Pensez aux documents officiels!
Quand vous partirez de chez vous,
n'oubliez pas le livret de famille,
le carnet de maternité,
la carte Vitale
et la carte de votre mutuelle.

Côté psy : quand le bébé prend davantage de place...

Les septième et huitième mois sont pour beaucoup de femmes un temps privilégié d'échanges avec le futur bébé. Mais ils peuvent s'accompagner aussi d'un mal-être physique ou d'une peur soudaine de l'avenir.

Sous le regard des autres

À partir du septième mois, une grossesse, sauf cas exceptionnels, ne passe pas inaperçue. Cela induit souvent un changement d'attitude autour de soi. Beaucoup de gens se montrent plus prévenants, plus gentils. Même si ce n'est pas systématique, le regard d'autrui est souvent empreint de sympathie. Tout cela participe en général à renforcer une image positive de soi. Cela aide aussi à se sentir entourée d'une sorte de halo protecteur bien agréable.

Cette sollicitude, ce regard valorisant, ont toutefois leur revers. Ils présupposent en effet souvent qu'une femme enceinte est nécessairement heureuse. Or, quand celle-ci ne se sent pas bien dans son corps, ou qu'elle traverse des moments de mal-être ou de déprime, le regard bienveillant d'autrui peut avoir quelque chose d'étouffant et laisse peu de liberté pour exprimer des sentiments plus ambivalents...

Plus rien ne m'importe !”

« J'ai été arrêtée au début du 8e mois par mon médecin, avec l'obligation de bouger le moins possible. Cela fait deux semaines maintenant que je suis à la maison, et j'avoue que j'adore... J'attends, je me repose, je n'ai même pas envie de lire. Je ne fais rien d'autre que penser à moi et à ma fille ; d'ailleurs je lui parle beaucoup. Je lui fais écouter des musiques que j'aime. C'est comme si plus rien n'avait d'importance. Je me sens comme dans un cocon, protégée de tout. Plus personne n'exige rien de moi. Mon mari, lui, semble un peu inquiet face à ce que tout ce que va impliquer la naissance de notre fille. Moi, j'attends, je suis bien, je profite autant que possible de ce temps de répit. »

Des activités réduites ?

Bien plus qu'au deuxième trimestre, les sentiments éprouvés dépendent maintenant pour une bonne part de l'état physique. Au troisième trimestre, divers troubles sont susceptibles d'entraîner douleurs et/ou fatigue, et certaines femmes en sont réellement gênées. Cela a des répercussions évidentes sur l'humeur, suscite parfois des crises de larmes ou une irritation latente. Certaines femmes acceptent en outre assez mal d'avoir une mobilité réduite ou de devoir se ménager davantage.

Faire attention à soi, adopter un rythme de vie plus lent, est peut-être plus facile selon le caractère ou passé un certain âge. En revanche, certaines jeunes femmes, contraintes d'abandonner des activités qu'elles aimaient, festives ou sportives, peuvent vivre cela comme un réel renoncement. Elles prennent alors vraiment conscience que leur vie va changer, et cela fait peur. La crainte de l'avenir est un sentiment assez fréquent chez les femmes enceintes ; elle peut se manifester à tout âge et à n'importe quel moment de la grossesse, de façon plus ou moins aiguë ou plus ou moins prolongée.

Un ventre tout rond plus ou moins bien accepté

De façon générale, et quels que soient par ailleurs leurs inquiétudes, un très grand nombre de femmes éprouvent plutôt de la joie à voir leur ventre grossir – ressentant cela comme la confirmation que le bébé se développe bien et qu'il se trouve à son aise en elles. Il n'est pas rare que des personnes auparavant gênées par leurs rondeurs optent alors pour des vêtements moulants et oublient tous leurs complexes. Le plaisir ressenti à se montrer enceinte est en général encore plus grand si le mari ou le compagnon apparaît fier, lui aussi, et le manifeste de diverses façons. Il arrive toutefois que des femmes ayant toujours cherché la minceur appréhendent de ne jamais retrouver leur

À la joie de devenir parents se mêle parfois de l'inquiétude, pour l'homme comme pour la femme.

silhouette antérieure. Plus rarement, celles qui ont accepté l'enfant sous la pression du futur père peuvent assimiler leurs nouvelles formes à une sorte de déformation. Mais là encore, rien n'est figé, et il est tout à fait possible de refuser un temps son ventre rond, puis de le montrer fièrement ensuite. Certaines femmes ont parfois besoin d'un peu de temps pour sentir et accepter cette vie dans leur ventre, mais lorsque cela arrive, elles se trouvent en général submergées par l'émotion, et la perception de leur corps devient autre.

Le dialogue avec le bébé

Rétrospectivement, les femmes oublient souvent les éventuels sentiments d'angoisse ayant ponctué leur grossesse, et encore plus les sautes d'humeur. Nombre d'entre elles, en effet, décrivent surtout les derniers mois comme une formidable période d'échanges avec le bébé. C'est ce bonheur-là qui reste en mémoire. Dès le septième mois, les femmes savent repérer en général de quel côté du ventre se trouve leur enfant, et elles peuvent de la main l'inciter à se déplacer. Elles lui parlent souvent davantage à voix haute. Elles le rassurent quand elles le sentent sursauter parce qu'une porte a claqué. Elles lui chantent des chansons ou lui font écouter de la musique. En fonction de ses réactions, elles établissent déjà avec lui une réelle conversation. Le futur enfant prend ainsi du poids, au propre comme au figuré. Il a une apparence, grâce à l'échographie, il a souvent acquis un sexe, un prénom, il est davantage présent dans les discussions de ses parents. Semaine après semaine, il prend de la consistance, il devient une personne, il devient « mon enfant, notre enfant ».

LES CAPACITÉS SENSORIELLES DU FŒTUS

- Bien sûr, à ce stade, les sens du futur bébé ne sont pas encore parvenus à maturité. Mais les capacités sensorielles de ce petit être n'en sont pas moins déjà étonnantes.
- **L'odorat et le goût sont apparus en premier,** durant le troisième mois, et certains chercheurs estiment que le fœtus, progressivement, mémoriserait déjà certaines saveurs avant de naître.
- **Vient ensuite le toucher,** avec, au cinquième mois, la mise en place des récepteurs de la sensibilité cutanée au bout des doigts.
- **L'ouïe commence à se développer vers la même période, et le futur bébé se montre pleinement capable de réagir aux sons extérieurs dès la fin du deuxième trimestre.** Non seulement il entend, mais il serait aussi capable de repérer progressivement certains sons. Le nouveau-né ne reconnaît-il pas très vite la voix de sa mère entre toutes, puis celle de son père, de ses éventuels frères et sœurs, voire certaines musiques ? **Des études ont même montré qu'un air souvent fredonné par la mère durant la grossesse aurait un effet particulièrement apaisant sur le bébé après la naissance.**
- **Selon certains chercheurs, il existerait déjà une forme de mémoire sensorielle chez le fœtus.** Mais ce n'est encore qu'une hypothèse.

Du côté du papa : ensemble et seuls à la fois

La vie affective varie beaucoup d'un couple à un autre durant la grossesse: période de grande tendresse ou de tempêtes, tout est possible... Souvent, il arrive que l'on soit dérouté par l'attitude de sa compagne, et vice-versa. Chacun vit un bouleversement intérieur difficile à partager et le manifeste à sa façon. Quand vous acceptez mutuellement vos façons différentes de réagir, les rapports sont en général plus simples.

Un couple en mouvement

Pour certains couples, la grossesse est une période de tempêtes, faite de disputes et de réconciliations, où alternent incompréhensions et élans amoureux. D'autres, à l'inverse, se rapprochent et se blottissent neuf mois durant l'un contre l'autre, au risque de gommer toute pensée qui perturbe ou inquiète. En général, la situation est moins tranchée, et chacun navigue à sa façon parmi les écueils et les joies de cette période de transition.

ENTRE VOUS ET ELLE... ET LUI • La plupart du temps, votre vie à deux ne diffère pas tant de ce qu'elle était avant. Vous ne pensez pas en permanence à ce futur enfant. Quand il est présent dans vos pensées à tous deux, vous formez déjà une sorte de bulle à trois. Mais vous savourez aussi votre intimité de couple. Vous parlez parfois de lui, mais il n'est pas le centre de toutes vos discussions. Vous êtes toujours deux amants... et commencez en plus à devenir de futurs parents. Des heurts surgissent toutefois quand vous vous trouvez en décalage, et c'est quasi inévitable, surtout quand il s'agit d'un premier enfant. Dans une certaine mesure, ce sont aussi les mises au point épisodiques qui permettent au couple d'évoluer durant cette étape.

PRÉPARER LA MAISON

> C'est à vous, en général, qu'il incombe de préparer la chambre du futur bébé, car votre compagne doit éviter d'inhaler de trop près les odeurs de peinture ou de colle. **Une femme enceinte est, en outre, souvent trop fatiguée pour prendre en charge les travaux.** Elle n'en a pas moins une idée précise de ce qu'elle voudrait pour l'enfant: choix des couleurs, des matières, du mobilier, de la décoration...

> **Si son avis est précieux, vous avez aussi votre mot à dire.** Aménager la chambre peut revêtir beaucoup d'importance pour le père. Libre à vous d'imaginer avec elle un lieu agréable et de vous investir dans la préparation du nid à la hauteur de votre envie...

POURQUOI DES DÉCALAGES ? • Nombre d'incompréhensions sont liées au futur enfant et à la façon dont vous vous sentez, ou pas, futur père (ou mère). Souvent, votre compagne réalise cela la première, alors que pour vous la naissance est encore très abstraite et lointaine. Elle est alors dans un état d'émotion que vous ne pouvez pas vraiment partager. Il arrive aussi que ce soit l'inverse, et que vous soyez prêt plus vite qu'elle à accueillir le futur bébé.

Parfois, vos envies ne sont pas au même diapason. Vous, vous aimeriez vivre l'attente tous les deux à la maison et, elle, elle veut sortir, courir les musées ou les spectacles, parce qu'elle craint de ne plus avoir le temps après. Ou bien l'inverse...

Peut-être avez-vous aussi des désaccords concernant la famille, si elle est très présente et que l'un de vous en soit gêné. Il est également fréquent que l'homme et la femme interprètent mal leurs comportements réciproques. Vous, vous préférez en dire le moins possible, vous n'extériorisez rien, vous gardez vos craintes, et elle perçoit cela comme de l'indifférence... entre autres exemples.

Un cap à franchir seul

Même si vous partagez autant que possible cette grossesse à deux, il est impossible que vous la viviez de la même façon. D'abord, d'un point de vue physiologique, puisque son corps se transforme, et pas le vôtre, puisqu'elle sent le

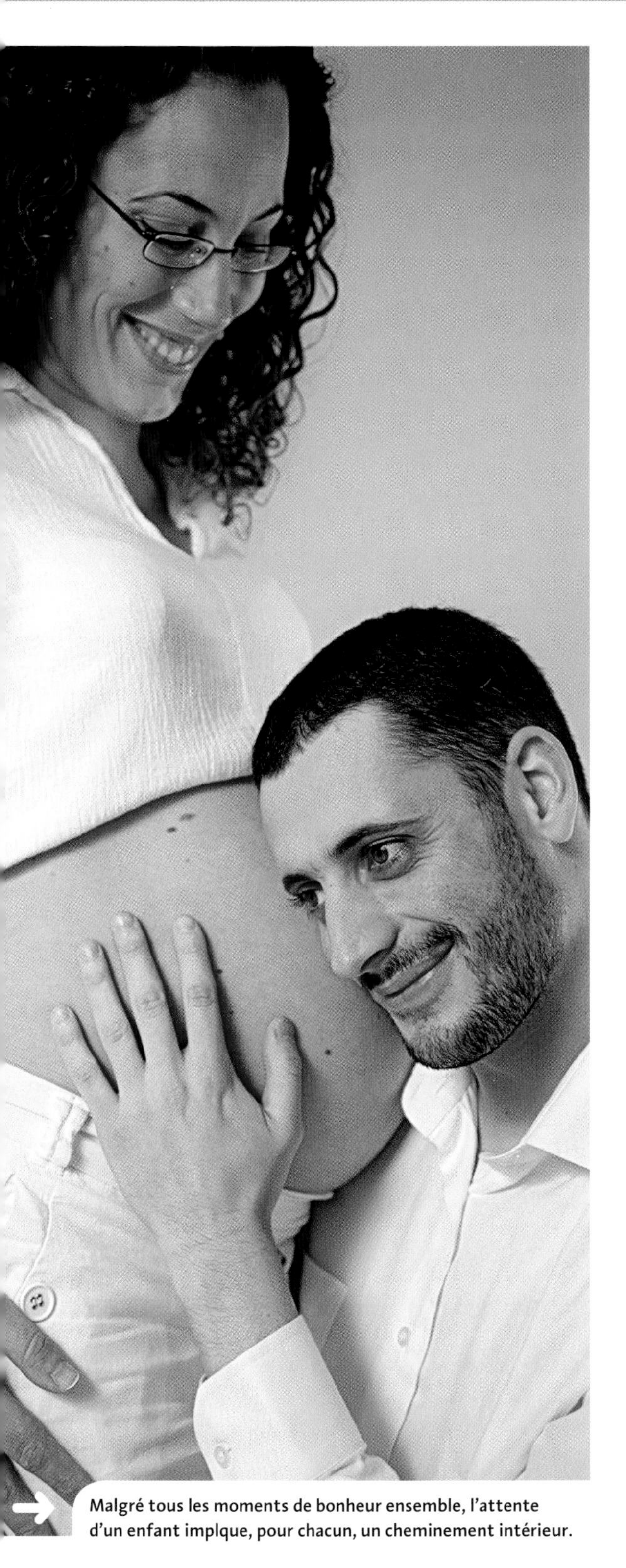

Malgré tous les moments de bonheur ensemble, l'attente d'un enfant implque, pour chacun, un cheminement intérieur.

bébé de manière intime, et pas vous. Cette différence est inéluctable. En outre, vous avez aussi un chemin à suivre seuls, chacun de votre côté. Vous, pour passer du statut de fils à celui de père, elle pour passer de sa place de fille à celle de mère. Il est très difficile de partager cela autrement que par bribes.

Vous-même ne voyez pas toujours clairement ce qui se passe en vous. Devenir père (ou mère) fait référence à tout ce qui vous a forgé, à tout ce que vous avez de plus intime. Aimeriez-vous suivre l'exemple de vos parents ? Sont-ils encore étouffants, ou trop distants ? Que voudriez-vous éviter à votre enfant ? Ou au contraire lui apporter ? Comment rêviez-vous votre vie d'adulte, êtes-vous satisfait de ce que vous avez fait ? Tous ces allers et retours entre le passé et le futur, vous amènent progressivement à vous voir père, puis vous aideront à tenir ce rôle. Même si vous ne vous posez aucune de ces questions, ou pas sous cette forme, vous êtes en général agité par la présence de souvenirs d'enfance plus ou moins agréables...

Il est rare qu'un homme ne soit pas troublé par l'idée d'aimer et d'élever un enfant pour la première fois. Dans tous les cas, ce chemin reste très personnel. Votre femme, de son côté, connaît un bouleversement similaire, mais avec sa propre histoire. Vous pouvez bien sûr tenter d'en parler. Mais jusqu'à quel point ? Et est-ce nécessaire ? Plus que partager, il est surtout important de respecter ce que l'autre vit...

Respecter ce que vit l'autre

Cela peut sembler évident, mais il n'est pas inutile de se le redire : les relations de couple durant la grossesse sont facilitées quand chacun respecte les émotions de l'autre sans les juger. Accordez-vous mutuellement le droit d'être vous-même, même quand vous ne vous comprenez pas. La liberté de montrer (ou pas) ses sentiments, ou de réagir de telle ou telle manière, est essentielle pour que chacun vive pleinement cette étape.

Se préparer à bien accueillir l'enfant implique par exemple des temps de tête-à-tête avec soi-même. À votre femme d'admettre que vous ne soyez pas toujours disponible pour elle et que vous ayez besoin de prendre de la distance. Mais à vous aussi de reconnaître qu'elle vit des instants uniques et qu'elle a parfois besoin d'échanges exclusifs avec le futur bébé. Dans tous les cas, le climat idéal est que vous tolériez chacun que l'autre vive l'attente du bébé à sa façon, et non pas en vertu d'une quelconque norme.

ATTENTION AUX CLICHÉS • Une idée très enracinée chez beaucoup d'hommes voudrait que la grossesse soit un temps d'épanouissement et de plénitude pour la femme. La

QUAND IL N'Y A PLUS DE DIALOGUE...

- Si vous vous trouvez toutefois perdu au point de ne plus du tout comprendre l'autre, si vous n'arrivez plus à vous parler, si vous n'avez plus de bons moments ensemble, plus de sexualité, **il faudra bien pourtant que l'un de vous tire la sonnette d'alarme.**
- **Et si la situation reste bloquée, il serait mieux de consulter à deux.** La fuite physique ou dans le silence ne résout rien, même si c'est souvent la solution envisagée de prime abord.
- **Certains couples, il est vrai, se séparent avant la naissance, puis se retrouvent après.** Mais encore faut-il que ni l'un ni l'autre n'ait infligé des blessures trop graves.

réalité est bien plus nuancée. Certaines femmes, même si elles désirent très fort être mères, se passeraient bien de porter le bébé et acceptent plus ou moins bien les changements de leur corps. D'autres sont plus épanouies, mais n'en éprouvent pas moins des peurs et, par moments, ont l'envie fugitive de faire machine arrière. Souvent, quand elles l'expriment, leurs compagnons ne savent pas les entendre ou, pire, en déduisent à tort qu'elles ne seront pas de « bonnes » mères.

Les femmes ont aussi des clichés similaires vis-à-vis des hommes, et vous êtes peut-être le premier à le déplorer. Méfiez-vous donc des idées toutes faites et ne considérez pas votre compagne comme une femme à part si elle a des réflexions éloignées de votre idéal. Vous la rendriez malheureuse pour rien. Car la réalité, c'est ce qu'elle vit, elle, et non pas une femme imaginaire. Et vous pouvez d'ailleurs lui demander le même respect.

Une sexualité fluctuante

Comme la vie affective, la sexualité varie énormément d'un couple à l'autre durant la grossesse. Certains font moins l'amour, surtout au dernier trimestre. D'autres en revanche y prennent encore plus de plaisir. Dans les deux cas, les deux partenaires participent en général à cette évolution.

Il est rare que le seul état physique de la femme implique de diminuer les rapports sexuels. Bien souvent, c'est davantage le climat affectif et l'état psychique de chacun qui occasionne une baisse du désir. De même, à l'inverse, les deux partenaires se stimulent parfois l'un l'autre. Quand la femme se sent épanouie dans tous les sens du terme, elle apparaît encore plus belle et érotique à son compagnon. Le désir de l'un(e) nourrissant alors celui de l'autre, tous deux éprouvent une attirance plus forte pour les jeux amoureux et sont très heureux de leur sexualité.

DES CHANGEMENTS PHYSIOLOGIQUES • Il arrive toutefois que la grossesse induise de petits changements dans la sexualité de la femme. Ne soyez donc pas surpris si elle a du plaisir plus vite, ou si de petites douleurs surviennent lors des dernières semaines. Ces modifications, liées, entre autres, au système hormonal, ne prêtent pas beaucoup à conséquence, mais demandent juste de part et d'autre quelques petits réajustements.

PEUR DE FAIRE L'AMOUR ? • C'est parfois l'homme qui freine les rapports amoureux en milieu de grossesse. Une raison assez fréquente est la peur de faire mal au bébé en faisant l'amour, voire de le souiller avec son sperme, surtout quand ses mouvements deviennent apparents. Cette crainte est sans fondement. Le pénis ne pénètre jamais dans l'utérus, et le bébé n'est pas gêné du tout par la pression du corps de l'homme sur le ventre maternel (ô combien élastique !), même dans les dernières heures.

Une autre réticence, peut-être moins souvent avouée, provient du regard de l'homme sur la maternité. Certains sacralisent tant ce ventre rond qu'ils introduisent une notion de « péché » dans l'acte d'amour. La situation est alors plus délicate. Dans tous les cas, parlez si possible de vos éventuelles appréhensions à votre compagne, car, si vous lui tournez le dos sans explications, elle peut en déduire qu'elle n'est plus désirable, voire, pire, qu'elle n'est plus une amante pour vous.

LE POINT DE VUE DE BÉBÉ

Parmi tous ces bruits alentour, il est une présence au son grave, au rythme tendre, à la vibration très apaisante. Il s'approche très près ou s'éloigne et apparaît et disparaît régulièrement, mais c'est celui qui donne le plus de chaleur, enveloppe le plus maman et nous fait le plus de bien quand il est là. J'aime venir sous sa main chaude, quand il la pose sur son ventre et me fait une caresse. C'est si bon que, à seulement l'entendre, je vais de son côté et je sais qu'ils aiment cela tous deux.

Le neuvième mois

- Le développement du bébé
- Du côté de la maman
- Comment se présente le bébé ?
- À l'approche du jour « J »
- Sein ou biberon ?
- Les premiers signes
- Côté psy : entre inquiétudes et impatience

Le développement du bébé

Tandis que vous marchez un peu comme un canard, du fait des douleurs ligamentaires et de la pesanteur pelvienne, votre bébé, lui, poursuit rapidement sa croissance. Au début du 9e mois, il est officiellement considéré « à terme » et prêt à naître. Sa croissance se poursuit rapidement.

En position de plongeur

Prendre des forces, du poids, et grandir: ce sont là les principales activités du futur bébé durant les dernières semaines. Au cours de ce dernier mois de grossesse, le fœtus prendra environ 5 cm et 1,15 kg. À la fin du mois, il pèse en général 3 kg et mesure 50 cm.

Il ne peut pratiquement plus bouger et va sûrement apprécier de pouvoir sortir; c'est d'ailleurs lui qui décidera du jour « J ». Même s'il est à l'étroit, cela ne doit pas vous empêcher de surveiller son activité. Votre bébé a une façon de bouger que vous connaissez maintenant bien et vous êtes le plus à même de sentir s'il bouge moins que d'habitude. Faites-vous confiance. Mais, au moindre doute, consultez.

La plupart des bébés sont à ce stade en position de plongeur, la tête la première. Vers la 37e semaine de grossesse, nombre d'entre eux sont descendus. Le cordon ombilical mesure à présent plus de 60 cm et le placenta pèse environ 600 g.

Attention !

Les descriptions du développement de l'embryon sont faites en semaines de gestation, comptées depuis le début effectif de la grossesse. Pour suivre le développement par rapport aux semaines d'aménorrhée, il suffit de rajouter deux semaines : par exemple, la 36e semaine correspond à la 38e semaine d'aménorrhée.

Une peau bien lisse

La couche de vernix caseosa s'est en partie détachée et flotte dans le liquide amniotique. Votre bébé a maintenant la peau bien lisse car il est plus dodu. Son crâne n'est toujours pas entièrement ossifié: les deux fontanelles, ces espaces fibreux persistant entre les os, ne se fermeront que plusieurs mois après la naissance (voir page 333).

“ Si j'ai dépassé la 37e semaine de grossesse et que le bébé reste encore « haut », est-ce que cela signifie que je vais accoucher en retard ?.”

LA DESCENTE DU BÉBÉ

La descente se produit lorsque la tête du bébé descend dans la cavité pelvienne formée par les os du bassin. Cela signifie juste que le bébé se prépare à sortir. Mais l'accouchement peut suivre ou non. Ce signe ne donne pas d'indication sur la date d'accouchement probable. En revanche, quand il est présent, il y a plus de chance que l'accouchement se passe bien.

L'examen clinique permet de déterminer si la tête du bébé est déjà descendue. Au toucher vaginal, la tête est bien perçue, elle est appuyée sur le détroit supérieur du bassin (entrée du bassin osseux) et ne peut plus être refoulée: on dit qu'elle est « fixée ».

Mais vous pouvez aussi le sentir vous-même : votre ventre semble alors plus bas. La partie supérieure de l'utérus n'appuie plus contre le diaphragme, ce qui le libère et vous permet de respirer plus aisément. De même, votre estomac a plus de place et vous digérez mieux. Bien évidemment, ces avantages sont contrebalancés par des inconvénients dus à la pression sur la vessie, les articulations du bassin et le périnée.

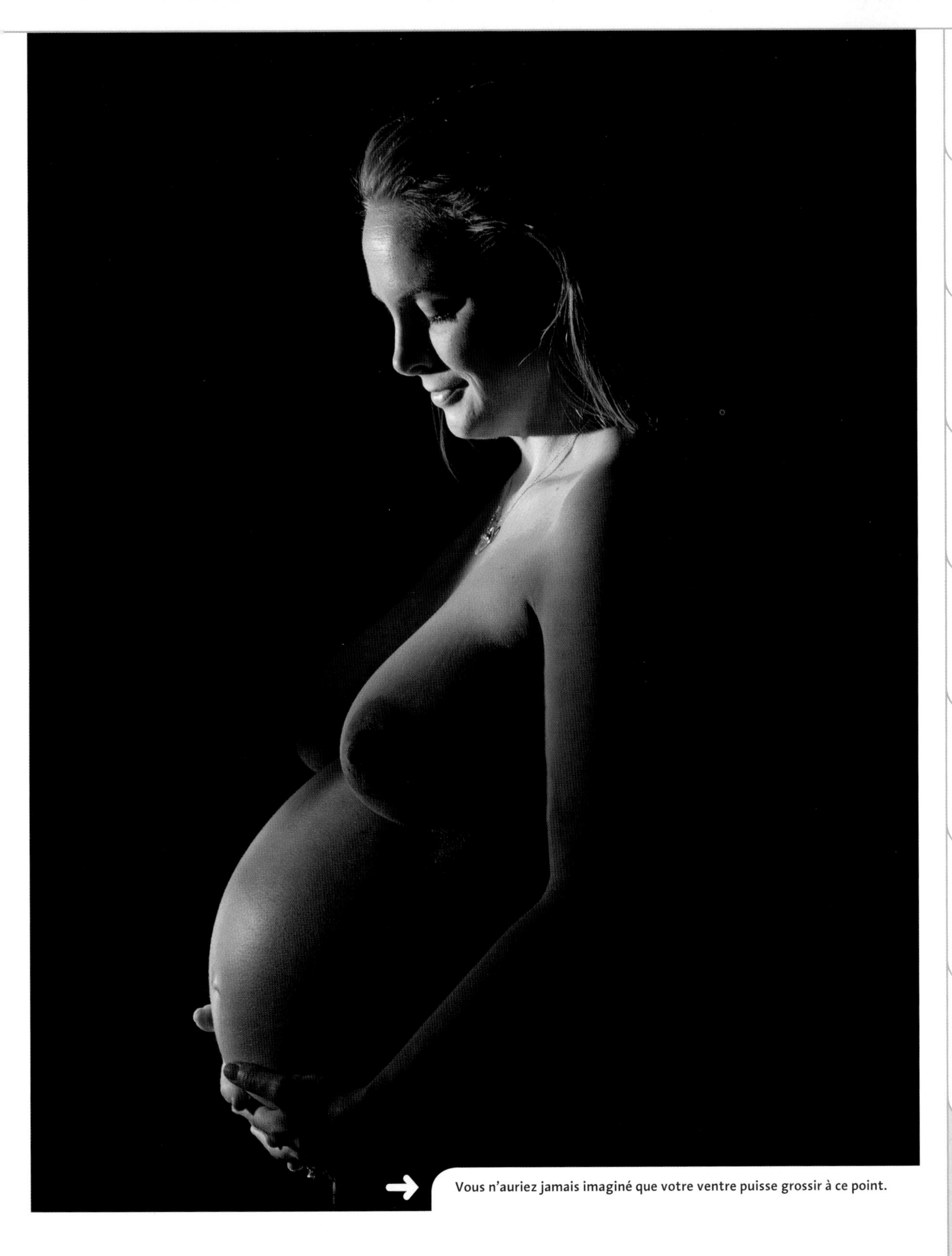

Vous n'auriez jamais imaginé que votre ventre puisse grossir à ce point.

Du côté de la maman

Si ce dernier trimestre vous paraît long, et plus encore les derniers jours, n'oubliez pas que la grossesse est une période éphémère: neuf mois à peine au regard d'une vie. Alors essayez de profiter de cet état magique.

« J'ai mal partout »

DES DOULEURS AU NIVEAU DU BASSIN... • Vous avez peut-être des douleurs ligamentaires (à cause de l'imprégnation hormonale) au niveau du pubis ce qui vous rendra la marche difficile, ou en bas du ventre à droite et à gauche, ou même au niveau des côtes. Ces douleurs sont très inconfortables, mais sans conséquence sur le bébé.

Au début, vous aurez peut-être du mal à les différencier des douleurs des contractions utérines, si vous avez mal au ventre. Mais la localisation des douleurs n'est pas la même: une contraction prend tout votre utérus, donc se situe au milieu du ventre, et, en même temps, votre utérus se durcit et devient plus petit, en boule, car il se « contracte ».

Préparez votre aîné

Préparez-le à votre départ à la maternité et à la naissance du bébé en trouvant des mots rassurants pour lui expliquer ce qui va se passer. Pensez aussi à organiser sa garde pendant votre absence et imaginez une solution rapide à mettre en place en cas d'urgence.

DES DOULEURS DUES AU FŒTUS • La position du bébé peut être gênante pour vous: par exemple, une tête basse vous donnera l'impression de devoir marcher jambes écartées. Il pourra avoir aussi la tête ou les pieds sous vos côtes.

Votre utérus occupe pratiquement tout l'abdomen. Il a peu à peu grossi, semaine après semaine, et le haut se trouve à environ 30-32 cm de la symphyse pubienne. Votre prise de poids continue d'augmenter à l'approche du jour J. La peau de votre ventre est, vous semble-t-il, étirée à son maximum.

LA PEUR DE LA DOULEUR

- Deux ou trois choses doivent être dites à propos de la douleur pendant l'accouchement, indépendamment de son intensité.
- Tout d'abord, **sa durée est limitée dans le temps:** c'est peut-être difficile à croire sur le moment, mais le travail ne sera pas éternel. **Pour un premier enfant, l'accouchement dure en moyenne 12 à 14 heures** et, pour la plupart des femmes, une partie seulement de ces heures sont très dures à supporter.
- **Le travail est parfois plus long, mais les obstétriciens ne le laissent jamais durer plus de 24 heures** et recourent, si besoin, à une césarienne.
- Enfin, **contrairement à d'autres types de douleurs, son objectif est positif.** Les contractions provoquent peu à peu l'ouverture du col, et chacune d'elles vous rapproche de la naissance de votre enfant.
- Cela étant, **ne culpabilisez pas si vous perdez de vue cet objectif lors d'un accouchement pénible** et n'avez alors qu'une seule idée en tête, que cela cesse. La plupart des femmes ressentent cela, à un moment ou à un autre.

Appétit et sommeil perturbés

Vous mangerez avec parcimonie, car, le bébé appuyant sur l'estomac, vous ne pourrez avaler de grandes quantités. Malgré ces petits repas, vous pourrez tout de même vous sentir opprimée au niveau de l'estomac, avec la sensation d'avoir du mal à respirer: redressez-vous. Certaines femmes enceintes auront en plus des brûlures gastriques, qui pourront remonter jusqu'à la gorge.

Vous dormirez mal, vous réveillant plusieurs fois la nuit, peut-être à cause d'une envie d'uriner ou des mouvements de votre bébé, mais vous ne trouverez pas forcément pourquoi. En tout cas, vous ne devez jamais attendre si vous avez envie d'aller aux toilettes, car une vessie pleine entraîne des contractions. La seule solution pour le sommeil est de compenser sans scrupule ce manque par des siestes quotidiennes. En fait, vous vous préparez déjà au rythme de vie d'après la naissance (avec des réveils nocturnes fréquents).

Vous vous sentez de nouveau fatiguée, certains jours plus que d'autres, certaines périodes plus que d'autres. Respectez cet état et reposez-vous. C'est le plus important pour qu'une grossesse se passe bien. Et couchez-vous tôt. Si vous n'avez pas envie de sortir le soir, restez tranquille.

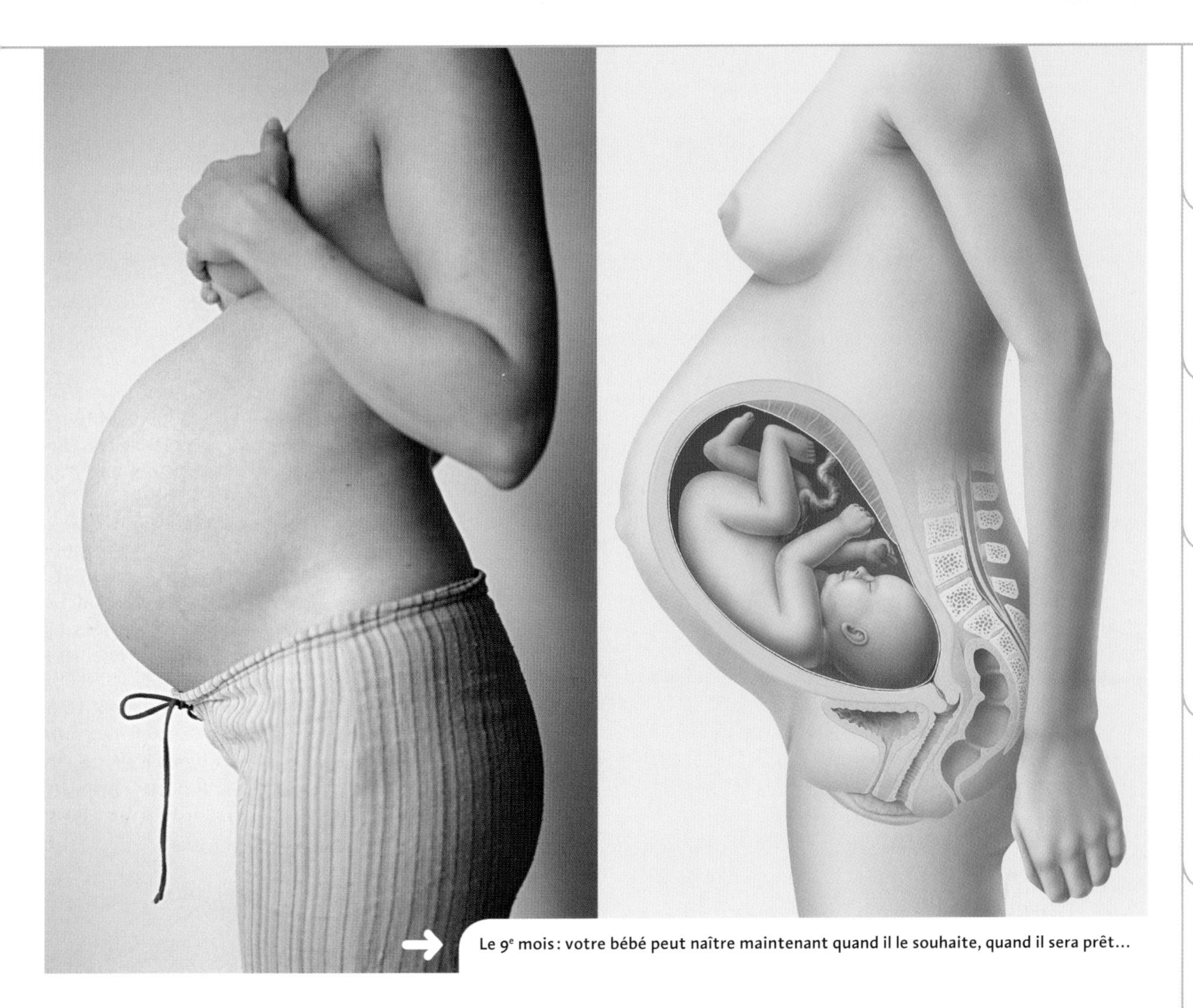

Le 9e mois : votre bébé peut naître maintenant quand il le souhaite, quand il sera prêt…

Dites-vous qu'une femme enceinte est comparable à un coureur de marathon, vu l'énergie qu'elle doit fournir pour nourrir son enfant.

Des seins très sensibles

La majorité des femmes enceintes ont les seins très sensibles. Elles ressentent parfois des picotements, des élancements ou des douleurs au niveau du mamelon. Tous ces désagréments sont liés au développement de la poitrine. Lorsque vous appliquez des crèmes ou des lotions, il n'est pas utile de masser le mamelon s'il est douloureux. Il n'existe pas de solution miracle. Un peu de patience, et la situation se stabilisera.

L'APPARITION D'UN LIQUIDE JAUNE ? • Il arrive que du colostrum (un liquide jaunâtre et visqueux) s'écoule des mamelons. C'est normal ; il n'y a rien à faire de particulier, à part mettre des coussins d'allaitement pour éviter de tacher vos soutiens-gorge. Ne pressez pas le mamelon pour faire sortir le liquide, vous pourriez provoquer des contractions. Si vous avez décidé d'allaiter, cette substance constituera la nourriture de votre bébé les trois premiers jours.

PRÉPAREZ VOS SEINS POUR L' ALLAITEMENT • Les tétées prolongées, en début d'allaitement surtout, risquent parfois de malmener un peu vos mamelons. Pour prévenir les crevasses, ces petites lésions si douloureuses, vous pouvez fortifier votre peau deux ou trois mois avant l'accouchement. Pour cela, massez chaque jour vos seins avec de l'huile d'amande douce additionnée de quelques gouttes de citron, en les étirant légèrement, et votre peau devrait mieux réagir lorsque vous nourrirez votre bébé.

Comment se présente le bébé ?

Il arrive que le bébé ne se présente pas par la tête, rendant parfois l'accouchement plus délicat. Une naissance par les voies naturelles n'est pourtant pas exclue. Seules les présentations transversales (par l'épaule) ou du front impliquent toujours une césarienne. Celle-ci n'est pas systématique si l'enfant se présente par la face ou par le siège.

Pourquoi des positions différentes ?

Avant le 7e mois, la plupart des bébés se positionnent comme bon leur semble : en tête, en siège ou en traverse. Puis, souvent, quand la tête devient plus lourde, vers le 8e mois, l'enfant bascule et se retrouve la tête vers le bas et les fesses en haut.

Il adopte alors la position qu'il aura en général le jour de l'accouchement. Cependant, certains bébés ne font pas cette culbute. Ils se retrouvent, au moment de la naissance, dans diverses positions qui influent sur la façon dont l'accouchement va pouvoir s'effectuer.

Passer une radiopelvimétrie ?

La radiographie du bassin, ou radiopelvimétrie, est pratiquée au 9e mois de grossesse pour apprécier la forme et les dimensions du bassin maternel. Elle évalue les possibilités d'accoucher par les voies naturelles, et est inoffensive.

UN ENVIRONNEMENT PLUS SÉCURISÉ • Si votre accouchement par les voies naturelles a été accepté, il faut ensuite que la dilatation du col soit satisfaisante. Vous accoucherez en salle d'opération ; ainsi, au besoin, le médecin pourra faire facilement et rapidement une césarienne (comme pour les accouchements de jumeaux). Votre coopération est primordiale, puisque vous seule pouvez pousser. L'obstétricien ne peut pas en effet appliquer de forceps en cas de siège. L'épisiotomie est systématique. À la naissance, votre enfant aura une forme de tête particulière, ronde, due à la position in utero. Mais cette forme disparaîtra en quelques jours.

L'accouchement par le siège

En cas de présentation par le siège, on peut essayer à la fin du 8e mois de tourner le bébé pour qu'il se mette « en tête ». Il existe pour cela diverses méthodes (voir page 242), mises en œuvre par l'obstétricien et/ou par la mère. Mais, quand la tentative échoue, se pose la question d'accoucher par voie basse ou par césarienne.

SATISFAIRE UN ENSEMBLE DE CRITÈRES • L'accouchement par le siège est devenu un sujet délicat ces dernières années. Les équipes médicales se montrent prudentes et de plus en plus exigeantes. Quand l'enfant se présente par le siège, elles n'autorisent un accouchement par les voies naturelles qu'à certaines conditions. Il faut en effet satisfaire à plusieurs critères qui garantiront d'accoucher en toute sécurité.

D'abord, le bassin doit être assez large; la mère passera une radiographie, appelée « radiopelvimétrie », qui le mesurera. Ensuite, l'enfant ne doit pas être trop gros, sa tête doit être bien fléchie (le menton sur la poitrine) et d'une largeur inférieure à 10 cm. S'il se présente en siège décompleté, c'est encore mieux (voir page 263).

La présentation transverse

On parle de présentation « de l'épaule » ou « transverse » lorsque le fœtus est allongé horizontalement, en travers de l'utérus (voir dessins ci-contre), ce qui l'empêche d'emprunter le chemin habituel pour descendre dans le bassin. Elle entraîne toujours une césarienne, sauf si l'obstétricien est parvenu à modifier la position de l'enfant avant l'accouchement.

La présentation par la face

La présentation par la face concerne seulement un enfant sur mille. Dans ce cas, la tête est rejetée vers l'arrière, le menton pointe en avant, la bouche et le nez sont positionnés au centre du bassin. L'accouchement par les voies naturelles reste possible, mais il faut que le menton du bébé vienne se fixer sous le pubis de sa mère, puis qu'il fléchisse autour. Les enfants naissant ainsi ont presque toujours un œdème de la face qui se résorbe en quelques jours. La présentation par la face ne doit pas être confondue avec la présentation par le front, qui, elle, nécessite toujours une césarienne.

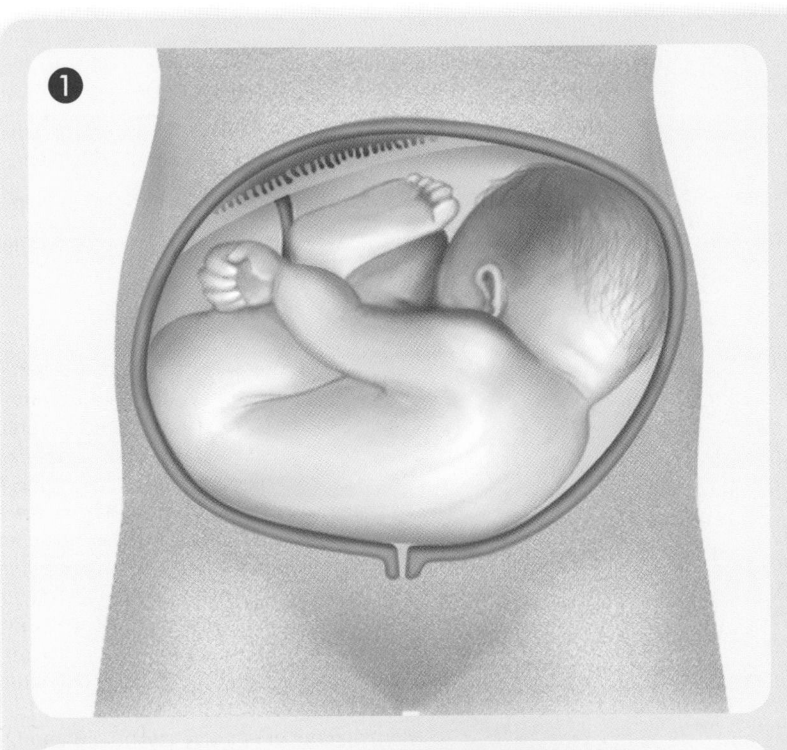

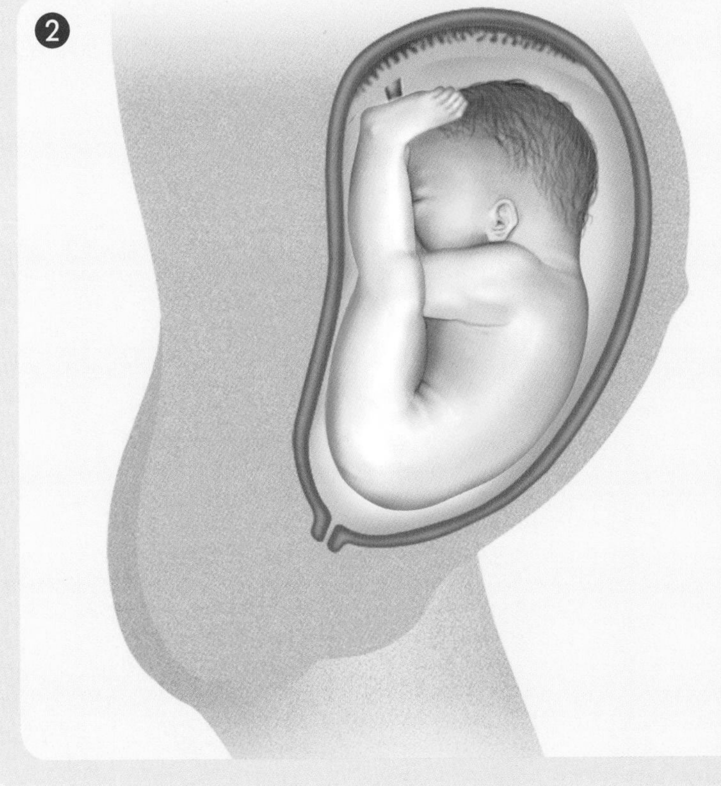

DEUX PRÉSENTATIONS INHABITUELLES

Vers le 8e mois de la grossesse, le fœtus adopte généralement la position définitive qu'il aura dans l'utérus au moment de naître : la tête vers le bas et les fesses vers le haut. Parfois, il prend des positions plus inhabituelles et se présente par le siège ou l'épaule. C'est au cours de la consultation du 8e mois que le médecin ou la sage-femme recherche dans quelle position se trouve le bébé. En cas de doute, une échographie est réalisée.

① Transverse

L'enfant est allongé en travers de l'utérus ; la tête n'est ni en haut ni en bas, mais sur le côté. Il s'agit d'une présentation « de l'épaule », dite aussi « transverse ». Il arrive que l'obstétricien parvienne à verser l'enfant la tête en bas en le manipulant à travers la paroi de l'abdomen. Mais cette manœuvre externe ne réussit pas toujours et est parfois contre-indiquée.

② Siège complet ou décomplété

L'enfant se présente fesses vers le bas. On notera deux variantes liées à cette présentation. Dans un tiers des cas, le bébé se trouve assis en tailleur : c'est ce qu'on appelle le « siège complet ».
Dans les autres cas, le bébé se tiendra les fesses en bas et les jambes relevées : c'est ce qu'on appelle le « siège décomplété ». Pour un accouchement par voie basse, cette dernière présentation est préférable.

À l'approche du jour « J »

Les derniers jours semblent souvent longs, et vous commencez peut-être à vous impatienter. Partagée entre le désir que le bébé naisse enfin et l'envie qu'il reste encore un peu en vous, vous attendez les toutes premières contractions. C'est l'occasion de parfaire les derniers préparatifs et de vous occuper de vous.

En prévision du départ

Demain, après-demain peut-être ? La date prévue pour l'accouchement est maintenant si proche que ce n'est plus qu'une question de jours... Si besoin, c'est le moment de peaufiner la préparation du départ (voir pages 248 et 249). La valise est-elle prête ? Avez-vous réuni tous les papiers demandés à l'entrée à la maternité ? La garde de vos enfants est-elle bien organisée ?

Sans doute avez-vous déjà réfléchi au trajet pour aller à la maternité et trouvé celui ou celle qui vous accompagnera, même si vous devez partir de façon précipitée.

Taxi ou ambulance ?

Les taxis sont à éviter, car ils refusent souvent de prendre une femme enceinte en charge. Inutile aussi d'appeler les pompiers. Mais procurez-vous, pour parer à toute éventualité, le numéro d'un service d'ambulance (les frais sont remboursés par la Sécurité sociale).

Se faire plaisir

Quand tout est vraiment prêt, il ne reste plus qu'à se consacrer à soi et à cette naissance si proche... Vous bâtir une bulle de tendresse à deux. Échanger vos émotions est un excellent moyen d'appréhender ensemble la naissance maintenant toute proche de l'enfant.

Une promenade, un shopping entre amies vous font envie ? N'hésitez pas, car ces activités aideront peut-être à déclencher l'accouchement sans que vous ne couriez le moindre risque. De même, vous pouvez faire l'amour jusqu'au dernier moment, si vous en éprouvez le désir. La naissance du bébé est le début d'une nouvelle histoire, mais elle constitue également une forme de séparation : les liens mère-enfant seront nécessairement autres.

Qui sera présent à votre accouchement ?

Dans la plupart des maternités, il est aujourd'hui admis qu'une tierce personne soit présente en salle de naissance. Cela peut être votre mari ou compagnon, mais aussi votre mère, une sœur ou une amie. Si le futur père est disponible, si vous souhaitez tous deux qu'il assiste à l'accouchement, il pourra rester à vos côtés. Si vous vous sentez indécis, sachez que vous pouvez opter pour un compromis: il peut par exemple assister au début du travail mais pas à la naissance (voir pages 300 à 303).

Dans tous les cas, l'essentiel est votre désir à tous les deux. Voir naître son bébé peut l'angoisser, ne le culpabilisez pas, l'accouchement impressionne nombre d'hommes. Vous pouvez être assistée du seul personnel médical, par pudeur, pour des raisons très intimes. Être accompagnée est un plus, pas une obligation !

“ La sage-femme m'a examinée et, d'après elle, l'accouchement est pour bientôt. Peut-elle vraiment me dire cela sans se tromper ? ”

DÉTERMINER LA DATE DE L'ACCOUCHEMENT

La sage-femme ne peut prévoir très précisément quand vous accoucherez, mais au 9e mois certains indices du toucher vaginal indiquent que le travail est proche.

Le col est-il raccourci, ouvert à deux doigts, ramolli et centré ? Tous ces signes peuvent traduire l'imminence du travail. En revanche, un col long, fermé, tonique et postérieur ne signifie rien.

Concrètement, l'effacement et la dilatation peuvent précéder la mise en travail ou non. Mais il est donc bien difficile d'affirmer quoi que ce soit. Vous pouvez donc préparer votre valise et patienter.

Sein ou biberon ?

Au cours du XXe siècle, les femmes ont peu à peu délaissé l'allaitement. Jugé trop contraignant, il représentait tout ce dont elles voulaient s'affranchir. Depuis les années 1980, l'allaitement connaît un regain de popularité. Mais pour toutes celles qui ne veulent pas ou ne peuvent pas allaiter, le biberon présente des avantages certains.

Les avantages de l'allaitement au sein

Quand rien ne s'y oppose, l'allaitement reste ce qui se fait de mieux pour votre tout-petit. Le colostrum (liquide produit les trois premiers jours), puis le lait maternel fournissent tout ce dont a besoin votre bébé.

LUTTE CONTRE LES INFECTIONS ET LES ALLERGIES • Des études ont montré que les enfants allaités présentaient des taux d'infections moins élevés que les bébés nourris au biberon. En effet, le lait maternel contient des anticorps (immunoglobulines) qui protègent l'enfant en attendant qu'il produise lui-même ses défenses immunitaires. Il réduit considérablement les risques de maladies gastro-intestinales (diarrhée) et respiratoires (asthme), mais aussi d'otites et de rhino-pharyngites. De plus, le lait maternel est parfaitement adapté à l'immaturité des intestins du bébé, tandis que le lait de vache (base des laits artificiels) demande des efforts particuliers aux organes du bébé pour être assimilé. En outre, certains de ces composés stimulent le développement du système immunitaire de l'enfant, ce qui lui permet d'éviter les réactions allergiques.

TRÈS DIGESTE • Le lait maternel est parfaitement digeste : il s'adapte aux besoins du bébé, qu'il soit né à terme ou prématurément, jour après jour, semaine après semaine, pendant toute la durée de

Le rôle précieux du papa

S'il suffit d'être deux, le bébé et vous, pour une tétée, votre compagnon est souvent indispensable pour vous soutenir dans les débuts de l'allaitement. Une étude récente l'a montré : lorsque le père soutient la mère dans ce choix, 96 % des nouvelles mamans ont tenté l'expérience. En revanche, lorsqu'il est moins convaincu des bienfaits de l'allaitement, ce chiffre tombe à 26 %. Prenez note, messieurs !

CHOISIR L'ALLAITEMENT

- Certaines femmes optent pour l'allaitement avant même d'avoir des enfants. D'autres, qui n'y pensaient pas vraiment avant la grossesse, choisissent l'allaitement dès qu'elles entendent parler de ses bienfaits. D'autres encore restent indécises jusqu'à l'accouchement. Enfin, un petit nombre de femmes sont persuadées que l'allaitement n'est pas fait pour elles.
- **Pour toutes les indécises, voici une suggestion : essayez.** Si, finalement, cela ne vous plaît vraiment pas, il sera toujours temps d'arrêter. Vous serez au moins débarrassée de vos doutes. L'essentiel pour vous et votre bébé sera d'avoir pu bénéficier des principaux avantages de l'allaitement, même sur une brève période. Pour être probant, sachez que l'essai doit cependant durer un certain temps.
- **Les premières semaines sont toujours un défi, même pour les partisanes les plus ardentes.** L'allaitement demande, en effet, des efforts d'apprentissage de la part des deux protagonistes et un certain temps (pouvant aller jusqu'à un mois et demi) est nécessaire pour établir la relation indispensable à un bon allaitement. C'est aussi le temps qu'il faut à la mère pour décider si cela lui convient ou non.
- **Beaucoup de femmes craignent de voir leur poitrine modifiée (ou abîmée) par l'allaitement.** La grossesse, d'une part, et l'allaitement, d'autre part, entraînent une augmentation de volume (parfois très importante) des seins. Après la grossesse et l'allaitement, les seins réduisent de volume et deviennent plus « mous ». Cependant, avec le temps, les seins reprennent une consistance plus ferme.

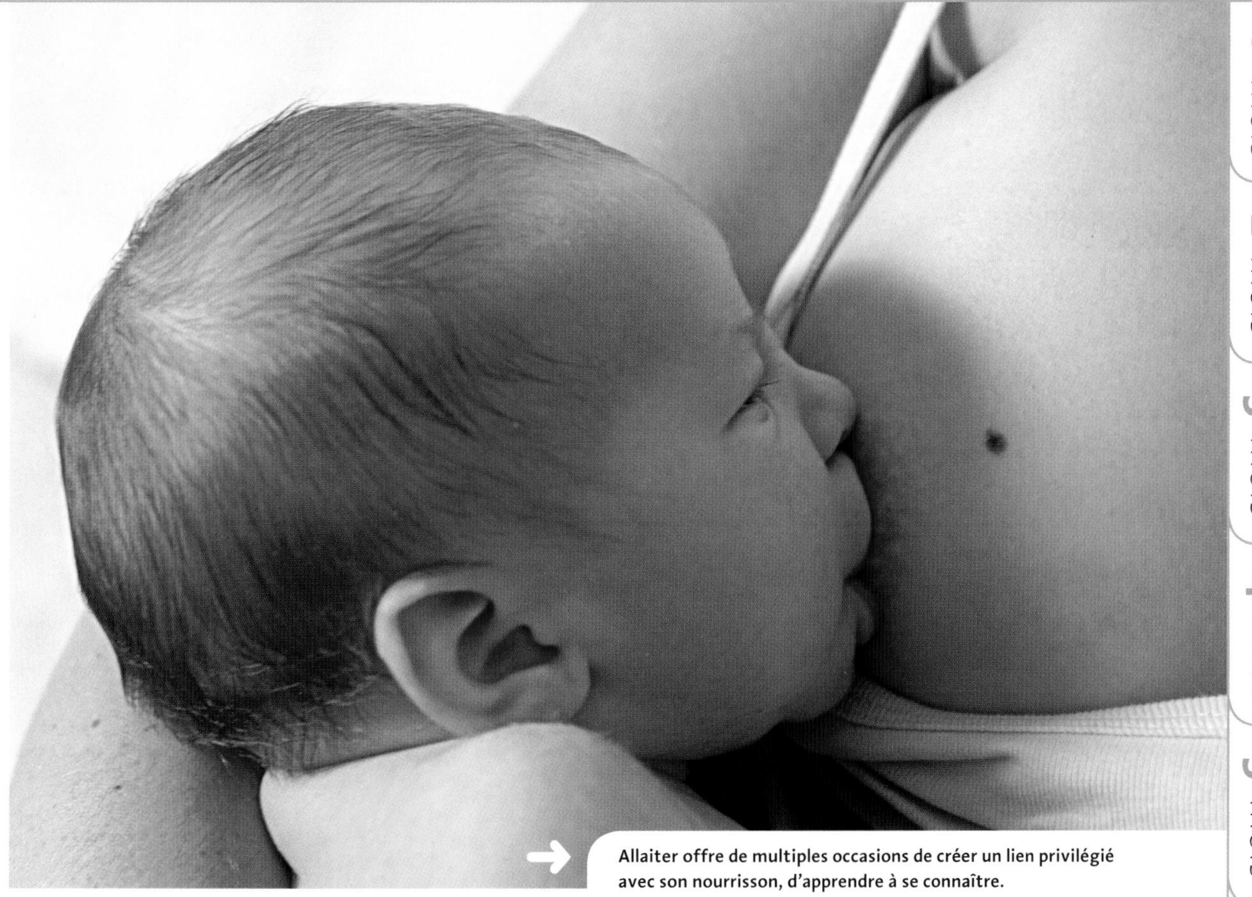

Allaiter offre de multiples occasions de créer un lien privilégié avec son nourrisson, d'apprendre à se connaître.

l'allaitement. Pratiquement aucun bébé n'est allergique au lait maternel, même si certains font des réactions allergiques à quelques aliments présents dans l'alimentation de la mère, dont le lait de vache.

Les laits dits « maternisés » (à base de lait de vache) provoquent parfois des réactions allergiques – des plus bénignes aux plus graves. Pour les bébés allergiques au lait de vache, il existe des laits spéciaux à base de protéines hydrolysées prescrits par les pédiatres.

SAIN • Vous êtes certaine que votre lait n'est ni mal préparé, ni contaminé (tant que vous n'êtes pas vous-même atteinte d'une maladie qui constitue une contre-indication à l'allaitement). Il ne risque pas non plus de tourner.

À LONG TERME • L'allaitement a des effets bénéfiques à long terme : il diminue les risques d'allergie, d'obésité et de diabète juvénile chez l'enfant. En outre, comme téter le sein réclame plus d'efforts que de téter le biberon, l'allaitement favorise le développement des mâchoires, des dents et du palais.

Les avantages de l'allaitement pour la mère

PRATIQUE • L'allaitement n'exige aucune organisation ni équipement particulier. Le sein est disponible en permanence et le lait, toujours à la bonne température. Allaiter en public est désormais mieux accepté : vous pouvez sortir sans avoir à calculer les heures de tétées. Si l'intimité du geste met parfois mal à l'aise, en public, ces complexes, heureusement, ne persistent souvent pas longtemps.

ÉCONOMIQUE • Pas besoin de biberons, ni de tétines, ni de boîtes de lait, ni de bouteilles d'eau. Finis les biberons à moitié pleins gaspillés !

SE REMETTRE DE L'ACCOUCHEMENT • La rétraction de l'utérus est facilitée par des contractions utérines appelées aussi « tranchées », parfois très douloureuses, surtout après un 2e accouchement. Elles augmentent sous l'effet des hormones (ocytocine) intervenant dans la lactation.

Les contre-indications à l'allaitement

Certaines mères n'ont pas le choix: elles ne peuvent pas ou ne doivent pas allaiter – que ce soit pour des raisons psychologiques ou physiques, à cause de leur état de santé ou de celle de l'enfant, temporairement ou à long terme. Parfois le début de l'allaitement pourra simplement être repoussé. Vous trouverez ci-dessous les facteurs de restriction les plus courants chez la mère et le nouveau-né.

CHEZ LA MÈRE

• Grave maladie invalidante cardio-vasculaire, rénale…

• Maladie chronique nécessitant des principes actifs qui passent dans le lait maternel et seraient dangereux pour l'enfant : chimiothérapie, antihypertenseurs ou antidépresseurs, neuroleptiques, lithium, tranquillisants ou simples calmants.

Si vous désirez vraiment allaiter, discutez-en avec votre médecin. Dans certains cas, il sera peut-être possible de modifier le traitement ou d'espacer les prises pour contourner le problème. Sachez que la prise ponctuelle de médicament, tels que la pénicilline, ne contre-indique en aucun cas l'allaitement. Les femmes qui sont, pour une raison ou pour une autre, sous antibiotiques pendant l'accouchement et dans les suites peuvent souvent continuer d'allaiter pendant leur traitement.

• Sida et infection par le VIH. Ces maladies peuvent être transmises par les muqueuses et le sang, mais également par le lait maternel.

• Consommation de drogues de type cocaïne, héroïne, méthadone, cannabis, ainsi que calmants et alcools.

• Exposition à des produits chimiques toxiques sur le lieu de travail. Pensez à vérifiez les risques auprès des autorités sanitaires.

CHEZ LE NOUVEAU-NÈ

Certaines maladies ou certains troubles rendent l'allaitement au sein difficile. Mais pas forcément impossible si vous bénéficiez d'un soutien médical adapté.

• Trouble de l'assimilation, telle qu'une intolérance au lactose, ou phénylcétonurie impliquant que ni le lait maternel ni le lait de vache ne sont digérés. En cas de phénylcétonurie, le bébé peut être mis au sein si on lui donne aussi du lait en poudre sans phénylalanine.

• Bec de lièvre et fente palatine, ou toute autre malformation de la bouche rendant difficile la tétée. La possibilité d'allaiter au sein dépend dans ce cas du type de malformation, mais reste possible moyennant une aide médicale spécifique.

EN CAS D'ÉCHEC

Il arrive, mais plus rarement, sans qu'existe aucune contre-indication à l'allaitement, que celui-ci ne parvienne pas à se mettre en place malgré tous vos efforts et ceux du bébé.

Si vous êtes dans ce cas, n'ajoutez pas à votre déception un sentiment de culpabilité ou d'échec. Il est même important que vous mettiez de côté ce sentiment pour qu'il ne vous empêche pas de tisser des liens maternels avec votre bébé.

REPORT DES RÈGLES • L'allaitement suspend – dans une certaine mesure – le processus d'ovulation, et donc des règles. Attention cependant, il ne faut pas s'y fier pour la contraception. Il repoussera juste de plusieurs mois vos règles.

RÉDUCTION DES RISQUES DE CANCER • Un certain nombre d'études ont montré que les femmes qui avaient eu des enfants jeunes et qui les avaient allaités étaient moins exposées au risque du cancer du sein. Ceci n'est pas toujours vrai, hélas, surtout lorsqu'il existe un facteur génétique prédisposant au cancer du sein.

Les avantages du biberon

Pour les femmes qui ne veulent pas ou ne peuvent pas allaiter, le biberon présente des avantages certains.

UNE RESPONSABILITÉ PARTAGÉE • Le biberon permet aux pères de prendre part à l'alimentation de leur enfant dès sa naissance. Leur relation se crée ainsi plus rapidement et plus facilement (les pères des enfants allaités aussi peuvent tisser ce lien en s'occupant des autres soins, tels que le bain ou l'endormissement).

De même, les aînés, les grands-parents, les membres de la famille ainsi que les amis peuvent profiter du biberon pour faire connaissance avec votre enfant et, du coup, vous soulager.

PLUS DE LIBERTÉ • Le biberon permet à la mère d'avoir un emploi du temps plus indépendant de celui de l'enfant. Vous pouvez vous absenter quelques heures sans paniquer pour faire quelques courses ou vous aérer la tête puisque votre conjoint (ou toute autre personne de votre entourage) peut prendre le relais.

PAS DE CONTRAINTES ALIMENTAIRES • Le biberon n'impose aucune alimentation particulière à la mère, contrairement à l'allaitement au sein.

Que la maman mange épicé ou non, qu'elle s'offre une choucroute (d'ailleurs, si certains bébés n'apprécient pas le choux, d'autres l'adorent), qu'elle boive beaucoup de lait ou peu, un verre de vin de temps à autre, peu importe.

MOINS DE STRESS • Certaines femmes se sentent trop impatientes ou trop tendues de nature pour allaiter.

MOINS DE FATIGUE • Le biberon est moins « fatigant » que l'allaitement et permet de rythmer différemment la journée, en passant le relais à votre conjoint, par exemple.

UNE VIE DE COUPLE PEUT-ÊTRE PLUS FACILE • Le biberon joue moins les rabat-joie dans la vie sexuelle du couple (sauf lorsque le bébé se réveille à la mauvaise heure pour un repas à l'improviste). L'allaitement, en revanche, constitue parfois un élément perturbateur. Les hormones responsables de la lactation entraînent la persistance de la sécheresse vaginale observée après un accouchement (que les lubrifiants peuvent atténuer). Les pertes de lait durant l'acte sexuel ont aussi un effet repoussoir pour certains couples. Pour ceux qui donnent le biberon, les seins gardent au contraire tout leur caractère sensuel, et uniquement celui-là.

Si les bienfaits de l'allaitement sont de plus en plus mis en avant, le biberon présente aussi des avantages.

NOURRIR SON ENFANT

- **Un moment particulier.** Nourrir son enfant est un moment propice à créer un lien avec son nourrisson, à apprendre à se connaître. Quel que soit votre choix, ne vous forcez jamais. Si vous allaitez et que, pour une raison ou une autre, cela ne se passe pas bien, ou si vous vouliez allaiter et que vous ne pouvez pas, votre contrariété, votre frustration et/ou votre culpabilité se communiquent au bébé. L'important est de passer ce moment avec votre bébé, au sein ou au biberon.
- **L'allaitement.** Peau contre peau, les yeux dans les yeux, 6 à 8 fois par jour, vous apprécierez cette émotion et cette intimité. C'est un réel plaisir partagé.
- **Le biberon.** Tout comme pour l'allaitement, installez-vous confortablement et profitez de ce moment à deux. Vous pouvez même placer votre tout-petit directement contre votre peau, chemisier ouvert, en le laissant se caler confortablement contre votre sein pendant qu'il tète le biberon.

Alterner sein et biberon

Certaines femmes choisissent d'allaiter au sein, mais ne peuvent pas, pour une raison ou une autre, utiliser uniquement ce mode d'alimentation, qui se révèle peu pratique selon leur mode de vie (trop de déplacements professionnels, un métier qui transforme l'utilisation du tire-lait en un cauchemar logistique...) ou difficile à maintenir dans le temps (pas assez de lait...). Heureusement, allaitement et biberon ne s'excluent pas l'un l'autre. Associer les deux peut constituer alors un bon compromis.

Mais attention, si vous optez pour l'alternance sein/biberon, n'oubliez pas qu'il vous faudra attendre que l'allaitement soit bien en place (comptez, de préférence, 5 ou 6 semaines) avant d'introduire le lait en poudre dans l'alimentation de votre enfant.

Les premiers signes

Avant de ressentir les signes indiquant que l'accouchement est proche, on craint souvent de ne pas savoir les repérer. Mais, quand ils se manifestent, on les reconnaît en général avec certitude: contractions intenses et régulières, ou rupture de la poche des eaux, ou les deux à la fois... il est temps, et vous le savez !

Les premières contractions

Les toutes premières contractions semblent en général très fugitives. Environ tous les quarts d'heure ou toutes les demi-heures, vous éprouvez de légers tiraillements comparables aux douleurs ressenties lors des règles ou même à des coliques. Il peut aussi arriver que vous éprouviez des douleurs uniquement dans le dos et que vous ne puissiez pas en identifier aussitôt la nature.

Mais, dans tous les cas, les contractions précédant l'accouchement ne ressemblent pas à celles qui se manifestent parfois lors de la grossesse. Maintenant, elles sont régulières et douloureuses, de plus en plus fréquentes et de plus en plus longues. Vous sentez bien l'utérus se durcir comme une boule, puis redevenir plus souple sous la main. C'est automatique, spontané, tout à fait indépendant de votre volonté. Ces contractions indiquent que le travail a commencé (le terme « travail », employé par le corps médical, désigne tout le processus de l'accouchement, du début de la dilatation du col jusqu'à la naissance).

UNE ATTENTE PLUS OU MOINS LONGUE • Selon les femmes, la survenue de contractions intenses et régulières prendra plus ou moins de temps. Chez certaines, les contractions restent par exemple irrégulières et peu douloureuses. Chez d'autres, au contraire, elles sont très vite intenses et rapprochées. De façon générale, toutefois, il est conseillé de ne pas se précipiter à la maternité dès les premières contractions et d'attendre un peu.

SE DÉTENDRE EN PATIENTANT... • Vous pouvez prendre un bain chaud pour vous relaxer quand les contractions commencent à se manifester à intervalles plus réguliers et si vous n'avez pas perdu les eaux. Peut-être aurez-vous l'impression que les contractions s'atténuent après cette immersion. Vous pourrez alors profiter de l'accalmie pour détendre votre corps. Après le bain, mettez-vous à l'aise: installez-vous dans la position qui vous convient le mieux, assise par terre avec un coussin sous les fesses ou à califourchon sur une chaise. À moins que vous ne préfériez marcher... Vous pouvez écouter de la musique douce et essayer de pratiquer la respiration que vous a enseignée la sage-femme lors des séances de préparation à l'accouchement. Relaxez-vous autant que vous le pouvez après chaque contraction pour mieux « accueillir » la suivante.

UNE CONTRACTION TOUTES LES CINQ MINUTES ? • Quand l'heure de l'accouchement approche, les contractions s'accélèrent, elles s'intensifient et durent beaucoup plus longtemps. Laissez-les s'installer avant de partir pour la maternité. En général, quand il s'agit de son premier enfant, il est conseillé d'attendre que les contractions se succèdent toutes les cinq minutes pendant deux heures. Ce délai est seulement indicatif. Vous pouvez le diviser par deux si vous êtes déjà maman, parce que tout va en général plus vite. Un antécédent d'accouchement rapide vous incitera d'ailleurs à ne pas vous attarder à votre domicile. Si vous habitez loin de la maternité, vous devrez aussi tenir

« Je n'ose plus sortir car j'ai très peur de perdre les eaux en public. »

LA RUPTURE DE LA POCHE DES EAUX

L'idée de perdre les eaux dans un bus, ou un grand magasin est la crainte de la plupart des femmes enceintes. Avant de vous inquiéter, gardez en tête deux choses.

Tout d'abord, il est rare de perdre les eaux avant le travail. Cela survient dans moins de 15 % des grossesses.

En cas de rupture de la poche des eaux, l'écoulement de liquide n'est pas important s'il s'agit d'une fissuration de la poche des eaux.

En revanche, cette rupture peut parfois donner lieu à une grande quantité de liquide amniotique. Mais il est fort peu probable que vous soyez à l'extérieur lorsque cela se produira.

DES POSITIONS APAISANTES

Lorsque vous ressentez des contractions mais que celles-ci ne sont pas encore assez intenses pour partir à la maternité, cherchez à vous détendre.
Dans ce but, vous pouvez adopter certaines positions qui pourront peut-être vous soulager en ce début de travail :
- accroupie ;
- agenouillée avec les mains posées en avant ;
- genoux fléchis et dos au mur ;
- assise à cheval sur une chaise avec la tête courbée sur le dossier ;
- assise en tailleur sur un coussin.

Ces deux dernières positions sont illustrées ci-contre.

① **Sur une chaise**
Asseyez-vous à califourchon, posez les bras sur le dossier, puis la tête : votre dos s'arrondit.

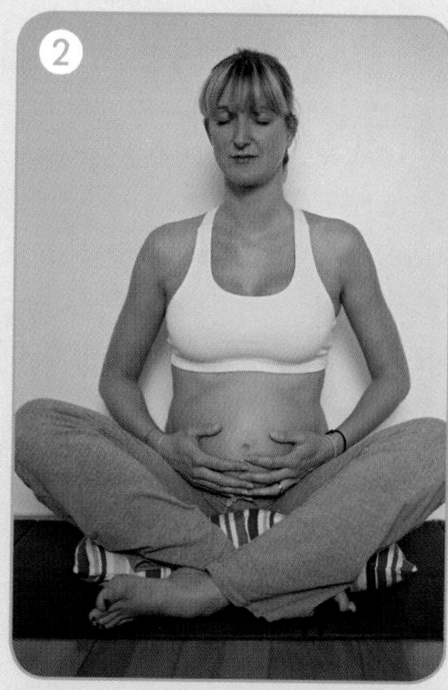

② **Sur un coussin**
Si vous préférez, installez-vous par terre, assise en tailleur, un coussin sous les fesses, pour que celles-ci soient surélevées.

compte du temps de trajet, embouteillages inclus. Enfin, l'intime conviction que l'enfant va naître, bien que subjective, n'est pas non plus à négliger.

La perte éventuelle des eaux

SI LA POCHE DES EAUX SE ROMPT • Bien qu'elle soit totalement indolore, une rupture franche de la poche des eaux ne passe jamais inaperçue et peut être impressionnante. Elle survient de manière subite, avec ou sans contractions, et se manifeste par la perte d'un liquide tiède, qui ressemble à de l'eau. L'abondance de cet écoulement vous surprendra et vous saurez sans hésiter que vous perdez les eaux. Après, le liquide continuera de s'écouler régulièrement, jusqu'à l'accouchement. Il faut vous mettre en route sans tarder, car le bébé n'est plus aussi bien protégé.

SI LA POCHE EST SEULEMENT FISSURÉE • La poche des eaux, constituée de fines membranes, ne se déchire pas toujours de manière franche. Parfois, elle se fissure seulement, et le liquide amniotique qu'elle contient (« les eaux »), s'écoule très progressivement. Vous pourrez alors confondre ce faible écoulement avec une perte d'urines incontrôlée ou avec des pertes vaginales très liquides, voire avec la perte du bouchon muqueux. Si vous avez un doute, rendez-vous sans hésiter à la maternité.

QUAND LA POCHE RESTE INTACTE • La rupture de la poche des eaux est imprévisible. Parfois, elle précède les contractions intenses, douloureuses, parfois elle les suit. Il arrive aussi qu'elle ne se rompe que quand le col est déjà bien dilaté, voire qu'elle reste intacte jusqu'à la naissance (on dit alors que l'enfant naît « coiffé »). Dans ces dernières situations, le plus souvent, ce sera la sage-femme qui rompra la poche des eaux au cours du travail.

Au moment du départ

Même si la naissance approche, il est inutile de paniquer. Souvent, on patiente encore plusieurs heures à la maternité avant que le corps ne soit vraiment prêt à accoucher. Si la poche des eaux s'est rompue, il est conseillé d'effectuer le trajet en position allongée ou semi-allongée ; c'est plus prudent pour le bébé. Si vous êtes seule, appelez une ambulance plutôt que les pompiers qui vous transporteraient à la maternité la plus proche. Si la poche ne s'est pas rompue et que vous n'avez pas de problème, vous pouvez voyager assise. Mais il n'est pas recommandé de conduire.

Côté psy : entre inquiétudes et impatience

Lorsque la grossesse s'est bien passée et que la femme en a profité pleinement, le neuvième mois suscite souvent l'envie très forte que l'enfant vienne enfin au monde et le besoin de tout préparer pour l'accueillir au mieux.

Quitter le nid...

Le dernier mois de grossesse est avant tout un temps d'attente que chaque femme vit avec plus ou moins d'impatience. Face à la fatigue, au manque de sommeil, aux difficultés à accomplir tous les gestes quotidiens, apparaissent au fur et à mesure un certain ras-le-bol, le sentiment qu'il est temps... La plupart commencent alors à avoir vraiment envie de voir la tête de ce bébé et de le tenir dans leurs bras. Elles affirment ainsi que la nature fait bien les choses, et qu'à l'approche du terme, elles sont, comme le bébé, prêtes à la naissance.

Certaines femmes, néanmoins, ne sont pas du tout pressées et resteraient bien encore un peu dans une sorte de cocon. Maternées par l'entourage, enveloppées par l'attitude protectrice de leur conjoint, elles aimeraient retarder la naissance et les responsabilités qui s'ensuivent. Une certaine crainte de l'avenir se mêle alors à l'envie confuse d'être encore dorlotée, un peu comme une enfant, tant que c'est possible – de repartir en arrière avant le grand saut en avant.

Il arrive aussi que la femme ait précédemment eu des difficultés à profiter de l'état de fusion avec le bébé, et qu'elle savoure plus tardivement ces échanges très intimes avec lui. Selon les psychologues, la naissance d'un enfant est aussi une perte pour la mère, la fin d'un état de symbiose avec le bébé. Certaines femmes ressentent cela plus fortement, et l'appréhendent, de façon plus ou moins consciente. D'autres l'ont progressivement déjà un peu accepté et se projettent plus facilement dans la nouvelle relation qui s'annonce.

BESOIN DE RETROUVER UN COCON

- **Il arrive souvent qu'une femme enceinte ait spontanément tendance à se rapprocher de sa mère et trouve auprès d'elle le plus fort soutien.** En devenant mère à son tour, elle a en effet besoin d'être encore un peu maternée et dorlotée, comme si son changement de statut passait d'abord par cette phase de « régression ».
- **Parfois, pour diverses raisons, ce sera une autre femme de la famille ou une amie qui jouera ce rôle – mais cela reviendra au même.**
- Même si l'on en parle moins, **les hommes peuvent eux aussi éprouver à un moment donné un besoin similaire** – celui de retrouver un cocon temporaire afin de mieux passer ensuite au statut de père. Cela explique parfois que les jeunes papas retournent passer deux ou trois jours dans leur famille, ou se rapprochent d'un ami ou d'un beau-frère, pendant que l'épouse et l'enfant sont à la maternité.

Dernières inquiétudes ?

En fin de grossesse, beaucoup de femmes disent souvent leurs craintes de manière inconsciente, par des rêves étranges ou un peu effrayants. Mais elles peuvent aussi les exprimer consciemment par diverses interrogations. Les éventuelles inquiétudes peuvent porter sur la capacité à être une mère telle qu'on le souhaite. Elles concernent parfois la situation financière du couple ou l'organisation du quotidien, la façon dont on va parvenir à associer travail et vie privée. Parfois, la femme appréhende aussi les réactions d'un fils ou d'une fille aîné(e) et craint qu'il ne se sente lésé.

Tous ces sujet d'anxiété ont pu toutefois apparaître à d'autres périodes de la grossesse. Elles ne sont en aucun cas systématiques. La peur la plus répandue, à ce stade, est très légitime : c'est l'appréhension de l'accouchement. De façon très générale, les questions plus existentielles, déjà pensées et repensées maintes fois, cèdent souvent le pas à des considérations assez prosaïques et concrètes. Vais-je accoucher normalement ? Aurais-je une césarienne, un forceps, une épisiotomie ?

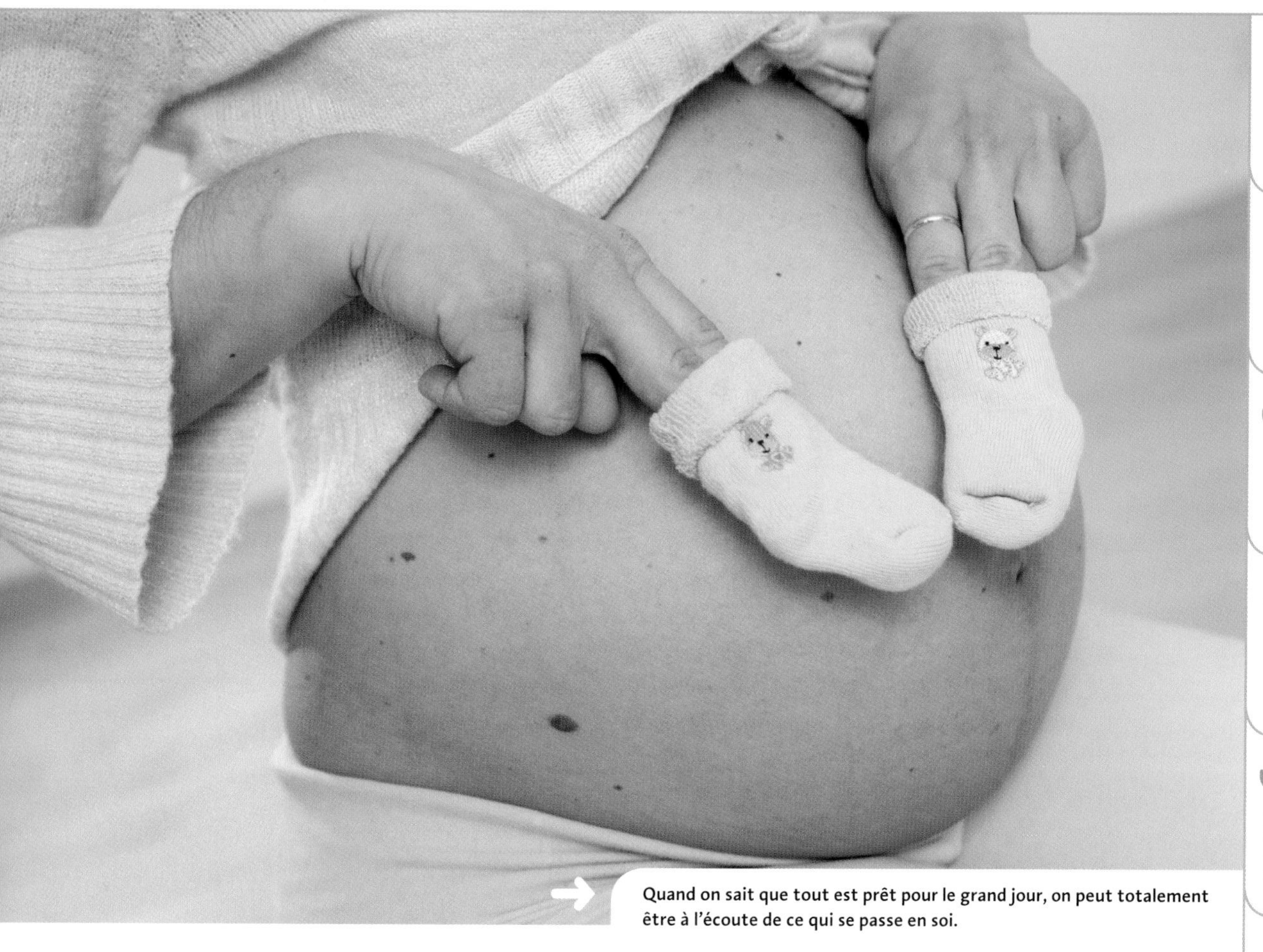

Quand on sait que tout est prêt pour le grand jour, on peut totalement être à l'écoute de ce qui se passe en soi.

Des questions très concrètes

Qu'elles se montrent impatientes ou non, dans un état d'excitation ou au contraire sereines, la plupart des femmes disposent de temps dans les dernières semaines. Certaines vont surtout en profiter pour se reposer et se détendre, adoptant déjà le rythme ralenti qui sera le leur après la naissance. D'autres, au contraire, ont besoin de veiller scrupuleusement aux derniers préparatifs et passent en revue les moindres détails : derniers achats, prises de contact pour le futur mode de garde, recherche d'un pédiatre, rédaction des faire-part, etc. La légende veut d'ailleurs que, dans les jours précédant l'accouchement, les femmes aient un formidable regain d'énergie. Il est vrai que certaines montrent parfois à l'approche du terme une frénésie de rangement. Mais cela n'est pas une règle générale.

Ces dernières semaines constituent aussi une belle occasion de se faire plaisir, de suivre ses envies et de vivre en couple des moments très agréables. Lorsque l'état physique le permet, autant en profiter...

“Il est temps qu'elle naisse, j'ai envie de passer à autre chose.”

« Pendant huit mois, j'ai été très contente de porter ma fille. Mais maintenant, j'en ai assez. Je me sens lourde, épuisée. J'ai besoin d'aide pour m'occuper de ma maison. J'ai l'impression d'être obligée de vivre au ralenti, et je déteste rester sans rien faire. En fait, j'ai surtout envie que ça s'arrête, de passer à autre chose, de retrouver ma prestance, de sortir avec mes amis. En même temps, je ne suis pas sûre d'avoir totalement envie que Léa sorte de moi, parce que j'ai peur de l'accouchement et d'avoir mal.

Mais j'ai aussi le sentiment qu'il est temps que l'on passe toutes les deux à une autre étape, que je suis prête, et elle aussi. Avec de la chance, elle naîtra peut-être un peu avant la date prévue... »

L'accouchement et la naissance

- L'accueil à la maternité
- Si l'accouchement est déclenché
- La péridurale
- Autres méthodes contre la douleur
- Le déroulement de l'accouchement
- L'accouchement de jumeaux
- Forceps et autres instruments utilisés
- L'épisiotomie
- La césarienne
- La naissance
- Les premiers soins
- La découverte de son enfant
- La naissance vécue par le père
- Le premier contact avec le papa

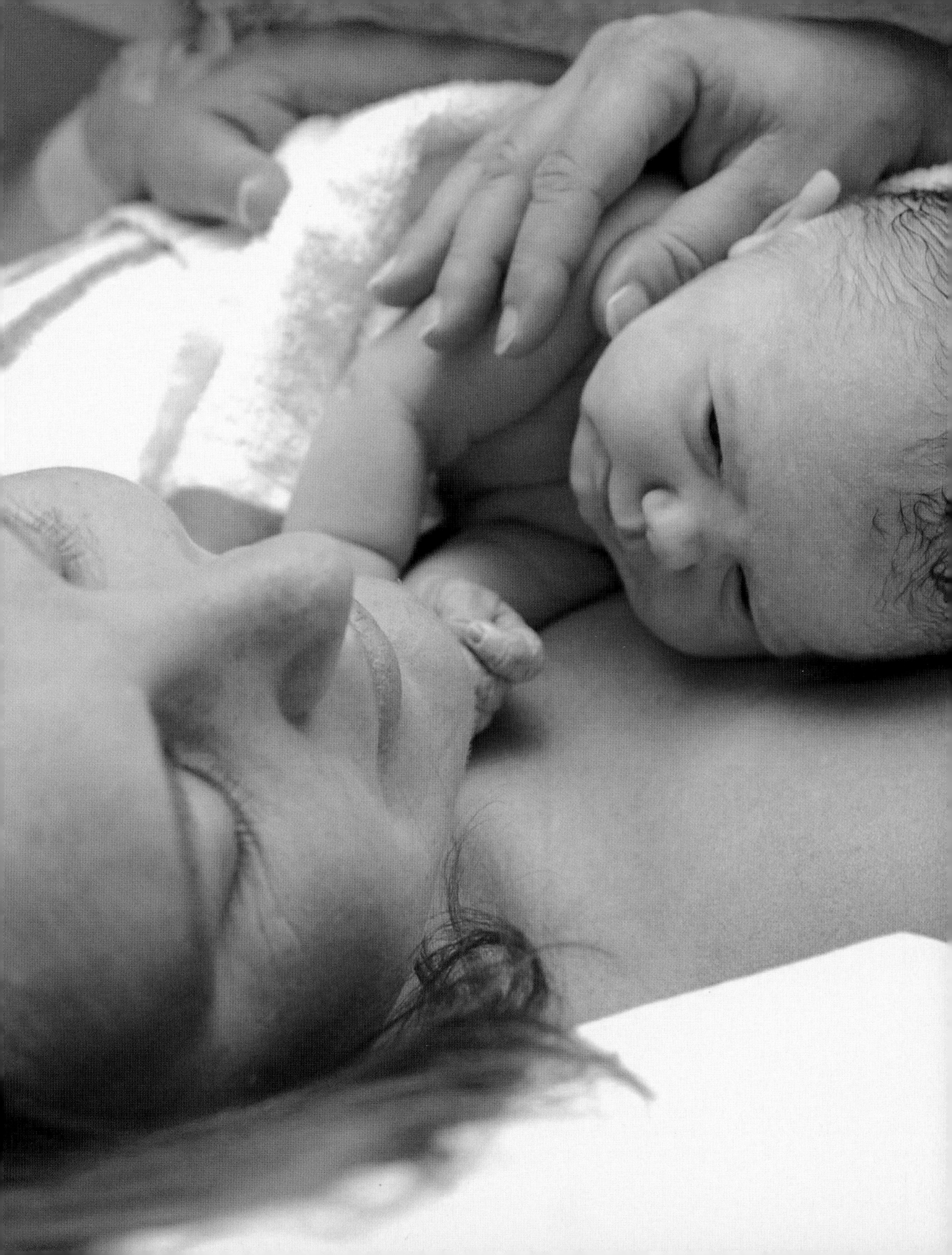

L'accueil à la maternité

C'est la sage-femme qui vous prend en charge dès l'arrivée à la maternité. Elle vous examine et décide ensuite de la conduite à tenir : soit le travail n'a pas encore débuté, et il faut que vous rentriez chez vous ; soit le col a commencé à se dilater et vous demeurez sur place.

Que se passe t-il ?

Grâce à votre dossier, la sage-femme connaît déjà bien vos antécédents et l'histoire de votre grossesse. Elle vous pose d'abord quelques questions :

- Comment sont vos contractions?
- Quand ont-elles commencé ?
- Avez-vous perdu du liquide amniotique, du sang ?
- Sentez-vous votre bébé bouger ?

Ensuite, elle vous examine, puis pose un monitoring...

Des capteurs reliés à un appareil enregistreur mesurent, d'une part, vos contractions et, d'autre part, le rythme cardiaque du bébé. Tant que vous n'êtes pas en salle de naissance, vous ne serez sous monitoring que de manière intermittente. Dans la plupart des cas, rien ne vous oblige à rester allongée et vous pouvez au contraire marcher un peu pour activer le travail. Vous n'irez en salle de naissance que quand le col sera assez ouvert.

LE PREMIER EXAMEN MÉDICAL • La sage-femme va s'intéresser à votre tension, à votre poids et à votre température. Elle fait une analyse d'urines pour mesurer les taux de sucre et d'albumine. Elle peut également procéder à un prélèvement vaginal et à une prise de sang (bilan de coagulation en vue de la péridurale notamment), si ces examens n'ont pas encore été faits.

Surtout, elle va évaluer si l'accouchement est imminent, ou pas, et s'il pourra s'effectuer sans souci par les voies naturelles. En vous palpant le ventre, elle confirme que le bébé se présente comme prévu, par la tête. Par un toucher vaginal, elle obtient deux informations essentielles: la position de la tête de votre bébé (haute ou basse) et l'état de votre col (longueur, tonicité, ouverture, localisation).

LES SITUATIONS POSSIBLES • Selon le résultat, la sage-femme décidera de la suite des événements. Si la dilatation du col n'a pas débuté et que vous n'avez pas perdu les eaux, elle vous proposera de rentrer chez vous ou vous conseillera de rester une heure ou deux sur place pour voir comment la situation évolue. Si la dilatation est vraiment commencée ou que la poche des eaux est rompue ou fissurée, vous serez gardée à la maternité.

Quel est l'effet des contractions ?

Pendant la grossesse, le col de l'utérus présente une longueur de 3 cm environ. Il est fermé et se situe en arrière du vagin. Sous l'effet des contractions, le col de l'utérus va d'abord se raccourcir, puis se placer au centre du vagin. Dès lors, il commencera à se dilater : il s'ouvre progressivement, comme un col roulé qui se transformerait en col ras. La tête du bébé pourra alors passer dans le bassin (voir schémas page 286).

Des contractions « efficaces » ou pas

Quand vous avez des contractions, l'essentiel est de savoir si elles entraînent ou non une dilatation du col de l'utérus, si elles sont « efficaces » ou pas. C'est ce que définit l'examen médical. Quand il faut patienter, l'équipe soignante vient voir souvent où vous en êtes. C'est le moment de mettre en pratique les techniques de relaxation apprises lors de la préparation à l'accouchement.

SI LES CONTRACTIONS NE SONT PAS « EFFICACES » • Vous attendrez alors quelques heures dans une salle de « prépartum » ou dans une chambre. Ensuite, soit les contractions s'accentuent et commencent à réellement jouer leur rôle de moteur, soit, au contraire, elles s'estompent. Dans ce dernier cas, pour patienter, voire accélérer un peu le processus, n'hésitez pas à aller marcher.

VOUS ÊTES EN TOUT DÉBUT DE TRAVAIL • La dilatation du col a débuté. Vous avez en général la possibilité d'attendre dans une chambre. Vous pourrez y prendre les positions qui vous conviennent en fonction des facilités du lieu et des accessoires disponibles. Si vous disposez d'une baignoire et que la poche des eaux est intacte, vous pouvez y passer un long moment, mais veillez à étirer votre dos et à ne pas vous cambrer. Enfin, il est même possible de vous promener à l'extérieur, à moins que vous n'ayez déjà perdu les eaux. Par prudence, on va vous demander de ne pas boire et de ne pas manger en prévision d'une éventuelle anesthésie générale.

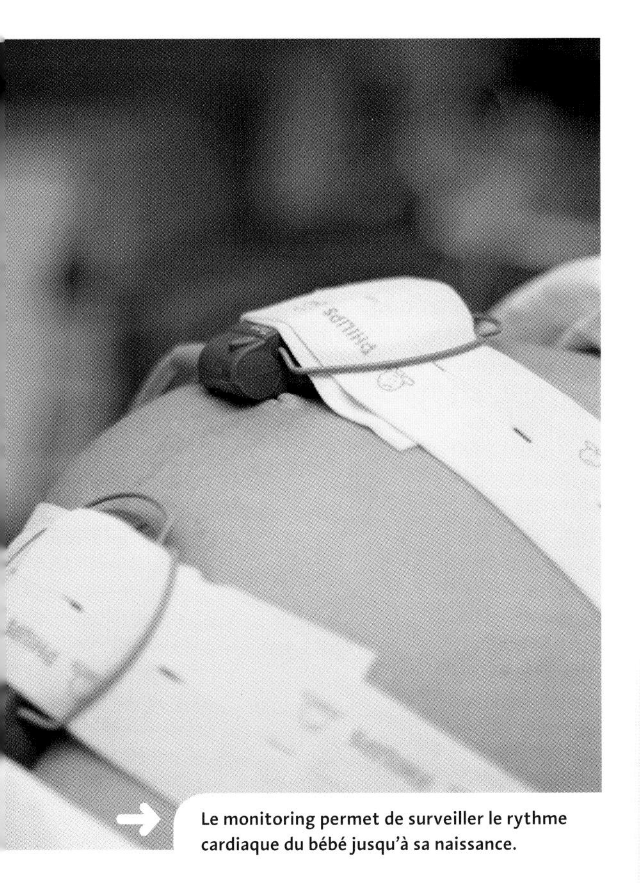

Le monitoring permet de surveiller le rythme cardiaque du bébé jusqu'à sa naissance.

Si vous avez perdu les eaux

Si les contractions utérines se déclarent assez vite après la perte des eaux, vous serez rapidement emmenée en salle de naissance. Mais, si vous ne ressentez aucune contraction, vous ne quitterez pas pour autant la maternité. Si l'accouchement n'a pas débuté 12 heures après votre arrivée, le bébé n'étant plus protégé d'éventuels germes par la poche des eaux, l'équipe médicale vous donnera des antibiotiques. Elle surveillera aussi très régulièrement votre température ainsi que la couleur du liquide amniotique, qui peut être un indicateur de l'état de santé du bébé.

En salle de naissance

Quand la sage-femme juge que le col est assez dilaté, l'équipe soignante va vous installer en salle de naissance. Là, vêtue d'une blouse, ou de la tenue que vous avez choisie pour accoucher, vous vous assiérez ou vous allongerez dans le lit qui vous est destiné. Vous serez sous perfusion durant tout l'accouchement et deux heures au moins après la naissance. Vous recevrez ainsi en permanence un apport suffisant en eau et en glucose. Si vous optez pour la péridurale, la perfusion permettra aussi de vous administrer du liquide physiologique avant l'anesthésie afin de prévenir les chutes de tension artérielle.

LE MONITORING • Vous êtes aussi placée sous monitoring (enregistrement des contractions et du rythme cardiaque du bébé). Le battement sourd et rapide que vous entendez est le cœur de votre enfant. Il bat à raison de 120 à 160 battements par minute. Ce rythme varie constamment durant l'accouchement. S'il ralentissait trop, l'équipe médicale pourrait réagir aussitôt et envisager par exemple une césarienne en urgence.

PÉRIDURALE OU PAS ? • Souvent, vous avez choisi à l'avance d'accoucher ou pas sous péridurale. Vous pouvez toutefois changer d'avis au cours du travail.

“Je sais qu'il vaut mieux ne pas être allongée longtemps à plat sur le dos durant le travail. Quelle est la meilleure position ?”

LES POSITIONS DURANT LE TRAVAIL

La meilleure position est celle dans laquelle vous vous sentez le mieux. Et mis à part le fait de rester allongée sur le dos – ce qui, d'une part, ralentit le travail et, d'autre part, comprime les principaux vaisseaux sanguins et peut par conséquent ralentir l'afflux de sang vers le bébé – pratiquement toutes les positions sont envisageables.

Les positions les plus efficaces semblent être celles où le dos est droit et non cambré.
Le travail est favorisé lorsque la femme est debout, assise (sur un lit, une chaise ou dans les bras de son compagnon), agenouillée (sur un lit ou sur le sol) ou encore à califourchon sur une chaise. Marcher n'accélère pas plus le travail que l'une ou l'autre des positions ci-dessus, mais permet parfois de mieux supporter la douleur. Certaines femmes disent qu'être à « quatre pattes » calme la douleur... Si vous préférez rester couchée, allongez-vous sur le côté gauche, afin de ne pas entraver la circulation sanguine, et faites régulièrement quelques élévations du bassin.

Si l'accouchement est déclenché

Actuellement en France, au moins 20 % des accouchements (un sur cinq) sont déclenchés pour des raisons médicales ou, sous certaines conditions, pour « convenance personnelle ». Dans l'un ou l'autre cas, les médecins administrent des produits qui vont déclencher les contractions utérines. Celles-ci sont plus difficiles à supporter, et l'accouchement dure parfois plus longtemps.

Déclenché pour différents motifs

Les médecins peuvent décider de déclencher un accouchement dans un certain nombre de cas. En voici quelques exemples.

- Quand la date d'accouchement prévue a été dépassée (41 semaines d'aménorrhée ; voir encadré ci-dessous).
- Quand la poche des eaux s'est rompue et que, 24 à 48 heures plus tard, il n'y a toujours pas de contractions utérines.
- Quand apparaissent certaines complications touchant le fœtus, comme un retard de croissance intra-utérin (RCIU).

La future maman peut demander que soit programmée la date d'accouchement : on parle d'un « déclenchement de convenance ». C'est une possibilité si l'on habite loin de la maternité ou si l'on a déjà eu des accouchements très rapides.

SI LA GROSSESSE DÉPASSE LE TERME ?

- À partir de la fin du 9e mois (41 semaines d'aménorrhée), le terme de la grossesse est atteint.
- **Si vous n'avez aucun signe précurseur à la 41e semaine,** vous aurez un rendez-vous à la maternité. Là, on surveillera la santé du bébé. En effet, le placenta ne sera peut-être plus à même d'assurer les besoins en aliments et en oxygène du fœtus. Ce dernier risque de souffrir et de perdre sa vitalité.
- Pour voir ce qu'il en est, **la sage-femme observe au monitoring et à l'échographie le rythme cardiaque du bébé, la quantité de liquide amniotique et le bien-être du bébé (ses mouvements) par le score de Manning.** Si elle constate des anomalies (baisse du rythme cardiaque fœtal, de la quantité de liquide amniotique ou des mouvements fœtaux), **l'accouchement sera provoqué.**
- **Mais, si tout va bien, le déclenchement sera organisé de toute façon dans les 3 à 5 jours après le terme prévu.** L'accouchement doit avoir lieu au plus tard à 42 semaines d'aménorrhée.

SOUS CONDITIONS • Les médecins ne donnent pas leur accord de manière systématique et posent certaines conditions. Il faut que vous ayez déjà accouché au moins une fois et que le col de l'utérus soit ouvert. Le déclenchement ne peut avoir lieu avant 39 semaines d'aménorrhée, c'est-à-dire 14 jours avant la date de naissance prévue. La prudence est de mise, parce que d'éventuels problèmes ne sont pas totalement exclus avant cette date. Même si c'est rare, certains bébés peuvent en effet rencontrer des troubles respiratoires.

Comment se déroule l'accouchement ?

Lorsque l'accouchement doit être déclenché, les modalités varient selon la « maturité » du col. Pour savoir ce qu'il en est, la sage-femme effectue un toucher vaginal, et établit de cette façon le score de Bishop (coté de 0 à 10). Un score élevé (supérieur ou égal à 6) indique que le col est « mature » : il est ouvert (on peut passer un ou deux doigts à l'intérieur), raccourci (long de 1 cm environ), ramolli (mou), centré (au milieu du vagin). Un col « mature » se dilatera vite : l'accouchement peut avoir lieu.

À l'inverse, un col fermé, long (de 3 cm), tonique (dur) et postérieur (vers l'arrière du vagin) n'est pas encore prêt à s'ouvrir pour laisser passer le bébé : il va falloir patienter...

SI LE COL EST ASSEZ « MATURE » • Vous êtes installée en salle de naissance, sous perfusion et monitoring, comme toute femme près d'accoucher. Seule différence avec un accouchement naturel : on va vous administrer sous perfusion un produit (des ocytociques) qui provoque des contractions utérines. Puis, dès que possible, la sage-femme rompra la poche des eaux. Votre accouchement se déroulera certainement au cours de la journée.

SI LE COL N'EST PAS ASSEZ « MATURE » • Si votre col n'est pas prêt (score de Bishop peu élevé), il faudra commencer par y remédier. Cela peut prendre un ou deux jours. D'où l'intérêt d'emporter dans sa valise des livres ou de la

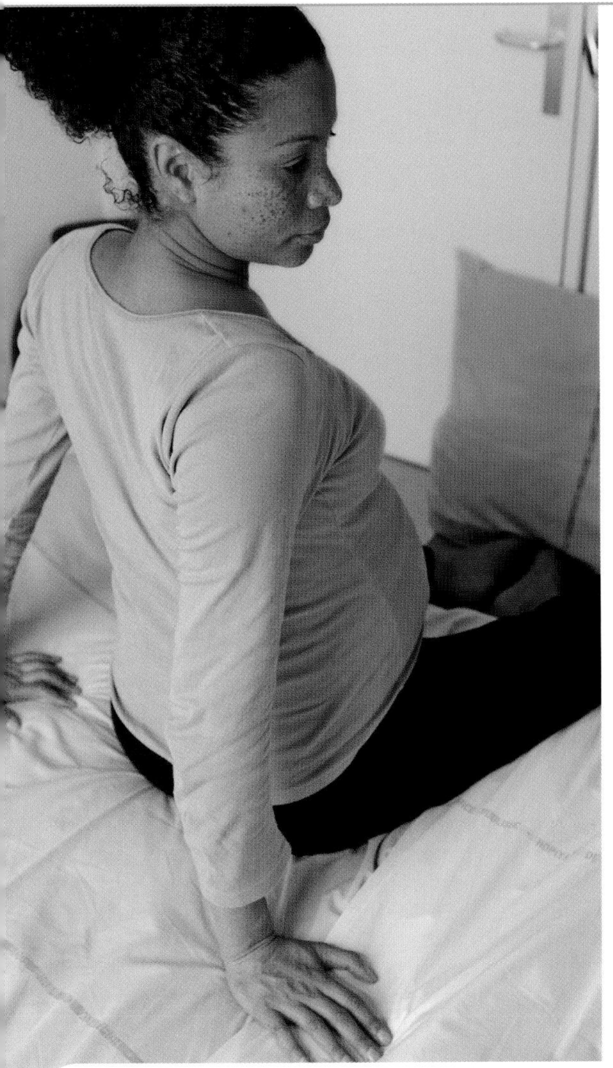

Si le col de l'utérus n'est pas prêt, il faut attendre que le dispositif intra-vaginal déclenche les contractions utérines.

musique... La sage-femme commence par poser un petit tampon plat imbibé d'hormones dans votre vagin. Ce tampon va entraîner des contractions utérines qui vont permettre au col de l'utérus de s'ouvrir, se ramollir, se raccourcir et se centrer. Après quelques heures de surveillance sous monitoring, vous pourrez regagner votre chambre. Si vous ne vous êtes pas mise en route dans les 24 h, le lendemain, la sage-femme réévalue le col par un toucher vaginal. S'il est mature, le déclenchement se poursuit avec l'administration d'ocytociques par perfusion et avec la rupture de la poche des eaux. Mais si le col n'est toujours pas mature, il faut poser un gel (substance gélatineuse) après six heures, voire un troisième le lendemain matin...

“Mon accoucheur veut déclencher le travail. Quelles en sont les raisons ?”

LE DÉCLENCHEMENT DU TRAVAIL

Pour plusieurs raisons, il est souvent plus prudent – voire nécessaire – de faire naître le bébé plus tôt que prévu. Dans certains cas, une césarienne est pratiquée. Si, a priori, l'enfant et la mère peuvent parfaitement supporter l'accouchement et si l'obstétricien pense que rien ne s'oppose à un accouchement par les voies naturelles, le déclenchement du travail est souvent l'option retenue. Voici les cas pouvant nécessiter le déclenchement du travail.

- Le fœtus ne grossit plus : il n'est pas bien nourri. Des examens montrent que le placenta ne fonctionne plus de manière optimale et que l'utérus n'est plus un abri salutaire pour le bébé.
- La date prévue d'accouchement (DPA) est atteinte, la quantité de liquide amniotique est diminuée et le bébé peut sans aucun risque vivre en dehors de l'utérus.
- Le terme est arrivé, la poche des eaux s'est rompue et le liquide amniotique est teinté.
- La future mère a du diabète et est traitée par insuline. Par ailleurs, tout laisse à penser que le bébé sera très gros s'il arrive à terme.
- La mère souffre d'une maladie chronique ou d'une pathologie grave, comme l'hypertension artérielle, ou encore un dysfonctionnement rénal – qui menace sa santé ou celle de son bébé.
- La mère souffre de prééclampsie que ni un repos complet ni la prise d'un traitement médicamenteux n'arrivent à enrayer et sa vie et/ou celle de son bébé sont en danger.
- Le bébé (Rhésus positif) souffre d'anémie parce que sa mère (Rhésus négatif) fabrique des anticorps contre ses globules rouges.
- L'obstétricien craint que la mère n'arrive trop tard à la maternité, soit parce qu'elle habite loin, soit parce que son précédent accouchement s'est déroulé très rapidement.

PRENDRE SON MAL EN PATIENCE ? • Si on vous ramène dans votre chambre pour attendre que le col se modifie, profitez-en : restaurez-vous, douchez-vous, et déambulez. Quelquefois le travail se déclenche dans la nuit et c'est la meilleure solution. Ainsi, vous vous retrouvez pratiquement dans la situation d'un travail naturel. Mieux vaut laisser au col le temps de mûrir que d'avoir une césarienne suite à un échec de déclenchement.

La péridurale

L'analgésie péridurale a véritablement révolutionné l'accouchement et représente sans doute aujourd'hui le moyen le plus employé pour calmer localement la douleur jusqu'à ce que le bébé soit né. Une fois installée en salle de naissance, vous pourrez demander la pose d'une péridurale si le col est déjà bien dilaté.

La perception de la douleur varie selon chaque femme

Les contractions utérines et l'expulsion du bébé sont les deux phénomènes douloureux de l'accouchement. Mais les femmes en ont une perception qui varie beaucoup de l'une à l'autre. Pour 1 % d'entre elles, la douleur est quasiment inexistante ; pour d'autres, elle est certes présente, mais supportable au prix d'un grand travail sur soi, et, pour la majorité, elle est intense et intolérable. Il est donc devenu habituel dans les maternités de recourir à différentes techniques pour calmer ou supprimer la douleur.

Ces méthodes ont largement prouvé leur efficacité, mais elles n'enlèvent rien à la nécessité d'une bonne préparation préalable à l'accouchement, qu'elle soit physique ou psychologique (voir pages 116 à 121 et 190 à197).

Accoucher sans douleur sous péridurale ?

Parmi toutes les techniques permettant un accouchement sans douleur, c'est aujourd'hui la péridurale qui est le plus utilisée. C'est une méthode dite « analgésique », ce qui signifie qu'elle atténue les sensations douloureuses, sans faire toutefois disparaître la perception des contractions. Les méthodes d'anesthésie proprement dite entraînent, elles, une insensibilité complète.

QUE RESSENT-ON ? • La péridurale insensibilise uniquement la partie inférieure du corps et vous permet de vivre en partie votre accouchement – sans douleur –, puisque vous restez éveillée. Certaines femmes peuvent se sentir frustrées de cette absence de sensation, mais la majorité se réjouit de ne pas souffrir.

Si la dose d'analgésique est un peu forte, vous pourrez avoir du mal à bouger vos jambes ou à pousser pendant l'accouchement. Selon les cas, la durée de l'accouchement et votre propre sensibilité, il est toutefois possible de sentir le bébé sortir.

> “Je souhaite avoir une péridurale. Toutes les femmes le font et je suis tentée aussi, afin de ne pas souffrir. Y a-t-il une raison qui s'y oppose ?”

PLANIFIER UNE PÉRIDURALE

Depuis l'apparition des analgésiques, et en particulier de la péridurale, il est possible de ne plus souffrir durant l'accouchement. Mettre son enfant au monde sans douleur en étant consciente semble donc très tentant.

Cependant, il faut savoir que même si la péridurale n'a jamais été aussi sûre et efficace, elle comporte un certain degré de risque inhérent, comme pour toute intervention obstétricale. En d'autres termes, c'est l'anesthésiste qui verra, avant l'accouchement, si une péridurale est possible dans votre cas (pour de plus amples informations sur l'administration de médicaments lors de l'accouchement, voir page 243).

De plus, a posteriori, certaines femmes sont frustrées par la péridurale. Elles ont l'impression d'avoir manqué leur accouchement.

Par ailleurs, on essaie aujourd'hui de doser le produit analgésique de façon à préserver davantage les sensations, pour l'efficacité de la poussée. C'est une possibilité que vous pouvez évoquer avec l'anesthésiste en arrivant en salle de naissance.

LA « PÉRIDURALE AMBULATOIRE » • Cette technique particulière de péridurale permet à la future mère de marcher pendant le travail, ce qui, semble-t-il, facilite l'accouchement. Mais elle n'est pas pratiquée dans toutes les maternités.

L'injection du produit

La péridurale peut être posée à tout moment : elle est réalisée lorsque le col de l'utérus se trouve au moins dilaté de 2 ou 3 cm. Le plein effet de l'analgésie est atteint après 20 minutes environ et dure une ou deux heures.

① La position

Vous êtes assise le dos rond ou couchée sur le côté gauche, les jambes repliées vers le ventre. Ainsi, vous voilà en position pour que l'on vous installe la péridurale.

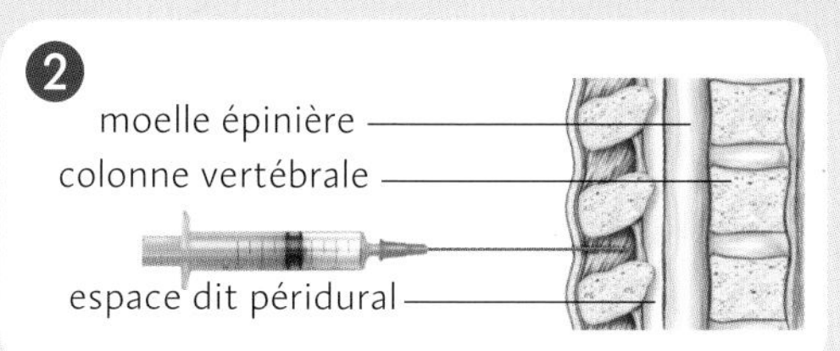

② Le processus

L'injection du produit analgésique par piqûre est faite entre la 3e et la 5e vertèbre lombaire, dans l'espace dit « péridural » situé autour de la membrane qui enveloppe la moelle épinière (mais ne la comprend pas). Puis, à la place de l'aiguille, et avant qu'elle ne soit retirée, on implante un petit tube en plastique très fin (cathéter) dans lequel on injecte le produit.

Comment cela se passe-t-il ?

La péridurale consiste à mettre un produit anesthésique au contact des racines nerveuses qui transmettent les douleurs du bas du corps au cerveau. Elle n'a aucun effet sur votre bébé. Après avoir désinfecté la peau et fait une anesthésie locale, l'anesthésiste introduit une aiguille entre deux vertèbres lombaires, bien en dessous du niveau auquel s'arrête la moelle épinière (voir ci-dessus). Le risque de paralysie est donc exceptionnel. Il fait ensuite passer un fin tuyau, ou cathéter, dans l'espace « péridural », avant de retirer l'aiguille. Ce cathéter restera en place jusqu'à la fin de l'accouchement et permettra d'injecter régulièrement de nouvelles doses d'analgésique, suivant les besoins.

EN CAS DE CÉSARIENNE • Lorsqu'on se trouve sous péridurale, l'obstétricien peut aussi réaliser une césarienne si cela s'avère nécessaire. Dans ce cas, vous n'aurez pas mal, mais vous éprouverez peut-être quelques sensations que vous trouverez désagréables. En revanche, si vous n'avez pas eu de péridurale, et que la césarienne doive être réalisée en urgence, l'équipe médicale pratiquera une anesthésie générale, qui peut être réalisée en quelques minutes (il faut environ 10 minutes pour une péridurale).

Des échecs sont possibles

La péridurale peut échouer (1 % des cas) ou n'agir que d'un côté du corps (10 % des cas). Il faut parfois refaire une seconde péridurale. Si vous souffrez de certaines maladies neurologiques, de troubles de la coagulation sanguine, de fièvre ou d'une infection de la peau dans le dos, cette technique est contre-indiquée. Parfois, la péridurale est irréalisable du fait d'une anomalie dans la position des vertèbres. L'anesthésiste a abordé ces questions avec vous lors de la consultation d'anesthésie (voir page 243). Il faut également savoir que la péridurale peut entraîner pendant l'accouchement une chute de tension artérielle et une difficulté à uriner, puis, après la naissance du bébé, des maux de tête.

Autres méthodes contre la douleur

Si la péridurale est la plus connue des techniques utilisées aujourd'hui, elle est loin d'être la seule. Au-delà du désir de la mère, le choix dépend surtout de l'objectif médical poursuivi et des possibilités offertes par la maternité où vous accoucherez. Renseignez-vous quand vous rencontrerez l'anesthésiste à la fin du 8e mois.

L'analgésie auto-contrôlée

Lorsqu'une péridurale est contre-indiquée ou impossible à réaliser, on propose à la mère d'utiliser une seringue électrique contenant des analgésiques. Elle l'actionne elle-même à l'aide d'un bouton relié à la seringue, laquelle est branchée sur la perfusion. Ainsi, la femme en train d'accoucher contrôle l'administration des analgésiques et reçoit du produit dès qu'elle en ressent le besoin. Une dose maximale est fixée et, surtout, le médecin surveille régulièrement la mère et le fœtus. Le produit n'interfère généralement pas avec les contractions (sauf si la dose est importante, auquel cas les contractions peuvent devenir moins fréquentes ou plus faibles).

L'effet et le soulagement de la douleur varient d'une femme à une autre. Certaines se sentent détendues et ont l'impression que cela les aide à pousser. D'autres sont somnolentes, trouvent que la douleur est trop présente et ont du mal à pousser. Les effets indésirables possibles sont des nausées, des vomissements et une chute de tension.

Faut-il être à jeun pour une anesthésie générale ?

Oui. On demande aux femmes qui accouchent de ne rien manger ou boire afin d'éviter les risques de vomissements (les aliments risquent de se retrouver dans les bronches : inhalation bronchique ou « fausse route ») au cas où une anesthésie générale serait nécessaire. Mais un peu d'eau peut être autorisée.

La rachianesthésie

Souvent utilisée pour les césariennes programmées (voir page 292, la rachianesthésie permet de rester consciente et de voir son enfant dès la naissance. L'anesthésiste injecte des analgésiques dans le liquide céphalo-rachidien, à l'aide d'une aiguille introduite au bas du dos, entre la 3e et la 5e vertèbre lombaire. Cette méthode est rapide à mettre en place, mais elle ne permet pas, à la différence de la péridurale, de laisser un cathéter en place et donc de prolonger si besoin l'anesthésie en réinjectant des produits.

Elle provoque parfois des nausées et des vomissements et il existe, là aussi, un risque de chute de tension. Pour pallier ces problèmes ou les prévenir, on passe des perfusions et, si besoin, on peut administrer d'autres médicaments. Après l'accouchement, si la femme souffre de maux de tête persistants (à cause d'une brèche), on peut la soulager en réalisant un blood-patch (injection de sang de la mère au niveau de la rachianesthésie).

Les contre-indications de cette anesthésie sont les mêmes que pour la péridurale.

L'anesthésie générale

Parfois indiquée en cas de césarienne ou d'utilisation de forceps, l'anesthésie générale se pratique lorsqu'il y a urgence, car sa réalisation est rapide. Elle nécessite une intubation (introduction d'un tube dans la trachée) et fait perdre conscience. Elle est entretenue tout le temps de la césarienne ou du forceps.

Son principal inconvénient est que la mère n'est pas consciente lors de la naissance de son enfant. Elle peut aussi entraîner un réveil parfois pénible, bien que de grands progrès aient été accomplis dans ce domaine. L'enfant peut être endormi à la naissance sous l'effet des produits injectés à la mère (d'où une prise en charge pédiatrique si besoin).

L'anesthésie par inhalation

Cette méthode consiste à inhaler, dans un masque, un mélange de protoxyde d'azote et d'oxygène. Il faut respirer le gaz une trentaine de secondes avant la contraction (car son effet n'est pas immédiat), puis à nouveau au rythme des contractions, selon ses besoins. Certaines femmes se sentent toutefois « déconnectées » de ce qu'elles sont en train de vivre et gardent de cet épisode un mauvais souvenir. Il n'y a pas si longtemps, ce masque était le seul moyen de soulager la femme.

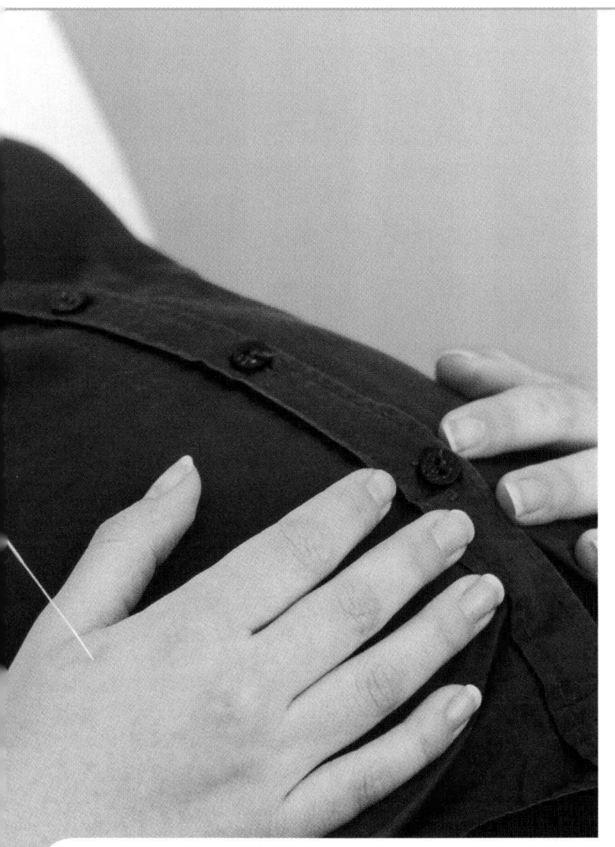

La pose d'aiguilles d'acupuncture à des endroits précis permet de calmer la douleur pendant la grossesse et l'accouchement.

L'anesthésie des nerfs du périnée

Appelée également « anesthésie des nerfs honteux internes », cette anesthésie locale n'agit pas sur la douleur des contractions, mais diminue celle ressentie au moment de l'expulsion. Elle facilite en outre la pose éventuelle de forceps (voir page 290). Pour insensibiliser les nerfs du périnée, ce « plancher » musculaire du petit bassin, le médecin injecte au moyen d'une seringue des anesthésiques dans la zone génitale. Cette injection peut être pratiquée par l'obstétricien et ne nécessite pas la présence d'un anesthésiste. L'effet des produits est suffisant pour permettre de recoudre une éventuelle épisiotomie. On y associe souvent un analgésique narcotique.

L'acupuncture

Dans les maternités françaises, on utilise encore peu l'acupuncture pour calmer les douleurs de l'accouchement. Selon les principes de cette médecine chinoise, la douleur résulte d'un déséquilibre entre deux énergies, le yin et le yang. Ces énergies, invisibles, suivent des trajets (les « méridiens ») le long desquels sont situés des points qui ont chacun un rôle bien déterminé. En piquant certains de ces points à l'aide de fines aiguilles, on cherche à corriger les déséquilibres des énergies responsables de la douleur.

Lors de l'accouchement, on pose ainsi huit à dix aiguilles stériles, à usage unique, sur les avant-bras, les jambes et dans le bas du dos. Cet acte est indolore et effectué par des médecins ou des sages-femmes spécialement formés à cette pratique.

“ Après avoir accouché plusieurs fois sous péridurale, et même si l'accueil de chaque enfant reste un magnifique souvenir, je portais en moi cette frustration intime d'avoir été déconnectée du processus naturel de la naissance avec l'anesthésie.”

ET SANS PÉRIDURALE ?

Quand mon dernier bébé s'est annoncé, j'ai eu le désir profond de me préparer à vivre sa naissance naturellement, sans péridurale.

J'ai mûri ce projet durant toute ma grossesse, et grâce à la lecture de divers témoignages et au dialogue avec mon médecin très à l'écoute, j'ai pris confiance dans la capacité de mon corps à vivre sereinement cet événement.

J'ai pratiqué le yoga prénatal, beaucoup communiqué avec mon bébé, expliqué à mon mari l'importance de ce choix pour moi, et écrit un projet de naissance pour que l'équipe puisse connaître mes souhaits.

Durant l'accouchement, long et douloureux, j'ai été accompagnée et rassurée avec bienveillance tout au long du travail par une sage-femme et mon médecin.

Avec moins d'intervention médicale et plus de liberté de mouvements, j'ai pu me concentrer sur chaque contraction, en communion avec mon bébé dans le chemin qu'il se frayait pour venir au monde.

Je suis restée confiante, soutenue par mon mari qui a trouvé pour la première fois toute sa place dans cette naissance simple et naturelle. La rencontre avec notre bébé fut un moment d'une force inoubliable. Nous avons fait connaissance peau à peau en pleine harmonie.

Le déroulement de l'accouchement

L'expulsion, la phase à l'issue de laquelle l'enfant vient au monde, est la plus courte de l'accouchement : c'est alors qu'il faut « pousser » pour aider le bébé à progresser à travers le bassin. Cette étape n'intervient qu'après la totale dilatation du col de l'utérus, ce qui demande, sauf exception, plusieurs longues heures. Et, quand enfin l'enfant est né, a lieu la «délivrance», ultime étape qui consiste à expulser le placenta.

La dilatation du col

Maintenant en salle de naissance, vous entamez la phase la plus longue de l'accouchement: la dilatation du col de l'utérus. La durée du processus dépend du nombre de vos précédents accouchements, de la nature des contractions – plus ou moins efficaces –, des dimensions de votre bassin, et de celles du bébé ainsi que de sa position. En général, lors d'une première naissance, le col se dilate à raison de 1 cm par heure, puis, lors des accouchements suivants, globalement au rythme de 2 cm par heure. Pour que le col se dilate complètement et atteigne une ouverture de 10 cm, il faut en moyenne 12 heures, du moins pour un premier enfant. Mais, pour certaines femmes, c'est plus rapide, et, pour d'autres, plus long (jusqu'à 24 heures). En outre, pour un premier accouchement, le col se dilate avant que la tête du bébé ne descende. Pour les accouchements suivants, la dilatation du col et la descente de l'enfant ont lieu en même temps. C'est donc plus rapide.

Vrai ou Faux ?

La perte des eaux peut-elle se produire au cours de l'accouchement ?

Vrai. Il est courant de perdre les eaux avant le début du travail, ce qui est le signal pour partir à la maternité, mais cela peut se produire sur la table d'accouchement.

VOUS N'ÊTES PAS SEULE! • Durant tout ce temps, et jusqu'à la fin de l'accouchement, vous vous trouvez sous la surveillance de la sage-femme. Elle ne demandera à l'obstétricien d'intervenir qu'en cas de problème. Toutes les heures, elle pratique un toucher vaginal. Des infirmières l'assistent. Elles prennent de temps en temps votre température ainsi que votre tension artérielle

L'anesthésiste n'est pas loin, et, si vous avez opté pour une péridurale, il surveillera aussi votre état. Il arrive que les contractions faiblissent sous l'effet de la péridurale; la sage-femme vous administrera alors des ocytociques qui leur redonneront de la puissance.

QUE FAIRE LORS DE LA DILATATION ? • Pour que les contractions utérines soient efficaces et que la dilatation soit plus rapide, il faut veiller à la position du corps pendant le travail: étirez votre dos et ne vous cambrez pas. En salle de naissance, vous serez vraisemblablement allongée ou semi-assise. Le mieux est de s'installer sur le côté, jambe du dessous étendue et jambe du dessus repliée. Vous pouvez aussi vous mettre en tailleur ou assise les pieds surélevés, en appui sur un marche-pied par exemple.

Pour supporter les contractions, vous pouvez utiliser les techniques de respiration enseignées par la préparation classique (voir pages 190 et 191) ou lors de séances de yoga. Si vous avez opté pour la sophrologie, vous chercherez surtout à vous détendre, ce qui facilitera aussi le travail... Habituellement, la contraction utérine crée une douleur en barre dans le bas du ventre. Ne la fuyez pas – au contraire –, « rentrez dedans », et essayez même de la dépasser pour rester en contact avec votre bébé et l'accompagner dans sa progression. Les contractions utérines ne sont pas que douleur. C'est grâce à elles que vous allez accoucher et découvrir enfin votre enfant. À chaque contraction, votre bébé progresse, millimètre par millimètre, vers le chemin de la sortie. Tant que le col de l'utérus ne s'est pas complètement dilaté, il ne faut pas pousser, même si vous en ressentez l'envie.

Au moment de l'expulsion

Ce n'est qu'une fois le col complètement dilaté et le bébé engagé dans le bassin que vous commencerez à pousser. L'expulsion ne dure en général que 20 à 30 minutes. À ce moment-là, vous êtes le plus souvent allongée, les jambes écartées et les mollets posés sur des gouttières ajustées. On vous a partiellement rasée autour de la vulve, au besoin, et, si vous n'avez pu uriner spontanément, on a vidé votre vessie au moyen d'une sonde. Les contractions sont maintenant plus longues et se succèdent à un rythme de plus

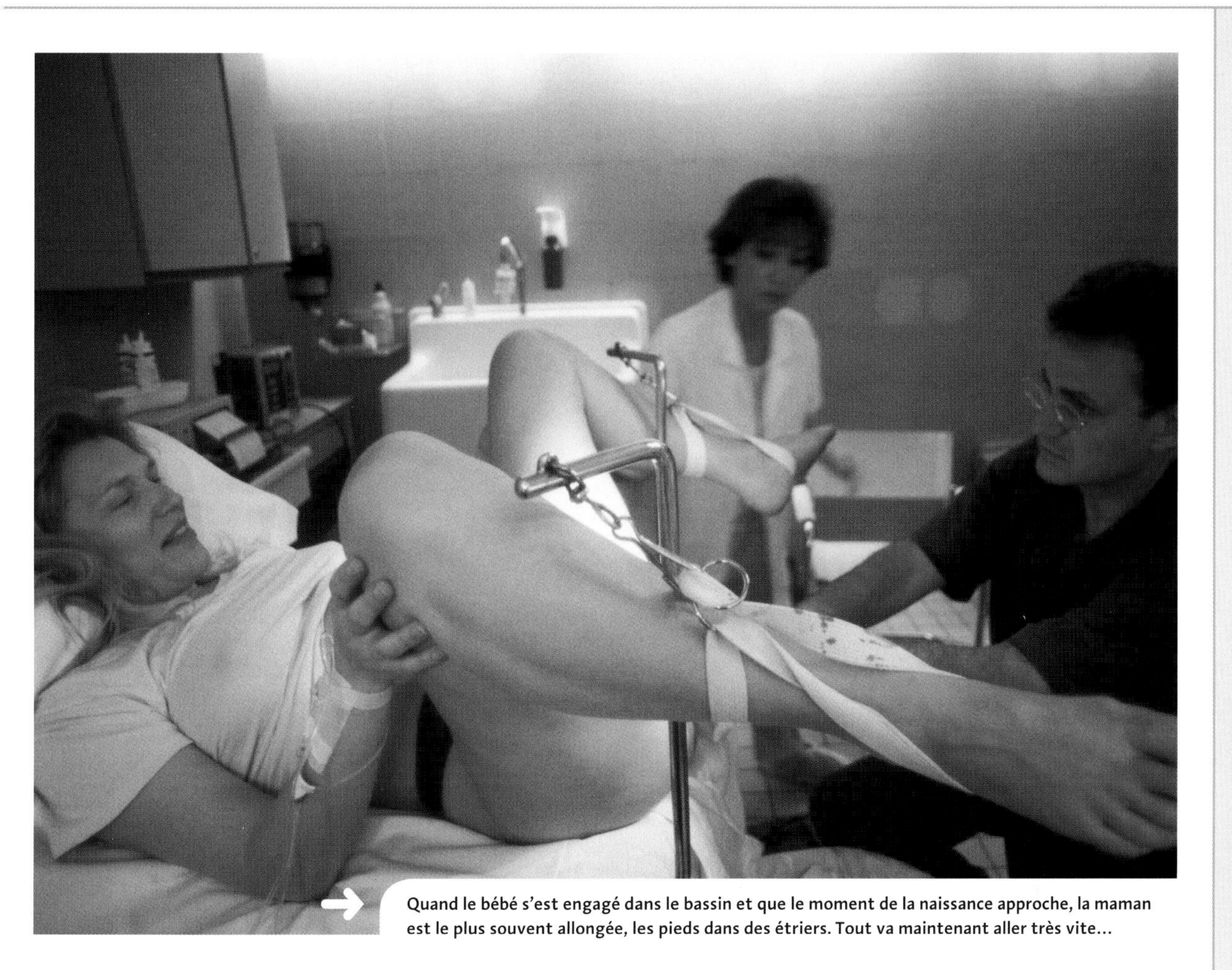

Quand le bébé s'est engagé dans le bassin et que le moment de la naissance approche, la maman est le plus souvent allongée, les pieds dans des étriers. Tout va maintenant aller très vite...

en plus rapide. Si vous parvenez à bien suivre les instructions de la sage-femme, vous vous fatiguerez moins.

POUSSER LORS DES CONTRACTIONS • C'est la sage-femme qui donne en quelque sorte le rythme. Elle vous demande de pousser deux ou trois fois lors de chaque contraction, et de vous reposer entre deux. C'est là qu'il faut mettre en pratique tout ce qui a été abordé lors des séances préparatoires. À chaque contraction, vous poussez en bloquant l'air (après une inspiration) ou en soufflant (pendant l'expiration). Vous contractez fortement vos abdominaux, en laissant le périnée détendu. La poussée doit être le plus longue possible (voir page 191) pour permettre à l'enfant de progresser de façon continue.

Pour vous faciliter la tâche et rendre l'effort plus efficace, vous pouvez empoigner les poignées de part et d'autre du lit – ou, mieux, pour ne pas contracter le péri-

LE POINT DE VUE DE BÉBÉ

Dès la naissance, le bébé est sensible à la voix, au contact, au regard, aux caresses de ceux qui l'entourent : il a besoin d'affection. Ne soyez pas intimidée : parlez-lui doucement, bercez-le. Et n'oubliez pas que, si vous avez senti en vous votre bébé pendant neuf mois, le père, lui, le découvre à peine. Il aura peut-être envie de le prendre aussi dans ses bras. En haptonomie, le papa porte le nouveau-né en le tenant sous les fesses et en le tournant vers l'extérieur, l'ouvrant ainsi au monde.

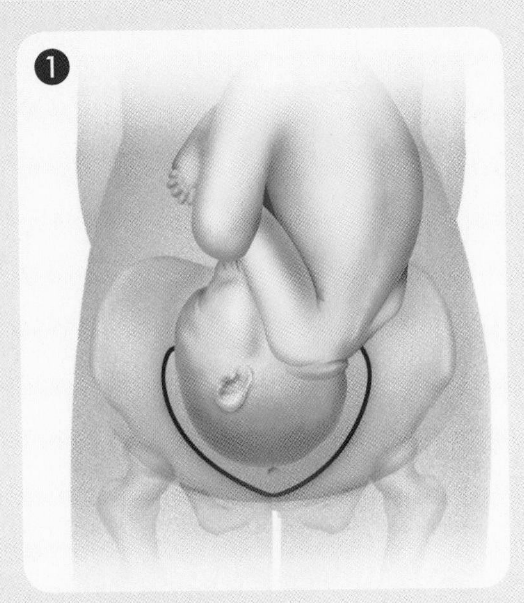

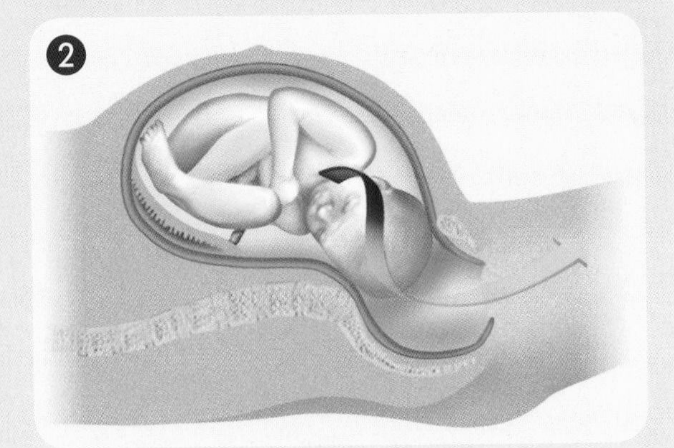

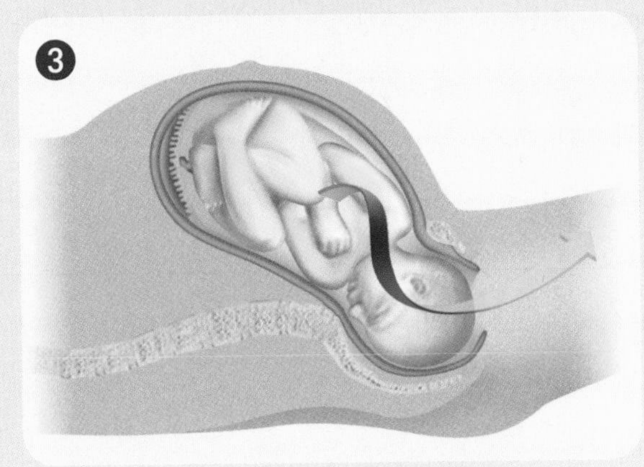

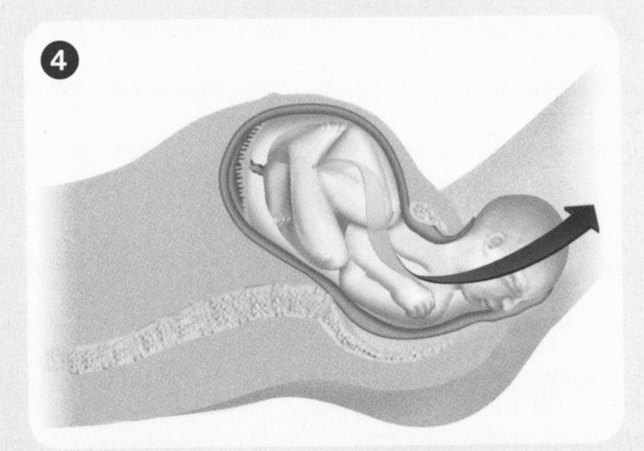

La progression du bébé

L'engagement dans le bassin

① La tête du fœtus s'engage dans le petit bassin en début d'accouchement, ou peu avant. La sage-femme le constate en faisant un toucher vaginal et en palpant l'abdomen de la mère.

② L'entrée du bassin osseux, ou « détroit supérieur », est étroite, mais le bébé doit s'accommoder de l'exiguïté du passage. Il faut qu'il oriente obliquement sa tête en la tournant de 45° le plus souvent, pour se mettre dans la partie du bassin la plus grande.

Il cherche aussi à présenter le plus petit diamètre de sa tête pour pénétrer dans le bassin : il présente donc habituellement la partie arrière de son crâne en fléchissant la tête (en abaissant le menton contre la poitrine).

La descente et la rotation dans le bassin

③ La descente a lieu dès que la tête est engagée. Sous l'effet des contractions et de la poussée maternelle, la tête progresse vers le bas : elle s'engage à travers le bassin en position oblique, puis effectue une nouvelle rotation de 45° (le plus souvent), pour sortir en position verticale. Ensuite, elle se fixe sous le pubis et appuie sur les muscles du périnée, qui se relâche progressivement grâce à son élasticité.

La tête, descendue jusqu'à la vulve, se redresse. La vulve s'ouvre sous la pression de la tête. Le haut du crâne apparaît.

Le dégagement de la tête et la sortie du bébé

④ La tête sort : le dégagement de la tête se fait grâce aux efforts expulsifs de la mère et à la dextérité de la sage-femme ou de l'obstétricien, millimètre par millimètre, pour éviter la déchirure. Ensuite, l'accoucheur aidera au dégagement complet des épaules ; le corps tout entier sortira alors sans aucune difficulté.

née, enserrer vos cuisses en ramenant vos genoux vers les épaules. En même temps, vous pouvez écarter les coudes comme un rameur et placer votre menton sur la poitrine. Quand le crâne du bébé parvient à la vulve, ce n'est plus qu'une question de minutes. La sage-femme vous demandera de vous relâcher afin que la tête puisse être dégagée progressivement. Peut-être un dernier effort sera-t-il nécessaire pour le passage des épaules ? Après, le reste du corps sortira très vite. Dans quelques secondes, votre enfant sera posé sur votre ventre, et vous vous découvrirez mutuellement.

La délivrance, ou expulsion du placenta

Votre enfant est né. Voici l'instant que vous attendiez tellement... À la fois épuisée et dans un état de grande émotion, vous vivez enfin vos premiers échanges en face-à-face, certainement sous le regard du père. Si le bébé ne nécessite pas de soins immédiats, vous pouvez rester tous ensemble. Mais, s'il a fait ses premières selles dans l'utérus, la sage-femme l'emmène rapidement pour aspirer ce liquide méconial et éviter qu'il ne se propage dans les poumons.

Puis 20 à 30 minutes plus tard, les contractions utérines reprennent. Elles ont pour conséquence de décoller le placenta ; il vous faudra pousser une dernière fois pour l'expulser : c'est ce que les médecins nomment la « délivrance ».

L'EXAMEN DU PLACENTA • L'équipe médicale examine soigneusement le placenta à sa sortie. Il faut en effet contrôler qu'il a été complètement expulsé. Si le moindre doute subsiste, l'obstétricien introduit sa main dans l'utérus pour s'assurer que ce dernier est totalement vide – c'est, en termes médicaux, la « révision utérine ». Le médecin procédera de même si la mère n'expulse pas le placenta de façon spontanée. Cet acte, quoique impressionnant, n'entraîne aucune douleur, car il est réalisé sous péridurale, ou, au besoin, sous anesthésie générale.

EN CAS DE FORTE HÉMORRAGIE • Il arrive qu'une femme perde trop de sang à l'issue de l'accouchement. Cette « hémorragie de la délivrance » n'a rien de comparable avec les faibles pertes de sang courantes. Là encore, la seule solution possible, pour l'obstétricien, sera d'extraire rapidement le placenta (« délivrance artificielle »).

LA SUTURE DU PÉRINÉE • Dans le cas où une épisiotomie a été pratiquée, le médecin ou la sage-femme va recoudre les tissus incisés dès que le placenta aura été expulsé. Même en l'absence d'épisiotomie, il est souvent nécessaire de recoudre une petite déchirure.

Juste après l'accouchement

Après l'accouchement, vous allez rester encore deux heures en salle de naissance. Votre enfant vous y rejoindra dès qu'il aura reçu ses premiers soins et pris son premier bain, si ces derniers ne se font pas dans la salle de naissance. Même si l'accouchement est désormais terminé, vous restez encore sous surveillance médicale. Régulièrement, une infirmière contrôle votre température et votre tension artérielle. La sage-femme surveille l'évolution des saignements, qui doivent être peu abondants, et veille également à ce que votre utérus se rétracte bien. Enfin, quand vous serez prête, vous pourrez rejoindre votre chambre.

LA CONSERVATION DE SANG FŒTAL

- **Dans certains cas exceptionnels, on peut être amené à prélever un peu de sang du cordon ombilical et du placenta du bébé afin de le conserver dans une banque de sang,** au cas où des cellules souches seraient un jour nécessaires pour traiter une maladie grave chez l'enfant ou un autre membre de la famille.
- Cette procédure indolore qui prend moins de 5 minutes est pratiquée après que l'on ait clampé et coupé le cordon ombilical. Elle ne présente aucun danger pour la mère comme pour l'enfant si elle n'est pas réalisée trop tôt.
- **En France, des banques se sont développées dans des hôpitaux publics,** sous le contrôle de l'Établissement français des greffes, de l'Établissement français du sang et de l'AFSSAPS. **Le Collège national des gynécologues et obstétriciens français (CNGOF) appelle à la vigilance,** estimant que cette mesure est inutile s'il n'y a pas de pathologie familiale avérée (leucémie, lymphome, neuroblastome, drépanocytose, aplasie médullaire, syndrome de Hurler, syndrome de Wiskott-Aldrich, hémoglobinopathies sévères...). Le sang de cordon peut être donné gratuitement à une autre personne dans le besoin, ce qui permet de sauver une vie.

L'accouchement de jumeaux

L'accouchement des jumeaux implique une équipe médicale au grand complet : même quand tout se passe bien, l'environnement est un peu impressionnant. Si vous avez bien questionné auparavant votre obstétricien pour connaître tous les détails, variables d'une maternité à une autre, vous vivrez d'autant mieux ce moment éprouvant, mais néanmoins émouvant...

Par les voies naturelles ou par césarienne ?

Même s'il a lieu au bloc opératoire, l'accouchement de jumeaux se déroule souvent sans problème majeur, c'est-à-dire par les voies naturelles. Pour l'essentiel, c'est la position des deux bébés dans l'utérus qui détermine le mode d'accouchement.

Quand la césarienne est obligatoire, l'obstétricien la programme en général à l'avance. L'accouchement a lieu dans ce cas autour de 38 semaines d'aménorrhée, c'est-à-dire plus tôt que si l'on devait mettre au monde un seul enfant.

EN CAS DE PRÉSENTATION PAR LA TÊTE • La meilleure situation est celle où le premier jumeau se présente par la tête ; peu importe alors la position du second. Dans ce cas, la mère accouche en général par les voies naturelles.

EN CAS DE PRÉSENTATION PAR LE SIÈGE • Quand les jumeaux se présentent par le siège, certaines maternités autorisent un accouchement par les voies naturelles ; mais elles ne sont pas la majorité. En revanche, quand le premier jumeau se présente par le siège et le second par la tête, la seule option possible est la césarienne. En accouchant de façon naturelle, il pourrait se produire un accrochage des mentons qui arrêterait la progression des jumeaux : un accident exceptionnel, mais fatal aux deux bébés.

QUAND IL N'Y A QU'UN PLACENTA ET QU'UNE POCHE • Dans 3 % des cas, les jumeaux se développent en partageant une seule poche et un seul placenta (voir page 110). Ce type de grossesse gémellaire rare est dit « monochoriale monoamniotique ». Dans cette situation, on programme la césarienne de manière systématique pour éviter un enchevêtrement des cordons à la naissance.

PRÉVENIR TOUTE COMPLICATION

- La plupart des naissances multiples se déroulent normalement, par voie basse et sans complications. Toutefois, les naissances multiples exigent plus de précautions.
- **Les futures mères sont le plus souvent orientées vers les maternités les mieux équipées** (de niveau II ou III, voir page 62).
- **Dans ces établissements, un obstétricien et un anesthésiste de garde sont présents en permanence.**
- **Les deux fœtus sont surveillés constamment par monitorage.**
- **Un pédiatre de garde, sur place, prendra le relais en cas de problème chez les nouveau-nés.**
- **Les maternités de niveau II ou III disposent d'un service de néonatologie,** ce qui permet, en cas de prématurité ou de maladies plus ou moins graves, de prendre en charge ces bébés.

Un environnement très sécurisé

Pour éviter tout incident, la mise au monde des jumeaux se déroule toujours dans un cadre très sécurisé, en présence d'un obstétricien. Même si tout s'annonce (et se passe !) bien, par les voies naturelles, vous aurez droit à des conditions d'accouchement un peu particulières. Ne soyez donc pas surprise le jour « J », tant d'attentions ne signifient pas qu'il y a problème...

LA SÉCURITÉ D'UN BLOC OPÉRATOIRE • Jusqu'à ce que le col soit complètement dilaté, vous resterez en salle de naissance. Mais la phase d'expulsion, elle, se déroulera toujours au bloc opératoire. On vous y transférera juste avant que vous ne commenciez à pousser. Cette précaution permet de réaliser si besoin une césarienne en urgence. Il arrive en effet que, après l'accouchement du premier jumeau, l'obstétricien soit obligé de faire une césarienne pour le second jumeau : c'est toutefois exceptionnel. Tant que l'accouchement se poursuit par les voies naturelles, votre mari ou compagnon peut tout à fait être présent et continuer à vous apporter son soutien.

TOUTE UNE ÉQUIPE POUR VOUS! • De nombreuses personnes sont réunies désormais autour de vous : deux sages-

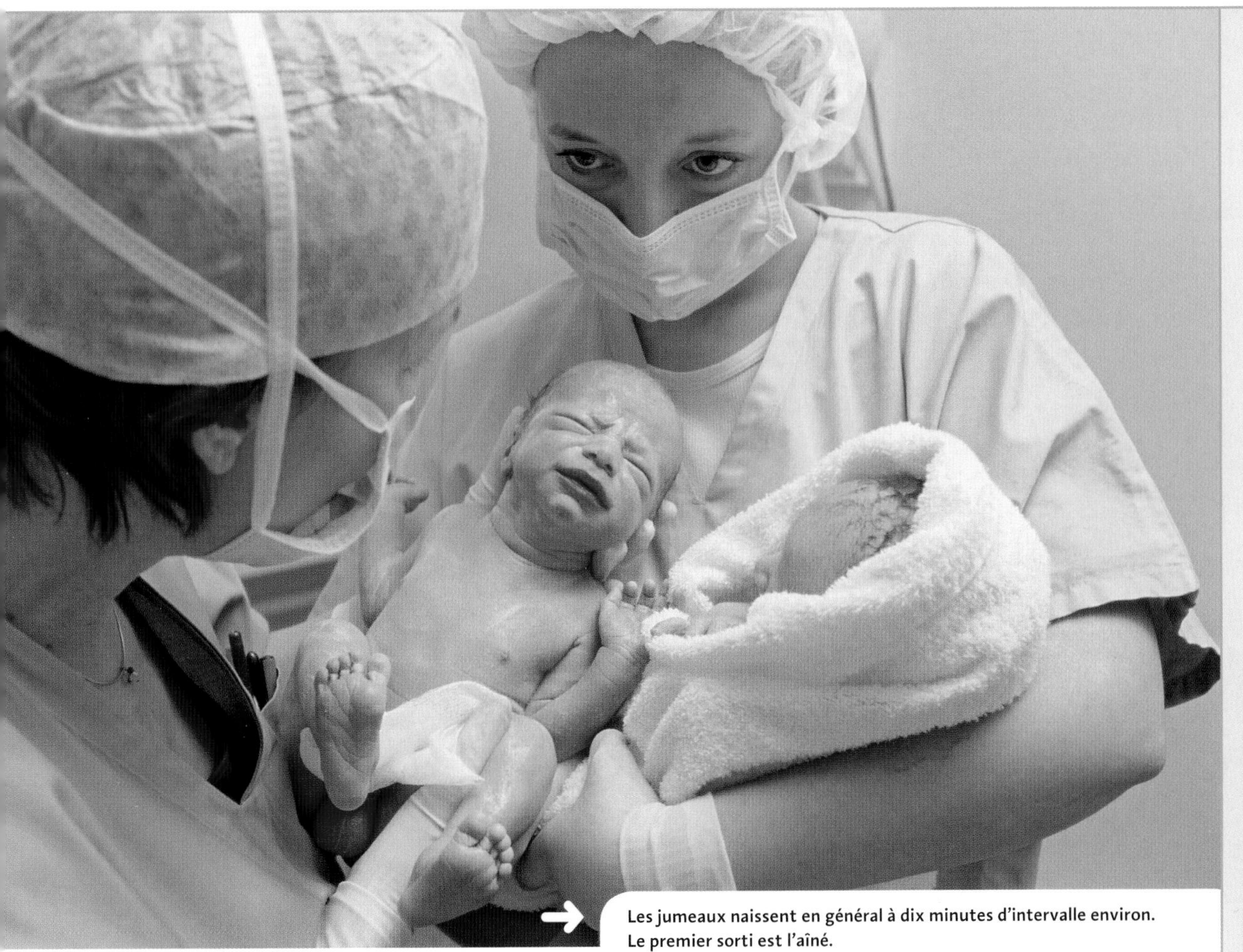

Les jumeaux naissent en général à dix minutes d'intervalle environ. Le premier sorti est l'aîné.

femmes (pour vous et les deux bébés), un obstétricien, une panseuse (l'infirmière du bloc opératoire), et un anesthésiste avec son infirmière. Ne vous laissez pas impressionner par cette espèce de « ruche avec ses abeilles ». Tout ce petit monde est là pour veiller sur vous et vos enfants. Vous pouvez choisir un interlocuteur privilégié pour suivre les instructions, par exemple la sage-femme qui vous a soutenue jusqu'à présent.

Pousser deux fois plus...

D'un point de vue purement physique, accoucher de jumeaux est bien sûr plus fatigant. Quand commence la phase d'expulsion, vos bébés ont vraiment besoin de vous. Vous aurez à pousser deux fois plus, à moins que l'obstétricien ne vous aide en utilisant des forceps. Vous pousserez dans un premier temps pour le premier bébé. Dès qu'il naît, la sage-femme responsable de l'accouchement vous le présente. En même temps, une autre sage-femme vous maintient le ventre en position verticale, pour que le deuxième jumeau garde bien la bonne direction pour sortir à son tour. Car le répit est de courte durée. Déjà, l'obstétricien vous examine pour voir comment se présente le second bébé. Normalement, il rompt la poche des eaux de ce deuxième enfant et vous demande de pousser de nouveau. Et voici votre autre jumeau qui crie à son tour !

... JUSQU'À LA DÉLIVRANCE • Après la naissance de vos enfants, comme pour tout accouchement, viendra l'expulsion du placenta, la « délivrance ». L'obstétricien peut être amené à faire une délivrance artificielle pour éviter toute hémorragie. Pendant ce temps, vos jumeaux sont emmenés en crèche pour les soins, accompagnés de leur père. Vous rejoindrez vous-même bientôt la salle de naissance... Si l'on vous a fait une épisiotomie ou que vous avez été déchirée, il faut juste attendre que la suture du périnée soit terminée.

Forceps et autres instruments utilisés

Si vous êtes épuisée ou si l'enfant doit naître sans tarder, l'obstétricien pourra aider le bébé à sortir au moyen de divers instruments. Ces derniers sont utilisés dans 15 % des naissances. Le plus employé est le forceps.

Qu'est-ce qu'un forceps ?

Un forceps est constitué de deux branches articulées en forme de cuillère. Celles-ci enserrent de part et d'autre la tête du bébé et vont servir à la guider dans votre bassin pendant que vous poussez. Elles aideront ensuite à dégager la tête. Cet instrument peut laisser quelques traces sur les tempes, les joues ou le crâne de l'enfant, mais celles-ci sont sans gravité et disparaissent en deux ou trois jours.

On ne recourt au forceps que si la tête du bébé est déjà bien engagée (si ce n'est pas le cas, on opte pour une césarienne). Pour éviter une déchirure du périnée, l'emploi du forceps s'accompagne presque toujours d'une épisiotomie. Une anesthésie locale ou générale peut être nécessaire, si la femme n'est pas sous péridurale.

La ventouse et les spatules obstétricales

La ventouse est une sorte de cupule ronde en plastique ; on la place sur le sommet du crâne de l'enfant pour le guider lors de sa descente à travers le bassin. Elle permet de conserver l'acquis d'une poussée en empêchant à la tête du bébé de remonter lorsque la contraction est terminée et que l'effort de poussée a cessé. On la tire doucement pendant une contraction pour fléchir la tête du bébé. L'épisiotomie n'est pas alors indispensable.

Les spatules sont formées de deux branches non articulées qui permettent aussi de guider la tête de l'enfant à travers le bassin. Les cuillères sont introduites l'une après l'autre de chaque côté de la tête du bébé. L'obstétricien tire doucement sur la tête afin de la sortir. Elles ont pour avantage d'être moins traumatiques pour la tête du bébé, mais le vagin et le périnée sont plus sollicités. Comme pour le forceps, elles sont très souvent associées à une épisiotomie. Chaque instrument, que ce soient les forceps, la ventouse ou les spatules, est affaire de choix ; chaque obstétricien a son instrument préféré.

“ L'utilisation d'un forceps ou d'une ventouse obstétricale est-elle risquée pour le bébé ?”

POUR UNE UTILISATION SANS RISQUE

En 1598, Peter Chamberlen invente le forceps, – instrument composé de deux grandes cuillères – qui permettent de saisir la tête du bébé pour l'aider à franchir le canal pelvi-génital, lorsque l'accouchement est difficile et que la vie de la mère et celle de l'enfant sont en danger. Les accouchements par forceps ou ventouse ne font courir ni plus ni moins de risques que les autres méthodes, et ces instruments ont parfaitement leur place dans l'obstétrique moderne, sous réserve de respecter certaines conditions.

En effet, le forceps doit être utilisé par un obstétricien expérimenté et dans des situations très précises : phase d'expulsion très longue, mère épuisée qui n'a plus la force de pousser ou qui souffre d'une forte myopie contre-indiquant la poussée, rythme cardiaque fœtal anormal (dû parfois au cordon ombilical enroulé autour du cou du bébé).

La ventouse comme le forceps est réservée à des situations très précises : elle ne peut être utilisée que par un obstétricien expérimenté et pas avant la 34e semaine d'aménorrhée.

Le forceps ou la ventouse ne peuvent être utilisés que si le col de l'utérus est complètement dilaté, et si la tête du bébé est engagée dans le bassin. Par ailleurs, tout doit être préparé afin qu'une césarienne ait lieu en urgence au cas où l'accouchement par forceps échouerait. N'attendez pas d'accoucher pour poser à votre médecin toutes les questions quant à l'utilisation de ces instruments. Si vous êtes inquiète, il trouvera les mots pour vous rassurer.

L'épisiotomie

Au moment où la tête du bébé va sortir, il arrive que la sage-femme (ou le médecin) fasse une petite incision au bas de la vulve. Cette intervention appelée « épisiotomie » est assez fréquente. On l'effectue rapidement, pendant une poussée. Concentrée sur vos efforts, vous sentirez peut-être à peine ce coup de ciseaux, et aucunement si vous êtes sous péridurale, du moins sur le moment.

Avantages et inconvénients

Une épisiotomie rend-elle un accouchement plus facile et fait-elle courir moins de risques à la mère ? Voilà 60 ans, la réponse aurait été affirmative. En effet, dès les années 1950, cette intervention mineure (une incision dans les muscles superficiels du périnée pour élargir l'orifice de la vulve, juste avant que la tête du bébé ne sorte) était quasi systématique. Or, l'obstétrique est une science qui évolue et, aujourd'hui, nombre de médecins sont contre la pratique systématique d'une épisiotomie.

Cette volte-face repose sur un constat simple: a priori, une épisiotomie n'a pas toujours les bienfaits escomptés. Elle est censée rendre les accouchements plus rapides tout en évitant la déchirure du périnée de la mère lors de l'expulsion et les problèmes d'incontinence après l'accouchement. On pensait également que l'accouchement serait ainsi moins traumatisant pour le bébé (lorsque la tête du bébé essaie de se frayer un chemin et appuie sur le périnée au moment de l'expulsion).

L'épisiotomie présente plusieurs inconvénients:

- elle fait perdre un peu de sang supplémentaire à la mère;
- elle nécessite une suture minutieuse sous anesthésie péridurale ou anesthésie locale;
- elle peut entraîner des douleurs les jours suivants surtout en allant uriner ou à la selle.

Pourquoi et comment ?

Le but principal de l'épisiotomie est d'éviter que les muscles du périnée ne se déchirent: mieux vaut en effet une incision nette qu'une déchirure risquant d'aller jusqu'à l'anus. On pratique une épisiotomie chaque fois que le périnée est trop tonique ou trop fragile, ou que la tête du bébé est trop grosse par rapport à la taille de la vulve. Elle est également nécessaire en cas d'utilisation de forceps ou d'une ventouse obstétricale. Elle a lieu dans environ 60 % des accouchements. Elle est plus fréquente pour un premier accouchement que pour les suivants. Le type d'incision la plus fréquente est l'incision médio-latérale. C'est une incision en diagonale sur un côté du périnée vers l'anus. L'incision médiane présente des avantages: saignements moins importants, guérison plus rapide, moins de gêne et de risques d'infection après l'accouchement. Mais les risques de déchirures vers l'anus sont plus importants au moment de la sortie du bébé ; elle est donc peu pratiquée.

Après l'épisiotomie

Dans le cas où une épisiotomie a été pratiquée, le médecin va recoudre les tissus incisés dès que le placenta aura été expulsé. Cela se fera sous anesthésie péridurale ou sous anesthésie locale. Pour le vagin et les muscles périnéaux, on utilise des fils qui se résorbent spontanément. Pour la peau, on emploie parfois des fils non résorbables que l'on retirera environ cinq jours plus tard.

Les douleurs périnéales dues à un accouchement par voie basse sont souvent aggravées par celles d'une épisiotomie. Comme toute plaie récente, la zone recousue mettra du temps à cicatriser – généralement entre 7 et 10 jours. Durant cette période, une simple douleur n'est pas forcément un signe d'infection, sauf si elle est insoutenable. Une infection reste possible, mais très peu probable, dans la mesure où l'hygiène et les soins du périnée sont respectés.

Peut-on tenter de l'éviter ?

Plus les muscles du plancher pelvien sont toniques, plus vous avez de risques d'avoir une épisiotomie. Pour essayer d'assouplir votre périnée, massez-le 6 à 8 semaines avant la date prévue d'accouchement.

Si ce n'est déjà fait, demandez à votre obstétricien de vous préciser dans quelles circonstances il sera amené à pratiquer une épisiotomie. Sachez, toutefois, que si cela se révèle nécessaire, l'obstétricien pourra à tout moment décider de pratiquer une épisiotomie.

La césarienne

La césarienne est une intervention que les obstétriciens maîtrisent très bien, avec une technique aujourd'hui simplifiée. Grâce à elle, des situations jugées graves autrefois sont maîtrisées sans souci majeur. Mais, elle n'est pas anodine, peut entraîner des complications et pose aussi des problèmes pour les grossesses futures.

Les césariennes programmées

Dans certaines situations, l'obstétricien prévoit durant le 8e ou le 9e mois un accouchement par césarienne. L'opération est alors programmée pour une date donnée. Elle s'explique en général par l'une des raisons suivantes, mais cette liste n'est pas exhaustive.

- Le bébé a un retard de croissance important et semble trop fragile pour naître par les voies naturelles (voir page 174).
- La mère a déjà eu une césarienne, son bassin est rétréci et son bébé est gros.
- La mère a déjà eu deux césariennes. L'accouchement par voies naturelles est contre-indiqué.
- Le placenta empêche la tête du bébé de progresser à travers le bassin (placenta prævia ou recouvrant) et la mère risque une hémorragie.
- Le bébé est en position transverse.

S'y préparer au cas où...

Votre capacité à bien vivre une césarienne dépendra de votre faculté à entrevoir cette possibilité pour l'accouchement. Votre contribution à la préparation : être prête intellectuellement à avoir si nécessaire une césarienne permet de ne pas être trop déçue et de ne pas vivre cette intervention chirurgicale comme quelque chose de négatif.

Une décision parfois prise en urgence

Il arrive parfois qu'une césarienne soit décidée en urgence, au moment de l'accouchement. Les médecins prennent en général cette décision s'ils constatent que le bébé souffre, ou risque de souffrir ; ainsi l'enfant n'aura aucune séquelle neurologique. Ils peuvent détecter sur le monitoring une éventuelle anomalie du rythme cardiaque fœtal : des ralentissements marqués pendant ou après les contractions, voire un ralentissement profond de plusieurs minutes.

Parfois, le col de l'utérus arrête de se dilater. Ou la tête du bébé ne parvient pas à franchir le bassin (tête trop grosse ou bassin trop petit), même si le col est bien dilaté et les contractions « efficaces » : c'est une situation imprévisible, malgré les échographies. Dans tous les cas, une souffrance du fœtus implique le plus souvent une césarienne. Ces césariennes en urgence sont donc plus difficiles à programmer.

Quel type d'anesthésie ?

Une césarienne se déroule toujours dans un bloc opératoire. Trois techniques d'anesthésie sont possibles : la péridurale, la rachianesthésie et l'anesthésie générale (voir pages 280 à 283).

EN CAS D'INTERVENTION URGENTE • Quand l'opération est décidée en urgence, les médecins recourent plus volontiers à l'anesthésie générale (sauf s'il y a eu une péridurale). Celle-ci permet en effet d'opérer dans un délai plus rapide. Vous verrez votre enfant un peu plus tard, en salle de réveil, après l'opération.

EN CAS DE CÉSARIENNE PROGRAMMÉE • Lorsque l'opération est prévue à l'avance, on pratique en général une rachianesthésie. Vous serez alors consciente et sentirez que l'on vous touche, sans que ce soit douloureux bien sûr ! Mais vous ne verrez rien parce que la zone opérée sera masquée par un drap placé à la verticale. L'intérêt est que l'enfant sera placé contre vous dès sa naissance, s'il se porte bien. Le père sera parfois autorisé à rester à vos côtés.

Un mode opératoire simplifié

Depuis quelques années, la technique opératoire de la césarienne s'est simplifiée. Le plus souvent, on utilise désormais la technique de Cohen – du nom du chirurgien qui l'a remise au goût du jour. Quand on a déjà accouché par césarienne, la technique classique reste toutefois de mise.

LA TECHNIQUE DE COHEN • Au lieu de se servir de bistouri, ciseaux et pinces, pour les différentes étapes (pour ouvrir les plans successifs), le chirurgien emploie essentiellement ses doigts. Il n'utilise le bistouri qu'à trois reprises pour faire des « mouchetures » (des petits trous) dans les différents tissus qui se superposent. Il passe ses doigts dans ces mouchetures et écarte largement les tissus pour laisser passer la tête du bébé. Ainsi sont ouverts successivement la peau, l'aponévrose (qui fait la solidité de la paroi), le péritoine (entourant les viscères de l'abdomen) et l'utérus.

Cette nouvelle technique offre plusieurs avantages : l'intervention est rapide (elle ne dure pas plus de trois quarts d'heure), l'accouchée perd moins de sang et a moins mal après l'opération. Rapidement, elle est sur pied et peut s'occuper de son bébé.

LA TECHNIQUE CLASSIQUE • Quand on a déjà eu une césarienne, les tissus risquent d'être plus fibreux, plus durs et collés les uns aux autres. Le chirurgien est alors obligé de recourir, ne serait-ce que partiellement, à la technique classique (avec instruments). Il incise en général au-dessus du pubis pour que la future cicatrice reste dissimulée dans les poils pubiens (c'est pareil pour la technique de Cohen). L'opération dure un peu plus d'une heure car l'ouverture est plus longue. Les fils (ou agrafes) sont ôtés six jours après l'intervention.

Une convalescence assez rapide

Vous serez surveillée 2 h en salle de réveil, après l'opération. Une infirmière vérifiera vos constantes (pouls, tension artérielle, température...), vos saignements et la cicatrice. Après la césarienne, vous pourrez retrouver votre bébé dès que vous serez sortie du bloc opératoire ou dès votre réveil après une anesthésie générale. Vous pourrez lui parler, le toucher, l'allaiter.

Dès le lendemain de la césarienne, le personnel soignant vous aidera à vous lever au bord du lit et à faire votre toilette au lavabo. Le jour suivant, si vous vous sentez capable, vous ferez quelques pas. Puis vous vous déplacerez de mieux en mieux, de jour en jour.

Votre tempérament va aussi jouer sur la rapidité avec laquelle vous récupérerez. Des douleurs au niveau de la cicatrice vous gêneront toutefois durant plusieurs jours. La reprise du transit intestinal peut être aussi un peu douloureux avec un ventre ballonné les 24 premières heures. On pourra vous donner des médicaments pour vous soulager.

Vous n'irez pas à la selle avant le troisième jour, mais toute opération de l'abdomen entraîne ces désagréments. Vous recevrez divers soins dans les jours qui suivent (voir pages 310 et 311). En moyenne vous resterez hospitalisée de 6 ou 7 jours, un peu plus que pour un accouchement normal. De toute façon, vous ne sortirez que lorsque vous pourrez vous occuper pleinement de votre enfant.

L'UTÉRUS CICATRICIEL OU ANTÉCÉDANT DE CÉSARIENNE

- **Actuellement les césariennes sont en augmentation :** 20 % des accouchements avec des conséquences non négligeables pour les grossesses futures.
- **Pour les grossesses normales, il est rarissime de prévoir une césarienne pour un premier accouchement, à moins d'une présentation par le siège.** Cela dépend alors des équipes. Certaines font le choix de césarienne d'emblée, d'autres d'accouchement par voie basse sous des conditions très strictes.
- Après une césarienne, l'avenir obstétrical est plus compliqué. sans parler du post-partum immédiat où il est souvent difficile de se mouvoir et donc de s'occuper de son bébé. Les douleurs peuvent persister un mois et être accompagnées de troubles sensitifs cutanés au niveau de la cicatrice. Des complications peuvent apparaître, telles que hémorragie per-opératoire, hématome de paroi (avec parfois nécessité de reprise chirurgicale), abcès de paroi.
- **Pour les accouchements suivants, 50 % des femmes seulement pourront accoucher par voies naturelles.** La cicatrice entraîne une fragilisation possible de l'utérus avec impossibilité à l'heure actuelle de l'évaluer. Aucun examen complémentaire ne peut donner d'information sur sa solidité. En conséquence, un accouchement par voie basse à la suite d'une césarienne est (comme pour le siège) très précautionneux : à la fin du 8e mois, l'obstétricien vérifie les dimensions du bassin par une radiopelvimétrie et celle du fœtus par une échographie. Il confronte ces données ainsi que la cause de la première césarienne pour donner son accord premier, avant tout début de travail. L'accouchement doit se passer le plus naturellement possible, sans stagnation de la dilatation et peut rarement être déclenché.
- Après plusieurs césariennes, le placenta peut s'implanter sur la cicatrice avec un risque de placenta accreta (le placenta s'enfouit dans le myométre utérin) et qu'on ne peut enlever lors de l'accouchement. Les risques hémorragiques sont alors élevés.

La naissance

Voilà… Pour vous, l'accouchement est terminé. Pour lui, ce tout-petit qui vient de surgir dans le monde, tout commence… En quelques secondes à peine, ses poumons s'adaptent à l'air libre, il respire pour la première fois, et son sang va circuler très bientôt en circuit autonome. Quittant votre ventre protecteur et nourrissier, le nouveau-né connaît le premier grand bouleversement de sa vie.

Cinq minutes... et tout change

Il suffit de moins de cinq minutes pour que le nouveau-né s'adapte à la vie autonome à l'air libre. Son système respiratoire et sa circulation sanguine deviennent efficients très vite. Pourtant, cela suppose la mise en jeu de mécanismes extrêmement complexes. Il ne faut en effet pas oublier que, juste avant de naître, le fœtus vit toujours du sang de sa mère, via le cordon ombilical. Ses poumons ne fonctionnent pas. Il n'existe pas de circulation sanguine entre le cœur et les poumons, et c'est le placenta qui assure les échanges entre le sang de la mère, riche en oxygène, et le sang du bébé, chargé de gaz carbonique. La naissance constitue donc un grand bouleversement pour l'organisme du bébé. Pour vérifier son bon déroulement, les médecins utilisent le score d'Apgar.

Fini, les tapes dans le dos

Grâce au docteur Frédérick Leboyer et à son livre *Pour une naissance sans violence*, publié en 1974, l'approche de la naissance a évolué dans le sens d'une plus grande attention portée à l'accueil du bébé en tant que personne capable de ressentir. Ainsi, les lumières crues disparaissent des salles de naissance, on se soucie des premiers contacts de l'enfant avec sa mère et son père, on l'enveloppe dans une couverture pour qu'il ne prenne pas froid…

LE SCORE D'APGAR • Ce test, du nom de l'anesthésiste américain qui l'a mis au point, s'effectue à deux reprises : à une minute, puis à cinq minutes. Il ne dure pas plus de quelques secondes et consiste en une simple observation. Le médecin observe le tonus du nouveau-né, sa coloration, ses mouvements, sa respiration et prend sa fréquence cardiaque en palpant le cordon ombilical. Il peut ainsi détecter une éventuelle anomalie. Si besoin, on aspire le liquide et

LE SCORE D'APGAR

Cotation	0	1	2
Fréquence cardiaque (battements par minute)	0	moins de 100	plus de 100
Mouvements respiratoires	0	irréguliers	réguliers
Tonus musculaire	0	léger tonus en flexion	bon tonus en flexion
Réactivité à la stimulation cutanée	0	grimace ou léger mouvement	cri
Coloration	bleuissement (cyanose)	extrémités bleuies (cyanosées) et corps rose	enfant totalement rose

Le score d'Apgar comprend cinq paramètres cotés de 0 à 2. Un nouveau-né, s'il va bien, a un total égal ou supérieur à 8 la première minute, et atteint rapidement 10. Une cotation nettement inférieure indique qu'il faut rétablir une « ventilation efficace » et une bonne circulation du sang. Si cela est fait en urgence, l'épisode n'a aucune incidence sur la vie future du bébé.

Dès qu'il naît, le bébé inspire. Ses poumons entrent en fonction pour la première fois.

les glaires pouvant encombrer les poumons du nouveau-né et on lui insuffle de l'oxygène. Par cette réanimation en urgence, on évite des lésions éventuelles au cerveau. Un enfant dont le score d'Apgar est bas à la naissance (voir tableau ci-contre) a toutes les chances d'être ensuite en bonne santé. Les résultats, inscrits sur le carnet de santé, ne présagent d'ailleurs pas de l'évolution future du bébé.

Premier cri, première inspiration

Aussitôt (ou presque) que sa tête atteint l'air libre, le nouveau-né se met à crier et à respirer : c'est le premier cri inspiratoire. Dès qu'il ouvre la bouche, l'air s'engouffre dans ses poumons. Les premiers mouvements des muscles respiratoires du thorax propulsent alors cet air dans les alvéoles pulmonaires. Elles sont désormais disponibles, car le liquide amniotique qui les remplissait pendant la vie utérine a pour l'essentiel été éliminé lors du passage par les voies génitales étroites de la mère. Parfois, le nouveau-né crie quelques secondes avant que la sage-femme l'ait posé sur le ventre de sa mère, parfois quelques secondes après. Il arrive que ce cri inspiratoire soit seulement un petit sanglot, car les poumons du bébé sont encore un peu encombrés de liquide amniotique et de glaires. Mais ça y est, tout va bien, il respire !

Pourquoi crie-t-il ?

Le premier cri que pousse le nouveau-né traduit son adaptation à la vie en dehors de l'utérus. Dès qu'il quitte le ventre maternel, le bébé a maintes sensations : froid, contact direct avec ce qui l'entoure, ce qui déclenche chez lui, par un réflexe nerveux, une ouverture de la glotte et une violente contraction des muscles responsables de l'inspiration. Il se crée ainsi une forte dépression dans le thorax, qui provoque une entrée d'air : c'est la première inspiration. Puis survient la première expiration, alors que la glotte est partiellement fermée : c'est le premier cri.

L'absence de cri à la naissance n'est pas nécessairement anormale ; elle peut par exemple indiquer que l'enfant est né endormi, à cause d'une anesthésie générale pratiquée sur sa mère. La plupart du temps, une stimulation manuelle ou une ventilation au masque suffiront pour provoquer ce premier cri.

Qu'entraîne la ligature du cordon ?

La ligature du cordon ombilical, effectuée par le médecin accoucheur ou la sage-femme, rompt le lien entre l'enfant et le placenta. Aussitôt, le sang venant du cœur du nouveau-né doit passer dans ses vaisseaux pulmonaires pour y trouver l'oxygène que lui fournissait jusque-là, via le placenta, le sang de sa mère. L'artère pulmonaire s'ouvre alors, provoquant la fermeture de divers canaux qui assuraient la circulation sanguine du fœtus sans passer par les poumons. La circulation cœur-poumons du nouveau-né est ainsi établie. Son teint, qui était plutôt bleuté, devient rose. Mais ne vous étonnez pas si son cœur bat très rapidement (de 120 à 160 battements par minute en moyenne), presque deux fois plus vite que celui de l'adulte.

De même, il est normal que la respiration d'un nouveau-né soit un peu irrégulière (parfois profonde, parfois plus superficielle et plus ou moins rapide) ; elle le restera pendant toute sa première année.

Les premiers soins

Sitôt né, avant même que ne soit coupé le cordon, le bébé est posé sur le ventre de sa mère. Le voici donc sur vous, forcément différent de l'idée que vous vous faisiez de lui. Vous le regardez, le touchez ; lui cherche peut-être déjà votre sein. Ces premiers contacts, mêlés d'émotion et de fatigue, précèdent les soins médicaux et la toilette effectués par les infirmières.

Enfin en tête à tête !

Lorsque tout se passe bien, comme c'est le plus souvent le cas, le personnel médical présent à l'accouchement laisse le bébé qui vient de naître s'adapter tranquillement à la vie à l'air libre sur le ventre de sa mère. Là, il retrouve sa chaleur, son odeur, les bruits de son cœur, sa voix ainsi que celle de son père.

PREMIERS CONTACTS • Vous, qui le découvrez enfin, avez tout loisir de l'observer et de le toucher. Certes, il ne ressemble pas à l'angelot des publicités, il a la peau un peu violette et souvent fripée, même s'il rosit progressivement. Vous ne le trouvez d'ailleurs peut-être pas nécessairement beau. Vous le dévorez pourtant des yeux, vous sentez son corps et respirez sa présence.

Lui fait aussi connaissance. Il peut déjà chercher votre sein, en se déplaçant à sa façon vers le haut de votre ventre. Éventuellement, il tète quelques millilitres de colostrum, cette sécrétion très nutritive qui précède le lait. Sa bouche connaît instinctivement le mouvement de succion.

LE POINT DE VUE DE BÉBÉ

Quel choc ! Il n'y a plus rien autour de moi ! C'était plein, élastique, chaud et sonore, et maintenant je sens du vide et du dur. J'ai froid, je suis maladroit et lourd, mes yeux brûlent si je les ouvre et les sons vrillent dans mes oreilles. Mes mains ne touchent plus la douceur qui glisse et qui bat. Vite, retrouver du chaud, être enveloppé, porté, bercé, ne plus me sentir tomber. Je veux retrouver l'odeur de maman, les battements de son coeur et entendre les voix qui me rassurent.

QUI COUPE LE CORDON ? • Pendant ce temps, le personnel médical a clampé le cordon avec de petites pinces. Ce sera peut-être le père qui le coupera dans quelques instants. Une fois ce dernier lien physique rompu, le nouveau-né pourra vous quitter un instant pour aller dans les bras de son papa. Il est désormais capable d'ouvrir les yeux. Tous ces premiers gestes, cette première rencontre ne durent pas très longtemps. Mais ils n'en sont pas moins très intenses.

LE PREMIER BAIN

- Le premier bain s'effectue suivant des modalités différentes selon les maternités.
- **Dans la plupart, le bébé est lavé de la tête aux pieds dès qu'il est né.**
- **Mais certaines cliniques préconisent d'essuyer seulement l'enfant et d'attendre le lendemain pour une toilette plus poussée. La maman peut ainsi participer au premier bain.**
- **Le nouveau-né, lui, n'est pas gêné par ce délai :** il serait même rassuré de sentir sur sa peau l'odeur du liquide dans lequel il baignait jusqu'alors. Il reste, en outre, recouvert quelques heures par le vernix caseosa (enduit blanchâtre), qui a un effet protecteur.

Les premiers soins médicaux

Après avoir accouché et découvert votre enfant, vous allez rester environ encore deux heures sous la surveillance étroite de l'équipe médicale. Pendant ce temps, votre bébé va bénéficier des premiers soins indispensables à son confort et à sa sécurité. Les sages-femmes nettoient ses narines et sa gorge (pharynx) à l'aide d'une petite sonde aspirante. Elles mettent des gouttes de collyre dans ses yeux pour les désinfecter. Elles lui donnent en prise orale de la vitamine K pour éviter les risques d'hémorragie. Enfin, elles recoupent le cordon ombilical, plus près de l'ombilic.

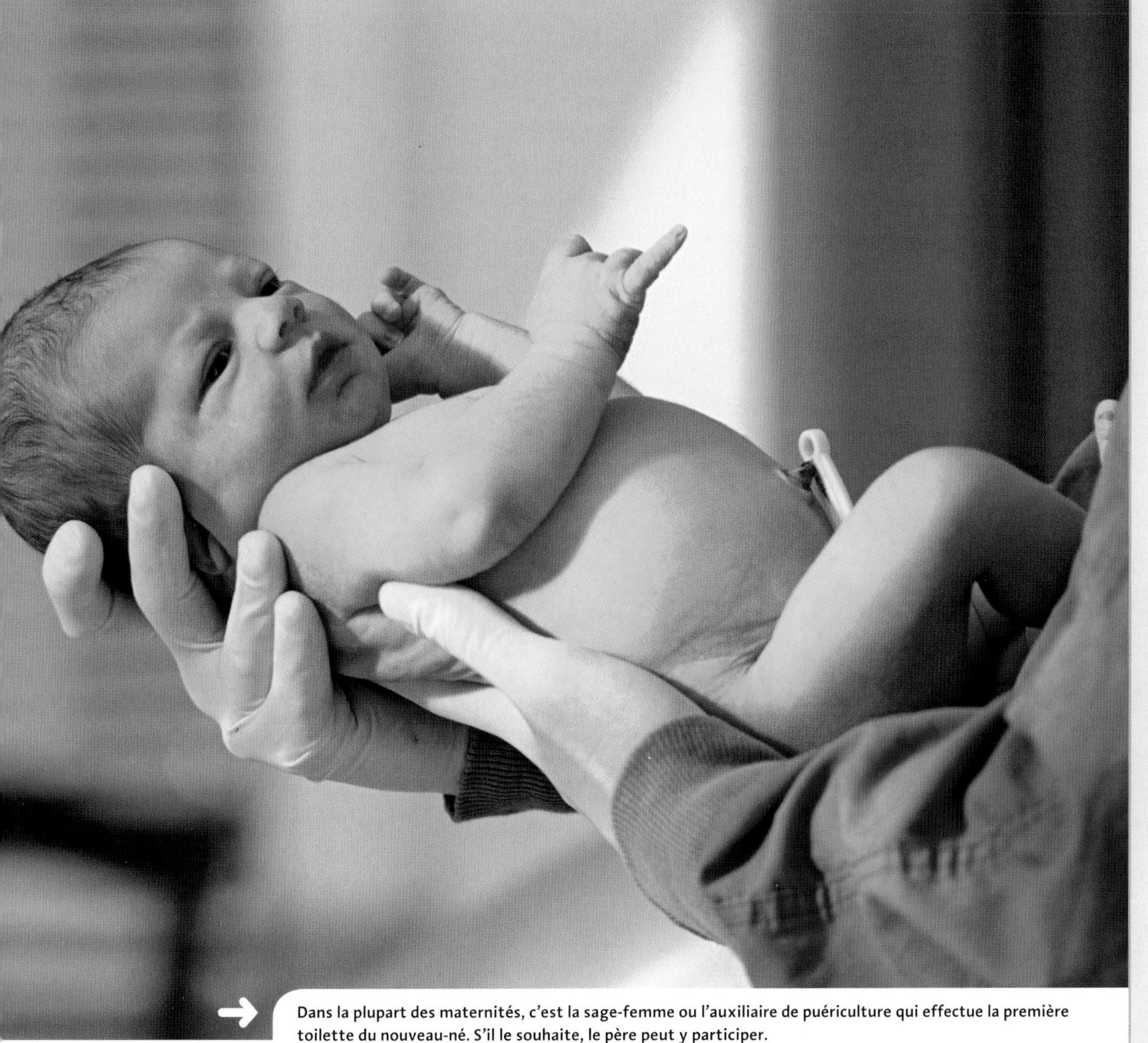

Dans la plupart des maternités, c'est la sage-femme ou l'auxiliaire de puériculture qui effectue la première toilette du nouveau-né. S'il le souhaite, le père peut y participer.

PESÉ ET MESURÉ • Votre enfant sera ensuite pesé et mesuré. En moyenne, un bébé né à terme pèse autour de 3,3 kg (un peu plus pour les garçons, un peu moins pour les filles), mais les écarts entre deux nouveau-nés peuvent être considérables, allant de 2,5 kg à plus de 4 kg. En revanche, la taille ne varie guère d'un bébé à un autre, et fluctue tout au plus de 3 ou 4 cm par rapport à la moyenne générale, qui est de 50 cm. Enfin, son tour de tête, ou périmètre crânien, est en général, à un centimètre près, de 35 cm. Ce ne sont là bien sûr que des indications moyennes. La taille et le poids de naissance ne déterminent pas à eux seuls la croissance future du bébé, puis du jeune enfant.

La première toilette

Étant vous-même l'objet de soins, vous n'assisterez pas à la première toilette du bébé, effectuée par la sage-femme, sauf si celle-ci se déroule dans la salle de naissance. Le père y participera peut-être. À cette occasion, on ôte l'enduit blanchâtre (vernix caseosa) qui recouvre la peau. Très abondant au niveau des plis, ce dernier sèche et disparaît naturellement en 24 heures si le nouveau-né n'est pas lavé.

Enfin habillé, bébé va rejoindre vos bras pour un repos bien mérité. Il s'éveillera ensuite tiraillé par la faim, sensation inconnue pour lui. Ce sera alors la première tétée.

La découverte de son enfant

Les parents qui s'attendent à découvrir juste après la naissance un chérubin tout droit sorti d'un tableau de Botticelli risquent d'être fortement déçus ! Mais heureusement, la plupart des bébés perdent assez vite ces traits disgracieux caractéristiques de tous les nouveau-nés.

À quoi ressemble un nouveau-né ?

Un nouveau-né est rarement aussi beau que l'avaient imaginé ses parents. En effet, avoir baigné 9 mois dans le liquide amniotique et avoir été comprimé 12 heures ou plus dans un utérus malmené par les contractions puis dans le canal pelvi-génital, laissent des traces. Les bébés nés par césarienne sont, généralement, moins marqués. Heureusement, la plupart des bébés perdent leurs traits disgracieux – tête allongée, peau fripée, yeux bouffis – et, au fil des heures, deviennent d'adorables poupons.

Une tête volumineuse et lourde !

La tête d'un nouveau-né paraît toujours énorme : elle représente effectivement environ un quart de sa taille totale. Un nourrisson n'a pas la force nécessaire pour la maintenir, c'est pourquoi il faut veiller à la soutenir soigneusement pendant ses premiers mois. À trois mois, il commencera progressivement à pouvoir tenir sa tête dans le prolongement du corps quand vous le relèverez.

UNE TÊTE À LA FORME ALLONGÉE • Pour franchir le bassin de la mère, la tête du bébé se modèle et prend souvent la forme d'un cône. Le fait d'appuyer sur le col de l'utérus alors qu'il n'est pas encore totalement dilaté explique souvent la raison pour laquelle les bébés naissent avec une bosse sérosanguine sur la tête. Celle-ci disparaît généralement au bout de 1 ou 2 jours, alors que la tête s'arrondit entre 1 et 2 semaines.

À la naissance, la tête de votre bébé est la partie du corps la plus grosse, avec un périmètre aussi grand que la poitrine. Au fil des mois, les proportions vont peu à peu changer.

LES CHEVEUX DU NOUVEAU-NÉ • Les cheveux qui recouvrent le crâne du bébé n'ont pas grand-chose à voir avec ceux qui pousseront un peu plus tard. Certains bébés sont pratiquement chauves à la naissance alors que d'autres ont une épaisse crinière ou seulement quelques mèches éparses. Presque tous les bébés perdent leurs cheveux qui, peu à peu, sont remplacés par d'autres pouvant être d'une couleur et d'une texture différentes.

LE VERNIX CASEOSA • Dans l'utérus, le corps du fœtus est recouvert d'une substance blanchâtre qui protège la peau baignant dans le liquide amniotique. Le corps des prématurés est presque totalement recouvert de vernix alors que, chez les bébés nés après terme, le vernix est principalement localisé dans les plis et sous les ongles.

DES PARTIES GÉNITALES GONFLÉES • Les organes génitaux des nouveau-nés sont pratiquement toujours gonflés – aussi bien chez les petites filles que chez les petits garçons. Les glandes mammaires – des filles et des garçons – sont également volumineuses. Certaines petites filles ont des sécrétions vaginales teintées de sang comme des petites

“ L'état de sa peau m'inquiète un peu… Que dois-je faire ?”

LES PETITES IMPERFECTIONS DE LA PEAU

La peau d'un nouveau-né n'a souvent pas l'aspect que l'on imaginait, mais elle ne nécessite pas pour autant de soins particuliers. Ses petites imperfections s'en iront le plus souvent d'elles-mêmes. Il est par exemple normal que la peau soit très rouge, voire un peu violacée et sèche sur les mains et les pieds, les extrémités étant encore fripées par leur long séjour dans le liquide amniotique. Un jour ou deux après la naissance, elle pèle par petits lambeaux, mais redevient douce quand on la masse avec une crème hydratante. Sur le nez et le menton, de petits grains blancs de la taille d'une tête d'épingle, appelés « milium », apparaissent parfois. Formés d'amas sébacés, ils se résorbent en quelques semaines. Là encore, pas d'inquiétude…

règles – ce qui est tout à fait normal. Les glandes mammaires désenflent et les sécrétions vaginales disparaissent entre 8 et 10 jours après la naissance.

LE LANUGO • Le fin duvet noir plus ou moins dense, appelé « lanugo », qui recouvre parfois les épaules, le dos, les membres, le front et les tempes des bébés nés à terme disparaît au bout d'une semaine. Le lanugo est plus abondant et met donc plus de temps à disparaître chez les prématurés. Les enfants nés après terme n'en ont généralement pas.

DES YEUX GONFLÉS • Ce qui est tout à fait normal après ces 9 mois et ce qu'il vient de vivre ! Au bout de quelques jours, les yeux ne sont plus enflés. Les yeux des bébés de race caucasienne sont généralement, mais pas toujours, bleu-ardoise quelle que soit la couleur qu'ils auront plus tard. Les enfants à la peau mate ont généralement les yeux plus foncés.

LES TACHES DE NAISSANCE ET LES LÉSIONS CUTANÉES • Les bébés d'origine caucasienne peuvent naître avec une ou plusieurs petites taches rouges en relief, dont la taille varie. Ce sont des angiomes, appelés aussi taches « de vin », qui se situent généralement à la base du crâne, sur la paupière ou sur le front. Il est fréquent qu'elles virent au gris avant de disparaître totalement.

Les bébés asiatiques, noirs et d'Europe du Sud naissent plus avec des taches dites « mongoliques ». Ce sont des pigmentations gris bleuté du derme qui apparaissent sur le dos, les fesses et, plus rarement, sur les bras et les cuisses et qui disparaissent lorsque l'enfant approche de ses 4 ans.

Les taches de café (couleur café au lait) peuvent apparaître sur n'importe quelle partie du corps et, généralement, ne disparaissent pas.

Exposée à l'air, la peau peut devenir sèche et se desquamer. Il lui faut s'habituer à son nouvel environnement.

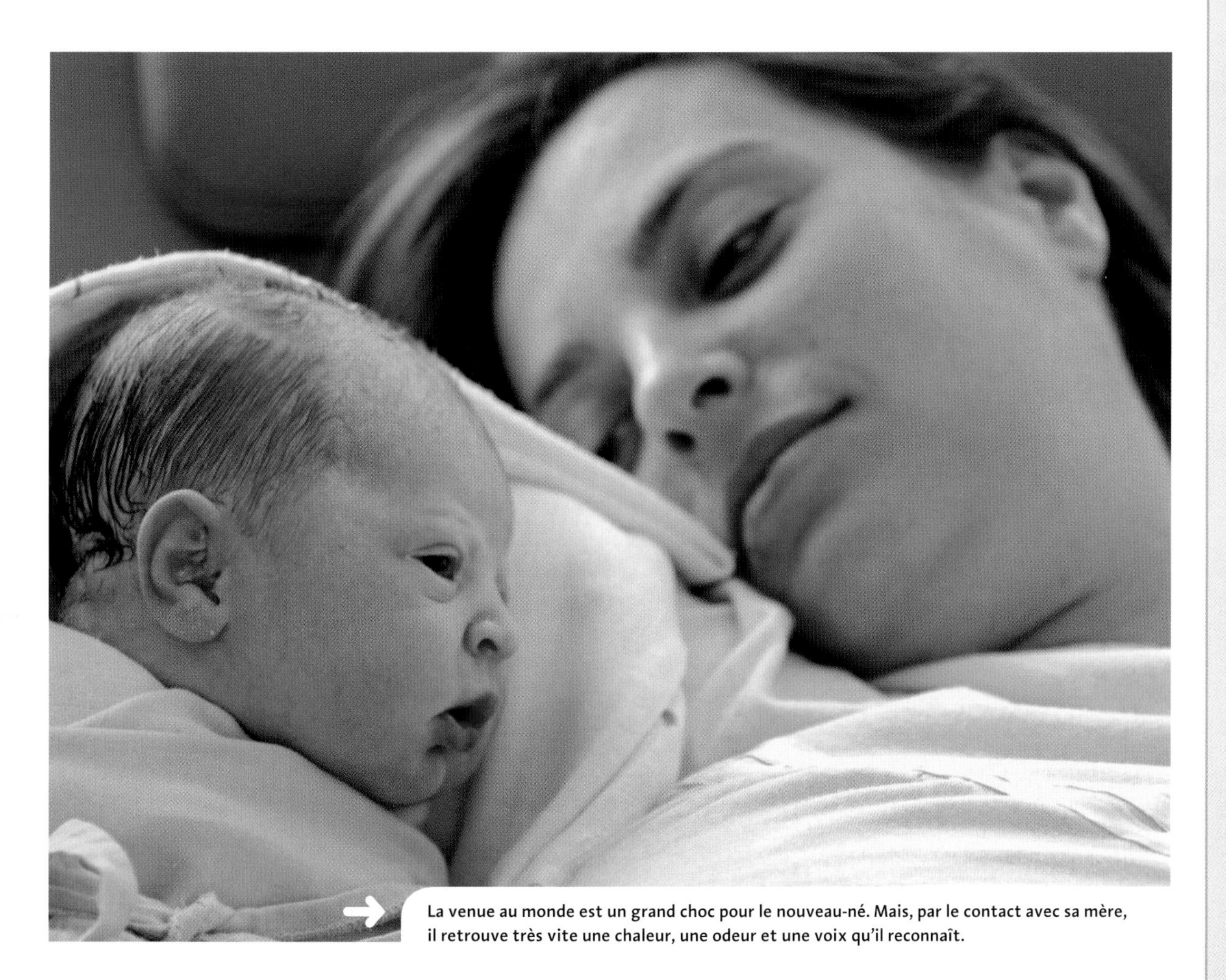

La venue au monde est un grand choc pour le nouveau-né. Mais, par le contact avec sa mère, il retrouve très vite une chaleur, une odeur et une voix qu'il reconnaît.

La naissance vécue par le père

Choisir de participer ou non à l'accouchement n'est pas toujours facile, surtout quand on ignore tout d'une telle expérience. Peut-on sortir de la salle de naissance dès qu'on le souhaite ? Où se placer et comment réconforter sa compagne ? Qu'est-ce qui peut heurter un homme ? Autant de points abordés ici pour vous aider à décider à deux.

L'attente à la maison

Passer ensemble les dernières heures à la maison est plus rassurant et agréable pour les futurs parents. Mais, selon sa profession, il est plus ou moins facile pour le futur père de se libérer, et cela demande un peu d'organisation – prévenez par exemple à l'avance que vous devrez peut-être partir précipitamment dans les jours qui viennent. Toutefois, pour un premier bébé, entre le moment où votre femme éprouvera les premières contractions et celui où il faudra partir pour la maternité, il s'écoule en général plusieurs heures, ce qui laisse le temps de se faire remplacer, quand c'est possible, et de rentrer chez soi.

Peur de voir du sang ?

Certains hommes craignent de voir du sang au moment de l'accouchement. Mais cela ne sera pas le cas, parce que le père se place habituellement du côté de la tête de la maman au moment de la naissance. Une femme saigne parfois lors de la délivrance, c'est-à-dire quand elle expulse le placenta. Mais, à ce stade, le père est occupé avec le nouveau-né et n'est pas forcément en salle de naissance.

SI VOUS ÊTES PRÉSENT... • Chaque homme vit à sa façon ces dernières heures d'attente à la maison. Vous pouvez veiller à ce que tout soit prêt pour le départ et soulager votre compagne des éventuels derniers préparatifs. Libérée des contraintes extérieures, celle-ci sera plus sereine. Mais, pour le reste, tout dépend de la sensibilité de chacun. Soyez présent à votre façon et surtout soyez vous-même. Il n'existe pas d'attitudes ou de gestes obligés dans ces moments-là : vous pouvez l'aider à se détendre par des caresses, assis ou allongés l'un près de l'autre, ou ne pas avoir de contact physique car ce qu'elle vit vous impressionne un peu. Votre compagne, de toute façon, est sans doute centrée sur son corps et sur cette naissance qui approche. Elle n'a pas forcément envie d'échanges particuliers. Plus elle demeure à l'écoute de ce qu'elle ressent, plus elle favorisera l'accouchement. Le seul fait de vous sentir près d'elle est en soi réconfortant et lui permet de bien se préparer à l'évènement. En revanche, si elle est dans l'angoisse, vos gestes tendres pourront certainement l'apaiser.

SAVOIR FAIRE CONFIANCE • Lors de la dernière consultation, quand ils y participent, beaucoup d'hommes demandent à quel moment il faut partir. Les explications de la sage-femme vous aideront sans doute, mais c'est votre compagne qui, le jour « J », saura, car elle le ressentira dans son corps. Et, si le « comment » vous échappe un peu, faites-lui confiance. Les cas d'accouchement durant le trajet sont rarissimes, même si cette peur demeure encore bien ancrée.

Assister ou non à l'accouchement ?

Être présent en salle de naissance est une décision qui se prend à deux. Il se peut que votre compagne ne souhaite pas votre présence, par pudeur, parce qu'elle a peur de se sentir moins libre d'exprimer éventuellement sa douleur, parce qu'elle craint de vous apparaître ensuite moins désirable, ou pour toute autre raison. Mais c'est peut-être vous qui n'en aurez pas envie, et c'est tout à fait compréhensible. L'important, dans l'un ou l'autre cas, est que chacun puisse comprendre la décision de l'autre, et la respecter.

ENSEMBLE D'UNE AUTRE FAÇON ? • Ce n'est pas parce que vous n'êtes pas tous les deux en salle de naissance que vous ne serez pas ensemble. Certaines femmes trouvent beaucoup de force dans le seul fait de savoir que le père de l'enfant est mentalement auprès d'elles et du bébé à venir. Elles n'ont pas besoin de sa présence physique. Et un homme, de son côté, peut vivre un moment très intense même s'il ne voit pas la naissance en direct. Quand il se trouve à la maternité, il entend sa femme, il assiste aux allées et venues du personnel soignant, il est dans l'attente.

➜ **Si vous êtes présent à la maternité, vous verrez votre enfant dans les minutes suivant sa naissance, que vous ayez ou non assisté à l'accouchement... Ce seront vos premiers instants à trois.**

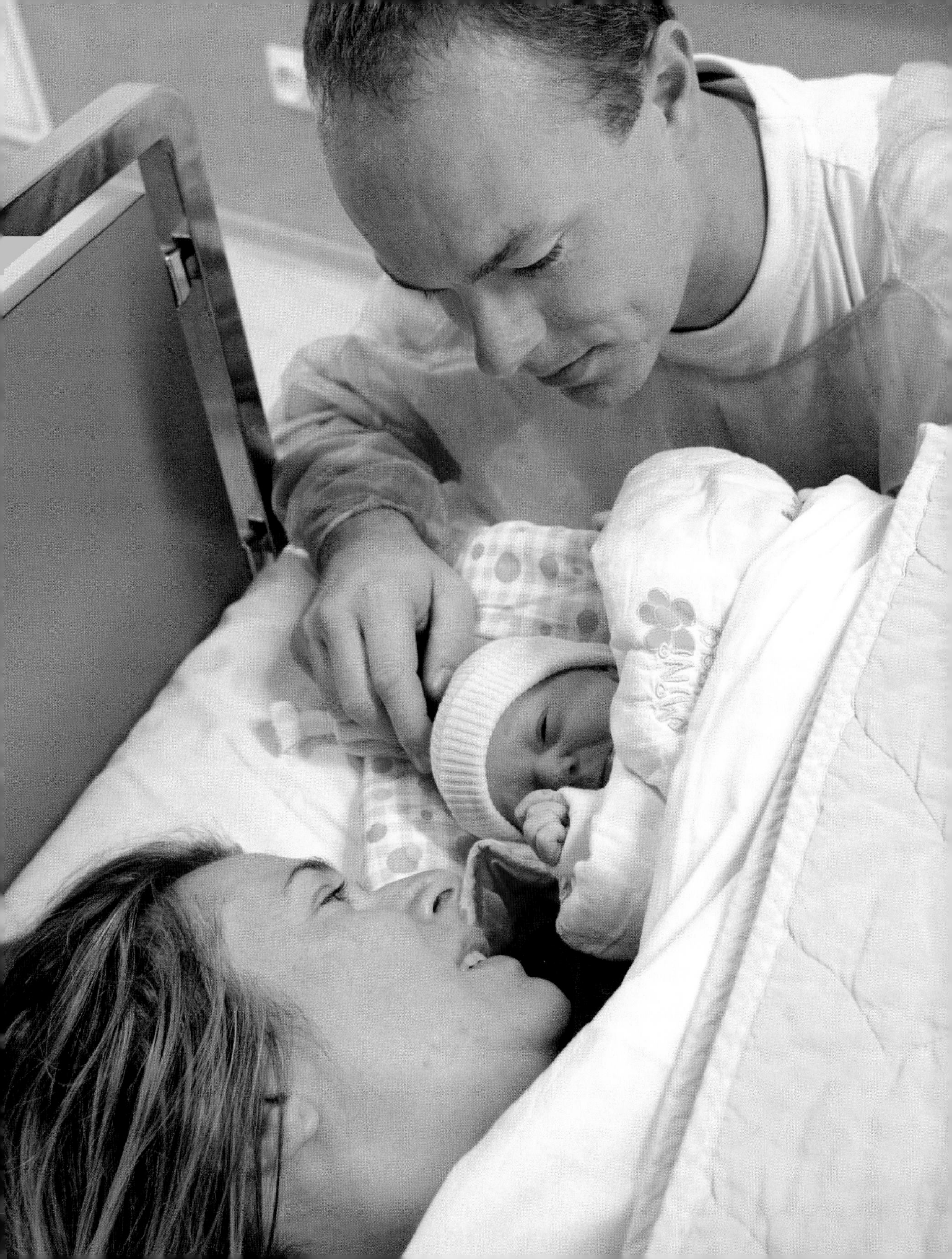

Et quand la sage-femme lui annoncera que son enfant est né, son émotion sera tout aussi grande.

D'une certaine façon, plus que le fait d'assister à l'accouchement, c'est l'amour pour sa femme et le fait de penser à cet enfant près de venir au monde qui sont ici essentiels. Chacun vivra cette naissance à sa manière, et il importe en la matière de suivre son désir. Si, toutefois, vous continuez de mener vos activités professionnelles sans temps d'arrêt, vous risquez de vous trouver un peu décontenancé quand l'enfant sera là. N'oubliez pas que, durant l'accouchement, vous êtes aussi un père en train de naître, que vous le viviez en festoyant, en parlant, sans rien faire ou en restant avec elle !

Être présent de façon intermittente ?

Dans les faits, « assister à l'accouchement » recouvre divers accompagnements possibles. Vous pouvez rester près de votre compagne durant toute la phase de travail et de dilatation du col (voir page 284), qui dure plusieurs heures et se déroule en salle de travail. Vous pouvez choisir de ne pas l'accompagner ensuite en salle de naissance. Vous pouvez aussi être là du début à la fin et donc assister également à la dernière phase de la naissance qui dure environ une demi-heure ; vous verrez dans ce cas le bébé apparaître et venir au monde.

Dans tous les cas de figure, vous êtes libre d'entrer et de sortir de la salle de naissance comme vous le souhaitez. Certains hommes décident parfois de participer, puis, une fois sur place, se sentent mal à l'aise et préfèrent attendre à l'extérieur. Ces allers et retours sont tout à fait autorisés. Mieux vaut sortir que de se faire violence. Personne, d'ailleurs, ne saurait rester totalement disponible durant près de douze heures, ce qui est la durée moyenne d'un accouchement...

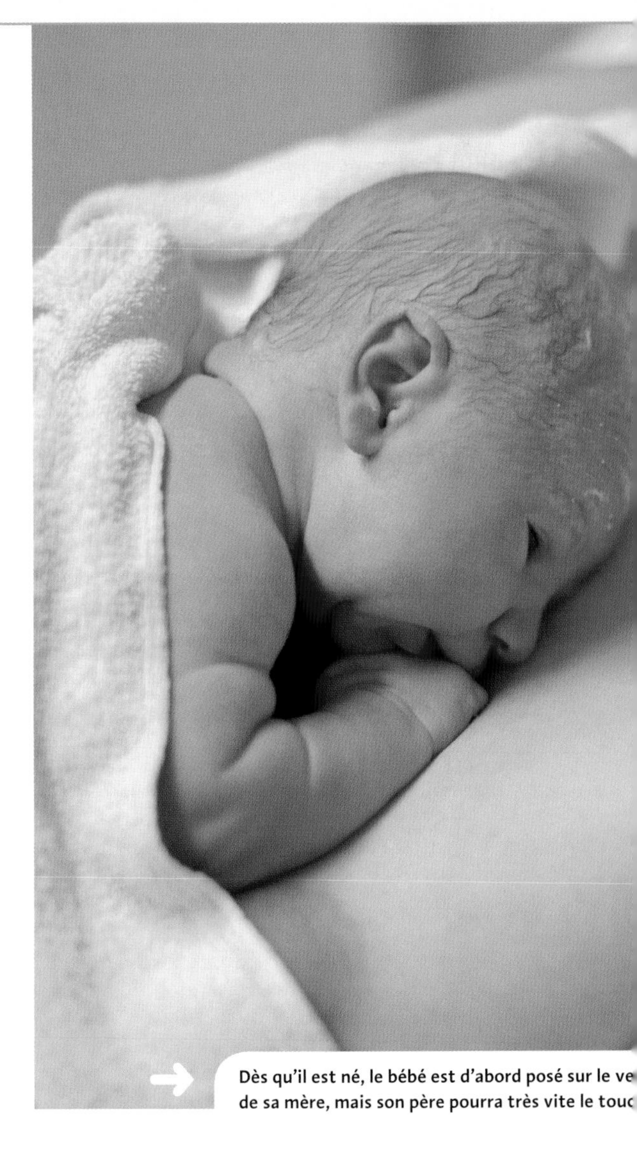

Dès qu'il est né, le bébé est d'abord posé sur le ve de sa mère, mais son père pourra très vite le touc

Savoir à quoi s'attendre

Pour savoir comment se déroule l'accouchement, on peut assister aux séances de préparation (voir pages 116 à 121 et 190 à 197) en même temps que sa compagne. Cela permet d'être moins surpris le jour « J » et d'apprendre éventuellement comment la soutenir. Cela ne suffit pas à se préparer totalement. Beaucoup de futurs pères, de fait, éprouvent un choc bien plus grand qu'ils ne l'imaginaient.

VOIR LA DOULEUR DE L'EXTÉRIEUR... • Le plus éprouvant dans un accouchement est sans doute de voir la femme aimée souffrir et ne pouvoir rien faire. « Souffrir » n'est d'ailleurs pas le mot exact. Les grimaces, les gémissements, les cris d'une femme en train d'accoucher n'expriment pas toujours une forte douleur, mais sont aussi un moyen d'extérioriser, car cela aide à accomplir l'effort nécessaire, cela aide à aller mieux. La femme a parfois mal, certes, mais elle est aussi au-delà de cette douleur, car centrée sur l'avancée de son enfant, un peu comme un coureur qui gravirait une côte en ramassant toutes ses forces pour parvenir plus vite au sommet, sans toujours se soucier de la peine qu'éprouve son corps.

VOUS SEREZ SÛREMENT SURPRIS • Cris et gémissements ne sont bien sûr pas systématiques. Chaque femme réagit à sa façon. Comme l'écrit ce père à un ami : « Elle ne cessait de répéter dans les derniers moments "C'est pas possible, pas possible, pas possible", et "Je vais mourir", ainsi que des tas d'autres sons et de phrases étonnantes. » Tel autre, habitué au vouvoiement, même en famille, a soudain entendu sa femme le tutoyer devant le personnel soignant. Un autre s'est dit surpris de sa violence verbale parce qu'il avait eu un geste tendre alors qu'elle était en train de « pousser ». Nombre d'hommes ayant assisté à un accouchement en auraient beaucoup à raconter sur ce sujet... De façon générale, le comportement en salle de naissance échappe aux règles « habituelles », et la civilité n'a plus cours quand l'enfant est en train de naître. Quand une femme pousse pour aider son bébé à venir au monde, il s'agit de vie à l'état brut. C'est aussi la force de votre femme, son énergie, qui vous étonneront sans doute, et vous vous sentirez fier. Vous-même d'ailleurs êtes souvent bouleversé et pas tout à fait dans votre état habituel, que vous l'exprimiez ou non.

Où se placer ?

Le plus souvent, l'homme se place à côté ou derrière sa compagne. Quand le bébé commence à sortir, les sages-femmes proposent parfois au père, s'il le souhaite, de se placer en face pour assister à l'avancée de son enfant, mais certaines femmes craignent que leur compagnon les désire moins en les découvrant de la sorte. Si votre femme éprouve de la gêne, mieux vaut l'éviter. Les plus pudiques pourront d'ailleurs demander qu'un drap soit posé sur le bas-ventre au moment où l'enfant sort. C'est une question qui mérite d'être réfléchie et discutée entre vous à l'avance. Sachez aussi admettre vos propres limites : assister à un accouchement en y faisant face est souvent plus impressionnant qu'on ne se l'imagine. En restant au côté de votre femme, vous verrez aussi bien apparaître la tête, puis tout le corps du bébé. Surtout, cette position est moins agressive et plus réconfortante pour la mère, qui se sentira épaulée au sens propre comme au figuré. Vous serez proche de votre compagne et pourrez la rassurer, l'encourager et la réconforter au creux de l'oreille. Vous serez aussi du même côté et regarderez dans la même direction.

Comment soutenir sa femme ?

Il n'existe pas de règles strictes sur la conduite à tenir lors d'un accouchement. Votre seule présence est déjà un réconfort. Même si, par certains gestes rassurants, vous aiderez votre compagne à se détendre... N'oubliez pas toutefois que vous ne devez pas suppléer la sage-femme. Il arrivera que vous et votre compagne soyez seuls en salle de travail, surtout durant les premières heures. Mais, s'il y a le moindre problème, il faut appeler. En aucun cas, vous n'êtes là pour aider à accoucher. Vous soutenez la femme que vous aimez et vous regardez votre enfant naître, cela suffit amplement.

QUELS GESTES À QUELS MOMENTS ? • À certains moments, vous pourrez soutenir votre femme par des gestes dont vous avez l'habitude entre vous : poser une main sur son épaule, effleurer sa joue.... Mais, à moins qu'elle ne vous le demande, ne la touchez pas lorsqu'elle a mal ou qu'elle est en plein effort. Tout geste doit en effet être effectué entre deux contractions ou deux poussées, quand son corps se relâche. Vous risquez sinon de déranger votre femme et d'être très mal reçu. Vous pouvez l'aider à se détendre si elle résiste aux contractions et se tient le dos cambré (les séances de préparation vous auront aidé à repérer les positions de refus). Dans ce cas, conseillez-lui par exemple de se pencher plutôt en avant... ou appelez la sage-femme !

LA PRENDRE DANS SES BRAS ? • Vous pouvez aussi prendre votre femme dans vos bras, quand elle est relativement détendue, et, pour ce faire, vous asseoir derrière elle sur la table de travail, en veillant à ce que son dos soit en position arrondie. Petit conseil, toutefois : installez-vous quand vous êtes tous les deux seuls ; si, à son retour en salle de travail, la sage-femme voit que la maman se trouve bien et plus détendue, elle ne dira rien. Si vous lui demandez la permission, en revanche, vous risquez d'essuyer un refus... Car ces comportements sont encore bien rares dans les maternités, bien que de tels gestes soient enseignés dans les séances de préparation haptonomique.

QUI EST LÀ POUR SOUTENIR LE PÈRE ?

- **Du temps où les pères n'assistaient pas à l'accouchement, ils patientaient souvent en compagnie de proches, à la maternité ou à l'extérieur.** Cette présence auprès du futur père visait à le soutenir, à l'accompagner dans son attente. C'était aussi une forme de rituel de passage.
- Mais, de nos jours, **les hommes qui assistent à l'accouchement se retrouvent souvent très seuls, et voir sa femme accoucher est parfois éprouvant.** Or, quand on a besoin de communiquer ses émotions, ni la mère, en plein effort, ni le personnel soignant ne sont disponibles. **C'est pourquoi certains futurs pères demandent à un proche de passer à la maternité. De fait, sortir par moments de la salle de naissance pour parler et boire un café, avec un ami ou une sœur ne peut faire que du bien.** Et, si l'on n'assiste pas à l'accouchement, autant attendre en compagnie.

Le premier contact avec le papa

Même si vous n'avez pas participé à l'accouchement, vous serez bien sûr prévenu dès que votre enfant est né. Vous verrez alors votre femme tenant tendrement dans ses bras le tout-petit encore tout nu. Difficile de rester impassible… Chaque père vit ces instants uniques à sa façon, de façon très expressive ou tout intérieure, avec ses gestes ou ses mots ou ses silences, avec l'envie ou pas de toucher l'enfant.

Des premiers instants très brefs

Que l'on ait ou pas assisté à l'accouchement, les premiers instants avec son enfant paraissent toujours très brefs. Dès qu'il est né, l'enfant est posé sur le ventre de sa mère, puis la sage-femme, ou le père, coupe le cordon ombilical. En général, on laisse ensuite un peu de temps au bébé et à ses parents pour qu'ils commencent à se découvrir. Puis, déjà, voici le bébé emporté par une puéricultrice pour les premiers soins (voir pages 296 et 297), et enfin la toilette à laquelle vous pourrez participer. Ces premiers instants sont très intenses.

COUPER OU PAS LE CORDON ? • Selon les psychologues, le père, en coupant le cordon ombilical, participe symboliquement à la venue de l'enfant au monde et aide à le séparer de sa mère. Mais chacun donnera ou non une telle valeur à ce geste. Si vous n'avez pas envie de couper cette matière un peu gélatineuse, il suffit de dire « non » et de laisser la sage-femme s'en charger. Personne ne vous en tiendra rigueur. Un geste tout autant symbolique, marquant lui aussi l'ouverture au monde, serait de prendre l'enfant sur le ventre de sa mère pour le confier à la sage-femme qui lui donnera les premiers soins.

LA DÉCLARATION DE NAISSANCE

- **La déclaration de naissance est une formalité obligatoire,** à effectuer en France dans les trois jours suivant la naissance.
- **Dans la plupart des hôpitaux, c'est un officier d'état civil qui s'en charge sur place.** Le père n'a pas besoin de se déplacer à la mairie. Certains hommes le regrettent. Faire soi-même la démarche, en effet, n'est pas un acte si anodin, cela peut même revêtir une valeur symbolique forte, car le père affirme ainsi en substance devant la société : « C'est mon enfant et je le reconnais ».
- **Si vous souhaitez vous en charger, précisez à la maternité que vous ne souhaitez pas le passage de l'officier d'état civil.**
- **Pour les couples non mariés, la déclaration de naissance doit être complétée par la reconnaissance de l'enfant,** ce que l'on peut faire avant ou après la naissance.

Une forte émotion, parfois à retardement

Certains hommes pleurent quand ils voient leur enfant pour la première fois et mêlent dans ces pleurs à la fois l'émotion ressentie et la tension accumulée. D'autres ont un sourire béat… Chacun manifestera ses sentiments à sa façon, selon son caractère et avec plus ou moins de liberté. Si les barrières et le vernis social tombent un peu à ce moment-là, tant mieux pour celui qui le vit : la naissance de son enfant est une des grandes émotions de la vie. Parfois, il arrive que l'on n'exprime rien. C'est aussi le cas de certaines mères, quand elles sont trop épuisées. Éprouver une émotion est une chose, la manifester en est une autre. Chacun réalisera à son heure que l'enfant est là et bien là, en bonne santé. Tous ne vivent pas le bouleversement de la naissance dans le même temps.

Agir comme on le sent

Accueillir son bébé doit se faire selon son propre désir. Ne vous interdisez pas certains gestes ou attitudes du seul fait de la présence du personnel soignant. Comme la mère, le père a parfois envie de sentir l'enfant sur sa peau. Pourquoi ne pas le faire ?

Les premiers gestes vers le bébé, ce premier toucher, quels qu'ils soient, répondent souvent à un besoin très intime. Ils ne concernent que le bébé et vous et peuvent être essentiels pour vous deux. Il arrive pourtant que l'on n'ose pas, par peur de faire mal ou d'être maladroit. Mais il

Rapidement après sa naissance, le nouveau-né fait plus ample connaissance avec son père.

n'existe pas de façon « réglementaire » de tenir un bébé. Si vous en éprouvez le besoin, le personnel soignant vous aidera volontiers. N'hésitez pas à le leur demander : une sage-femme n'ira pas forcément solliciter un père qui semble se tenir à l'écart. À l'inverse, vous pouvez très bien, dans un premier temps, ne souhaiter aucun contact. Parce que c'est encore trop tôt pour vous, parce que vous regardez avec une certaine appréhension ce bébé couvert d'un liquide blanchâtre et tout humide du corps de sa mère. Là encore, c'est votre choix.

Participer au premier bain ?

Le personnel soignant invite en général le père à participer au premier bain et à l'habillage du bébé. Vous pourrez accepter ou refuser, mais vous aurez de toute façon sans doute envie de quitter la salle de naissance tandis que la maman expulse le placenta et reçoit les premiers soins. Le plus souvent, lors du bain, l'auxiliaire effectue les gestes en votre présence, mais ne vous confie pas le nouveau-né. Si vous souhaitez être davantage actif, nettoyer ou habiller vous-même le bébé, ce sera à vous de le demander, peut-être même en insistant un peu. Les pères doivent encore s'imposer dans les maternités, sous peine de n'être que des spectateurs, après l'accouchement comme dans les jours qui suivent. L'auxiliaire, si elle vous laisse faire, vous donnera bien sûr quelques conseils. Prenez-les comme une aide, mais ne considérez pas que sa façon de faire est la seule qui soit bonne pour l'enfant. Vous trouverez petit à petit vos gestes à vous, et ils contribueront aussi à forger votre relation avec le bébé. Et cela vaut aussi pour la façon de le porter, de l'habiller ou de le câliner…

CÉSARIENNE ET PRÉSENCE DU PÈRE

- **Grâce à la péridurale ou à la rachianesthésie, la femme et son compagnon peuvent suivre la naissance de leur enfant par césarienne et vivre pleinement ce moment.**
- **Lors des césariennes programmées, certaines équipes autorisent, sous condition, la présence du père en salle d'opération.** Le nouveau membre de la famille fera connaissance de ses parents aussitôt après sa naissance, comme lors d'un accouchement par les voies naturelles.
- **Des études ont montré que cette « banalisation » de l'acte chirurgical aidait les couples à mieux vivre ces moments** en les rassurant et réduisait les risques de dépression postnatale ou de culpabilisation chez la mère. Elle permet également de tisser plus vite les liens maternels et paternels avec l'enfant. Parmi les cours de préparation à l'accouchement, toute une séance est prévue sur la césarienne. Vous pourrez alors poser toutes les questions qui vous préoccupent.
- Si votre compagnon assiste à l'intervention, il met une blouse, un masque, un bonnet et des chaussons. Il entre en dernier dans la salle d'opération, après que l'anesthésie soit faite et les champs opératoires posés. Assis près de votre tête, il vous soutient moralement et vous tient la main. En restant près de vous, il appréciera tout particulièrement de voir le bébé dès sa sortie.
- **Si une anesthésie générale est pratiquée, le personnel médical prie le futur père de quitter la salle.** Il pourra alors accompagner votre enfant dès sa sortie du bloc opératoire.
- **En cas de césarienne non programmée,** les choses peuvent aller très vite. Essayez de garder votre calme. **Acceptez le règlement de la maternité et, notamment, de laisser votre compagne le temps de la césarienne** qui, en tout et pour tout, ne dure généralement pas plus d'une heure.

Le séjour à la maternité

- La maman après l'accouchement
- Les soins pour la maman
- Profiter du séjour à la maternité
- Les premières tétées
- Nourrir son bébé au biberon
- Les premiers jours du nouveau-né
- L'examen pédiatrique
- Le suivi médical des premiers jours
- Si l'enfant est séparé de ses parents
- Un papa entre maison et maternité
- L'examen de sortie
- Côté psy : de nouveaux sentiments
- Les débuts d'une relation à trois

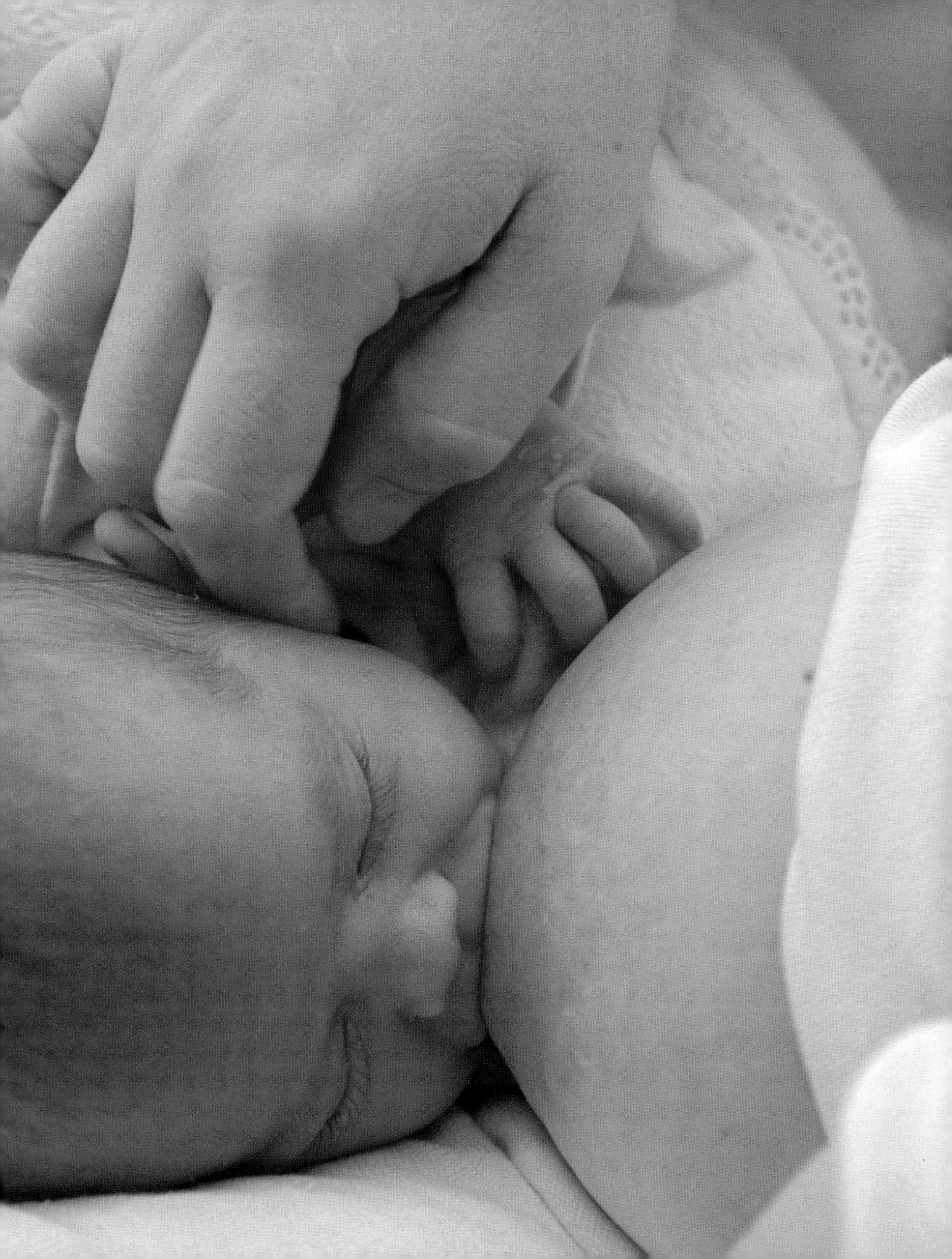

La maman après l'accouchement

Un accouchement, même s'il se déroule dans les meilleures conditions possibles, constitue toujours un effort physique et un bouleversement considérables. Votre corps, qui se rétablit de jour en jour, va avoir besoin d'au moins six à huit semaines pour trouver un nouvel équilibre : ce sont les « suites de couches ». Les premiers jours sont un peu difficiles...

Une fatigue qui vient de loin

Dans les premières heures qui suivent l'accouchement, c'est une sensation de fatigue qui risque de l'emporter, même si elle est parfois d'abord masquée par une certaine excitation liée au bonheur d'être maman et de voir son enfant. Cet état est bien normal. Avant l'accouchement, vous avez accumulé de la fatigue depuis plusieurs semaines. Bien avant le dernier mois, vos nuits étaient peut-être déjà plus courtes: il était malaisé de trouver la bonne position, le bébé bougeait beaucoup et vous éprouviez peut-être une certaine anxiété à l'approche de la fin de la grossesse... Durant les dernières semaines, vous avez aussi puisé dans vos réserves nutritionnelles (la future maman peut, avant même l'accouchement, manquer de fer, de calcium ou de magnésium).

Surtout, vous éprouvez une grande fatigue due à l'accouchement lui-même: vous avez dépensé beaucoup d'énergie, donné beaucoup de vous-même. Tout votre corps a été très actif et les efforts qu'il a fournis ont été intenses et soutenus. Les douleurs ressenties dans les jours qui suivent en sont la conséquence. Même les accouchements les plus rapides et les plus faciles laissent des traces qui ne vont pas s'estomper du jour au lendemain. Le corps a besoin d'un peu de temps pour récupérer, d'autant qu'il se modifie maintenant de nouveau, non sans effets sur l'état général, et parfois sur le moral. Enfin, il y a la fatigue des tout premiers jours: l'émotion, les visites, les débuts de l'allaitement et les nuits avec votre bébé... L'accumulation n'est pas anodine.

Vrai ou Faux ?

On ne peut pas être enceinte rapidement après la naissance du premier enfant.

Faux. Si vous n'allaitez pas, une nouvelle grossesse peut survenir 2 mois après la naissance du bébé ; si vous allaitez, les risques sont moindres, mais l'allaitement n'est pas un moyen de contraception.

Le corps se transforme de nouveau

Quelle que soit la façon dont vous perceviez votre état physique en fin de grossesse – avec un sentiment de plénitude ou de lassitude –, vous ne vous sentirez pas tout de suite très bien dans votre corps après l'accouchement. Vous n'êtes plus une femme enceinte, mais vous n'avez pas retrouvé votre physique d'avant. Votre ventre est encore gros, car il faut plusieurs jours à l'utérus pour se rétracter.

Si vous avez eu une épisiotomie, votre cicatrice vous tiraille peut-être. Vous asseoir est quelquefois difficile ; dans ce cas, n'hésitez pas à demander à votre compagnon de vous procurer une bouée. Vous n'irez certainement pas à la selle durant les deux ou trois premiers jours. Si vous craignez de souffrir parce que vous avez des hémorroïdes, parlez-en à la sage-femme qui pourra vous donner un médicament pour vous soulager. Vos jambes vont

“ Je suis très inquiète car depuis que j'ai accouché, je n'arrive pas à me contrôler et j'ai des pertes d'urines.”

LES PROBLÈMES URINAIRES

Le stress physique de l'accouchement perturbe un certain nombre de fonctions, y compris les fonctions urinaires. Des petites « fuites » sont courantes après l'accouchement, elles sont dues au manque de tonicité des muscles du plancher pelvien.

Les exercices de rééducation périnéale, recommandés à toute femme après l'accouchement, sont particulièrement utiles dans ce cas (pour lutter contre l'incontinence urinaire, voir page 372). Lors de la visite postnatale, le médecin prescrit systématiquement des séances de rééducation du périnée à faire pratiquer par un kinésithérapeute ou une sage-femme.

Si ce problème persiste au-delà, consultez à nouveau votre médecin.

Même les accouchements les plus rapides génèrent une grande fatigue. Pour se reposer, profitez des moments où votre bébé dort.

dégonfler rapidement car vous allez en quelques jours perdre tous vos œdèmes en allant souvent uriner. Vous retrouvez enfin le plaisir de vous mouvoir plus facilement et de revoir vos pieds quand vous vous tenez debout.

UN BOULEVERSEMENT HORMONAL • Après l'accouchement, les modifications hormonales sont particulièrement importantes. Certaines hormones produites tout au long de la grossesse, notamment l'œstrogène et la progestérone, chutent brutalement, tandis que d'autres connaissent des pics, comme l'ocytocine, qui agit sur l'utérus, et la prolactine, responsable de la montée de lait.

LE RETOUR DE L'UTÉRUS À LA NORMALE • En outre, très vite, l'utérus commence à diminuer de volume. La muqueuse utérine s'élimine peu à peu. Cela entraîne des saignements assez abondants que l'on nomme des « lochies ». Ils cesseront une quinzaine de jours, voire un mois plus tard. L'utérus, en se rétractant pour revenir à sa taille initiale, entraîne des contractions douloureuses, baptisées « tranchées ». Ces dernières durent environ deux jours et sont parfois un peu plus fortes en cas d'allaitement et à chaque nouvelle grossesse.

LES SUITES DE COUCHES • Votre organisme va bien avoir besoin de six à huit semaines pour retrouver un premier équilibre – davantage si vous allaitez au sein : cette période, appelée « suites de couches », s'achève par le retour des règles. En attendant, votre corps va récupérer tout doucement.

Les soins pour la maman

Les quelques jours que vous allez passer à la maternité visent d'abord à ce que le bébé et vous retourniez à la maison en bonne santé. Ce sera aussi l'occasion d'obtenir du personnel médical des conseils très utiles, ne serait-ce que sur les soins à donner à votre corps.

Qui s'occupera de vous ?

Durant votre séjour à la maternité, vous serez amenée à rencontrer différents professionnels de santé. Les sages-femmes et les infirmières (les équipes sont différentes de jour et de nuit) vont être vos principales interlocutrices : elles vous aideront pour la mise en route de l'allaitement, les soins et la toilette du bébé. N'hésitez pas à leur poser toutes les questions qui vous préoccupent.

Elles prendront aussi en charge les soins de l'épisiotomie ou de la cicatrice de césarienne, les perfusions éventuelles. Une équipe d'auxiliaires de puériculture et d'aides soignantes est aussi présente pour s'occuper de vous et du bébé. L'obstétricien qui vous a accouchée ou qui vous a suivie durant votre grossesse peut passer une fois lors de votre séjour mais, si tout va bien, vous le reverrez plutôt lors de la visite postnatale, six à huit semaines plus tard.

Les différents soins

LA SURVEILLANCE DE BASE • Après l'accouchement, la sage-femme s'informera régulièrement de l'importance de vos saignements et vérifiera l'involution de votre utérus (sa diminution progressive). Elle surveillera votre pouls, votre tension artérielle et votre température, et, si vous avez eu une épisiotomie, veillera à sa bonne cicatrisation.

LES SOINS ET LA TOILETTE INTIME APRÈS UNE ÉPISIOTOMIE • Dans un premier temps, c'est en général la sage-femme qui va s'occuper de votre toilette intime, afin d'examiner en même temps les points de suture de l'épisiotomie. Puis vous prendrez le relais en vous lavant à l'eau tiède, avec un savon doux (on vous indiquera quel produit utiliser) deux fois par jour. Pour sécher la cicatrice, tapotez-la doucement – l'emploi d'un sèche-cheveux est totalement inutile. Enfin, pour éviter toute éventuelle infection, n'oubliez pas de toujours bien vous nettoyer les mains au préalable, et de changer régulièrement vos serviettes périodiques.

Souvent, les premiers jours, vous serez impressionnée par votre cicatrice : ce sont les fils qui lui donnent cet aspect boursouflé. Grâce à un petit miroir, vous pouvez l'observer et vous rendre compte qu'elle est moins étendue que ne le laissaient croire vos sensations. Au début, l'épisiotomie entraîne en général des tiraillements, des

LA DURÉE DU SÉJOUR

- **La durée du séjour sera de 4 ou 5 jours si vous avez eu un accouchement par voie basse** (voire seulement de 3 jours dans certaines maternités). **Ce séjour durera 6 ou 7 jours si vous avez eu une césarienne.** Dans tous les cas, c'est bien court pour récupérer.
- **Mais à présent des sorties peuvent être organisées dès le lendemain de l'accouchement** si l'enfant et la mère se portent bien, et que celle-ci souhaite rentrer chez elle (pour s'occuper de ses autres enfants ou parce qu'elle se sentirait plus à l'aise à son domicile). Il faut, cependant, en discuter au préalable avec l'obstétricien et avoir l'accord du pédiatre pour le bébé. Dans ce cas, il prescrira des soins à domicile (pris en charge par la Sécurité sociale) dans le cadre de l'HAD (hospitalisation à domicile) si vous habitez dans une zone couverte par ce type de prise en charge. Une sage-femme vient à votre domicile une fois par jour, en général pendant plusieurs jours. Elle s'occupe de vous, mais aussi de votre bébé et est joignable par téléphone en cas de problème urgent. La surveillance couvre également l'ictère du nouveau-né (jaunisse) et l'alimentation.
- **Le nouveau-né est systématiquement pesé et examiné par le pédiatre avant que sa sortie ne soit autorisée. Son poids de sortie ne doit pas, en principe, être inférieur à son poids de naissance.**

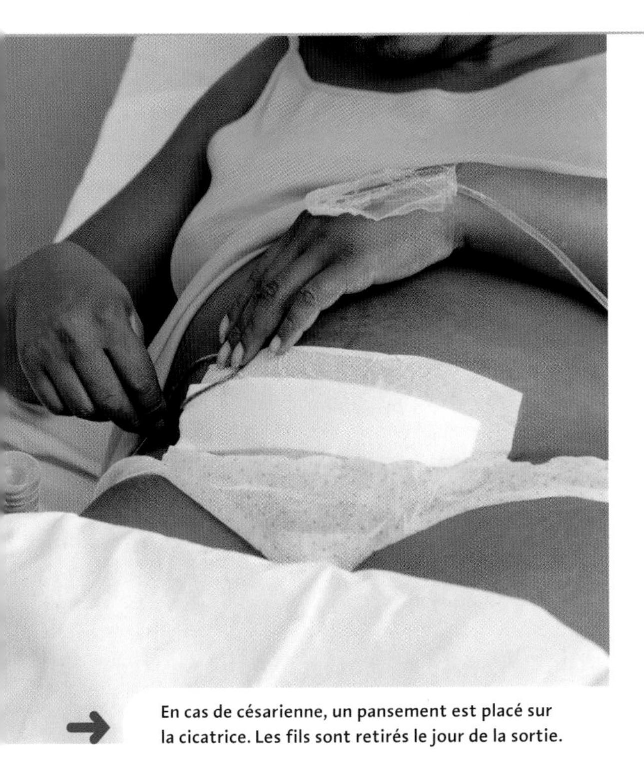

En cas de césarienne, un pansement est placé sur la cicatrice. Les fils sont retirés le jour de la sortie.

LES SOINS • Un pansement fin est placé sur la cicatrice; il est renouvelé au troisième jour, puis tous les deux jours. Les fils ou agrafes sont, en général, enlevés le jour de votre sortie. Un traitement anticoagulant est systématiquement donné par voie sous-cutanée, pour éviter une phlébite (caillot dans les veines). La piqûre est quotidienne et le traitement dure trois semaines.

Cette prévention est nécessaire, car la période postnatale et la césarienne favorisent les risques de phlébite. Le médecin vous fera une ordonnance pour que vous puissiez poursuivre le traitement une fois que vous aurez quitté la maternité.

LE LEVER • Vous pourrez vous lever dès le lendemain, mais impérativement avec l'aide et sous la surveillance d'une infirmière. Vos premiers pas risquent d'être un peu hésitants à cause des tiraillements douloureux de la cicatrice et d'une certaine appréhension. Mais dès le deuxième ou le troisième jour, vous serez plus à l'aise.

Il faut, en revanche, attendre d'être alerte pour prendre une douche. Votre transit intestinal sera peut-être un peu plus long à revenir à la normale.

picotements ou encore des points douloureux lorsqu'on bouge, et la position allongée sur le côté reste alors la plus confortable. La situation s'améliore après quelques jours, et encore plus rapidement après le retrait ou la résorption des fils.

S'il y a eu césarienne

Si vous avez accouché par césarienne, des soins particuliers vous seront prodigués. Les premiers jours, l'infirmière vous administrera des antalgiques (contre la douleur), d'abord sous perfusion, puis par voie orale dès que vous vous sentirez mieux et que vous aurez moins mal.

Vous garderez la sonde urinaire qui a été posée juste avant l'intervention pour permettre au chirurgien de ne pas être gêné par la vessie (l'utérus se trouvant juste derrière elle). Elle est nécessaire car l'effet de la péridurale se poursuit après la césarienne et ne permet pas de sentir l'envie d'uriner. Vous risqueriez donc de vous retrouver avec la vessie pleine sans vous en rendre compte. En général, la sonde est retirée le lendemain de l'intervention ; ce qui n'est pas douloureux.

Le deuxième jour, l'infirmière effectue une prise de sang, pour vérifier le taux de globules rouges et détecter une éventuelle anémie. Si tel est le cas, le médecin vous prescrira un traitement à base de fer et d'acide folique, à poursuivre durant deux mois.

LES PREMIERS SOINS DU BÉBÉ

> **Au lendemain de l'accouchement, le premier bain du bébé sera sans doute effectué directement en votre présence par une puéricultrice** qui prendra le temps de vous montrer et de vous expliquer chaque geste.

> **Puis elle vous passera la main, tout en étant à vos côtés pour éventuellement vous aider.**

> **Pensez à avoir au préalable tous les produits nécessaires à portée de main** pour ne pas avoir à les chercher. Avant de poser le bébé, vous laisserez couler l'eau du bain (en fait, une petite vasque spécialement conçue pour tremper le tout-petit) en veillant à respecter une température de 37 °C.

> **La toilette du bébé se fait souvent sur la table à langer, le bain en lui-même ne servant qu'à le rincer** – mais, avec un peu de pratique, vous préférerez peut-être par la suite savonner directement votre enfant dans l'eau.

> **La puéricultrice vous montrera aussi comment compléter la toilette du bébé, lui mettre un change et l'habiller.** Une fois chez vous, vous pourrez vous inspirer de ses conseils (voir aussi pages 352 à 357), puis vous trouverez progressivement les gestes qui conviennent le mieux, à vous et à votre bébé, l'essentiel étant d'y mettre de l'amour et de faire de ce moment une occasion d'échanges et de découvertes mutuelles.

Profiter du séjour à la maternité

Quelle que soit la durée de l'hospitalisation, profitez-en pour vous reposer le plus possible de manière à rentrer en forme chez vous ! Veillez à votre alimentation. Faites quelques bonnes nuits réparatrices grâce au soutien du personnel soignant, limitez un peu les visites… tout cela vous aidera à surmonter plus vite votre fatigue.

Pour récupérer rapidement

BIEN SE NOURRIR • Une bonne alimentation et du repos pendant la journée devraient peu à peu avoir raison de votre fatigue. Veillez à bien boire et à manger équilibré : vous avez pris de bonnes habitudes durant votre grossesse, continuez sur cette lancée. Il est important, pour lutter contre la fatigue mais aussi pour votre forme physique en général, de faire trois repas équilibrés par jour. Et, si les repas de la maternité ne sont pas à la hauteur, votre compagnon pourra vous apporter de quoi compléter ces menus et vous faire plaisir !

DORMIR DÈS QUE L'ON PEUT • Efforcez-vous de récupérer dès que cela est possible. Il est indispensable de s'octroyer des moments de repos dans la journée. Vous serez bien sûr obligée de suivre les rythmes de votre bébé : profitez donc au maximum de ses siestes, matin comme après-midi. Décrochez le téléphone si besoin, en prévenant les sages-femmes, car votre entourage risque de beaucoup vous solliciter… Si vous avez du mal à trouver le sommeil, allongez-vous en essayant de vous détendre.

LAISSER SON BÉBÉ À LA NURSERIE ? • Certaines maternités offrent la possibilité de laisser le bébé dans une nurserie afin que la mère puisse bénéficier de quelques nuits réparatrices (ou même de moments de calme durant la journée). Ce choix est tout à fait personnel. Certaines mamans préfèrent garder leur tout-petit auprès d'elles, d'autres ne se sentent vraiment pas d'attaque pour une nuit entrecoupée de tétées. Après l'accouchement, la fatigue risque d'être importante et le besoin de souffler aussi. Si vous choisissez de laisser votre bébé une ou deux nuits à la nurserie, ne culpabilisez pas. Il vaut mieux que les premiers temps avec votre enfant se passent de la façon la plus tranquille pour l'un comme pour l'autre – et ne vous laissez pas influencer par telle ou telle réflexion !

Si vous allaitez au sein, vous pouvez demander aux puéricultrices qu'elles vous amènent votre bébé pour les tétées de la nuit – le fait de ne pas se lever pour aller chercher le bébé dans son berceau et ne pas s'occuper du change vous permettra déjà de vous reposer. Puis vous récupérerez

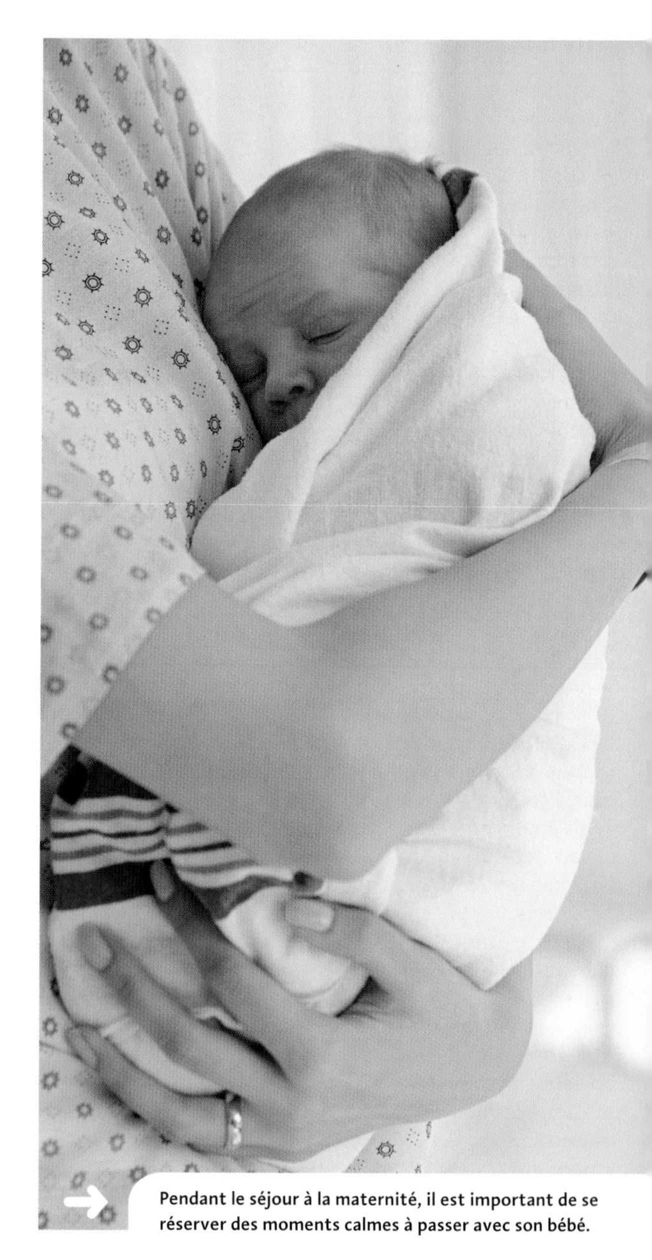

Pendant le séjour à la maternité, il est important de se réserver des moments calmes à passer avec son bébé.

votre enfant au petit matin. Mais précisez bien que vous ne voulez pas que votre enfant reçoive un biberon, car cela arrive parfois la nuit dans certaines maternités.

Toutefois, habituez-vous dès la maternité à passer au moins une nuit complète avec le bébé avant de rentrer chez vous : l'équipe des sages-femmes et des puéricultrices vous sera d'une grande aide pour mieux comprendre ses demandes et ses comportements.

Bien organiser les visites

Bien sûr, vous aurez sans doute envie de montrer votre petite merveille au monde entier... Mais après un accouchement, la fatigue étant importante, l'envie de partager n'est pas en permanence au rendez-vous, et la perspective d'avoir un défilé incessant de proches, amis, voire collègues, ne vous enchantera pas toujours. Vous ne trouverez pas forcément l'énergie ou le temps de vous préparer pour les accueillir.

Tenez compte aussi du fait qu'un séjour en milieu hospitalier (ou en clinique) suppose déjà de suivre un rythme de visites quelque peu « imposées »: infirmières, sages-femmes, médecins, commande et distribution des repas, photographe qui propose ses services, etc.

EN PARLER AVEC LE PÈRE • Pour tout ce qui concerne les annonces et l'organisation des visites, appuyez-vous sur votre mari ou compagnon, car vous-même serez bien trop occupée avec votre bébé (voir page 336). Vous avez en outre besoin de profiter au maximum de ces journées pour vous reposer avant de rentrer chez vous. Évoquez donc avec lui quels sont les proches ou amis que vous voulez vraiment recevoir.

CHOISIR VOS HORAIRES • Il serait, dans l'idéal, préférable que vous attendiez un peu avant d'annoncer la bonne nouvelle à tous ceux qui sont susceptibles de passer sans prévenir en oubliant que vous avez besoin de repos. Si vous accouchez un samedi, par exemple, vous risquez d'assister le dimanche à un véritable défilé. Rester quelques heures dans l'intimité avec votre compagnon et votre bébé vous sera précieux et vous permettra de mieux goûter à ce bonheur tout neuf. Avant d'accueillir les visiteurs, prenez un peu le temps de tester votre forme et de voir comment cela se passe avec le bébé. Si vous allaitez, vous aurez d'autant plus besoin de nombreux moments d'intimité. N'hésitez pas à proposer aux impatients d'attendre votre retour à la maison.

De façon générale, les après-midi sont plus propices aux visites, car les matinées sont consacrées au suivi. Sachez aussi que, souvent, en fin de journée, votre bébé sera fatigué et que vous-même n'aurez plus la moindre énergie...

“ J'entends tout et son contraire lorsque je demande si je peux maintenant prendre un bain ou si je dois encore me contenter d'une douche. ”

DOUCHES OU BAINS ?

Effectivement, c'est un point qui a suscité longtemps des débats. Mais, juste après l'accouchement, c'est la douche qui est préconisée par la grande majorité des obstétriciens. En effet, il ne faut pas négliger les risques d'infection tant que votre corps n'a pas totalement récupéré. Il est prudent d'attendre que les cicatrices de l'épisiotomie ou de la césarienne soient bien refermées.

Dans un mois, vous retrouverez le plaisir du bain. L'eau chaude pourra soulager les petites douleurs résiduelles. Vous aurez en plus pris vos marques avec votre bébé et profiterez davantage de ce moment de détente que vous vous accorderez.

Si vous êtes tentée par un bain avant cette période, demandez conseil à votre obstétricien ou à la sage-femme qui vous a suivie. En cas de césarienne, il faut attendre que l'obstétricien donne son accord.

Dans tous les cas, veillez à la propreté de la baignoire, c'est un point important à ne pas négliger. Mettez à contribution votre compagnon pour ne pas vous épuiser dans le nettoyage de la baignoire.

C'est le temps de...

Faire établir l'acte de naissance sur présentation du livret de famille et du certificat de naissance. Il est indispensable de l'envoyer à la Sécurité sociale, avec le bulletin d'hospitalisation, dans les 48 h qui suivent la naissance.

Les premières tétées

Les quelques jours à la maternité vont être l'occasion d'apprendre à donner le sein, car allaiter demande une certaine technique, et donc de l'entraînement. Profitez de votre séjour pour faire part de vos interrogations et de vos inquiétudes au personnel médical, de façon à rentrer chez vous avec le maximum de réponses.

Colostrum et lait maternel

Avant la véritable montée de lait, aux alentours du troisième jour après la naissance, c'est le colostrum, liquide orangé épais et peu abondant, qui va nourrir votre enfant.

LES BIENFAITS DU COLOSTRUM • Ce véritable concentré de lait est tout à fait adapté aux premiers besoins de votre bébé. Très laxatif, il facilite l'élimination rapide du méconium (les toutes premières selles du nouveau-né), limitant ainsi les risques d'ictère (jaunisse) du nourrisson. Très riche en graisses, en sucres, en sel et en protéines, il permet au bébé de ne pas souffrir d'hypoglycémie (baisse du taux sanguin de sucre) ou de déshydratation.

Le colostrum est extrêmement précieux pour la santé de votre bébé, car il est son premier moyen de défense contre les microbes. En effet, il contient une forte concentration de substances appelées IgA (Immunoglobulines) sécrétoires, qui ont un pouvoir anti-infectieux et stimulent en outre le développement du système immunitaire. Ainsi, non seulement votre enfant sera mieux protégé contre les infections, mais il mettra plus vite en place ses propres défenses immunitaires.

LES QUALITÉS DU LAIT MATERNEL • Parfaitement digeste, le lait maternel s'adapte aux besoins du bébé, qu'il soit né à terme ou prématurément, jour après jour, semaine après semaine, pendant toute la durée de l'allaitement.

Au début de la tétée, le lait est clair, riche en eau et en lactose; il est alors principalement hydratant (lait aqueux). Il s'épaissit ensuite pour devenir un « lait crémeux » plus nourrissant (la quantité de matière grasse est alors multipliée par quatre). Il est ainsi préférable de donner à téter d'abord un sein, puis l'autre, en alternance.

La composition du lait change selon les femmes, varie d'un jour à l'autre et même durant la journée; ainsi la teneur en matière grasse s'élève entre 6 heures et 10 heures du matin et est plus forte le jour que la nuit. Toujours à la température voulue, aseptique, le lait maternel offre une grande diversité de goût pour le bébé en fonction de l'alimentation de la mère.

Les débuts de l'allaitement

Souvent, quand elle commence à allaiter, une maman reçoit différents avis contradictoires qui peuvent être très déroutants; on ne sait plus alors ce que l'on doit faire ni comment le faire! Voici donc des conseils pratiques pour savoir si le bébé tète bien, si l'on a assez de lait, bref, pour évaluer si tout se passe bien.

UN APPRENTISSAGE À DEUX • Ne perdez jamais de vue que l'allaitement se fait à deux. Certaines femmes se préparent très bien à l'allaitement, mais les premières tétées ne se déroulent pas comme elles le désirent. Le bébé a aussi sa part de responsabilité! Il peut avoir du mal à prendre le sein, s'énerver, etc. Vous êtes tous les deux en apprentissage, et il vous faudra quelques jours avant d'être au point.

LES DEUX PREMIÈRES HEURES • Dans l'idéal, le premier « contact-tétée » se fera dans les deux heures qui suivent la naissance, en salle d'accouchement. La maman est alors très réceptive, tous les sens de son bébé sont en éveil et

LE POINT DE VUE DE BÉBÉ

Qu'est-ce qui m'arrive ? Je n'ai jamais senti ça. Mon ventre tire et me fait mal. Il me manque quelque chose qui me berce et j'ai beau téter et avaler, alors que, avant je buvais et ça me calmait, ici ça me donne du vide. Et quand je rencontre cette chose qui sent maman pour remplir ma bouche, elle est parfois difficile à attraper, elle glisse ou gicle trop et je m'étouffe. Il faut que je découvre comment faire ! Mais après c'est très bon ! Je suis rempli d'un liquide doux et chaud qui m'apaise et me détend.

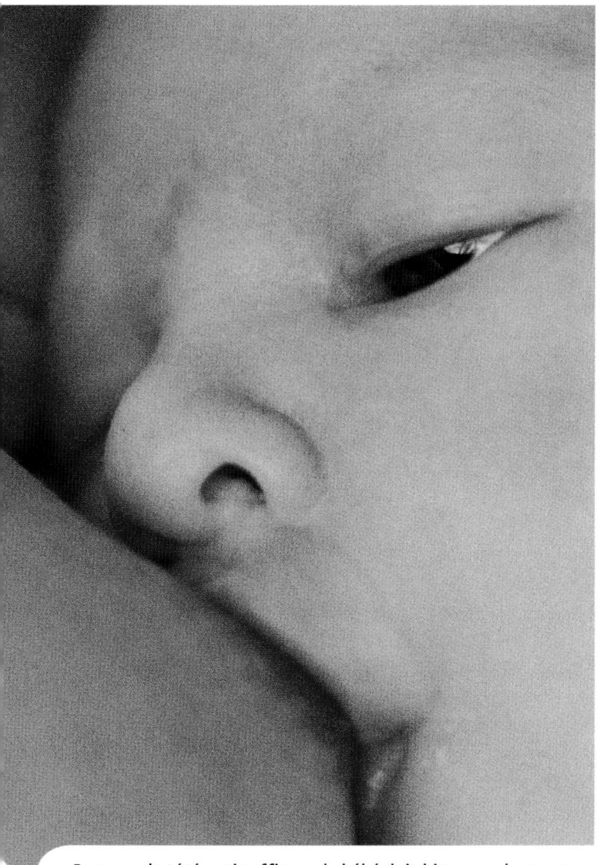

Pour que la tétée soit efficace, le bébé doit bien prendre tout le mamelon dans sa bouche et autant d'aréole qu'il peut.

ses réflexes, particulièrement développés. Mais cette première tétée n'est pas toujours facile; patience et calme sont de rigueur. Laissez votre bébé venir seul au sein, laissez-le découvrir instinctivement la tétée. Les tentatives d'aide (très courantes en France) ont le plus souvent pour conséquence de perturber le nourrisson, voire de l'amener à refuser de prendre le sein. En effet, si le bébé est mis de force au sein, il peut se mettre à crier et sa langue est alors collée à son palais et non plus en gouttière sous le sein. Il lui est alors physiologiquement impossible de téter.

Si votre enfant ne tète pas d'emblée correctement, ne vous affolez pas. Laissez-lui le temps de vous découvrir. Vous aurez très prochainement de nombreuses autres occasions pour lui apprendre à téter de façon efficace! N'oubliez pas que vous n'avez pas d'obligation de « résultat » pour cette première tétée, mais que ce moment d'intimité, ce contact peau contre peau, cet instant où vous découvrez votre enfant et où il vous découvre lui-même est très important.

DANS LES HEURES QUI SUIVENT • Après sa venue au monde, durant une vingtaine d'heures, votre bébé sera assez fatigué: très souvent, il s'endort... et vous aussi! Il a besoin de reprendre des forces car sa naissance a été une vraie épreuve physique et il a dépensé beaucoup d'énergie. Cependant, les seins doivent être stimulés pour favoriser la montée de lait. En effet, le nombre de tétées et l'efficacité de la stimulation durant les premiers jours conditionnent la production de lait pour toute la durée de l'allaitement. N'hésitez donc pas à inciter gentiment votre bébé à téter, grâce à quelques petites astuces.

• Gardez-le contre vous: votre odeur, le contact avec votre peau peuvent éveiller en lui des envies de téter.

• Observez-le pour reconnaître les premiers signes indiquant qu'il est disponible pour une mise au sein. Les mouvements rapides des yeux signalent qu'il est en sommeil léger (une mise au sein pendant le sommeil profond est vouée à l'échec!); le mouvement des lèvres et de la langue, le port des mains à sa bouche, les bruits de succion et les mouvements de son corps sont autant d'indices qui vous permettront de repérer que votre bébé est prêt à téter. Ce n'est qu'en dernier recours, lorsqu'il est vraiment affamé, qu'il hurle! Il vous faudra alors le calmer pour qu'il tète correctement.

• Changez de sein plusieurs fois lors d'une tétée, mettez votre enfant à la verticale sur votre épaule (pour qu'il fasse éventuellement un rot), caressez ses pieds, son visage, ne le couvrez pas trop, changez sa couche.

ALLAITER : DE NOMBREUX AVANTAGES

- L'allaitement présente de nombreux avantages tant pour la mère que pour l'enfant.
- **À court terme, en donnant à l'enfant des anticorps contre plusieurs infections, le lait maternel réduit considérablement les risques de maladies gastro-intestinales (diarrhée) et respiratoires (asthme), mais aussi d'otites et de rhino-pharyngites.** Le fer qu'il contient est aisément assimilable par le bébé.
- **Pour la maman, l'allaitement au sein peut prévenir des hémorragies après l'accouchement : la rétraction de l'utérus est facilitée par les contractions** (appelées « tranchées »), qui augmentent sous l'effet d'une des hormones (ocytocine) intervenant aussi dans la lactation.
- **L'allaitement a aussi des effets bénéfiques à long terme** : il diminue les risques d'allergie, d'obésité et de diabète juvénile chez l'enfant. Chez la mère, l'allaitement prolongé diminue le risque de cancer du sein.

La mise au sein

Il est essentiel de savoir correctement mettre votre bébé au sein, car les crevasses et autres désagréments sont en majorité dus à une mauvaise position. Vous devez être confortablement installée (voir page 319), sans tension musculaire. Aidez-vous au besoin de coussins ou d'oreillers, placés sous votre coude et sous votre enfant pour qu'il soit au niveau de votre sein, et dans votre dos pour ne pas avoir à vous pencher vers lui. Le corps de votre bébé est contre le vôtre. Son oreille, son épaule et sa hanche sont dans le même alignement, c'est-à-dire qu'il ne doit pas faire de torsion pour téter ; son nez et son menton touchent votre sein, et son ventre est contre le vôtre (imaginez que, nus tous les deux, vos nombrils se touchent).

Pour faciliter les choses, vous pouvez lui présenter votre sein avec votre main en la mettant en position du « C », c'est-à-dire en positionnant votre pouce au-dessus du sein et les autres doigts joints en dessous, loin de l'aréole. Maintenant, votre bébé doit ouvrir tout grand sa bouche (comme s'il baillait !). Vous pouvez l'aider en lui disant « ouvre » (très vite, vous verrez qu'il repère ce signal), en lui caressant la lèvre inférieure avec le mamelon ou en lui abaissant le menton délicatement avec vos doigts. À ce moment, amenez rapidement votre bébé au sein en vous aidant du bras qui le soutient. Il doit prendre tout le mamelon (téton) et autant d'aréole qu'il peut dans la bouche ; votre mamelon doit toucher le fond de son palais.

UNE SENSIBILITÉ ACCRUE • Durant les premiers jours, l'allaitement peut donner une impression de sensibilité accentuée. Lorsqu'il tète, le bébé le fait avec beaucoup de force : ne vous étonnez pas des sensations d'étirement que vous pourrez ressentir.

BIBERONS, TÉTINES, TÉTERELLES • Évitez l'emploi de biberons et de tétines qui perturbent la succion du bébé ainsi que les « bouts de sein » en silicone (aussi appelés « téterelles ») : ils bouchent les pores des canaux lactifères, ce qui entraîne des douleurs au sein et au mamelon, et ils imposent en outre au bébé une mauvaise position au sein, très difficile à corriger ensuite.

Le bon déroulement de la tétée

Pour vous assurer que votre bébé tète bien, vérifiez que ses lèvres sont bien retroussées vers l'extérieur sur le sein. Sa langue est positionnée en avant et fait comme une gouttière sous votre sein (en recouvrant la gencive inférieure). Sa tempe bouge au rythme des succions et, lorsqu'il déglutit, des mouvements se devinent en bas derrière l'oreille (alternance régulière d'environ deux succions pour une déglutition). Vous ne devez pas entendre de bruit de claquement, ni voir ses joues se creuser. Vous ne devez ressentir aucune douleur (seulement une sensibilité les premiers jours). Le bébé est calme pendant la tétée et semble repu une fois celle-ci terminée.

Si vous avez l'impression que vous ou votre bébé êtes mal positionnés, recommencez, et ce autant de fois que nécessaire. Attention, ne retirez pas votre bébé en le tirant en arrière : sa force de succion est telle que vous risqueriez d'avoir mal ! Glissez plutôt votre auriculaire dans la commissure de ses lèvres ; il ouvrira instinctivement la bouche et vous pourrez sereinement recommencer.

La montée de lait

Entre le deuxième et le troisième jour après l'accouchement, la montée de lait a lieu, grâce à une hormone, la prolactine. La production de lait devient alors très importante pour s'adapter aux besoins de l'enfant, qui augmentent (le volume de son estomac, qui pouvait contenir de 5 à 7 millilitres de lait le jour de sa naissance, est cinq fois plus grand trois jours plus tard !).

Les seins peuvent être très tendus, gonflés, et donc souvent douloureux. Mais ne mettez pas de coupelles d'allaitement dans votre soutien-gorge ; elles ne feront

“ Je n'ai pas du tout de poitrine. Aurai-je tout de même assez de lait pour nourrir mon bébé au sein ?”

ALLAITEMENT ET TAILLE DES SEINS

En aucun cas, il ne faut se fier à l'apparence des seins pour émettre un pronostic sur la capacité à allaiter d'une mère. La grosseur d'un sein est due à la quantité de tissu adipeux qu'il contient et elle n'influe pas sur la production ou la qualité du lait. Des seins qui prennent du volume durant la grossesse sont un bon indice du fonctionnement de la glande mammaire. Contrairement à ce que pensent certaines femmes, presque toutes les femmes sont capables d'allaiter, à condition d'être bien informées. Il s'agit davantage d'une question d'hormones et de bonne position au sein (pour la mère comme pour le bébé) que de tour de poitrine !

qu'aggraver la situation en stimulant la production lactée. Cette sensation douloureuse ne va pas durer: les tétées vont en effet équilibrer votre production de lait. Vous pouvez, pour éviter les taches dues aux « fuites de lait », mettre des coussinets d'allaitement (en coton et non plastifiés pour limiter la macération). Et si toutefois vous avez trop de lait, renseignez-vous auprès de la maternité pour savoir si vous pouvez en donner au lactarium de votre ville ou de votre département.

Trouver le bon rythme

Donner le sein à son enfant est un instant privilégié que l'on n'est pas obligé de partager avec le reste du monde! Vous avez besoin d'être détendue, et la présence d'autres personnes peut avoir un effet stressant. Votre bébé a lui aussi besoin de calme, surtout au début.

UN MOMENT INTIME • À la maternité, n'hésitez pas à exiger d'être seule à ce moment-là. Parlez-en avec le papa pour qu'il soit votre complice et puisse faire comprendre gentiment aux visiteurs votre besoin de tranquillité.

> « Peut-on donner le sein après avoir accouché par césarienne ? »
>
> ### CÉSARIENNE ET ALLAITEMENT
>
> **Si vous avez subi une césarienne, demandez à l'équipe médicale de vous aider pour le premier « contact-tétée » – comme vous serez sous perfusion, vous serez en effet gênée dans vos mouvements. Si une mise au sein immédiate est impossible pour vous (en cas d'anesthésie générale, par exemple), c'est le papa qui accueillera le bébé et le rassurera en attendant votre réveil. Quand vous serez disponible pour la première tétée, vous pourrez l'effectuer dans une position adaptée à une césarienne, à savoir allongée sur le côté (voir page 319).**
>
> **Par ailleurs, allaiter après une césarienne facilite l'involution de l'utérus (diminution de volume). En effet, lors de chaque tétée, les contractions utérines engendrées par la libération d'une des hormones intervenant dans la lactation (l'ocytocine) permettent à l'utérus de retrouver plus vite sa taille initiale en limitant l'apport médicamenteux.**

Par la suite, les choses se feront naturellement, suivant la personnalité de chacune et la façon dont se déroule l'allaitement. L'important est que vous soyez détendue et que vous sentiez votre bébé serein.

QUELLE DURÉE ? • Pour arriver à comprendre votre bébé et ses besoins, oubliez votre montre et observez-le. Il n'y a pas de durée « normale » pour un allaitement au sein. Cela peut aller de 10 minutes (deux fois 5 minutes) à 40 minutes (deux fois 20 minutes), voire plus... Tout dépend de la qualité de la succion du bébé et de celle du flux de la maman. Il faut apprendre à repérer une succion efficace: les premiers mouvements vont être rapides, puis amples, et vous entendrez votre bébé déglutir régulièrement après un ou deux mouvements.

À la fin de la tétée, les pauses entre les succions seront de plus en plus longues. De votre côté, vous pourrez ressentir une réelle envie de dormir ou une sensation de soif. Aussi, à chaque tétée, prévoyez un grand verre d'eau.

QUELLE FRÉQUENCE ? • Le rythme des tétées va mettre un certain temps avant de se stabiliser: au début, le nourrisson risque de s'endormir sans être totalement repu, ce qui va entraîner une nouvelle demande de sa part peu de temps après. Petit à petit, la situation se stabilise et on atteint en général 8 à 12 tétées par 24 heures quelque temps après être rentrée chez soi (une tétée toutes les deux ou trois heures). N'oubliez pas de donner les deux seins à chaque tétée, même si vous avez l'impression que votre bébé récupère et s'est un peu assoupi. Plus votre enfant va téter et plus votre corps produira du lait.

Un peu découragée ?

On peut être convaincue des bienfaits de l'allaitement, s'y être préparée pendant des semaines, aborder tout cela avec sérénité et connaître pourtant des moments de découragement. Tout cela est normal: le contexte dans lequel vous abordez vos premières tétées n'est pas simple. Fatigue de l'accouchement, épisiotomie éventuelle, bébé qui a du mal à prendre le sein, baby blues, sentiments confus. Bref, toutes les conditions sont réunies pour que votre résolution d'allaiter soit un peu mise à mal.

N'hésitez pas à partager ces instants de doute avec quelqu'un: le personnel de la maternité, le papa, une amie, peu importe. L'essentiel est de ne pas avoir honte « de ne pas y arriver ». Et si ce sont les larmes plutôt que le sourire qui viennent, ne culpabilisez pas! Revoyez avec la sage-femme la position que vous prenez pour allaiter, posez toutes les questions qui vous traversent l'esprit. Tout rentrera dans l'ordre peu à peu si vous en parlez et si vous vous faites aider.

Les bonnes postures pour allaiter

Votre position et celle du bébé sont essentielles pour le bon déroulement de l'allaitement. N'hésitez pas, dès les premières tétées, à demander conseil au personnel médical. Plus vous serez accompagnée tôt et bien, plus vite vous serez autonome.

Allongée sur le côté

① Cette position, particulièrement délassante, est conseillée en cas de cicatrice d'épisiotomie douloureuse ou de césarienne, la nuit, si vous souhaitez rester dans votre lit, et pour vous reposer. Allongez-vous sur le côté, la cuisse bien remontée et surélevée par un coussin. Posez votre tête sur un oreiller ou un coussin, afin d'avoir la nuque bien détendue. Installez votre bébé à même le lit ; la bouche à hauteur du mamelon, son visage tourné vers votre sein et son ventre contre le vôtre. Vous pouvez placer un coussin dans son dos pour éviter qu'il ne roule.

Assise dans un canapé

② Si vous en avez la possibilité, utilisez un coussin d'allaitement (rempli de microbilles), qui vous permettra de vous caler parfaitement bien avec votre bébé, ou alors plusieurs coussins. Asseyez-vous au fond du canapé, de façon à ramener le buste en avant sans effort (au besoin, ajoutez un coussin dans le dos), les jambes surélevées. Installez votre bébé sur le coussin ; au creux de votre bras, son ventre contre votre corps, son visage face au sein.

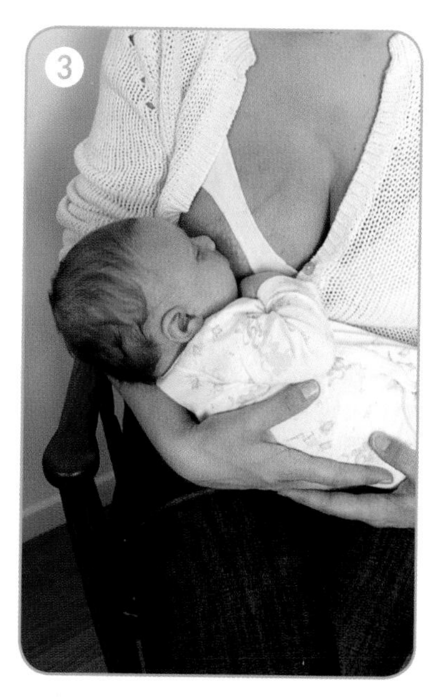

Assise sur une chaise

③ Installez-vous sur la chaise en surélevant les pieds grâce à un petit tabouret ou un gros coussin, de façon que vos genoux soient plus élevés que vos hanches. Si vous n'avez pas de quoi surélever vos pieds, croisez vos jambes. Au besoin, glissez un coussin entre le dossier et le haut du dos, pour que vous n'ayez pas à vous pencher vers votre enfant. Placez ensuite votre bébé au creux de votre bras, sur des coussins, afin qu'il se trouve à hauteur du sein, tout son corps contre le vôtre. Le bras de votre bébé qui se trouve tout contre vous est placé sous votre bras.

Nourrir son bébé au biberon

Parce que cela vous convient mieux, vous avez choisi dès la naissance de donner le biberon à votre bébé. La maternité vous fournira des biberons prêts à l'emploi et vous indiquera comment les préparer et les doser une fois de retour chez vous. Le père et vous apprendrez très vite à nourrir le bébé de la sorte.

Les laits pour nourrissons

Les laits pour nourrissons constituent l'aliment des bébés nourris au biberon jusqu'à 4 ou 6 mois. Ils sont élaborés à partir de lait de vache, très transformé pour être adapté à la physiologie du nouveau-né, et leur composition est très réglementée. Toutefois, ils ne contiennent pas, entre autres, les anticorps du lait maternel qui empêchent les infections. Il existe une grande variété de ces laits, la plupart sous forme de poudre. C'est le pédiatre de la maternité qui vous indiquera celui qui convient le mieux à votre enfant.

QUE SONT LES LAITS DE SUITE ? • Ces laits obéissent aux mêmes règles de fabrication que les laits pour nourrissons, mais ils sont enrichis en acides gras essentiels et en fer. Ils sont seulement destinés aux bébés de plus de 4 mois.

C'est le temps de...

Laissez le papa et les autres membres de la famille donner le biberon au bébé. Ils profiteront de ce moment pour communiquer avec lui. Le proposer aux frères et sœurs aînés peut être un excellent moyen de tisser des liens entre eux.

LES ROTS DU BÉBÉ

- Lorsqu'on allaite, le bébé n'avale pratiquement pas d'air et n'a donc pas besoin, en général, d'un rot pour l'expulser. En revanche, au biberon, vous n'échapperez pas au rituel du « rototo » !
- **Vous pouvez attendre que le bébé ait fini son biberon ou faire une pause à mi-chemin** (s'il ne fait pas trop de manières...), lui faire faire un premier rot, puis reprendre jusqu'à la fin, avant un deuxième rot. Cette méthode accroît le confort du nouveau-né et peut aussi atténuer les reflux s'ils sont fréquents. Un bébé qui a besoin de faire un rot et qui n'y parvient pas se tortille, fait la grimace et manifeste son « mal-être », éventuellement par quelques gémissements.
- **Quelques astuces si le rot ne vient pas :**
  - poser votre bébé le ventre contre votre épaule en tapotant tout doucement son dos ou en le massant ;
  - essayez aussi en frottant doucement mais rapidement le bas du dos (en tenant bébé assis par exemple) ;
  - si le rot tarde trop à venir et qu'il faut coucher le bébé, celui-ci finira par pleurer pour vous signifier sa gêne ; il suffit alors de le reprendre dans vos bras et de lui faire faire son rot.

Les premiers biberons

À la maternité, les biberons seront préparés sans que vous ayez à vous en soucier. De retour chez vous, il vous suffira de respecter les dosages prescrits à la maternité pour faire les biberons (30 ml d'eau adaptée aux nourrissons pour une dose de lait, en prenant soin de mettre l'eau avant la poudre). Ensuite, le pédiatre vous indiquera les dosages à suivre.

Au rythme du bébé

Au début, donnez les biberons à la demande du bébé plutôt que selon un horaire trop précis, tout en respectant tout de même un délai de deux heures et demi entre chaque tétée, le temps de la digestion. Les premiers biberons sont donc irréguliers dans le temps, comme en quantité.

Les bonnes positions pour donner le biberon

① Bien s'installer

Installez-vous confortablement, en position semi-assise, et au calme : le bébé doit vous sentir détendue. Prenez ensuite votre bébé sur vos genoux, dans une position semi-verticale, ni trop couché ni trop droit, et placez-le au creux de votre bras, le visage face à vous. Calez le bras qui le soutient avec un coussin ou l'accoudoir du fauteuil sur lequel vous êtes assise.

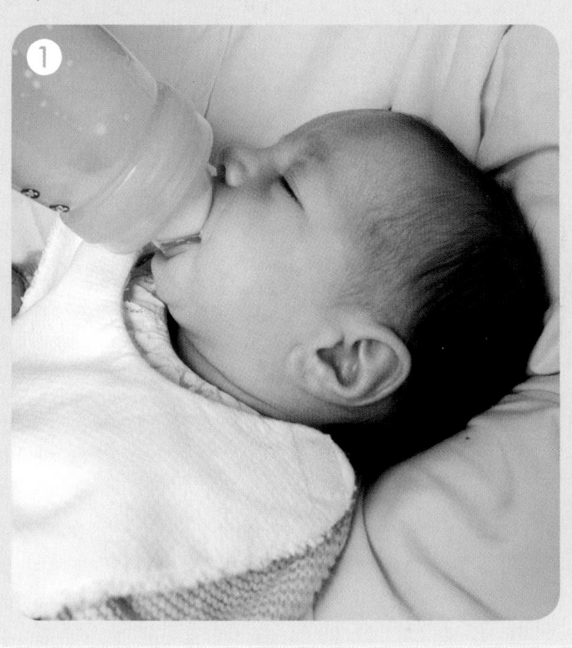

② Bien placer le biberon

Présentez la tétine doucement, sans attendre que le bébé tète aussitôt, il a besoin d'un peu de temps. Faites en sorte qu'elle soit toujours pleine de lait, pour que le nourrisson n'avale pas d'air – les bulles montrent qu'il tète bien. À chaque interruption, faites faire un rot à l'enfant en redressant sa tête. Si la tétine ne laisse plus passer de lait, dévissez légèrement la bague pour faire pénétrer l'air.

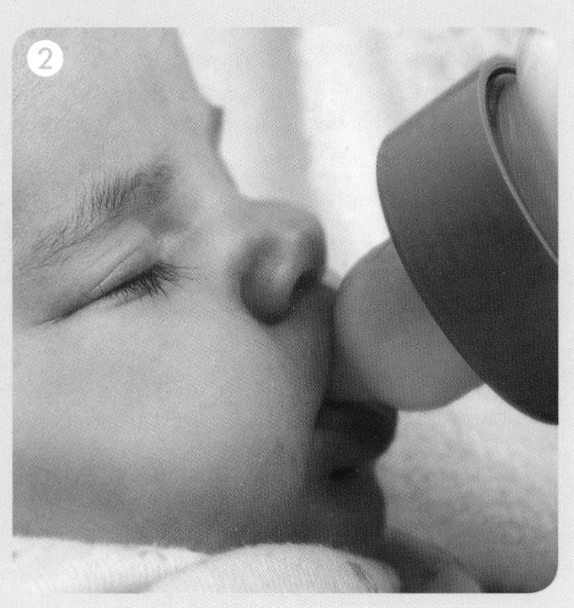

Certains nouveau-nés boivent 10 g par biberon ; d'autres prennent 40 g. Il faudra quelques jours d'apprentissage au bébé pour qu'il trouve son rythme. En moyenne, vous aurez à donner six ou sept biberons par jour ; les rations augmenteront petit à petit selon l'appétit du nourrisson.

Comment procéder ?

Nourrir son enfant est toujours un moment privilégié, un plaisir partagé. Au début, vous vous trouverez peut-être un peu maladroite, mais votre bébé ne sentira pas moins combien vous faites attention à lui. Très vite, une fois que tous les gestes vous seront devenus familiers, vous profiterez pleinement de cet échange. D'où l'importance que vos positions à tous deux soient confortables (voir encadré ci-dessus).

LES GESTES DE BASE • Installez-vous en laissant les bras du bébé libres, pour qu'il aille à la découverte du biberon. Veillez à ce que son nez soit bien dégagé. Pour que votre bébé avale le moins d'air possible, la tétine doit toujours être pleine de lait : pour ce faire, il suffit de bien incliner le biberon. En outre, si vous tenez le biberon fermement, pour éviter qu'il ne bouge, la succion du bébé en sera facilitée.

VARIER LE DÉBIT ? • Chaque bébé boit à son rythme, avec ou sans pause, et plus ou moins vite. Si le vôtre boit rapidement, retirez-lui le biberon doucement afin qu'il ne s'étrangle pas. Il existe d'ailleurs des tétines permettant de varier le débit (gradué 1, 2 ou 3).

APRÈS LA TÉTÉE • Changez le nouveau-né s'il s'est sali et attendez un quart d'heure avant de le recoucher. À moins qu'il ne se soit endormi la tétine dans la bouche…

Les premiers jours du nouveau-né

Depuis les années 1970, la connaissance que l'on a du nouveau-né a accompli un grand bond en avant. Désormais, nul ne doute plus qu'il s'agisse d'une personne à part entière, sensible à ce qui l'entoure, capable de percevoir, de ressentir et de chercher à communiquer. Déjà, il essaie d'échanger avec sa mère, à sa façon. Ce sont les premiers pas d'une rencontre à deux qui s'enrichira au fil des mois.

Des sens déjà en alerte

Le bébé naît avec tous ses sens. Sa capacité de perception est bien meilleure qu'on ne le pensait encore il y a cinquante ans, mais ce n'est pas pour autant celle d'un jeune enfant. Certains sens sont plus développés que d'autres. Il entend mieux, par exemple, qu'il ne voit, et c'est pourquoi il réagit davantage aux sons qu'aux personnes qui s'approchent. Voici un petit tour d'horizon pour vous aider à mieux comprendre les étonnantes aptitudes de ce nouveau-né.

Comment le tenir et s'en occuper ?

La plupart des jeunes parents se posent beaucoup de questions sur leur capacité à s'occuper d'un nouveau-né. Les puéricultrices de la maternité vous apprendront les gestes de base et vous aideront les premiers temps. Ensuite, c'est un peu comme pour la cuisine, chaque mère a ses recettes et méthodes, et chaque père aussi. Détendez-vous, fiez-vous à votre instinct et trouvez-vous un style qui vous convienne, à vous et à votre bébé.

UNE VISION FLOUE QUI ÉVOLUE VITE • À la naissance, il voit les formes distantes de 20 à 30 cm, mais sans percevoir vraiment les couleurs. On peut dire qu'il voit en « noir et blanc ». À une distance moindre, ou plus importante, tout devient flou pour lui. Il ne perçoit pas un visage comme vous, mais réagit surtout aux contrastes, aux variations lumineuses, à ce qui est brillant ou rouge. Même si sa vision s'améliore vite, il faudra attendre que votre bébé ait l'âge de 1 an pour qu'elle soit au niveau de celle d'un adulte...

UNE SENSIBILITÉ TACTILE • Le bébé est très sensible aux contacts corporels, aux caresses, à la tendresse ou à la rudesse des gestes que l'on a envers lui. Il sait toucher lui aussi, mais pas avec ses mains. C'est d'abord avec ses lèvres, sa langue, ses joues que ce nouveau-né prend contact physiquement avec sa mère pour téter.

UN ODORAT ET DES GOÛTS BIEN AFFIRMÉS • Il semblerait que, dès la naissance, il sache différencier les odeurs agréables et désagréables. Visible par ses mimiques, la distinction qu'il opère entre « bonnes » et « mauvaises » odeurs est quasi semblable à celle que ferait une grande majorité d'adultes. Il distingue également sans peine les goûts (le sucré, le salé, l'acide, l'amer). Et on sait que sa préférence va presque toujours au sucré.

IL SAIT DÉJÀ D'OÙ PROVIENT UN SON • Le bébé entend, au point de savoir d'où provient tel ou tel bruit. Mais il n'est pas capable de le manifester en tournant la tête, ce qu'il ne fera que vers 3 ou 4 mois. Il semble préférer les sons graves aux aigus, c'est sans doute pour cela que bébé est sensible à la voix de son père. Son ouïe, toutefois, ne lui permet pas encore de distinguer toutes les propriétés d'un son.

Que perçoit-il ?

Il serait faux de dire que, dès les tout premiers jours, un nouveau-né reconnaît littéralement la voix ou l'aspect de sa mère. Mais pourtant il vous reconnaît... grâce à tout ce qu'il perçoit de vous, ce qui inclut aussi bien votre odeur que votre attitude et vos gestes envers lui, ne serait-ce que la façon unique que vous aurez de le prendre dans vos bras. C'est une identification bâtie sur une multitude d'éléments. Les chercheurs en pédiatrie ont toutefois étudié davantage certains points. Selon l'opinion la plus répandue à ce jour, il semblerait ainsi que le nouveau-né sache distinguer l'odeur de sa mère vers le 10e jour. La reconnaissance de sa voix serait plus tardive, mais les avis sur la question divergent beaucoup. Certains estiment que le nouveau-né la reconnaît entre plusieurs voix féminines dès le 3e jour, d'autres que ce n'est pas le cas avant l'âge de 1 mois... Tous affirment en revanche que la reconnaissance visuelle du visage maternel intervient bien plus tard. Outre sa mère, le bébé est aussi susceptible de reconnaître assez vite son père, bien sûr, ainsi que d'autres personnes, si ces dernières lui prodiguent des soins réguliers et de l'affection.

Quand le bébé est calme, rassasié et bien réveillé, il est capable d'échanges étonnants avec sa mère. Pour mieux communiquer avec lui, placez-le face à vous, à 20 ou 30 cm de votre visage, et parlez-lui doucement.

Les premiers échanges avec sa mère

Les mamans passent souvent les 24 heures suivant la naissance à dévorer leur bébé des yeux. Vous êtes encore bien fatiguée, et lui aussi. Mais vous avez pourtant tous les deux vos premiers échanges. Vous commencez ainsi à faire connaissance l'un avec l'autre, tranquillement, chacun à votre manière. C'est le pédiatre américain T. Berry Brazelton qui a le premier révélé les surprenantes capacités d'échanges sensoriels et affectifs du nouveau-né : il ressent déjà ce qui émane de sa mère, perçoit le climat affectif qui l'environne, cherche à y répondre, et en garde la mémoire. Très progressivement, il apprendra aussi le contrôle de lui-même, c'est-à-dire à la fois à s'ouvrir et, surtout, à se fermer si nécessaire aux diverses stimulations venant de l'extérieur.

N'oubliez pas que ce petit bébé a du mal à garder les yeux ouverts et, surtout, à fixer son attention. Il ne faut pas trop lui en demander, au risque de le fatiguer. Vous pouvez néanmoins commencer à dialoguer, à lui chanter des chansons, à le caresser, à tisser des liens, d'une façon totalement sensitive et unique qui n'appartiendra qu'à lui et vous.

La « motricité libérée »

À la suite du Dr Brazelton, plusieurs équipes de pédiatres français (Albert Grenier à Bayonne, Claudine Amiel-Tison à Paris) ont confirmé, depuis les années 1980, que, dans certaines situations, le nouveau-né révèle mieux ses compétences motrices et ses capacités d'échanges. Ils appellent cela l'état de « motricité libérée ». Quand vous trouverez le moment favorable, essayer de communiquer avec lui de la façon suivante : calez bien votre bébé face à vous en soutenant sa nuque d'une main et caressez-le calmement de l'autre pour le rassurer, puis essayez de capter son attention en lui parlant. Il est alors capable de se tenir assis, de détendre ses mains, de se redresser ; certains nourrissons ébauchent un sourire, d'autres font une mimique. Ce sont là des moments d'échanges vraiment privilégiés et uniques…

L'examen pédiatrique

Après plusieurs heures de repos ou le lendemain de la naissance, le pédiatre de la maternité examine complètement le nouveau-né et vérifie le bon état de ses réflexes. Si vous êtes présente, ce sera l'occasion de commencer à vous familiariser avec le corps de votre enfant et de découvrir certaines de ses capacités.

De la tête aux pieds

Pour que ce premier examen se déroule dans les meilleures conditions possibles, l'idéal serait de le pratiquer dans une pièce calme, bien chauffée, éclairée par une lumière douce, à un moment où l'état de vigilance du bébé lui permet de répondre aux stimulations. Si ce n'est pas toujours le cas, rassurez-vous. L'essentiel reste que le pédiatre prenne son temps, déshabille le bébé sans gestes brusques et le caresse en cherchant son regard et en lui parlant doucement pour le rassurer, en profitant d'une période de digestion par exemple.

Un crâne un peu déformé ?

Les nouveau-nés ont des formes de tête variables, parfois asymétriques, les os du crâne étant encore très malléables. Après un accouchement classique, votre bébé aura peut-être un crâne un peu allongé, en « pain de sucre », avec de surcroît une bosse sérosanguine dans la zone qui s'est présentée en premier. Tout cela est dû à ses efforts pour franchir le bassin.

Après quelques jours, tout rentre dans l'ordre.

LA LUXATION CONGÉNITALE DE LA HANCHE • Elle survient parfois dans les familles originaires de Bretagne et touche alors plus souvent les filles – quand une mère ou une grand-mère a eu un tel problème, n'hésitez pas à le signaler, car il est bien plus facile de soigner l'enfant à la naissance qu'à quelques années de vie.

Cette anomalie est également fréquente quand l'accouchement a eu lieu par le siège. Pour rectifier la malformation, il faudra langer le bébé les jambes écartées (en abduction) afin de replacer la tête du fémur dans l'articulation de la hanche. C'est ce que l'on appelle les « culottes d'abduction ».

UN EXAMEN TRÈS ATTENTIF • Le médecin va d'abord examiner de manière attentive tout le corps de votre enfant. En particulier sa peau, qui peut présenter, entre autres, une éruption bénigne, telle qu'un « érythème toxique » : de petits points blancs sur une base rouge qui disparaissent en quelques jours. Il regarde avec soin les oreilles, le nez, les yeux, la bouche et l'anus, le cou et la colonne vertébrale. Il ausculte bien sûr le cœur et les poumons, il palpe l'abdomen et regarde l'état du cordon ombilical restant. Il observe le sexe, et, pour un garçon, vérifie que les testicules sont bien descendus dans les bourses.

LES MEMBRES • Le pédiatre s'intéresse aussi aux membres et à leurs attaches pour détecter par exemple une éventuelle fracture de la clavicule. Cela arrive parfois aux gros bébés, pour lesquels l'accouchement a été difficile, mais une telle fracture n'est pas grave, car elle se répare spontanément et rapidement. Parfois, les membres inférieurs des nouveau-nés présentent également une déformation liée à la position des jambes dans l'utérus. Quelques manipulations douces par un kinésithérapeute suffisent généralement pour corriger ces petites anomalies, telles que le pied en dedans (*metatarsus varus*) ou le tibia incurvé.

Et le système nerveux ?

Après avoir examiné le nouveau-né sous tous ses aspects physiques, le médecin pratique un examen neurologique. Ce dernier va lui donner une idée de la maturité de son système nerveux. L'évaluation tient compte de la date de fin de grossesse et du nombre d'heures ou de jours écoulés depuis la naissance. Le pédiatre évalue, entre autres, la tonicité du nouveau-né.

LE TONUS PASSIF • Il s'examine au repos. Lorsque le nouveau-né est en position « fœtale », bras et jambes fléchis, la flexion des segments de ses membres les uns par rapport aux autres témoigne du tonus dit « passif ».

LE TONUS ACTIF • Il se mesure par diverses stimulations. Lorsqu'on met le bébé debout, en le tenant sous les bras, bien appuyé sur la plante des pieds, le fait qu'il se dresse vigoureusement sur ses jambes, redressant ensuite la tête et le cou, signale un bon tonus actif.

Il en est de même s'il arrive à tenir sa tête seul quelques secondes lorsqu'on le fait passer de la position couchée à la position assise.

Les réflexes primaires

Un certain nombre de réactions automatiques traduisent également le bon état neurologique du nouveau-né. Ces réflexes, qualifiés d'archaïques ou de primaires, disparaissent au cours des premiers mois suivant la naissance.

LE RÉFLEXE D'AGRIPPEMENT (GRASPING REFLEX) • Si l'on place ses doigts dans les paumes d'un bébé, il s'y agrippe si fort qu'on peut le soulever pendant quelques instants.

LES RÉFLEXES DE SUCCION ET DE DÉGLUTITION ET LE RÉFLEXE DES POINTS CARDINAUX • Ce sont les différents réflexes qui vont permettre à l'enfant de se nourrir. La capacité de téter du nouveau-né s'accompagne d'un mouvement de « fouissement » de sa bouche à la recherche du sein maternel et d'une capacité à orienter la bouche à droite ou à gauche, en haut ou en bas : si l'on touche l'un des coins de sa bouche, ses lèvres se tournent de ce côté-là.

LE RÉFLEXE DE MORO • Si l'on soutient le bébé allongé et que l'on relâche brusquement sa tête, il écarte les bras et les doigts en se mettant à crier puis ramène ses bras en position d'étreinte.

LA MARCHE AUTOMATIQUE • Si l'on maintient le nouveau-né debout sur une surface plane (voir ci-dessous), il se redresse et avance ses jambes l'une devant l'autre !

L'examen du nouveau-né

① L'examen des hanches

Lorsque la tête de l'os de la cuisse, le fémur, est mal positionnée par rapport à la hanche, on parle de « luxation ». Plus cette anomalie est dépistée précocement, plus le traitement en sera facilité. Au moindre doute lors de l'examen clinique, le pédiatre fait pratiquer une échographie précoce ou, selon les cas, une radiographie de la hanche à partir de 4 mois.

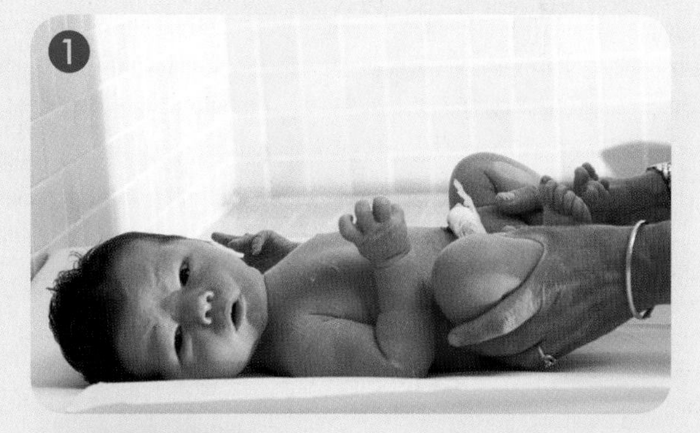

② Le test de la marche

Si l'on tient le nouveau-né sous les aisselles, un peu incliné en avant, les pieds à plat sur le lit, il esquisse alors quelques pas qui le font avancer. Il s'agit de l'un des réflexes primaires présents chez un bébé né à terme. Ce réflexe spectaculaire disparaît en général au bout de cinq ou six semaines.

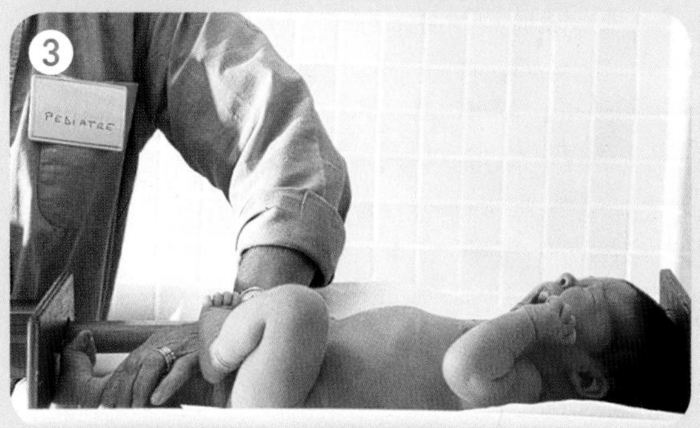

③ Le poids, la taille et le périmètre crânien

Dans les toutes premières heures suivant sa naissance, le bébé est pesé et mesuré. Si l'on constate des écarts sensibles de poids selon les bébés et selon qu'il s'agit d'une fille ou d'un garçon (de 2,5 kg à plus de 4 kg), la taille varie moins d'un nouveau-né à un autre : de 48 cm à 53 cm. Il importe surtout que le poids et la taille de votre enfant se situent dans la moyenne statistique. Les autres mensurations relevées lors de ce premier examen sont, entre autres, le tour de la tête, ou périmètre crânien.

Le suivi médical des premiers jours

Au cours de votre séjour à la maternité, médecins, sages-femmes et infirmières vont vous aider à vivre au mieux les jours suivant la naissance et à faire connaissance avec votre bébé. Ils vont aussi s'assurer que tout se passe bien pour l'enfant, qui doit lui aussi s'adapter à un nouvel environnement, à la vie à l'air libre, à l'alimentation par la bouche. C'est pourquoi il fait l'objet d'une surveillance très attentive.

Les points surveillés au quotidien

Durant le séjour à la maternité, les puéricultrices et l'équipe médicale surveillent particulièrement deux données essentielles : le bébé mange-t-il bien ? Son appareil digestif fonctionne-t-il comme il faut ? Pour s'en assurer, ils observent chaque jour l'évolution de son poids, la consistance et l'aspect de ses selles, mais aussi la couleur de sa peau pour détecter une éventuelle jaunisse. Autant de précautions pour être sûr que le nouveau-né est en bonne santé.

L'ÉVOLUTION DE SON POIDS • En moyenne, un nouveau-né, à la naissance, mesure environ 50 cm, avec un périmètre crânien de près de 35 cm et pèse autour de 3,3 kg. Au cours des cinq premiers jours, il perd en général jusqu'à 10 % de son poids de naissance (350 g, par exemple, pour un bébé de 3,5 kg). Cela tient à trois raisons principales : il élimine les excès d'eau (œdèmes) présents à la naissance ; ses reins encore immatures ne concentrent pas assez ses urines ; ses besoins énergétiques augmentent de façon considérable, au point que les calories apportées par le lait maternel (le colostrum) ou par le biberon ne suffisent pas pour le faire grossir.

Ensuite, vers le 6e jour, il commence à reprendre en moyenne 30 g par jour. Au bout de huit à quinze jours, il a, normalement, récupéré son poids de naissance.

LE TRAITEMENT DE L'ICTÈRE

- **Quand le nouveau-né présente un ictère et devient trop jaune, on effectue un dosage de la bilirubine (pigment de la bile) dans le sang.** Si le taux approche la valeur critique, **on soigne l'enfant par photothérapie.**
- Le nouveau-né déshabillé est alors placé sous des lampes à ultraviolets apportant une lumière bleue, ce qui facilite l'élimination de la bilirubine. **Ce traitement ne présente aucun risque, à condition de protéger les yeux du bébé avec un bandeau et de lui donner assez d'eau à boire.**
- **La plupart des maternités disposent actuellement du matériel nécessaire, et, en général, vous ne serez pas séparée de votre enfant.**
- Comme les séances de soins ne durent que quelques heures par jour, vous disposerez de tout le temps nécessaire pour l'allaiter, le prendre dans vos bras, lui faire sa toilette.

L'ASPECT DE SES SELLES • Les selles doivent faire l'objet d'une attention particulière, ne serait-ce que pour vérifier l'absence de diarrhée ou, au contraire, de constipation. Les deux premiers jours, elles sont verdâtres, presque noirâtres et collantes ; c'est le méconium, composé d'un mélange de bile et de mucus. À partir du 3e jour, elles deviennent plus claires, et, si le bébé est nourri au sein, jaune d'or et grumeleuses, parfois liquides. Le nouveau-né fait habituellement des selles à chaque tétée si vous l'allaitez, et une à trois fois par jour s'il est alimenté au biberon.

LA DÉTECTION D'UNE ÉVENTUELLE JAUNISSE • Dans les deux ou trois premiers jours après la naissance, il arrive que la peau et les conjonctives (blanc des yeux) soient un peu jaunes : c'est l'ictère physiologique du nouveau-né. Cette banale jaunisse touche de 20 à 30 % des nouveau-nés à terme et de 70 à 90 % des prématurés. Après s'être développée jusqu'au 4e ou 5e jour, elle diminue progressivement pour disparaître en une ou deux semaines. Ce problème est dû à une augmentation dans le sang d'un des pigments de la bile (bilirubine). Le foie du bébé ne sait pas encore fabriquer l'enzyme qui permet de transformer la bilirubine et de l'évacuer dans les urines.

Quelques jours suffisent néanmoins à ce que le foie du tout-petit produise cette enzyme et que la bilirubine ne se concentre plus dans le sang. En attendant, il suffit de surveiller que le taux de bilirubine ne s'élève pas trop (voir encadré ci-contre). Les complications peuvent être graves, mais elles sont très rares, du moins chez l'enfant né

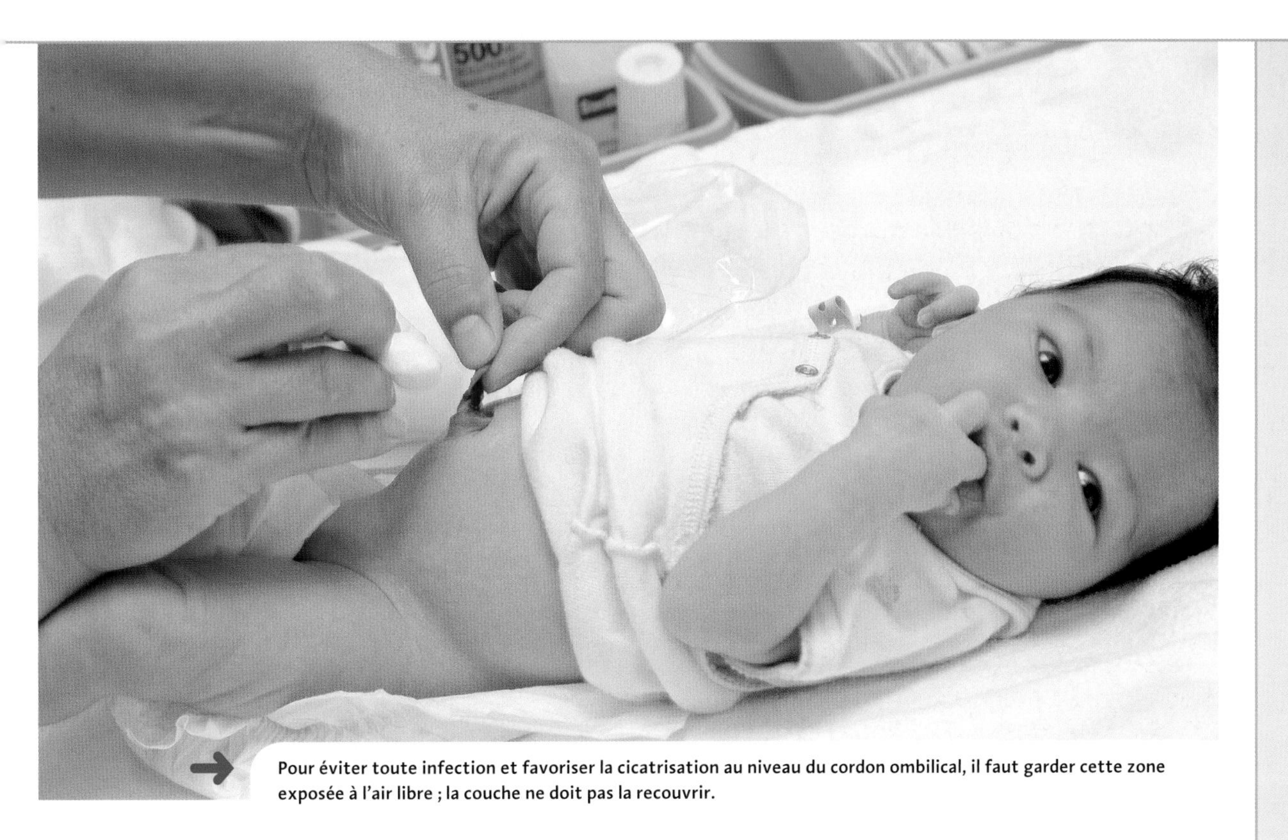

Pour éviter toute infection et favoriser la cicatrisation au niveau du cordon ombilical, il faut garder cette zone exposée à l'air libre ; la couche ne doit pas la recouvrir.

à terme. La surveillance à la maternité contribue à ce que tout se passe bien.

Le contrôle de la glycémie

On contrôle parfois la glycémie (taux de sucre dans le sang) d'un nouveau-né : si le bébé est prématuré, s'il a eu un retard de croissance intra-utérin (voir page 174), ou, à l'inverse, s'il est très gros avec une mère diabétique. Le contrôle de la glycémie peut être renouvelé à plusieurs reprises. Car un bébé, dans les premiers jours, ne doit pas manquer de sucre, ce carburant indispensable à son développement, et, en cas d'hypoglycémie (taux de sucre insuffisant), il bénéficiera de soins particuliers.

Les tests de dépistage

Tous les nouveau-nés bénéficient d'une série de dépistages préventifs à la maternité. L'objectif est de détecter d'éventuelles maladies héréditaires, dont les effets seront moins graves si on les traite le plus tôt possible. Quand le nourrisson est âgé de 3 jours, on dépiste ainsi de manière systématique la phénylcétonurie, qui touche 1 enfant sur 9 000 naissances, et l'hypothyroïdie, qui en touche 1 sur 3 800. Le dépistage des maladies héréditaires de l'hémoglobine est réalisé s'il existe des antécédents familiaux. Celui de la mucoviscidose est systématique en France depuis 2002 ; il est réalisé à partir d'une prise de sang.

Tous ces dépistages nécessitent une analyse sanguine, qui se pratique comme suit : l'infirmière pique le nouveau-né avec un petit stylet, au talon ou à la main, et prélève quelques gouttes de son sang. Pour la phénylcétonurie (test de Guthrie) et l'hypothyroïdie, elle le recueille sur un papier buvard spécial, envoyé ensuite dans un laboratoire. Au moindre problème, vous serez bien sûr informée des résultats, même si vous êtes déjà rentrée chez vous.

LA PHÉNYLCÉTONURIE • Cette maladie est due à l'absence d'une enzyme. Du fait de cette déficience, la phénylalanine est trop élevée dans le sang. Dès lors, elle devient toxique, en particulier pour le cerveau, et provoque progressivement un retard mental. Un régime alimentaire adapté prévient toutefois cette évolution.

L'HYPOTHYROÏDIE • Elle est due à un manque d'hormones thyroïdiennes. Cette carence hormonale provoque un retard de croissance et un retard mental. Administrer des hormones thyroïdiennes sous forme de gouttes permet toutefois à l'enfant de se développer normalement sur les plans physique et intellectuel.

Si l'enfant est séparé de ses parents

Il arrive que le bébé nécessite des soins médicaux particuliers dès sa naissance. Il peut alors être surveillé dans un secteur particulier de la maternité, voire hospitalisé dans un service de pédiatrie. Cette épreuve difficile semble toujours trop longue, mais elle n'implique plus comme autrefois un éloignement total.

Quand décide-t-on de mettre un nouveau-né en couveuse ?

Tous les nouveau-nés prématurés (nés avant la 37e semaine révolue) ne sont pas placés en couveuse. Un bébé né à la fin du 8e mois de grossesse reste parfois près de sa mère, s'il apparaît en bonne santé. Il bénéficiera bien sûr d'une surveillance très attentive, et vous pourrez même l'allaiter. En revanche, il a besoin de se développer d'abord dans une couveuse s'il naît avant la fin du 8e mois, s'il pèse moins de 2 kg, s'il risque de mal s'alimenter, s'il a des difficultés pour respirer ou s'il a souffert d'un accouchement difficile.

POUR RESPIRER ET SE NOURRIR • Un bébé prématuré est un enfant dont les fonctions essentielles n'ont pas atteint leur maturité. Dans la couveuse, ou incubateur, il bénéficie d'une température constante. Il est le plus souvent relié à des appareils : certains l'aident à respirer, pour que ses tissus et son cerveau soient assez oxygénés, et d'autres, à se nourrir (parfois par sonde gastrique ou par perfusion s'il ne tolère pas l'alimentation orale) ; d'autres appareils encore surveillent sont état (fréquence cardiaque, taux d'oxygène et température).

POUR COMBIEN DE TEMPS ? • La durée d'hospitalisation d'un enfant prématuré est extrêmement variable, allant de quelques jours à quelques semaines. Mais souvent, il ne sort pas avant que les 37 semaines d'aménorrhée théroques soient écoulées. Tout dépend donc du terme de sa naissance, de l'évolution de son poids, de la qualité de sa respiration, de sa tolérance à l'alimentation, de l'éventuelle apparition d'infections, etc. La plupart du temps, tout se passe bien, et le bébé se développe d'abord dans la couveuse, puis dans son berceau, jusqu'à atteindre l'autonomie et le poids qui lui permettront de quitter la maternité.

Et s'il est très malade ?

Dans presque toutes les situations, le personnel médical s'attache aujourd'hui, de diverses manières, à maintenir des liens entre le nouveau-né et ses parents. Quand un bébé né à terme, ou prématuré, nécessite des soins de pédiatrie néonatale, il est parfois possible que la mère, si elle le souhaite, reste jour et nuit près de lui. Cette solution, inspirée des unités Kangourous, est proposée par certains hôpitaux spécialisés.

Comment maintenir des liens dans les unités de soins classiques ?

Il est toujours possible de rendre visite à un nouveau-né placé en couveuse, ou hospitalisé. Ces rencontres seront l'occasion de le voir, de commencer à tisser un lien, de lui faire sentir votre affection. Même si ces échanges vous frustrent et vous paraissent trop limités, votre présence et celle du père lui feront beaucoup de bien. Si la séparation a eu lieu dès la naissance, c'est le seul moyen de faire mutuellement connaissance. Plus souvent vous pourrez voir votre bébé et être auprès de lui, mieux ce sera. Vous aurez de surcroît l'occasion de parler avec l'équipe soignante. Car vous aurez besoin d'obtenir des réponses claires, honnêtes et précises à toutes vos questions.

LES CONTACTS QUAND LE BÉBÉ EST EN COUVEUSE • Dans ce cas, le personnel soignant favorise les visites quotidiennes, voire plusieurs fois par jour. Vous pourrez vous approcher du bébé pour qu'il vous voie, lui parler, demander à le toucher par les ouvertures de la couveuse.

Parfois, s'il n'est pas totalement dépendant des appareils, vous le prendrez quelques instants dans vos bras. En outre, les équipes soignantes favoriseront votre présence lors de la toilette, et, dès que possible, vous y participerez. Si allaiter directement est impossible, vous pouvez aussi apporter votre lait à votre bébé (prélevé au tire-lait) pour qu'il soit donné à votre bébé par sonde ou au biberon. Si cela est impossible, vous pouvez utiliser le tire-lait pour continuer à stimuler la lactation jusqu'à ce que l'enfant soit prêt à téter.

Enfin, un foulard imprégné de votre odeur pourra aussi aider le bébé à garder le lien avec vous. Avant le retour à la maison, n'hésitez surtout pas à demander des indications sur les soins, de façon à ne pas vous trouver désemparée.

Peut-on rester avec l'enfant dans les unités Kangourous ?

Quand l'enfant est prématuré ou malade, il existe toutefois une autre solution que l'accueil dans une unité de soins classique : ce sont les unités Kangourous. La mère vit dans la même chambre que le bébé, participe à la toilette, assiste à certains soins. Chaque fois qu'elle le désire, elle peut également pratiquer le « peau à peau » : cette technique, appelée aussi « méthode Kangourou », consiste schématiquement à prendre contre sa peau nue le nouveau-né en position verticale et vêtu seulement d'une couche. Elle a un intérêt essentiellement psychologique et affectif, même si par ce contact la mère transmet aussi sa chaleur. Le « peau à peau » implique bien sûr que le bébé ait une autonomie suffisante pour pouvoir quitter la couveuse. Les unités Kangourous n'accueillent pas des enfants gravement malades ou avec des troubles respiratoires, mais elles reçoivent en revanche, outre les prématurés en assez bonne santé, les bébés souffrant d'une infection ou d'hypoglycémie… Le seul problème des unités Kangourous est leur petit nombre, il en existe actuelement près d'une trentaine en France.

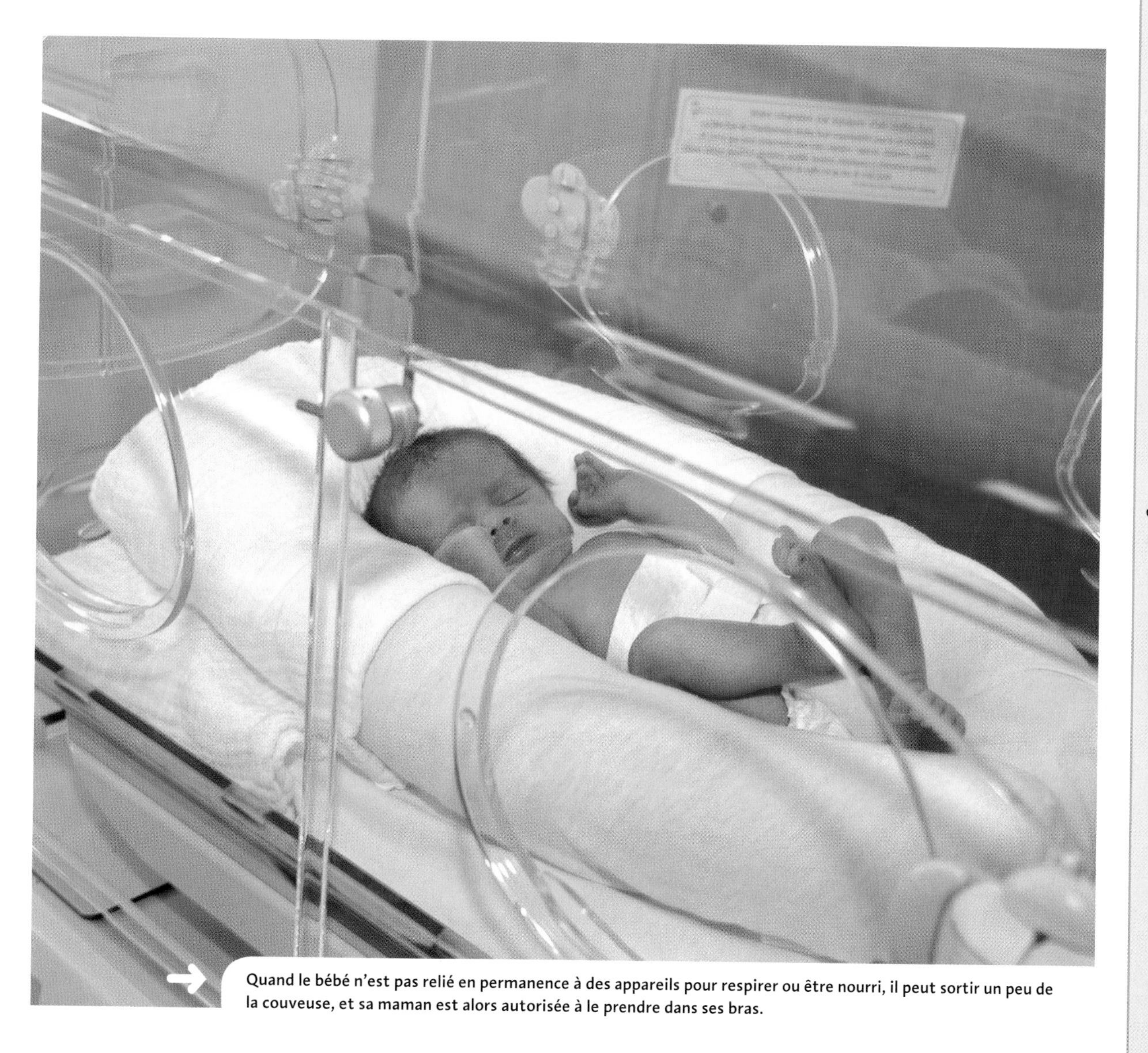

Quand le bébé n'est pas relié en permanence à des appareils pour respirer ou être nourri, il peut sortir un peu de la couveuse, et sa maman est alors autorisée à le prendre dans ses bras.

Un papa entre maison et maternité

Que vous travailliez ou non, vous serez souvent sollicité durant le séjour à la maternité: formalités, contacts avec l'extérieur, allers et retours à la maternité. Vous en oublierez souvent de vous occuper de vous-même. Parfois, les amis ou la famille vous aideront en assurant la gestion du quotidien.

Pourquoi est-ce la « course »?

Durant les premiers jours suivant la naissance, un père a en général un emploi du temps très chargé. Beaucoup continuent en effet à travailler et prennent plutôt leur congé de paternité lors du retour à la maison (voir encadré ci-dessous). Il leur faut alors tout concilier: vie professionnelle, formalités diverses, envie de voir leur femme et leur bébé... C'est la « course »! Sans doute ne compterez-vous plus les trajets entre la maison, la maternité et le lieu de travail. Aller chercher du linge, ou tel objet dont votre compagne a besoin, accompagner à la maternité une arrière-grand-mère qui ne peut se déplacer seule... Vous établissez le lien avec le monde extérieur, annoncez la nouvelle, et êtes souvent sollicité par les uns et les autres.

Pourtant, vous n'avez qu'une envie: être auprès de votre femme et de votre enfant, de préférence en tête à tête. Pour les voir, vous multipliez les allers et retours, et les journées seront toujours trop courtes. Il vous faut aussi du temps pour s'occuper du ou des aînés s'il y en a, préparer éventuellement la maison pour le retour de la maman et du bébé, et penser à vous...

UNE SITUATION UN PEU FRUSTRANTE... • Dans ce marathon quotidien, certains pères ont parfois le sentiment désagréable de « rater quelque chose ». Les moments d'intimité avec leur femme et leur enfant leur paraissent trop brefs. Cette sensation n'est pas toujours fonction du nombre d'heures passées près des siens, car les hommes en congé se sentent parfois aussi frustrés. L'environnement peu familier de la maternité, le fait de ne pas se sentir à l'aise influent toujours un peu sur la qualité des échanges. Il est peu probable, toutefois, que vous « passiez à côté » de votre bébé si vous le voyez tous les jours! Mais votre sentiment d'insatisfaction n'est pas très surprenant.

LE CONGÉ DE PATERNITÉ

- En France, les papas bénéficient désormais d'un congé de paternité d'une durée de onze jours, ajoutés aux trois jours initiaux.
- Faut-il choisir de s'arrêter tout de suite ?
- **Beaucoup considèrent que durant le séjour à la maternité, c'est un peu du « gaspillage ».**
- On trouve, en général, davantage d'intérêt à s'arrêter au moment du retour de la maman et du bébé. **Retrouver une intimité avec celle que vous aimez, prendre votre place auprès de l'enfant, construire ensemble cette nouvelle vie... Cela se fera plus naturellement si vous êtes chez vous, à plein temps.** Vous en profiterez pour souffler un peu , l'émotion est souvent plus forte qu'on ne le croit et peut se manifester après coup.
- **Si c'est possible, il est plus profitable de prendre son congé moins d'un mois après la naissance.** Car, plus les semaines passent, plus il peut être difficile de s'insérer dans la relation entre la mère et le bébé, si celle-ci a tendance à être très exclusive.

Des moments de solitude?

Après leur « journée marathon », beaucoup de pères se retrouvent seuls, chez eux. Certains en profitent pour se remémorer les bons moments de la journée et les savourer de nouveau; ils en retirent une certaine énergie. Mais tous n'apprécient pas cette solitude. Plus d'un est désemparé en quittant le soir sa femme et son enfant et vit mal son retour dans une maison vide. Comme le raconte ce jeune père: « j'avais envie d'être avec eux, je me demandais ce qui se passait, ce qu'ils faisaient, là-bas à la maternité, et, malgré toute ma fatigue, je ne dormais pas bien ».

UN MANQUE DE PAROLES • Cette solitude pèse surtout quand l'intéressé a besoin de parler de ce qu'il vit ou vient de vivre. Ceux qui ont été très impressionnés par l'accouchement, en particulier, ne trouvent souvent pas d'interlocuteur qui sache écouter et aider. Vous n'êtes pas seul dans cette situation. Beaucoup de pères, même d'un naturel peu loquace, auraient besoin de parler davantage après la naissance. Parfois, c'est même essentiel pour envisager sereinement l'avenir. Profitez de vos amis, de vos proches,

Mais cet éventuel besoin de l'homme de se faire dorloter et servir peut aussi avoir une signification plus symbolique : ce serait pour lui comme retrouver un dernier cocon, vivre une sorte de régression temporaire, pour mieux passer du statut de fils à celui de père. Le temps de reprendre des forces, on se repose encore sur autrui ; avant d'assumer à son tour la responsabilité d'un enfant, on retourne dans le giron familial.

Puis la vie à trois commence, et on apprend son rôle de père. Ce n'est bien sûr qu'une interprétation, une possibilité. Certains hommes n'ont d'ailleurs aucune envie de se tourner vers leur famille, et manquent d'amis disponibles. Pourtant, se préparer à sa nouvelle vie est plus facile lorsqu'on a la possibilité de s'appuyer sur les autres...

Très vite, le bébé distingue les bras de son père de ceux de sa mère, sa façon bien à lui de le porter et de lui parler.

et parlez, parlez... Votre ressenti, même si la société ne le reconnaît pas toujours, est aussi important que celui de votre compagne. Refusez de rester seul avec des non-dits.

En quoi la famille peut-elle aider ?

Pour certains jeunes pères, la famille ou des amis très proches constituent des soutiens précieux. Ces derniers aident alors de manière simple, en préparant les repas, en offrant le gîte ou une présence ponctuelle. Ils assurent en quelque sorte « l'intendance » et apportent une écoute bienveillante. L'effet le plus immédiat est de limiter la fatigue du père, dès lors davantage disponible pour voir sa femme et son enfant à la maternité.

“Je suis tellement content d'être père, tellement heureux d'avoir une fille... Alors pourquoi, est-ce que je me sens si déprimé ?”

LE BABY BLUES DU PAPA

Tout comme les pères en devenir ne sont pas vaccinés contre les baisses de moral dues à la grossesse, peu sont immunisés contre le coup de blues postnatal. De nombreux déclencheurs des divers types de baby blues chez la mère agissent également, mais de différentes manières, sur le père : impression de débordement et de surmenage, de manque de préparation, fatigue sans fin, inquiétudes sur l'adaptation des priorités familiales et du mode de vie...

La plupart des conseils permettant aux femmes de mieux se sortir de cet effondrement psychologique fonctionnent pour les nouveaux pères. Le sport est un bon moyen d'évacuer le stress et les angoisses ; la communication en est un autre (discutez de vos sentiments avec votre compagne ou avec d'autres pères qui savent de quoi vous parlez). Comptez aussi sur le temps et le fait que vous vous sentirez chaque jour plus à l'aise dans votre nouvelle vie, et donc plus heureux (voir pages 388 à 391).

Généralement, le père et la mère ne dépriment pas en même temps. Par contre, il n'est pas rare que le baby blues les submerge à tour de rôle. Dans ce cas, lutter ensemble contre ce phénomène a des bienfaits pour les deux membres du couple et permet de prévenir de prochaines crises.

L'examen de sortie

À la fin de votre séjour à la maternité, vous allez passer, vous et votre bébé, un examen médical qui vérifiera que tout se passe bien pour l'un comme pour l'autre et que vous pouvez rentrer sans problème à la maison.

Pour la maman

EXAMEN CLINIQUE ET PRESCRIPTIONS • Le jour de la sortie, la sage-femme viendra faire le point avec vous. Elle commencera par faire un examen clinique complet. Elle examinera d'abord votre utérus pour vérifier son involution. À quelques jours de l'accouchement, il doit être bien rétracté, à mi-ombilic (c'est-à-dire à mi-distance entre le pubis et l'ombilic). Les saignements ne doivent pas être trop abondants (moins que pendant les règles) et non malodorants (dans le cas contraire, cela signifierait une infection de l'utérus ou endométrite).

Elle inspectera ensuite votre périnée, si vous avez eu une épisiotomie ou une déchirure, pour s'assurer que la cicatrisation suit son cours normalement. Certains praticiens mettent pour recoudre des fils résorbables qui tombent tous seuls 8-10 jours après, d'autres des fils non résorbables; dans ce dernier cas, la sage-femme prendra soin de les enlever avant votre sortie. Enfin, elle examinera vos seins si vous allaitez.

LE CARNET DE SANTÉ

- Ce **document légal et confidentiel** est remis à chaque maman le jour de la naissance de son bébé ; il doit être rempli par les médecins qui l'examineront, lors des visites obligatoires ou lors des examens que l'enfant sera éventuellement amené à passer.
- **Il est donc indispensable d'en prendre soin (pensez à le couvrir car il va devoir durer des années) et de l'apporter à chaque visite médicale.** Lorsque vous confiez votre enfant pour plusieurs jours à un proche, pensez à glisser le carnet de santé dans sa valise.
- Sont régulièrement notées dans le carnet des informations concernant l'évolution du poids de l'enfant, de sa taille, de son développement psychomoteur, de son alimentation, etc. Les maladies contractées, les résultats d'examens et les traitements prescrits sont également consignés. **Pour chaque vaccination,** doivent être inscrites la date de l'injection et les informations concernant le vaccin lui-même (n° du lot, validité, etc.).

Vient ensuite le temps des ordonnances. La sage-femme vous prescrira une contraception, après avoir discuté avec vous des différentes possibilités adaptées à votre cas (votre âge, vos antécédents, si vous allaitez ou non...). Si vous allaitez, il est préférable de ne pas prendre de pilule, mais d'opter pour une contraception locale (par préservatifs par exemple). Sinon, la contraception orale pourra être reprise 2 ou 3 semaines après l'accouchement et mieux vaut prendre alors une pilule microprogestative. En cas de césarienne, vous devrez poursuivre le traitement anticoagulant (voir page 311). Vous aurez une seconde ordonnance pour les séances de rééducation périnéale, que vous pourrez commencer dans les deux mois suivant l'accouchement.

ET PAR LA SUITE ? • Vous devrez reprendre rendez-vous avec votre obstétricien 6 à 8 semaines après l'accouchement pour la visite postnatale qui permet de faire le point sur la grossesse et l'accouchement.

CAS PARTICULIER DE LA SORTIE PRÉCOCE • En France, le séjour en maternité a été très écourté ces dernières années; il est aujourd'hui d'environ 5 jours après un accouchement par voie basse et de 7 jours en cas de césarienne. Certains établissements proposent désormais une sortie précoce avec suivi à domicile : on parle de « retour précoce à domicile après accouchement » (RPDA).

Pour qu'une sortie dès le 3e jour après un accouchement par voie basse (ou dès le 5e jour après une césarienne) soit envisageable, vous devez êtes consentante et un certain nombre de conditions doivent être réunies : votre état de santé et celui de votre bébé doit être tout à fait satisfaisants; si vous allaitez, il faut que l'allaitement soit bien en route; vous pourrez avoir de l'aide à la maison, etc. Dans tous les cas, une sage-femme (qui disposera de votre dossier médical) prendra en charge votre surveillance et celle de votre bébé à domicile pendant quelques jours.

Pour le bébé

Juste avant la sortie de la maternité, votre bébé va être examiné par un pédiatre. Cet examen se déroulera en votre présence et vous pourrez poser toutes les questions qui

Les spécificités de l'examen du nouveau-né

Pour s'assurer que la sortie du bébé de la maternité est possible, le pédiatre procède à un examen qui recoupe et complète celui qui a eu lieu juste après sa naissance (voir pages 324-325).

L'EXAMEN DE LA PEAU

Dans les jours qui suivent l'accouchement, la peau d'un nouveau-né peut présenter des petites irritations, des éruptions ou des taches; la plupart sont sans gravité et tout rentre généralement dans l'ordre en quelques jours. Le pédiatre vous donnera des conseils pour les soins si nécessaire. Après la disparition du vernix caseosa, la peau du nouveau-né desquame, surtout au niveau des pieds et des mains. Le milium, une petite éruption de boutons blancs sur les ailes du nez et le menton, disparaît en quelques jours. Les angiomes, des taches rouges localisées sur la nuque, sur les paupières, mettent plus longtemps à disparaître mais ne demandent aucun soin particulier.

Quant à l'ictère physiologique, qui provoque une coloration jaune du blanc de l'œil et de la peau, il doit progressivement régresser à partir du 5e jour. Dans le cas contraire, un traitement par photothérapie pourra être envisagé.

LA PALPATION

Au cours de l'examen, le pédiatre palpe les différentes parties du corps du bébé; son attention se porte notamment sur les fontanelles (voir ci-contre) et sur les éventuelles déformations du crâne, sur l'abdomen, sur les organes génitaux (emplacement des testicules, état du prépuce pour un garçon; examen de la vulve et des petites lèvres chez une fille) et sur les clavicules (pour déceler un éventuel traumatisme survenu au niveau de l'épaule au moment de l'accouchement).

L'EXAMEN DE L'APPAREIL LOCOMOTEUR

Le pédiatre vérifie la position des membres et des pieds, qui présentent parfois des anomalies dues à des postures fœtales (pied tourné vers l'intérieur par exemple, appelé « pied en varus »). Il peut éventuellement déceler ou suspecter une luxation de la hanche; en cas de doute, il prescrira une échographie spécifique.

L'AUSCULTATION CARDIAQUE

Il arrive que le pédiatre détecte un petit souffle au cœur, mais celui-ci disparaîtra le plus souvent dans les semaines suivantes. En revanche, cette auscultation ne permet pas toujours d'écarter à ce stade toute anomalie cardiaque, mais ses problèmes sont heureusement rarissimes.

L'EXAMEN NEUROLOGIQUE

Il porte principalement sur l'évaluation du tonus musculaire: pendant les premières semaines, le bébé a une tonicité musculaire importante; il est, par exemple, difficile de lui allonger complètement les bras et les jambes; de même qu'il a toujours les doigts repliés. Pour s'assurer que tout va bien, le pédiatre procède à différentes manœuvres des membres, place le bébé en position assise pour voir comment il réagit avec sa tête, etc.

Enfin, il contrôle les différents réflexes archaïques du nouveau-né dont celui de la marche automatique (voir page 325).

vous préoccupent et demander des conseils. Si vous avez des antécédents familiaux particuliers (allergie par exemple), il est important d'en informer le médecin.

Le pédiatre vérifiera que la perte de poids des premiers jours reste inférieure à 10 % (par exemple, si votre bébé faisait 3 kg à la naissance, il ne devra pas peser moins de 2,7 kg pour pouvoir sortir). Si vous avez choisi l'allaitement, il s'assurera que celui-ci a bien démarré et que vous ne rencontrez pas de difficultés particulières.

Si votre bébé présente un ictère physiologique (près de 1 bébé sur 4 est concerné), le pédiatre vérifiera qu'il est en régression. L'examen de sortie a également pour but le dépistage de toute anomalie physique ou neurologique (voir encadré ci-contre).

À l'issue de cette consultation, le pédiatre inscrira tous les résultats de ses observations sur le carnet de santé de votre bébé et établira un certificat que vous devrez envoyer sans tarder à votre Caisse d'Allocations familiales.

QUE SONT LES FONTANELLES ?

- Chez le nouveau-né, les différents os qui constituent le crâne ne sont pas encore soudés entre eux et sont séparés par des membranes cartilagineuses appelées « fontanelles ».
- **Il existe deux fontanelles, d'aspect différent:**
- **la petite fontanelle, ou fontanelle postérieure, se trouve à l'arrière du crâne** et n'est pas toujours palpable;
- **la grande fontanelle, ou fontanelle antérieure, se trouve à l'avant du crâne, vers le sommet, et se reconnaît à sa forme de losange.** Vous la verrez battre ou se tendre notamment lorsque votre enfant pleure.
- **Mais soyez sans crainte, ces membranes sont résistantes.** Elles s'ossifient progressivement sur une période qui dure de 6 à 24 mois.

Côté psy : de nouveaux sentiments

Certaines femmes abordent d'emblée la maternité avec aisance et sérénité. Pour d'autres, et même si la grossesse s'est déroulée sans problèmes, la naissance peut marquer une sorte de rupture plus ou moins bien vécue, où la joie se mêle à des sentiments plus confus que l'on ne comprend pas toujours.

Qu'est-ce qui m'arrive ?

UNE NOUVELLE RÉALITÉ • La fatigue de la grossesse et de l'accouchement, les bouleversements hormonaux n'expliquent pas tout. L'anxiété face au bébé peut être à l'origine de pensées confuses, contradictoires et donc fragilisantes. Les psychologues évoquent la difficulté à accepter le nouveau statut de mère, le deuil de l'enfant idéal – on a le droit d'être déçue par son sexe ou par son apparence ! En outre, en devenant mère, vous changez de statut social. Une étape pas toujours facile à franchir, qui ne s'improvise pas du jour au lendemain et peut générer des interrogations et des doutes.

ÊTRE MÈRE SE CONSTRUIT • Pour de nombreuses femmes, l'état de bonheur est immédiat et transcende la fatigue. Même épuisées, beaucoup de mamans auront envie de prendre leur bébé dans leurs bras, de le regarder et de s'en occuper.

Pour d'autres, ces premiers jours oscillent entre les rires et les larmes : la joie devant un regard de son enfant, les premiers moments de découverte mutuelle et l'émerveillement que l'on ressent peuvent tout à coup faire place à un état de désarroi. Pour d'autres encore, le bonheur aura du mal à se faire sentir de façon spontanée. Cet « après-naissance », d'autant plus s'il s'agit d'un premier enfant, peut même être une période vécue comme une perte, voire un deuil. En effet, l'état de plénitude de la grossesse, où la maman et le bébé ne faisaient qu'un, appartient maintenant au passé. Et les attentions dont la future mère a fait l'objet durant neuf mois se concentrent désormais davantage sur le nouveau-né.

Or, ce nouveau venu est bel et bien un bébé qui pleure, qui a faim, qui se salit et dont il faut s'occuper jour et nuit. On s'imaginait en maman idéale, patiente, souriante, sans doute ni inquiétude, et on se découvre dépassée par cette soudaine responsabilité.

Il arrive que l'on doute de soi et de ses capacités à être mère face à un petit être totalement dépendant et que l'on ne connaît pas encore. Ces sentiments vous déstabilisent un peu, d'autant que votre état général est encore fragile. Et vous croyez, vous craignez aussi, qu'ils vont durer.

Encore très fragilisée par l'accouchement, une jeune mère perçoit tout de façon très émotive.

Le temps, un allié précieux

Encore une fois, tout cela est normal. Il faut à certaines femmes un peu de temps pour aborder leur nouvel état de mère. Même si vous avez porté cet enfant durant neuf mois, il est impossible de déjà bien le comprendre, en quelques heures ou quelques jours ! C'est pour vous une nouvelle personne, que vous allez découvrir au fil des jours. Petit à petit, vous distinguerez ses différents pleurs, vous connaîtrez mieux que quiconque ses rythmes de vie et vous devinerez ses attentes. Cette « appétence aux soins », toute féminine, est en vous et se confirmera avec le temps. Elle est simplement différente pour chaque mère. Laissez donc du temps à votre enfant et donnez-vous également du temps. Faites aussi les choses comme vous les ressentez, à votre manière, sans vous laisser influencer et sans forcément prendre tous les conseils de votre entourage à la lettre… En temps voulu, cette joie que vous attendiez sera au rendez-vous, et sûrement au-delà de vos espérances.

Le baby blues et ses pleurs incontrôlés

Rien n'est plus déconcertant que ce que l'on nomme le « baby blues ». Vous êtes censée vivre le plus beau moment de votre vie, tout s'est bien passé, le bébé est en pleine forme, le papa est radieux… et les larmes vous viennent aux yeux sans aucune raison apparente. Ce syndrome, qui arrive généralement vers le troisième jour après l'accouchement, touche une grande majorité de mamans – mais pas toutes. Il ne dure souvent que quelques jours, et, parfois, n'excède pas quelques heures, comme une sorte de gros « coup de cafard ». Ce passage dépressif est d'autant mal vécu qu'il est pour vous inexplicable.

Les médecins se sont rendu compte qu'il se passait à un moment particulier, celui de la baisse brutale de la concentration d'hormones progestatives, hormones dont le taux est très élevé pendant la grossesse. Certains évoquent aussi un contrecoup dû à toutes les angoisses qui ont précédé l'accouchement. Ne prenez surtout pas ces larmes comme un aveu de faiblesse. Elles surviennent (ou pas !) sans que l'on s'y attende, et l'équipe de la maternité, habituée à ces moments de spleen, sera là pour vous aider. Vous en sourirez plus tard en repensant à ces autres femmes croisées dans les couloirs de la maternité, à la démarche de fantôme et aux yeux gonflés, et que vous aviez pourtant vues la veille encore souriantes et gazouillant avec leur bébé.

ÊTRE ENTOURÉE • Si, comme cela risque d'être le cas, vous êtes encore à la maternité lorsque cela vous arrive, n'hésitez pas à en parler à la sage-femme, à l'infirmière ou aux puéricultrices. Vous serez rassurée de les entendre dire que c'est normal, et que beaucoup d'autres sont passées par là ! Confiez-vous aussi à votre compagnon : faites-lui part de votre anxiété, de vos interrogations, de votre trouble. Même si cela le perturbe un peu, il appréciera de pouvoir jouer ce rôle de soutien auprès de vous. Si vous le souhaitez, vous pouvez aussi partager ce moment avec une amie proche, déjà maman, qui vous parlera de sa propre expérience et vous rassurera.

Cette petite déprime passagère ne doit pas être confondue avec la véritable « dépression du post-partum » qui est beaucoup plus rare et dure plusieurs mois. Si toutefois votre anxiété et vos crises de larmes perdurent, si vous êtes assaillie par un sentiment de culpabilité intense ou si vous êtes convaincue d'être incapable de vous occuper de votre enfant, ne vous enfermez pas sur vous-même. Parlez-en rapidement afin d'être vite prise en charge par un spécialiste. Connues, ces dépressions du post-partum doivent être soignées et bien suivies.

La peur du retour à la maison

À la maternité, vous êtes sécurisée parce qu'en cas de problème l'équipe est là. Comment ferez-vous une fois seule à la maison ? Beaucoup de mères paniquent à l'idée de « ne pas savoir ». Vous n'êtes pas seule, votre compagnon sera présent le soir, le week-end et durant son congé de paternité. De plus, avant de quitter la maternité, demandez s'il vous sera possible de les appeler. Si vos angoisses sont trop fortes, prévoyez un accompagnement à domicile (sage-femme libérale) ou demandez à une amie de passer.

LE POINT DE VUE DE BÉBÉ

Tantôt je suis si bien, c'est presque comme avant : calme, doux et chaud, ensemble. Puis, à certains moments, tout est différent : ça tend, ça tort, ça fait mal, ça brûle, je hurle. Ce n'est plus dans le même tempo où, quand j'ai besoin, ça vient. Pas cette danse des petits gestes qui fait que j'oublie qu'on est deux et qui va me faire l'accepter. Je sens trop le dehors, sa différence à elle, qui pleure et s'énerve. On a du mal à s'accorder parfois. Mais ça viendra avec le temps, je nous fais confiance.

Les débuts d'une relation à trois

Même si la maternité ne constitue pas un cadre idéal, ces premiers jours vous permettront d'initier vos nouvelles relations à trois. Votre compagne aura plus que jamais besoin de vous. Il vous faudra bien vous organiser pour ménager à chacun des temps d'intimité.

Maternité, mode d'emploi

Une maternité a ses règles et son mode de fonctionnement. Durant toute la matinée, le personnel soignant est omniprésent, car c'est le moment des soins, de la toilette, des examens médicaux. L'après-midi est réservé aux visites. Reste le soir, plus tranquille, mais la maman, réveillée très tôt le matin, est souvent bien fatiguée…

Pour vous deux, ce ne sera pas simple. Votre compagne se retrouvera rarement seule avec son enfant. Elle vivra au rythme de l'institution et des visites, et non suivant son désir. Pour préserver du temps pour elle (et pour vous), vous devrez manifester autant que possible vos besoins, à l'extérieur et dans la maternité.

NE TENEZ PAS COMPTE DES HORAIRES DE VISITE • En tant que père de l'enfant, vous pouvez entrer et sortir comme bon vous semble, être présent aux heures qui vous conviennent, même tard le soir ou tôt le matin. La seule restriction est le besoin de repos de votre femme… ou son désir d'être un peu seule avec l'enfant.

DEMANDEZ, SI VOUS VOULEZ PARTICIPER AU BAIN • La toilette du bébé a toujours lieu le matin. Mais, si vous souhaitez y participer et que vous ne soyez pas disponible à l'heure dite, votre femme pourra demander qu'elle se déroule l'après-midi ou en début de soirée. Il suffit de prévenir le personnel et de donner un horaire précis.

N'hésitez pas à faire cette démarche : en participant une fois au bain, vous vous sentirez plus autonome et pourrez vous dispenser d'éventuels conseils au retour à la maison.

Limiter les visites des proches ?

Il est toujours agréable de se faire congratuler et de présenter son enfant à son entourage. Mais, parfois, les visites à la maternité deviennent un poids. Elles empiètent sur vos tête-à-tête, et, pour différentes raisons, sont aussi sources de fatigue pour vous et votre femme. Trouver un équilibre qui convient à tous deux demandera un peu d'organisation. Ce sera plus simple si vous limitez déjà le nombre de ceux à qui vous annoncez aussitôt la naissance.

ANNONCER LA NAISSANCE AU COMPTE-GOUTTES • Certaines annonces sont quasi incontournables. D'autres peuvent attendre un peu. Méfiez-vous notamment des indélicats qui, tout enthousiastes, viennent sans prévenir et considèrent la maternité comme un espace public. À ceux-là, mieux vaut taire la nouvelle quelques jours. Pour les autres, essayez d'organiser vous-même les visites : indiquez un jour, une heure, et, si c'est possible, demandez plutôt de patienter jusqu'au retour à la maison. Parfois, vous mentirez un peu, mais n'ayez pas trop de scrupules, car votre femme serait gênée par un défilé permanent.

PRENDRE EN COMPTE LE RESSENTI DE VOTRE FEMME • Les visites ont parfois une influence négative sur son moral et la rendent triste et morose. Sauf exceptions, c'est le nouveau-né qui, le plus souvent, bénéficie de toutes les attentions, et les sentiments de la maman passent au second plan. Tout au plus lui demandera-t-on comment l'accouchement s'est passé, en insistant sur des détails techniques qui l'indiffèrent totalement. Il lui arrivera de se sentir blessée ou très seule, surtout quand la naissance du bébé laisse en elle un manque et un vide. Vos attentions de mari ou compagnon seront donc essentielles.

Les attentions envers elle

Ces premiers jours à la maternité ne sont pas si faciles pour votre femme. Elle a parfois physiquement mal, ou du moins ne se sent pas bien dans son corps. Elle connaît comme vous des sentiments contradictoires : elle voudrait davantage s'occuper de son enfant, mais se sent épuisée ; elle se réjouit d'être maman, mais ne veut pas être cantonnée à ce rôle… Elle aussi, par moments, craint de ne « pas être à la hauteur ». Si elle tait ce qui ne va pas, à vous d'être attentif… Car c'est vous qui serez le plus à même de la rassurer. En lui rappelant que vous l'aimez, vous l'aiderez, en outre, à ne pas s'enfermer dans un rapport exclusif avec l'enfant, à rester ouverte à ses propres besoins et à votre relation à deux. Vous savez mieux que quiconque ce qui lui fait plaisir. Quand certains pères s'attachent à rendre la maison accueillante pour le retour de leur femme, c'est d'ailleurs aussi pour lui plaire et la séduire.

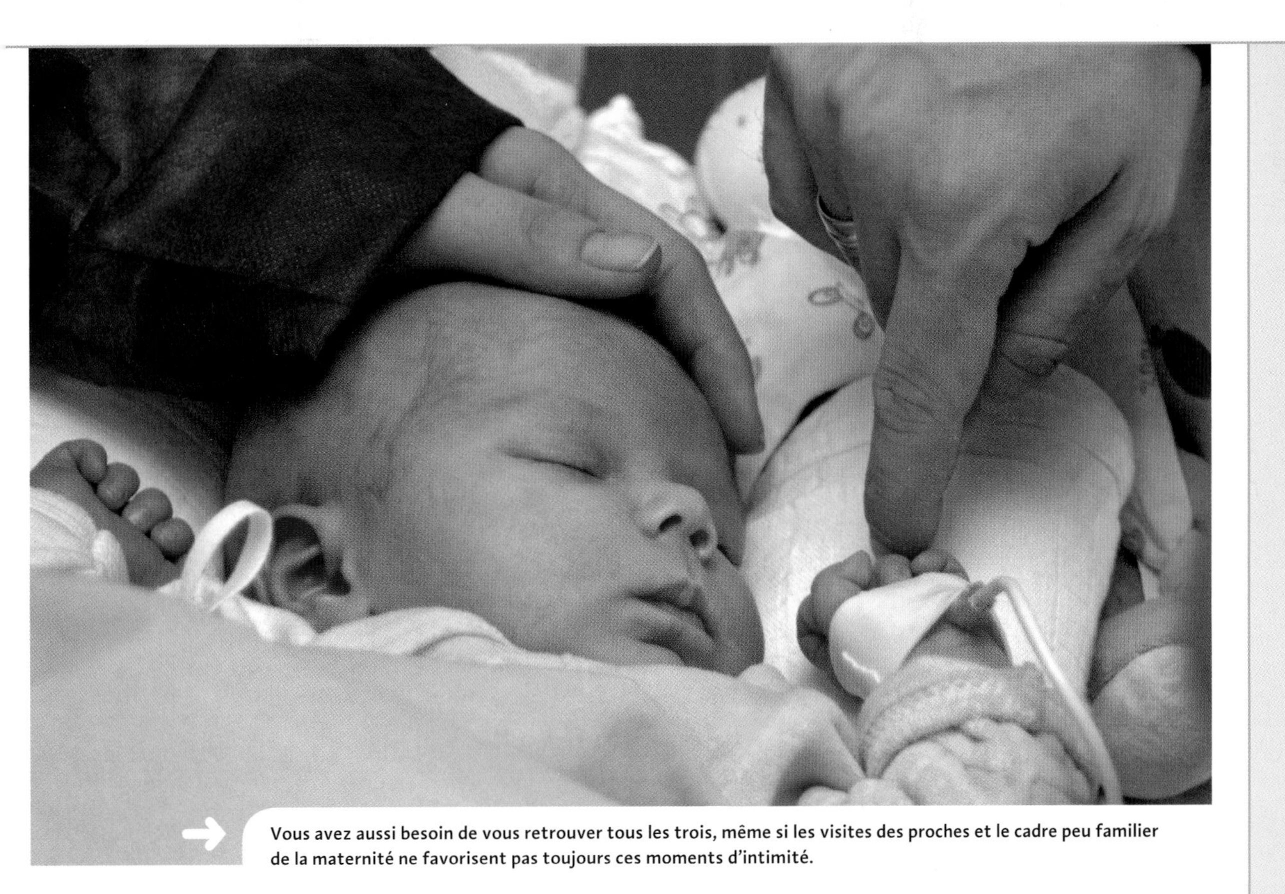

Vous avez aussi besoin de vous retrouver tous les trois, même si les visites des proches et le cadre peu familier de la maternité ne favorisent pas toujours ces moments d'intimité.

Relations triangulaires...

Parfois, vous serez tous trois dans la chambre, et il ne se passera rien de particulier. Vous parlerez à votre compagne, le bébé, de son berceau, entendra votre voix, et vous serez tous bien ainsi. À d'autres moments, elle allaitera le bébé et vous les regarderez. Ou alors vous bercerez l'enfant tandis qu'elle somnolera un peu. Schématiquement, la relation triangulaire est aussi simple que le tableau de ces scènes quotidiennes. Chacun est lié aux deux autres, mais vous ne serez pas toujours tous trois dans le même temps. De même que votre femme et vous avez besoin d'intimité, de même chacun créera avec l'enfant, et à son rythme, une relation particulière. L'équilibre de votre famille se fondera aussi dans cette alternance d'échanges à trois et de relations à deux.

EN TÊTE À TÊTE AVEC LE BÉBÉ • En allant vers votre enfant, vous découvrirez peu à peu tous les échanges possibles avec lui. Très vite, vous aurez le plaisir de le voir vous sourire, soutenir votre regard, vous parviendrez à calmer ses pleurs... Vous n'avez pas besoin de « faire » quelque chose de précis pour favoriser la construction de ces liens. Tout suivra naturellement son cours si vous prenez de temps en temps l'enfant dans vos bras ou le laissez par exemple dormir contre vous. Au-delà du plaisir partagé, vos gestes aideront le bébé à se découvrir. Chaque fois que vous surprenez votre enfant par la façon dont vous le portez ou le bercez, vous l'aidez à améliorer la conscience qu'il a de son corps. Un nourrisson qui ne connaîtrait que les bras de sa mère manquerait d'ailleurs d'une certaine assurance et peinerait davantage à s'ouvrir au monde.

Face à la sollicitude des grands-parents

À moins qu'ils n'habitent loin, les grands-parents sont souvent les premiers à venir voir l'enfant. Ils voudront sans doute vous transmettre leur expérience, mais attention à ne pas vous laisser submerger de conseils. Les grands-parents doivent, eux aussi, trouver leur place. Si le bébé est leur premier petit-enfant, ils auront parfois du mal à réaliser que leur rôle vis-à-vis de vous a changé. Il faudra donc le leur faire gentiment comprendre. Il n'est pas toujours facile de contraindre parents ou beaux-parents à respecter une certaine distance, à ne pas s'immiscer dans vos choix, mais, plus tôt vous le ferez, plus vous éviterez que chacun ne s'installe dans une position et une fonction qui ne sont pas les siennes.

Le retour à la maison

- Allaiter chez soi
- Le biberon à la maison
- Le sommeil du bébé
- Les pleurs du nouveau-né
- Changer et habiller son bébé
- La toilette du nouveau-né
- Sortir avec son bébé
- Choisir son médecin
- Les maux courants du nouveau-né
- S’occuper de jumeaux
- Vous êtes encore fragile
- La visite postnatale
- Retrouver la ligne
- S’occuper de soi
- Retrouver sa vie de couple
- Les relations affectives avec son bébé
- Communiquer avec son bébé
- Les premières séparations
- La vie de famille du côté du papa
- Un papa bien impliqué

Allaiter chez soi

Une fois chez vous, un rythme régulier de tétées va s'installer petit à petit et vous pourrez savourer pleinement ces instants précieux avec votre bébé. Cependant, il arrive parfois que vous rencontriez des petits soucis. Certains conseils pratiques vous permettront la plupart du temps d'y remédier facilement.

Le rythme des tétées

Un bébé en bonne santé, qui a une succion efficace, trouvera naturellement un rythme de tétées qui lui convient. En moyenne, un nouveau-né boit entre 8 et 12 fois par jour. La quantité de lait dépend de la fréquence des tétées et de l'efficacité de la succion du bébé. Des tétées courtes et fréquentes stimuleront davantage votre production lactée que des tétées longues mais peu nombreuses. Au bout de quelques semaines, vos seins seront moins gonflés et moins tendus. Cet assouplissement indique que votre production lactée s'adapte aux besoins de votre bébé. Pour être sûre que la succion de ce dernier est efficace, vérifiez que votre bébé mouille bien 5 ou 6 couches par jour et fait au moins 2 à 5 selles par jour – les quantités de selles peuvent diminuer à partir de 6 semaines, et c'est normal.

Attention !

Pendant toute la durée de l'allaitement au sein, veillez à ne jamais prendre de médicaments sans avis médical, même les plus courants, car certains passent dans le lait maternel. Proscrivez, par ailleurs, toute boisson alcoolisée, y compris le vin et la bière, dangeureuse pour le bébé.

L'hygiène de vie

L'allaitement n'est pas fatigant, mais il implique de respecter une certaine hygiène de vie.

BIEN SE NOURRIR • L'alimentation est aussi importante pour vous que pour votre bébé. Produire environ 800 ml de lait chaque jour nécessite de l'énergie : ce n'est pas le moment de vous mettre au régime. Mais au début de l'allaitement, vous pourrez aussi être sujette à des fringales ; aussi, pour éviter le grignotage, veillez à vous préparer de vrais repas équilibrés. Soyez particulièrement attentive :

- au calcium, pour que la croissance de votre enfant ne se fasse pas au détriment de vos os ; 3 ou 4 produits laitiers par jour sont conseillés ;
- au fer, pour reconstituer vos réserves après l'accouchement ; privilégiez les viandes, les poissons, les œufs ;
- aux lipides, pour le cerveau du bébé qui continue à se développer ; enrichissez votre lait en acides gras essentiels en variant les matières grasses (huiles, beurre, etc.) ;
- aux boissons, pour rester bien hydratée et favoriser la lactation ; buvez par exemple un verre d'eau avant chaque tétée. N'abusez pas du café et du thé, car la caféine et la théine passent dans le lait maternel.

Il est possible que votre bébé n'apprécie pas certains aliments à cause de leur goût prononcé qui se retrouve dans le lait et/ou de leur digestion difficile, entraînant des gaz (c'est le cas, par exemple, des oignons, du chou, des asperges ou des plats épicés si vous n'en consommiez pas durant votre grossesse).

Enfin, évitez les aliments qui peuvent diminuer la production lactée, comme le persil, la menthe, la sauge et la rhubarbe. À l'inverse, vous pouvez consommer des aliments stimulant la production lactée, comme l'anis vert, le carvi, le fenouil et la verveine des Indes.

SE REPOSER • La fatigue peut être à l'origine d'une insuffisance de lactation. Même si c'est souvent plus difficile à la maison qu'à la maternité, surtout si vous avez déjà des enfants, essayez de vous octroyer des moments de repos, au rythme du bébé. Dormez par exemple en même temps que lui ou allaitez en position allongée : vous pourrez vous assoupir et récupérer un peu.

Troubles et complications

Même si vous vous êtes bien préparée à l'allaitement, des petits troubles ou des complications surviennent parfois. Les téterelles (« bouts de sein ») peuvent contribuer aux problèmes d'allaitement et aggraver très rapidement la situation. Évitez donc d'en utiliser.

L'HYPERSENSIBILITÉ DES MAMELONS • Le bout de vos seins est souvent assez douloureux, surtout dans les premiers temps de l'allaitement. Cet inconfort peut être lié au

Pédiatres, obstétriciens, sages-femmes s'accordent pour dire que l'allaitement est préférable dans la plupart des cas.

bébé qui ne prend pas correctement dans sa bouche l'ensemble du mamelon et de l'aréole. Prenez le temps de bien positionner votre bébé au sein (voir page 319). En général, cette hypersensibilité diminue au fur et à mesure de l'apprentissage de la mère et de l'enfant.

LES CREVASSES • Elles peuvent être dues soit à une position incorrecte du bébé au sein pendant l'allaitement, soit à une peau qui reste trop humide (salive) ou qui est séchée trop rapidement (emploi d'un sèche-cheveux), soit encore à certaines crèmes ou savons qui sensibilisent la peau. Le mamelon est alors irrité et risque de se crevasser, comme une gerçure, voire même éventuellement de saigner.

Pour y remédier, vérifiez votre position d'allaitement et la position de votre bébé au sein (voir page 319), séchez délicatement les mamelons après chaque tétée sans frotter (tapotement avec du papier absorbant ou un linge doux) et supprimez les autres facteurs irritants.

Vous pouvez, si vous le souhaitez, protéger le mamelon avec une crème à base de lanoline anhydre purifiée et porter des coquilles pour aérer la gerçure et aider la crevasse à cicatriser. Pour prévenir ou limiter les crevasses, une astuce consiste à mettre quelques gouttes de lait maternel sur le mamelon, après avoir essuyé la salive du bébé.

L'ENGORGEMENT DES SEINS • L'engorgement est un phénomène transitoire dû à un afflux excessif de lait. Quand il a lieu, il commence en général entre le troisième et le cinquième jour après la montée de lait et alors que le rythme des tétées est encore anarchique. S'il est traité rapidement, il dure entre 12 et 48 heures.

Pour désengorger les seins, il faut faire téter son bébé très souvent. Plus les tétées seront fréquentes, plus vite le problème d'engorgement sera résolu. Les seins étant très tendus, le lait peut s'écouler avec difficulté. Effectuez alors des massages doux en appuyant de la poitrine vers le mamelon par des mouvements circulaires (en insistant un peu aux endroits douloureux), afin de drainer le sein et de stimuler le réflexe d'éjection.

Si vos aréoles sont fermes et que votre bébé n'arrive pas à prendre correctement le sein, vous pouvez également exprimer un peu de lait (manuellement ou avec l'aide d'un tire-lait, voir page 343) afin d'assouplir votre poitrine. Les douches chaudes et les enveloppements chauds (avec des gants de toilette) sont aussi très efficaces et préconisés avant le massage. Ils favorisent la vidange du sein. Une fois le sein bien assoupli, appliquez au contraire un linge froid pour réduire l'œdème et la douleur.

Attention : n'utilisez pas de coupelles d'allaitement, car elles entraîneraient de nouveau un engorgement mammaire par « sur-stimulation ». En cas de fièvre, parlez-en à votre médecin qui pourra vous prescrire de l'aspirine. La poursuite de l'allaitement constitue la part essentielle du traitement de l'engorgement et de ses complications.

LA LYMPHANGITE OU MASTITE • C'est une inflammation de la glande mammaire pendant l'allaitement – une zone rouge et douloureuse apparaît sur le sein, qui est tendu ; elle s'accompagne d'une fièvre qui peut s'élever à plus de 39 °C. Elle est due à l'obstruction d'un canal galactophore. La mère ressent les mêmes symptômes que ceux de la grippe. Il faut impérativement se coucher, boire beaucoup et mettre le bébé au sein pour favoriser la désobstruction du canal. Si la douleur est trop importante, on peut la soulager par de l'aspirine. Les facteurs prédisposants sont la fatigue et le stress, aussi le repos absolu est-il nécessaire pour favoriser la guérison. N'hésitez pas à consulter un spécialiste de l'allaitement qui vous aidera à identifier les causes de lymphangite afin d'éviter une récidive.

L'ABCÈS DU SEIN • Une lymphangite mal soignée peu évoluer en abcès. Il s'agit d'une lymphangite très forte avec écoulement de pus. Le plus souvent, un traitement chirurgical rapide s'impose (drainage du sein), ainsi qu'une antibiothérapie et du repos, mais l'allaitement peut se poursuivre du côté du sein non touché. L'abcès du sein est un problème sérieux mais extrêmement rare.

Combien de temps allaiter?

Il n'existe pas de « norme » en ce qui concerne la durée d'allaitement. L'âge du sevrage relève souvent d'un « phénomène culturel » et des facilités offertes par les pouvoirs publics aux mamans (information, soutien...). Mais la durée de votre allaitement est aussi une histoire personnelle, un choix familial; vous pouvez en discuter avec le papa qui pourra vous apporter le soutien dont vous avez besoin.

Souvent, le moment du sevrage est déterminé par la reprise du travail, mais sachez qu'il est tout à fait possible, si vous souhaitez continuer à allaiter votre enfant, d'envisager un sevrage partiel. Vous gardez par exemple les tétées du matin et du soir et, dans la journée, soit votre bébé boira des biberons de lait artificiel, soit vous tirerez votre lait sur le lieu de travail et le conserverez (voir page 343 « Tirer son lait »), pour qu'il soit ensuite donné à votre enfant.

La solution du sevrage partiel permet souvent aux mamans de vivre plus facilement les premières séparations, lorsqu'il faut retourner travailler. Le bonheur de retrouver ces moments d'intimité lors de la tétée du matin et du soir se conjugue alors avec un retour en douceur à une vie sociale.

Le sevrage partiel

Si vous décidez de donner à votre bébé, en votre absence, des biberons de lait artificiel, il est inutile de vous y prendre longtemps à l'avance. En effet, plus longtemps vous allaiterez exclusivement, plus votre allaitement pourra se poursuivre sans difficulté. Parfois, les bébés qui ont été nourris au sein refusent de boire au biberon. En effet, la succion de la tétine est très différente de celle du mamelon. En outre, lorsque leur maman leur présente le biberon, ils ne comprennent pas forcément ce qu'elle attend d'eux.

Si vous êtes dans ce cas, organisez-vous si cela est possible pour que ce soit une autre personne que vous – le papa ou l'assistante maternelle – qui propose à votre enfant son premier biberon, en dehors de votre présence. Il l'acceptera sans doute alors plus volontiers. Renseignez-vous également lorsque vous achetez les biberons; certaines marques sont plus adaptées que d'autres aux bébés allaités au sein. Quoi qu'il en soit, rassurez-vous; les bébés finissent toujours, après plus ou moins d'essais infructueux, par téter au biberon. Pour le choix du lait artificiel, demandez l'avis du médecin qui suit votre enfant.

Vos seins mettront quelques jours à s'adapter à ce nouveau rythme de tétées; pendant trois ou quatre jours, vous risquez en fin de journée d'avoir les seins gonflés et tendus, et éventuellement quelques pertes de lait. Remettez des coussinets d'allaitement dans votre soutien-gorge pour éviter de tacher vos vêtements. Mais assez vite vos seins produiront juste la quantité de lait dont votre bébé a besoin. Les jours où vous ne travaillerez pas, vous pourrez, selon votre envie, soit continuer les biberons la journée, soit donner le sein à toutes les tétées.

Le sevrage total

Si vous décidez d'arrêter l'allaitement, le sevrage devra alors être le plus progressif possible afin qu'il soit facile

SE FAIRE AIDER CHEZ SOI

- **Une fois chez soi, on a parfois l'impression d'avoir oublié ce que l'on avait appris à la maternité** et un peu de mal à trouver un bon rythme de tétées. **Si c'est le cas, pourquoi ne pas faire appel à une sage-femme libérale ?** La présence et les conseils d'une professionnelle, dans un cadre plus calme que la maternité, sont souvent bénéfiques.
- **Renseignez-vous auprès des sages-femmes de la maternité** et sachez que les honoraires peuvent être pris en charge par la Sécurité sociale.
- **Vous pouvez aussi vous rendre dans l'un des centres de PMI** (protection maternelle infantile) de votre ville ou de votre quartier; certains accueillent des groupes de soutien à l'allaitement où les mamans échangent leurs expériences.
- **Il existe aussi des associations spécialisées dans ce domaine :** là encore, renseignez-vous lors de votre séjour à la maternité (voir *Adresses utiles* pages 456 et 457).
- **Enfin, il est possible de s'adresser à une consultante diplômée en lactation, une profession nouvelle. Elles aident les mamans à allaiter, prévenir, reconnaître et surmonter les problèmes pouvant survenir durant l'allaitement.** Leur nombre devrait augmenter, suite aux recommandations de l'Organisation mondiale de la santé (OMS), qui préconise un allaitement complet pendant au moins six mois.

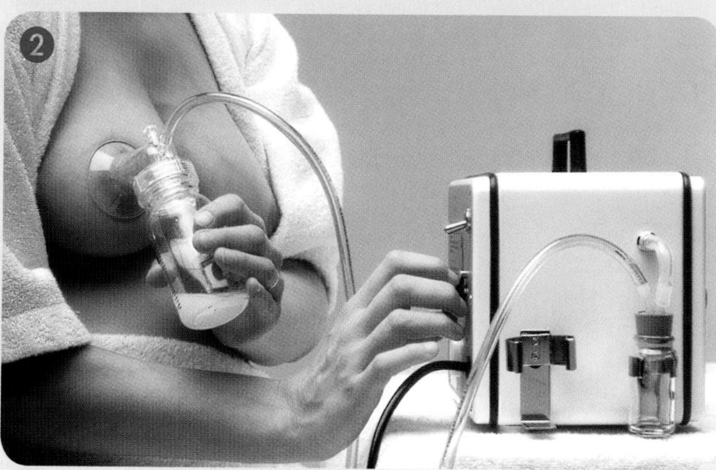

Le tire-lait

① Le tire-lait manuel

Le tire-lait manuel est léger et facile à transporter. Il est utile pour exprimer le lait de manière occasionnelle, si vous devez vous absenter quelques heures, par exemple. En revanche, si vous souhaitez tirer votre lait régulièrement, mieux vaut utiliser un tire-lait électrique, plus efficace.

② Le tire-lait électrique

Le tire-lait électrique est utile si vous souhaitez tirer votre lait pour le donner à votre bébé pendant vos absences, lorsqu'elles sont régulières (par exemple quand vous reprenez le travail). Il est aussi essentiel si votre enfant est prématuré ou hospitalisé.

Dans ce cas, dès les premiers jours après la naissance, stimulez la montée de lait en utilisant le tire-lait toutes les 3 heures pendant la journée. Vous adapterez ensuite le nombre d'extractions en fonction des besoins de votre bébé.

pour vous et votre bébé. Supprimez une tétée dans la journée tous les deux ou trois jours et votre production lactée diminuera doucement sans inconfort. La tétée du soir puis la tétée du matin, qui pourront être préservées plus longtemps, seront les dernières à être supprimées. Après un sevrage total, la glande mammaire a besoin d'environ trois semaines pour revenir à son état antérieur.

Tirer son lait

Si vous décidez de tirer votre lait, sachez que le Code du travail prévoit différentes dispositions pour faciliter l'allaitement. Commencez à tirer votre lait environ 15 jours avant de reprendre le travail pour vous entraîner. Les meilleurs tire-lait sont électriques à double action (ils se louent en pharmacie et sur prescription médicale).

Tirez votre lait régulièrement (au moins toutes les 3 heures, à adapter ensuite) pour maintenir une bonne production lactée. Le lait maternel se conserve dix heures de 19 à 22 °C, huit jours dans le réfrigérateur (de 0 °C à 4 °C) , deux semaines dans le congélateur du réfrigérateur, six mois dans un meuble congélateur à – 19 °C.

En votre absence, le lait pourra être donné à la tasse ou au biberon. Il doit toujours être manipulé avec des mains propres et ne jamais être réchauffé au four à micro-ondes ou bouilli, afin de ne pas détruire ses propriétés. Pour le réchauffer jusqu'à 37 °C, il faut le passer sous le robinet d'eau chaude. Il a souvent un aspect grumeleux et sa couleur peut varier du blanc au marron.

Vous discuterez de toutes ces modalités avec la personne qui gardera votre bébé pour que vous soyez bien l'une et l'autre en accord, ce qui est un gage de réussite pour continuer à donner exclusivement votre lait à votre bébé.

Le biberon à la maison

Désormais, c'est vous ou votre compagnon qui préparez les biberons. Peut-être, comme beaucoup de mamans, vous vous demandez si vous nourrissez votre enfant selon ses besoins. N'oubliez pas que votre bébé, lui, sait bien exprimer qu'il n'a plus faim ou qu'il en veut encore.

Préparer le lait

Une fois de retour à la maison, vous continuez à donner à votre bébé le même lait qu'à la maternité. Si après quelques jours, il vous semble que le bébé ne le tolère pas bien, consultez votre pédiatre qui vous en conseillera un autre.

EN POUDRE OU LIQUIDE ? • Certains laits pour nourrissons se présentent sous forme liquide ; il suffit d'en verser la quantité voulue dans un biberon stérilisé. Le prix de revient est toutefois plus élevé que celui du lait en poudre.

QUELLE TEMPÉRATURE ? • Vous pouvez le faire chauffer au bain-marie, dans un chauffe-biberon (ou même au micro-ondes – ce dernier n'est pas dangereux mais chauffe fort). Vérifiez toujours la température du lait en versant quelques gouttes sur votre peau pour ne pas brûler le bébé.

PAS DE PRÉPARATION À L'AVANCE • Le biberon doit être bu dès qu'il est prêt ; ne le préparez pas à l'avance, le lait pourrait devenir un bouillon de culture. Pour une balade ou pour la nuit, emportez de l'eau chaude dans un biberon stérile, mais ajoutez la poudre de lait au dernier moment.

STÉRILISER OU PAS ? • La stérilisation n'est pas obligatoire. Il est impératif d'avoir les mains propres, de laver le biberon et la tétine en fin de tétée, et de les essuyer aussitôt.

Combien de biberons ?

Si vous avez opté pour le biberon dès la naissance, vous avez bénéficié des conseils donnés à la maternité (voir pages 320 etr 321). De retour à la maison, respectez les quantités et les proportions d'eau et de poudre de lait.

UNE MOYENNE DE SIX REPAS PAR JOUR • Ne forcez jamais votre enfant à finir un biberon s'il le refuse ; il n'a sans doute pas faim. En général, un bébé de 1 mois prend environ six repas par jour, et parfois un pendant la nuit. La quantité absorbée n'est pas toujours la même pour tous les biberons, et ils ne sont pas également répartis au cours de la journée. Si votre enfant réclame un biberon durant la nuit, c'est qu'il n'a pas encore assez de réserves pour s'en passer. De façon générale, s'il ne finit pas son biberon, c'est que la dose est trop importante ; à l'inverse, s'il boit jusqu'à la dernière goutte, vous pouvez lui en donner plus. Dans l'idéal, il vaut mieux lui proposer davantage de lait que pas assez. L'horaire du biberon de nuit se décalera progressivement jusqu'à coïncider avec celui du premier biberon du matin. De même, le passage de six à cinq ou même quatre repas par jour se fera naturellement : le pédiatre vous indiquera dans quelles proportions augmenter les doses pour chaque repas. L'enfant supportera des intervalles de plus en plus longs entre eux.

Pour qu'il digère bien...

Après la tétée, tenez un instant votre bébé droit pour favoriser son rot. Si celui-ci tarde à venir, vous pouvez tapoter doucement son dos. S'il s'agite pendant la tétée, c'est qu'il a peut-être besoin de faire un rot. Une fois soulagé, il reprendra son repas. Ne vous inquiétez pas s'il régurgite un peu de lait après la tétée : il a trop bu et trop vite.

Attention !

Ne faites jamais boire à votre bébé un reste du dernier biberon. Sachez aussi que jusqu'à 1 an au moins, un bébé ne peut pas prendre seul son biberon (il pourrait s'étouffer).

Préparer le biberon

Pour les biberons de lait comme pour donner à boire au bébé, utilisez de l'eau plate en bouteille, minérale ou de source, non fluorée, faiblement minéralisée et portant la mention « convient aux nourrissons ».

Pour préparer un biberon avec du lait en poudre et de l'eau, conformez-vous aux indications du fabricant. Reconstituez le lait en comptant pour 30 g ou 30 ml d'eau, une mesurette de poudre rase et non tassée. Si le pédiatre vous recommande de faire des biberons de 150 ml, comptez 150 ml d'eau et ajoutez cinq mesurettes de poudre. Mettez toujours l'eau avant la poudre. Laissez l'enfant boire ce qu'il voudra.

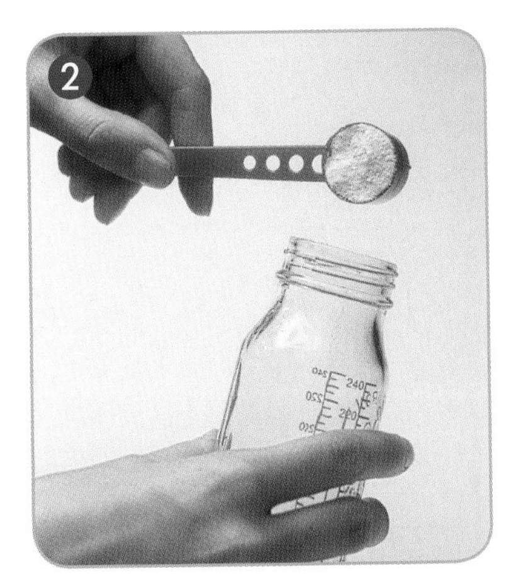

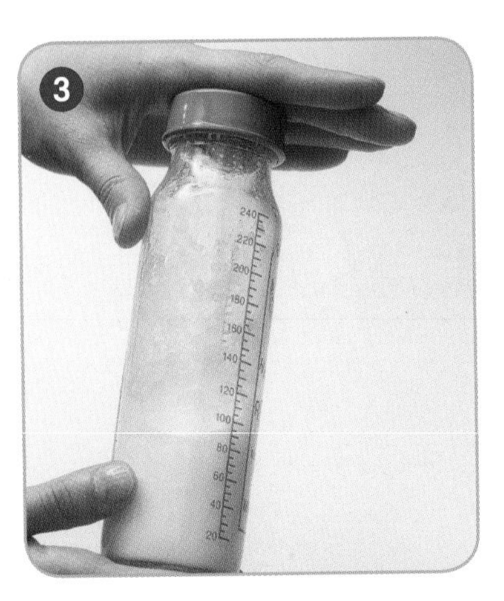

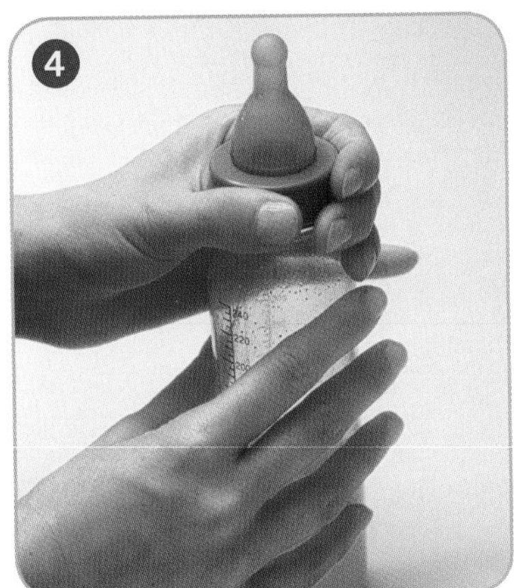

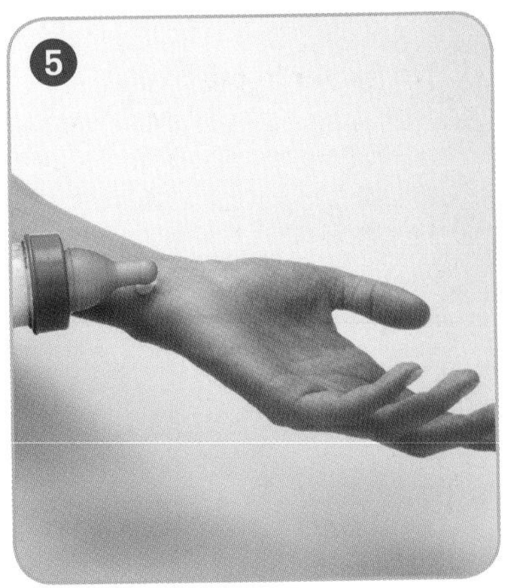

① Verser l'eau

Retirez le bouchon, posez-le sur une surface propre. Versez la quantité d'eau nécessaire dans le biberon, faites-la chauffer.

② Verser le lait en poudre dans l'eau

Ajoutez la quantité de poudre prévue, sans la tasser, en utilisant la mesurette fournie par le fabriquant.

③ Agiter

Fermez soigneusement le biberon avec le bouchon. Agitez, en maintenant une main sur le bouchon, pour bien mélanger. Si des grumeaux se forment, secouez vigoureusement le biberon pour les dissoudre au maximum.

④ Visser la tétine

Le lait mélangé, ôtez le bouchon pour placer la tétine et la bague. Les éventuels grumeaux seront collés sur le bouchon. Veillez à ce que la bague de la tétine, qui s'adapte au goulot du biberon, ne soit pas vissée à fond.

⑤ Vérifier la température

Versez un peu de lait à l'intérieur du poignet ou sur le dos de la main, pour en vérifier la température.

Nettoyer et stériliser le biberon

Une hygiène rigoureuse est impérative. Quelle que soit votre technique de stérilisation, effectuez toutes les opérations de stérilisation, séchage et rangement sur un plan de travail nettoyé. Manipulez les biberons avec des mains propres.

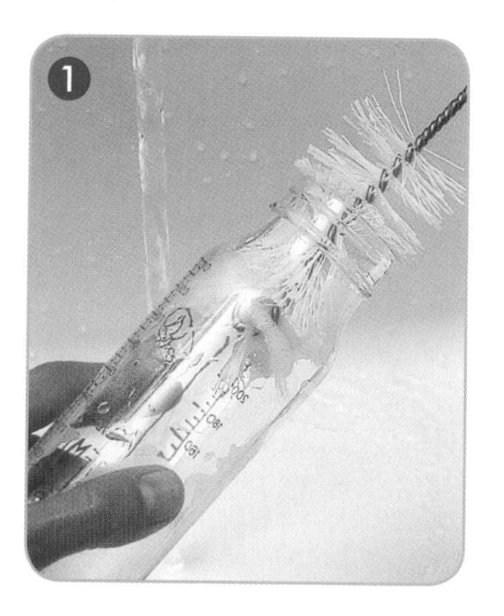

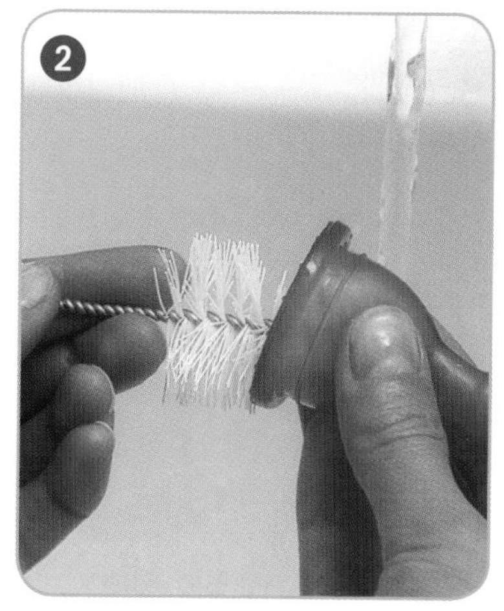

① Nettoyer le biberon

Lavez le biberon à l'aide d'un goupillon et à l'eau savonneuse puis rincez-le bien à l'eau chaude.

② Laver la tétine

À l'aide d'un goupillon, nettoyez soigneusement la tétine, la bague à vis et le protège-tétine.
Si vous lavez le biberon et ses différents éléments au lave-vaisselle, rincez-les ensuite à l'eau chaude pour éliminer toute trace de produit de rinçage.

③ Sécher avec soin

Posez le biberon dans un endroit bien propre. Pour le sécher, utilisez une feuille d'essuie-tout jetable plutôt que le torchon de cuisine. Une fois propres et séchés, le biberon et la tétine doivent être stérilisés.

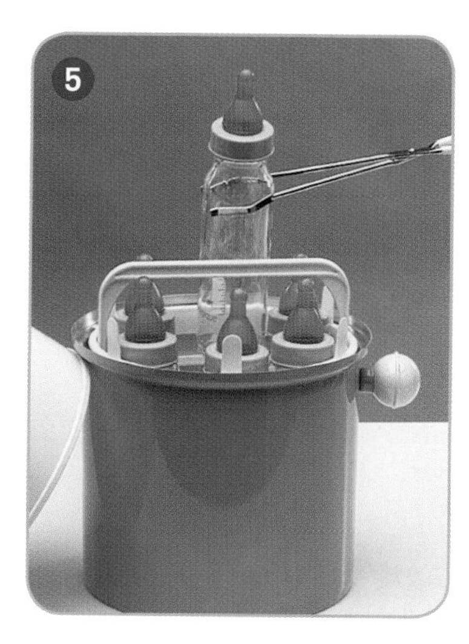

④ Stériliser à froid

Ajoutez dans de l'eau froide une dose liquide ou un comprimé d'hypochlorite et laissez les biberons, les tétines et les capuchons immergés pendant au moins 1 h 30.

⑤ Stériliser à chaud

Si vous n'avez pas de stérilisateur électrique, vous pouvez utiliser un autocuiseur : placez alors les biberons dans le panier, posez les tétines, bagues et protège-tétines par-dessus et versez deux verres d'eau. Comptez sept minutes à partir de la rotation de la soupape. Attendez sept minutes avant d'ouvrir.

Le sommeil du bébé

Un bébé dort énormément, et c'est essentiel pour sa santé. Les premiers mois, son sommeil haché perturbe le vôtre, mais vous n'aurez pas d'autre possibilité que de vous adapter. Puis, progressivement, de 1 à 4 mois, il devient capable de dormir plus longtemps la nuit et moins le jour. Cela se fera avec votre aide, mais à son rythme…

Il grandit quand il dort

Les périodes d'éveil d'un nouveau-né sont brèves, mais très intenses, car tout, sans exception, est nouveau pour lui. Il se nourrit et respire désormais tout seul, et en plus il reçoit de l'extérieur d'innombrables sollicitations visuelles, sonores, tactiles, affectives… À chaque instant, il apprend et grandit, puis récupère de tous ces efforts en dormant. Mais le sommeil n'apporte pas seulement du repos au bébé, loin de là. Il est aussi un facteur essentiel de son développement physique et mental.

C'est quand votre enfant dort que son corps sécrète une hormone de croissance. Les circuits neuronaux (nerveux) se mettent aussi en place à ce moment-là, tandis que ses premières expériences s'inscrivent en lui. C'est dire si le sommeil lui est indispensable. Ainsi, durant les premiers jours, la très grande majorité des nouveau-nés a besoin de dormir environ de 20 à 23 heures par jour, puis de 16 à 20 heures jusqu'à l'âge de 1 mois, et enfin de 16 à 18 heures entre 1 et 4 mois.

Un rythme guidé par la faim

Un nouveau-né se réveille souvent, entre autres parce qu'il a faim. Tant qu'il n'a pas un poids suffisant, il a besoin de tétées peu espacées. Petit à petit, son organisme pourra accepter des repas moins fréquents. En général, vers 4 mois, un bébé dort la nuit et mange au moins quatre fois par jour. Mais cette évolution va aller au rythme de votre bébé, vous ne pourrez pas la lui imposer tant qu'il n'y sera pas prêt. Vous pouvez juste la favoriser en respectant deux conseils: ne lui donnez pas à manger chaque fois qu'il pleure un peu, et ne le réveillez jamais pour le nourrir.

JUSQU'À 1 MOIS • Au début, le nouveau-né dort rarement plus de trois heures d'affilée. Et, lorsqu'il se réveille, il a faim, de jour comme de nuit. À cet âge, il a besoin de manger six à douze fois par jour. C'est lui qui va fixer le nombre des tétées, mais attendez toutefois deux heures au moins entre chaque repas, le temps qu'il digère bien le lait de la dernière tétée. S'il pleure entre-temps, cherchez plutôt à l'apaiser sans le nourrir.

DE 1 À 4 MOIS • Petit à petit, le bébé sera capable de dormir plus longtemps sans se réveiller, et le nombre des repas diminuera. Certains enfants ne font leurs nuits qu'à l'âge de 6 mois, voire de 1 an, quand d'autres dorment déjà de 6 à 8 heures d'affilée dès la sortie de la maternité. Cela dépend bien plus du bébé que de l'attitude de ses parents. Les pédiatres considèrent qu'à partir de 5 ou 6 kg, le bébé a assez de réserves pour se passer d'une tétée ou d'un biberon la nuit. Mais en pratique, cela varie beaucoup d'un bébé à un autre, sans considération de poids ni d'âge.

Distinguer le jour et la nuit

Vous ne pouvez pas espérer que votre bébé ait la moindre notion du jour et de la nuit avant l'âge de 1 mois. Ce n'est qu'après qu'il commence progressivement à les distinguer, dort davantage la nuit, et moins le jour. Vers 4 mois, cet apprentissage est en général terminé.

LE POINT DE VUE DE BÉBÉ

J'aime tout ce qui se répète et j'aime observer ce qui m'intéresse. J'en salive encore plus, je voudrais en manger ! Ça me rassure de reconnaître mes sensations, les odeurs, les bruits, les atmosphères des différents moments de la journée. J'adore qu'ils me préviennent et me parlent du monde qui m'entoure, ça m'aide à attendre quand il le faut. Mais ce qui me plaît encore plus, c'est de découvrir un tout petit peu de nouveau à chaque fois ! Sinon, je m'ennuie, c'est trop pareil, et je m'endors.

Dans les premières semaines, un bébé s'endort souvent dès qu'il a mangé. Puis il appréciera les câlins après ses repas.

DES AMBIANCES DIFFÉRENTES • Il est possible de différencier très vite les tétées du jour et celles de la nuit en les entourant de rites différents. Le jour, le bébé est stimulé par les bruits quotidiens et les voix. La nuit, tout est plus calme : pour accentuer cette ambiance, allumez une lumière tamisée, ne cherchez pas trop à obtenir des sourires de sa part, et tentez plutôt d'endormir votre bébé dès qu'il a fait son rot.

PREMIERS RITUELS DU COUCHER • Quand votre bébé commence à dormir plus longtemps la nuit, vous pouvez aussi instaurer certains rites après la dernière tétée de la journée : par exemple, après l'avoir changé, mettez-lui sa tenue de nuit, couchez-le, dites-lui bonsoir, fermez les rideaux, éteignez la lumière, il comprendra peu à peu la différence entre le jour et la nuit.

Un cadre propice

C'est avant tout un climat affectif serein qui favorise le sommeil de votre bébé. Mais il trouve aussi une sensation de sécurité dans les objets familiers qui l'entourent. Disposer d'une chambre ou d'un lieu réservé à ses heures de sommeil l'aidera aussi progressivement à s'endormir sans vous.

DORMIR AVEC LUI ? • Vous aurez peut-être de temps en temps envie de laisser votre bébé dormir auprès de vous, dans votre lit. Mieux vaut toutefois que cela ne devienne pas une habitude, surtout passé l'âge de 3 mois. Votre bébé a besoin d'une chambre ou d'un coin à lui. Si vous le gardez sans cesse avec vous, s'il vous sent toujours à l'écoute de ses moindres mouvements, il aura davantage de difficulté à organiser son sommeil tout seul.

UN LIT OU UN BERCEAU CONFORTABLE • Il passe beaucoup de temps à dormir, et le couffin, si charmant, devient bien vite trop petit. Vous pouvez déjà disposer dans son lit ou son berceau quelques éléments qui deviendront pour lui un univers familier et amusant, mais sans excès, car une abondance de peluches ou de hochets pourrait trop le stimuler et par conséquent l'énerver.

Pour l'aider à s'endormir

Passé les premières semaines, le bébé, en général, ne s'endort plus sitôt après avoir fait son rot. C'est souvent le moment du câlin. Bien allongé sur vous ou blotti dans les bras de son papa, il retrouve des voix, des odeurs, des gestes qui le rassurent. Distinguez bien les moments d'échanges et de jeux et les temps visant à favoriser le sommeil. Si vous souhaitez qu'il s'endorme, vous ne devez pas lui parler ou le solliciter, mais au contraire privilégier le silence. Quelquefois, le bébé s'endort dans vos bras. Mais, dans la mesure du possible, évitez que cela ne devienne systématique. Il faut que votre bébé apprenne également à s'endormir seul. Une fois dans son berceau, s'il pleure un peu, posez une main sur lui pour le rassurer en chuchotant quelques mots ou en chantonnant une berceuse. Il finira peut-être par s'endormir. Mais essayez de ne pas le reprendre aussitôt dans vos bras. Bien entendu, assurez-vous que rien ne le gêne, qu'il n'a pas trop chaud, qu'il est bien propre. Tous ces conseils valent encore plus pour la nuit.

Respecter son sommeil

Quand votre bébé dort, de petits bruits ne le gênent pas, mais un aspirateur, une porte qui claque vont bien sûr le réveiller. Il est possible de confondre le sommeil actif paradoxal avec un état d'éveil (voir page 351) : votre bébé paraît agité, ouvre les yeux, sourit ou pleurniche tout en dormant. Mais, si vous le preniez contre vous, il aurait du mal à se rendormir. Attendez qu'il se manifeste vraiment.

Les pleurs du nouveau-né

Les premiers mois, votre bébé a besoin d'être rassuré quand il pleure ; le prendre alors dans vos bras permet souvent de le calmer. À partir de l'âge de 3 mois environ, il faut en revanche savoir décrypter et réagir différemment à ses pleurs tout en lui apprenant que la nuit est faite pour dormir.

Face aux pleurs nocturnes

Quand il est tout petit, jusqu'à 3 mois, votre bébé a sans conteste un grand besoin d'être rassuré, et vos bras sont parfois le seul moyen pour le calmer.

Mais quand il grandit, il faut progressivement l'aider à s'endormir seul dans son lit et aussi à distinguer le jour et la nuit. Donc s'il pleure encore, alors qu'il vient de manger, qu'il est changé et qu'il n'a pas trop chaud, rassurez-le avec votre voix en lui sussurant des mots doux et expliquez-lui qu'il est temps de dormir. Sachez que les bébés comprennent très bien ce qu'on leur dit et qu'en général on ne leur parle jamais assez. Si vous n'arrivez pas à le calmer et qu'il continue toujours à pleurer, vous pourrez le prendre dans vos bras. Si vous lui offrez toutefois la possibilité de se rendormir de temps en temps sans votre intervention, vous l'aiderez ainsi à conquérir peu à peu son autonomie...

Ni somnifères, ni sirops !

Il n'existe pas de médicaments adaptés pour faire dormir un bébé. Les somnifères risqueraient de compromettre le développement de son cerveau en pleine maturation. Et les sirops avec des antihistaminiques (contre les manifestations allergiques) ou des neuroleptiques et benzodiazépines (tranquillisants) ne conviennent pas davantage à un bébé.

La « crise » de la fin de journée

Entre la 2e et la 10e semaine, avec un pic souvent vers la 6e semaine, la plupart du temps entre 17 et 23 heures, le bébé se met à pleurer, à se tortiller, donnant tous les signes d'un intense malaise.

Pourtant, il est propre, il a bien bu, il n'a pas trop chaud... C'est ce qu'on appelait « l'angoisse de la tombée de la nuit », les pédiatres parlent plutôt de « dysrythmie du soir ». Cet état fréquent et passager correspond à une phase d'éveil agité, qui disparaît vers l'âge de 3 mois. Votre bébé, qui n'a pas d'autre moyen pour décharger la tension accumulée durant la journée, se « défoule ». Cela fait partie de son adaptation aux rythmes du jour et de la nuit.

Quand ces crises de pleurs durent plus de deux heures, ce qui n'est pas impossible, vos nerfs et ceux du père sont mis à rude épreuve. Efforcez-vous de rester sereine, sinon votre bébé ressentira fortement votre angoisse et ses cris redoubleront. Consolez-le en le berçant, dans une ambiance tamisée. Mais rassurez-vous s'il ne se calme pas ; il peut être inconsolable malgré tout l'amour que vous lui donnez. Acceptez l'idée que ces pleurs sont normaux et que votre bébé n'est pas souffrant.

DE POSSIBLES ERREURS D'INTERPRÉTATION • Les douleurs abdominales qui surviennent de façon plus irrégulière dans la journée ne suffisent pas à expliquer ces pleurs du soir. Une autre erreur serait de les interpréter comme des cris de faim. Ne cherchez pas à nourrir le bébé pour le calmer. Essayez de garder votre sang-froid et entourez-le de calme en attendant qu'il trouve son rythme.

LE POUVOIR APAISANT D'UN PAPA

- **Souvent, les pères apaisent mieux que les mères les pleurs du nouveau-né.** Alors que le bébé crie depuis déjà un moment, et que la maman ne sait plus que faire, le père essaie à son tour et parvient à l'endormir.
- **Cette capacité tiendrait à la relative distance du père avec son enfant, au fait qu'il accepte plus facilement de ne pas comprendre les pleurs.** Un nourrisson, en effet, a beaucoup de mal à s'apaiser quand il sent que l'adulte est dans l'attente ou dans l'angoisse.
- **Quand la mère a peur que son bébé ne soit en danger, et c'est souvent plus vite le cas que pour le père, elle transmet au bébé son anxiété** et l'empêche de se laisser aller. Désireux à la fois qu'on le rassure et qu'on le laisse tranquille, **l'enfant est alors heureux de trouver la paix dans les bras de quelqu'un de plus serein, en l'occurrence son papa...**

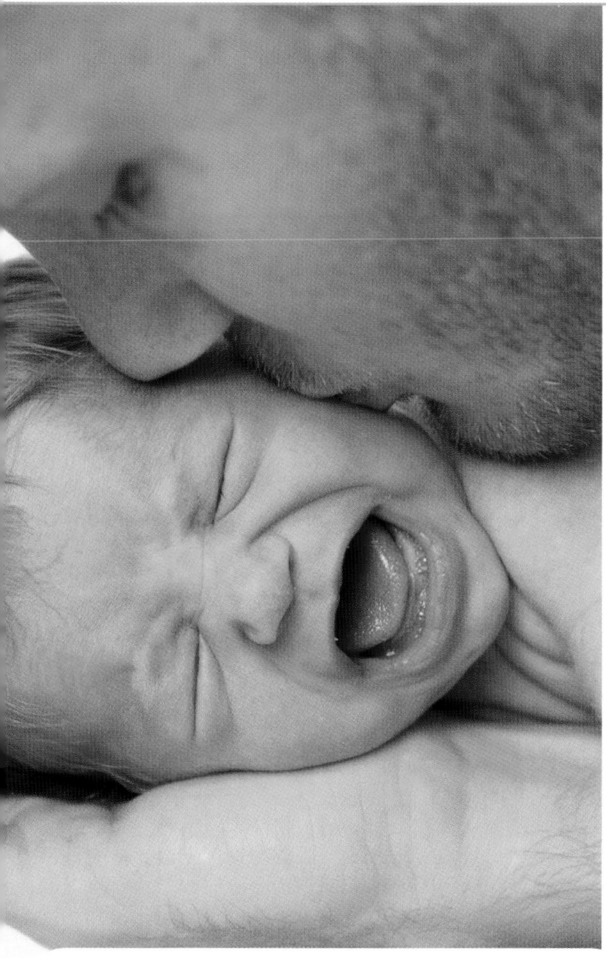

Le bébé s'apaisera plus vite dans les bras du papa quand la maman ne sait plus que faire.

“ Notre petite fille est adorable mais elle pleure pour un rien ! Cela finit par nous rendre fous. Pourquoi notre bébé est-il si « difficile ». ”

UN BÉBÉ « DIFFICILE » ?

Aucun parent ne s'attend à un enfant « difficile ». Les rêves de grossesse sont faits d'un bébé qui gazouille, sourit, dort calmement, ne pleure que quand il a faim... Puis, pour beaucoup de parents comme pour vous, quelques semaines après la naissance du bébé parfait, la réalité fait un sort à cette image idéaliste. Soudain, c'est votre bébé qui pleure tout le temps, qui ne dort pas... Pas étonnant si vous vous posez la question : « Qu'avons-nous fait ? ». La réponse est – vraisemblablement – rien.

Si votre petite fille pleure pour un rien, elle est peut-être ce qu'on appelle un « bébé à faible seuil de sensibilité ». Une couche humide, un habit trop serré, une lumière trop vive, un son trop fort, un lit froid, etc. peuvent énerver exagérément un bébé hypersensible aux stimuli sensoriels. Chez certains bébés, les sens (l'ouïe, la vue, le toucher, le goût et l'odorat) sont facilement saturés.

S'occuper d'un enfant hypersensible signifie diminuer le niveau général de stimuli superflus et éviter ce qui le perturbe particulièrement. Sachez que la plupart des comportements « difficiles » s'atténuent quand l'enfant grandit.

LES SIX ÉTATS DE VIGILANCE D'UN NOUVEAU-NÉ

- Du sommeil à l'éveil, le nouveau-né peut se trouver dans l'un des six « états de vigilance » suivants.
- **Sommeil calme profond (stade 1) :** il dort à poings fermés, sans la moindre agitation apparente, mais ses muscles sont toniques. C'est pendant cette phase qu'est sécrétée l'hormone de croissance.
- **Sommeil actif paradoxal (stade 2) :** son visage est expressif, ses paupières sont entrouvertes, ses pieds ou ses mains remuent, sa respiration est irrégulière. Vous avez l'impression qu'il va se réveiller à tout moment.
- **Assoupissement (stade 3) :** il est dans un état provisoire de demi-somnolence. Si vous le prenez dans vos bras ou si vous lui parlez, vous risquez de le réveiller.
- **Éveil calme (stade 4) :** il est tranquille, attentif à son environnement, il bouge peu mais est capable de vous « répondre » en imitant un sourire ou une mimique.
- **Éveil actif (stade 5) :** il bouge bras et jambes et donne l'impression de pouvoir s'énerver facilement.
- **Éveil agité (stade 6) :** il s'énerve, pleure, et, malgré tous vos efforts, vous n'arrivez pas à le calmer. Lors de ces premières semaines, ces phases d'éveil agité sont plus fréquentes et plus longues que les phases d'éveil ou de sommeil calme, puis elles s'effacent peu à peu pour disparaître vers le 3e mois.

Changer et habiller son bébé

Votre bébé a besoin d'être changé souvent et avec soin pour ne pas avoir les fesses irritées. Le choix de ses vêtements mérite également beaucoup d'attention pour qu'il ne soit pas gêné dans ses mouvements et qu'il n'ait ni trop chaud, ni trop froid.

Quand et comment le changer?

Votre bébé a besoin d'être changé souvent: de quatre à six fois par jour, de préférence au moment des repas et chaque fois qu'il manifeste sa gêne en pleurant. Dès qu'une odeur suspecte vous alerte, n'attendez pas pour le changer qu'il soit incommodé et vous le fasse savoir par ses pleurs.

Lors du change, vous devez soigneusement sécher les fesses du bébé (voir page 353 « Comment mettre une couche »). Si l'ombilic n'est pas cicatrisé, évitez de le recouvrir, en prenant soin de replier le haut de la couche sous le nombril, avant de fixer les petites pattes adhésives sur les côtés. Ne serrez pas plus qu'il ne faut pour éviter les fuites.

CHOISIR LES COUCHES • Les changes complets jetables sont ce qu'il y a de plus pratique et de plus utilisés actuellement en France. Leur taille doit naturellement être adaptée au poids de l'enfant (respectez les indications fournies à cet effet sur les paquets de couches). Si toutefois votre bébé se montrait allergique aux changes complets, vous pouvez utiliser des couches spéciales en coton hydrophile (en bandes ou en change complet), en vente en pharmacie. Vous pouvez également choisir d'utiliser des couches lavables, plus économiques et plus écologiques.

Quels vêtements choisir?

Les capacités de régulation thermique de votre bébé sont encore insuffisantes pour lui permettre de s'adapter aux brusques écarts de température. Il importe donc avant tout qu'il n'ait ni trop froid ni trop chaud. La température ambiante doit se situer autour de 20 °C.

HABILLER ET DÉSHABILLER UN BÉBÉ

- Habiller et déshabiller un nourrisson n'est pas toujours une tâche facile (surtout pour des parents débutants), entre ses bras tout mous, ses jambes obstinément repliées, sa tête toujours plus large que les encolures de la plupart des vêtements pour bébé et le fait qu'il n'aime pas, généralement, se retrouver tout nu.
- Il existe toutefois quelques règles élémentaires pour rendre cette tâche quotidienne moins pénible pour votre enfant et pour vous.
- **Choisissez des vêtements qui s'enfilent et se retirent facilement, ceux en tissu extensible par exemple.**
- **Préférez les ouvertures larges munies de pressions.** Ce type de fermeture à l'entrejambe facilite aussi le change du bébé. Choisissez aussi des vêtements avec des manches assez larges.
- **Pour éviter de changer votre bébé à chaque fois qu'il régurgite un peu, pensez à lui mettre un grand bavoir ou une serviette pendant et après la tétée.**
- **Habillez votre bébé sur une surface plane** (table à langer, lit...).
- **Utilisez ce moment pour communiquer avec lui.** Des paroles chuchotées (pour commenter ce que vous êtes en train de faire par exemple) peuvent le distraire. Ponctuez vos commentaires de bisous (un bisou pour chaque petite main, un bisou pour chaque peton) pour vous amuser avec lui.
- **Ouvrez bien l'encolure avec vos mains avant d'enfiler un vêtement par la tête.** Détendez-la, plutôt que de tirer dessus. Transformez le moment durant lequel la tête de votre bébé est recouverte, ce qui risque de lui déplaire, en un jeu de « coucou »: « Où est maman/Où est papa) ? ».
- **Passer les mains dans les manches des vêtements que vous voulez enfiler et allez chercher les siennes,** plutôt que d'essayer de pousser ses petits bras tout mous dans les manches de son vêtement. Là encore, vous pouvez en faire un jeu.
- **Lorsque vous fermez ou ouvrez une fermeture Éclair,** écartez le vêtement du corps de votre bébé pour ne pas risquer de pincer sa peau si fine.

QUESTIONS DE TEMPÉRATURE • Vous pouvez mettre à votre bébé une épaisseur de vêtements de plus qu'à vous, sachant qu'il passe la plupart de son temps à dormir et qu'il ne bouge pas. Dans une maison toutefois, un nouveau-né n'a pas besoin d'être emmitouflé. Veillez surtout à ce que son ventre soit bien couvert et que le linge de corps ne remonte pas sous le vêtement. Les tenues d'une pièce, ou bodys, qui se ferment à l'entrejambe, évitent cet inconvénient. Elles permettent, en outre, de changer le bébé aisément, sans qu'il ait le temps d'avoir froid. L'hiver, vous pouvez lui mettre en plus une brassière en tissu chaud (laine, laine polaire, soie...).

DES HABITS PRATIQUES POUR LUI • Aimant gigoter à son aise, votre bébé n'apprécie pas d'être serré dans ses vêtements : l'encolure et les poignets, surtout, doivent être amples. Au début, pour son confort, évitez les vêtements qui s'enfilent par la tête, ceux qui se ferment avec des épingles de sûreté, et, bien sûr, la présence de rubans qui risqueraient de s'enrouler autour du cou.

Comment mettre une couche ?

① Glisser le change

Vous avez procédé à la toilette avec un coton et du lait ou un gant humide, puis vous avez bien séché la peau du bébé. Soulevez les fesses et glissez dessous la partie du change qui comprend les pattes adhésives (la moitié du change doit envelopper les fesses).

② Replier

Passez l'autre moitié du change qui dépasse entre ses jambes. Si l'ombilic n'est pas encore cicatrisé, prenez soin de replier le haut de sa couche sous le nombril.

③ Fermer

Fixez bien les deux parties du change avec les pattes adhésives, pour éviter les fuites sur le côté, mais sans trop serrer.

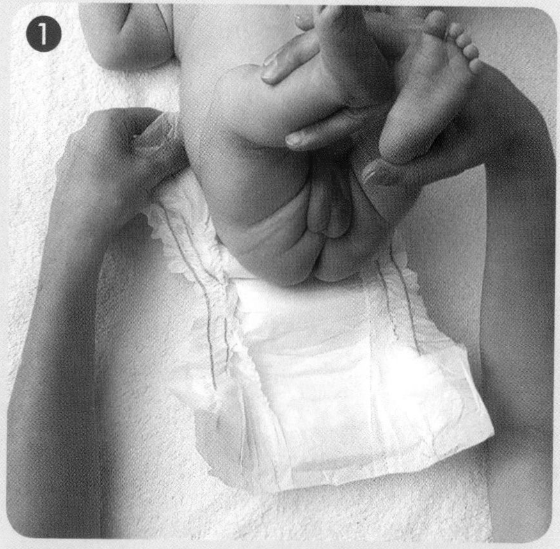

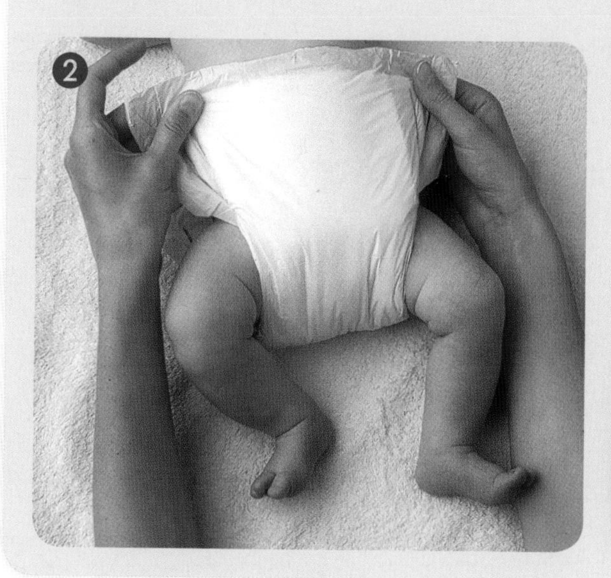

La toilette du nouveau-né

La toilette et les changes sont parfois un peu stressants au début. Mais une fois que vous aurez pris l'habitude de ces gestes de soins, ils deviendront l'occasion de vivre des moments privilégiés d'échanges, de douceur et de jeu. Par sécurité, prévoyez toujours d'avoir tous les produits nécessaires à portée de main.

La toilette doit-elle être quotidienne ?

Une toilette soignée ne s'impose pas forcément chaque jour. Un nouveau-né ne se salit pas beaucoup, excepté les fesses. Il importe seulement de s'occuper de façon quotidienne du siège, (nettoyé bien sûr lors de chaque change), du cordon ombilical qui doit être désinfecté, et de la toilette du visage, pour prévenir ou traiter les petits maux dus à la peau sensible de votre bébé.

Le bain quotidien, lui, reste facultatif. Certains jours, vous êtes fatiguée, ou votre bébé dort profondément, et le grand nettoyage sera reporté au lendemain. Certaines mamans donnent le bain chaque jour, mais d'autres le font un jour sur deux, sans que cela n'ait d'incidence particulière. Selon une idée très répandue, les nouveau-nés aimeraient l'eau parce qu'ils ont baigné dans le liquide amniotique avant leur naissance. Mais ce n'est pas toujours vrai. Certains n'apprécient pas d'être baignés dans les premières semaines de leur vie. C'est parfois avec le temps, et guidé par la voix et les gestes doux de sa maman, que le nouveau-né apprendra à aimer ce moment.

Pour que le bain soit un plaisir

Très rapidement, le bain va devenir un rituel pour vous et pour le bébé. Vous y prendrez tous les deux du plaisir si c'est un véritable temps de détente et d'échanges. Durant les premières semaines, votre bébé dort beaucoup et passe assez peu de temps en état d'éveil tranquille. La toilette et les soins seront donc autant d'occasions propices pour communiquer avec lui.

TROUVER LE MOMENT PROPICE • Choisissez de préférence un moment où le bébé n'est pas trop affamé ou énervé et évitez aussi de le baigner aussitôt après un repas : il risquerait de régurgiter son lait. Si votre bébé a du mal à s'endormir le soir, un bain en fin de journée peut parfois l'aider à trouver plus facilement le sommeil. Chacune (et chacun) trouvera la tranche horaire qui lui sied le mieux, en fonction des rythmes du bébé. L'important est ensuite de respecter une certaine régularité (matin ou soir), car votre bébé a besoin de ces repères qui rythmeront son quotidien et l'aideront à se structurer.

De quoi avez-vous besoin ?

Pour le bain du bébé, il existe des meubles spéciaux ou de petits transats réglables qui adhèrent au fond d'une baignoire. Si vous n'avez pas encore trouvé l'équipement qui vous convient, choisissez le plus confortable, celui qui vous évite d'avoir à trop vous baisser. N'oubliez pas que vous répéterez ces gestes chaque jour durant des mois.

Avant de sortir le bébé de son berceau, préparez tout le matériel nécessaire à la toilette. Il est en effet impossible de laisser un bébé seul, ne serait-ce qu'une seconde, sur une table à langer, ou sur un meuble affecté à cet usage (par exemple une table ou une commode avec un petit matelas spécial recouvert d'une serviette-éponge).

POUR LA TOILETTE, VOUS AUREZ BESOIN D'AVOIR À PORTÉE DE MAIN :

- un savon ou du liquide nettoyant hypoallergénique,
- une serviette-éponge ou un peignoir,
- un gant ou une éponge douce,
- une brosse à cheveux pour bébé,
- des couches,
- un body en coton,
- des vêtements propres (pyjama, grenouillère).

POUR LES SOINS, N'OUBLIEZ PAS :

- des compresses,
- du coton,
- du sérum physiologique,
- un antiseptique local type éosine,
- un lait ou une crème hydratante,
- éventuellement une bande filet.

Comment procéder ?

Assurez-vous d'abord que la salle de bains ou le lieu de la toilette est bien chauffé (de 22 °C à 25 °C), car un bébé se

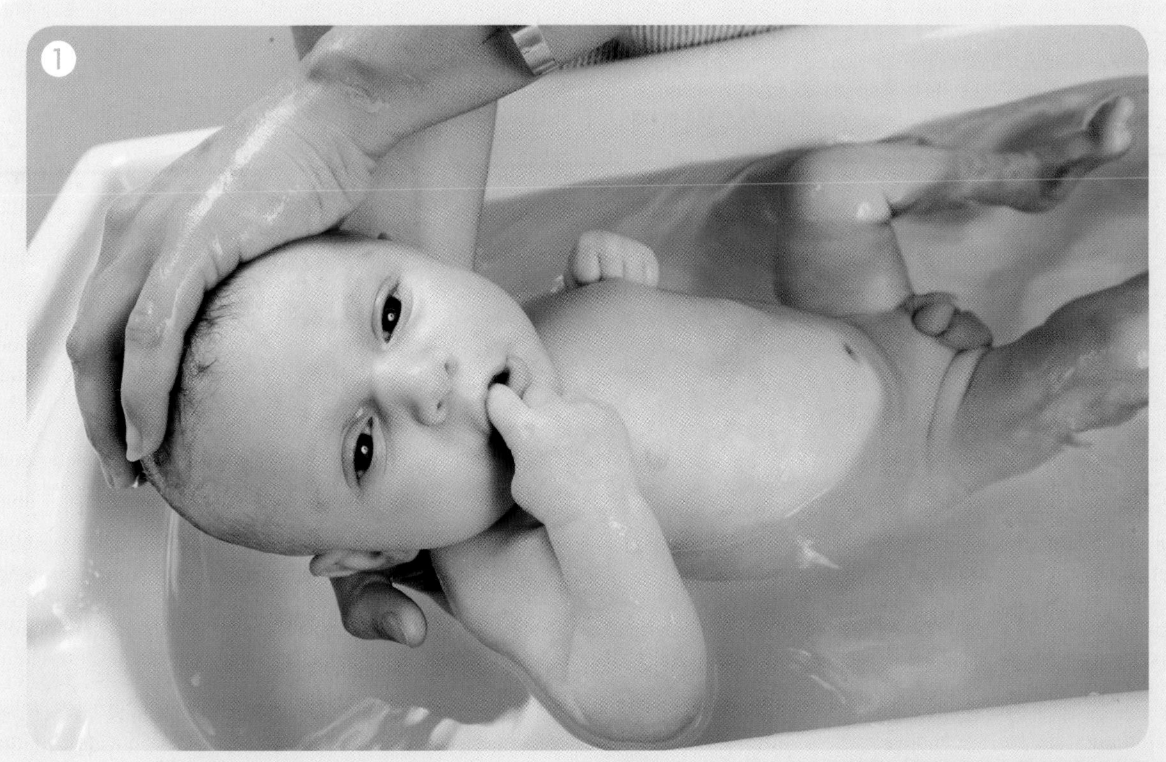

Donner le bain

① Mettre le bébé dans l'eau

Passez une main sous l'aisselle de votre bébé pour soutenir de votre bras sa tête et tenez-le fermement par l'épaule. Plongez-le délicatement dans l'eau. Savonnez entièrement le bébé avec un gant de toilette ou, mieux, avec la main. Commencez par le ventre : ce sera plus agréable pour lui. Insistez sur les plis de son corps et sur les organes génitaux.

N'oubliez pas le cuir chevelu : ne craignez pas de savonner la tête, les fontanelles supportent parfaitement ce massage qui préviendra la formation de croûtes.

Rincez-le en le maintenant toujours et parlez-lui doucement pour le rassurer. Dans l'eau, le bébé se détend peu à peu et gigote à l'aise.

② Bien essuyer

Enveloppez bien votre bébé de la tête aux pieds à la sortie du bain. Puis séchez-le en le tamponnant sans frictionner.

refroidit très vite. Puis faites couler l'eau et vérifiez sa température avec le dos de la main, ou le coude, ou un thermomètre de bain : elle doit être tiède (37 °C). Vous pouvez maintenant poser votre bébé sur la table à langer et le déshabiller complètement.

SAVONNER • Vous savonnerez votre bébé directement dans l'eau. Pour maintenir votre bébé dans l'eau, soutenez sa tête avec votre bras en glissant la main sous son aisselle. Nettoyez-le de la tête aux pieds, avec la main, une éponge douce ou un gant, en insistant sur les plis (derrière les oreilles, le cou et les espaces entre les doigts). Le crâne et les organes génitaux doivent être lavés avec beaucoup de soin (voir ci-dessous).

RINCER • S'il vous semble détendu, permettez-lui de barboter un peu, mais sans cesser de le surveiller. Tant pis si le téléphone sonne à ce moment-là ou si quelqu'un vous demande ailleurs dans la maison : ne laissez jamais le bébé seul dans son bain, fût-ce avec très peu d'eau.

Si votre bébé semble ne pas apprécier cette toilette, vous pouvez, si vous le voulez, prendre de temps en temps une douche ou un bain avec lui. Le père reprend alors l'enfant une fois lavé, afin de le sécher et de le vêtir.

Les zones à surveiller lors de la toilette

LES ORGANES GÉNITAUX • Les organes génitaux du bébé doivent faire l'objet de soins attentifs, car ils sont particulièrement exposés aux irritations.

• Chez la petite fille : la vulve est le siège de sécrétions ; il faut la savonner et la rincer de l'avant vers l'arrière en déplissant bien.

• Chez le petit garçon : veillez à bien nettoyer le pénis et les testicules, sans oublier les plis de l'aisne. Le décalottage, qui consiste à tirer délicatement vers l'arrière la peau qui recouvre le gland (le prépuce) et à la ramener avec précaution vers l'avant, était autrefois couramment pratiqué. Actuellement, tous les pédiatres s'accordent pour le proscrire. L'important est de veiller à l'absence de rougeur, de chaleur ou de gonflement inhabituel, signes d'une éventuelle inflammation.

LE CUIR CHEVELU • Pour prévenir la formation de croûtes de lait dues aux sécrétions de sébum (voir page 357), massez à l'occasion du bain la tête du bébé pendant les trois ou quatre premiers mois avec la main enduite de savon doux, puis rincez abondamment. N'ayez pas peur de toucher les fontanelles : elles sont souples mais solides (voir page 333). Quand le bébé sera plus âgé, vous pourrez utiliser un shampooing doux spécial bébé.

À la sortie du bain

Lorsque vous sortez le bébé de l'eau, posez-le tout de suite sur une serviette sèche ou sur son peignoir de bain et enveloppez-le pour qu'il n'ait pas froid. Vous allez maintenant l'essuyer en le tamponnant délicatement sans frictionner. Commencez par la tête, séchez aussi derrière les oreilles et dans les plis du cou, puis passez bien dans tous les plis du corps, sous les bras, à l'aine, entre les fesses, derrière les genoux.

Si vous le souhaitez, vous pouvez ensuite masser votre bébé avec un peu d'huile d'amande douce ou de lait hydratant. Sa peau qui, les premiers jours, peut avoir tendance à être un peu sèche, sera ainsi parfaitement hydratée. Lorsque votre bébé est bien au sec et réchauffé et qu'il gigote d'aise sur la table à langer, occupez-vous de son cordon ombilical (jusqu'à ce qu'il soit tombé), puis mettez-lui sa couche et habillez-le.

Il ne reste plus qu'à effectuer les soins du visage et à lui peigner les cheveux avec une brosse pour bébé. Certaines mamans aiment achever la toilette en parfumant la tête du bébé de quelques gouttes d'une eau de toilette sans alcool, mais c'est vraiment facultatif.

LES SOINS DU CORDON OMBILICAL • À la naissance, le cordon ombilical a été coupé à quelques centimètres du corps. Grâce à vos soins (voir ci-contre), le bout qui reste doit se dessécher et tomber spontanément avant le dixième jour. S'il n'est pas tombé de lui-même après quinze jours, ou s'il devient rouge, suinte, dégage une odeur désagréable ou s'il y apparaît un bourgeon, consultez le pédiatre. Après la chute du cordon, il persiste parfois une petite

LE POINT DE VUE DE BÉBÉ

Au début, je n'aime pas qu'ils m'enlèvent ma « peau » de layette, mais, quand c'est pour aller dans cette enveloppe de liquide chaud, je retrouve des impressions apaisantes. Comme c'est bon de flotter à nouveau, même si j'ai eu un peu froid au passage. Je me détends, je m'étire, j'ouvre les yeux, mes doigts se déplient, et je suis tellement bien que je leur souris, surtout si l'on joue et si l'on prend le temps. Je m'habitue aussi aux nouveaux sons qui vont avec, et cela devient très plaisant.

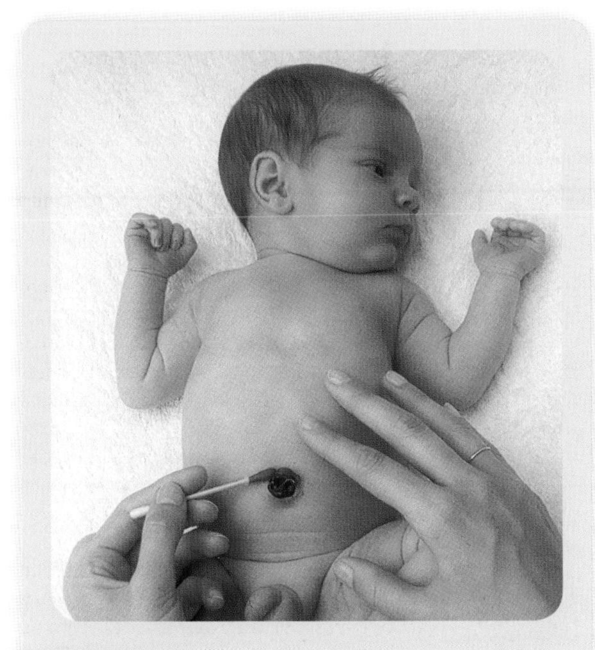

Soigner le cordon ombilical

Certains parents ont une réelle appréhension à toucher ce petit bout de chair: dites-vous que votre bébé ne sent rien, si ce n'est le contact du produit.

Désinfecter le nombril

Chaque jour, jusqu'à la chute du bout du cordon, appliquez de l'alcool à 60 % vol. à l'aide d'un bâtonnet de coton ou d'une compresse, puis de l'éosine aqueuse (ou autre solution antiseptique incolore).

hernie qui fait saillir le nombril. Elle disparaîtra progressivement; inutile de chercher à la réduire en comprimant le nombril du bébé.

LE VISAGE • Un coton imbibé d'eau suffit pour nettoyer le visage d'un nouveau-né. Soyez attentive aux endroits cachés: les replis du cou et l'arrière des oreilles, où peuvent survenir de petites lésions suintantes et croûteuses qui cicatrisent très vite avec de l'éosine. Ces endroits doivent être régulièrement lavés et séchés avec soin.

Pour nettoyer les oreilles, essuyez juste l'entrée du conduit avec un bâtonnet de coton (sans l'enfoncer) et du sérum physiologique.

Quant aux yeux de votre bébé, ils sont particulièrement fragiles: s'ils sont sales, nettoyez-les à l'aide d'une compresse stérile imbibée de sérum physiologique, en allant de l'intérieur de l'œil vers l'extérieur. Changez de compresse pour chaque œil.

SI SES YEUX COULENT... • Si l'un des yeux coule beaucoup ou émet des sécrétions, il s'agit probablement d'un petit souci courant chez le nourrisson: le canal lacrymal bouché par une petite membrane. Face à ce problème, mieux vaut consulter le pédiatre, qui prescrira un traitement adapté en cas d'infection locale. Il vous montrera sans doute comment effectuer un petit massage quotidien pour favoriser le retour à la normale.

Des solutions pour remédier aux petits problèmes de peau

La peau du bébé est très sensible. Quelques règles d'hygiène aident toutefois à éviter les irritations et les infections: maintenir la peau toujours propre et hydratée, bien sécher le bébé à la sortie du bain, éviter les vêtements et les couches trop serrés. Malgré vos soins, des affections peuvent survenir, justifiant un avis médical.

L'ÉRYTHÈME FESSIER • Fréquente chez le nouveau-né, cette irritation est due à l'urine, aux selles et à la flore bactérienne. Appliquez une pommade cicatrisante achetée en pharmacie, et, lorsque vous nettoyez, évitez l'emploi de produits allergisants et de lingettes. Utilisez de l'eau avec du coton, puis séchez avec une serviette propre, avant d'appliquer la pommade. En cas de forte irritation, laissez le plus possible les fesses du bébé à l'air. Si, malgré tout les lésions suintent, mieux vaut consulter.

L'ACNÉ DU NOURRISSON • Ces petits points blancs sur fond rouge apparaissent assez souvent par poussées, sur le visage et la poitrine, à partir de la 4e semaine. Ils peuvent persister pendant plusieurs semaines. Aucun traitement n'est utile en dehors de la toilette habituelle.

LES CROÛTES DE LAIT • Si des croûtes se forment sur le crâne, le soir vous pouvez l'enduire de vaseline ou de crème hydratante; le lendemain, vous le laverez et le rincerez. Vous décollerez les croûtes avec un peigne pour bébé.

L'ECZÉMA DU NOURRISSON • Il se manifeste par des rougeurs sur la peau et de petites lésions sèches. Rare avant le 3e mois, il est localisé le plus souvent sur le visage, derrière les oreilles et peut atteindre les plis des articulations, le pouce et les mamelons. Il implique de consulter.

Sortir avec son bébé

On peut sortir un nouveau-né de chez lui rapidement. Encore faut-il choisir et utiliser le bon matériel, trouver le bon moment et en avoir envie ! Les promenades sont importantes pour le développement sensoriel du nourrisson et favorisent son sommeil.

Organiser sa première sortie

Vous pouvez sortir votre bébé dès sa deuxième semaine. Une astuce consiste, la veille de la première promenade, à lui faire entendre les bruits de l'extérieur en ouvrant la fenêtre en grand (en pensant à bien le couvrir s'il fait frais ou froid) ; il sera moins surpris le jour J par ce nouvel environnement sonore. La meilleure promenade est bien sûr celle qui se passe dans un espace vert, avec chlorophylle et petits oiseaux ! Jusqu'à l'âge d'un mois, mieux vaut éviter tous les endroits bruyants et aussi susceptibles de brasser beaucoup de microbes : centres commerciaux, métro, brasseries bondées, etc. La promenade n'a pas besoin d'être très longue – 1 heure les toutes premières semaines – mais elle est bienvenue car elle va amener bébé à faire de nouvelles expériences (air frais, sons différents, sensation de déplacement, etc.), qui sont importantes pour son développement sensoriel. En plus, cette sortie favorise son sommeil. À pratiquer donc autant que possible.

Et quand on n'a pas envie de sortir ?

Il y a des jours où la promenade est même déconseillée, par exemple s'il fait franchement froid (moins de 5 °C) ou trop chaud (plus de 27 °C), ou encore s'il tombe des cordes… Et puis il y a les jours où maman est fatiguée, ou a simplement envie de rester tranquille à la maison. Il n'y a aucune culpabilité à avoir ; on peut tout à fait rester quelques jours sans sortir son nouveau-né.

Promener bébé en landau ou en poussette

Landau, poussette, combiné, citadine, sportive… le choix d'équipement est tellement vaste qu'il peut laisser perplexe. Ce moyen de transport doit tout d'abord s'adapter à vos besoins et à ceux de votre enfant.

Le choix est à faire en fonction de votre style de vie et de votre lieu d'habitation. Par exemple, les poussettes à grandes roues fixes et pneus gonflables sont idéales si vous habitez la campagne, ou si vous devez roulez sur des chemins accidentés, car leur point fort est d'avoir de bonnes suspensions. Mais ces poussettes ne sont guère pratiques en ville par manque de maniabilité et parce que leur encombrement n'est pas négligeable.

Si votre famille est urbaine, optez plutôt pour une poussette à roues pivotantes, légère et pliable.

Quant aux poussettes à 3 roues « sport » (qui permettent de faire son jogging avec bébé !), elles ont certes un look branché, mais sont très peu polyvalentes.

LANDAU ET « CHÂSSIS » • Les médecins conseillent de l'utiliser pendant les cinq premiers mois. Ce mode de transport préserve le dos de votre bébé, encore peu musclé, et le protège du froid s'il est né en hiver.

À côté du landau classique, il existe des systèmes « combinés », comprenant un châssis sur lequel vous pourrez adapter le siège pour bébé en fonction de son âge : une nacelle (jusqu'à 6 mois), ou une coque qui peut aussi servir en voiture (jusqu'à 9 mois), voire un hamac dès que bébé se tiendra assis et jusqu'à ses 2 ou 3 ans.

Autre solution, les poussettes évolutives sont équipées d'un habitacle fixe se transformant en lit ou en siège. Le choix du modèle dépend de votre rythme et de votre lieu de vie. En ville, les petites roues pivotantes sont pratiques et un châssis haut éloigne votre enfant des pots d'échappement. Pour la campagne, de grandes roues fixes et une bonne suspension assurent au bébé un meilleur confort. Une structure légère en aluminium est indispensable pour les escaliers.

Quant à la taille, pliée et dépliée, elle constitue un critère important. Landau et poussette doivent entrer dans le coffre de la voiture ou dans un ascenseur. Vérifiez aussi que les parties en tissu soient lavables, de préférence en machine. L'ensemble doit être confortable pour le bébé, pas trop lourd pour la maman et facilement pliable par une seule personne. N'hésitez pas à effectuer des manipulations dans le magasin pour être sûre de votre achat. Dans tous les cas, apprenez à manipuler l'engin avant la première sortie.

Le matériel pour bébé peut s'acheter d'occasion (dépôt-vente, internet, etc.). Vérifiez l'état des systèmes de sécurité.

Pour préparer les premières sorties en landau, protégez le matelas d'un drap-housse. Habillez votre enfant en fonction de la saison et déposez-le sur le dos, avant de le recouvrir d'un drap et d'une couverture jusqu'aux épaules. Il doit être bien bordé, mais pas trop serré. Fermez la housse si besoin et tirez la capote qui le protégera du soleil en été, ou du froid et du vent en hiver.

LA POUSSETTE • À partir de 5 mois, votre enfant peut commencer à se tenir en position assise lors des promenades. Attention, évitez les poussettes-cannes avant l'âge de 1 an! Pour les naissances gémellaires ou les enfants d'âge proche, il existe des poussettes doubles. Elles sont proposées sous deux formes: de face ou en file indienne. La première solution permet aux deux enfants d'être côte à côte. La seconde les met soit face à face, soit l'un derrière l'autre. Ces dernières sont plus pratiques en ville.

Veillez à bien couvrir votre bébé car, en poussette, il est moins protégé que dans un landau. Équipez-le d'un bonnet, de moufles et d'une écharpe en hiver. Au printemps, préférez un bonnet et des chaussettes en coton. Assurez-vous que votre bébé est toujours bien attaché, même pour quelques minutes. Pensez aussi à emporter, en plus du matériel habituel, quelques petits jouets pour le distraire.

Un porte-bébé ou une écharpe

Les porte-bébés et les écharpes ont de plus en plus la faveur des jeunes parents. Ils possèdent plein d'avantages, le plus évident étant de maintenir un contact physique avec son enfant. Moins encombrants qu'une poussette ou un landau, ils s'adaptent à vos besoins et à l'âge de votre bébé. Le ventral, ou kangourou, peut s'envisager dès les 2 ou 3 mois de votre enfant. Pour le dorsal, il faudra attendre un peu plus, mais bébé sera alors aux anges car il bénéficiera d'une vue panoramique!

LE PORTE-BÉBÉ VENTRAL • Il est déconseillé avant l'âge de 2 ou 3 mois. Il est en effet recommandé d'attendre que l'enfant ait le dos un peu plus musclé et maintienne plus facilement sa tête droite. Tous les porte-bébés sont conçus pour que l'enfant soit tourné vers vous, mais certains permettent aussi d'installer le bébé dans l'autre sens. Ainsi, dos contre vous, il pourra, dès 3-4 mois, regarder le monde.

Pour choisir un kangourou, essayez-le avec votre enfant. Pour votre confort, privilégiez les modèles avec de larges bretelles matelassées, de préférence lavables en machine. Côté sécurité, assurez-vous de la solidité des bretelles et des fixations. Le porte-bébé doit être réglable à l'entrejambe pour ajuster l'assise en fonction

LE MATÉRIEL INDISPENSABLE

> **On ne sort pas avec un nouveau-né les mains vides.** Sont indispensables dès que vous partez en promenade:

- un sac avec des couches,
- du coton avec de la crème ou des lingettes,
- quelques sacs plastiques pour vous stocker les couches sales en attendant de les jeter,
- si vous n'allaitez pas, un biberon d'eau chaude dans un étui isotherme, avec la dose adéquate de lait en poudre dans une boîte à part,
- un bavoir,
- un pull supplémentaire au cas où, voire une tenue de rechange complète si la sortie est prévue longue (visites à la famille, etc.)
- un en-cas solide et liquide pour vous!

de l'âge. Il doit comporter un appui-tête rigide qui aide le bébé à tenir sa tête droite, ou une gaine qui le soutient au niveau des épaules. Si vous avez mal au dos, certains kangourous sont équipés d'un soutien lombaire. Mais ne forcez pas, la promenade doit être agréable pour vous aussi !

Entraînez-vous à mettre et à enlever le porte-bébé. Familiarisez-vous avec les systèmes de fixation. Fermez les sangles et les attaches qui doivent être prêtes pour l'installation du bébé. En fonction des modèles, les instructions peuvent être différentes.

LE PORTE-BÉBÉ DORSAL • Il est réservé aux enfants âgés de 9 mois et plus. À partir de cet âge, votre enfant peut se tenir assis assez longtemps pour profiter d'une promenade. Le choix du porte-bébé se fait selon les mêmes modalités que pour le modèle ventral.

Vous devez d'abord installer votre bébé dans le siège, puis régler avec soin les fermetures. Positionnez ensuite l'ensemble sur votre dos et ajustez les bretelles avant de fixer la fermeture ventrale. Comme votre enfant ne peut pas voir votre visage lorsqu'il est installé dans ce type de porte-bébé, parlez-lui pour le rassurer durant les premières promenades.

L'ÉCHARPE • Elles existent sous la forme de hamacs. Certains pédiatres conseillent de ne pas l'utiliser avant que le bébé ait 2 ou 3 mois. Mais elle peut être employée jusqu'à l'âge de 24 mois. Les écharpes permettent de porter l'enfant sur le ventre, sur la hanche ou même dans le dos et de le soutenir confortablement durant la tétée. Il est aussi possible d'utiliser une simple pièce de tissu de grande taille pour porter son bébé.

Pour les trajets en voiture

Il est nécessaire d'avoir un siège adapté à votre enfant. La sécurité est un enjeu majeur, mais il ne faut pas négliger le confort. Le but est d'assurer un voyage agréable au bébé et à ses parents.

LE LIT-NACELLE • Pour un nouveau-né, les déplacements en voiture se font de préférence en lit-nacelle. Il reste même la solution la plus confortable pour le bébé jusqu'à l'âge de 4 mois. La position couchée préserve son dos et sa nuque qui ne sont pas encore assez musclés. Dans le cas d'un long voyage, ce mode de transport est donc à privilégier.

LE SIÈGE-AUTO • À partir de 4 mois, vous pouvez installer votre bébé dans un siège-auto, positionné dos à la route. Le siège se place sur le siège passager ou sur l'un des sièges arrière. Dans le premier cas, assurez-vous que l'Airbag est bien désactivé. Fixez le siège grâce aux points d'ancrage des ceintures de sécurité et vérifiez que l'ensemble ne bouge pas. Ces sièges existent aussi dans des versions « coques », renforçant la protection de l'enfant en cas de choc.

LE SIÈGE-BAQUET • À partir de 8 ou 9 mois, quand votre enfant est capable de rester assis plus longtemps, vous pouvez opter pour un siège-baquet se positionnant face à la route. Il se fixe également sur les points d'ancrage des ceintures de sécurité.

LES COMBINÉS • Ces différents sièges existent sous la forme de combinés, servant à la fois de poussette ou de landau et de siège-auto. Cet équipement réduit vos dépenses mais il est nécessaire de l'installer à chaque voyage.

POUR UN MAXIMUM DE CONFORT ET DE SÉCURITÉ EN VOITURE

- Installez votre bébé dans le siège, fermez le harnais de sécurité et réglez la hauteur des bretelles. **Vérifiez que votre enfant est sanglé fermement, mais confortablement.**
- **N'oubliez pas d'enlever les objets posés sur la plage arrière ou sur la boîte à gants :** en cas de choc, de coup de frein, ils pourraient tomber sur le bébé et le blesser.
- **Pour les plus petits, pensez à utiliser un cale-tête** (gonflable ou en mousse).
- **Dès que les beaux jours arrivent, et quel que soit l'âge du bébé, il faut le protéger du soleil.** Avec un pare-soleil sur les vitres latérales. Si vous êtes pris au dépourvu, utilisez une serviette éponge coincée par la vitre.
- **La déshydratation est le premier danger en cas de chaleur dans l'habitacle.** La climatisation permet d'atténuer le risque, sinon **pensez à vous munir d'un brumisateur et donnez à boire régulièrement à votre bébé.** Si c'est possible, ne roulez pas entre 12 et 16 heures.
- **Faites également attention aux fenêtres ouvertes** : courant d'air, poussière, insectes peuvent le gêner.
- Enfin, **veillez à respecter le rythme de votre enfant, ne bousculez pas ses repères** et donnez-lui à manger aux heures habituelles.
- **Arrêtez-vous régulièrement pour aérer la voiture et prendre l'air tous ensemble.**

BABYBJÖRN
BABYBJÖRN

Choisir son médecin

Sein ou biberon ? Landau ou siège-baquet ? Vous aurez toutes sortes de décisions à prendre avant l'arrivée de votre bébé, mais il en est une qui doit figurer en tête de liste : choisir son médecin ou son pédiatre.

Un choix pour plusieurs années

En supposant que vous soyez satisfaite de lui et que vous ne déménagiez pas, le médecin que vous allez choisir a des chances de suivre votre enfant – et vous peut-être aussi – pendant de nombreuses années. Un nez qui coule, des maux d'oreilles et de gorge, une fièvre, un intestin dérangé, des plaies et des bosses, le médecin vous accompagnera à chaque étape y compris pour les transformations physiques et psychologiques qui jalonnent le passage de la petite enfance à l'adolescence de votre enfant ; il vous épaulera dans des moments d'inquiétude que vous ne pouvez même pas imaginer aujourd'hui.

Vous n'allez pas vivre avec le médecin de votre bébé pendant toutes ces années (même si, quelquefois, en particulier la nuit ou le week-end, vous le souhaiteriez), mais il devra être pour vous une personne qui vous inspire confiance et avec laquelle vous pourrez vous entendre. Quelqu'un à qui vous vous sentirez libre de poser toutes les questions pour vous assurer, par exemple, que l'antibiotique prescrit est bien nécessaire.

En d'autres termes, mieux vaut être sûr de votre fait avant de vous précipiter, votre nouveau-né sous le bras, chez le médecin le plus proche.

Médecin traitant ou non ?

La réforme du médecin traitant (en vigueur depuis le 1er juillet 2005, qui fait obligation de faire le choix d'un médecin sous peine d'être moins bien remboursé par la Sécurité sociale) ne s'applique qu'au plus de 16 ans. Pour les enfants de moins de 16 ans, il n'y a donc pas de formulaire de médecin traitant à remplir et toutes les consultations, spécialisées ou non, sont en accès libre. Il est donc possible, par exemple, de consulter un pédiatre directement.

Comment procéder ?

Quand vous commencerez votre quête du « médecin idéal », pensez proximité car la logistique a son importance : traîner un enfant, même bien portant, sur de longues distances n'est pas toujours une partie de plaisir, alors amener un enfant malade peut virer au cauchemar pour tout le monde. .

Évidemment, la meilleure source d'informations pour trouver votre médecin reste encore les autres parents. Personne ne pourra mieux vous renseigner que des patients satisfaits (ou mécontents). Il est préférable que ce genre de conseil vienne d'amis proches, qui ont les mêmes attentes et partagent les mêmes valeurs que vous en matière d'éducation. Dans le cas contraire, ces mêmes qualités qui provoquent leur admiration risquent de vous le faire détester.

Vous pouvez aussi consulter la maternité ou votre centre de Protection maternelle et infantile (PMI)

Quelles sont les options possibles ?

Pour certains parents, la façon d'exercer peut être aussi importante que le médecin lui-même. En effet, plusieurs options s'offrent à vous : le pédiatre de la maternité, un généraliste près de chez vous seul ou en cabinet médical, un pédiatre en consultation privée ou exerçant à l'hôpital ou dans un centre de Protection maternelle et infantile (PMI). Comment vous déterminer ?

LE MÉDECIN QUI EXERCE SEUL • Quand le médecin exerce seul, il fait appel à un remplaçant pendant les vacances et les jours où il ne travaille pas. L'avantage de ce fonctionnement est qu'il lui permet d'établir une relation suivie avec chacun de ses patients. L'inconvénient est qu'il peut ne pas être disponible sur un simple appel tous les jours, 365 jours par an. Il reçoit sur rendez-vous ou à certaines heures (sauf s'il est appelé en urgence) et il est en général joignable par téléphone. Néanmoins, pendant ses congés, il laisse ses patients aux bons soins d'un remplaçant qui, évidemment, les connaît moins bien.

Si vous choisissez ce type de médecin, demandez-lui qui le remplace pendant ses absences et assurez-vous qu'en cas d'urgence le dossier médical de votre enfant est toujours consultable.

Une salle d'attente bien conçue sera appréciée par les parents mais aussi par les enfants, qui trouveront le temps moins long.

LE MÉDECIN EN CABINET DE GROUPE • Quelquefois, deux médecins valent mieux qu'un. Quand l'un est en visite ou absent, l'autre est presque toujours là. Si vous les voyez à tour de rôle, grâce aux visites fréquentes de la première année, vous les connaîtrez bien tous les deux. En général, ils partageront la même philosophie quant à leur métier et leur pratique, et leurs avis concorderont pour la plupart des questions importantes. Toutefois, ils peuvent avoir des opinions différentes. Si, dans certains cas, recevoir plus d'un avis peut s'avérer perturbant, il est d'autres circonstances où deux approches d'un problème particulièrement déroutant se révèlent parfois bien utiles (quand l'un des deux semble incapable de résoudre les problèmes de sommeil de votre bébé, l'autre le pourra peut-être).

Avant de vous décider pour ce type de cabinet, il convient de poser une question : pourrez-vous prendre rendez-vous avec le médecin de votre choix ? Si tel n'est pas le cas et que vous découvrez que vous préférez l'un à l'autre, vous risquez de passer la moitié de vos visites avec quelqu'un qui ne vous plaît pas. Et même si vous pouvez choisir votre médecin préféré pour les rendez-vous, quand un enfant est malade, on consulte habituellement celui qui est disponible.

Décider de changer de médecin ?

Bien que votre choix ne soit pas irrévocable – vous pouvez changer de médecin sans avoir à donner d'explication –, c'est une décision qui ne se prend pas à la légère. Le médecin parfait n'existe pas (pas plus que les parents parfaits) et des différends peuvent naître dans le meilleur des partenariats. Mais si ceux-ci vous paraissent l'emporter dans vos relations, essayez d'en discuter avec votre médecin avant d'en changer. Vous pouvez découvrir que ces désaccords sont causés par l'incompréhension plutôt que par de réelles divergences sur la façon de soigner votre bébé. Dans ce cas, il est toujours possible de repartir sur de nouvelles bases avec le même médecin.

En revanche, si celui que vous avez choisi ne correspond pas vraiment à vos attentes, commencez par en trouver un plus avisé et, espérons-le, aboutissez à de meilleurs résultats. Pour ne pas laisser votre bébé sans médecin pendant vos recherches, évitez de quitter le premier avant de lui avoir trouvé un remplaçant. Et quand c'est fait, assurez-vous que le dossier médical de votre enfant soit rapidement transféré.

Comment vous décider ?

Quand vous choisirez le « médecin idéal », posez-vous toutes ces questions et renseignez-vous sur ces différents points lors de la première visite.

OÙ SE TROUVE LE CABINET ?

Aujourd'hui, votre ventre vous semble peser comme du plomb, mais c'est une plume à côté de ce que vous serez obligée de porter après la naissance. Entreprendre un trajet de moyenne distance avec votre enfant vous demandera plus de préparation que de simplement sauter dans un bus, un train ou une voiture, et plus vous irez loin, surtout quand il fait mauvais temps, plus le voyage sera difficile. Quand il s'agit d'un enfant malade ou blessé, la proximité du cabinet médical n'est pas seulement pratique, cela veut dire aussi des soins et un traitement plus rapides. Toutefois, avant de prendre votre décision, sachez qu'un médecin vraiment bon vaut parfois un trajet un peu plus long.

LES HORAIRES DE CONSULTATION

Si votre compagnon ou vous-même travaillez de 9 heures à 18 heures, des consultations possibles tôt le matin, en soirée ou le samedi peuvent déterminer votre choix.

L'AMBIANCE ET LES LOCAUX

On peut beaucoup apprendre de l'ambiance d'un cabinet, avant même d'y être entré. Si vous êtes mal accueillie au téléphone, votre expérience dans le cabinet risque de n'être guère plus plaisante. En revanche, si la réceptionniste est aimable et chaleureuse, vous serez sans doute traitée avec intérêt et gentillesse quand vous viendrez avec un enfant malade, blessé ou paniqué.

Un médecin qui reçoit des enfants a besoin d'autres choses que de journaux sur une table et de reproductions impressionnistes au mur pour créer un « bon » décor dans la salle d'attente. Lors de votre première visite, relevez les détails qui vous rendront, à votre enfant et à vous, l'attente moins longue : quelques jouets propres et en bon état, des livres et illustrés pour tous les âges. Des chaises d'enfants ne sont pas superflues. Un papier peint aux couleurs vives et aux motifs amusants et des images colorées au mur permettront aux jeunes esprits inquiets de se concentrer sur quelque chose de réconfortant avant la consultation. Chez un généraliste, des salles d'attente séparées pour les adultes avec et sans enfants sont appréciables.

LE TEMPS D'ATTENTE

Attendre 45 minutes avec un bébé agité, ou en essayant de distraire le petit dernier qui ne tient plus en place avec un énième livre d'images, s'avère une expérience éprouvante. Pourtant, de tels temps d'attente n'ont rien d'exceptionnel quand le cabinet est très fréquenté. Pour certains parents, c'est simplement gênant ; pour d'autres, c'est totalement incompatible avec leur emploi du temps.

Pour avoir une idée du temps d'attente moyen dans un cabinet médical, informez-vous auprès de la secrétaire (s'il y en a une), et si sa réponse est vague, demandez à un ou deux patients.

Un temps d'attente moyen plutôt long peut être le signe d'un certain manque d'organisation dans les rendez-vous, de surréservation, ou d'un médecin qui a beaucoup trop de patients. Mais cela ne vous renseignera pas sur la qualité des soins. Certains excellents médecins sont de mauvais gestionnaires. Soit ils passent plus de temps que prévu avec chaque patient (ce qui est bien quand vous êtes en consultation, mais pas dans la salle d'attente), soit ils acceptent de recevoir un enfant malade entre deux rendez-vous (ce que vous appréciez vraiment quand c'est votre enfant qui est malade).

LES VISITES À DOMICILE

Oui, quelques généralistes en font encore ; cependant, la plupart du temps, comme votre médecin vous l'expliquera sans doute lui-même, ces visites à domicile ne sont pas forcément nécessaires ni meilleures pour votre bébé. Au cabinet, le médecin peut utiliser son équipement et pratiquer des examens, ce qui est plus difficile à domicile. Évidemment, dans certains cas, vous serez très heureuse d'avoir un médecin qui vient au pied levé quand le petit dernier a une fièvre de cheval et que vous êtes seule à la maison.

PEUT-ON TÉLÉPHONER ?

Si les nouveaux parents se précipitaient chez le médecin à chaque fois qu'ils sont inquiets pour la santé ou le développement de leur bébé, les cabinets de consultation seraient pleins jour et nuit ! Voilà pourquoi beaucoup de questions et de petits problèmes sont traités par téléphone.

Et voilà pourquoi, aussi, vous voudrez savoir comment votre futur médecin traite ce genre d'appels. Certains parents préfèrent avoir des plages horaires fixes pour les appels : le médecin réserve un moment dans la journée, sans patient et au calme, pour répondre au téléphone. C'est l'assurance de pouvoir rapidement parler au médecin – même si on a droit au signal occupé ou à un rappel après un peu d'attente.

D'autres parents ont du mal à poser leurs questions entre 7 et 8 heures ou 11 heures et midi ou, pire encore, à patienter jusqu'au lendemain matin pour faire part de leur inquiétude du moment. Ils préfèrent appeler quand ils ont un problème, quitte à ce que le médecin les rappelle entre deux patients. Même si le rappel n'intervient pas avant plusieurs heures (quand ce n'est pas un cas d'urgence, bien sûr !), ces parents inquiets peuvent se confier à la personne qui a pris l'appel

– et parfois même être déjà rassurés ou conseillés. Et ils ont le réconfort de savoir qu'ils pourront parler au docteur avant la fin de la journée.

LES QUALITÉS DU MÉDECIN

Outre les compétences médicales, tous les parents ont leur idée sur les qualités que doit avoir le futur médecin de leur enfant. Ce sont l'écoute, la capacité d'accepter toutes les questions et d'y répondre clairement et complètement et, par-dessus tout, une véritable affection pour les enfants.

LA PHILOSOPHIE

Même dans la meilleure des relations médecin-patient, il peut y avoir des divergences. Toutefois, une relation a plus de chance de réussir si les deux partenaires s'accordent dès le départ sur une majorité de points. Prenez rendez-vous avec votre futur médecin pour lui demander sa position sur les questions que vous jugez importantes.

L'allaitement. Si vous avez très envie de donner le sein, un médecin plutôt tiède envers cette pratique, ou qui confesse des connaissances assez réduites sur le sujet, risque de ne pas vous être d'un grand recours quand vous commencerez les tétées.

Les médecines douces ou complémentaires. Si, vous souhaitez une approche plus globale en matière de soin, trouvez un docteur qui soit ouvert aux médecines alternatives et qui accepte d'introduire dans ses traitements des thérapies non conventionnelles.

Végétarisme. Si vous et votre famille ne mangez ni viande ni poisson, il est utile d'avoir un médecin qui non seulement l'accepte, mais connaît les besoins nutritionnels d'un enfant nourri avec un régime de type végétarien.

“Le médecin a prescrit à mon bébé un antibiotique pour une otite. Malheureusement, mon fils recrache systématiquement le médicament et refuse d'en reprendre une goutte. Que faire ?”

LES CONDITIONS D'UN BON PARTENARAIT

Dans tout bon partenariat, chacun apporte sa contribution en faisant ce qu'il sait faire de mieux. Dans ce partenariat, le médecin de votre bébé apportera des années de pratique et d'expérience. Pour retirer le meilleur profit de cette collaboration, il est important de suivre son avis et ses recommandations. Et si, pour une raison ou une autre, vous ne le voulez ou ne le pouvez pas, vous devez impérativement l'en informer.

Dans certaines situations, cela peut être d'une importance vitale. Si, dans votre cas, sous prétexte que l'infection de l'oreille semble en voie de guérison, vous n'insistez pas et ne donnez plus le médicament à votre bébé, sans pour autant le signaler à votre médecin, deux jours plus tard, la température remontera. Si vous l'aviez appelé, le médecin vous aurait dit que la prise du traitement provoquait au début une amélioration, mais que l'arrêter avant la fin risquait de faire redoubler d'intensité la maladie. Il aurait peut-être pu alors vous indiquer une meilleure technique pour faire avaler le médicament à votre bébé ou choisir une autre manière de l'administrer.

Attention !

Le carnet de santé de votre bébé est un document précieux. Prenez-en soin et pensez à l'apporter à chaque consultation pour que le médecin puisse reporter les informations essentielles sur le développement de votre bébé et consigner ses observations.

Les maux courants du nouveau-né

Troubles digestifs, petits problèmes de peau sur le visage, des yeux qui coulent, érythème fessier (voir page 357), muguet font partie des maux les plus fréquents qui perturbent la vie du nouveau-né, mais ils sont le plus souvent sans aucune gravité.

Les troubles digestifs

Les premiers repas de votre bébé, qu'il soit nourri au sein ou au biberon, vont faire travailler un appareil digestif encore tout neuf. Cette mise en route engendre parfois quelques problèmes. Bien que souvent anodins, ceux-ci sont la cause de pleurs violents et de tortillements marquant le « mal-être » du nourrisson.

LES COLIQUES • Les coliques, ou maux de ventre, sont l'un des petits troubles les plus fréquents du nouveau-né, surtout quand ce dernier est nourri au biberon. Elles suscitent chez le bébé des pleurs énergiques, qui s'apaisent souvent dès qu'il a émis des selles ou des gaz. Pour atténuer ces douleurs, vous pouvez masser le ventre de votre enfant dans le sens des aiguilles d'une montre. Le contact de votre peau ou d'une bouillotte chaude peut aussi lui faire du bien : posez-le par exemple peau à peau, à plat ventre contre vous. Les coliques peuvent avoir diverses causes, mais, quand elles sont fréquentes (pour un bébé nourri au biberon), le changement de lait est souvent la solution pour que la situation s'améliore. Votre pédiatre vous conseillera.

LES DIARRHÉES • Allaité au sein, votre bébé aura des selles d'une consistance et d'une couleur particulières : elles seront non moulées, granuleuses, de couleur jaune d'or. S'il est au biberon, ses selles seront non moulées et de couleur claire. Vous vous rendrez vite compte si votre bébé a la diarrhée : ses selles seront différentes, encore plus liquides et plus fréquentes.

Dans tous les cas, que vous allaitiez ou que vous nourrissiez votre bébé au biberon, il faut consulter en urgence un médecin, car le risque de déshydratation chez un nouveau-né est important et il est primordial de débuter un traitement très rapidement. Les diarrhées aigües chez le nourrisson ont le plus souvent une origine infectieuse.

Le médecin prescrira un régime alimentaire adapté, une solution de réhydratation en complément d'un éventuel traitement médicamenteux.

LES RÉGURGITATIONS ET LES REFLUX • Les régurgitations surviennent à la fin de la tétée : c'est le trop-plein que le bébé évacue. Elles se produisent souvent au moment du rot. Il n'y a pas de traitement, si ce n'est d'être attentif à la satiété du nourrisson pour qu'il ne boive pas au-delà de ses besoins.

LUTTER CONTRE LA FIÈVRE

- **Votre bébé a de la fièvre si sa température rectale (prise au repos) dépasse 38 °C.** La fièvre en soi n'est pas une maladie, elle prouve que l'organisme de votre bébé réagit à une agression virale ou bactérienne. Mais elle peut aussi résulter d'une exposition au soleil, d'une atmosphère confinée, de vêtement trop chaud, d'un lit trop couvert.
- **Elle peut facilement atteindre 40 °C.** Si, de plus, elle est associée à une pâleur, une peau marbrée, des lèvres bleues, si ses mains et ses pieds sont froids, s'il somnole ou émet des cris plaintifs, il faut impérativement consulter en urgence.
- **Chez le nourrisson (et jusqu'à 4 ans), la fièvre peut entraîner des convulsions** (cela concerne 3 à 5 % des enfants), c'est pourquoi elle doit systématiquement être traitée dès que la température dépasse 38,5 °C. Elle nécessite un avis médical pour les nourrissons de moins de 3 mois mais aussi si elle persiste, augmente ou s'accompagne d'autres symptômes.
- **Faire baisser la fièvre.** Déshabillez votre bébé : laissez-le en couche et en body, dans une pièce ne dépassant pas 20 °C. Proposez-lui à boire de petites quantités, en rapport avec son âge et son poids, suivant les conseils de votre médecin. Vous pouvez lui donner un bain tiède à une température inférieure de 2 °C à la sienne. Donnez-lui un antipyrétique (contre la fièvre) prescrit par son médecin, en respectant les doses et les intervalles entre les prises.
- **Si la fièvre persiste,** augmente, est mal tolérée ou si d'autres symptômes apparaissent, consultez le médecin.

“Mon bébé a une ampoule sur la lèvre supérieure. Il tète vraiment très fort. Que puis-je faire ?”

AMPOULES DE SUCCION

Un bébé doté d’un solide appétit ne tête jamais trop fort ! Les ampoules de succion se forment au centre de la lèvre supérieure chez beaucoup de bébés nourris aussi bien au sein qu’au biberon. Bien qu’elles soient effectivement causées par une succion vigoureuse, elles ne présentent aucun caractère de gravité médicale. Elles ne causent aucun désagrément à l’enfant. Les ampoules de succion disparaissent sans traitement en quelques semaines ou mois. Parfois, elles semblent même disparaitre ou s’atténuer entre les tétées. Votre bébé s’en accommode et conserve appétit et plaisir de la succion, faites-lui confiance.

Ces régurgitations ne sont pas à confondre avec les reflux, qui sont des rejets ou des vomissements, pas toujours abondants, qui surviennent à la fin du repas et que le moindre mouvement déclenche. Ils sont le plus souvent liés à la maturation inachevée du tube digestif du bébé. Le reflux disparaît en général avec l’âge, mais un traitement adapté reste utile pour réduire les symptômes, éviter les complications (œsophagite) et faciliter la maturation physiologique du tube digestif du nouveau-né.

LA CONSTIPATION • Votre bébé est constipé si ses selles sont dures et peu fréquentes : moins d’une selle par jour (jusqu’à un an) mais le transit intestinal est très variable d’un enfant à un autre.

Les bébés nourris au sein ont généralement des selles à chaque tétée; mais il n’est pas rare que certains nourrissons n’aient qu’une selle - de consistance molle - par jour, ou même tous les deux jours, sans douleurs ni ballonements. On parle alors de «fausse» constipation.

Si votre enfant est nourri au biberon et vous semble constipé, utilisez une eau minérale légèrement laxative. Si cela persiste, voyez avec le pédiatre.

LE HOQUET • Parfois fort et long, le hoquet inquiète souvent les parents. Rassurez vous, votre enfant ne souffre pas. C’est une contraction brusque du diaphragme, accompagnée d’un son caractéristique involontaire. Il apparaît pendant ou après la prise du biberon, souvent parce que le bébé boit trop vite et avale de l’air. Pour y remédier, faites des pauses pendant la tétée et tenez le bien droit pour faciliter la survenue de rots.

Les problèmes de peau

LES CROÛTES DE LAIT • Ces croûtes, apparaissant sur la peau du bébé au niveau de son visage et du cuir chevelu, sont formées des sécrétions excessives des glandes sébacées. Lavez chaque jour son visage avec un lait de toilette (au lieu de savon) et appliquez une pommade grasse (de la vaseline, par exemple) sur son cuir chevelu. Les croûtes vont se ramollir et disparaître avec un shampooing doux le lendemain. Si elles persistent, répétez l’opération. Ces croûtes peuvent avoir un aspect plus rouge, et se former dans les plis du cou, autour du nez, de la bouche et des yeux.

Si votre bébé souffre en plus d’un érythème fessier, ces signes peuvent révéler une dermatite séborrhéique que son pédiatre traitera.

LE MUGUET • C’est une mycose provoquée par un champignon microscopique, *Candida albicans*, qui se développe dans la bouche et dans l’intestin, où il est normalement présent. Mais à la suite d’un traitement antibiotique par exemple, il peut se multiplier avec excès provoquant l’apparition du muguet. Il se manifeste dans la bouche sous forme de plaques blanches : votre bébé a un enduit blanchâtre sur la langue, la face interne des joues, ou le palais. Ces plaques sont adhérentes, entourées d’un halo inflammatoire plus rouge et parfois douloureux. Votre bébé n’a pas de fièvre, mais il mange avec difficulté. Il manque d’appétit et régurgite facilement. Un érythème fessier, localisé dans les plis de la peau ou autour de l’anus, peut, aussi se développer. Consultez votre médecin.

Attention !

Si votre tout-petit a plus de 38 °C de fièvre, essayez de savoir pourquoi (nez bouché, diarrhée...). Appelez ensuite votre médecin qui fera un premier diagnostic et saura vous conseiller sur la conduite à tenir.

S'occuper de jumeaux

La vie avec des jumeaux, c'est deux fois plus de tétées, de changes et de soins… et deux fois moins de sommeil. Même si vous êtes une maman très bien organisée, vous aurez sans doute besoin, dans la mesure du possible, de vous faire aider.

Comment s'organiser?

Le rythme des tétées la nuit avec des jumeaux tient souvent des « trois-huit »! Les tétées, les changes, la toilette se succèdent sans laisser aux parents beaucoup de répit. Il vous faudra sans doute vous organiser de façon stricte et oublier votre désir de tout faire pour le mieux. Le change est incontournable, mais un bain un jour sur deux suffira. Si vous allaitez, vous avez peut-être intérêt à nourrir vos bébés simultanément (voir encadré ci-contre).

De façon générale, vous devrez trouver un équilibre entre votre propre organisation et le respect du rythme naturel de chaque bébé; le résultat sera nécessairement un compromis, propre à chacune. La participation active du père sera bien sûr indispensable, surtout la nuit.

Les aides extérieures

En fonction de vos revenus ou de la composition de votre famille, vous pouvez avoir droit à une aide à domicile: renseignez-vous avant l'accouchement auprès de l'assistante sociale de la maternité. Sachez aussi que des élèves sages-femmes peuvent venir la nuit pour s'occuper de vos petits pendant que vous récupérez; les maternités et les écoles vous préciseront les tarifs. Peut-être qu'une personne de votre famille peut vous aider les premiers temps.

Si vous adhérez à l'association Jumeaux et Plus (voir *Adresses utiles*, pages 456 et 457), vous obtiendrez divers conseils et pourrez commander du matériel de puériculture, des couches ou du lait à la Centrale des multiples, qui vous livre l'ensemble à domicile; des associations du même type existent en Belgique et au Canada.

Allaiter au sein des jumeaux

L'allaitement maternel est recommandé lorsque les bébés naissent avec un peu d'avance comme c'est souvent le cas. S'ils sont placés en couveuse, il est possible de tirer son lait. Comme tous les soins prodigués à des jumeaux (ou à tous les nouveau-nés issus de grossesses multiples), l'allaitement semble une tâche insurmontable. En fait, il s'agit simplement d'établir sa « routine ». Pour que l'allaitement de vos jumeaux soit réussi, lisez les conseils suivants.

- Adoptez le régime alimentaire proposé à toutes les mères allaitantes en y ajoutant cependant, pour chaque enfant, 400 à 500 calories par rapport à vos besoins énergétiques antérieurs à la grossesse. Vous devrez probablement augmenter aussi vos apports énergétiques à mesure que les bébés et leur appétit grandiront. Lorsque vous complétez l'allaitement par des biberons ou des aliments solides, il convient, au contraire, de diminuer cet apport calorique. Pensez cependant à consommer suffisamment de protéines et de calcium.
- Buvez 2,5 litres par jour.
- Faites-vous aider le plus possible pour le ménage, la préparation des repas et les soins aux nouveau-nés afin de

NOURRIR DEUX BÉBÉS EN MÊME TEMPS

- Certaines mères préfèrent allaiter les jumeaux l'un après l'autre. Elles trouvent cela plus facile et plus satisfaisant du point de vue relationnel. D'autres aimeraient bien ne pas passer toute la journée à allaiter et nourrissent les deux bébés en même temps. Cela fonctionne aussi bien et permet de gagner du temps. Voici deux positions à essayer.
- **Asseyez-vous et mettez un gros coussin sur chacun de vos genoux. Chaque enfant a la tête posée sur un coussin et les pieds calés sous chacun de vos bras. Soutenez chaque bébé avec un bras et tenez leur tête avec vos mains** (méthode dite « du ballon de rugby »).
- **Un enfant est tenu dans la position traditionnelle dite « de la Madone » tandis que l'autre adopte la position dite « du ballon de rugby ».**
- **Dans tous les cas, les deux bébés sont allongés sur des coussins qui les maintiennent à la bonne hauteur.** Ils bougeront sans doute jusqu'à trouver avec vous la position la plus confortable, mais seront ensuite tranquilles dès qu'ils auront pris l'habitude de téter ainsi.

conserver votre énergie. Une fatigue trop intense limite les montées de lait.

• Examinez diverses solutions pour nourrir vos tout-petits : allaitez-les séparément (cela peut prendre de 6 à 8 heures par jour) ou ensemble. Combinez les deux possibilités pour fournir à chaque enfant l'occasion d'être seul contre vous – pendant ce temps, le père ou une autre personne donnera, par exemple, le biberon. Ceci est un bon compromis pour instaurer un lien maternel individuel avec chaque nouveau-né. Ces biberons « de secours » peuvent d'ailleurs tout aussi bien contenir votre lait, que vous aurez préalablement exprimé au tire-lait.

• Partez du principe que les jumeaux ont des personnalités, des besoins et des façons de téter qui diffèrent. Veillez toutefois à noter soigneusement les tétées pour être sûre que chacun est nourri équitablement.

• Lorsqu'il s'agit d'une première grossesse, l'apprentissage de l'allaitement peut être particulièrement éprouvant, d'autant plus que toutes les tâches sont majorées par l'arrivée de jumeaux. La fréquence des tétées allant jusqu'à 10 tétées par jour, peut représenter jusqu'à 8 heures d'allaitement par jour. Difficile donc de trouver du temps pour souffler. Ne culpabilisez pas de ne pas allaiter vos bébés. En étant un peu moins fatiguée, vous saurez être très proche de chacun d'eux et un peu plus disponible. Et puis cela permet aussi au papa de s'impliquer encore plus.

Il est parfois difficile de faire face quand les deux bébés sollicitent leur maman au même moment. Mais, assez vite, les jumeaux apprendront qu'ils sont deux et qu'il leur faut de temps en temps patienter.

Vous êtes encore fragile

Votre organisme, au cours des derniers mois, a subi de profonds changements. Il a porté et donné la vie et va se remettre petit à petit de ces bouleversements. Durant les toutes premières semaines après la naissance, vous devrez faire particulièrement attention à votre corps. Puis vous vous ménagerez plus ou moins, selon votre état.

Une période de transition

Dans les semaines suivant l'accouchement, une femme n'éprouve en général aucune envie d'effectuer des efforts physiques. Elle aspire avant tout au repos et répond ainsi aux demandes de son corps, qui reste encore bien fragile. Dans nombre de traditions populaires, la femme était censée, non sans raison, se ménager le plus possible pendant le mois qui suit la naissance. Une phase de transition de quelques semaines, appelée « suite de couches », est en effet nécessaire pour que les organes se remettent parfaitement en place.

Durant ce laps de temps, le corps de la femme connaît encore diverses transformations : l'utérus retrouve son volume antérieur, les sécrétions hormonales chutent, le cycle menstruel peut reprendre… Vous pouvez en quelque sorte considérer que vous êtes alors en convalescence. Un premier retour à l'équilibre est atteint lors du retour de couches, ou retour des règles, qui indique que la femme a de nouveau une ovulation. Il intervient environ six à huit semaines après l'accouchement. Si on nourrit le bébé au sein, les règles réapparaissent plus tard (entre quatre à six semaines après l'arrêt de l'allaitement), mais le délai de récupération du corps est à peu près le même que si on n'allaitait pas.

Passé cette première étape, l'organisme aura parfois encore besoin de plusieurs mois pour résorber toute la fatigue liée à la maternité. Certaines femmes se sentent toutefois assez vite en bonne forme. Cela varie beaucoup selon la constitution physique de chacune et selon les rythmes de sommeil du bébé, entre autres.

Attention !

Tous les conseils pour ménager le dos sont d'actualité. Soulevez une charge en vous baissant et en pliant les genoux. Réglez le porte-bébé : vous devez pouvoir embrasser le haut de sa tête sans difficulté. Utilisez des coussins quand vous allaitez pour diminuer les tensions musculaires.

Lors des quinze premiers jours

Dans les deux semaines suivant la naissance, vous pouvez encore être gênée par les suites de l'accouchement et connaître différents maux.

LES SOINS APRÈS UNE ÉPISIOTOMIE • Si vous avez eu une épisiotomie, peut-être avez-vous encore un peu mal, surtout en position assise. Appliquer sur la cicatrice un gant contenant de la glace peut parfois soulager. Dans tous les cas, prenez les mêmes précautions qu'à la maternité, notamment en matière d'hygiène (voir page 310), et privilégiez les sous-vêtements en coton. La gêne au niveau de la cicatrice doit s'atténuer assez vite. Si la douleur persistait deux semaines après la naissance du bébé, il faudrait consulter votre médecin.

D'ÉVENTUELLES PERTES DE SANG • Vous pourrez parfois perdre chaque jour un peu de sang. Cela n'a rien d'anormal, sauf si les pertes deviennent malodorantes ou si vous avez de la fièvre : dans ce cas, parlez-en vite à un médecin, car ces symptômes peuvent signer une infection de la muqueuse utérine (endométrite). Des saignements très abondants (supérieurs à des règles) sont également anormaux.

En revanche, deux semaines après l'accouchement, vous remarquerez peut-être un écoulement de sang plus important, que l'on peut confondre avec les règles : c'est ce que l'on appelle le « petit retour de couches ». Il dure deux ou trois jours et ne doit pas vous alarmer.

Les premières semaines, il faut se ménager des moments de détente avec son bébé. Mieux vaut limiter un peu les visites.

DES RISQUES DE PHLÉBITE ? • C'est à la maternité que l'équipe soignante va estimer si vous avez ou non un risque de phlébite (caillot dans une veine). Si c'est le cas, elle vous prescrira un traitement préventif par piqûre pendant 3 à 6 semaines. Les symptômes de ce trouble sanguin peuvent être une douleur persistante au mollet, dans la cuisse ou au bas-ventre : dans ce cas, mieux vaut consulter. Mais il est assez rare, en l'absence de risques particuliers, qu'une phlébite survienne après l'accouchement.

SIGNES D'ANÉMIE • Si vous avez des vertiges, des palpitations, ou si vous ressentez une grande fatigue, vous êtes peut-être anémiée. Consultez votre médecin, qui vous prescrira alors un supplément en fer.

Ménager son corps

Il est conseillé de se reposer durant les « suites de couches », mais chaque femme en éprouvera plus ou moins le besoin, et se fiera en général à ce qu'elle ressent.

Certaines zones du corps demandent toutefois d'être ménagées, car elles restent fragiles même si vous vous sentez tout à fait bien. Ce sont surtout le périnée, ou plancher musculaire du petit bassin, le ventre et le dos. Plus largement, tous les muscles qui ont été soumis à une forte pression durant la grossesse restent fragiles. Mais si vous respectez les conseils qui suivent et si vous marchez un peu de temps en temps, à votre rythme et dès que vous en avez envie, tout reviendra doucement à la normale, sans que le corps soit mis à mal.

SE BANDER LE VENTRE ? • Il arrive après l'accouchement que l'on ne sache plus bien comment se tenir et que l'on ait tendance à avoir le ventre tout mou. Si c'est le cas, ou si vous vous sentez fragile, vous pouvez aussi essayer une ancienne méthode : elle consiste à se bander le ventre pour le maintenir durant deux ou trois semaines. On peut utiliser pour cela une simple bande de tissu ou se procurer une gaine-culotte souple.

QUELQUES GESTES ET TÂCHES À ÉVITER... • Pour prévenir d'éventuelles complications, retenez surtout que, dans

QUELS SOINS APRÈS UNE CÉSARIENNE ?

- **La cicatrice formera un bourrelet au début, mais s'assouplira avec le temps. Vous pouvez la masser tous les jours avec de l'huile d'amande douce pour que ce bourrelet se résorbe plus rapidement. Certains kinésithérapeutes ou ostéopathes peuvent aussi travailler sur la cicatrice pour l'assouplir.** Vous remarquerez peut-être une zone insensible à son voisinage, mais rassurez-vous, la peau retrouvera progressivement sa sensibilité ou vous vous habituerez à cette différence.
- **Certaines femmes n'arrivent pas à « intégrer » cette partie de leur corps qui a été coupée :** elles ne peuvent regarder la cicatrice, ni même la toucher. Si vous êtes dans ce cas parlez-en à un médecin ou à une sage-femme.

Un bébé trouve aussi la sécurité dont il a besoin, grâce à la présence d'objets familiers.

les quinze jours suivant l'accouchement, effectuer certaines grosses activités ménagères (passer l'aspirateur, nettoyer les vitres ...), sont déconseillées. Il faut également éviter de courir et de porter de lourdes charges (de façon générale, tout ce qui excède le poids du bébé), et ce au moins jusqu'à la visite postnatale.

Pourquoi s'occuper du périnée ?

Le périnée est la zone du corps qui a été le plus malmenée par la naissance du bébé. Selon les modalités de l'accouchement, les muscles périnéaux ont été plus ou moins « étirés » et il peut en résulter quelques « bleus » – voire plus (élongations, déchirures partielles ou totales, etc.). Cela peut avoir des effets sur le vagin (qui se resserre moins bien) et sur la vessie (et en particulier sur les muscles commandant la fermeture de l'orifice urinaire).

DES DIFFICULTÉS URINAIRES ? • De ce fait, surtout si vous avez eu un accouchement long et difficile, vous pouvez avoir de petites fuites d'urine incontrôlées à l'occasion d'un effort (rire, toux, éternuement par exemple). À la maternité, la sage-femme vous conseillera des exercices adaptés pour prévenir ce type de problème ; vous préparerez ainsi les séances de rééducation du périnée. Dans tous les cas, ne laissez pas s'installer une incontinence, même minime, et parlez-en sans tarder à votre médecin.

PREMIERS EXERCICES POUR TONIFIER LE PÉRINÉE • Vous pourrez commencer une fois que les saignements auront cessé ou que l'épisiotomie sera cicatrisée et indolore (après deux à trois semaines en moyenne). Allongée sur le dos, jambes pliées et écartées, pieds posés bien à plat, faites comme si vous essayiez de retenir une forte envie d'uriner. Si vous n'arrivez pas à localiser votre périnée, vous pouvez vérifier qu'il durcit bien en posant l'extrémité de votre index dessus, ou vérifier l'efficacité de votre travail avec un miroir. Relâchez bien la sangle abdominale pendant ces exercices : vous devez contracter le périnée sans contracter en même temps le ventre, les fesses ou les cuisses.

Pensez à pratiquer cet exercice au moins trois fois par jour, à raison de vingt contractions chaque fois. Commencez par des contractions rapides et répétées, puis essayez de maintenir l'anus et le vagin très serrés pendant au moins cinq secondes en ménageant de longues phases de relâchement entre deux contractions pour éviter la fatigue musculaire. Dès que vous maîtriserez bien ces exercices, prenez l'habitude de les faire debout, assise, en marchant ou lors des efforts habituels de la vie quotidienne.

Bien s'organiser pour minimiser la fatigue

Parmi tous les inconforts suivant l'accouchement, la fatigue reste le souci premier de la grande majorité des femmes. Il n'est pas toujours facile de prendre le repos nécessaire quand le bébé ne fait pas ses nuits et que les tétées interrompent le sommeil. Il n'existe pas de solution miracle. Vous détendre demandera à la fois un effort de volonté, une organisation certaine et… de baisser la barre de vos exigences.

COMPENSEZ LE MANQUE DE SOMMEIL • Essayez de récupérer autant que vous pouvez pendant la journée. Quand votre enfant dort, faites de même et « calez » vos horaires sur les siens, le jour comme la nuit. Si vous ne parvenez pas à faire la sieste, essayez de vous détendre, sans chercher à effectuer les tâches ménagères qui peuvent attendre. Si la tétée de nuit se situe vers 2 heures du matin, ne vous couchez pas trop tard et essayez de faire un cycle de sommeil à peu prêt complet avant que le bébé ne vous réveille.

ESPACEZ LES VISITES À LA MAISON • Pour vous ménager des temps de détente, vous aurez parfois besoin d'espacer les visites, ou de les reporter si vous vous sentez encore trop fatiguée. Mieux vaut voir vos proches quand vous vous sentez en état d'apprécier leur présence. Votre bébé aussi a besoin de calme et il a encore tout le temps pour faire connaissance, petit à petit, avec votre famille et vos amis. Vous pouvez éventuellement profiter des moments où le papa est là pour accueillir votre entourage, surtout si vous souhaitez vous isoler pour allaiter.

FAITES-VOUS AIDER • Même en y mettant toute votre énergie et un minimum d'organisation, vous vous sentirez parfois débordée. N'hésitez pas à demander de l'aide. Une une aide-ménagère peut vous seconder. Vous pouvez aussi solliciter l'entourage. Plutôt que faire des courses, demandez à vos visiteurs de vous rapporter ce dont vous avez besoin, ou utilisez internet (certaines enseignes livrent à domicile). S'il y a un aîné, confiez-le de temps en temps pour la journée à quelqu'un avec lequel il se sent bien.

SOYEZ VIGILANTE EN CAS DE FIÈVRE

- Dans la majorité des cas, tout se passe bien et vous n'aurez aucun problème médical après votre accouchement. Montrez-vous toutefois vigilante pendant une quinzaine de jours, car c'est pendant cette période qu'une complication peut survenir.
- **Le signe d'alerte le plus simple à repérer est la fièvre :** celle-ci est toujours à prendre très au sérieux après un accouchement, car elle peut être le symptôme d'une infection.
- **Dès que l'on a des pertes de sang anormales (plus abondantes que les règles ou malodorantes), des douleurs au niveau du ventre, en particulier du pelvis, des jambes ou des seins, il est vivement conseillé de prendre sa température** (plutôt par voie rectale).
- **Si vous avez effectivement de la fièvre, consultez votre médecin qui en recherchera la cause.**
- **Une hausse de température peut provenir d'une infection de la muqueuse utérine,** l'endomètre (endométrite), d'une infection au niveau des reins (pyélonéphrite), d'une lymphangite (inflammation de la glande mammaire) ou d'un abcès au sein (voir page 341). Un abcès peut également se former au niveau de la cicatrice de la césarienne ou de l'épisiotomie.
- **Dans tous les cas, le médecin vous prescrira des examens complémentaires si nécessaire et un traitement adapté.**

La visite postnatale

La visite postnatale est obligatoire 6 à 8 semaines après la naissance. Lors de cette consultation, le médecin va évaluer, entre autres, l'état de votre périnée, et il vous prescrira des séances de rééducation périnéale. Ce sera aussi l'occasion de parler de votre contraception.

Buts et étapes de ce suivi médical

La visite postnatale permet de faire le point sur votre grossesse et sur le déroulement de l'accouchement. Si vous avez connu des problèmes pendant la grossesse ou pendant l'accouchement, l'obstétricien fera un bilan lors de cette consultation postnatale pour prévenir toute complication ultérieure. Il demandera, au besoin, des examens complémentaires et vous dirigera éventuellement vers un spécialiste. Ce dernier orientera ses questions et son examen en fonction de vos antécédents médicaux. L'hypertension artérielle, le diabète de grossesse, les infections urinaires à répétition sont autant de pathologies à surveiller.

Ensuite, l'obstétricien vous examinera : il contrôlera votre poids et votre tension artérielle et vérifiera systématiquement que tout est bien rentré dans l'ordre.

LES SEINS • Si vous allaitez, le médecin observe les mamelons pour s'assurer par exemple qu'ils ne présentent pas de crevasse. Il vous aidera également à résoudre les éventuels problèmes liés à l'allaitement.

L'ABDOMEN • Souvent, la peau du ventre est un peu distendue et les muscles abdominaux n'ont pas encore retrouvé leur tonicité. En outre, si vous avez accouché par césarienne, le médecin vérifie la cicatrice.

LE PÉRINÉE • Le médecin contrôlera la cicatrice de l'épisiotomie que vous avez pu subir.

L'APPAREIL GÉNITAL • Le médecin pratiquera un toucher vaginal pour vérifier la tonicité des muscles du périnée et il s'assurera que votre utérus a retrouvé un volume normal. Il fera un frottis cervico-vaginal de dépistage si vous n'en avez pas eu depuis trois ans. Enfin, il vous prescrira des séances de rééducation périnéale (voir ci-dessous).

Parler sans tabous

Cette consultation va être pour vous l'occasion de signaler tout ce qui ne va pas. Bien sûr, le médecin va vous poser des questions, mais plus vous lui en direz, mieux ce sera – n'hésitez pas d'ailleurs à lister ce qui vous gêne avant la consultation. Une tristesse persistante, par exemple, mérite autant son attention qu'une sensation de pesanteur périnéale. Souvent, par pudeur, les femmes négligent d'aborder certains désagréments, dans l'espoir que cela « s'arrangera tout seul » : des petites fuites d'urine lors d'une quinte de toux, d'un éclat de rire, d'un effort ; des difficultés à se retenir en cas d'envie pressante ou quand il fait froid ou quand on entend couler de l'eau ; une baisse des sensations ou des douleurs lors des rapports sexuels ;

CONNAISSANCE ET MAÎTRISE DU PÉRINÉE (CMP) : LA NOUVELLE RÉÉDUCATION

- La CMP a été mise au point par une sage-femme, Dominique Trinh Dinh, en collaboration avec des femmes. **Les différents « problèmes des femmes » comme les sensations de pesanteur ou d'ouverture de la vulve ou, plus importants, l'incontinence et la descente d'organes ont été étudiées de près pour aboutir à la mise au point d'une série d'exercices.**
- **Effectués lors des séances de rééducation, ces derniers peuvent ensuite être intégrés à la vie de tous les jours.**
- **Enseignés en général par une sage-femme, ces exercices personnels précis aident à prendre conscience des différentes parties du périnée** (vulve, vagin...), qui, travaillées séparément, sont de mieux en mieux perçues. Les différents muscles des douze zones périnéales définies en CMP sont retonifiés. La perception ciblée de chacune de ces zones peut apporter des changements dans la vie intime (amélioration des sensations pendant les rapports sexuels) et permettre de prévenir la descente d'organes, la femme devenant capable de percevoir un tout début de changement et donc d'y remédier.

Rééducation ou éducation périnéale ?

Rares sont les femmes qui n'ont pas besoin de rééducation périnéale. Ces séances permettent d'abord de rééduquer la partie du corps la plus maltraitée par l'accouchement, mais aussi de la fortifier – ce qui limite le risque d'incontinence urinaire. Même si peu de femmes osent l'avouer, elle peut accroître le plaisir lors des relations sexuelles. Différents praticiens assurent la rééducation périnéale : kinésithérapeutes ou sages-femmes.

En France, la Sécurité sociale assure le remboursement de ces actes non seulement après l'accouchement, mais tout au long de la vie. Il existe différentes méthodes. Les praticiens proposent en général une rééducation combinant différentes approches, quitte à associer diverses méthodes pour plus d'efficacité.

L'ÉLECTROSTIMULATION

Ici, c'est l'appareil qui donne l'ordre aux muscles de se contracter et de se décontracter, par l'intermédiaire d'une sonde que l'on introduit dans le vagin. Cette sonde délivre des courants électriques d'intensité variable mais totalement indolore. Ils contractent les muscles du plancher pelvien. Cette technique est recommandée en début de rééducation, car elle permet de mieux prendre conscience de la musculature périnéale et d'apprendre ensuite à contracter volontairement le périnée.

LE BIOFEEDBACK

On prend ici conscience de son périnée grâce à un appareil relié à une sonde. Pendant que vous serrez et relâchez les muscles de votre périnée (comme pour vous retenir d'uriner) en suivant les consignes du praticien, un écran placé à proximité vous permet, par un tracé sur ordinateur ou par une rampe lumineuse, d'apprécier l'intensité de cette activité musculaire et d'apprendre à la contrôler. Cela constitue un excellent moyen pour vous faire prendre conscience de l'alternance contraction-relâchement des muscles du périnée.

LES MÉTHODES DITE ÉDUCATIVES

Il s'agit d'apprendre des exercices permettant de remuscler soi-même vulve et vagin. Ils ont l'avantage d'être naturels et d'éviter de recourir à des instruments invasifs. L'une de ces méthodes, la CMP (voir encadré page 374), permet d'avoir une connaissance très affinée de son périnée.

des difficultés à retenir les gaz, voire des pertes de selles… Rien de tout cela ne doit être passé sous silence.

Pour la plupart, ces inconforts sont liés à l'état de votre périnée : plus le médecin sera informé, mieux il sera à même de vous proposer la rééducation adaptée à votre situation. Les séances seront d'ailleurs une nouvelle occasion de parler de tous ces divers soucis, d'où l'importance que vous soyez bien à l'aise avec la personne qui va vous suivre.

Choisir un moyen de contraception

Lors de la consultation de sortie de la maternité, le médecin vous a proposé une contraception de relais jusqu'au retour de couches et ce que vous allaitiez ou non. En effet si vous n'allaitez pas, une nouvelle grossesse peut survenir un mois après la naissance du bébé ; si vous allaitez, l'ovulation est en théorie retardée, mais il n'est pas impossible qu'elle ait lieu : dans les deux cas, une contraception est donc indispensable.

Au cours de la consultation postnatale, vous allez de nouveau aborder avec votre médecin cette question. Vous pourrez continuer la contraception conseillée à la sortie de la maternité, reprendre votre moyen contraceptif antérieur ou en envisager une nouvelle. Votre médecin vous proposera la méthode adaptée à votre situation.

Voici les principaux moyens de contraception posibles après une grossesse.

LE PRÉSERVATIF ET LES SPERMICIDES • Le préservatif masculin est l'une des méthodes conseillées peu après l'accouchement. On peut aussi utiliser des spermicides locaux (ovules), dont l'effet lubrifiant facilite les rapports. Ils doivent être placés au fond du vagin dix minutes avant le rapport.

LES PILULES CLASSIQUES • Elles sont composées d'œstrogènes et de progestérone. S'il n'existe pas de contre-indication, la prise de la pilule débute environ trois semaines après l'accouchement. Cette méthode n'est pas indiquée en cas d'allaitement.

LES MICROPILULES • Elles sont à base de progestatifs faiblement dosés et sont autorisées en cas d'allaitement. Le traitement débute dans les 10 jours suivant l'accouchement. Ces micropilules sont à prendre tous les jours à la même heure, sans arrêt entre deux plaquettes.

LE STÉRILET • Il peut être une bonne contraception pour les femmes qui ont eu le nombre d'enfants désiré, et qui ont un partenaire stable. Il est contre-indiqué en cas de règles très abondantes, mais autorisé après une césarienne. Il ne peut être posé que 2 mois après l'accouchement.

Retrouver la ligne

Toute au bonheur de choyer votre bébé, peut-être en avez-vous oublié, dans les premières semaines, voire les premiers mois, de vous occuper de vous-même ? Une alimentation équilibrée, quelques exercices de gymnastique après la rééducation du périnée vous aideront petit à petit à retrouver votre corps. Ce sera plus ou moins rapide, selon le temps que vous pourrez consacrer à cette remise en forme.

Perdre les kilos accumulés

Votre corps a changé, et il ne redeviendra jamais exactement celui qu'il était avant. Une grossesse, a fortiori plusieurs, modifient de façon plus ou moins visible la silhouette du ventre et des hanches, la forme des seins. Certaines femmes s'estiment d'ailleurs embellies par ces signes de maternité, d'autres éprouvent quelques regrets...

Quoi qu'il en soit, ces petits changements n'empêchent pas que vous retrouviez votre ligne et que vous vous sentiez de nouveau bien dans votre corps. Pour ce faire, vous allez sans doute suivre un petit programme de remise en forme. Mais acceptez de le faire en douceur, en respectant certains rythmes. Sans oublier que, dans les semaines suivant l'accouchement, votre organisme a avant tout besoin de repos.

QUELQUES CONSEILS PRATIQUES

- Il est dangereux d'entreprendre trop rapidement un programme sportif, car les ligaments du corps ne retrouvent leur tonus que cinq à six mois après l'accouchement. Voici donc quelques repères pour reprendre une activité en toute sécurité.
- **Dès les saignements terminés :** marche, natation douce.
- **Au bout de six à huit semaines :** rééducation périnéale (une fois passée la visite postnatale).
- **Une fois le périnée tonifié :** abdominaux, mais pas n'importe lesquels (voir page 377).
- **Au bout de quatre mois :** exercices cardio-vasculaires en salle ou en plein air (natation sportive, cyclisme), sauf course à pied (pas avant un an).
- **Sachez que, pour obtenir des résultats « visibles », il faut pratiquer une activité au minimum deux fois par semaine** à raison d'une heure par séance (prévoir un quart d'heure supplémentaire pour l'échauffement avant la séance et des étirements pour terminer). Cela fait beaucoup pour l'emploi du temps d'une jeune maman débordée !
- **Pourquoi ne pas vous inscrire** avec une amie à un cours de gymnastique ou dans un club pour partager les frais de baby-sitting et vous encourager mutuellement ?

MAIGRIR INTELLIGEMMENT • Vous avez grossi pendant neuf mois, vous aurez sans doute besoin du même délai pour maigrir. Mais rassurez-vous, si vous n'avez pas pris trop de poids, les kilos superflus ne devraient pas être très difficiles à déloger. À l'accouchement, vous avez déjà perdu environ 6 kg et, dans les premiers jours à la maternité, vous avez éliminé de l'eau. Le temps que votre utérus retrouve son poids initial, vous voilà débarrassée de 2 à 3 kg de plus. Restent alors 4 ou 5 kg « en trop ». Ceux-là seront un peu plus longs à perdre : ne cherchez pas à vous en débarrasser trop rapidement.

Une alimentation variée et équilibrée, et sans excès en calories, vous permettra de retrouver votre poids habituel au cours de la première année. Songez que votre corps a besoin de forces pour affronter le surcroît d'énergie que demandent les soins d'un tout-petit. C'est encore plus vrai si vous allaitez. Dans ce cas, les kilos supplémentaires résisteront parfois plus longtemps, car la stimulation hormonale liée à l'allaitement facilite le maintien des réserves graisseuses. Mais il arrive aussi que le fait d'allaiter, en demandant beaucoup d'énergie, favorise progressivement, mois après mois, la perte de poids. Dans tous les cas, maigrir en douceur implique de manger de tout en quantités raisonnables et de respecter certaines règles, dictées par le bon sens et confirmées par les nutritionnistes.

• Essayez de ne sauter aucun repas, et surtout pas le petit déjeuner. Prenez le temps de manger.

• Déjeunez et dînez à des heures régulières, suivant votre rythme de vie, et vous serez moins tentée de grignoter. Si vous le pouvez, faites une petite collation dans l'après-midi.

• Prévoyez dans votre réfrigérateur des légumes épluchés, lavés et coupés, prêts à être croqués (carottes, radis, chou-fleur) en cas de fringale.

Atténuer la cellulite

Si vous aviez déjà tendance à avoir de la cellulite, peut-être constatez-vous depuis votre accouchement une aggravation, surtout si vous avez pris beaucoup de poids durant votre grossesse.

Pour combattre ces capitons, massez les zones atteintes avec des crèmes spéciales vendues en pharmacie ou en parfumerie. Vous activerez ainsi la circulation sanguine, ce qui contribuera à atténuer la cellulite.

Adoptez également un régime alimentaire riche en eau (1,5 litre par jour) et pauvre en sel.

Au cas où cela ne suffirait pas, il vous sera possible d'avoir recours à l'une ou l'autre des techniques suivantes pratiquées en institut ou dans un cabinet médical.

LA MÉSOTHÉRAPIE

Ce traitement consiste à pratiquer des micro-injections (effectuées simultanément avec des aiguilles de 4 à 6 mm, grâce à un micro-injecteur) sur les cuisses, le ventre et les faces internes des genoux et des chevilles.

L'IONISATION ET L'ÉLECTROTHÉRAPIE

Ces traitements permettent d'effectuer un drainage électrique avec des électrodes posées aux pieds, aux chevilles, aux mollets, aux genoux, en bas et en haut des cuisses.

L'ÉLECTROPHORÈSE

Il s'agit d'un drainage des cellules à l'aide de deux aiguilles introduites sous la peau et dans lesquelles on fait passer des courants électriques différents.

L'ENDERMOLOGIE

Si vous avez accouché par césarienne et que votre cicatrice soit bien visible, ou si vous ne parvenez pas à perdre vos kilos en trop malgré une bonne hygiène de vie, vous pouvez tenter l'endermologie. Réalisée par un kinésithérapeute, cette technique associie massages et drainage. Son coût est assez élevé, mais les séances sont parfois remboursées quand il s'agit d'atténuer la cicatrice.

- Mangez de tout (viande, poisson, œufs, produits laitiers, légumes verts, fruits et féculents, etc.), comme durant la grossesse (voir pages 80 à 91, 144 et 145).
- Utilisez éventuellement des produits laitiers allégés (yaourts et lait demi-écrémés, fromages maigres).
- Privilégiez la cuisson à la vapeur.
- N'oubliez pas de boire beaucoup d'eau, notamment entre les repas.

Raffermir ses abdominaux

Votre ventre est un peu mou et proéminant ? Certes, ce constat est assez déprimant. Mais cette situation ne va pas durer. Songez que votre utérus pesait autour de 50 g avant la grossesse, et qu'il occupait quasiment tout l'abdomen avant l'accouchement. Pour faire face à cet imposant volume, les muscles abdominaux se sont écartés et certaines fibres ont été distendues. Ces muscles vont se resserrer spontanément dans les six semaines suivant l'accouchement, puis vous pourrez les renforcer par des exercices.

QUAND DÉBUTER? • Attention, le renforcement des muscles abdominaux doit avoir lieu après la rééducation du périnée, et surtout pas avant; suivez les conseils de la sage-femme ou du médecin en la matière. Si l'on comparait le ventre à une maison, le périnée serait son plancher – il soutient tout l'appareil uro-génital et digestif. Il est donc important de commencer par consolider le plancher, sinon « tout s'écroule », c'est-à-dire que vous risquez de provoquer une descente d'organes à plus ou moins long terme.

LES PREMIERS MOUVEMENTS • Avant de pratiquer de la « vraie » gymnastique, commencez par des mouvements simples. Sortez le ventre en inspirant et rentrez-le en soufflant, autant de fois que possible, en évitant de vous tenir trop cambrée. Profitez des moments d'inactivité pour contracter et relâcher les fessiers. Tout cela vous préparera en douceur à raffermir vos abdominaux.

QUELS EXERCICES PRIVILÉGIER ? • De manière générale, évitez les exercices abdominaux classiques (pédalage, chandelle...). Ils rapprochent les épaules des hanches et réciproquement, et, de ce fait, ils tassent la colonne vertébrale et font mal au dos. Ils augmentent la pression dans l'abdomen et donc sur le périnée, et font sortir le ventre au lieu de le rentrer; enfin ils poussent les organes vers le bas. Les « bons » abdominaux, eux, doivent faire grandir, mincir, rentrer le ventre et étirer le dos: il faut travailler la sangle abdominale, en étirement ou en suspension et toujours sur le mode de l'expiration.

UN EXEMPLE PRATIQUE... • Allongez-vous, les jambes fléchies, les pieds à plat, puis expirez en plaquant le bas du dos sur le sol; tenez la position quelques secondes en rentrant le ventre autant que possible. Vous pouvez effectuer des séries de quelques minutes au début, puis augmenter petit à petit la durée jusqu'à 20 minutes. Durant les exercices, mettez une main sur votre ventre: si vous sentez une poussée sous votre main et que votre ventre « sort », ce n'est pas bon. Il est inutile de contracter le périnée en même temps, vous ne feriez qu'augmenter la pression dans l'abdomen.

S'occuper de soi

Gommer les traces laissées par la grossesse, soigner votre peau et votre chevelure vous aideront à vous réconcilier avec votre image. Et pourquoi pas une petite visite chez le coiffeur ou l'esthéticienne ? Même si, la fatigue aidant, vous vous souciez peu de votre apparence, n'oubliez pas que s'occuper de soi est un des antidotes contre la déprime.

« Je n'ai pas le temps... »

La plupart des femmes ont tendance à négliger leur apparence quand elles viennent d'avoir un enfant, la raison le plus souvent invoquée étant le manque de temps. Pour passer un moment seule dans la salle de bains, prendre un quart d'heure pour se maquiller ou soigner sa peau, il faut en effet s'autoriser à penser à soi, ce qui ne coule pas de source.

La question n'est pas tant pratique – votre compagnon peut bien s'occuper un peu du bébé –, encore faut-il que vous soyez persuadée que vous ne privez pas votre enfant en vous souciant ainsi de vous. Songer à sa féminité n'est pas futile, mais essentiel... Et n'oubliez pas que le bien-être est contagieux !

Tonifier son buste

Que vous allaitiez ou non, il est important de prendre soin de votre poitrine après votre accouchement. L'excès de poids dû à la grossesse aura peut-être un peu distendu les muscles qui les soutenaient, mais vos seins devraient retrouver leur galbe lorsque le cycle hormonal reprendra. Pour leur redonner du tonus, aspergez-les à l'eau froide (ou fraîche) à la fin de la douche ou du bain et, si vous en avez la possibilité, prenez l'habitude d'appliquer chaque jour une crème de beauté spécialement conçue pour le buste (sauf si vous allaitez : l'odeur pourrait perturber votre bébé).

Vous pouvez aussi effectuer certains exercices (voir page 379). Enfin, dès que vous reprendrez vos activités sportives, la natation constituera un excellent moyen de fortifier les pectoraux. Tant que vous allaitez, portez un bon soutien-gorge d'allaitement et évitez à tout prix les brutales variations de volume causées par un régime trop sévère. Un sevrage trop rapide en pleine montée laiteuse (dans la semaine qui suit l'accouchement) est très néfaste.

Soigner sa chevelure

Durant votre grossesse, vous étiez particulièrement fière de votre chevelure abondante. Et voilà qu'un beau matin

CE QUE PROPOSENT LES CENTRES DE THALASSOTHÉRAPIE

- **De plus en plus de centres de thalassothérapie proposent maintenant des cures post-natales avec des soins et des activités centrés sur le bien-être des jeunes mamans. Vous pourrez venir seule, en couple, et même accompagnée de votre bébé.**
- **La majorité des centres (il en existe une cinquantaine en France) disposent d'une équipe de baby-sitters et proposent des soins communs pour vous et le nouveau-né** (bébés nageurs, cours de massage, etc.).
- **Les cures sont conseillées à partir du troisième mois suivant l'accouchement.**
- **Si vous allaitez, il vous faudra cependant attendre d'avoir sevré votre bébé.** En effet, l'eau de mer utilisée en cure est chauffée à 34 °C, ce qui favorise les montées de lait. Sans compter que les pointes de sein, fragilisées par l'allaitement, risquent de souffrir au contact de l'eau salée...
- **L'objectif de ces cures est bien sûr de vous relaxer et de vous permettre de retrouver plus rapidement une bonne forme physique et morale.** Vous pourrez y bénéficier de différents soins pour le corps – massages, douches au jet, enveloppement d'algues... –, rencontrer d'autres mamans avec qui partager votre expérience, et surtout, vous laisser dorloter autant que vous le souhaitez.
- **Toutes les thalassothérapies demeurent onéreuses, même si les prix varient en fonction de l'hébergement choisi.** Les centres ayant le plus d'ancienneté ont en général davantage de savoir-faire.

Raffermir ses seins

Pour redonner à votre poitrine du tonus et de la fermeté, voici un exercice simple, à effectuer régulièrement. Répétez-le au moins dix fois de suite, et, si vous en avez le courage, prenez ensuite une douche... fraîche.

Asseyez-vous en tailleur, les fesses légèrement surélevées sur un coussin, le dos droit. Respirez librement. Réunissez vos mains en entrecroisant les doigts et portez-les à la hauteur du sternum. Serrez les paumes l'une contre l'autre durant trois secondes, puis relâchez la pression. De nouveau, exercez une pression de vos deux mains, puis relâchez.

vous découvrez des poignées de cheveux accrochées à votre brosse ou gisant au fond de la baignoire. Ne vous inquiétez pas: c'est un phénomène tout ce qu'il y a de plus normal. En effet, pendant quelques mois, sous l'effet des modifications hormonales, la chute des cheveux a été interrompue. Trois mois environ après votre accouchement, c'est comme s'ils rattrapaient leur retard: vous n'en perdez pas plus que si leur chute avait été régulière durant toute la grossesse. Rien ne vous empêche cependant de vous masser le cuir chevelu quelques minutes chaque jour pour favoriser l'irrigation du cuir chevelu, de vous rendre chez votre coiffeur pour une petite coupe qui les fortifiera, ou encore de demander à votre pharmacien un complexe vitaminé à base de cystine ou des comprimés de levure de bière. En revanche, si vos cheveux continuaient à tomber après plusieurs mois, consultez un dermatologue.

Dorloter sa peau

EFFACER LES TACHES BRUNES... • Malgré toutes les précautions que vous avez prises, vous avez un masque de grossesse ? Ces marques disgracieuses devraient s'effacer en quelques mois. Si elles résistent, votre dermatologue pourra vous prescrire une crème dépigmentante à appliquer sur les taches chaque soir, pendant quelques mois, en complément d'un écran solaire le jour. Sont habituellement utilisées les crèmes à base d'hydroquinone associée à un corticoïde, la vitamine A acide ou les alpha hydroxy acides (AHA).

La coloration excessive des aréoles des seins ainsi que la ligne brune de l'abdomen s'effaceront elles aussi quelques mois après la naissance de votre enfant, lorsque les hormones particulièrement actives durant la grossesse cesseront peu à peu d'agir sur votre organisme. Dans tous les cas, continuez si possible à nourrir votre peau tous les jours avec des crèmes hydratantes.

ET BLANCHES • Les ruptures des fibres élastiques de la peau qui provoquent les vergetures sont malheureusement irréversibles. Au fil des mois, elles deviennent si fines et si blanches qu'elles sont presque invisibles. Toutefois, si vous souhaitez les atténuer, sachez que votre dermatologue peut soit vous prescrire une crème à base de vitamine A acide, régénérante pour la peau, soit vous proposer des séances de microdermabrasion aux cristaux d'alumine.

OUBLIER LES VARICES • Hélas souvent héréditaires, les varices peuvent faire leur apparition pendant ou après la grossesse. Suivant leur aspect et leur importance, un phlébologue pourra soit les éliminer par sclérose (injection d'un produit sclérosant dans la veine) si elles sont petites et fines, soit par la chirurgie, si elles affectent une des veines principales du réseau superficiel du corps.

Les petites varicosités et les « chevelus » (ces petits vaisseaux qui forment un véritable entrelacs de filaments) peuvent également être traités par électrocoagulation ou laser. Dans tous les cas, attendez au moins six mois à un an avant d'envisager ces solutions, car, souvent, les varices se résorbent seules, même si cela demande du temps.

Retrouver sa vie de couple

Domaine intime entre tous, le désir sexuel revient plus ou moins vite après la naissance d'un enfant. Certains couples auront besoin de quelques semaines, d'autres de quelques mois. Parfois, il est nécessaire de se retrouver en commençant par des gestes tendres.

Quand reprendre des relations intimes

Après avoir donné naissance à un enfant, il est normal que vous ayez besoin d'un peu de temps pour reprendre des relations sexuelles. Le temps de s'y sentir de nouveau prête, dans son corps et dans sa tête... D'un point de vue strictement physique, vous pouvez refaire l'amour dès que vous le souhaitez, à partir du moment où les blessures dues à une éventuelle épisiotomie ou à une césarienne sont bien cicatrisées. En général, la plupart des femmes attendent au moins deux à quatre semaines, jusqu'à ce que les saignements aient cessé.

Mais au-delà de ces aspects physiologiques, d'autres facteurs entrent bien sûr en ligne de compte : le degré de fatigue, la disponibilité que demande le bébé, le regard que l'on pose sur son corps... tout cela fait que le désir revient plus ou moins vite, pour la femme, mais aussi pour l'homme, dont le quotidien est tout autant bouleversé.

Des douleurs persistantes ?

Si deux ou trois mois après avoir accouché, vous avez toujours mal quand vous faites l'amour, il est essentiel d'en parler à votre gynécologue. Attendre que cela passe n'est pas une bonne solution. Une vraie douleur peut en effet vite amener à la peur de faire l'amour, qui elle-même rend les rapports malaisés, et ainsi de suite... Une fois dans cet engrenage, il est plus difficile de retrouver une sexualité épanouie. Si vous avez mal, consultez donc sans attendre !

Retrouver du désir...

Les premières semaines avec un bébé, et la fatigue qui s'ensuit, n'offrent pas le climat le plus propice aux relations intimes. Beaucoup de parents n'aspirent qu'au sommeil quand le bébé s'est endormi et que les tâches ménagères sont terminées. Mais vient tout de même un moment où le désir de s'aimer reprend le dessus.

À CHACUN SON RYTHME... • Environ la moitié des femmes constatent une baisse du désir dans les deux à trois mois après une naissance, mais reprennent plus tôt qu'elles ne le souhaiteraient, pour ne pas repousser leur compagnon. S'imposer une reprise des rapports trop rapide à son goût n'est pas utile. La vie du couple n'est pas si simple, quand il faut trouver un nouvel équilibre à trois.

MAIS N'ATTENDEZ PAS UN AN • N'oubliez pas toutefois que les attentions réciproques sont un des éléments essentiels de la vie du couple, et que le désir a souvent besoin d'être stimulé. S'abstenir de tout câlin pendant des mois ne fait pas vraiment du bien. Et si vous jugez les conditions peu favorables, offrez-vous quelques repas en tête à tête ou des moments de véritable intimité, quitte à partir en week-end tous les deux.

QUAND LE DÉSIR NE REVIENT PAS • Il arrive qu'il soit plus malaisé de retrouver des relations intimes, surtout si le couple n'était pas satisfait de sa sexualité avant la grossesse. Parfois, l'homme considère que la femme est « réservée à l'enfant », et la femme, de son côté peut juger son corps moins désirable et croire que son compagnon pense de même. À la suite d'un accouchement long et douloureux, certaines femmes associent vagin et douleur, et refusent la pénétration. Le dialogue, des relations faites d'abord seulement de gestes tendres, aideront à dénouer ces situations délicates. Encore faut-il que l'un des partenaires ait le courage de faire le premier pas. Si c'est trop difficile, en parler à son médecin ou à un psychologue n'est pas inutile.

...et le plaisir

Le plaisir n'est pas toujours au rendez-vous quand on refait l'amour pour la première fois après un accouchement : crainte que le bébé se réveille, constatation que le sexe a un peu changé, douleurs qui perturbent la relation...

SI VOTRE SEXE EST ENCORE SENSIBLE • Avant le retour de couches, il est fréquent que toute la zone génitale reste sensible et manque de souplesse, et en particulier quand on a subi une épisiotomie. Il est donc normal que la pénétration fasse un peu mal, car la cicatrice liée à l'épisiotomie est encore fibreuse, donc rigide. Cela implique

que votre compagnon fasse preuve de douceur. Mais, une fois qu'il sera bien en vous, toute douleur devrait disparaître. Si celle-ci persistait durant toute la durée du rapport, et semaine après semaine, il faudrait consulter.

UNE BAISSE DE SENSATIONS PASSAGÈRE • Si vous éprouvez une sécheresse vaginale temporaire, vous pouvez accroître la durée des préliminaires. Mais chez les femmes qui nourrissent le bébé au sein, cela ne suffit pas toujours, et il faut parfois utiliser un gel lubrifiant.

Enfin, tant que vous n'avez pas suivi une rééducation du périnée, il est possible que vous éprouviez moins de plaisir qu'avant – et votre compagnon de même : le vagin, encore distendu, se contracte moins bien. Cela ne va pas durer, et, une fois votre périnée rétabli, le plaisir sera de nouveau au rendez-vous.

ENCORE PLUS DE PLAISIR QU'AVANT ? • Pour diverses raisons, certains couples, après les inconforts des premiers mois, trouvent un plaisir renouvelé à faire l'amour. L'homme qui a souvent dû se montrer plus attentif, en fin de grossesse notamment, a acquis une meilleure connaissance du corps de sa femme, et celle-ci maîtrise mieux son propre plaisir. En outre, le bonheur nouveau du couple peut aussi approfondir les liens, et donc enrichir la relation amoureuse...

Après l'acouchement, chaque femme retrouvera, à son rythme, l'envie de rapports intimes avec son compagnon.

REFAIRE L'AMOUR EN DOUCEUR

- **Prolongation des préliminaires.** Envisagez-les comme un prélude à l'acte, mais aussi comme une source de plaisir à part entière, la suite devrait venir de façon spontanée. Faites-les durer pour votre plaisir – tant que votre tout-petit vous le permet...
- **Les gels lubrifiants.** Durant les suites de couches, la chute des taux d'hormones entraîne une sécheresse vaginale désagréable, qui rend les rapports douloureux. Chez les mères qui allaitent, ce problème peut durer tant que le bébé n'est pas au moins partiellement sevré. L'utilisation de gels atténue ces douleurs et rend la pénétration plus facile et le plaisir plus intense, jusqu'à ce que les sécrétions vaginales redeviennent plus normales.
- **Décompressez.** Exercices de relaxation, douche à deux, massages ou autres gestes tendres vous aideront à vous décontracter ensemble.
- **Question d'ambiance.** Un éclairage tamisé rendra la soirée plus romantique. Il sera également plus avantageux pour votre silhouette, dont les rondeurs tenaces risquent de vous mettre mal à l'aise. À ce propos, ayez conscience que votre partenaire ne se sentira probablement pas aussi concerné que vous par ce que vous appelez vos « kilos superflus ». Mettez votre musique préférée et n'oubliez pas de laisser votre répondeur téléphonique branché.
- **Changez de position.** Pour mieux maîtriser vos sensations pendant la pénétration, choisissez des positions plus faciles : femme et homme allongés côte à côte, femme sur l'homme. La pression sur les cicatrices d'épisiotomie ou de césarienne est ainsi moins forte. Faites vos propres essais pour savoir ce qui vous convient.
- **Les autres moyens de s'aimer.** Lorsque l'acte sexuel est trop douloureux pour permettre la pénétration, recherchez le plaisir sexuel autrement – masturbation ou pratiques sexuelles orales. Et, si aucun de vous n'est encore assez en forme, profitez simplement de la présence de l'autre. Il n'y a absolument rien d'inquiétant à rester au lit pour se faire uniquement des bisous et des câlins en échangeant les dernières nouvelles de bébé.

Les relations affectives avec son bébé

Dès sa naissance, le bébé reconnaît sa mère et se tourne tout entier vers elle. La maman, elle, a parfois besoin d'un petit peu plus de temps pour établir des liens très forts avec son enfant. Mais, très vite, la relation d'amour va s'intensifier : la maman et le bébé, progressivement, seront de plus en plus au diapason.

Un amour maternel qui grandit petit à petit

Chez certaines femmes, le bébé suscite dès la naissance un très grand élan et presque une forme d'émerveillement tant il semble prêt à prendre et à donner tout l'amour du monde… Elles ressentent un réel « coup de foudre » pour leur bébé. Pour d'autres, l'attachement survient de façon moins spontanée. Certaines passent par une phase de désillusion ou par une forte sensation d'étrangeté par rapport au bébé, le plus souvent temporaire : elles ne le reconnaissent pas et elles ne retrouvent pas chez lui de ressemblance ni avec leurs traits à elles, ni avec ceux du papa. Le bébé imaginé est devenu un bébé bien réel, et inévitablement la mère doit oublier l'image qu'elle se faisait de lui. Plus ses fantasmes ont été flous, moins le risque de désillusion sera présent et plus vite se fera l'acceptation de l'enfant tel qu'il est.

En général, la majorité des mamans voient évoluer leurs sentiments dans les trois jours qui suivent la naissance, en éprouvant une affection grandissante. Plus une mère se montrera disponible et curieuse envers son enfant, plus vite les liens se renforceront entre eux.

POUR LE BÉBÉ, UN BESOIN VITAL DE CONTACTS • D'une certaine façon, c'est votre bébé lui-même qui va aussi vous pousser à l'aimer très fort. Totalement dépendant de vous, il va manifester de toutes les manières possibles à quel point vous êtes indispensable à son bien-être. Vous êtes le centre de sa vie, et il vous le montre. Les psychanalystes, à la suite du pédiatre anglais John Bowlby, parlent d'une « pulsion d'attachement », indispensable à la survie du bébé.

Celle-ci va au-delà de la satisfaction des besoins élémentaires, tels que manger par exemple. Elle inclut un grand besoin de contacts physiques et psychiques : être contre sa mère, écouter sa voix, sentir son odeur… Un nouveau-né vit dans un monde très inquiétant, car tout est nouveau pour lui : la lumière, les sensations de froid et de chaud, et même le fait de faire une selle ou d'avoir faim ! Quand vous le portez dans vos bras, vous sentez bien à quel point il est en demande et à quel point votre présence le rassure. Vous éprouvez alors souvent en retour une émotion intense, un grand amour, même si le fait de sentir sa dépendance quasi totale peut par instants faire peur.

Réceptifs l'un à l'autre

LA « DOUCE FOLIE » DES MÈRES • Répondre aux besoins d'un nouveau-né est en théorie très simple : il a faim, il a mal, il a froid, il se sent seul… et il veut que ça cesse !

“ Tout le monde me dit qu'un bébé c'est que du bonheur, mais il faut tout assumer en permanence et j'ai l'impression de ne pas lui donner assez de câlins. ”

DES DOUTES SUR VOTRE BONHEUR

Il est normal de se sentir débordée et surmenée face à toutes les situations du quotidien au retour de la maternité. Vous ne savez pas par quoi commencer : mettre la machine à laver en route, faire les courses, prendre bébé dans les bras et lui masser le ventre… Vous vous sentez épuisée. Vous êtes en plein apprentissage : couches, bains, soins du cordon, allaitement et si ce n'est pas votre premier enfant, vous culpabilisez de ne pas pouvoir satisfaire à la fois le bébé et son aîné. En plus, les visites se succèdent et amis et famille gazouillent autour du bébé sans même se préoccuper de savoir si vous arrivez à dormir, si vous récupérez de l'accouchement. À tout cela s'ajoutent les besoins quasi permanents du nouveau-né. Cela contribue à vous faire douter de vos capacités. Faites-vous aider le plus possible et gardez le meilleur avec votre bébé. Vous allez trouver vos marques et ses premiers sourires vous rassureront.

La plupart des mamans éprouvent très vite un véritable « coup de foudre » pour leur bébé, et cela les rend particulièrement réceptives aux besoins et aux demandes de leur enfant.

Dans la pratique, c'est bien sûr moins facile, car les cris du bébé ne s'accompagnent pas d'une fiche explicative. Toute mère apprend pourtant plus ou moins vite à décrypter ces pleurs. Si l'on y réfléchit, cette capacité a quelque chose de surprenant. Le psychanalyste Donald Winnicott l'explique pour partie de la façon suivante... Il décrit l'état psychique de la mère après la naissance comme une « folie ». La maman témoigne d'une incroyable tolérance aux exigences du bébé et se satisfait de très peu en retour : d'un rot, d'un regard, d'une selle... Manifestement, elle se place quasi à son niveau, au prix parfois d'un décalage avec la réalité. Mais cet état peut être bénéfique, car il lui permet d'entrer dans l'univers de son enfant et de répondre au mieux à ses besoins.

LE RÉCONFORT DANS VOS BRAS • Bien sûr, vous ne comprenez pas toujours tout ce que votre enfant vous demande, vous avez encore du mal à interpréter tous les signaux qu'il vous envoie. Mais l'essentiel est que, dans ses moments de détresse, il trouve le réconfort de vos bras. Chaque fois que vous répondez aux appels de votre bébé, vous ne satisfaisez pas seulement un besoin immédiat, vous lui faites aussi découvrir qu'il ne crie pas dans le vide, qu'il peut compter sur vous, que son mal-être ne va pas durer. Un bébé a énormément besoin d'être sécurisé. C'est à cette condition que, plus tard, fort de la certitude que vous l'aimez et le protégez, il trouvera en lui-même assez de confiance pour, progressivement, devenir un peu plus autonome.

Communiquer avec son bébé

Déjà dans le ventre de sa maman, le bébé est capable de communiquer. Dès sa naissance, il possède un éventail d'émotions et de comportements interactifs qui vont, au fil des semaines, progressivement se développer. Un contact très fort va s'établir entre votre enfant et vous-même, et vous allez apprendre à vous comprendre en utilisant tout ce qui se passe de mots – les gestes, le regard, le sourire...

Le langage du corps

Le bébé parle à sa façon bien avant sa naissance. Vous le savez bien, puisque, pendant votre grossesse, vous aviez déjà tissé avec votre enfant un lien unique. On peut dire que la grossesse fait partie de la vie du futur bébé. Le fœtus est en effet sensible à tout ce que sa maman fait: il entend sa voix et les chansons qu'elle écoute, il sent ses mouvements et sait bien quand elle danse par exemple.

La naissance ne marque donc pas une rupture si radicale: dès les premières semaines de la vie du bébé, vous allez continuer à communiquer ensemble, comme vous saviez déjà le faire quand il était encore en vous.

La théorie de Bowlby

Le pédiatre et psychanalyste anglais John Bowlby a démontré que l'attachement est présent à la naissance et qu'il est aussi naturel que la respiration. Il entend par « attachement » tout comportement du bébé qui a pour conséquence d'induire et de maintenir la proximité et le contact avec la mère. Cinq conduites innées d'attachement existent : la succion, l'étreinte, le cri, le sourire et la tendance à aller vers.

Votre bébé est si petit et semble si fragile... Pourtant, il sait déjà vous séduire! Il est prêt à entrer en communication avec ses parents, et surtout avec vous, sa maman. C'est normal, il reconnaît déjà votre voix, votre odeur et le goût de votre lait si vous l'allaitez. La voix d'un adulte, de préférence la vôtre ou celle de son père, calme ses pleurs et il est fasciné par les visages qui l'entourent. Lorsque vous contemplez votre bébé, il vous fixe comme aucune autre personne. Il y a un vrai échange entre vous. Souvent, il arrête net de pleurer lorsque vous le prenez dans vos bras: vous êtes à ses yeux sa source de bien-être.

Attention!

Dans les premiers mois, ne sollicitez pas trop longtemps l'attention de votre bébé. Les pédiatres estiment qu'un bébé est capable d'interagir avec un adulte seulement pendant 30 % de son temps d'éveil.

Saisir les bons moments

C'est dans l'état dit d'« éveil calme » (voir page 351) qu'un dialogue de qualité pourra s'installer entre vous. Ses yeux brillants grands ouverts, le bébé s'intéresse à ce qui l'entoure. Sa respiration est régulière et son visage est sans grimace. Il ne demande qu'à établir la communication.

N'hésitez pas à répondre à son attente. Si votre figure est assez proche de celle de votre bébé, il vous verra, vous regardera parler et essayera de vous imiter en ouvrant et en fermant la bouche. Puisqu'il ne maîtrise pas le langage des mots, il établit le dialogue affectif par d'autres voies: son regard, ses pleurs, son tonus, et, plus tard, instant suprême pour vous, son sourire. Peut-être même que si vous lui tirez la langue, il vous répondra!

UN BALLET SYNCHRONISÉ • Les psychanalystes pensent que, dès la naissance, l'engagement mutuel de ceux qui communiquent se manifeste grâce à la capacité du bébé à adapter, tout comme l'adulte, ses rythmes de mouvements

C'est quand le bébé est calme, les yeux grands ouverts, attentif à son environnement, qu'il sera le plus disposé à répondre à vos sollicitations. Très vite, il cherchera à reproduire les expressions de votre visage.

à ceux de la personne qui lui parle. Il y a ainsi une sorte de ballet synchronisé entre la mère et l'enfant, comme s'il pouvait se dérouler une véritable danse entre les mouvements de retrait et d'avancée de la mère et du bébé en face à face.

Cette « chorégraphie » se développe au fil des semaines. Dès la 4e semaine, le bébé peut jouer avec des signaux comme le regard, le sourire, les expressions faciales de joie. Vers 6 à 8 semaines apparaissent les vocalisations qui se modulent peu à peu en lallations. Mais ce n'est que bien plus tard qu'apparaîtront le babillage et le jargon.

Décrypter ses pleurs

Le nouveau-né n'a qu'un seul moyen d'exprimer ce qu'il veut: il pleure et il crie. C'est là son langage. Par conséquent, c'est tout à fait normal qu'il pleure lorsqu'il a faim ou soif, trop chaud ou trop froid, ou encore parce qu'il a mal au ventre.

Parfois vous êtes fatiguée, voire épuisée, par ses cris, et c'est bien compréhensible. Mais tant qu'il n'arrivera pas à vous faire comprendre ses désirs essentiels, il se manifestera de la sorte. Si vous faites le contraire de ce que votre enfant désire, par exemple lui redonner à manger alors qu'il n'a plus faim, il criera de plus belle. Quand il se réveille la nuit, il n'y peut rien: il ne sait pas encore faire la différence entre le jour et la nuit.

PRENDRE LE TEMPS... • Pour que le dialogue se construise et soit plus harmonieux, il vous faut prendre le temps d'être avec votre bébé. Il faut l'observer. Que veut-il montrer ? Qu'essaie-t-il de vous dire ? Faites connaissance avec lui. Laissez-vous guider par ce que vous ressentez et par votre expérience, plus grande chaque jour. Toute femme ayant plusieurs enfants sait bien qu'il n'existe pas de recette, car chaque bébé réagit à sa façon, avec son « tempérament ».

Petit à petit, vous saurez reconnaître les différents cris de votre enfant, même si quelquefois ses cris resteront pour vous un mystère. Il serait illusoire de vouloir comprendre tout ce que ressent votre bébé. N'êtes-vous jamais tendue, énervée, lasse, malheureuse ? Lui aussi a ses chagrins, face auxquels vous ne pouvez que manifester votre présence aimante. Parfois, il est plus énervé, moins facile à calmer. Vous, de votre côté, ne vous sentez pas toujours totalement disponible, vous êtes fatiguée, vous avez vos soucis... Une mère et son enfant ne sont pas tout le temps en adéquation, loin de là. Et heureusement, car toute relation affective inclut aussi des tensions. Cela fera aussi partie de votre découverte mutuelle.

LE POINT DE VUE DE BÉBÉ

Si tu savais combien porté dans le tout tendre odorant de toi, près de ton cœur, j'aime découvrir la lumière de tes yeux et suivre ta bouche qui fait une si jolie musique, qui me berce, me calme et me fascine. Ça m'intéresse tellement que je voudrais faire pareil ! Alors je « chante » à ma façon et ça te fait rire. Tu bouges ta tête, remues tes yeux, fais une nouvelle musique de mots, et ça m'étonne. Et on recommence et c'est délicieux. À la fin, repu de lait et de joie, je m'endors dans tes bras.

Les premières séparations

La première fois, c'est toujours avec un pincement au cœur que l'on confie son enfant à une tierce personne. Quand le travail reprend, c'est pourtant inévitable. Pour que cette séparation se passe aussi bien que possible, il est essentiel que vous preniez le temps de trouver la structure ou la personne en qui vous aurez totalement confiance.

Quand reprendre le travail ?

L'idéal serait de reprendre le travail quand vous vous sentez prête, que ce soit trois mois, six mois ou un an après la naissance de votre enfant. Mais ce n'est pas toujours si simple. Même si elles n'en ont pas très envie, beaucoup de femmes retrouvent leur activité professionnelle au moment où s'achève le congé légal de maternité, dix semaines environ après la naissance. Et, même s'il est possible de rallonger ce délai par quelques jours ou semaines de vacances, la « séparation » vient souvent plus tôt qu'on ne l'aurait souhaité.

Continuez à allaiter

Si vous allaitiez jusqu'à présent votre bébé, vous pouvez continuer à lui donner le sein, au moins le matin et le soir (voir page 269), pour garder ces moments d'intimité. Lorsque vous allaitez tout en travaillant, le bébé peut boire en votre absence soit des biberons de lait pour nourrissons, soit des biberons de lait maternel ; dans ce dernier cas, vous devrez utiliser un tire-lait sur votre lieu de travail (voir page 343).

DES SENTIMENTS EN DEMI-TEINTE • Les sentiments éprouvés à l'idée de reprendre le travail varient souvent selon l'intérêt que l'on porte à son métier. Les unes sont plutôt contentes de retourner à une activité sociale qui participe à leur équilibre et dont elles ne sauraient se passer ; les autres se demandent comment elles vont bien réussir à passer toute une journée sans leur bébé alors qu'elle se trouvent dans une relation si étroite avec lui. Il est fréquent qu'une maman se sente tiraillée entre ces deux sentiments.

Quand vous vous faites des reproches, n'oubliez pas que, si vous êtes épanouie, vous transmettrez à votre bébé votre joie de vivre. Les pédiatres ne fixent pas d'âge idéal à partir duquel confier son enfant à un tiers pour la journée. Et il est tout à fait possible de faire sentir à son bébé qu'on l'aime très fort tout en travaillant à l'extérieur ; cela ne se mesure pas en nombre d'heures.

OPTER POUR UN TEMPS PARTIEL ? • Vous pouvez peut-être d'ailleurs trouver une solution alternative. Beaucoup de femmes optent aujourd'hui pour un temps partiel jusqu'à ce que l'enfant ait 3 ans. N'hésitez pas à vous renseigner sur vos droits en ce domaine (voir *Formalités pratiques*, page 453 à 456).

Envisager assez vite la garde de son bébé

Confier son enfant à autrui pour la première fois ne va pas sans une certaine appréhension. Parfois, une maman a peur, de façon plus ou moins consciente, que son bébé s'attache davantage à la personne qui le garde qu'à elle. Pourtant, même tout petits, les bébés savent très bien faire la différence entre leur maman, leur papa, et les autres personnes. Et il est très important que votre bébé reçoive de l'affection de tous ceux qui s'occupent de lui. Il doit être bien soigné, se sentir en sécurité, et savoir que vous avez confiance en la personne à qui vous le confiez.

Il pourra ainsi s'épanouir sans que cela n'enlève rien à l'amour immense qu'il a pour ses parents. Plus vous apprécierez la personne ou l'équipe qui va s'occuper de votre bébé, plus vous serez sereine, et votre enfant le sentira. D'où l'intérêt de bien prendre votre temps pour réfléchir au mode de garde et pour trouver la structure ou la personne qui correspond le mieux à vos attentes et à votre personnalité (voir pages 206 et 207).

QUEL MODE DE GARDE CHOISIR ? • Si vous êtes de caractère un peu inquiet et que vous recherchez des conditions de sécurité maximales, vous serez peut-être tentée par un encadrement très professionnalisé (crèche familiale, crèche collective). Mais cela demandera que vous puissiez respecter des horaires stricts et que vous vous rendiez disponible dès que votre bébé est malade. En revanche, si vous souhaitez que votre enfant soit gardé seul ou en petit groupe, et qu'il tisse des liens étroits avec la personne qui le garde, vous aurez sans doute tendance à vous tourner vers une assistante maternelle agréée.

Dans tous les cas, il est primordial que vous ayez confiance à la fois dans la personne et dans le mode de garde. Mais il est tout aussi important de renoncer à la solution idéale... qui n'existe pas. Les avantages de tel ou tel mode de garde s'accompagnent toujours d'inconvénients. À vous de faire la part des choses et de lister les points sur lesquels vous ne voulez pas transiger (sécurité, propreté, liens affectifs...), et ceux dont vous pouvez vous accommoder (présence d'un animal domestique, contact avec d'autres enfants...).

Pour préparer au mieux le jour de la séparation

Dès que vous avez trouvé la solution qui vous convient le mieux, n'hésitez pas à rendre visite régulièrement à la personne ou à l'équipe qui va garder votre bébé et à leur parler de lui. Et, surtout, prévenez votre bébé que c'est là qu'il va passer nombre de ses journées et que c'est telle personne qui va s'occuper de lui.

UNE ADAPTATION PROGRESSIVE • Environ quinze jours avant la reprise du travail, commencez à habituer votre enfant à son futur mode de vie. Au début, restez avec lui à la crèche ou chez la nounou, durant une heure par exemple. Profitez-en pour confier à la personne qui le garde tous ses petits secrets: comment il préfère être porté, ses habitudes, ce qu'il aime... N'hésitez pas à donner tous les renseignements possibles, même si certains vous semblent superflus.

Ensuite, vous pourrez rester ensemble sur place un peu plus longtemps, puis sortir sans votre bébé durant une heure, par exemple. Enfin, laissez-le avec celle qui le garde pendant toute une matinée, puis une après-midi, pour qu'il puisse prendre avec elle son repas et faire la sieste. L'assistante maternelle ou l'équipe de la crèche vous aideront à établir ce rythme d'adaptation.

VOTRE BÉBÉ A AUSSI BESOIN DE MOTS

- **Votre enfant, même s'il ne comprend pas tous les mots, saisit parfaitement les intentions de la personne qui lui parle.**
- Dès qu'il doit affronter une situation nouvelle, un rendez-vous chez le médecin par exemple, **il a besoin que vous lui expliquiez ce qui se passe.**
- **Il faut également le prévenir avant toute absence de votre part, la veille et le jour même, et, surtout ne jamais partir en cachette.** S'il pleure, rassurez-le avant de partir.
- **De façon plus générale, les pédiatres conseillent de parler autant que possible aux bébés, et de mettre des mots sur tous les gestes du quotidien.** Le langage reste à tout âge un élément essentiel de la communication entre les êtres humains.

Le jour de la reprise

Voilà! Il faut faire le pas. Aujourd'hui est une nouvelle étape. L'idée de retrouver le monde du travail, et les rythmes de vie qu'il impose, ne vous réjouit sans doute pas outre mesure. Et vous vous sentez un peu coupable de laisser pour de longues heures ce tout-petit dont vous êtes si proche. Pour vous deux, c'est le grand saut. Vous ne passerez sans doute pas cette première journée le cœur serein. Mais si pouvez reprendre un vendredi, ce sera peut-être un peu plus facile. Le temps que vous retrouviez vos collègues, répondiez aux questions sur votre bébé, puis preniez connaissance de ce qui vous attend la ou les semaines suivantes, la journée sera finie... et vous passerez de nouveau deux jours avec votre bébé. Dans tous les cas, essayez de vous ménager une reprise en douceur.

POUR RASSURER VOTRE BÉBÉ • Le moment le plus difficile est toujours de laisser le matin son bébé à la crèche ou chez l'assistante maternelle. Pour que votre enfant se sente plus en sécurité, vous pouvez lui laisser son doudou ainsi qu'un objet imprégné de votre odeur: un foulard ou une taie d'oreiller à glisser dans son lit. Puis, parlez-lui, expliquez-lui de nouveau pourquoi il va passer la journée sans vous. S'il s'est endormi lors du trajet, réveillez-le en douceur pour ne pas partir sans l'avoir prévenu. S'il pleure, vous pouvez lui dire que vous comprenez ses larmes, mais que vous savez qu'il va être bien, que sa nounou va bien s'occuper de lui. Ne craignez pas de lui avouer que, pour vous aussi, c'est dur. Même si vous cherchiez à cacher votre tristesse, il la sentirait. Racontez-lui par exemple que vous allez emporter sa photo au travail et que vous la regarderez en pensant bien fort à lui.

AU MOMENT DES « AU REVOIR » • La présence du père peut beaucoup vous aider au moment, souvent difficile, des « au revoir ». Il saura sans doute mieux que vous quand il faut finir par passer le seuil de la porte, et sera là pour vous consoler juste après.

Enfin, si votre bébé est gardé par une assistante maternelle, n'hésitez pas à demander à quelle heure vous pouvez la joindre. Puis quand vous téléphonez, dites-lui d'expliquer à votre enfant que vous avez appelé, que vous l'embrassez très fort et que vous pensez à lui. Votre enfant comprendra qu'il est question de sa maman. Mais surtout, ce contact vous fera du bien.

La vie de famille du côté du papa

La naissance d'un enfant bouleverse le quotidien, mais ces changements sont aussi source de joie. Entre l'inévitable fatigue et les bonheurs de la vie de famille, chaque père s'adapte à sa façon et retrouve plus ou moins vite un nouvel équilibre. Même si elle évolue, la relation amoureuse du couple reste le pivot de cette vie à trois.

Un quotidien différent

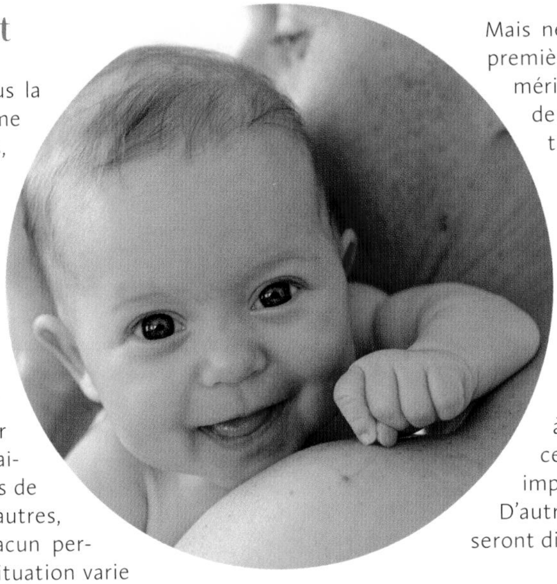

La vie au jour le jour n'est plus la même avec un nouveau-né. Même s'il dort la plupart du temps, votre enfant demande beaucoup d'attention et de soins. Ces nouvelles contraintes apportent aussi des plaisirs. Mais chaque couple peut accepter avec plus ou moins de facilité de voir sa vie changer. Dormir moins durant deux ou trois mois, organiser autrement son temps, laisser temporairement de côté certaines activités sont pour certains de vraies concessions, et, pour d'autres, juste un réaménagement. Chacun perçoit cela différemment, et la situation varie bien sûr beaucoup selon que le couple avait déjà, ou pas, d'autres enfants.

Quand le bébé est le premier, cet univers affectif à trois suscite diverses réactions. Si vous acceptez pleinement cette vie de famille, les contraintes quotidiennes pèseront certains jours, mais s'accompagneront aussi de grandes joies. Si vous vous crispez sur ce qui perturbe votre quotidien, ces changements seront moins simples à vivre.

Retrouver ses marques

Il faut parfois plusieurs mois, voire davantage, pour se sentir à l'aise dans cette nouvelle vie et pour trouver l'équilibre qui convient à chacun. La première explication est que l'on ne devient pas père ou mère en un jour. Les autres raisons tiennent à la nécessité pour chaque partenaire de concilier désormais ses propres envies, sa vie de couple, et son rôle auprès du bébé. D'une certaine manière, votre univers s'élargit, même si vous pensez parfois l'inverse. On peut continuer à mener bien des activités avec un bébé, puis avec un enfant.

Mais ne soyez pas trop pressé... Ces premières semaines sont uniques et méritent que vous preniez le temps de les vivre pleinement. Les sorties à deux, la vie sociale, vos activités personnelles sont seulement en suspens, le temps que le bébé grandisse un peu et que vous établissiez déjà des liens solides ensemble. Vous prendrez petit à petit vos marques, ferez le moment venu les réajustements nécessaires ; mais, si vous êtes passé à côté des émotions qu'offrent ces premières semaines, il sera impossible de faire marche arrière... D'autres joies viendront, mais elles seront différentes.

Disponible malgré la fatigue ?

Durant les trois premiers mois, la fatigue est en général au rendez-vous, car les nuits sont entrecoupées par les tétées ou les biberons. Si vous avez pris votre congé de paternité à ce moment-là, vous pouvez vous ménager des temps de pause. Quand vous reprenez le travail, l'exercice devient plus délicat, d'autant que votre femme a encore besoin de repos après l'accouchement. À votre retour à la maison, elle attend souvent que vous preniez le relais. Or, certains soirs, vous avez besoin de souffler : marcher un peu avant de rentrer, aller boire un verre, vous accorder un moment tranquille... Pourquoi vous le refuser ? Car, quand vous êtes avec votre femme et votre enfant, autant l'être vraiment – et acceptez aussi à votre tour que votre compagne sorte prendre l'air...

Un surcroît de fatigue de part et d'autre est souvent la cause de disputes durant la première année. Ce n'est pas grave, si cela passe. Certains couples ont plus que d'autres besoin de se détendre sans enfant. Dans ce cas, n'hésitez pas à faire garder quelques heures le bébé par une tierce personne. Mais sachez toutefois que le bébé n'est pas encore prêt à rester une semaine sans sa maman, même si elle ne l'allaite pas.

La vie de couple

La présence d'un nouveau-né a bien sûr des incidences sur la vie de couple. Au-delà du bouleversement du quotidien, vous vous découvrez l'un l'autre sous un jour différent. Par son attitude envers l'enfant, votre compagne dévoile de nouvelles facettes de sa personnalité. Et vous de même. Sauf exceptions, ce nouveau contexte peut beaucoup enrichir votre relation. Encore faut-il que vous restiez attentifs l'un envers l'autre...

Certains couples ne vont pas très bien après la naissance d'un bébé parce qu'ils négligent toutes ces petites marques d'amour qui faisaient leur vie à deux. Votre compagne a autant besoin qu'avant, sinon plus, de votre regard amoureux, de vos gestes, de vos paroles. Et vous attendez d'elle la même tendresse. Penser que l'enfant comble toutes les attentes du couple serait une illusion dangereuse. Certes, pour vous comme pour elle, il est très facile de se trouver débordé et de tout centrer sur le bébé. Mais n'oubliez pas que la vie à deux demande aussi de se séduire, encore et encore, et surtout après la naissance d'un enfant. Si vous avez l'impression que votre compagne vous néglige, n'hésitez donc pas à la détacher un peu de sa relation avec le bébé. Et elle sera d'autant plus sensible à vos avances si vous l'aidez de façon concrète à libérer du temps pour elle et pour vous deux.

EN CAS DE DÉPRIME...

- **La première envie ressentie par un jeune père qui ne parvient pas à assumer son nouveau rôle est souvent de s'en aller, mais, à long terme, la séparation du couple peut susciter aussi des regrets.**
- **Malheureusement, il n'existe pas en France de structures spécialisées dans l'aide aux pères après la naissance.** La détresse d'un jeune père est souvent négligée, voire occultée. Il est pourtant délicat de dénouer seul une telle situation et de trouver sans aide la solution la plus adéquate. **Il reste toutefois possible de s'orienter vers une thérapie.**
- **Une sage-femme ou un médecin généraliste en qui on a confiance peuvent être les premiers interlocuteurs.** Si leur écoute ne suffit pas, sans doute sauront-ils vous conseiller tel ou tel professionnel.
- **Dans tous les cas, même si elle se montre très patiente et attentive, votre compagne ne sera pas à même de vous apporter l'aide nécessaire.**

Réapprendre à faire l'amour?

Faire de nouveau l'amour après la naissance d'un enfant demande toujours un peu de temps, au minimum deux semaines. Il faut d'abord que toutes les blessures du corps de votre femme soient bien cicatrisées, puis que vous ayez tous deux du désir. Même une attente d'un mois passe en général assez rapidement, car, du fait de la fatigue, vous avez autant besoin de sommeil qu'elle. Plus, vous commencez peut-être à vous impatienter. Si votre compagne ne semble pas très enthousiaste, peut-être devrez-vous faire quelques efforts pour réveiller son désir, mais vous trouverez sûrement le moyen de recréer un climat propice (voir pages 380 et 381).

SI LA PÉNÉTRATION LUI FAIT MAL • Souvent, les premiers rapports sexuels ne sont pas si faciles. Il est possible que votre femme ait mal au moment où vous la pénétrez. Il faut que vous le fassiez doucement : une fois que vous serez en elle, la douleur disparaîtra. En outre, elle vous demandera peut-être aussi d'éviter certaines positions qui appuient sur des zones encore sensibles.

SI VOUS AVEZ MOINS DE PLAISIR... • Il peut aussi arriver que vous ayez moins de sensations en faisant l'amour avec votre compagne, voire même des difficultés à éjaculer. Ou, à l'inverse, vous constatez qu'elle a moins de plaisir. Ne vous inquiétez pas, cela va passer. La raison est mécanique et juste liée au fait que ses muscles sont moins toniques. Pour tous deux, le plaisir retrouve en général toute son intensité après des séances de rééducation du périnée. Il importe toutefois d'en parler entre vous pour éviter tout malentendu.

PLAIDOYER POUR UNE REPRISE EN DOUCEUR • Pour certains couples, le retour à la sexualité se fait très progressivement. Si votre femme appréhende de refaire l'amour, parce que l'accouchement a été douloureux par exemple, des câlins, des rapports sans pénétration peuvent précéder quelque temps une sexualité plus complète. Cela peut être très agréable de refaire pas à pas le chemin, comme si vous vous découvriez de nouveau.

En revanche, ce n'est pas en attendant des mois sans vous toucher que vous favoriserez le retour à une vie sexuelle. Si votre femme rechigne à la pénétration, laissez-lui le temps, mais essayez de maintenir d'autres contacts amoureux intimes, centrés sur les caresses.

Un papa bien impliqué

Les papas s'occupent aujourd'hui plus de leurs bébés que ne le faisaient leurs pères, et sont un peu en cela des pionniers. Ils établissent très tôt des liens étroits avec leur enfant, pour leur plus grand bonheur à tous deux. Que vous participiez peu ou beaucoup aux soins quotidiens, peu importe, mais, si vous passez du temps avec lui, en restant vous-même, vous serez très vite pour votre bébé quelqu'un de très important !

Aller vers l'enfant

Ce n'est qu'en allant vers le bébé que vous trouverez plaisir à vivre avec lui. Si vous laissez toujours la mère répondre à ses demandes, vous risquez éventuellement de ne voir en lui qu'un être qui mange et qui dort, et de passer à côté de tout le reste. Aller vers lui, ce n'est rien d'autre que de le prendre dans vos bras quand il pleure, de l'endormir après la tétée ou le biberon, de lui parler en le berçant... autant d'instants où vous êtes en tête à tête. Si vous lui manifestez votre amour, êtes curieux de lui, il montrera en retour des réactions elles aussi affectueuses. Peu importe comment vous marquez votre présence, à partir du moment où vous êtes là pour lui.

DES ÉCHANGES INTENSES MAIS BREFS • Les moments où vous échangez sourires, regards et gestes câlins sont en fin de compte assez brefs, car un bébé ne peut pas fixer longtemps son attention. Quand vous jouez avec lui, en prenant par exemple diverses mimiques, il est d'abord ravi, car il est avide de ça. Mais il se lasse aussi très vite. Ces échanges n'en ont pas moins une grande importance pour lui, et pour votre relation future.

Les pleurs sont son langage

Progressivement, vous allez aussi comprendre ses pleurs, même si au début vous avez du mal à saisir ce qu'il veut. Il s'agit en effet d'un langage, qui dit tantôt « j'ai faim », tantôt « je suis seul et j'ai peur », tantôt « j'ai mal » Contrairement à certaines idées reçues, un bébé ne fait pas de caprices : il ne sait pas ce que c'est, il exprime juste un besoin. Jusqu'à l'âge de 3 mois, il ne faut pas le laisser pleurer dans son coin, sauf si ce sont de petits sanglots émis dans un demi-sommeil (voir page 351) : les bras de ses parents lui sont encore un réconfort indispensable.

Ne craignez pas qu'il prenne de la sorte de « mauvaises habitudes » : son cerveau n'est tout simplement pas assez développé pour que ce soit possible ; ce n'est qu'à partir de 1 an qu'un enfant peut s'habituer à telle ou telle chose.

LA RÉPONSE « TÉTINE » • L'emploi de la tétine pour calmer le bébé varie d'une famille à l'autre. Mais, de façon générale, les hommes sont souvent plus réticents que les femmes devant cet objet. N'hésitez donc pas à expri-

SI VOTRE COMPAGNE ALLAITE

> **Le fait que la maman allaite n'implique pas que l'homme soit exclu.** Peu de pères, semble-t-il, le perçoivent ainsi. Quand le bébé a faim la nuit, c'est d'ailleurs parfois le papa qui va le chercher pour le mettre au sein de sa compagne, puis le ramène ensuite dans son berceau. Une façon comme une autre de participer...

> **On pourrait penser que le père s'implique davantage quand le bébé tète le biberon. Mais, dans les faits, rares sont les pères qui s'investissent dans ce rôle nourricier,** ne serait-ce que parce qu'ils ne sont pas toujours là au moment voulu.

> **L'allaitement peut susciter toutefois chez la maman des attitudes un peu exclusives :** par exemple, donner systématiquement le sein dès que l'enfant pleure. Dans ce cas, **vous pouvez par moments suggérer que l'enfant n'a peut-être pas faim, et que vous aimeriez essayer de le calmer avant qu'elle ne le nourrisse.** Vous avez aussi votre mot à dire en la matière.

> **En revanche, n'émettez aucun doute sur la qualité de son lait, car elle le vivrait très mal et, de fait, il n'existe pas de « mauvais » lait maternel.**

Un père sait très bien réconforter son enfant et répondre à ses demandes affectives.

mer vos doutes. Car il est vrai que la tétine peut avoir des effets négatifs. Si elle remplace les paroles et les câlins, si elle se substitue à la recherche de relations avec l'enfant, elle peut brider à terme ses capacités de communication. À vous de voir dans quelles conditions vous la donnez au bébé… Parfois, offrir votre doigt en réponse à un besoin de succion a le même effet apaisant.

S'occuper du change et du bain ?

On peut avoir une belle relation avec son enfant même si on n'a pas envie de le changer ou de lui donner le biberon, à condition bien sûr de passer du temps avec lui quand il est réveillé. De nos jours, toutefois, la répartition des tâches quotidiennes dans le couple, l'implication de plus en plus forte des hommes font que la plupart des soins sont souvent prodigués aussi bien par le père que par la mère. Chaque famille, en la matière, met en place sa propre organisation, selon les obligations professionnelles de chacun.

SI LA MAMAN VOUS FREINE • Quand vous souhaiteriez participer davantage, mais que votre femme est réticente, n'hésitez pas à insister. Dites-lui que ces contacts corporels sont bien pour le bébé et pour vous. La plupart des pédiatres estiment que le nouveau-né se développe mieux sur le plan psychomoteur si on le prend dans les bras, le berce et le soigne de diverses façons – ce dont bénéficie tout bébé qui a des contacts avec chacun de ses parents. Si votre femme agit comme si le bébé lui appartenait, il est essentiel que vous preniez bien votre place auprès de l'enfant et que vous vous occupiez de lui ; cela aidera aussi la maman à établir une relation plus souple, moins fusionnelle.

RESTEZ VOUS-MÊME ! • Quand vous donnez le bain ou vous occupez du change, inutile d'essayer de reproduire les gestes de votre compagne. Même si vous vous sentez maladroit au début, ce n'est pas bien grave. Plus vous serez vous-même avec votre enfant, plus vous lui apporterez une autre ouverture au monde. Les femmes reçoivent souvent de nombreux conseils, qui sont parfois pour elles une entrave, car elles vont chercher à faire « comme il se doit », au lieu d'agir « comme elles le sentent ». Les pères jouissent d'une plus grande liberté en ce domaine et c'est d'une certaine façon une chance.

Des rôles toujours distincts

Aujourd'hui, le partage des tâches s'effectue de manière bien moins stricte qu'auparavant et on admet que le père est tout aussi capable que la mère de soigner l'enfant et de satisfaire ses besoins essentiels. Il n'existe plus de domaine réservé, mais cela ne signifie pas pour autant que le père et la mère ont le même rôle. Le bébé d'ailleurs ne s'y trompe pas, et distingue très bien les différentes attitudes de l'un et de l'autre : celles de la mère qui est d'abord la première à le rassurer, parce qu'elle l'a porté durant neuf mois ; et celles du père, qui l'aide à s'ouvrir au monde et à le découvrir.

Dans certains couples, ce n'est pas aussi tranché, loin de là. Mais l'équilibre demeure si l'enfant trouve d'une part du réconfort, de l'autre une certaine liberté et une confiance en lui qui l'aideront, plus tard, à devenir autonome. Les pères aujourd'hui trentenaires sont en quelque sorte des pionniers. Le plus souvent, ils n'ont jamais vu leur propre père agir comme ils le font, c'est-à-dire s'investir autant dans les premiers mois de la vie d'un bébé. Leurs propres fils bénéficieront sans doute de repères qu'eux n'ont pas eu. Mais là, c'est une autre histoire…

Guide médical et pratique

- Dictionnaire médical
- Médecines douces et grossesse
- Formalités pratiques
- Adresses utiles

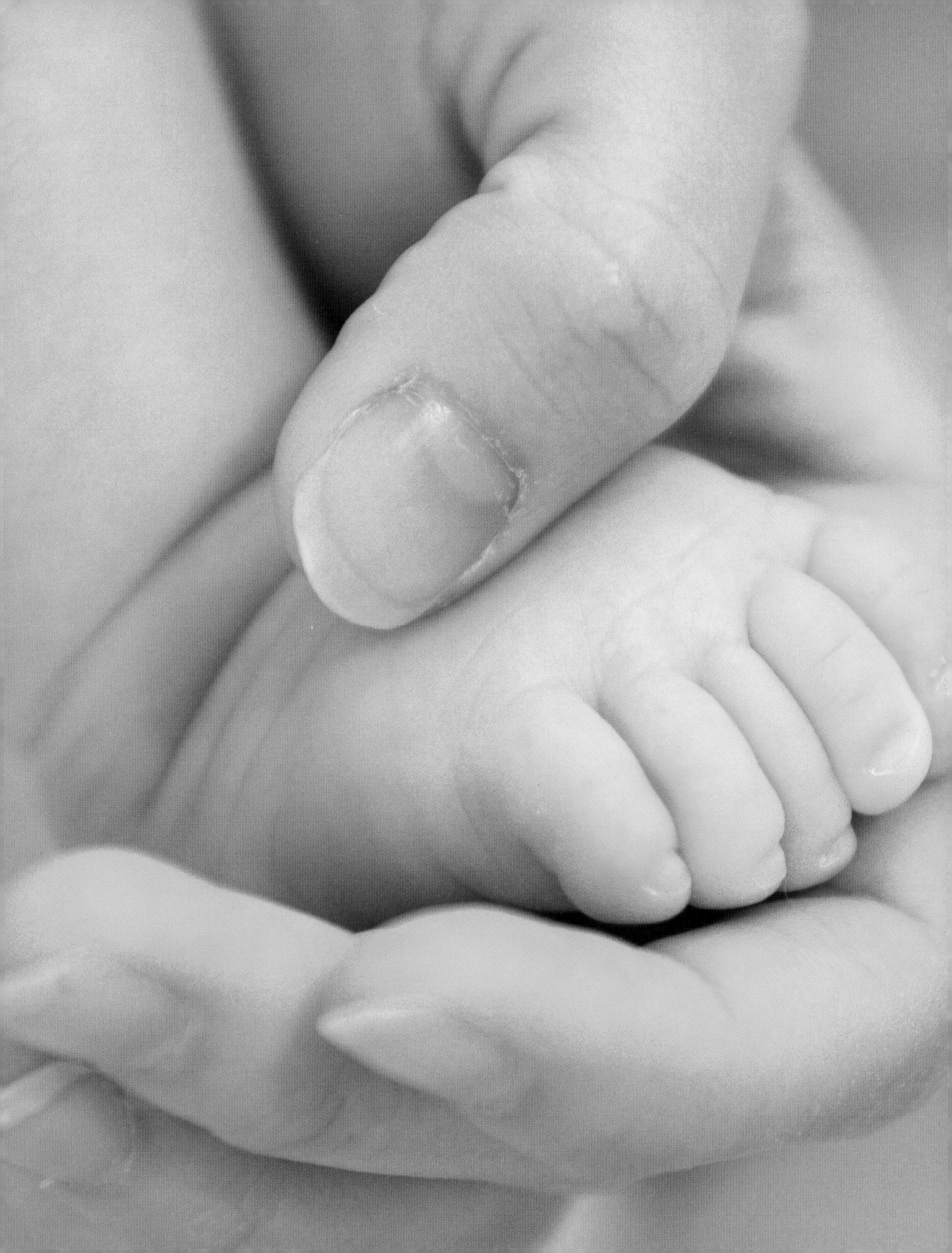

Dictionnaire médical

Ce dictionnaire contient les termes liés à la grossesse, à l'accouchement, aux suites de couches. Vous y trouverez des explications sur tout sujet que vous pourriez éventuellement aborder avec un médecin durant cette période : la physiologie de la mère et du bébé, la prévention et le traitement de diverses maladies, les différents examens… Les mots en gras font l'objet d'une définition dans ce dictionnaire, les mots qui suivent voir renvoient à des articles que vous pouvez également consulter.

Abcès du sein

L'abcès du sein est une affection en général sans gravité, qui survient le plus souvent au début de l'allaitement. Elle est due à l'infection par une bactérie d'un des canaux conduisant le lait vers le mamelon (canaux galactophores) ; l'infection s'introduit par une crevasse du mamelon et se développe, ce qui crée un abcès.

Un abcès du sein se traduit par une fièvre élevée, qui survient progressivement, par un état de fatigue et de malaise et par une douleur localisée dans le sein atteint. Celui-ci est anormalement rouge et chaud, et présente une zone dure en regard de l'abcès. Un abcès du sein constitue une contre-indication temporaire à l'allaitement. Un traitement médical à base d'antibiotiques peut être tenté au tout début, mais, généralement, le traitement est chirurgical ; il consiste à inciser l'abcès.

Accouchement

C'est l'ensemble des phénomènes qui aboutissent à la naissance de l'enfant puis à l'expulsion des annexes (placenta, cordon ombilical et membranes), éléments qui ont relié le fœtus à sa mère pendant la grossesse. Il comprend trois phases : le travail, l'expulsion et la délivrance.

› Les trois phases. Le travail, première phase de l'accouchement, est une période de contractions s'associant à la dilatation du col de l'utérus. Lorsque celui-ci est parvenu à une dilatation complète (10 cm), le bébé s'engage dans le bassin osseux : la présentation est dite « engagée ». Désormais, la ***parturiente*** ressent une envie de pousser. Pour que son effort soit efficace, elle devra suivre les conseils de la sage-femme ou de l'obstétricien ; cela évitera entre autres une déchirure du ***périnée***. Quand le nouveau-né apparaît, franchit la vulve et est expulsé, c'est la naissance proprement dite. Viennent ensuite une courte période d'accalmie, puis une reprise des contractions ; le placenta se décolle alors de l'utérus. La sortie des annexes, troisième et dernière phase de l'accouchement, est appelée « délivrance ».

› La présentation. C'est la position dans laquelle se présente le fœtus lors de l'accouchement. Dans la grande majorité des cas (95 à 96 %), les bébés naissent par la tête. Il existe plusieurs variétés de présentation par la tête en fonction de la position : présentation du sommet (par le crâne), de la face ou du front. La présentation du sommet est la plus fréquente ; l'enfant naît le plus souvent la face vers le bas (dirigée vers l'anus maternel).

Les autres présentations possibles sont le ***siège*** (3 à 4 % des naissances) et, beaucoup plus rarement, l'épaule (présentation dite aussi « transversale »). Une présentation par l'épaule nécessite toujours un accouchement par ***césarienne,*** l'enfant étant en position transversale et ne pouvant franchir le bassin osseux de sa mère.

› Accouchement difficile (ou dytocie). Lorsque l'accouchement se déroule normalement, on parle d' « eutocie ». Dans le cas contraire, il s'agit d'une dystocie, quelle que soit la difficulté rencontrée. Les causes de dystocie sont diverses. La difficulté à accoucher peut être liée à la mère et provenir du bassin (on parle alors de « dystocie osseuse»), des contractions utérines (dystocie dynamique), ou de la dilatation du col de l'utérus (dystocie cervicale). Elle peut aussi être liée au fœtus : il est trop gros ou sa présentation complique l'extraction. Lorsque la difficulté ne peut être contournée par une extraction instrumentale, la seule solution est de faire naître l'enfant par césarienne.

VOIR : TERME DE L'ACCOUCHEMENT

Accouchement déclenché

Il s'agit d'un accouchement provoqué par l'intervention du médecin. Un accouchement peut être en effet déclenché artificiellement, soit pour des raisons médicales (du fait de l'état de santé de la mère ou du fœtus), soit à la demande de la future mère (déclenchement « de convenance »).

Il existe de nombreuses techniques de déclenchement, allant de l'utilisation d'un ballonnet provoquant une dilatation forcée du col de l'utérus à la prise de médicaments. À l'heure actuelle, les trois méthodes les plus employées sont l'amniotomie, qui consiste à rompre artificiellement la poche des eaux, la perfusion d'ocytocine (hormone induisant les contractions) et l'application locale de prostaglandines, qui ont un effet de maturation sur le col et peuvent induire le début du travail. Ces différentes techniques peuvent être associées.

Le déclenchement « de convenance » ne peut être pratiqué que s'il n'entraîne pas davantage de complications qu'un accouchement spontané. Plusieurs conditions sont donc requises. Le *terme* doit être certain, afin d'éviter toute complication respiratoire chez le nouveau-né, et le col prêt pour l'accouchement (c'est-à-dire raccourci et ouvert), pour éviter un risque accru de césarienne.

Acupuncture

L'acupuncture est une médecine chinoise traditionnelle. Elle consiste à stimuler des points énergétiques à l'aide de fines aiguilles placées en différents endroits du corps. Le but est de maintenir ou de rétablir un équilibre énergétique. L'acupuncture peut être employée tout au long de la grossesse, au cours de l'accouchement pour atténuer la douleur, et durant les suites de couches. Elle est pratiquée par un médecin ou par une sage-femme.

Des séances d'acupuncture sont parfois proposées pour la préparation à l'accouchement. Elles débutent en général au cours du 3e trimestre. L'acupuncture peut être également employée pour traiter différents maux : certaines douleurs, et notamment le mal au dos ; les troubles digestifs, comme les nausées ou la constipation ; les varices ou autres troubles de la circulation sanguine.

Albuminurie

La présence d'albumine dans les urines, ou albuminurie, est anormale. Elle signale en général que les reins ne remplissent pas bien leur fonction de filtre. Elle peut révéler une complication de la grossesse, la *prééclampsie*, ou une infection urinaire.

Aucun symptôme ne révèle l'albuminurie, mais celle-ci peut être facilement détectée grâce à des bandelettes réactives mises au contact d'urine fraîchement émise ; le résultat est immédiat. Chez la femme enceinte, cet examen obligatoire est pratiqué lors de chaque consultation. En cas d'albuminurie, votre médecin recherchera d'autres troubles pouvant évoquer une prééclampsie : hypertension artérielle et rétention d'eau dans les tissus (œdèmes).

VOIR : ANALYSE D'URINE

Alcool et grossesse

Selon différentes études, il semblerait que les effets néfastes de l'alcool durant la grossesse soient bien plus fréquents que les malformations qui font si peur aux parents, comme la *trisomie 21*. Le « non-dit » à ce sujet, accentué par la culpabilité, reste encore la règle (notamment en France) alors que les effets négatifs du tabac sont aujourd'hui bien admis.

> Les effets sur le fœtus. Pendant la grossesse, l'alcool ingéré passe rapidement dans le sang de la mère. Il n'est pas filtré par le placenta et passe donc directement dans le sang du fœtus avec des conséquences quel que soit le terme de la grossesse. Pendant l'allaitement, l'alcool passe dans le lait et, bien sûr, chez l'enfant. Il est donc conseillé de ne boire aucun alcool pendant la grossesse et l'allaitement : en effet, il n'existe aucun seuil connu au-dessous duquel la sécurité du fœtus serait établie. Des effets négatifs de l'alcool sur le fœtus ont été démontrés avec un verre d'alcool par jour. Le principe de précaution prime, donc « pas d'alcool pendant toute la grossesse et l'allaitement ».

> Le syndrome d'alcoolisme fœtal. En cas de consommation excessive d'alcool pendant la grossesse, l'enfant risque d'être atteint d'un syndrome, dit d' «alcoolisme fœtal», qui associe un ensemble d'anomalies : retard de croissance intra-utérin, bébé présentant un faciès particulier (tête petite, menton rentré, courbure anormalement marquée du nez...) et souffrant d'un retard mental (atteinte du système nerveux central par l'alcool).

La prise en charge de l'alcoolisme pendant la grossesse est difficile : elle doit faire prendre conscience à la femme des risques encourus par l'enfant, sans pour autant la culpabiliser, et bien conduire à l'arrêt de l'intoxication. Une aide adaptée et pluridisciplinaire (sage-femme, médecins de différentes spécialités, psychologues, assistantes sociales) sera indispensable, tout en privilégiant un interlocuteur référant. En favorisant le rapprochement de la mère et de l'enfant, l'allaitement peut aider certaines femmes à arrêter de boire.

Aménorrhée

Avoir une aménorrhée signifie ne pas avoir de règles. On parle d'aménorrhée primaire quand une femme n'a jamais eu de règles et d'aménorrhée secondaire quand ses règles ne sont pas survenues depuis au moins trois mois.

> Aménorrhée primaire. Les causes peuvent être un simple retard pubertaire (l'absence de survenue des règles est considérée comme anormale au-delà de 18 ans). Mais il peut s'agir d'une malformation congénitale des organes génitaux : absence d'utérus et d'ovaires (syndrome de Turner), absence de vagin ou de cloisons vaginales, hymen imperforé. Une maladie de l'hypophyse ou des glandes surrénales peut également en être responsable. Selon le cas, le traitement de ces causes est médical ou chirurgical.

> Aménorrhée secondaire. Elle est beaucoup plus fréquente que l'aménorrhée primaire et peut avoir des causes très diverses. En général, on pense tout d'abord à un début de grossesse ; le test de grossesse est donc un des premiers examens prescrits en cas d'absence de règles.

Après un accouchement (ou une fausse couche) et en l'absence d'allaitement, le ***retour de couches*** (réapparition des règles) survient normalement après 6 à 8 semaines. Quand la femme allaite au sein son enfant, le délai du retour de couches est plus difficile à prévoir ; l'aménorrhée est considérée comme anormale au-delà de 5 mois après l'arrêt de l'allaitement. Il est alors important de consulter un médecin. En dehors d'une grossesse, une aménorrhée secondaire peut être liée à une affection de l'utérus (synéchies utérines), de l'hypothalamus ou de l'hypophyse, ou encore à certains traitements hormonaux. À l'arrêt d'une contraception orale, elle est le plus souvent passagère. Elle peut aussi accompagner une perte de poids importante. La ménopause s'accompagne également d'un arrêt des règles, et ce depuis au moins un an.

Amniocentèse

L'amniocentèse est un examen prénatal qui a pour but de prélever un échantillon du *liquide amniotique* dans lequel baigne le fœtus, afin de l'analyser en laboratoire. Le plus souvent, elle est réalisée pour étudier les chromosomes du fœtus et déceler d'éventuelles anomalies, telle une *trisomie 21*, un handicap dont le risque augmente avec l'âge de la mère.

> Comment se déroule l'examen ? L'amniocentèse est réalisée par ponction dans la cavité utérine de la femme enceinte. L'examen est effectué à 3 ou 4 mois de grossesse (à partir de la 14ᵉ semaine d'aménorrhée). Il est pratiqué sous contrôle échographique, ce qui permet de préciser l'âge du fœtus, ainsi que sa position et celle du placenta. La ponction est plus impressionnante que douloureuse : elle est le plus souvent effectuée sans anesthésie locale, puisque cette dernière nécessiterait elle aussi une piqûre et n'anesthésierait que la peau.

Le geste doit être entouré de précautions d'asepsie (absence de germes microbiens) pour éviter tout risque d'infection. L'examen est effectué sans hospitalisation et ne dure que quelques minutes. Il nécessite ensuite deux jours de repos, en raison des petites contractions qu'il peut entraîner. Le principal danger de l'amniocentèse est la fausse couche par fissuration des membranes. Même si le geste est correctement réalisé, une telle complication survient dans 0,5 à 1 % des cas.

> Dans quelles circonstances? Une amniocentèse vous sera conseillée si vous avez 38 ans ou plus, si des anomalies sont détectées à l'échographie, et/ou si le résultat d'un examen sanguin (dosage des *marqueurs sériques*) peut laisser présumer une trisomie ; elle est aussi proposée en cas d'antécédents d'anomalies génétiques ou chromosomiques des parents ou d'un premier enfant trisomique (en France, l'examen est remboursé par la Sécurité sociale dans ces différents cas).

Enfin, passé le 4ᵉ mois de grossesse (20ᵉ semaine d'aménorrhée), une amniocentèse peut être indiquée dans le cadre de la surveillance d'une incompatibilité des groupes sanguins entre la mère et le fœtus (risque de *maladie hémolytique* du nouveau-né) : elle permet de doser le taux de bilirubine (qui reflète l'intensité de l'incompatibilité) et de décider du traitement à appliquer. Dans d'autres cas, elle permet également d'évaluer la maturation pulmonaire du fœtus ou de rechercher s'il souffre d'une infection.

> Une autre alternative? À l'heure actuelle, certaines équipes médicales proposent de remplacer une amniocentèse systématique après 38 ans par un dépistage de toutes les femmes enceintes. Ce dépistage comprend une mesure de la nuque du fœtus lors de l'échographie de 12-13 semaines d'aménorrhée et une analyse spécifique du sang de la mère (dosage des marqueurs sériques). En fonction des résultats, le médecin pratique ensuite, ou non, une amniocentèse. Le but est de diminuer le nombre d'amniocentèses, et donc d'accidents engendrés par ce prélèvement.

VOIR : DIAGNOSTIC PRÉNATAL, INCOMPATIBILITÉ RHÉSUS

Amnios

Ce terme grec désigne la membrane délimitant la cavité amniotique qui contient le liquide où baigne le fœtus à la fin du 1ᵉʳ trimestre de grossesse.

De façon imagée, le fœtus se situe dans un ballon de baudruche rempli de *liquide amniotique*, d'où le terme parfois utilisé de «poche des eaux». Pour être plus exact, cette poche des eaux est constituée de deux feuillets (ou membranes) : le *chorion*, du côté maternel, et l'amnios, du côté fœtal.

De nombreux mots trouvent leur origine dans le terme « amnios » : amniotomie, ou rupture par la sage-femme ou le médecin, de la poche des eaux ; amniocentèse, ou ponction du liquide contenu dans cette poche ; amnioscopie, ou visualisation de l'aspect du liquide à travers la poche.

Amnioscopie

C'est un examen prénatal réalisé en fin de grossesse pour visualiser la couleur du *liquide amniotique* et détecter une éventuelle émission prématurée de selles par le fœtus. Il est réalisé à l'aide d'un tube glissé dans l'orifice du col de l'utérus jusqu'au contact des membranes.

L'amnioscopie peut être utilisée dans la surveillance de la fin de grossesse. Son but est de détecter la présence d'un liquide de couleur verdâtre, appelé «*méconium*», qui signale une émission prématurée des premières selles de l'enfant, et constitue l'indice d'un stress ou d'une souffrance fœtale. Parce qu'elle manque de fiabilité et ne peut être pratiquée que si le col de l'utérus de la femme est déjà dilaté, certaines équipes obstétricales l'ont abandonnée au bénéfice d'autres moyens de surveillance comme l'estimation de la quantité de liquide amniotique à l'échographie ou le suivi du *rythme cardiaque fœtal*.

Analyse d'urine

Pendant sa grossesse, la future maman doit obligatoirement se soumettre, à chaque consultation, à des analyses d'urine. L'examen consiste simplement à mettre en contact de l'urine fraîchement émise avec des bandelettes colorimétriques.

À l'heure actuelle, seule la recherche systématique de protéines dans les urines (protéinurie ou ***albuminurie***) est préconisée. En effet, la présence de protéines, notamment au dernier trimestre, peut évoquer une complication, la ***prééclampsie***. Toutefois, pour indiquer une anomalie, cette protéinurie doit être franche, car de simples traces ne constituent le signe d'aucune affection particulière.

La recherche de sucres dans les urines (glycosurie) présente un intérêt discutable. En effet, l'excrétion du sucre (glucose) dans les urines est modifiée pendant la grossesse : sa présence ne révèle donc pas forcément une anomalie. À l'inverse, une intolérance au sucre apparaissant pendant la grossesse (***diabète gestationnel***) provoque des pics de glycosurie variables dans le temps : une absence de sucre dans les urines ne permet donc pas d'éliminer un diagnostic de diabète.

Par ailleurs, le dépistage systématique d'une infection urinaire (cystite) par des analyses d'urine peut être utile ; il s'agit en effet d'une affection qui touche souvent les femmes enceintes, mais ses symptômes sont parfois si minimes qu'ils passent inaperçus.

VOIR : MALADIES INFECTIEUSES, PYÉLONÉPHRITE

Anémie

L'anémie est une diminution dans le sang du taux d'hémoglobine, le principal constituant des globules rouges, produits par la moelle osseuse. L'hémoglobine est un pigment renfermant du fer qui assure le transport de l'oxygène des poumons vers les tissus et donne sa couleur rouge au sang. Chez les femmes enceintes, la principale cause d'anémie est une carence en fer.

> Les principaux symptômes. L'anémie se traduit le plus souvent par une fatigue excessive, une pâleur de la peau et des muqueuses (particulièrement visible sur les membranes qui tapissent l'intérieur des paupières, les conjonctives). Elle se manifeste aussi par un essoufflement et par une accélération du rythme cardiaque. On parle d'«anémie» chez la femme quand le taux d'hémoglobine dans le sang est inférieur à 12 g par décilitre, mais pour une femme enceinte la valeur de référence est de 10 à 11 g par décilitre. Durant la grossesse, un phénomène appelé «hémodilution» entraîne en effet un abaissement normal du taux d'hémoglobine.

> Causes durant la grossesse. La cause d'anémie la plus fréquente est un défaut de synthèse induit par une carence en fer (ou carence martiale). En effet, chez la femme, les réserves en fer sont souvent basses en raison des pertes de sang mensuelles. Or, pendant la gestation, les besoins en fer augmentent. Une grossesse peut donc déstabiliser un équilibre déjà précaire et révéler une anémie latente. La prévention de ce type de carence repose sur une alimentation équilibrée (les aliments riches en fer étant surtout la viande rouge, mais aussi le poisson et, dans une moindre mesure, les épinards et les lentilles). En cas de carence martiale, le traitement repose sur un apport en fer prolongé.

Une anémie peut également être liée à une carence en acide folique, ou vitamine B9 (vitamine présente dans le foie, les laitages, les légumes verts...). Le traitement repose alors sur un apport médicamenteux supplémentaire d'acide folique.

> Après l'accouchement. L'anémie est liée dans ce cas à une perte excessive de sang lors de la délivrance (expulsion du placenta). Si elle n'est pas trop sévère, elle est soignée par un apport en fer, éventuellement sous forme de perfusion, et en acide folique ; la transfusion est réservée aux hémorragies importantes.

Anesthésie

C'est une suspension partielle ou totale de la sensibilité et, éventuellement, de la conscience. L'anesthésie locale est limitée à une zone du corps ; l'anesthésie locorégionale, à une région. L'anesthésie générale concerne, elle, la totalité du corps.

Différentes anesthésies peuvent être mises en œuvre lors de l'accouchement, la plus répandue étant actuellement la ***péridurale***.

Quand l'accouchement se déroule par les voies naturelles et en l'absence de péridurale, le praticien peut avoir recours à une anesthésie locale des nerfs honteux (qui innervent le ***périnée***) pour soulager la parturiente en cas d'***extraction instrumentale*** ; une anesthésie locale de la peau et des muqueuses peut aussi être réalisée en cas de déchirure superficielle du périnée ou lors de la suture d'une ***épisiotomie***.

Lorsqu'une césarienne est programmée avant la mise en travail ou décidée sans qu'il existe d'urgence extrême, de nombreuses équipes médicales privilégient la ***rachianesthésie***, geste qui s'apparente à la péridurale mais au cours duquel la solution anesthésiante est injectée en une seule fois dans le liquide céphalorachidien, sous la moelle épinière. En cas de contre-indication et/ou dans l'urgence, l'anesthésie générale reste le seul recours.

Annexes

Les annexes désignent l'ensemble des structures assurant les relations entre le futur bébé et sa mère pendant la grossesse. Ce sont l'***amnios*** et le ***chorion*** (nommés aussi « membranes »), le ***cordon ombilical*** et le ***placenta***. Les annexes sont évacuées au moment de la ***délivrance***, la dernière phase de l'accouchement.

Anticoagulants

Ces produits pharmaceutiques ont pour but de diminuer la coagulation sanguine. On distingue deux grandes classes : les antivitamines K, contre-indiquées pendant la grossesse, et les héparines (héparine et héparine de bas poids moléculaire ou HBPM), autorisées aux femmes enceintes (à partir du 2e trimestre pour les HBPM) et administrées en injections intraveineuses ou sous-cutanées.

En raison de phénomènes hormonaux et mécaniques, la grossesse et la période après l'accouchement favorisent parfois des complications veineuses. Si une embolie pulmonaire ou une ***phlébite*** sont diagnostiquées, la prise d'anticoagulants s'impose. Mais pour éviter ce type de problèmes, on prescrit également ces médicaments à titre préventif quand il existe un risque, notamment dans les situations suivantes : alitement prolongé, immobilisation d'un membre, varices importantes, antécédents de phlébite ou d'embolie pulmonaire, anomalies de la coagulation telles que le déficit en antithrombine III…

Après l'accouchement et dans ces situations à risque, le médecin prescrit en général des anticoagulants de type HBPM, à raison d'une injection sous-cutanée par jour, pour une durée pouvant aller jusqu'à six semaines. Après une césarienne, leur prescription est désormais systématique pour une durée moyenne de quinze jours, sauf risque particulier.

Les traitements anticoagulants nécessitent une surveillance étroite du taux de plaquettes dans le sang, pour éviter des complications parfois graves.

Aorte

C'est le tronc d'origine de toutes les artères du corps. L'aorte part du ventricule gauche du cœur au niveau de l'orifice aortique, puis traverse le thorax et l'abdomen pour se diviser en trois branches : les deux artères iliaques primitives et l'artère sacrée moyenne. Les deux artères utérines (formant la principale vascularisation de l'utérus) naissent d'une branche de l'aorte.

L'aorte longe la colonne vertébrale sur la gauche et son caractère rigide est responsable de la bascule de l'utérus sur la droite, appelée « dextro-rotation ». Cela entraîne une compression de la ***veine cave*** inférieure qui la longe parallèlement sur le côté droit, qui peut provoquer des malaises quand la femme est allongée sur le dos. Il est donc conseillé de privilégier la position allongée sur le côté gauche pour minimiser le phénomène de compression mécanique en cas de malaise de ce type.

Apgar (score d')

Le score d'Apgar permet d'évaluer de manière rapide la vitalité et l'état de santé du nouveau-né, dans les minutes qui suivent sa naissance. Cet examen porte le nom de la pédiatre américaine Virginia Apgar, qui l'a mis au point.

Le score d'Apgar évalue cinq données : le rythme du cœur, les capacités respiratoires, la coloration de la peau du bébé (bleutée en cas de cyanose), son tonus musculaire et ses réponses aux stimulations.

Chaque information est notée de 0 à 2. Un total de 10 signifie que le nouveau-né est en excellente santé. Une note au-dessous de 7 traduit une mauvaise adaptation à la vie à l'air libre qu'il faut traiter immédiatement : désobstruction des voies respiratoires, ventilation, oxygénation. Le score d'Agpar est évalué de manière systématique à 1 puis à 5 minutes de vie ; il permet de juger si une réanimation plus importante est nécessaire ou non.

VOIR : COUVEUSE, PRÉMATURITÉ

Avortement spontané

VOIR : FAUSSE COUCHE

[B]

Baby blues

Près de 60 % des accouchées traversent un état de dépression légère entre le 3e et le 9e jour qui suit l'accouchement. C'est le baby blues, aussi appelé « syndrome du troisième jour ». Il peut être d'intensité variable et touche plus souvent les femmes venant de mettre au monde un premier bébé.

› Un état passager. Le baby blues se manifeste par une anxiété, une grande variabilité de l'humeur, une fatigue importante, l'impression pour la nouvelle maman qu'elle n'est pas une bonne mère et qu'elle n'arrivera pas à s'occuper de son enfant. Le baby blues n'est pas une maladie. Son origine repose d'une part sur des facteurs physiques : le grand bouleversement hormonal qui s'opère pendant les ***suites de couches***, la fatigue réelle des premiers jours après l'accouchement. Elle s'appuie d'autre part sur des facteurs psychologiques : le travail de deuil vis-à-vis de la grossesse et de l'enfant imaginaire, le travail d'identification dans ce nouveau rôle de maman vis-à-vis de l'enfant.

Devant l'apparition de ces symptômes, la jeune maman doit être rassurée sur ses capacités de mère par l'entourage médical et par ses proches. Aucun traitement médicamenteux n'est justifié. Une aide psychologique et pratique (prise en charge par un tiers des actes de la vie quotidienne) permettant à la jeune mère de se reposer suffit généralement à faire disparaître la dépression avant le 10e jour.

› Si la dépression s'installe. Il faut s'inquiéter et consulter un médecin si les troubles persistent au-delà de deux semaines et si des troubles du sommeil (insomnie, cauchemars) apparaissent. Dans certains cas, un état dépressif plus prolongé peut en effet faire suite au baby blues. La jeune mère présente une fatigue persistante, une irritabilité ; elle est anxieuse et se reproche de ne pas bien s'occuper de son bébé ou de le faire sans plaisir. Ce phénomène est plus fréquent chez les femmes âgées de moins de 20 ans ou de plus de 40 ans, si la grossesse était non désirée, s'il existe des difficultés relationnelles entre la femme et sa propre mère, ou si le baby blues a été sévère. Dans ce cas, l'état dépressif risque de persister insidieusement ; une prise en charge est alors nécessaire.

VOIR : DÉPRESSION

Bactéries

Les bactéries sont des êtres vivants formés d'une seule cellule, visibles seulement au microscope. Autonomes, elles peuvent se développer dans des milieux variés, à la différence des virus, qui ont besoin d'envahir une cellule pour se développer.

Les bactéries provoquent des infections locales ou générales, mais elles peuvent aussi être bénéfiques (par exemple les bactéries vivant dans l'intestin et contribuant à la digestion des aliments).

L'organisme humain en bonne santé possède un système de défense immunitaire composé de cellules et de molécules qui le protègent contre les bactéries infectieuses. Les antibiotiques aident le corps à lutter contre la plupart de ces bactéries, ce qui permet de guérir les infections si le diagnostic est établi assez tôt. En outre, certaines infections peuvent être évitées grâce aux vaccinations réalisées dans un but préventif.

VOIR : MALADIES INFECTIEUSES

Ballonnement

VOIR : CONSTIPATION

Bassin osseux

Situé en bas de l'abdomen, le bassin est une ceinture osseuse, à laquelle sont attachés les membres inférieurs. Il soutient la colonne vertébrale. Pendant la grossesse, le fœtus se développe dans l'utérus, au-dessus du bassin osseux.

Le bassin est formé par le sacrum et le coccyx en arrière, et par les os iliaques sur les côtés et en avant. Il délimite une large cavité en forme d'entonnoir, où l'on distingue le grand bassin (bas de l'abdomen) et le petit bassin (siège de la vessie et des organes génitaux internes). Le bassin féminin est en général plus évasé que celui de l'homme, ce qui le rend adapté à la maternité.

VOIR : RADIOPELVIMÉTRIE

Biométrie

La biométrie est l'étude statistique des dimensions et de la croissance des êtres vivants. Elle est notamment utilisée pour évaluer la croissance du fœtus.

La biométrie fœtale regroupe les différentes dimensions mesurées lors d'une échographie fœtale de dépistage : ce sont pour l'essentiel le BIP, ou diamètre bipariétal, les périmètres céphalique et abdominal, la mesure du ***fémur***. Ces paramètres permettent d'évaluer la croissance et, en fonction des formules de calcul choisies, d'estimer le poids du fœtus. Ces mesures sont souvent exprimées en ***percentiles*** au moyen de courbes.

VOIR : ESTIMATION DE POIDS FŒTAL

Biopsie de trophoblaste

Cet examen consiste à prélever un échantillon de trophoblaste (tissu à l'origine du placenta), qui sera analysé en laboratoire. C'est, avec l'***amniocentèse*** et la ponction de sang fœtal, l'un des trois examens qui permettent d'analyser les chromosomes du fœtus et ainsi de dépister une éventuelle anomalie chromosomique. La biopsie de trophoblaste sert aussi à dépister certaines maladies génétiques et à déterminer le sexe du bébé.

Cet examen est réalisé sous échographie et peut être pratiqué à partir de deux mois de grossesse (10-11e semaines d'aménorrhée). Deux techniques sont possibles : le prélèvement à travers l'abdomen, à l'aide d'une aiguille de gros calibre, ou par le vagin. Le geste ne dure que quelques minutes. Comme il s'agit d'un prélèvement de tissu et non de liquide (à la différence de l'amniocentèse), une anesthésie locale au point de ponction peut être nécessaire.

La biopsie de trophoblaste présente un double avantage : elle est réalisée à un stade précoce de la grossesse, et les résultats de l'analyse sont rapidement connus. Cet examen, toutefois, comporte un risque non négligeable de fausse couche (de l'ordre de 1 à 2 %), plus élevé que lors d'une amniocentèse (risque de 0,5 à 1 %). C'est pourquoi il reste réservé à certaines situations particulières. On le pratique quand il faut prélever une certaine quantité de cellules pour effectuer l'analyse (comme dans le dépistage de certaines maladies génétiques). Il est recommandé aussi quand une situation à haut risque nécessite une réponse très rapide (recherche d'une maladie héréditaire, par exemple la myopathie de Duchenne, qui ne peut toucher que les bébés de sexe masculin).

VOIR : CARYOTYPE, MALADIE HÉRÉDITAIRE

BIP (ou diamètre bipariétal)

VOIR : ESTIMATION DE POIDS FŒTAL

Bosse sérosanguine

En cas d'accouchement par la tête, les bébés naissent très souvent avec une bosse au sommet du crâne, qui déforme leur cuir chevelu. Il s'agit d'une affection fréquente, qui disparaît spontanément en quelques jours.

Lors de l'accouchement, la tête du bébé se moule au sein des os du bassin de sa mère. Cette pression provoque à la longue au sommet du crâne l'apparition d'une bosse constituée de sang et de sérosités, ce qui donne à la tête un aspect oblong en forme de tiare pharaonique.

Le volume d'une bosse sérosanguine est parfois impressionnant, mais sans conséquence. Cette bosse disparaît spontanément en un ou deux jours ; aucun traitement n'est nécessaire. Elle est bien sûr absente en cas d'accouchement par le siège ou de césarienne programmée.

VOIR : ACCOUCHEMENT

Bouchon muqueux

Au cours de la grossesse, les sécrétions du col de l'utérus s'accumulent et finissent par former un bouchon qui obture l'orifice du col, constituant une barrière protectrice entre les membranes et l'extérieur. À proximité du terme, ce bouchon s'expulse de lui-même sous la forme de glaires, de pertes vaginales épaisses, gluantes et le plus souvent brunâtres.

L'expulsion du bouchon muqueux est un phénomène parfaitement normal, mais constitue une cause fréquente d'inquiétude et de consultation des futures mamans. En fait, elle ne nécessite aucune attitude particulière et ne signifie pas nécessairement que l'accouchement est proche, puisque le bouchon peut être expulsé jusqu'à un mois avant la naissance. Toutefois, en cas de perte suspecte, n'hésitez pas à consulter : il est important de différencier l'expulsion du bouchon muqueux d'une perte de vieux sang ou de ***liquide amniotique***, ou d'une ***leucorrhée***.

Brûlures d'estomac

VOIR : reflux gastro-œsophagien

Candidose/candida

VOIR : leucorrhée

Caryotype

Le caryotype est un examen qui consiste à réaliser par photographie le classement des chromosomes d'une personne, à partir d'un prélèvement de cellules (sang, tissu, liquide amniotique). Cet examen permet de mettre en évidence différentes anomalies dans la structure ou le nombre des chromosomes.

Un caryotype est proposé dans le cadre de la surveillance de la grossesse lorsqu'on suspecte une anomalie chez le fœtus. Il est conseillé de manière systématique aux femmes de plus de 38 ans pour dépister une trisomie 21 (où il existe non pas 2 mais 3 chromosomes pour la paire numérotée 21), un handicap dont la fréquence augmente avec l'âge de la mère. On le recommande également si un membre de la famille est atteint d'une maladie en rapport avec une anomalie chromosomique, parce qu'il existe un risque que l'anomalie soit transmise au fœtus. Les anomalies chromosomiques ne peuvent pas être soignées, d'où l'importance de savoir ce qu'il en est (et de prendre une décision) avant la naissance.

Le prélèvement de cellules nécessaire au caryotype peut être réalisé par différentes techniques (***biopsie de trophoblaste, amniocentèse***), le choix dépendant, entre autres, du stade de la grossesse.

VOIR : GÉNÉTIQUE, MALADIE HÉRÉDITAIRE, TRANSMISSION GÉNÉTIQUE

Céphalhématome

Certains bébés, surtout si l'accouchement a été difficile, naissent avec une accumulation de sang dans l'un des os de la voûte crânienne, ce qui se traduit par une bosse sur le crâne. C'est un céphalhématome, une affection bénigne dans la très grande majorité des cas.

Relativement fréquent, un céphalhématome peut apparaître aussi après un accouchement normal, et même après une naissance par césarienne. On le diagnostique quelques heures après la naissance : la bosse est située sur la voûte crânienne, bien limitée par les sutures osseuses, et grossit progressivement pour atteindre son maximum vers le 10e jour ; elle est le plus souvent localisée sur un côté du crâne.

Un céphalhématome, s'il n'est pas le témoin d'une lésion sous-jacente plus importante (fracture du crâne, hématome intracérébral), est un accident bénin, qui s'estompe progressivement sans laisser de séquelles. La résorption du sang contenu dans la bosse peut toutefois provoquer un ***ictère*** qui nécessite une surveillance spécifique. Dans de rares cas, la bosse se calcifie et reste sur le crâne de façon définitive.

Aucun traitement n'est nécessaire, en dehors de calmants si le bébé manifeste une souffrance.

Cerclage

Cet acte chirurgical, pratiqué chez la femme enceinte, est destiné à éviter un éventuel accouchement prématuré. Le cerclage consiste à passer autour du col de l'utérus, après avoir anesthésié la patiente, un fil (ou une bandelette) et à le nouer solidement pour empêcher le col de s'ouvrir.

Le cerclage est pratiqué en général à trois mois de grossesse (15 semaines d'aménorrhée), parfois plus tard. L'intervention se déroule sous anesthésie générale au bloc opératoire. Elle permet d'éviter une ouverture avant ***terme*** du col utérin. Le cerclage est réalisé à titre préventif en cas d'antécédent d'accouchement très prématuré de type mécanique (c'est-à-dire en dehors de toute cause infectieuse) ou en cas de modifications anatomiques du col dès le début de la grossesse (col raccourci, ouvert...). Un cerclage préventif est aussi pratiqué fréquemment chez les femmes dont la mère a été traitée au ***Distilbène®*** pendant sa grossesse.

En cas de cerclage, la surveillance de la grossesse est identique à celle d'une grossesse normale. On conseille cependant un repos supplémentaire et un arrêt de travail plus précoce. Normalement, la femme enceinte ne sent pas le fil de cerclage. Une fois le risque de ***prématurité*** écarté (début du 9e mois de grossesse), le fil est retiré. Ce retrait est effectué par le vagin lors d'une simple consultation ; aucune anesthésie n'est nécessaire.

Cervicite

C'est une infection du col de l'utérus. Il s'agit d'une affection fréquente, le plus souvent bénigne, qui se traduit par des pertes vaginales. Les cervicites sont traitées localement par des ovules vaginaux, sauf si elles s'associent à une infection de l'utérus (***endométrite***) ou des trompes (salpingite).

VOIR : LEUCORRHÉE

Césarienne

Quand le bébé ne peut pas naître par les voies naturelles, on recourt à une césarienne. Cette intervention chirurgicale consiste à inciser l'abdomen juste au-dessus du pubis afin d'extraire le bébé de l'utérus. L'opération est pratiquée sous anesthésie générale, sous ***rachianesthésie*** ou sous ***péridurale***. Dans ces deux derniers cas, la femme reste consciente.

L'accouchement par césarienne est conseillé entre autres si l'utérus est mal formé, fragile, ou s'il présente des cicatrices dues à d'autres césariennes ; si le bassin est trop étroit pour le passage du bébé...

La décision de pratiquer une césarienne peut également être prise juste avant ou pendant le travail, pour des raisons diverses :

- l'enfant va naître avant terme (il souffre d'un retard de croissance ou est prématuré) et, en raison de sa faiblesse, risque un traumatisme si l'accouchement a lieu par voie basse;
- l'accouchement se prolonge sans que le travail soit efficace ;
- le bébé se présente par le siège et le travail ne se déroule pas normalement ;
- le fœtus manifeste une souffrance décelée par monitorage avant que le col soit complètement dilaté.

Les techniques opératoires préservent désormais la possibilité, si besoin est, d'accoucher à plusieurs reprises par césarienne, et donc d'envisager des grossesses ultérieures. Le principal progrès est que l'on ouvre maintenant l'utérus au niveau du segment inférieur (zone plus mince qui apparaît à la jonction de l'utérus et du col de l'utérus à partir du 3e trimestre, sous l'effet de la distension utérine et des contractions physiologiques). Si la césarienne peut toutefois sembler la solution à de nombreux problèmes, elle n'en reste pas moins une intervention chirurgicale et n'est pas dénuée de risques immédiats et à long terme.

VOIR : ACCOUCHEMENT

Chloasma

VOIR : MASQUE DE GROSSESSE

Choc obstétrical

Un choc obstétrical est une insuffisance circulatoire aiguë survenant chez une femme enceinte, pendant sa grossesse ou dans les suites de l'accouchement. Il s'agit d'une complication grave, mais rare en raison de l'amélioration de la surveillance et de la prise en charge de la grossesse ainsi que de la diminution de la durée de l'accouchement.

Actuellement, les cas de choc obstétrical découlent en général d'une hémorragie aiguë survenant lors de la délivrance et responsable entre autres d'une chute importante de la tension artérielle. Mais le choc peut être aussi d'origine infectieuse ; cette cause est devenue plus rare avec l'utilisation des antibiotiques. Autrefois, les avortements clandestins étaient l'une des principales causes de ces chocs infectieux, mais avec la légalisation de l'interruption volontaire de grossesse, cette raison-là a été écartée.

Le traitement d'un choc obstétrical consiste avant tout à supprimer la cause (hémorragie, foyer infectieux) et à pallier en urgence ses conséquences : réanimation, libération des voies respiratoires, administration d'oxygène, perfusion, ***transfusion***...

Chorion

Le chorion est la membrane externe de l'œuf ; elle est issue de la réunion du ***trophoblaste*** et du mésoblaste au début de la grossesse. Le chorion et l'***amnios***, qui protègent le fœtus, sont expulsés avec le placenta après l'accouchement.

Chromosomes

Les chromosomes contiennent tout le code génétique de l'individu, présent dans chacune de ses cellules. Ce sont les bâtonnets qui apparaissent dans le noyau de la cellule au cours de la division cellulaire.

> Un regroupement par paires. Les chromosomes sont formés par une double chaîne d'acide désoxyribonucléique (ADN), support moléculaire des gènes. L'espèce humaine en possède quarante-six, regroupés par paires. Au sein des 23 paires de chromosomes, l'une détermine le sexe génétique. C'est la 23e paire, qui est constituée des chromosomes sexuels X et Y, ou gonosomes : XY pour le garçon, XX pour la fille. Les chromosomes peuvent être étudiés en laboratoire sur un échantillon de sang. Un classement appelé ***caryotype*** est établi par paire et par taille (de 1 à 22), plus XX ou XY.

> Les anomalies chromosomiques. Elles touchent le nombre et la structure des chromosomes contenus dans les cellules d'un individu. Environ deux tiers des fausses couches s'expliquent par une anomalie de ce type. Les anomalies chromosomiques des enfants viables (formes en anneau, bâtonnets cassés ou trop longs) peuvent avoir des répercussions variables sur leur développement. En cas de chromosomes en surnombre, l'enfant est atteint de trisomie ; la plus fréquente est la trisomie 21 (ou mongolisme), qui touche la 21e paire.

L'***amniocentèse*** pratiquée pendant la grossesse permet de déceler les anomalies chromosomiques du fœtus et de prendre les dispositions nécessaires.

VOIR : DIAGNOSTIC PRÉNATAL, TRANSMISSION GÉNÉTIQUE

Cœlioscopie

Réalisée sous anesthésie générale, la cœlioscopie est une opération chirurgicale qui permet à la fois d'explorer l'intérieur de l'abdomen au moyen d'un endoscope (un tube muni d'un système optique), et si besoin, d'intervenir. Elle est utilisée entre autres pour traiter certaines formes de stérilité et de grossesses extra-utérines.

Une cœlioscopie se déroule comme suit : on distend la cavité abdominale en y insufflant du gaz carbonique, puis on introduit un endoscope par l'intermédiaire d'une petite incision pratiquée sous le nombril. L'endoscope permet au chirurgien de visualiser les organes internes et de les opérer si nécessaire par des incisions minimes (5 à 12 mm), réalisées le plus souvent au-dessus du pubis.

Ce type d'intervention comporte un grand intérêt esthétique, les cicatrices étant de très petite taille. En outre, la coelioscopie permet d'écourter les suites opératoires, le malade récupérant plus rapidement. Elle évite les complications infectieuses ou de fragilité au niveau de la paroi abdominale, et diminue également le risque d'accolement des tissus (adhérences).

Col de l'utérus

Le col est la partie la plus basse de l'utérus. Il fait saillie au fond du vagin et se continue par l'isthme et le corps utérin. En dehors des périodes de grossesse, le col de l'utérus mesure 3 à 4 cm de long et présente deux orifices, l'externe et l'interne, qui sont fermés ; sa consistance est ferme et élastique.

Pendant les deux premiers trimestres de la grossesse, le col de l'utérus reste long, fermé et de consistance tonique. Au cours du dernier trimestre, il peut commencer à se raccourcir et à s'entrouvrir. Des modifications précoces et importantes du col peuvent faire craindre un accouchement prématuré, justifiant le repos, parfois un *cerclage* ou une éventuelle hospitalisation. Au début de l'accouchement, le col de l'utérus se raccourcit et l'orifice interne s'ouvre ; cette modification, associée à des *contractions* utérines douloureuses et régulières, indique que l'accouchement a débuté. Petit à petit, le col, sous l'effet des contractions utérines et de la descente de la tête du fœtus, perd toute sa longueur, s'efface, et son orifice interne s'ouvre pour atteindre 10 cm, permettant le passage de la tête de l'enfant.

Colostrum

Le colostrum, liquide épais et jaunâtre, est le premier lait sécrété par les glandes mammaires après l'accouchement.

Produit dans les heures qui suivent la naissance du bébé, le colostrum présente une faible teneur en sucre et en lipides ; tout comme le lait maternel, il apporte au nouveau-né des facteurs de défense irremplaçables, le protégeant contre de nombreuses infections. Il contient des immunoglobulines A, anticorps de protection de la muqueuse digestive, et des lymphocytes B et T, qui participent à la défense de la muqueuse de l'intestin.

D'autres éléments, comme le *lactobacillus bifidus* (notamment présent dans le tube digestif), favorisent l'implantation d'une flore intestinale favorable à une bonne digestion (avec les bactéries saprophytes), diminuant ainsi le risque de gastro-entérite pour le bébé.

Après plusieurs heures, le colostrum est remplacé par le lait, dont la composition se modifie au fur et à mesure, selon les besoins de l'enfant.

VOIR : SEVRAGE

Conception

VOIR : FÉCONDATION

Congénitale (maladie)

On parle de maladie congénitale pour désigner toute maladie touchant un enfant dès sa naissance, quelle que soit l'affection dont il est atteint.

> Les malformations congénitales. Ce sont des altérations de la morphologie d'un organe, d'un tissu ou d'un membre, qui résultent d'une anomalie de leur formation pendant les deux ou trois premiers mois de la grossesse.

> Les déformations congénitales. Ce sont des altérations d'une partie du corps liées à l'action, pendant la grossesse, de forces mécaniques anormales sur un tissu normal. Ainsi, une mauvaise position du fœtus dans l'utérus peut provoquer une altération morphologique de son thorax ou de ses pieds.

> Les affections congénitales génétiques. Elles sont liées à une atteinte du patrimoine génétique du fœtus pendant les premières divisions cellulaires de l'œuf (trisomie 21, par exemple), ou à la transmission d'un gène muté par l'un ou les deux parents.

> Les affections congénitales dues à l'environnement du fœtus. Elles sont dues au retentissement sur le fœtus de diverses maladies de la mère : infections (rubéole, toxoplasmose), intoxication (alcool, médicaments antiépileptiques, anticoagulants, anticancéreux). Certaines de ces affections se traduisent par des malformations.

VOIR : GÉNÉTIQUE, MALADIE HÉRÉDITAIRE

Consanguinité

Un lien de consanguinité relie des personnes qui ont en commun au moins un parent du côté du père ou de la mère.

Un enfant issu d'une union entre un homme et une femme consanguins est plus exposé au risque d'une malformation congénitale. En effet, le lien de parenté entre son père et sa mère augmente le taux de transmission des anomalies génétiques.

VOIR : GÉNÉTIQUE, TRANSMISSION GÉNÉTIQUE

Conseil génétique

VOIR : GÉNÉTIQUE

Constipation

Une constipation légère est quasi normale lors de la grossesse. Elle peut provoquer des douleurs abdominales passagères et entraîner l'apparition d'*hémorroïdes* ou aggraver des hémorroïdes existantes.

La constipation se traduit par une diminution de la fréquence des selles et par une modification de leur consistance : elles sont plus dures et sèches. Il n'existe pas de norme concernant la fréquence d'émission des selles. Seule une modification par rapport à son état antérieur peut faire penser que l'on est constipé. Le traitement de la constipation est avant tout préventif : avoir une alimentation riche en fibres, en fruits et légumes frais, boire 1,5 litre au moins par jour, pratiquer une activité physique régulière (marche, natation).

En cas de constipation rebelle (ou d'alitement prolongé), en particulier si elle est associée à des hémorroïdes, le médecin pourra prescrire un laxatif à base d'huile de paraffine, sans conséquence pour le bébé. Les traitements locaux sont à utiliser avec prudence, car ils peuvent irriter l'anus et le rectum.

La constipation est souvent un sujet d'angoisse pour les futures mères, qui craignent d'émettre des selles lors de l'accouchement. Or, il s'agit d'un phénomène banal et inévitable lors de l'expulsion, que la sage-femme et l'obstétricien connaissent bien. Il n'est donc pas indispensable de prendre des laxatifs avant de se présenter à la maternité.

Contraception après l'accouchement

Les ovaires peuvent se remettre à produire des *ovules* dès le 25e jour qui suit l'accouchement; une nouvelle grossesse est donc possible avant le *retour de couches* (retour des règles). Aussi devez-vous envisager une contraception avant votre sortie de la maternité, même si vous allaitez : l'allaitement retarde théoriquement l'ovulation, mais constitue une méthode contraceptive non fiable. Plusieurs méthodes peuvent être envisagées, en fonction de vos habitudes, des contre-indications médicales, du fait que vous allaitez ou non. Le moment de la reprise des relations sexuelles est très variable d'un couple à l'autre, et dépend notamment du mode d'accouchement et de l'importance de la fatigue pendant les *suites de couches*.

> Le préservatif masculin et les spermicides. Le préservatif masculin est l'une des méthodes préconisées peu après l'accouchement. On peut aussi utiliser des spermicides locaux (ovules), dont l'effet lubrifiant facilite les rapports; ils doivent être placés au fond du vagin environ dix minutes avant le rapport, toute toilette intime étant à éviter dans les deux heures qui le précèdent ou le suivent (sous peine d'annuler l'action des spermicides).

> Les contraceptifs oraux. Ils peuvent également être utilisés peu après l'accouchement.

- Les contraceptifs oraux classiques (pilules composées d'œstrogènes et de progestérone) sont contre-indiqués en cas d'allaitement. S'il n'existe pas de contre-indication, ce type de traitement contraceptif doit débuter environ trois semaines après l'accouchement (et pas avant, pour ne pas augmenter le risque de phlébite) et avant le retour de couches.
- Les micropilules (à base de progestatifs faiblement dosés) sont autorisées en cas d'allaitement bien qu'elles diminuent la sécrétion lactée ; le traitement débute dans les dix jours suivant l'accouchement. Ces micropilules sont à prendre tous les jours à la même heure, sans arrêt entre deux plaquettes. Elles comportent toutefois deux inconvénients : une astreinte de prise (l'oubli de quelques heures les rend inactives) et la survenue de petits saignements intermittents.

> L'implant (Implanon®). Il s'agit d'un microprogestatif à diffusion sous-cutanée. Il peut être proposé en cas d'allaitement ou non. Il n'existe aucun risque d'oubli, puisqu'il s'agit d'une petite baguette souple de la taille d'une allumette, qui est placée à la partie interne du bras. Un implant reste efficace pour une durée d'environ trois ans. Il peut être posé dans les jours qui suivent l'accouchement.

> Le patch. Il contient une association d'œstrogènes et de progestatifs de synthèse et relève des mêmes indications qu'une pilule classique. Il a un inconvénient : l'intéressée risque d'oublier d'en remettre un (il faut appliquer un patch par semaine pendant trois semaines, puis s'arrêter une semaine avant de reprendre). Son avantage est de remplacer la prise de comprimés.

> Le stérilet. Il peut être une bonne contraception pour les femmes qui ont eu, a priori, le nombre d'enfants désiré, et qui ont un partenaire stable (un des principaux inconvénients du stérilet étant le risque infectieux qu'il comporte). Il est contre-indiqué en cas de fibromes ou de règles très abondantes, mais il reste autorisé après une césarienne. Toutefois, ce n'est pas une contraception pour les *suites de couches* immédiates. Un délai de deux mois doit en effet être respecté entre l'accouchement et la pose du stérilet.

> Les méthodes déconseillées après l'accouchement. Ce sont les diaphragmes et autres préservatifs féminins, le vagin et le col de l'utérus sur lesquels ils s'appliquent n'ayant pas encore retrouvé leur forme initiale. La surveillance de la courbe de température (méthode Ogino), impossible à effectuer avant la première ovulation, est également déconseillée. Enfin, la stérilisation par ligature des trompes ne peut être réalisée en France que sur une personne majeure ayant librement exprimé et motivé sa demande par écrit. Un délai de réflexion de 4 mois est nécessaire. Le médecin informe la personne des risques encourus et du caractère définitif de l'intervention, qui est habituellement réalisée sous *coelioscopie*.

VOIR : STÉRILET

Contraction

C'est la rétraction involontaire des fibres musculaires de l'utérus. Cette rétraction, qui débute en un site variable et se propage de proche en proche, crée une force motrice permettant la dilatation du col de l'utérus puis l'accouchement.

Il existe deux types de contraction : des contractions indolores, irrégulières et peu nombreuses, qui surviennent à partir du 7e mois de grossesse et se poursuivent jusqu'au ***terme***, et des contractions douloureuses, répétées et régulières, qui indiquent le début du travail et la proximité de l'accouchement. Il est important de bien les distinguer ; les contractions indolores des derniers mois sont tout à fait normales et ne présagent pas de la proximité de l'accouchement.

> Les contractions des derniers mois. Ces contractions, dites de Braxton-Hicks, apparaissent avec la distension de l'utérus ; elles sont contemporaines d'une modification du corps de l'utérus (formation à la partie inférieure d'une zone plus mince appelée segment inférieur). Elles se caractérisent par un durcissement bref, indolore et irrégulier de la paroi utérine, qui peut survenir jusqu'à une dizaine de fois par jour. Des contractions survenant avant le terme et ne présentant pas ces caractéristiques (contractions douloureuses par exemple) nécessitent l'avis d'un obstétricien, qui appréciera le risque éventuel d'accouchement prématuré.

> Les contractions de l'accouchement. Elles surviennent aux alentours du terme. Ce sont des contractions douloureuses, répétées, régulières (toutes les 5 à 10 minutes), durant chacune de 2 à 3 minutes, qui ne disparaissent pas lorsque la parturiente se repose. De telles contractions doivent conduire à se présenter à la maternité.

Cordon ombilical

Le cordon ombilical relie le fœtus au ***placenta***, et donc à sa mère. Il est constitué de deux artères et d'une veine entourées d'une gelée, et mesure de 40 à 60 cm. Il permet au fœtus de recevoir les nutriments et l'oxygène nécessaires à sa croissance et d'éliminer les déchets et le gaz carbonique.

Lorsque l'enfant naît, son cordon est clampé puis coupé à 2 ou 3 cm de la paroi abdominale. Le moignon se dessèche et tombe cinq à dix jours après, en laissant apparaître l'ombilic (nombril).

En cas de suintement ou de saignement, il faut le signaler au médecin. La persistance d'un suintement peut être due en effet à un granulome de cicatrisation (excroissance charnue) sur lequel le médecin appliquera du nitrate d'argent. Quant au saignement, il est provoqué exceptionnellement par la chute du cordon et peut révéler un trouble de la coagulation sanguine. Plus souvent, il peut être dû à une infection (omphalite). Dans ce cas, le cordon ne se dessèche pas et laisse s'écouler du pus malodorant et jaunâtre. Le médecin prescrira alors un traitement antibiotique pour éviter une infection à partir des vaisseaux ombilicaux (abcès ou péritonite).

Corps jaune

Le corps jaune est une glande endocrine qui se développe dans l'ovaire de façon temporaire et cyclique, après ***l'ovulation***, et qui sécrète de la ***progestérone***.

Lorsque chaque mois, dans l'ovaire, un follicule se rompt pour libérer un ovule, il se développe, dans la cavité créée, une glande dont les grosses cellules jaunes contenant de la lutéine sécrètent de la progestérone (hormone responsable, notamment, de l'augmentation de la température corporelle dans la deuxième partie du cycle).

Si l'ovule n'est pas fécondé, le corps jaune se flétrit et dégénère, entraînant la baisse de la sécrétion de progestérone et l'apparition des règles, qui marquent un nouveau cycle. En revanche, si l'ovule est fécondé et s'implante dans l'utérus, sa couche périphérique, ou ***trophoblaste***, sécrète l'hormone chorionique gonadotrophique (HCG) qui entraîne la persistance du corps jaune durant les deux ou trois premiers mois de la grossesse.

En effet, la progestérone est indispensable au maintien de l'implantation de l'œuf dans l'utérus. Quand le trophoblaste, futur placenta, est enfin capable de sécréter la progestérone nécessaire à la survie de l'embryon, le corps jaune régresse et disparaît.

Couveuse

La couveuse (ou incubateur) est l'appareil dans lequel les bébés prématurés ou de petit poids sont maintenus jusqu'à ce qu'ils aient assez grossi et grandi pour vivre chez leurs parents et être nourris normalement au sein ou au biberon.

Cet appareil se présente comme une grosse boîte transparente en Plexiglas. Il permet de garder constante la température du bébé et de le surveiller. L'air est réchauffé selon les besoins du nouveau-né (en général autour de 30 °C) et humidifié ; la température corporelle du nourrisson est mesurée par une sonde thermique collée sur la peau.

S'il est né prématurément, le bébé est placé dans une couveuse car sa fragilité l'expose aux infections. Sa respiration et sa digestion ainsi que la régulation de sa température ne sont pas encore complètement en état de fonctionner. Il est par conséquent nécessaire de l'oxygéner par ventilation, de le nourrir par perfusion et éventuellement de projeter sur lui de la lumière bleue par ***photothérapie*** (afin de provoquer une dégradation de la bilirubine responsable de l'***ictère*** du nouveau-né).

VOIR : PRÉMATURITÉ

Crampe

C'est une contraction douloureuse, intense et prolongée d'un muscle. Environ 15 à 30 % des femmes souffrent de crampes durant la grossesse.

Chez les femmes enceintes, les crampes sont surtout localisées au mollet et surviennent le plus souvent la nuit. Normalement, la crampe disparaît d'elle-même lorsque la femme étire sa jambe et masse la zone douloureuse, mais une douleur plus ou moins intense peut persister plusieurs heures.

La cause de ces crampes est encore mal connue ; elles sont probablement dues à la fois à une carence en magnésium et/ou en calcium et à une insuffisance veineuse. Un traitement peut être proposé, mais n'a pas fait la preuve de son succès chez toutes les femmes. Il consiste à prendre du magnésium et du calcium selon la prescription médicale, le traitement étant à poursuivre en fonction du résultat.

Crevasse

C'est une érosion du mamelon, qui apparaît souvent au cours de l'allaitement. Les crevasses sont des affections bénignes mais douloureuses, qui se manifestent par des douleurs intenses lors de la tétée, parfois accompagnées de saignements.

Les crevasses sont dues à une position incorrecte du bébé au sein et à une mauvaise hygiène du mamelon. Un traitement local suffit à les faire disparaître en quelques jours : toilette quotidienne à l'eau et au savon et séchage après chaque tétée des mamelons, et application éventuelle d'une crème grasse hydratante.

Croissance du fœtus

VOIR : ESTIMATION DE POIDS FŒTAL, RETARD DE CROISSANCE INTRA-UTÉRIN

Cyanose

La cyanose est une coloration gris-bleu, plus ou moins intense, de la peau et des muqueuses. Elle est déterminée à la naissance grâce au score d'Apgar. Chez le nouveau-né, une cyanose peut traduire une difficulté à respirer, ou être le signe d'une malformation cardiaque qui empêche l'organisme de s'oxygéner correctement.

Les bébés cyanosés à la naissance (on parlait autrefois d'« enfants bleus ») sont aussitôt examinés en salle de naissance et, si besoin, transférés dans une unité de soins intensifs ou de réanimation néonatale. Par la suite, la cyanose se limite le plus souvent aux mains ou aux pieds ; elle peut indiquer un début d'infection, ou tout simplement être le signe que l'enfant a froid. Il faut signaler cette cyanose au médecin ou à la sage-femme, qui vérifiera la température du bébé, son état général et sa respiration.

Cycle menstruel

Il s'agit de la période comprise entre le premier jour des règles et le premier jour des règles suivantes. Les cycles menstruels s'interrompent pendant la grossesse.

Le cycle menstruel dure en moyenne 28 jours mais peut être plus court ou plus long (21 à 35 jours en général) selon les femmes. Chez la jeune fille, au début de la puberté, les cycles sont volontiers irréguliers puis se régularisent jusqu'à la ménopause, où ils redeviennent anarchiques avant de disparaître.

Pour étudier le cycle menstruel, le premier examen demandé est l'étude de la température. Il consiste à prendre sa température chaque jour, le matin avant de se lever et à reporter ensuite le résultat sur un papier quadrillé, pendant deux ou trois cycles. La courbe obtenue renseigne sur la qualité du cycle et sur l'existence d'une ovulation, normalement marquée au milieu du cycle par une élévation de la température au-dessus de 37 °C.

Cystite

La cystite est une inflammation de la muqueuse de la vessie, le plus souvent due à une infection par une bactérie. La grossesse favorise l'apparition de cystites, en raison d'une stagnation des urines dans la vessie, favorisée par la ***progestérone***. Dans un but préventif, il est toujours conseillé aux femmes enceintes de boire de l'eau en abondance et d'aller fréquemment aux toilettes.

> Les symptômes possibles. Il est important de dépister une éventuelle cystite pendant la grossesse, car cette affection peut provoquer des contractions et favoriser un accouchement prématuré.

Une cystite se manifeste en général par un besoin accru d'uriner, une brûlure urinaire et des mictions de petit volume. Quand ces symptômes s'accompagnent de fièvre ou de douleurs dans le bas du dos, ils peuvent faire craindre une complication, la ***pyélonéphrite***.

En revanche, un besoin d'uriner fréquent est parfaitement normal chez une femme enceinte et ne témoigne d'aucune maladie.

> Diagnostic et traitement. Pour confirmer le diagnostic de cystite, il est nécessaire de pratiquer un examen cytobactériologique des urines (ECBU) en laboratoire. Celui-ci confirme l'infection en mettant en évidence la présence d'un germe pathogène en quantité significative ainsi que des globules blancs, normalement absents des urines. Les germes le plus souvent en cause sont *Escherichia coli* et *Proteus mirabilis*.

Certaines infections urinaires n'entraînent que peu de symptômes, ce qui ne les rend pas moins dangereuses. C'est pour dépister ces éventuelles infections silencieuses que le médecin prescrit de manière systématique une ***analyse d'urine*** lors des consultations de suivi de la grossesse. L'examen consiste simplement à mettre de l'urine au contact de bandelettes réactives.

Le traitement des cystites repose sur l'administration d'antibiotiques adaptés aux germes et ayant fait la preuve de leur innocuité pour le fœtus. Un contrôle des urines est effectué 48 heures après la fin du traitement, pour s'assurer de la guérison. En cas de cystites à répétition, un examen mensuel systématique des urines pourra être prescrit.

Cytomégalovirus (CMV)

Le cytomégalovirus appartient à la famille des herpès virus. Il donne lieu à une infection latente, qui, le plus souvent, ne se traduit par aucun symptôme, mais qui peut avoir des conséquences graves pour le fœtus. Il se transmet par le biais des sécrétions, et surtout par les enfants en bas âge, lors de leur entrée en collectivité : en contact pour la première fois avec ce virus, ils sont susceptibles de le transmettre à leur maman. Les femmes enceintes les plus exposées sont ainsi les mères de famille.

> La prévention. Certains médecins proposent une prise de sang à la mère en début de grossesse pour connaître son statut immunitaire, mais les précautions d'usage restent les mêmes que celle-ci soit immunisée ou non. Le fait que la mère soit immunisée ne met pas en effet le fœtus à l'abri.

Mieux vaut donc prévenir de manière systématique le risque de transmission en évitant par des mesures d'hygiène simples le contact avec les sécrétions des enfants potentiellement infectés : éviter de lécher la cuiller de bébé après qu'il s'en soit servi, éviter de l'embrasser sur la bouche, de prendre un bain avec lui, avoir des affaires de toilette distinctes et bien se laver les mains après les changes ou les soins.

> La surveillance et les risques pour le fœtus. La surveillance du CMV pendant la grossesse se base sur le dépistage échographique habituel. En cas de signe évocateur lors de cet examen, le médecin recherchera les signes d'une infection par le virus dans le sang de la mère. Si les doutes se confirment, il recherchera la présence du virus dans le liquide amniotique (technique de PCR par ***amniocentèse***), après s'être assuré toutefois de la disparition du virus dans le sang maternel pour ne pas risquer de contaminer le fœtus lors de l'amniocentèse.

Actuellement, il n'existe pas de traitement médicamenteux en cas de contamination du fœtus. Lorsque l'échographie montre une anomalie, la seule solution reste alors l'interruption médicale de la grossesse. L'atteinte du fœtus peut se partager en deux groupes : les atteintes décelables à l'échographie, comme les anomalies cérébrales, hépatiques, les retards de croissance et les atteintes non visualisables comme la surdité, le retard mental, d'où la difficulté de préciser le pronostic pour les médecins. Mais toutes ces anomalies sont rares (4 % en cas de primo-infection), et la grande majorité des bébés se portent parfaitement bien après la naissance, après laquelle un suivi pédiatrique est organisé.

Décollement prématuré du placenta

VOIR : HÉMATOME RÉTROPLACENTAIRE

Délivrance

La délivrance est l'expulsion du placenta et des membranes après la naissance de l'enfant. Elle survient normalement dans la demi-heure qui suit l'accouchement.

> La délivrance naturelle. Après la naissance du bébé, les contractions utérines reprennent. Sous leur influence, le placenta se décolle de l'utérus et est expulsé par le vagin soit sous l'effet des efforts de la mère, soit grâce à une pression exercée sur le fond de l'utérus par la sage-femme ou l'obstétricien. Le praticien vérifie alors soigneusement l'intégrité du placenta et des membranes, afin de s'assurer que l'utérus vide peut désormais se rétracter sans obstacle. Les saignements, qui s'étaient accentués, redeviennent minimes.

> La délivrance artificielle. En cas de saignements importants avant la délivrance ou de non-décollement du placenta une demi-heure après la naissance du bébé, le médecin pratique une délivrance artificielle. Le risque d'hémorragie peut d'ailleurs conduire certaines équipes obstétricales à ne pas attendre au-delà d'un délai de 15 minutes après l'accouchement.

La délivrance artificielle se déroule sous anesthésie locorégionale (***péridurale***) ou générale. L'obstétricien introduit sa main dans le vagin puis dans l'utérus, afin de décoller le placenta et de l'extraire. Ce geste est suivi d'une révision utérine : avec une main, le médecin explore à nouveau toutes les faces de l'utérus, afin de vérifier qu'il est bien vide.

Dépistage néonatal

Le terme de dépistage néonatal regroupe tous les examens médicaux pratiqués chez le bébé dès sa naissance, pour vérifier s'il ne souffre pas de maladie particulière.

Quelques jours après la naissance, on effectue des examens complémentaires chez le nouveau-né afin de détecter d'éventuelles affections ***congénitales***. En France, actuellement, cinq maladies peuvent être dépistées au 3e jour de vie : la phénylcétonurie, l'hypothyroïdie, l'hyperplasie des surrénales, la mucoviscidose et, en cas de facteur de risque particulier, la drépanocytose Le prélèvement s'effectue par une piqûre au talon du nouveau-né. Avant le prélèvement, un guide d'information (intitulé 3 jours, l'âge du dépistage) sera remis aux parents et l'accord écrit d'un des deux sera demandé pour effectuer le prélèvement de dépistage de la mucoviscidose. Dans les deux semaines qui suivent, les parents sont contactés par le médecin seulement si l'un des résultats est anormal: ceci signifie que des investigations supplémentaires sont nécessaires pour confirmer le diagnostic.'

• La phénylcétonurie. Vers le cinquième jour, une goutte de sang est prélevée en piquant le talon ou la main de l'enfant. L'analyse (test de Guthrie) permet de vérifier si le bébé est atteint ou non de la maladie.

• L'hypothyroïdie. Cette insuffisance de la glande thyroïdienne est également détectée par analyse de sang. La gravité des symptômes varie en fonction de l'importance de l'hypothyroïdie. Mais si la maladie n'est pas traitée, des retards de croissance, du développement cérébral puis de maturation sexuelle surviendront chez l'enfant hypothyroïdien. Ces diagnostics précoces de maladies congénitales permettent d'appliquer au plus tôt les traitements adaptés et ainsi de minimiser les troubles à venir.

VOIR : APGAR (SCORE D')

Dépression et grossesse

Une dépression se caractérise par une tristesse anormale, associée à une dévalorisation de soi, une vision négative du monde extérieur, une fatigue intense et des troubles du sommeil et de l'appétit.

Environ 11 à 17 % des femmes connaissent des épisodes dépressifs quand elles attendent un enfant. Ceux-ci surviennent en général dans les premiers mois et sont passagers. Ils se caractérisent par des angoisses fréquentes concernant l'accouchement et le futur bébé. La femme est alors très fatiguée et souffre de nombreux maux, ce qui l'amène souvent à multiplier les consultations. La dépression est plus fréquente chez les moins de 20 ans, en cas de grossesse non désirée ou mal acceptée par la femme ou son conjoint.

Une grande dépression survenant au cours de la grossesse peut correspondre à l'évolution d'un trouble psychiatrique préexistant (maladie maniacodépressive, par exemple) ou être la première manifestation de ce trouble. Mais il faut se garder d'étiqueter comme anormaux tous les petits troubles psychologiques qui surviennent quand on attend un enfant ; être enceinte entraîne en effet un important bouleversement physique, social, familial et psychologique devant lequel chaque femme réagit différemment.

Par ailleurs, juste après l'accouchement, les états dépressifs passagers (on parle dans ce cas de ***baby blues***) sont fréquents, mais ils ne doivent pas faire méconnaître un trouble plus grave et profond.

Diabète et grossesse

Le diabète, ou diabète sucré, est une affection caractérisée par une élévation anormale du taux de sucre dans le sang (hyperglycémie). Cette élévation découle d'une insuffisance ou d'une sécrétion inadaptée de l'insuline (hormone nécessaire à la régulation du sucre) par le pancréas. Deux situations sont possibles : soit le diabète affectait déjà la femme avant sa grossesse, soit le diabète apparaît pendant qu'elle est enceinte (diabète gestationnel).

> De possibles effets sur le fœtus. Qu'il soit préexistant ou non à la grossesse, un diabète doit impérativement être traité chez une femme enceinte. En effet, le glucose traverse le placenta, contrairement à l'insuline. Le fœtus est donc soumis aux fluctuations de la glycémie de sa mère, ce qui l'expose à différentes affections : un ***hydramnios*** (excès de liquide amniotique), ou un poids trop important induisant un risque d'accouchement difficile (dystocie), voire de ***césarienne***.

Quand le diabète de la mère n'a pas été correctement traité, l'enfant à la naissance est brutalement privé de cet excès de sucre et peut souffrir d'une hypoglycémie (chute du taux de sucre dans le sang) parfois grave. Il peut aussi être affecté d'un ralentissement de la maturation pulmonaire, ce qui l'expose à une détresse respiratoire à la naissance.

> Le diabète préexistant à la grossesse. Qu'il s'agisse ou non d'un diabète insulinodépendant (c'est-à-dire nécessitant ou non l'injection quotidienne d'insuline), les femmes diabétiques doivent toujours s'assurer que leur diabète est équilibré avant de concevoir un enfant : un taux de glucose maternel trop élevé au moment de la conception peut en effet constituer un risque de malformations pour le fœtus.

En outre, pendant toute la durée de leur grossesse, elles devront se soumettre à une surveillance stricte. Les médicaments hypoglycémiants (qui permettent de faire baisser le taux de sucre dans le sang) utilisés dans le traitement du diabète non insulinodépendant sont contre-indiqués chez les femmes enceintes ; si nécessaire, ils seront remplacés par l'injection régulière d'insuline.

> Le diabète gestationnel. Ses principaux facteurs de risque sont l'obésité, un âge maternel supérieur à 35 ans, des antécédents familiaux de diabète et des antécédents d'accouchement de gros bébés (poids supérieur à 4 kg à la naissance).

Le diabète gestationnel est lié aux modifications physiologiques de la grossesse, entraînant une mauvaise régulation du taux de sucre sanguin par l'insuline maternelle. Il est dépisté par un examen sanguin effectué entre le 5e et le 6e mois de grossesse (24 à 28 semaines d'aménorrhée) : on mesure la glycémie à jeun, puis après absorption d'une quantité donnée de sucre.

Ce dépistage est d'autant plus important qu'il est possible de traiter le diabète et ainsi de prévenir les complications qui en découlent. Le traitement consiste à respecter un régime alimentaire adapté (nourriture équilibrée et pauvre en sucre, repas fractionnés) ; le recours temporaire à l'administration d'insuline peut être nécessaire.

Le diabète gestationnel peut récidiver lors d'une grossesse ultérieure. En outre, il expose à un risque accru de développer un diabète après la grossesse.

Diagnostic prénatal

Le diagnostic prénatal consiste à identifier des anomalies congénitales avant la naissance d'un enfant. Le médecin peut ainsi traiter le fœtus pendant la grossesse ou soigner l'enfant en connaissance de cause juste après l'accouchement. Mais ce diagnostic prénatal permet aussi d'éviter la naissance d'un enfant atteint d'une maladie incurable, les possibilités de traitement in utero étant encore très restreintes.

> Dans quels cas ? Un diagnostic prénatal peut être proposé dans différents cas : si des membres de la famille (parents, frères, sœurs) ont déjà mis au monde un enfant atteint d'une grave anomalie génétique ou si la future mère a plus de 38 ans, car les risques d'anomalies chromosomiques entraînant de graves handicaps sont plus grands (en France, l'***amniocentèse*** qui permet de dépister celles-ci est remboursée par la Sécurité sociale à partir de 38 ans).

Le médecin peut aussi recourir au diagnostic prénatal en cours de grossesse s'il constate un développement anormal du fœtus. Il pourra ainsi identifier certains troubles tels qu'une anomalie du cœur ou des reins, la ***maladie hémolytique*** due à une incompatibilité sanguine materno-fœtale... L'enfant et la mère pourront de la sorte être soignés au cours de la grossesse.

> Les techniques employées. Pour effectuer le diagnostic prénatal, diverses techniques sont employées.

- La ***biopsie de trophoblaste*** (ou prélèvement des villosités choriales), effectuée sur le futur ***placenta*** dès le deuxième mois de grossesse (après 10 semaines d'aménorrhée), permet d'étudier le ***caryotype*** du fœtus. Il est proposé lorsqu'une maladie fœtale est soupçonnée. Le résultat est rapide.
- L'amniocentèse est un prélèvement de ***liquide amniotique*** effectué sous échographie entre 3 et 4 mois de grossesse (de 15 à 20 semaines d'aménorrhée). Il permet également d'étudier le caryotype du fœtus et de déceler certaines affections congénitales en dosant des substances chimiques précises.
- L'analyse directe du sang du fœtus est possible par ponction directe dans l'utérus, sous échographie, du cordon ombilical. Elle permet d'étudier le caryotype de l'enfant et différents facteurs de coagulation. Certains anticorps, dont la présence peut être la preuve d'une atteinte infectieuse, sont également détectables grâce à cet examen.
- Enfin, l'***échographie*** est devenue irremplaçable pour surveiller le développement du fœtus et pour dépister d'éventuelles anomalies morphologiques.

> En cas d'anomalie. En fonction de la gravité de l'anomalie et des possibilités thérapeutiques actuelles, sur proposition de médecins référents et sosu couvert du comité d'éthique de l'hôpital, les parents peuvent prendre la décision de poursuivre ou non la grossesse. Cette décision soulève néanmoins dans certains cas des questions morales et éthiques qui sont loin d'être résolues.

VOIR : CONSANGUINITÉ, GÉNÉTIQUE, TRANSMISSION GÉNÉTIQUE

Dilatation

La dilatation du col utérin correspond à son ouverture lors de l'accouchement. La sage-femme ou le médecin peut apprécier le niveau de dilatation du col par un toucher vaginal.

La dilatation du col est exprimée en centimètres. Elle s'échelonne de 1 à 10 cm. Quand la dilatation est à 10 cm, il s'agit d'une dilatation complète : l'ouverture est alors suffisante pour permettre le passage du bébé. Parfois, pour les petites dilatations de moins de 3 cm, l'habitude veut que le personnel soignant parle, de façon imagée, en « doigts ».

Pendant le temps qui précède l'accouchement, l'ouverture du col peut être interrompue : c'est une stagnation de la dilatation. Lorsque le phénomène persiste malgré de bonnes ***contractions*** et que le col gêne la progression du bébé (à moins de 5 cm de dilatation), il s'agit d'une dystocie cervicale qui peut conduire à la réalisation d'une ***césarienne***.

Distilbène®

C'est le nom commercial du diéthylstilboestrol, œstrogène de synthèse prescrit entre les années 1950 et 1975 aux femmes enceintes pour prévenir le risque de fausse couche et pour traiter les hémorragies de la grossesse. Depuis 1975, ce médicament a été retiré du marché car on a constaté qu'il était susceptible de provoquer chez le fœtus des malformations irréversibles de l'appareil génital.

> Les effets possibles. Les femmes exposées au Distilbène® pendant la grossesse de leur mère peuvent avoir un cancer du vagin (qui se déclare chez la jeune fille). Elles peuvent souffrir aussi de malformations utérines (col, corps, trompes) parfois responsables, lorsqu'elles souhaitent avoir un enfant à leur tour, de stérilité, de fausses couches précoces ou tardives, d'accouchement prématuré et de grossesse extra-utérine. Pour les garçons, les risques sont moindres ; il existe toutefois une fréquence accrue de stérilité et d'anomalies de la position des testicules.

Parfois, la femme sait qu'elle a été exposée au Distilbène® car elle en a été informée par sa mère ; parfois, c'est une consultation qui met en évidence des malformations génitales typiques de l'exposition au Distibène®. Dans tous les cas, une surveillance accrue est nécessaire pour dépister un éventuel cancer du vagin ou du col de l'utérus.

> Le suivi médical. Pendant la grossesse, une surveillance rapprochée et plusieurs précautions sont de rigueur. Le médecin va examiner très tôt l'état du col de l'utérus pour effectuer, si besoin, un ***cerclage*** préventif. Une échographie précoce permettra également d'éliminer le diagnostic de grossesse extra-utérine. En outre, pour prévenir un éventuel accouchement prématuré, la future mère devra parfois avoir un arrêt de travail précoce afin de bénéficier d'un repos absolu.

Les troubles liés au Distilbène® devraient disparaître aux environs de 2010, les femmes potentiellement exposées à ce médicament n'étant plus à cette date en âge de procréer.

Doppler

C'est un examen utilisant, comme l'***échographie***, la propriété des ultrasons. Il permet de calculer la vitesse des flux (vitesse de la circulation du sang à l'intérieur d'un vaisseau, par exemple). On l'utilise parfois en complément de l'échographie dans la surveillance de la grossesse. Il n'est pas systématique.

Il existe différents types de Doppler. Les Dopplers couleur ou energy permettent de visualiser les flux rapides comme le sang circulant, mais aussi les flux respiratoires ou les mictions du fœtus. Le Doppler continu ou pulsé permet de quantifier le débit vasculaire.

Vers 5 mois de grossesse (24 semaines d'aménorrhée), le médecin prescrit parfois un Doppler des artères de l'utérus pour vérifier que la vascularisation de cet organe est satisfaisante. Cet examen concerne notamment les femmes souffrant d'hypertension ou celles qui ont déjà donné naissance à un enfant présentant ***un retard de croissance intra-utérin (RCIU)***.

Il arrive aussi que l'on effectue un Doppler du cordon ombilical, afin de rechercher la cause d'un retard de croissance du fœtus. De nombreux autres Doppler (cérébral, du canal d'Arantius, atrio-ventriculaires...) se sont en outre développés ces dernières années pour mieux préciser le degré de risque encouru par le fœtus en cas de retard de croissance. Un Doppler de l'artère cérébrale peut être pratiqué dans la surveillance in utero des enfants dans le cas d'une incompatibilité rhésus.

Dure-mère

La dure-mère est une membrane épaisse et fibreuse entourant et protégeant l'ensemble du système nerveux central (moelle épinière, encéphale). Lors d'une ***péridurale***, le produit anesthésique est injecté dans l'espace compris entre le canal osseux rachidien et la dure-mère.

Dystocie

VOIR : ACCOUCHEMENT

Échographie

L'échographie est une technique d'imagerie médicale qui permet d'explorer telle ou telle zone du corps à l'aide d'ultrasons de haute fréquence. À la différence de la ***radiographie***, elle ne présente pas le moindre danger pour le fœtus, même en tout début de grossesse. Elle reste donc la technique la plus appropriée pour surveiller, entre autres, le développement du futur bébé.

> Échographie suspubienne ou endovaginale. En obstétrique, deux techniques d'échographie sont utilisées : suspubienne (une sonde, utilisée par voie externe, est déplacée sur l'abdomen) et endovaginale (une sonde est introduite dans le vagin).

L'échographie endovaginale, qui permet une image plus directe et plus précise, est surtout utilisée dans la surveillance des stimulations ovariennes pendant les traitements de la stérilité, dans l'examen du 1er trimestre de la grossesse et pour visualiser le col de l'utérus. En dehors de ces indications, on lui préfère l'échographie suspubienne. En début de grossesse, cet examen exige que la vessie soit pleine ; avant d'entamer ses observations, le radiologue enduit l'abdomen d'un gel aqueux ou d'huile pour créer une interface entre la sonde et la peau.

> Une échographie par trimestre. En France, lors d'une grossesse sans complications particulières, trois échographies sont recommandées, une à chaque trimestre : entre 11 et 13 semaines d'aménorrhée ; vers 22-24 semaines ; et aux alentours de 32-34 semaines. Il ne sert à rien de multiplier les examens, sauf situations particulières (grossesse multiple, problèmes rencontrés lors d'une précédente grossesse, découverte d'une anomalie...)

- L'échographie du 1er trimestre permet, entre autres, de savoir s'il y a dans l'utérus un ou plusieurs fœtus, de dater la grossesse, de visualiser de façon précoce son anatomie, mais aussi de mesurer la clarté nucale du fœtus (un facteur prédictif du risque de trisomie 21)
- L'échographie du 2e trimestre apporte une meilleure vue de l'anatomie du fœtus, et notamment du cœur et des membres. Elle peut aussi renseigner les parents qui le désirent sur le sexe du futur bébé
- L'échographie du 3e trimestre est destinée avant tout à vérifier la croissance du fœtus et ainsi à dépister un ***retard de croissance*** in utero ; les mesures effectuées, appelées ***biométries***, portent surtout sur le périmètre abdominal ainsi que sur le diamètre du crâne.

Ce dernier examen permet par ailleurs de contrôler la position du ***placenta*** et de vérifier qu'il ne constituera pas un obstacle à un accouchement par les voies naturelles. Il apporte enfin des informations sur la quantité de ***liquide amniotique***, reflet du bien-être du fœtus : la diminution de la quantité de liquide peut constituer un signe d'alarme.

> L'échographie du cerveau du nouveau-né. Les os du crâne d'un nouveau-né ne sont pas encore soudés ; il est donc possible d'explorer son cerveau par échographie à travers les ***fontanelles***, afin de détecter une éventuelle malformation, comme l'hydrocéphalie (une accumulation de liquide dans le crâne), ou une pathologie vasculaire liée à un manque d'oxygénation du cerveau.

Éclampsie

Il s'agit d'une complication aiguë de la ***prééclampsie***. Elle se traduit par des convulsions à répétition associées à un coma, et peut être fatale pour la mère et l'enfant en l'absence de soins intensifs.

La plupart du temps, l'éclampsie est précédée d'une prééclampsie, complication de la grossesse qui associe une ***hypertension artérielle***, une ***albuminurie*** (présence d'albumine dans les urines) et des œdèmes.

Les signes d'imminence d'une éclampsie sont des maux de tête importants et rebelles aux traitements habituels, une sensation de mouches volantes devant les yeux, des bourdonnements d'oreilles, une douleur dans la zone de l'estomac. L'apparition de ces signes s'associe généralement à une aggravation de l'hypertension artérielle et à différents signes biologiques. Une telle situation doit faire envisager une naissance très rapide et des mesures préventives de l'éclampsie (administration d'un traitement anticonvulsivant et hypotenseur).

Embolisation

Cette technique relevant de la radiologie consiste à obturer les vaisseaux irriguant l'utérus à l'aide d'une sonde introduite au pli de l'aine. Elle permet avant tout d'enrayer une hémorragie après un accouchement, tout en conservant l'utérus. Cette intervention nécessite une équipe médicale spécialisée.

Embryon

Le futur bébé est appelé « embryon » pendant les deux premiers mois de son développement à l'intérieur de l'utérus (ou en éprouvette, puis dans l'utérus, en cas de ***fécondation in vitro***).

L'embryon correspond au stade de développement du futur bébé qui va de l'œuf , c'est-à-dire de l'instant de la fécondation, jusqu'à 10 semaines d'aménorrhée. Au-delà de ce stade, et jusqu'au terme de la grossesse, le futur bébé prend le nom de fœtus.

L'embryon commence à se former dès la fécondation. L'œuf fécondé subit une série de divisions produisant d'abord des cellules identiques entre elles, puis des cellules qui se répartissent en deux groupes, les unes formant l'embryon, les autres les ***annexes*** (futur ***placenta***, ***cordon ombilical***, cavité amniotique).

C'est au stade de l'embryon que se forment, au cours d'une série de transformations complexes, les organes du futur bébé. À la fin du deuxième mois de grossesse, ils sont tous présents, même s'ils ne sont pas encore fonctionnels.

À ce stade, les membres sont nettement formés, de même que les doigts, encore palmés ; des échancrures dessinent les futurs orteils. Les yeux s'ouvrent, les pavillons des oreilles sont précis, le cou est distinct, les organes génitaux externes existent. Le futur bébé mesure alors de 28 à 30 millimètres.

Endométrite

Cette maladie est une infection de l'endomètre, le tissu tapissant l'intérieur de l'utérus.

L'endométrite se déclare parfois dans les jours suivant un accouchement. Elle est dans ce cas favorisée par un travail long, une infection avec fièvre durant l'accouchement, les manœuvres obstétricales, telles que la révision utérine, et enfin une hémorragie lors de la naissance. Elle se manifeste par une fièvre modérée, des pertes malodorantes, et un utérus qui reste douloureux et se rétracte mal. La recherche de ces signes fait partie de l'examen quotidien de la nouvelle accouchée par la sage-femme. En général, l'infection régresse rapidement avec la prise d'antibiotiques et ne laisse pas de séquelles.

Engorgement mammaire

C'est une complication fréquente et bénigne de l'allaitement. L'engorgement mammaire survient plus volontiers en début d'allaitement, en particulier au cours de la montée laiteuse.

Au début de l'allaitement, le nouveau-né peut ne pas téter assez vigoureusement les seins de sa mère. Il ne les vide pas complètement, et ceux-ci restent de ce fait durs, tendus et douloureux. La maman présente alors parfois une fièvre modérée (38°C). Le traitement consiste à mettre très souvent son bébé au sein, à appliquer des cataplasmes locaux et à presser les seins autour des aréoles pour les vider.

Épilepsie et grossesse

L'épilepsie résulte de troubles dans l'activité électrique normale du cerveau ; elle se traduit par des « crises », dont la nature dépend de la région du cerveau qui en est affectée. Les crises dites « généralisées » sont les plus connues ; elles peuvent entraîner une perte de conscience, puis de violentes secousses de tout le corps. Les « absences » sont de brèves suspensions de conscience, parfois confondues avec des instants de rêverie. Les crises dites « partielles » se manifestent par des mouvements involontaires, des troubles ou la perte du langage, des gestes inappropriés, de la confusion.

L'épilepsie n'est pas une maladie contagieuse, congénitale ou mentale. Les risques que le futur bébé soit lui aussi épileptique restent très faibles.

Bien sûr, l'épilepsie et les traitements médicamenteux qu'elle exige ne sont pas sans risque pour le fœtus. Mais avant tout, l'enfant a besoin d'une maman en bonne santé et la prévention des crises d'épilepsie reste la priorité. Un traitement bien équilibré, un suivi médical et un contrôle par ***échographie*** réguliers sont nécessaires.

Au mieux, la programmation d'une grossesse doit s'envisager à l'avance avec son médecin pour minimiser les risques. En effet, certains traitements doivent être modifiés avant d'être enceinte ou nécessitent une supplémentation vitaminique avant et/ou pendant la grossesse (par exemple, vitamine B9 ou K).

La possibilité d'un allaitement maternel pourra être discuté en fonction du traitement suivi.

Épisiotomie

L'épisiotomie est une intervention chirurgicale pratiquée lors de l'accouchement. Elle consiste à sectionner la muqueuse du vagin et les muscles superficiels du périnée. L'objectif est d'agrandir l'orifice de la vulve, et de faciliter ainsi la naissance du bébé tout en prévenant le risque de déchirure du périnée.

L'épisiotomie est une intervention répandue, qui permet d'éviter les déchirures graves du périnée et du sphincter de l'anus. Ses indications les plus fréquentes sont la naissance d'un gros bébé, une présentation par le siège et l'utilisation de forceps. Elle peut aussi être pratiquée pour faciliter l'expulsion de l'enfant en cas de ***prématurité*** ou de souffrance fœtale nécessitant une naissance rapide.

L'épisiotomie est recousue après la ***délivrance***, sous anesthésie locale ou sous ***péridurale***. Si les fils de suture sont non résorbables, ils seront retirés environ 5 jours après l'intervention ; si ce n'est pas le cas, la partie extérieure de la suture s'éliminera d'elle-même. Les épisiotomies suivantes seront toutes pratiquées au même endroit.

Une cicatrice d'épisiotomie peut s'avérer douloureuse durant deux à sept jours. Lors de la cicatrisation, les soins locaux doivent se limiter à une toilette soigneuse du périnée, en prenant la précaution de bien sécher la zone cicatricielle en la tapotant avec une gaze stérile.

Il est souhaitable que les rapports sexuels ne soient repris qu'après cicatrisation complète (30 jours en moyenne), et uniquement quand l'envie s'en fait sentir. En effet, les premiers rapports peuvent être un peu douloureux ; il est donc indispensable que le désir soit présent pour éviter une mauvaise expérience, qui conduirait la femme à appréhender les rapports sexuels et freinerait le retour à une sexualité épanouie au sein du couple.

VOIR : EXTRACTION INSTRUMENTALE

Estimation de poids fœtal

Avant la naissance, le poids du fœtus est estimé par le médecin à l'aide de l'échographie ou de l'examen clinique.

> Les mesures prises en compte. Pour estimer le poids fœtal lors de chaque échographie, on se base sur plusieurs formules mathématiques tenant compte des différentes mesures effectuées lors de l'examen, qui sont pour l'essentiel :

- la longueur du fémur ;
- le BIP, ou diamètre bipariétal, qui correspond à une mesure du diamètre du crâne du fœtus ; il est peu à peu abandonné au profit du périmètre céphalique qui est moins influencé par la forme du crâne, variable selon les individus ;
- le périmètre céphalique, qui mesure le périmètre du crâne fœtal comme une couronne tracée autour de la tête
- le périmètre abdominal, qui mesure le périmètre du ventre fœtal comme une ceinture tracée autour du ventre.

Toutes ces mesures sont ensuite reportées sur des courbes pour être appréciées en ***percentiles*** et pour évaluer la croissance du fœtus.

> La marge d'erreur. Le résultat est une estimation et non le poids réel du bébé, source d'erreurs ou de nombreuses angoisses ou incompréhensions à la naissance.

Dans le meilleur des cas, la marge d'erreur est de 10 % environ, ce qui peut paraître faible pour un petit poids (200 g pour un bébé de 2 kg) ; mais si le bébé pèse par exemple aux environs de 4 kg, la marge d'erreur atteint une différence de 400 g, soit un résultat échographique conduisant à une estimation comprise entre 3,6 kg à 4,4 kg.

Expulsion

VOIR : ACCOUCHEMENT

Extraction instrumentale

Au cours de l'accouchement, différents instruments peuvent être utilisés pour faciliter l'expulsion du fœtus. Ce sont le forceps, les spatules ou les ventouses.

> Dans quels cas ? Le recours à une extraction instrumentale peut être guidé par la nécessité d'abréger l'accouchement, de faciliter la naissance, voire de protéger le crâne du fœtus, notamment lors des accouchements prématurés. L'utilisation de ces instruments s'accompagne en générale d'une ***épisiotomie***.

Forceps, spatules et ventouses ont la réputation injustifiée d'entraîner complications et traumatismes. Ces idées fausses sont les survivances d'un temps où l'emploi de ces instruments était presque la seule solution en cas d'accouchement difficile. Aujourd'hui, leur usage est codifié et permet dans de nombreux cas d'éviter une césarienne inutile.

> Le forceps. C'est un instrument métallique, ressemblant à deux grosses cuillers à l'extrémité le plus souvent évidée, posés de part et d'autre de la tête de l'enfant et dont les manches sont solidarisés, permettant ainsi une traction qui facilite l'accouchement. Il existe des forceps à branches croisées ou à branches parallèles.

> Les spatules. Ce sont des instruments métalliques ressemblant à deux grosses cuillers non solidarisées ; cette spécificité permet un travail d'orientation et de propulsion de la tête entre les cuillers et non une traction, ce qui les différencie des forceps.

> Les ventouses. Ce sont des cupules fixées par dépression sur le crâne de l'enfant, permettant une orientation et une traction.

[F, G]

Fatigue

La fatigue est un état de lassitude déclenché par le moindre effort, se caractérisant par une réduction de l'activité habituelle. C'est un état que connaissent bien des femmes pendant leur grossesse.

La fatigue est souvent difficile à évaluer par le médecin car chaque personne, la ressent différemment. La sensation de fatigue prédomine en général en début de grossesse et au dernier trimestre, mais aussi après l'accouchement, période pendant laquelle le soutien de l'entourage est indispensable.

Quand une fatigue n'a pas de raison médicale (fièvre, anémie, dépression...), elle est le plus souvent passagère. Des insomnies, toutefois, peuvent l'aggraver, et, dans ce cas, il ne faut pas hésiter à demander conseil à son médecin. L'arrêt de l'activité professionnelle est quelquefois nécessaire, mais il ne doit pas entraîner un isolement, voire pérenniser un état le plus souvent passager. Quand la fatigue persiste, une aide psychologique adaptée peut être utile pour franchir un cap difficile.

VOIR : SUITES DE COUCHES

Fausse couche

Une fausse couche, ou avortement spontané, est une interruption spontanée de la grossesse qui intervient avant que le fœtus soit viable, même s'il bénéficie d'une prise en charge adaptée. Prenant en compte les progrès de la réanimation néonatale, l'Organisation mondiale de la santé (OMS) définit ainsi la fausse couche comme l'expulsion spontanée d'un fœtus de moins de 500 g ou à moins de 4 mois et demi de grossesse (22 semaines d'aménorrhée).

> Des signes d'alerte ? Les premiers signes d'une fausse couche sont souvent des ***métrorragies*** (saignements par le vagin survenant en dehors des règles) ou des contractions ressenties dans le petit bassin. Toutefois, les saignements ne sont pas toujours synonymes de fausse couche : il s'agit en effet d'un trouble fréquent au cours du 1er trimestre (il touche une femme sur quatre) ; dans de très nombreux cas, la grossesse se poursuit sans encombre.

> Au 1er trimestre. Durant cette période, les fausses couches sont très fréquentes, de l'ordre de 15 à 20 %. Dans la très grande majorité des cas, leur cause est une anomalie survenue lors de la fécondation et ayant entraîné une aberration dans les chromosomes du fœtus, rendant celui-ci non viable. Il s'agit donc d'un mécanisme de sélection naturelle, qui ne relève ni d'une anomalie génétique de la mère ni d'une anomalie du père.

L'activité physique n'en est pas non plus responsable. Il ne faut donc pas se culpabiliser de ne pas avoir pris assez de repos, par exemple, ni se sentir en aucune manière responsable. Les fausses couches intervenant durant le 1er trimestre de la grossesse ne nécessitent d'ailleurs pas d'examen ultérieur particulier, sauf en cas de deux ou trois fausses couches consécutives.

> Au 2e trimestre. De 13 à 24 semaines d'aménorrhée, les fausses couches sont beaucoup plus rares (environ 0,5 %) et le plus souvent provoquées par une infection ou par une ouverture anormale (béance) du col de l'utérus. La prévention repose sur le ***cerclage*** du col en cas de béance et sur l'administration éventuelle d'antibiotiques en cas d'infection.

Fécondation

La fécondation, ou conception, est la pénétration d'un spermatozoïde dans l'ovule, ce qui aboutit à la formation d'un œuf (également appelé « zygote »), cellule unique réunissant le patrimoine génétique du père et celui de la mère.

L'ovulation (c'est-à-dire la libération d'un ovule par un des ovaires) a lieu en théorie au 14e jour après le début des règles (pour un ***cycle menstruel*** durant 28 jours). L'ovule migre jusqu'au tiers externe de la trompe, où il rencontre le spermatozoïde fécondant. L'œuf ainsi créé poursuit sa progression jusqu'à la cavité utérine, dans laquelle il s'implante au bout de 7 à 9 jours (phénomène appelé nidation).

Fécondation in vitro (FIV)

Cette méthode de ***procréation médicalement assistée*** consiste à prélever l'ovule d'une femme, à le féconder artificiellement en laboratoire puis à l'implanter dans son utérus.

La fécondation in vitro, technique complexe de traitement de la stérilité, n'est pratiquée que dans des centres spécialisés et accrédités. Elle constitue le plus souvent l'aboutissement d'une prise en charge longue et astreignante.

Elle consiste à stimuler l'ovulation par des injections répétées d'hormones jusqu'à obtenir la maturation de plusieurs follicules (cavités de l'ovaire dans lesquelles se développe un ***ovule***); cette première phase est surveillée par des dosages hormonaux ainsi que par échographie. Lorsque la maturation est satisfaisante, on déclenche artificiellement l'ovulation par une injection intramusculaire d'hormone chorionique gonadotrophique (HCG). Deux jours après, les ovules sont prélevés par ponction, le plus souvent par voie endovaginale et sous contrôle échographique. Du côté de l'homme, le sperme a été recueilli par masturbation.

Au laboratoire, les cellules sexuelles (ovules et spermatozoïdes) sont isolées et fécondées. Après 48 heures, les embryons (constitués à ce stade de 2 à 4 cellules) résultant de la fécondation peuvent être implantés dans l'utérus par voie vaginale. Pour favoriser leur implantation, on administre de la progestérone à la patiente. Les chances de grossesse augmentent avec le nombre d'embryons réimplantés, mais le risque de grossesse multiple et les complications que cela sous-entend incitent à limiter la réimplantation à deux ou trois embryons. Le taux de réussite de cette technique se situe entre 25 et 30 %. Les embryons qui n'auraient pas été utilisés peuvent être congelés afin de servir pour d'éventuelles réimplantations ultérieures.

Fémur

Le fémur est l'os long de la cuisse. Sa mesure est souvent réalisée lors de l'échographie fœtale et entre parfois dans le calcul de l'estimation du poids fœtal. Il apparaît à l'écran sous la forme d'une « canne » blanche. La longueur fémorale est reportée sur les courbes de croissance et estimée en percentiles.

VOIR : ESTIMATION DE POIDS FŒTAL, PERCENTILES

Fièvre

On parle de fièvre, ou d'hyperthermie, quand la température du corps est supérieure à 38 °C.

Pour être précise, la mesure de la température du corps doit être mesurée par un thermomètre introduit dans le rectum, et non sous l'aisselle ou dans la bouche. La fièvre n'est pas une maladie en soi, mais le symptôme d'une affection ; il faut donc en trouver la cause.

Chez les femmes enceintes, on recherche avant tout une infection urinaire ou une ***listériose***, deux affections susceptibles d'avoir de graves conséquences sur la grossesse, mais qui peuvent être combattues par des antibiotiques.

Par ailleurs, la fièvre peut avoir un retentissement sur le fœtus si elle persiste ou est très élevée. Elle peut notamment entraîner une tachycardie du fœtus, et augmente le risque de fausse couche et de ***prématurité***. Il est donc conseillé aux femmes enceintes, en cas de fièvre, de consulter leur médecin ou au moins de prendre son avis éclairé. En effet, seul le praticien saura estimer le degré d'urgence et prendre les mesures nécessaires.

Fœtoscopie

Cet examen pratiqué chez la femme enceinte permet, à l'aide d'une fibre optique introduite dans l'utérus, de visualiser le fœtus. Il a été dans la grande majorité des cas supplanté par l'***échographie*** et n'a plus aujourd'hui que de très rares indications.

Les seules indications de la fœtoscopie sont actuellement certaines interventions chirurgicales, rares, réalisées sur le fœtus ou les ***annexes*** (laser pour la coagulation du cordon ou les vaisseaux du placenta), ainsi que le diagnostic de maladies héréditaires de la peau nécessitant une biopsie (prélèvement de tissu) cutanée.

On lui préfère l'échographie chaque fois que c'est possible, technique non invasive qui permet une visualisation des malformations congénitales de la face et des extrémités.

Fœtus

On appelle ainsi le futur bébé depuis le 3e mois de grossesse (10e semaine d'aménorrhée) jusqu'à sa naissance.

Ce stade de développement fait suite à celui de l'***embryon***. Au début du stade fœtal, tous les organes du futur bébé sont déjà présents ; les mois qui vont s'écouler jusqu'au terme seront surtout une période de maturation et de croissance.

> 3e mois. Le foie du futur bébé se développe beaucoup, son intestin s'allonge, ses reins fonctionnent et ses urines commencent à se déverser dans le ***liquide amniotique***. Le visage se modèle : ses lèvres se dessinent, les yeux se rapprochent peu à peu du centre de la face. Les premiers os se forment. À la fin du 3e mois, le fœtus mesure 12 cm et pèse 65 g.

> 4e mois. Le fœtus ouvre et ferme ses poings. Il semble que le goût se développe précocement, que le fœtus avale le liquide amniotique et perçoive certaines saveurs. Le toucher se développe également tôt, et le fœtus sent quand on le touche à travers le ventre maternel ; cette perception est exploitée par l'***haptonomie***. Les premiers cheveux apparaissent. À la fin du 4e mois, le fœtus pèse environ 250 g et mesure 20 cm.

> 5e mois. La multiplication des cellules nerveuses s'achève. Les mouvements du fœtus sont perçus par la mère. Il commence à être recouvert par un duvet appelé lanugo. Ses ongles poussent. À la fin du 5e mois, il pèse 650 g et mesure 30 cm.

> 6e mois. Le fœtus bouge beaucoup et ses périodes d'activité alternent avec des périodes de sommeil ; il commence à réagir aux bruits extérieurs. Il mesure 37 cm et pèse 1 kg.

> 7e mois. Ses yeux peuvent s'ouvrir ; la vue existe potentiellement, le fœtus pouvant réagir à une violente lumière dirigée vers sa tête à travers l'abdomen maternel. Il mesure 42 cm et pèse 1500 g.

> 8e mois. Le fœtus se place le plus souvent la tête en bas, dans la position qu'il aura lors de l'accouchement. Le lanugo tombe peu à peu et est remplacé par un enduit protecteur graisseux et blanchâtre, le vernix. À la fin du 8e mois, le fœtus mesure 47 cm et pèse 2,5 kg.

> 9e mois. Ses poumons sont prêts à fonctionner. Le vernix se détache et flotte dans le liquide amniotique. Les os du crâne ne sont pas encore soudés ; les espaces qui les séparent, les fontanelles, s'ossifieront après la naissance. À terme, le fœtus mesure 50 cm et pèse en moyenne 3,2 kg. Tous ses organes ne sont pas matures, en particulier le cerveau, qui poursuivra son développement pendant plusieurs années.

Fontanelles

Ces sont les espaces recouverts d'une membrane souple et situés à la rencontre des différents os du crâne du fœtus et du petit enfant.

On distingue la fontanelle antérieure (ou grande fontanelle, ou bregma), en forme de losange, et la fontanelle postérieure (ou petite fontanelle, ou lambda), en forme de triangle. Les fontanelles s'ossifient progressivement après la naissance et ne sont en général plus perçues après l'âge de 1 an.

Ce sont les fontanelles qui permettent à l'obstétricien ou à la sage-femme de déterminer l'orientation de la tête du fœtus dans le bassin durant l'accouchement. Lors du toucher vaginal, le praticien perçoit en effet une ou deux fontanelles et les sutures qui les relient, indiquant dans quel sens se tourne la tête du bébé. Dans les cas les plus fréquents, la fontanelle postérieure se situe sous l'os du pubis de la parturiente juste avant l'expulsion ; on dit alors que le fœtus est en occipito pubien (ou OP), position la plus favorable à l'accouchement.

Forceps

VOIR : EXTRACTION INSTRUMENTALE

Génétique

Née au milieu du XIXe siècle, la génétique est la science de l'hérédité. Elle connaît depuis plusieurs années un remarquable essor ; cependant il reste encore des obstacles à franchir pour pouvoir traiter avec succès les nombreuses maladies génétiques.

> ADN, chromosomes et gènes. Chacune de nos cellules contient dans son noyau 46 chromosomes formant la molécule d'ADN, et environ 35 000 gènes différents, chacun situé à un endroit bien spécifique des ***chromosomes***, appelé locus. Le gène, c'est ce qui détermine l'expression d'un caractère (couleur des cheveux ou des yeux, par exemple). Son rôle est de conditionner la synthèse d'une ou de plusieurs protéines, donc la manifestation et la transmission d'un caractère héréditaire déterminé.

> Les espoirs portés par la génétique moléculaire. Depuis les années 1970, le développement des techniques de biologie moléculaire permet d'étudier dans le détail la molécule d'ADN. L'ensemble de ces techniques, appelé génétique moléculaire, permet actuellement, pour certaines maladies dont le gène a été isolé, de proposer aux couples concernés la recherche d'une anomalie génétique chez le fœtus (diagnostic prénatal). Les progrès de la génétique moléculaire laissent espérer que l'on isolera un jour la totalité des gènes responsables des maladies génétiques. On pourra alors réaliser le ***diagnostic prénatal*** de toutes ces maladies et, peut-être, envisager leur guérison définitive en remplaçant dans chaque cellule le gène altéré par sa copie normale.

> Conseil génétique. Un couple qui désire un enfant, mais craint ou risque de lui transmettre une maladie génétique, peut faire appel au conseil génétique, dont le but est d'évaluer le risque de survenue d'une maladie génétique chez un enfant à naître. Le conseil génétique essaie de fournir l'information la plus objective possible sur les risques encourus. Il fait appel, selon la complexité du problème, à une collaboration pluridisciplinaire entre médecins : généticiens, obstétriciens, échographistes... mais aussi pédiatres, voire chirurgiens pédiatriques, qui donneront un avis éclairé sur la prise en charge du bébé après la naissance.

Un examen de dépistage anténatal (***biopsie de trophoblaste, amniocentèse***...) peut être prescrit. En outre, le conseil génétique permet d'évaluer les risques de récidive de la maladie génétique lors d'une grossesse ultérieure. Dans tous les cas, ce sont les parents qui décident, en dernier ressort, de débuter une grossesse, de la poursuivre ou de recourir à une interruption de grossesse s'il est avéré que le bébé est porteur d'une anomalie grave et incurable.

VOIR : CARYOTYPE, INTERRUPTION MÉDICALE DE GROSSESSE, MALADIE HÉRÉDITAIRE, TRANSMISSION GÉNÉTIQUE

Glycémie

La glycémie est le taux de sucre (glucose) dans le sang. Grâce à l'équilibre entre différentes hormones, elle se maintient en général à un taux constant, malgré les variations des apports extérieurs (alimentation) et de la consommation (effort physique). L'un des acteurs principaux de cette régulation est l'insuline, une hormone qui fait baisser la glycémie.

Lorsque le taux de glucose s'effondre, on parle d'«hypoglycémie», et, dans le cas contraire, d' «hyperglycémie». L'hyperglycémie est caractéristique du ***diabète***. Lors de la grossesse, le médecin prescrit un examen sanguin afin de dépister un éventuel diabète gestationnel : c'est le dosage de la glycémie, réalisé en laboratoire à partir de deux échantillons de sang, le premier prélevé à jeun et le second après ingestion d'une quantité donnée de sucre. Les valeurs normales de cet examen sont inférieures à 0,95 g/l à jeun et à 1,4-1,6 g/l deux heures plus tard.

Chez les femmes enceintes diabétiques, une surveillance régulière de la glycémie est nécessaire. Elle est prise en charge par les intéressées elles-mêmes, et consiste à prélever une goutte de sang au bout du doigt et à la mettre en contact avec une bandelette réactive introduite dans un lecteur qui affiche la glycémie. Cet examen peut être répété plusieurs fois par jour si nécessaire.

Grossesse extra-utérine

Après sa fécondation, l'œuf continue sa migration avant de s'implanter dans l'utérus entre le 7e et le 9e jour. Mais l'implantation peut être anormale, et s'effectuer en dehors de la cavité utérine, au niveau des trompes de Fallope par exemple (96 % des cas) : c'est alors une grossesse extra-utérine, ou grossesse ectopique. La fréquence des grossesses extra-utérines est d'environ 2 % en France.

> Les facteurs de risque. Ce sont surtout les infections des trompes de Fallope (salpingite), qui multiplient le risque par six ; le tabagisme (x 5) ; les interventions chirurgicales sur les trompes, la ***procréation médicalement assistée*** (x 2) ; l'exposition in utero au Distilbène® ; l'endométriose (présence de fragments de la muqueuse de l'utérus en dehors de sa localisation normale). Les grossesses extra-utérines sont en progression dans les pays industrialisés, en raison de l'augmentation des maladies sexuellement transmissibles et du recours plus fréquent à la procréation médicalement assistée.

> Quels sont les signes d'alerte ? Une grossesse extra-utérine se manifeste le plus souvent par des douleurs localisées dans le petit bassin et par des ***métrorragies*** (saignements survenant en dehors des règles). Le diagnostic repose sur l'examen clinique, le dosage sanguin du taux de l'hormone de grossesse et l'échographie.

> Quel sont les traitements ? La grossesse extra-utérine est une urgence nécessitant une prise en charge adaptée. Le danger réside dans le risque d'hémorragie par rupture de vaisseaux : l'organe au sein duquel se développe l'embryon est en effet inadapté, inextensible, et finit par se rompre, entraînant une hémorragie interne qui peut être fatale. Le traitement est, selon le cas, chirurgical ou médical.

Le traitement chirurgical (ouverture de la trompe pour en retirer l'œuf ou, dans les cas les plus graves, ablation de la trompe) est le plus souvent réalisé lors d'une ***cœlioscopie***. Le traitement médical, possible dans certains cas, fait appel à un médicament chimiotoxique, le méthotrexate ; ce traitement, qui agit sur les cellules à division rapide, permet la régression et la disparition de la grossesse. Certaines grossesses extra-utérines disparaissent spontanément par fausse couche.

Grossesse multiple

C'est le développement simultané de plusieurs embryons dans l'utérus. Le terme de grossesse multiple désigne les jumeaux mais aussi les triplés (3 fœtus), les quadruplés (4), etc. Le nombre de ces grossesses, fréquentes en Europe (1 grossesse sur 89), a littéralement explosé sous l'influence de la ***procréation médicalement assistée***.

Les facteurs favorisant les grossesses multiples sont le recours à la stimulation ovarienne (administration de médicaments favorisant la maturation d'***ovules*** par les ovaires) et les antécédents de grossesses multiples dans la famille. Les grossesses multiples comportent davantage de risques que les autres : risque accru de fausse couche, de ***prématurité***, d'***éclampsie***, enfants de petit poids à la naissance, etc. Par ailleurs, au-delà de deux fœtus, elles peuvent être socialement difficiles à supporter. Le haut risque et les difficultés engendrées par la prise en charge des bébés après la naissance, les conflits sociaux et familiaux générés font que l'on propose aux parents dans certains cas (quadruplés et plus), en début de grossesse, la réduction médicale du nombre d'embryons. Une grossesse multiple exige une prise en charge précoce (possible grâce à l'échographie) et adaptée, une surveillance accrue, du repos et un arrêt anticipé de l'activité physique. Dans de nombreux cas, et pour éviter tout accident à la naissance, il est proposé de déclencher l'accouchement peu avant le ***terme***. Les jumeaux peuvent parfaitement naître par les voies naturelles.

VOIR : ACCOUCHEMENT DÉCLENCHÉ

Groupes sanguins

Le sang est composé d'une partie liquide, le plasma, et de cellules. Il existe à la surface de ces cellules des substances appelées antigènes : leur rôle est de réagir quand des éléments étrangers sont introduits dans l'organisme, en formant des anticorps (réaction immunitaire). Il existe de nombreuses variétés d'antigènes (une vingtaine pour les seuls globules rouges). Or, tout le monde n'a pas exactement le même sang : ces antigènes diffèrent d'une personne à une autre. Les différents antigènes appartenant à une même variété constituent un groupe sanguin.

Les groupes sanguins devant impérativement être respectés en cas de transfusion (leur non-respect pouvant entraîner de très graves affections chez le transfusé) sont le système ABO et, dans une moindre mesure, le système Rhésus.

Le système ABO comprend 3 antigènes présents à la surface des globules rouges : A, B et AB. Certaines personnes ne sont porteuses d'aucun de ces antigènes : ce sont celles du groupe O. Les personnes dont le sang appartient au groupe AB peuvent recevoir du sang de tous les autres groupes ; elles sont dites « receveurs universels ». En revanche, les personnes du groupe O ne peuvent recevoir que du sang du même groupe, mais elles peuvent donner leur sang à des personnes appartenant aux autres groupes : elles sont dites « donneurs universels ».

Le système Rhésus comprend cinq principaux antigènes: D, C et c, E et e. Les individus qui possèdent l'antigène D sont dits «Rhésus positif» (Rh+) ; en son absence, on parle de «Rhésus négatif» (Rh–).

VOIR : INCOMPATIBILITÉ RHÉSUS, MALADIE HÉMOLYTIQUE DU NOUVEAU-NÉ

Haptonomie

C'est une science de la vie affective étudiant les phénomènes inhérents aux contacts (essentiellement tactiles) dans les relations humaines. L'haptonomie, approche concrète fondée par Frans Veldman, met en œuvre et développe les facultés grâce auxquelles l'être humain peut atteindre épanouissement et santé. Elle concerne la courbe entière de la vie, depuis la conception (accompagnement périnatal) jusqu'à la mort (accompagnement des mourants). Elle s'applique à la pédagogie, à la médecine ou encore à la psychothérapie ; elle répond à des infirmités ou des troubles physiques (haptosynésie). Au cours du soin, elle fait appel à un type de contact qui invite la personne, dans l'interaction avec le soignant, à activer sa psychomotricité autonome.

Dans son application la plus connue, l'accompagnement pré et postnatal des parents et de leur(s) enfant(s), l'haptonomie permet d'établir des relations affectives avec le(s) bébé(s) dès la conception. Elle permet aussi de mieux appréhender la douleur, en maintenant le contact affectif avec le bébé. Elle sollicite la participation du père tout au long de la grossesse. Les séances, qui débutent au 4e mois de la grossesse et ont lieu toutes les trois semaines, sont menées par un praticien – médecin ou sage-femme – formé par le Centre international de recherche et de développement de l'haptonomie (CIRDH).

Hauteur utérine

C'est l'un des examens cliniques pratiqués chez la femme enceinte. Il consiste à mesurer en centimètres, à l'aide d'un mètre ruban, la distance qui va du bord supérieur du pubis jusqu'au fond de l'utérus. La hauteur utérine permet de vérifier que le fœtus se développe normalement en poids et en taille.

La valeur de la hauteur utérine croît à mesure de l'avancée de la grossesse. De façon schématique, elle est égale, jusqu'au 7e mois, au nombre de mois de grossesse multiplié par quatre, puis elle augmente de 2 cm par mois les deux derniers mois, jusqu'à atteindre 32 cm.

Cette mesure permet d'évaluer la taille du fœtus et la quantité de ***liquide amniotique***. Toutefois, elle peut être faussée par différents facteurs tels que l'obésité, la présence de fibromes dans l'utérus, une grossesse gemellaire...

Hématome rétroplacentaire

Il s'agit d'un brusque décollement du placenta par une accumulation de sang, ou hématome. Cet accident grave, mais rare, touche essentiellement les femmes atteintes d'une maladie hypertensive de la grossesse, la ***prééclampsie***. Il s'agit d'une urgence médicale, qui met en jeu la vie de l'enfant et comporte des risques de complications majeures pour la mère.

Outre la prééclampsie, certains facteurs de risque peuvent être à l'origine d'un hématome rétroplacentaire, comme un traumatisme abdominal important (accident de voiture...). Parfois, le décollement survient de manière inopinée sans aucun signe avant-coureur.

Cet accident arrive plutôt au cours du 3e trimestre de grossesse ou lors de l'accouchement. Il se traduit par des pertes de sang noir, par une contraction prolongée et douloureuse de l'utérus et, dans les formes les plus graves, par une altération rapide de l'état général avec malaise, baisse de tension, angoisse. Les complications à craindre sont, pour la mère, une hémorragie importante associée à des troubles de la coagulation du sang, ce qui peut nécessiter des transfusions massives, voire une ablation de l'utérus.

Par ailleurs, le décollement du placenta par le caillot de sang prive le fœtus de tout apport de sang, ce qui met sa vie en danger. S'il est vivant, une ***césarienne*** en urgence est en général nécessaire pour le sauver. Dans le cas contraire, l'expulsion de l'enfant est réalisée par les voies naturelles si l'état de la mère le permet.

Le risque de récidive d'un tel accident est d'environ 10 % , ce qui justifie une surveillance accrue de toute grossesse ultérieure : une hospitali sation prolongée peut être nécessaire, ainsi qu'un déclenchement de l'accouchement dès que le fœtus est arrivé à un stade suffisant de maturité.

Hémorroïdes

Les hémorroïdes, varices des veines situées autour de l'anus, sont une affection très fréquente au cours de la grossesse et lors des suites de couches. Bénignes mais parfois très gênantes, voire douloureuses, elles peuvent être combattues en respectant quelques règles simples d'hygiène alimentaire.

> Causes et symptômes. Plusieurs facteurs concourent à l'apparition d'hémorroïdes pendant la grossesse: les modifications hormonales, responsables d'une dilatation des veines, la constipation, très fréquente durant cette période, et, enfin, l'importante pression exercée par le bébé à l'intérieur de l'abdomen.

Les hémorroïdes peuvent être externes (elles font saillie au niveau de l'anus) ou internes (elles sont situées dans le canal anal). Les symptômes évoluent souvent par poussées. Ils vont d'une simple pesanteur ressentie au niveau de l'anus et accompagnée de démangeaisons à une douleur intense provoquée par la formation d'un caillot dans la veine (thrombose) ou par l'extériorisation de l'hémorroïde (prolapsus). Des hémorroïdes peuvent également être accompagnées de saignements peu abondants (rectorragies) lors de l'émission des selles. Au cours de l'accouchement, il est très fréquent que se créent ou s'aggravent des hémorroïdes préexistantes, et qu'elles s'associent à une thrombose dans les suites de couches.

> Les traitements possibles. Des soins locaux (pommades et suppositoires) peuvent atténuer la douleur ; ils sont parfois associés à des toniques veineux administrés par voie orale. Au quotidien, des règles d'hygiène et de diététique sont aussi préconisés : suppression des aliments épicés, des boissons alcoolisées et ingestion d'aliments favorisant le transit pour lutter contre une éventuelle constipation.

Le traitement par sclérose ou l'ablation chirurgicale des hémorroïdes sont contre-indiqués pendant la grossesse. Une telle solution est à envisager en cas de gêne persistant au-delà de 3 mois après l'accouchement. En revanche, le traitement chirurgical d'une thrombose hémorroïdaire peut être pratiqué sous anesthésie locale même quand on est enceinte.

Hépatite virale

Une hépatite virale est une inflammation du foie due à un virus. Il en existe plusieurs types, provoqués par des virus différents : virus de l'hépatite A, B, C, D, E, les trois premiers étant les plus répandus. Il existe des vaccins contre les hépatites A et B ; ils ne sont pas contre-indiqués pendant la grossesse.

> Avec ou sans symptômes. La maladie se présente sous la même forme quel que soit le virus. Elle peut passer totalement inaperçue, ou se manifester par une fatigue, des nausées, des douleurs articulaires, des démangeaisons sur le corps, associées ou non à un ictère (coloration jaune de la peau et des muqueuses).

> L'hépatite A. C'est une maladie bénigne, qui s'attrape en ingérant de l'eau ou des aliments souillés (légumes, fruits de mer). Elle ne comporte aucun risque pour le fœtus, même si la mère la contracte pendant sa grossesse.

> L'hépatite B. Plus grave que la précédente, elle s'attrape par voie sanguine (utilisation de seringues souillées, par exemple) ou lors de rapports sexuels non protégés. Dans environ 10 % des cas, elle peut devenir chronique ; or, 20 % des cas d'hépatite chronique évoluent en une dégénérescence lente mais grave du foie, la cirrhose, qui peut évoluer à son tour en cancer du foie.

Par ailleurs, une femme enceinte porteuse du virus de l'hépatite B risque de le transmettre à son enfant lors de l'accouchement ou de l'allaitement. C'est pourquoi un dépistage de l'hépatite B est obligatoire au 6e mois. Si le test est positif, le bébé sera vacciné à la naissance, ce qui le protégera d'une éventuelle contamination ; une fois vacciné, le bébé pourra être nourri par sa mère.

> L'hépatite C. Elle se transmet essentiellement par voie sanguine ; il existerait un risque de transmission par voie sexuelle et lors de la grossesse, mais il est encore mal évalué. Cette forme d'hépatite comporte un risque important de passage à la chronicité, de l'ordre de 50 %. Il n'existe pas de vaccination ni de moyen de prévention qui permette de prémunir un fœtus contre la maladie si sa mère est porteuse du virus.

En cas d'exposition au virus pendant la grossesse, le bébé est soumis à sa naissance à une surveillance médicale stricte. L'allaitement maternel ne semble pas contre-indiqué.

Herpès génital

L'herpès génital est une maladie sexuellement transmissible (MST), due au virus *Herpes simplex*, qui touche principalement les adultes, et se manifeste par une éruption douloureuse sur les organes génitaux. Il existe un risque de transmission de cette maladie au nouveau-né, surtout lors de l'accouchement.

Chez un nouveau-né, l'herpès génital peut entraîner de graves complications. Aussi est-il est important de signaler la moindre gêne (démangeaison ou brûlure ressentie au niveau de la vulve ou du vagin) à son gynécologue, même si on ne pense pas être atteinte d'herpès génital.

Les femmes enceintes qui contractent ce virus doivent être très bien suivies sur le plan médical. En effet, en cas de poussée d'herpès, il existe un risque important de contamination de la mère à son enfant, par voie sanguine en cas de première infection, ou par les voies génitales en cas de réactivation de la maladie au cours de la grossesse. Dans ce cas, le bébé est le plus souvent contaminé lors de l'accouchement, mais peut aussi l'être avant la naissance: le fœtus est protégé par la ***poche des eaux***, qui l'isole complètement, mais il n'est pas rare que celle-ci se fissure en fin de grossesse, et ne fasse plus office de barrière protectrice.

Lorsqu'une femme enceinte souffre d'herpès génital, la décision de pratiquer une césarienne et le traitement du nouveau-né sont discutés au sein de l'équipe obstétrico-pédiatrique avant l'accouchement.

Homéopathie

L'homéopathie vise à stimuler les réactions de défense de l'organisme. Le traitement consiste ainsi à administrer au malade, sous une forme très diluée, une substance dont on pense qu'elle est capable de produire des troubles identiques aux troubles que le malade présente. On diminue progressivement la quantité jusqu'à des doses infinitésimales.

Les remèdes homéopathiques se présentent sous la forme soit de solutions, soit de granules, ou de globules, à placer sous la langue. Pendant la grossesse, certaines thérapeutiques homéopathiques peuvent être prescrites pour traiter les petits maux tels que les nausées, les troubles du sommeil, l'anxiété. Au moment de la naissance, certains traitements seraient susceptibles d'assouplir le col de l'utérus et ainsi d'aider le travail.

Hoquet du fœtus

Ce sont des mouvements rythmés de tout le corps du fœtus. Ils sont ressentis par la future mère, et peuvent avoir une durée variable (de une minute à une demi-heure environ).

De tels mouvements surviennent vers la fin du 2e trimestre et au 3e trimestre de la grossesse. Ils ne doivent pas inquiéter la future maman : ils sont parfaitement normaux, et probablement en rapport avec le fait que l'estomac du fœtus est temporairement plein de *liquide amniotique*. Ces hoquets à répétition ont tendance à se poursuivre après la naissance jusqu'à la fin du 1er mois, notamment après les biberons (le bébé absorbe davantage d'air lorsqu'il est nourri au biberon que lorsqu'il est allaité par sa mère). Ils disparaissent en général quand l'enfant se remet à téter.

Hormone de grossesse

Lorsqu'une femme est enceinte, son organisme se met immédiatement à fabriquer une hormone spécifique, appelée hormone chorionique gonadotrope (HCG). Cette hormone commence à être sécrétée une dizaine de jours après la fécondation, d'abord par le *trophoblaste* puis par le *placenta*.

Il existe en fait deux types d'hormone gonadotrope, respectivement appelées alpha et bêta. C'est la seconde (bêta HCG) qui est recherchée par les tests de grossesse.

La bêta HCG est détectable dans le sang dès le 9e jour après la fécondation, donc avant le retard de règle. Elle est également excrétée dans les urines : un test urinaire de grossesse (recherche de cette hormone dans les urines) est possible dès l'apparition d'un retard de règles.

Sa concentration augmente rapidement dans le sang et double toutes les 48 heures, pour atteindre un pic entre la 10e et la 12e semaine de grossesse. Ensuite, son taux baisse et se stabilise jusqu'à la naissance du bébé. Elle a totalement disparu du sang de la mère une semaine après l'accouchement.

Hydramnios

On appelle « hydramnios » un excès de *liquide amniotique*. Son principal risque est de provoquer un accouchement prématuré. Il peut être dépisté lors d'un examen clinique ou d'une échographie et rend nécessaire une surveillance accrue de la grossesse.

Le plus souvent, l'hydramnios se déclare très progressivement au cours de la seconde moitié de la grossesse. Il se manifeste par un excès du volume de l'utérus, une tension douloureuse de l'abdomen et une gêne respiratoire.

La cause n'est pas toujours retrouvée ; elle peut être liée à la mère (*diabète* gestationnel, grossesse multiple) ou au fœtus (déglutition perturbée par une malformation, une hernie ou un rétrécissement localisé dans l'appareil digestif...).

Outre une plus grande surveillance de la grossesse (mesure régulière de la *hauteur utérine* et du périmètre ombilical maternel, échographie), le traitement repose sur le repos et, dans certains cas, sur des ponctions de liquide amniotique.

Hypertension artérielle

L'hypertension est une élévation anormale de la pression artérielle, qu'elle soit ou non permanente. Pendant la grossesse, on considère comme anormale une pression artérielle égale ou supérieure à 14/9 au repos.

> Présente avant la grossesse. Dans ce cas, l'hypertension ne présente aucun lien avec le fait d'être enceinte, et évolue indépendamment de la grossesse. Le médecin s'attachera surtout à la stabiliser par des médicaments sans danger pour le développement du fœtus, sans tenter nécessairement de la faire baisser au-dessous de 14/9.

> Induite par la grossesse. Une hypertension induite par la grossesse est dite «gravidique». Elle est liée à une anomalie du *placenta*, qui se traduit par un apport sanguin insuffisant au fœtus : dans ce cas, l'hypertension constitue un phénomène compensatoire destiné à augmenter le débit sanguin placentaire.

Le plus souvent, l'hypertension gravidique se manifeste au 3e trimestre dans le cadre d'une *prééclampsie* : elle s'associe à une albuminurie (présence d'*albumine* dans les urines) et à des œdèmes des membres inférieurs (gonflement des jambes aggravé par la station debout et par une prise de poids rapide).

Le traitement vise à ne pas faire chuter la tension de façon trop importante, pour ne pas entraîner un retentissement sur le fœtus, mais à la contrôler pour prévenir d'éventuelles complications chez la mère.

Hypotension orthostatique

C'est une baisse brutale de la tension artérielle lors du passage de la position allongée à la position debout. Ce phénomène, très courant au cours de la grossesse, est sans gravité et ne nécessite aucun traitement.

Une hypotension orthostatique se traduit par une sensation passagère de malaise, associée à un bref obscurcissement de la vision, à un étourdissement et, éventuellement, à une brève perte de connaissance (syncope).

La tension artérielle est plus basse chez les femmes enceintes que chez les autres, et les modifications hormonales de la grossesse sont responsables d'une importante dilatation des vaisseaux sanguins dans la partie inférieure du corps. D'où la fréquence du phénomène d'hypotension orthostatique chez les femmes enceintes.

Si l'on souffre de ce phénomène et qu'il se répète, il est simplement conseillé de prendre certaines précautions pour éviter une chute : se lever progressivement et, en cas de varices importantes, porter des bas de contention (bas à varices).

Hypotrophie

VOIR : RETARD DE CROISSANCE INTRA-UTÉRIN

[I, J, K, L]

Ictère du nouveau-né

Dans les jours qui suivent la naissance, la peau ou le blanc des yeux du nouveau-né peuvent prendre une couleur jaune ou orangée. Le plus souvent, il s'agit d'un ictère simple, transitoire et sans gravité.

> L'ictère simple. Le plus souvent, l'ictère est isolé, sans fièvre ni troubles digestifs. Les selles ont une couleur normale. L'examen du bébé ne révèle aucune anomalie. Cet ictère simple du nouveau-né se produit fréquemment chez les prématurés.

C'est l'augmentation du taux sanguin de bilirubine qui provoque cette couleur orangée de la peau. La bilirubine est un pigment biliaire qui provient de la dégradation normale de l'hémoglobine, du fait du renouvellement des globules rouges ; elle subit une transformation chimique au niveau du foie avant d'être éliminée dans le tube digestif. Parfois, cette transformation n'est pas assez efficace dans les heures qui suivent la naissance ; ce défaut se corrige rapidement, et l'ictère disparaît vite. Quelques séances de ***photothérapie*** diminuent son intensité.

> L'ictère au lait de mère. Lorsque l'ictère persiste au-delà d'une semaine, d'autres affections peuvent être en cause. En cas d'allaitement maternel, il arrive que le lait de la mère contienne une substance qui diminue l'activité de l'enzyme du foie permettant l'élimination de la bilirubine. Si l'examen du bébé est normal et si le fait de chauffer le lait à 57 °C pendant une dizaine de minutes entraîne une diminution de l'ictère, ce dernier est alors bénin et l'allaitement maternel peut être poursuivi. Sinon, d'autres causes devront être recherchées.

L'ictère du nouveau-né peut en effet aussi traduire une incompatibilité sanguine entre le fœtus et sa mère ou révéler un problème plus général. L'examen de l'enfant et des analyses sanguines permettront alors d'en déterminer l'origine.

Incompatibilité Rhésus

Lorsque le sang de la mère appartient au groupe Rhésus négatif et celui de l'enfant au groupe Rhésus positif, il existe un antagonisme entre le sang de la femme enceinte et celui de son fœtus. Ce problème peut entraîner chez le bébé une grave forme d'anémie, appelée «maladie hémolytique du nouveau-né». Aujourd'hui, grâce aux examens sanguins obligatoires auxquels sont soumises les femmes enceintes, il est exceptionnel que l'incompatibilité Rhésus ait des conséquences graves.

Les ***groupes sanguins*** les plus importants sont le système ABO et le système Rhésus. Ce dernier doit son nom à un singe d'Asie, *Macacus rhesus,* qui servit de cobaye à la fin des années 1930. Il comprend cinq principaux antigènes, dont le D. Les personnes ayant l'antigène D sont Rhésus positif (Rh+) ; en son absence, elles sont Rhésus négatif (Rh–), ces dernières représentent environ 10 % de la population.

Lorsqu'une femme Rh– est enceinte d'un enfant Rh+, le contact de son sang avec celui de l'enfant qu'elle porte entraîne chez elle la formation d'anticorps anti-Rhésus (agglutinines irrégulières). Ce contact ne survient habituellement que lors de l'accouchement. Mais si cette femme attend un deuxième enfant Rh+, ses anticorps anti-Rhésus risquent de détruire les globules rouges du fœtus, exposant celui-ci à la maladie hémolytique du nouveau-né.

La prévention de cette affection repose sur différentes précautions : respect de la compatibilité des groupes sanguins donneur-receveur en cas de transfusion chez une femme en âge de procréer, injection aux femmes Rh– d'anticorps appelés «gammaglobulines» à chaque fois qu'un contact entre le sang fœtal et le sang maternel peut être soupçonné : accouchement, fausse couche, amniocentèse, métrorragie...

La surveillance des femmes enceintes passe par la confirmation de leur groupe sanguin ainsi que de celui du père de l'enfant. En effet, pour être Rh+, un fœtus issu d'une mère Rh– doit forcément avoir un père Rh+. Il est aujourd'hui possible de déterminer le rhésus de l'enfant à naître par une prise de sang chez la mère en début de grossesse. Chez les femmes Rh–, l'apparition d'anticorps est surveillée par un examen réalisé sur un prélèvement sanguin, appelé recherche d'agglutinines irrégulières. Cet examen est obligatoirement pratiqué en début de grossesse, à six mois (28 semaines d'aménorrhée), date à laquelle une injection unique de gammaglobulines sera proposée pour éviter l'apparition d'anticorps maternels; en effet, dans cette période, les échanges placentaires entre fœtus et la mère et le augmentent.

Incontinence urinaire

Les pertes d'urine involontaires surviennent en général lors d'un effort (marche, toux, éternuement).

Fréquente en fin de grossesse et après un accouchement, l'incontinence urinaire peut persister après la naissance du bébé et se révéler très invalidante. Pour la traiter et la prévenir, la meilleure solution est d'effectuer la ***rééducation du périnée*** proposée après l'accouchement.

Certaines femmes sont particulièrement exposées à l'incontinence urinaire après leur accouchement : celles ayant certaines spécificités anatomiques (mauvaise qualité des tissus du périnée, par exemple), celles ayant accouché d'un bébé très gros (supérieur à 4 kg), celles qui ont connu un accouchement difficile avec extraction instrumentale ou déchirure du périnée (le caractère préventif de l'épisiotomie sur le risque d'incontinence urinaire est très controversé).

Si l'incontinence urinaire persiste après 10 à 20 séances de rééducation du périnée, et au-delà de six mois, une prise en charge plus spécialisée doit être envisagée avec votre gynécologue. Dans certains cas, une intervention chirurgicale est nécessaire.

Infection urinaire

VOIR : CYSTITE, PYÉLONÉPHRITE

Infection vaginale

VOIR : LEUCORRHÉE

Insémination artificielle

VOIR : PROCRÉATION MÉDICALEMENT ASSISTÉE, STÉRILITÉ

Insomnie

Des réveils pendant la nuit ou une difficulté à s'endormir sont des troubles du sommeil relativement fréquents, et tout à fait normaux, quand on est enceinte, surtout au 1er trimestre et en fin de grossesse.

Tandis que les insomnies des premiers mois sont surtout liées à l'anxiété et au bouleversement psychologique induit par la grossesse, celles du dernier trimestre sont souvent provoquées par des raisons plus prosaïques : réveils dus à l'envie d'uriner, aux mouvements du bébé, crampes nocturnes, difficulté à trouver une position confortable…

Des siestes pour compenser le manque de sommeil ou un peu de relaxation pour s'endormir aideront à mieux supporter ces insomnies passagères. Le médecin peut prodiguer quelques autres conseils, prescrire éventuellement certains sédatifs légers. Mais les tranquillisants ou les somnifères sont réservés à des situations très particulières, car ils ne sont pas dénués de risques, surtout à proximité de l'accouchement et ne doivent pas être pris en automédication.

Interruption médicale de grossesse (IMG)

Lorsque la grossesse met en jeu la santé de la mère, ou que le fœtus qu'elle porte souffre d'une affection grave et incurable, un avortement peut être provoqué après avis de deux médecins, dont un expert. On préfère aujourd'hui parler d'interruption médicale de grossesse, appellation jugée plus correcte que « interruption thérapeutique de grossesse ». L'accord de l'intéressée est bien sûr indispensable et imposé par la loi.

En France, une grossesse peut être légalement interrompue pour les motifs ci-dessus à n'importe quel terme de la grossesse. Avant 14 semaines d'aménorrhée, on a le plus souvent recours à la législation sur l'interruption volontaire de grossesse, ce qui permet de simplifier la procédure. Une assistance psychologique adaptée avant et après l'intervention est indispensable pour aider les parents, qui sont seuls à prendre la décision de l'interruption. L'équipe médicale est là pour les aider et les accompagner, et non pour juger leur décision.

Interruption thérapeutique de grossesse (ITG)

VOIR : INTERRUPTION MÉDICALE DE GROSSESSE

Interruption volontaire de grossesse (IVG)

L'IVG est un avortement provoqué à la demande de la femme enceinte, parce qu'elle s'estime par exemple en situation de détresse. On réserve souvent le terme d'avortement à l'interruption volontaire de grossesse.

La législation concernant l'autorisation de l'avortement et ses modalités est variable en fonction des pays. En France, elle est autorisée jusqu'à 14 semaines d'aménorrhée, sur la demande de l'intéressée et sans que le motif doive être justifié ; une consultation médicale est requise, pour s'assurer de la grossesse, de son terme, et pour formuler une demande écrite et signée confirmant le désir d'interrompre la grossesse.

Les rapports sexuels peuvent être repris dès que la femme en exprime le désir ; une méthode de contraception adaptée est indispensable pour éviter une nouvelle grossesse qui conduirait à une nouvelle IVG.

Jaunisse du nouveau-né

VOIR : ICTÈRE DU NOUVEAU-NÉ, PHOTOTHÉRAPIE

Jumeaux

Les jumeaux sont deux enfants nés d'une même grossesse. Dans le monde, les grossesses gémellaires surviennent dans 1 cas sur 80. Les jumeaux peuvent provenir de deux œufs distincts (faux jumeaux) ou d'un même œuf (vrais jumeaux).

› Faux jumeaux. Dans près des trois quarts des cas de gémellité, les deux enfants proviennent de deux ***ovules*** fécondés par deux spermatozoïdes différents. Ce phénomène peut survenir de manière spontanée ou résulter de traitements d'induction d'ovulation proposés en cas de stérilité ou d'hypofertilité. Deux œuf s se développent avec deux ***placentas***, dans deux poches amniotiques. La grossesse est dite dizygote. Les deux fœtus peuvent être de même sexe ou non, et n'ont pas plus de ressemblance génétique que deux enfants nés de deux grossesses successives.

› Vrais jumeaux. Dans les autres cas de gémellité, les deux enfants proviennent d'un œuf unique qui s'est divisé à un stade précoce du développement. La grossesse est dite monozygote. Les deux enfants ont alors forcément le même sexe et le même capital génétique. En fonction de la précocité de la division, ils peuvent avoir un placenta séparé ou commun, voire être dans la même poche amniotique.

› Vrais ou faux jumeaux, comment savoir ? Cette question est souvent posée aux médecins avant la naissance, mais il n'est pas toujours facile d'y répondre. L'échographie peut apporter une certitude dans deux situations : si les jumeaux sont de sexe différent (ce sont forcément des faux jumeaux) ; s'ils partagent un même placenta et une même poche des eaux (ce sont forcément des vrais jumeaux). Toutefois, l'appréciation du placenta peut être malaisée, car deux masses distinctes peuvent fusionner au cours de la grossesse et induire un faux diagnostic de placenta unique ; seul l'examen du placenta après la naissance permettra de corriger une éventuelle erreur d'estimation. Après la naissance, une étude réalisée à partir d'un échantillon de sang des deux enfants (phénotype) peut permettre, sans certitude absolue, d'orienter vers des vrais ou des faux jumeaux. Tout cela explique la difficulté des médecins à répondre à cette question qui paraît pourtant élémentaire ; le plus souvent, seul le temps, par la ressemblance entre les deux enfants, apportera la preuve qu'il s'agit ou non de vrais jumeaux.

VOIR : GROSSESSE MULTIPLE

Leucorrhée

Motif fréquent de consultation, la leucorrhée est un écoulement non sanglant par le vagin. Elle traduit parfois une infection génitale, mais peut aussi être tout à fait normale.

> La leucorrhée normale (ou physiologique). C'est l'évacuation de sécrétions normales du vagin et du col de l'utérus. Celles-ci sont d'aspect blanchâtre, inodores, et n'entraînent aucun symptôme. Au cours de la grossesse, elles peuvent devenir très abondantes en raison des modifications hormonales, qui rendent le vagin plus acide. Si l'examen clinique a confirmé leur caractère non pathologique, ces leucorrhées physiologiques ne nécessitent ni examen complémentaire ni traitement.

> La leucorrhée témoignant d'une infection génitale. Chez les femmes enceintes, l'infection la plus fréquente est due à un champignon, *Candida albicans*. C'est une infection bénigne, sans conséquence pour le bébé mais parfois très gênante, qui tend à survenir à répétition car elle est favorisée par la modification de l'acidité du vagin propre à la grossesse. Elle se traduit par des pertes blanches épaisses évoquant le lait caillé, accompagnées de démangeaisons intenses au niveau de la vulve et du vagin, et éventuellement de brûlures urinaires.

L'infection à *Candida albicans* est soit contractée par le partenaire, soit, le plus souvent, par auto-infestation, les candidas étant présents à l'état normal dans la flore génitale. Le traitement repose sur une bonne hygiène, une toilette intime simple au savon de Marseille ou, mieux, avec un gel doux sns savon et l'application d'antimycosiques locaux (ovules vaginaux, crèmes).

D'autres germes peuvent être responsables de leucorrhées. Il est souvent nécessaire, pour déterminer un traitement adapté, d'effectuer un prélèvement des sécrétions vaginales. C'est l'analyse de ce prélèvement par le laboratoire qui précisera la nature de l'infection. Il est important de dépister et de traiter toute infection vaginale pendant la grossesse. En effet, certaines infections peuvent provoquer une fragilisation des membranes amniotiques entraînant une rupture de celles-ci. Certains germes, comme le streptocoque B, doivent impérativement être traités par perfusion d'antibiotiques au moment de l'accouchement, pour éviter une contamination du bébé lors de son passage dans le vagin.

VOIR : VAGINITE

Liquide amniotique

C'est le liquide de couleur claire dans lequel baigne le fœtus, au sein de la bulle que constituent les membranes (*poche des eaux*) et le placenta.

> Le liquide amniotique provient essentiellement de l'urine et des sécrétions broncho-pulmonaires du fœtus ainsi que de celles des membranes. Sa quantité par rapport au volume du fœtus augmente petit à petit, puis décroît au 3e trimestre. C'est la raison pour laquelle l'échographie du 2e trimestre est celle qui renseigne le mieux sur la morphologie du fœtus ; en effet, c'est le liquide (fond noir à l'écran) qui permet la visualisation du futur bébé par les ultrasons. Le liquide amniotique se renouvelle en permanence ; il est avalé par le fœtus puis éliminé au cours de la miction.

On parle d'***hydramnios*** en cas d'excès de liquide amniotique et d'***oligoamnios*** dans le cas contraire. Le prélèvement de liquide amniotique (***amniocentèse***) renseigne sur les chromosomes des cellules du fœtus, mais peut aussi donner des informations sur son état biologique ou sur sa maturation pulmonaire.

En cas de souffrance fœtale, le liquide amniotique se colore d'une teinte verdâtre en raison de l'émission prématurée du ***méconium*** (premières selles de l'enfant). Si les membranes sont encore intactes mais que le col de l'utérus est ouvert, on peut rechercher cette coloration par un examen appelé «***amnioscopie***».

Liquide méconial

VOIR : MÉCONIUM

Listériose

Cette maladie infectieuse est due à un bacille (*Listeria monocytogenes*). Contractée en dehors de la grossesse, elle reste bénigne. Mais chez la femme enceinte, elle peut provoquer une fausse couche ou un accouchement prématuré. Il s'agit toutefois d'une maladie rare, puisqu'elle touche environ une femme enceinte sur cent mille, et il est possible de la traiter par antibiotiques.

> Les symptômes. Ils sont très variables : fièvre modérée, signes évoquant une grippe, une infection urinaire ou pulmonaire, une affection abdominale, des maux de tête accompagnés de fièvre. Durant la grossesse, une listériose est ainsi envisagée à chaque fois que l'on souffre d'une fièvre inexpliquée.

Le médecin prescrit alors de manière quasi systématique des

antibiotiques, même si l'origine de la fièvre est apparemment un virus. Le diagnostic sera confirmé par la recherche du germe dans un prélèvement sanguin. Ces précautions se justifient par les graves effets de cette maladie sur le fœtus.

> En cas de contamination du fœtus. L'atteinte du fœtus se produit par passage du germe à travers le placenta. Il s'ensuit des contractions et l'interruption de la grossesse soit sous forme de fausse couche tardive, soit sous forme d'accouchement prématuré. Le fœtus peut mourir in utero (un tiers des cas) ou naître infecté, avec un risque d'atteinte grave (méningite, septicémie) pouvant déboucher sur le décès dans les premiers jours de la vie.

> La prévention. Elle est essentielle durant la grossesse, même si la listériose est une maladie rare. La prévention repose sur le respect de règles alimentaires, la contamination se faisant surtout par le biais des aliments : éviter la consommation de lait cru et de produits à base de lait cru ; consommer de préférence de la charcuterie préemballée et non à la coupe ; cuire soigneusement les aliments crus d'origine animale ; bien laver les légumes crus et les herbes aromatiques ; réchauffer les restes alimentaires et les plats cuisinés avant consommation ; conserver séparément les aliments crus et cuits ; bien laver ses mains et les ustensiles de cuisine après avoir manipulé des aliments crus ; nettoyer souvent le réfrigérateur.

Lochies

C'est l'écoulement par le vagin, pendant les ***suites de couches***, de débris de la muqueuse utérine mêlés à des caillots de sang.

Les lochies durent en moyenne une quinzaine de jours (davantage en cas de césarienne). Elles sont sanglantes pendant les trois premiers jours, puis s'éclaircissent progressivement. Leur odeur souvent un peu forte est due à la présence de vieux sang.

Lors du séjour à la maternité, la sage-femme s'informe de leur abondance et de leur aspect pour dépister une infection utérine débutante (***endométrite*** du post-partum).

Parfois, vers le 21e jour, les pertes peuvent augmenter de nouveau et redevenir plus sanglantes pendant 4 ou 5 jours. On appelle ce phénomène parfaitement normal le « petit retour de couches ».

Lymphangite

Lorsqu'on allaite, il se produit parfois une inflammation d'un canal lymphatique du sein, qu'on appelle «lymphangite».

Une lymphangite se traduit par une fièvre élevée (39 °C), qui survient brutalement, et par une douleur au sein associée à une rougeur localisée. Il s'agit d'une affection bénigne, qui ne constitue pas une contre-indication à l'allaitement. Elle est traitée par l'application de cataplasmes locaux, par des douches chaudes sur le sein touché et par la prise d'aspirine. Le repos favorise la guérison.

Mal de dos

Affection très fréquente chez les femmes enceintes, surtout à partir du 2e trimestre, le mal de dos est provoqué par des modifications musculaires et ligamentaires dues à la grossesse. Il disparaît progressivement après l'accouchement.

Dès les premiers mois de la grossesse, l'augmentation du volume de l'utérus provoque des modifications de la statique du corps (bascule du bassin et des épaules) et un changement du centre de gravité. En outre, les bouleversements hormonaux entraînent une hyperlaxité des ligaments articulaires du bassin et de la colonne vertébrale. Tous ces facteurs contribuent souvent à la survenue de maux de dos.

Chez les femmes enceintes, le mal de dos se fait surtout sentir en fin de journée, après des stations debout prolongées. Il touche le bas du dos (sensation de « mal aux reins »), et s'accroît parfois lorsqu'on se met debout ou lorsqu'on s'allonge. Ces douleurs ont un caractère très mécanique et disparaissent au repos. Elles se distinguent notamment en cela d'une éventuelle affection des reins (colique néphrétique ou ***pyélonéphrite***) – laquelle peut aussi se traduire par des douleurs dans le bas du dos, mais aiguës.

Quand la douleur se prolonge dans la fesse et dans la jambe jusqu'aux orteils, elle révèle en général l'existence d'une sciatique.

En cas de douleurs importantes ne disparaissant pas complètement lors du repos, le médecin peut prescrire éventuellement des antalgiques (les anti-inflammatoires, que l'on prend en général pour ce type d'affection, sont contre-indiqués pendant la grossesse). Des séances de kinésithérapie avec massage du dos pourront aussi aider à passer un cap difficile, ainsi que l'osthéopathie par un traitement positionnel.

VOIR : SCIATIQUE

Maladie hémolytique du nouveau-né

La maladie hémolytique du nouveau-né est provoquée par la destruction de ses globules rouges, pendant la vie intra-utérine, en raison d'une incompatibilité sanguine entre sa mère et lui. Il s'agit d'une affection aujourd'hui très rare, qui est prévenue par les examens sanguins pratiqués systématiquement chez toutes les femmes enceintes. Le cas échéant, le bébé est transfusé à la naissance ou pendant la grossesse.

> Un problème d'incompatibilité sanguine. La maladie hémolytique survient le plus souvent en cas d'***incompatibilité Rhésus***. Lorsque le sang maternel est Rhésus négatif et celui du fœtus,

Rhésus positif, la mère peut fabriquer des anticorps qui détruisent les globules rouges du futur bébé. Mais les anticorps d'autres groupes sanguins peuvent aussi être impliqués dans cette maladie.

En l'absence de traitement, le bébé naît avec un excès de bilirubine libre (produit de dégradation toxique de ses globules rouges) qui se traduit par un ictère et peut entraîner des lésions irréversibles du cerveau.

> Une grossesse sous surveillance. En général, une femme qui a déjà eu une incompatibilité Rhésus avec un de ses enfants est l'objet de mesures préventives, le but étant qu'elle ne produise pas d'anticorps anti-Rhésus+ (injection de gammaglobulines lors d'un précédent accouchement par exemple). Mais si, en dépit de toutes ces précautions, des anticorps anti-Rhésus+ sont dépistés dans le sang d'une femme enceinte, un examen sanguin est réalisé pour les quantifier et apprécier le risque de complications en fonction du terme de la grossesse.

Le fœtus est alors surveillé au moyen d'échographies, afin de détecter au plus vite toute anomalie pouvant découler de l'anémie : épanchement liquidien autour du cœur, œdème généralisé... Dans certains cas, une ***amniocentèse*** est pratiquée pour préciser le risque en mesurant le taux de bilirubine dans le liquide amniotique ponctionné.

> Transfusion in utero ou à la naissance. En fonction de ces différents éléments, il est décidé ou non de transfuser le bébé, à la naissance ou in utero : le remplacement de la plus grande partie de son sang (on parle dans ce cas d'exsanguinotransfusion) permet de le guérir en corrigeant l'anémie et en éliminant la bilirubine de son sang.

En cas de transfusion in utero, le sang transfusé est Rh– (pour éviter que les anticorps maternels ne détruisent les globules rouges neufs). L'injection est pratiquée dans le cordon ombilical, sous contrôle échographique, et peut être répétée plusieurs fois avant l'accouchement.

Maladie héréditaire

Le support de l'hérédité présent dans chacune de nos cellules, l'ADN, est constitué de segments, les gènes. Chaque gène correspond à un caractère héréditaire (la couleur des yeux, par exemple). Parfois, un gène subit une mutation, c'est-à-dire une altération de l'information qu'il porte, ce qui peut se traduire par une maladie. Or, un gène muté est, comme n'importe quel autre gène, transmissible de génération en génération : la maladie dont il est responsable est donc héréditaire.

La transmission des maladies héréditaires obéit aux lois de la ***génétique***. Certaines maladies ne s'expriment chez un enfant que si celui-ci a hérité le gène en cause de ses deux parents (maladies récessives). D'autres se déclarent même si un seul parent lui a transmis le gène (maladies dominantes). D'autres encore sont liées aux chromosomes sexuels (maladies liées à l'X).

On a, à ce jour, répertorié plus de 5 000 maladies héréditaires.

VOIR : TRANSMISSION GÉNÉTIQUE

Maladies infectieuses pendant la grossesse

Les maladies infectieuses ne doivent pas être prises à la légère, et en encore moins durant la grossesse. Certaines d'entre elles peuvent en effet influer sur la santé du fœtus.

Les infections urinaires (***cystite***), rénales (***pyélonéphrite***) et vaginales (notamment mycoses) sont favorisées par les bouleversements hormonaux de la grossesse. Certaines d'entre elles sont bénignes, mais d'autres induisent un risque d'accouchement prématuré ou d'infection du nouveau-né lors d'un accouchement par les voies naturelles. Il est donc important de toujours les soigner.

D'autres infections, à savoir la ***rubéole***, la ***listériose***, le ***cytomégalovirus*** et la ***toxoplasmose***, doivent être évitées par diverses mesures préventives. Elles peuvent avoir en effet de graves conséquences sur l'enfant (selon le cas, risque de malformation, d'infection grave, de décès in utero, de fausse couche ou de prématurité).

Enfin, l'***hépatite B***, une infection virale, implique un dépistage obligatoire. Si la mère est atteinte de la maladie, on peut vacciner le bébé à la naissance. En revanche, il n'existe encore aucune technique permettant d'éviter à 100 % la contamination du bébé si sa mère est atteinte du virus du sida.

VOIR : HERPÈS GÉNITAL, LEUCORRHÉE, VIH

Malaises

Un malaise est un état d'inconfort pouvant aller d'une simple gêne à une perte de connaissance prolongée. Les malaises sont fréquents au cours de la grossesse et le plus souvent bénins. Toutefois, en cas de malaises importants ou à répétition, il est impératif de consulter pour en rechercher la cause.

En début de grossesse, un malaise important associé à des douleurs dans l'abdomen peut être le signe d'une grossesse extra-utérine ou d'une fausse couche.

Ultérieurement, il peut être le signe d'affections bénignes et fréquentes : une ***hypotension orthostatique*** (en cas de passage brusque en position debout), ou encore une hypoglycémie (baisse du taux de sucre dans le sang). Plus rarement, il s'agit d'une anémie (dans ce cas, le malaise survient lors d'un effort et s'associe à un essoufflement et à une augmentation du rythme cardiaque).

En fin de grossesse, il n'est pas rare qu'un malaise survienne en position allongée sur le dos. Ce phénomène est d'origine anatomique : l'utérus, devenu volumineux, comprime les gros vaisseaux (aorte et veine cave), ce qui gêne le retour du sang vers le cœur. La prévention consiste à s'allonger plutôt sur le côté gauche.

En dehors de ces troubles propres aux femmes enceintes, un malaise important peut être lié à différentes affections préexistantes ou non à la grossesse (épilepsie ou maladie cardiaque, par exemple).

Marqueurs sériques (dosage des)

Le dosage des marqueurs sériques est l'un des examens permettant de dépister chez le fœtus un risque éventuel de ***trisomie 21***.

> En quoi consiste ce test ? Cet examen correspond au dosage dans le sang maternel de plusieurs marqueurs (ßHCG et alphaphétoprotéine, notamment), qui sont interprétés en fonction de l'âge maternel (anciennement « triple test »). Il est réalisé entre 14 et 18 semaines d'aménorrhée, voire 21 semaines par certains laboratoires. Son résultat est fourni au médecin pour interprétation. L'examen estime un risque ou une probabilité de trisomie 21, ce qui ne signifie pas que le fœtus soit trisomique si le résultat est anormal, mais qu'il serait prudent de le contrôler par amniocentèse.

L'autre examen qui permet de dépister la probabilité qu'un fœtus soit trisomique est la mesure de la nuque fœtale (clarté nucale) à l'***échographie*** de 12-13 semaines d'aménorrhée, ce dernier examen restant le plus pertinent.

> Quelles peuvent être les conséquences ? Le dosage des marqueurs sériques soulève une polémique. En effet, en réalisant cet examen, et si le résultat révèle un risque, on peut être amené à devoir réaliser une amniocentèse – qui risque de provoquer une fausse couche, mais qui met fin à l'incertitude des parents. L'amniocentèse est en effet le seul examen qui permette de savoir vraiment ce qu'il en est. Elle est réalisée dans le but d'interrompre éventuellement la grossesse si le bébé était trisomique (il n'existe aucun traitement de la trisomie 21).

Avant un dosage des marqueurs sériques, la future maman doit signer des formulaires d'information pour que l'on s'assure qu'elle ait bien compris les tenants et aboutissants de cette prise de sang. Cette signature est surtout là pour l'alerter et ne pas banaliser l'examen, et non comme une obligation. Quel que ce soit le résultat, les décisions qui s'ensuivent sont du seul ressort des parents.

> Combiner dosage et échographie. Le dépistage par marqueurs sériques conduit à réaliser davantage d'amniocentèses pour repérer les anomalies qui seraient passées au travers de l'échographie. D'où la proposition d'associer les deux tests pour évaluer un risque combiné qui prend en compte le résultat de l'échographie. Cette technique validée est déjà utilisée par de nombreuses équipes médicales. Certaines femmes de plus de 38 ans ont recours au risque combiné pour éviter une amniocentèse systématique et diminuer ainsi les risques inhérents à la ponction. Ces tests, s'ils sont valables, ne fournissent pas une certitude, mais une estimation de risque.

VOIR : AMNIOCENTÈSE

Masque de grossesse

Au cours de la grossesse, des taches brunâtres plus ou moins foncées apparaissent souvent sur la peau. C'est le masque de grossesse, appelé également « chloasma », qui prédomine sur le front, le nez et les pommettes.

Ces taches apparaissent sous l'influence hormonale de la grossesse, surtout sur le visage mais également sur la ligne médiane du ventre, les aréoles ou les cicatrices. Leur traitement est préventif : ne pas s'exposer au soleil ou s'en protéger en utilisant un écran solaire total et éviter l'application de cosmétiques, surtout sur le visage.

Cette pigmentation disparaît progressivement après l'accouchement, mais peut récidiver au cours de la grossesse suivante ou lors de l'utilisation d'une pilule contraceptive fortement dosée en œstrogènes .

Méconium

Ce sont des matières fécales de couleur verdâtre, produites par le fœtus et normalement excrétées dans les 12 heures suivant sa naissance.

Le méconium est parfois expulsé avant l'accouchement et colore le ***liquide amniotique*** (normalement de couleur claire). Ce phénomène est anormal et peut témoigner d'une souffrance fœtale. Le risque est que le fœtus inhale ce liquide (appelé «liquide méconial»), ce qui peut obstruer et inflammer ses voies respiratoires. Pour prévenir ce risque et éviter une détresse respiratoire, on désobstrue par aspiration les voies aériennes du nouveau-né aussitôt après sa naissance.

Dans certains cas, il est nécessaire de recourir pendant l'accouchement à une technique appelée amnio-infusion, qui consiste à diluer le liquide amniotique, directement dans la cavité utérine, avec un sérum adapté.

À l'inverse, un retard d'émission du méconium après la naissance peut traduire une obstruction des voies digestives, une paralysie intestinale ou une malformation.

VOIR : AMNIOSCOPIE

Membranes

VOIR : POCHE DES EAUX

Métrorragie

Tout saignement survenant par le vagin en dehors des règles est une métrorragie. En dehors d'une grossesse, ces saignements peuvent témoigner d'un dérèglement hormonal, d'un fibrome ou d'un polype siégeant dans l'utérus. Mais, durant la grossesse, ils ont d'autres causes, et peuvent soit être anodins, soit révéler un problème important.

> Au 1er trimestre. Les métrorragies constituent souvent le premier signe d'une grossesse. Il s'agit d'un phénomène très fréquent, puisque 25 % des femmes enceintes ont des saignements au cours du 1er trimestre. Dans 13 % des cas, ils se manifestent lors d'une grossesse destinée à évoluer normalement ; ils ne justifient alors que du repos et une surveillance échographique. Dans 11,9 % des cas toutefois, la métrorragie est la manifestation d'une fausse couche précoce, et dans 0,1 %, celle d'une grossesse extra-utérine, à traiter en urgence.

> Aux 2e et 3e trimestres. ce stade de la grossesse, la métrorragie nécessite une consultation en urgence. En effet, elle peut témoigner d'une anomalie du placenta (***placenta praevia, hématome rétroplacentaire***) ou du col de l'utérus.

Quand une femme enceinte présentant une ***incompatibilité Rhésus*** avec son fœtus (mère Rh– ; fœtus Rh+) a une métrorragie, elle bénéficie d'une injection de gammaglobulines. Le but est de prévenir une éventuelle formation d'anticorps dans le sang de la mère, et d'éviter par là même une ***maladie hémolytique*** du nouveau-né.

Môle hydatiforme

La môle hydatiforme est due à une anomalie chromosomique qui survient lors de la fécondation. Elle entraîne une dégénérescence du ***trophoblaste*** (tissu à l'origine du placenta), qui provoque une tumeur, bénigne dans la plupart des cas. La grossesse (on parle dans ce cas de grossesse môlaire) ne peut jamais se poursuivre, car la môle hydatiforme empêche le développement de l'embryon et du sac amniotique.

La fréquence des grossesses môlaires varie beaucoup selon les régions du monde : environ 1 cas sur 2 000 en France, 1 cas sur 85 en Asie. Une telle anomalie est plus fréquente en cas d'âge maternel très jeune ou élevé.

> Les symptômes. Ce sont le plus souvent des saignements (métrorragies) et des vomissements importants et rebelles aux traitements. L'examen médical révèle que l'utérus est mou et plus gros que ne le voudrait l'âge théorique de la grossesse. En cas de dosage sanguin de l'hormone de grossesse, le taux de celle-ci se révèle anormalement élevé. On confirme le diagnostic par une échographie, qui montre un aspect vésiculaire.

> Le traitement. Il consiste à retirer le contenu de l'utérus par curetage et à surveiller le retour à la normale en effectuant des dosages sanguins de l'hormone de grossesse. Une analyse en laboratoire du contenu utérin est pratiquée pour déterminer la nature de la tumeur. Si elle est maligne (choriocarcinome) ou en cas de môle persistante, un traitement chimiothérapique est nécessaire. Le choriocarcinome est très sensible à la chimiothérapie, et donc de bon pronostic.

> Un risque de récidive. Après une grossesse môlaire, des grossesses normales sont possibles. Cependant, la surveillance d'une femme ayant eu une grossesse môlaire doit être poursuivie pendant au moins un an afin de permettre de dépister une éventuelle récidive. Toute nouvelle grossesse est déconseillée pendant cette période afin de ne pas troubler la surveillance.

Mongolisme

VOIR : TRISOMIE 21

Monitorage

Les progrès de la médecine et de la technologie ont permis de développer toute une série de systèmes de surveillance des grandes fonctions de l'organisme. Le terme monitorage, dérivé de l'anglais *monitoring*, désigne ces systèmes, dont certains sont utilisés dans la surveillance du bébé pendant l'accouchement, plus rarement pendant la grossesse. Le monitorage est aussi l'un des éléments clés des centres de réanimation néonatale.

Le monitorage sert entre autres à surveiller le ***rythme cardiaque fœtal***. Les informations sont recueillies à l'aide d'une sonde à ultrasons, placée sur l'abdomen de la mère à la hauteur du cœur du fœtus. Pendant le travail et après la rupture des membranes, l'examen peut aussi être pratiqué à l'aide d'une électrode fixée sur le cuir chevelu du bébé.

Les données obtenues à l'aide du capteur apparaissent sur une feuille de papier sous la forme d'un tracé. L'appareil enregistre instantanément les variations du rythme cardiaque du fœtus et les traduit en fréquences (battements du cœur par minute).

> Pendant la grossesse. La surveillance par monitorage permet alors de contrôler le bien-être du bébé, en particulier si ***un retard de croissance in utero*** a été détecté, ou si sa mère est atteinte d'une maladie pouvant retentir sur lui (prééclampsie, maladie immunologique, etc.). L'intérêt est de mettre immédiatement en évidence un éventuel ralentissement du rythme cardiaque du bébé, et, si besoin, de réagir aussitôt et d'accélérer sa naissance. Car ce ralentissement peut témoigner d'une souffrance fœtale.

> Pendant l'accouchement. Le monitorage fœtal, utilisé alors en continu, permet de vérifier que le bébé tolère bien les contractions et qu'il progresse dans le bassin de sa mère ; il est couplé à une ***tocographie*** (enregistrement des contractions de l'utérus).

> Chez le nouveau-né. Dans les unités de réanimation néonatale, le monitorage fait appel à différents systèmes de surveillance. Ceux-ci permettent par exemple de mesurer la température du corps du bébé, et d'ajuster ainsi en permanence la température de l'incubateur (couveuse) à ses besoins, de contrôler la bonne oxygénation de son sang (oxymètre de pouls), de mesurer en continu sa pression artérielle...

Outre la sécurisation qu'apportent ces appareils, tant dans la détection que dans la prévention, ils se distinguent par leur caractère non invasif : ils ne nécessitent aucune ouverture corporelle et n'entraînent aucune douleur, même si tous ces fils et appareillages électriques inquiètent parfois les parents.

Dans certains cas (bébés souffrant de troubles du rythme cardiaque, antécédents de mort subite du nourrisson), une surveillance par monitorage peut être réalisée à domicile, à l'aide d'appareils miniaturisés.

Mort subite du nourrisson

La mort subite du nourrisson est actuellement la première cause de mortalité des enfants entre 1 mois et 1 an. Grâce aux efforts préventifs, sa fréquence a nettement diminué. C'est le plus souvent au cours du sommeil que ce drame survient, à un moment où l'enfant présente sans doute un arrêt cardio-respiratoire réflexe. Aujourd'hui, la cause de la mort subite du nourrisson peut être trouvée dans environ deux tiers des cas.

> Les explications possibles. De nombreuses hypothèses, qui ne s'excluent pas les unes les autres, peuvent être avancées pour expliquer la mort subite du nourrisson. Il peut s'agir d'une apnée (arrêt respiratoire) qui survient au cours du sommeil, parfois chez un bébé prématuré ou porteur d'une anomalie neurologique, mais pas toujours. Cette apnée peut aussi provenir d'une hypertonie vagale associée à un reflux gastro-œsophagien. Chez les nourrissons de moins de 4 mois, qui ne savent pas encore respirer par la bouche, une obstruction nasale liée à une infection des voies respiratoires supérieures peut provoquer un arrêt de la respiration (ce qui justifie le traitement local de toute rhinite).

Il est important de retrouver la cause de la mort du nourrisson, car cela permet de mieux orienter la surveillance des grossesses ultérieures et de prendre des mesures préventives appropriées durant la première année de vie des enfants suivants (traitement systématique du reflux gastro-œsophagien, dépistage et traitement d'une hypertonie vagale). Toutefois, dans un tiers des cas, les médecins ne parviennent pas à trouver la cause d'une mort subite, car le nourrison était, apparemment, en bonne santé.

> Soutien psychologique. L'accueil et la prise en charge d'une famille venant de subir le drame qu'est la mort subite d'un nourrisson nécessitent des équipes médicales hospitalières spécialisées. Le soutien psychologique est fondamental ; il aidera à dépasser cette épreuve douloureuse et culpabilisante pour les parents, mais aussi pour les frères et sœurs ; il tentera d'atténuer leur désarroi pour leur permettre d'envisager l'avenir.

> Prévention. Plusieurs règles préventives doivent être mises en œuvre pour tous les nourrissons :

• coucher le bébé sur le dos sur un matelas ferme ; ne jamais utiliser de matelas ni d'oreiller trop mou ;

• ne pas trop le couvrir, éviter les draps, couvertures qui risquent de couvrir la tête et nids d'ange, dans lesquels il risque d'avoir trop chaud et leur préférer les gigoteuses ;

• traiter systématiquement tout reflux gastro-œsophagien ;

• consulter toujours le médecin en cas de malaise chez un nourrisson (pause respiratoire, apnée, changement de la couleur du teint). Il essaiera d'en déterminer la cause et recherchera une hypertonie vagale, qui sera traitée dans le cas où elle est diagnostiquée ;

• consulter toujours rapidement le médecin lorsqu'un nourrisson a de la fièvre ;

• ne jamais donner de calmants ni de sirops sans prescription médicale avant l'âge de 1 an. Ne jamais réutiliser ceux prescrits pour une maladie antérieure sans avis médical.

Morula

C'est l'œuf fécondé divisé en 12 à 16 cellules. Le stade de morula est atteint par l'œuf au 3ᵉ ou 4ᵉ jour après la fécondation, alors qu'il est encore dans la trompe de Fallope avant de déboucher dans la cavité utérine, où il va s'implanter. Il ressemble alors à une sphère pleine, en forme de petite mûre (*morula* en latin), qui se creuse peu après d'une cavité centrale : il prend alors le nom de blastocyste.

Mouvements du fœtus

Le fœtus effectue ses premiers mouvements dès la 5ᵉ semaine de grossesse (7 semaines d'aménorrhée) ; à ce stade, la mère ne peut pas encore les percevoir, mais ils sont déjà visibles à l'échographie.

En général, la mère ne commence à percevoir les mouvements du fœtus que vers la fin du 4ᵉ mois (20 à 22 semaines d'aménorrhée) pour un premier enfant, un peu plus tôt (vers 18 à 20 semaines d'aménorrhée) pour les enfants suivants. En fait, elle ne perçoit que les trois quarts des mouvements. C'est également à partir du 4ᵉ mois que le fœtus peut bouger en réaction à une stimulation tactile.

Au 3ᵉ trimestre, le fœtus bouge environ toutes les 45 minutes, et ses mouvements augmentent souvent dans la soirée. Une diminution inhabituelle des mouvements doit alerter la mère et l'amener à consulter, surtout en fin de grossesse ; l'idée répandue selon laquelle les mouvements du fœtus diminuent à l'approche de l'accouchement est fausse.

Multipare

Une femme qui a accouché plus d'une fois est dite multipare. On parlera de nullipare si elle n'a jamais accouché et de grande multipare si elle a eu de nombreux accouchements (au-delà de quatre ou cinq).

Si les grossesses et accouchements précédents se sont déroulés normalement, la multiparité est un élément très favorable pour le déroulement de la grossesse et de l'accouchement en cours ; on dit que le bassin a déjà « fait ses preuves ».

Dans la grande multiparité par contre, le risque de complication lors de l'accouchement est augmenté : travail souvent plus long, présentation anormale du fœtus, hémorragie après l'accouchement par un relâchement de l'utérus.

Mycose

VOIR : LEUCORRHÉE

[N,O]

Nausées

Les nausées font partie des troubles physiologiques de début de grossesse et sont liées à l'imprégnation hormonale qui s'installe à cette période (notamment l'hormone de grossesse appelée HCG).

Les nausées s'accompagnent parfois de vomissements. Elles surviennent dès le retard de règles, et persistent en général jusqu'à la fin du 3e mois, parfois jusqu'à la fin de la grossesse. Elles sont plus fréquentes en cas de grossesse multiple.

Il s'agit en général d'un trouble bénin, contre lequel le médecin peut éventuellement prescrire des médicaments antiémétiques. Les nausées peuvent empêcher toutefois certaines femmes de s'alimenter normalement, ce qui nécessite dans certains cas une hospitalisation.

Des nausées importantes ou persistantes, accompagnées de vomissements sont rares : elles peuvent aussi être la manifestation d'une affection liée ou non à la grossesse : ***môle hydatiforme***, appendicite, gastroentérite...

Néonatalogie

La néonatalogie a pour objet l'étude du fœtus et du nouveau-né avant, pendant et après la naissance, jusqu'au 28e jour de vie.

Cette spécialité médicale s'intéresse aussi bien à l'enfant normal qu'à celui atteint de maladies plus ou moins graves (malformations, anomalies du développement dues à la ***prématurité*** ou à d'autres causes). Les nouveau-nés atteints de telles maladies requièrent une prise en charge hospitalière dans des unités spécialisées, une surveillance continue et, pour un faible pourcentage, des soins intensifs de réanimation.

Ocytocine

L'ocytocine est une hormone sécrétée par l'hypothalamus et stockée dans l'une des glandes du cerveau, la posthypophyse.

C'est un puissant stimulant du muscle utérin. Elle intervient dans le déclenchement de l'accouchement et durant le travail par des mécanismes qui ne sont pas encore totalement élucidés. Elle a aussi un rôle dans la lactation, et la tétée stimule sa sécrétion. Cela explique la recrudescence des contractions, ou ***tranchées***, après l'accouchement, lorsque le bébé est en train de téter.

L'ocytocine de synthèse, ou Syntocinon®, est utilisée couramment en obstétrique sous sa forme injectable pour déclencher le travail, à certaines conditions. On l'emploie aussi souvent durant l'accouchement pour réguler les contractions utérines afin de faire progresser la dilatation du col et de permettre un accouchement par les voies naturelles. Enfin, injectée après l'accouchement, elle permet d'assurer une bonne rétraction de l'utérus, diminuant l'abondance des saignements.

Son utilisation doit se faire toutefois sous un contrôle strict des doses et de l'efficacité, car un surdosage ou une mauvaise surveillance peuvent entraîner des complications.

VOIR : ACCOUCHEMENT DÉCLENCHÉ

Œstrogènes

Hormones sécrétées surtout par l'ovaire, les œstrogènes jouent un rôle dans l'ovulation quand leur taux augmente dans le sang. Présents naturellement dans l'organisme, ils sont aussi synthétisés et utilisés comme médicaments.

Les œstrogènes naturels correspondent à trois hormones : l'œstradiol, ou 17-bêta-œstradiol, l'œstrone et l'œstriol, le plus actif dans l'organisme. Les œstrogènes sont sécrétés surtout par l'ovaire (isolément dans la première moitié de chaque cycle menstruel, en association avec la ***progestérone*** dans la seconde moitié), et par le placenta au cours de la grossesse. Les glandes surrénales et les testicules en produisent aussi de faibles quantités. Une fois sécrétés, les œstrogènes passent dans le sang, circulent dans l'organisme, puis sont finalement éliminés dans les urines.

Les œstrogènes sont responsables du développement pubertaire et du maintien ultérieur des caractères physiques féminins (organes génitaux internes et externes, seins). Ils assurent la prolifération d'une nouvelle muqueuse utérine pendant la première moitié du ***cycle*** (l'ancienne muqueuse ayant été éliminée avec les règles, les premiers jours du cycle). En outre, ils ont une action générale sur l'organisme : ils tendent à y retenir le sodium et l'eau, et favorisent la synthèse des protéines. Ils sont notamment nécessaires à la constitution et à la solidification de la trame des os, aussi bien chez la fille que chez le garçon.

Oligoamnios

On parle d'«oligoamnios» quand la quantité de ***liquide amniotique*** où baigne le fœtus est insuffisante par rapport à l'avancement de la grossesse. En fin de grossesse, toutefois, la quantité de liquide amniotique diminue proportionnellement à l'accroissement du volume du fœtus, ce qui est physiologique.

Un oligoamnios peut être suspecté lors d'une consultation : l'utérus est plus petit que ne le voudrait le terme théorique de la grossesse et le fœtus bouge peu. Le diagnostic est confirmé par échographie.

Un oligoamnios peut être le témoin d'une malformation des reins ou du système urinaire du fœtus, ce qui l'empêche d'uriner normalement. Il peut aussi traduire une souffrance fœtale. Enfin, il peut être lié à une rupture prématurée des membranes.

Un oligoamnios peut aussi survenir lorsque le *terme* de la grossesse est dépassé. Dans ce cas, il n'existe pas de retard de croissance, mais l'anomalie peut révéler un début de souffrance fœtale qui nécessite de déclencher l'accouchement. L'estimation de la diminution du liquide amniotique est donc un élément très important du suivi de la fin de la grossesse.

La quantité de liquide amniotique dépend de l'état d'hydratation du fœtus et donc de celui de sa mère. Par conséquent, il n'est pas étonnant, en cas de liquide peu abondant et sans anomalie, d'entendre l'échographiste recommander à la maman de bien s'hydrater avant un contrôle.

Ovaire

Les ovaires, au nombre de deux, sont les glandes génitales de la femme. Ils constituent, avec les trompes de Fallope et l'utérus, l'appareil génital féminin interne.

Les ovaires sont situés sous les trompes de Fallope, de part et d'autre de l'utérus. Ils ont deux rôles. D'abord, ils contiennent les follicules, petites vésicules où les ovocytes se transforment en ovule : l'ovaire libère un ovule chaque mois entre la puberté et la ménopause. En outre, ils produisent les hormones sexuelles féminines : les *œstrogènes* et la *progestérone*.

Ovocyte

VOIR : OVULE

Ovulation

C'est la libération par l'ovaire d'un ovocyte (cellule sexuelle féminine) parvenu à maturation. L'ovocyte prend alors le nom d'ovule.

L'ovulation débute à la puberté et se poursuit jusqu'à la ménopause ; elle survient lors de chaque *cycle menstruel*. Elle a le plus souvent lieu au point le plus bas de la courbe de température, avant l'ascension au-dessus de 37 °C, soit au 14ᵉ jour (pour un cycle de 28 jours).

Ovule

Cette cellule féminine de la reproduction est libérée par l'ovaire chaque mois, au 14ᵉ jour du cycle menstruel (pour un cycle de 28 jours).

L'ovule est issu de la maturation d'un ovocyte. Les ovocytes se forment pendant la vie fœtale : à la naissance, les ovaires du bébé fille contiennent environ 300 000 ovocytes. Seuls 300 ou 400 d'entre eux parviendront à maturité entre la puberté et la ménopause, et deviendront des ovules susceptibles d'être fécondés. L'ovule est logé dans une sorte de petit kyste de la paroi du follicule ovarien (la cavité de l'ovaire dans laquelle il se développe). Celui-ci se rompt au 14ᵉ jour du cycle (pour un cycle de 28 jours), réalisant l'ovulation. L'ovule est alors happé par les franges du pavillon de la trompe utérine et s'achemine, à l'intérieur de la trompe, vers l'utérus. Il y sera éventuellement fécondé par un spermatozoïde, et deviendra un œuf .

Parturiente

Une parturiente est une femme en train d'accoucher. C'est un terme un peu moins usité actuellement. Les médecins lui préfèrent désormais l'expression « femme en travail », jugée plus explicite.

Pelvis

VOIR : PETIT BASSIN

Percentiles

Les percentiles représentent un centième particulier (pourcentages) d'une population divisée en centièmes selon un critère donné, et sont reportés sur des courbes.

Le système de calcul statistique des mesures effectuées lors de l'échographie, ou biométrie, permet leur répartition en pourcentages. Ainsi 90 % des fœtus se situent entre le 10ᵉ et le 90ᵉ percentile, la moyenne correspondant au 50ᵉ. Cela ne signifie pas que le bébé est anormal en dessous du 10e ou au-dessus du 90e percentile, mais qu'il est en zone de surveillance, à apprécier en fonction du contexte. Par abus, on emploie parfois l'image de gros bébé au-dessus du 90ᵉ percentile, ce qui ne signifie pas qu'il s'agisse d'un géant ou d'un bébé de taille monstrueuse, mais seulement d'une estimation statistique d'un bébé normal. Certaines équipes médicales fixent le seuil au 3ᵉ ou au 97ᵉ percentile pour augmenter la pertinence.

VOIR : ESTIMATION DE POIDS FŒTAL

Péridurale

C'est une technique d'anesthésie locorégionale, c'est-à-dire localisée à une partie du corps, destinée à diminuer les douleurs de l'accouchement. Elle consiste à injecter une solution anesthésique dans l'espace péridural (entre les vertèbres et la dure-mère, enveloppe méningée la plus externe) ; le produit injecté imprègne les racines nerveuses, notamment les racines sensitives qui transmettent la douleur. La péridurale a révolutionné l'obstétrique moderne en permettant aux femmes qui le désirent d'accoucher sans douleur, tout en participant à la naissance.

> Quels avantages ? Avant la péridurale, des techniques existaient déjà pour diminuer les douleurs de l'accouchement : administration de dérivés de la morphine, inhalation d'un gaz, le protoxyde d'azote, anesthésie locale des nerfs honteux, gestion de la douleur par la parturiente (sophrologie). Mais ces méthodes, encore utilisées, n'ont qu'une efficacité limitée. Seule la péridurale supprime la douleur durant tout l'accouchement. Par ailleurs, elle permet, si besoin, sans autre anesthésie, de réaliser une césarienne ou de recourir à une *extraction instrumentale*. L'intérêt est double : on reste consciente et les risques sont moindres qu'en cas d'anesthésie générale réalisée en urgence.

> Comment cela se passe-t-il ? Si vous optez pour la péridurale, votre obstétricien vous orientera, lors de la dernière consultation, vers un anesthésiste pour vérifier qu'il n'existe pas de contre-indication : troubles de la coagulation du sang (liés à une anomalie ou à la prise de médicaments), fièvre, infection, malformations de la colonne vertébrale…

La péridurale peut être réalisée dès que le *travail* a réellement débuté (contractions régulières et modification du col de l'utérus). Selon les habitudes de l'anesthésiste, la parturiente est soit assise, soit couchée sur le côté, jambes repliées pour arrondir au maximum le dos. Après avoir désinfecté la zone où sera insérée l'aiguille, l'anesthésiste désensibilise la peau (par anesthésie locale), puis introduit l'aiguille de péridurale dans le bas du dos, entre deux vertèbres, enfin met en place un cathéter dans l'espace péridural. C'est par l'intermédiaire de ce cathéter que sera injecté régulièrement le produit anesthésiant, ce qui permettra de maintenir l'anesthésie pendant le temps nécessaire.

> Des inconvénients minimes. La péridurale peut entraîner quelques désagréments bénins et passagers : par exemple, une difficulté à uriner (ce qui peut nécessiter le recours à un sondage de la vessie pour en évacuer l'urine) et une chute de la pression artérielle, que l'on prévient par une mise sous perfusion. Cette chute de tension provoque souvent, dans les dix minutes qui suivent la pose de la péridurale, une anomalie passagère et sans conséquence du rythme cardiaque du fœtus. Après l'accouchement, la péridurale peut être responsable de maux de tête parfois violents.

VOIR : ANESTHÉSIE, RACHIANESTHÉSIE

Périmètre abdominal

VOIR : ESTIMATION DE POIDS FŒTAL

Périmètre céphalique

VOIR : ESTIMATION DE POIDS FŒTAL

Périmètre crânien du nouveau-né

La mesure du périmètre crânien (taille du tour de tête) est l'une des mensurations relevées lors du premier examen du nouveau-né, quelques heures après sa naissance ou le lendemain.

À la naissance, le périmètre crânien du bébé est d'environ 35 cm. Mais ne vous inquiétez pas si le tour de tête de votre bébé n'est pas exactement de 35 cm : il ne s'agit que d'une moyenne Certains bébés ont à la naissance une tête plus grosse ou plus petite, sans que cela constitue une anomalie.

Périnée

C'est la région du corps qui forme le plancher du petit bassin, et où sont situés les organes génitaux externes et l'anus.

L'orifice du périnée est presque entièrement obturé par des muscles et des aponévroses, membranes résistantes constituées de fibres. Chez la femme, le périnée se présente (en position gynécologique) comme une zone triangulaire avec, d'avant en arrière, la vulve et la marge de l'anus, séparées par un pont cutané. Entre la vulve et l'anus se trouve une zone fibreuse, qui constitue un élément de soutien essentiel des organes génitaux internes ; la destruction de cette zone expose au déplacement d'organes (prolapsus).

Il n'est pas rare que le périnée se déchire lors de l'accouchement. Cette déchirure est plus fréquente en cas d'anomalie morphologique (distance trop courte entre l'anus et le pubis, mauvaise qualité des tissus) et d'œdème (rétention d'eau dans les tissus). C'est pourquoi, dans de nombreux cas, on procède lors de l'accouchement à une section chirurgicale du périnée (*épisiotomie*), ce qui prévient la déchirure.

VOIR : RÉÉDUCATION DU PÉRINÉE

Petit bassin

Les organes génitaux féminins internes sont situés au sein du bassin osseux, où ils constituent avec la vessie et le rectum une zone appelée petit bassin, ou pelvis.

Les organes du petit bassin chez la femme sont la vessie, l'utérus, situé entre la vessie en avant et le rectum en arrière, les ovaires et les trompes de Fallope, le vagin, qui s'ouvre vers l'extérieur dans une zone appelée périnée (cette ouverture est située sous l'orifice urinaire, au niveau de la vulve).

Phlébite

Une phlébite survient quand un caillot de sang se forme à l'intérieur d'une veine et obstrue le flux sanguin. La grossesse et les suites de couches favorisent l'apparition de phlébite, surtout en cas d'alitement prolongé, de césarienne, de grossesse multiple, d'hémorragie pendant la grossesse et d'antécédents de phlébite. Relativement bénigne en elle-même, cette affection peut toutefois entraîner une embolie pulmonaire.

> Les symptômes. Chez les femmes enceintes ou en retour de couches, la phlébite se localise surtout dans un des mollets. Elle se manifeste sous la forme de douleurs dans le mollet atteint, qui est tendu, parfois rouge. C'est pourquoi l'examen régulier des mollets figure parmi les précautions médicales habituelles après un accouchement.

Plus rarement, la phlébite survient dans une des veines situées sur un des côtés de l'utérus : la veine atteinte forme un cordon induré, qui peut être détecté lors d'un examen gynécologique. Dans les deux cas, ces signes locaux, d'abord discrets, s'accentuent progressivement, et s'accompagnent d'une accélération du rythme cardiaque, parfois d'une légère fièvre.

> Examens et traitement. En cas de suspicion de phlébite, vous serez soumise, pour confirmer le diagnostic, à une échographie Doppler des membres inférieurs, éventuellement associée à une radiographie des veines du petit bassin (phlébocavographie). En cas de phlébite avérée, une surveillance médicale étroite sera mise en place, pour dépister au plus tôt tout signe d'embolie pulmonaire (provoquée par la migration du caillot vers le réseau veineux pulmonaire) : douleurs dans le thorax, difficulté à respirer, toux, angoisse importante.

Le traitement consiste à administrer des ***anticoagulants***, d'abord par injections, puis par voie orale après la grossesse. Il vous sera prescrit au moindre doute, quitte à être interrompu dès que le risque de phlébite est écarté. Des anticoagulants sont d'ailleurs administrés préventivement après l'accouchement aux femmes ayant accouché par césarienne et aux femmes à risque.

> En prévention. Pour prévenir les phlébites, il faut éviter tout alitement prolongé ; c'est pourquoi on invite les accouchées à se lever et à marcher dès que possible. Par ailleurs, on conseille à toutes les femmes ayant des varices ou des antécédents de phlébite de porter des bas de contention (« bas à varices ») pendant les deux derniers trimestres de la grossesse et dans le mois qui suit l'accouchement.

Photothérapie

La photothérapie permet d'atténuer l'intensité de l'ictère d'un nouveau-né en diffusant sur lui des rayons de lumière, blanche, bleue ou verte, d'une longueur d'onde bien définie.

L'ictère du nouveau-né se traduit par un excès du taux de bilirubine dans le sang. Or la lumière utilisée en photothérapie exerce une action chimique sur la molécule de bilirubine présente au niveau de la peau. L'énergie apportée par ce rayonnement lumineux modifie la structure de la molécule et, en la rendant soluble dans l'eau, permet son élimination par voie urinaire.

Au fur et à mesure de l'exposition, l'efficacité du traitement est mesurée en évaluant le taux sanguin de bilirubine du nouveau-né. Selon l'origine de la maladie, d'autres soins peuvent être associés ou non à cette thérapeutique.

L'enfant supporte en général très bien la photothérapie, qui nécessite néanmoins une surveillance régulière, car l'exposition au rayonnement dure longtemps et les zones exposées doivent être régulièrement changées. Le nouveau-né est souvent mis dans un incubateur (couveuse), afin de maintenir sa température constante. Il est nécessaire de protéger ses yeux des rayons ultraviolets avec un masque opaque, ce qui peut l'énerver au bout d'un certain temps d'exposition.

VOIR : ICTÈRE DU NOUVEAU-NÉ

Placenta

C'est au sein du placenta, grâce à un contact intime, mais non direct, entre le sang maternel et le sang du fœtus, que s'effectuent les échanges entre la mère et son enfant. Ainsi est assurée la croissance du bébé.

> Le placenta fait partie, avec le liquide amniotique, les membranes et le cordon ombilical qui lui sont rattachés, des ***annexes*** du fœtus.

C'est un organe qui naît en même temps que l'embryon et qui possède la même identité génétique que lui ; il s'insère dans l'utérus dès le 6e jour qui suit la fécondation. Il est formé par l'accolement de membranes d'origine maternelle (caduque) et fœtale (***trophoblaste***). Il comporte une face maternelle (en contact avec l'utérus) charnue et une face fœtale lisse, où s'insère le cordon ; tout autour du placenta partent les membranes, qui forment une sphère contenant le fœtus et son liquide amniotique (***poche des eaux***).

Le placenta est complètement formé au 5e mois de grossesse, date à partir de laquelle il ne fera que croître sans modifier sa structure. À terme, le placenta a la forme d'un disque de 15 à 20 cm de diamètre, de 2 à 3 cm d'épaisseur. Son poids est proportionnel à celui de l'enfant : environ un sixième de celui-ci, soit en moyenne 500 à 600 g au moment de son expulsion.

Le placenta constitue une barrière protectrice pour le futur bébé, qu'il protège en filtrant certaines bactéries, parasites et médicaments. Mais cette fonction de filtre est imparfaite, puisque les virus passent tous cette barrière. Enfin, c'est lui qui sécrète l'hormone de grossesse nécessaire au bon développement de la gestation.

Après la naissance de l'enfant, les contractions reprennent, ce qui permet au placenta d'être expulsé de la cavité utérine (processus appelé délivrance). La sage-femme l'examine alors soigneusement, pour vérifier l'intégrité de son expulsion.

Placenta accreta

On parle de «placenta accreta» quand le placenta fusionne avec la paroi de l'utérus. Ce problème empêche le placenta de se décoller de l'utérus lors de la ***délivrance***, et expose l'accouchée à un risque majeur d'hémorragie. Une intervention en urgence est bien souvent indispensable pour mettre la mère hors de danger (embolisation, chirurgie). L'ablation de l'utérus (hystérectomie) peut être nécessaire.

On distingue différents types de placenta accreta, selon l'importance de la pénétration du placenta dans le muscle utérin. Dans les cas les plus graves (placenta dit « percreta »), c'est la totalité de la paroi de l'utérus, voire les organes voisins, qui sont envahis.

Les causes de cette affection sont souvent inconnues. Le placenta accreta est plus fréquent en cas de placenta prævia, une autre anomalie placentaire, et en cas d'antécédents de césarienne et de synéchie (accolement des parois de l'utérus). En raison de la hausse du nombre de césariennes, cette affection rare (0,5 à 1 grossesse sur 1 000) est en augmentation.

Placenta prævia

Le plus souvent, le placenta s'insère au fond de l'utérus. Mais s'il se situe près de l'orifice du col de l'utérus, en constituant alors un obstacle à la sortie du bébé lors de l'accouchement, on parle de «placenta prævia». Cette anomalie touche 1 grossesse sur 200 environ, mais sa fréquence est en augmentation en raison du nombre accru de césariennes, qui favorisent l'insertion du futur placenta sur la cicatrice utérine, et donc à proximité du col.

> Une situation susceptible d'évoluer. La situation d'un placenta prævia (dit plutôt « bas inséré » en échographie) est susceptible d'évoluer en cours de grossesse. Un placenta bas inséré à l'échographie de 22 semaines d'aménorrhée peut en effet s'éloigner de l'orifice du col quand l'utérus va augmenter de volume. Pour déterminer la situation du placenta avec beaucoup plus de précision, on pratique une échographie endovaginale (sonde placée directement dans le vagin).

> Des risques de saignements. Si le placenta reste inséré dans la partie basse de l'utérus, les risques de saignements sont surtout importants au 3e trimestre. L'obstétricien peut prescrire alors des mesures préventives : du repos et la réduction des activités quotidiennes, afin d'éviter la survenue prématurée de contractions et les hémorragies. Il est impératif de consulter en urgence à la moindre alerte (pertes de sang, contractions), car les ***métrorragies*** sont parfois brutales et imprévisibles ; elles peuvent nécessiter une hospitalisation jusqu'à l'accouchement et un accouchement avant terme.

> Les effets sur l'accouchement. Quand le placenta recouvre totalement l'orifice de sortie, on parle alors de «placenta recouvrant», et l'accouchement ne pourra avoir lieu que par césarienne. Quand le placenta se situe seulement à proximité de la sortie (placenta prævia marginal), l'accouchement par les voies naturelles est quelquefois possible, mais son bon déroulement n'est pas garanti.

Placenta recouvrant

VOIR : PLACENTA PRÆVIA

Poche des eaux

C'est le sac empli de ***liquide amniotique*** dans lequel baigne le fœtus. La poche des eaux (ou membranes) joue un rôle capital dans la protection du fœtus contre les traumatismes.

La poche des eaux se rompt spontanément au cours du travail, mais parfois aussi plus tôt, avant les contractions ou au tout début de celles-ci. Cette rupture doit vous engager à vous rendre sans délai à la maternité.

En général, la poche des eaux se rompt d'elle-même lorsque la dilatation du col de l'utérus atteint de 2 à 5 cm. Cette rupture est indolore et se manifeste par un écoulement de liquide par le vagin ; l'écoulement peut être lent ou le liquide jaillir brusquement. Il arrive toutefois que la poche des eaux ne se soit toujours pas rompue alors que la dilatation du col a atteint 5 cm et que la tête du fœtus est bien engagée dans les voies maternelles. Dans ce cas, l'obstétricien ou la sage-femme rompt les membranes avec un perce-membrane au cours d'une contraction.

Lorsque la rupture de la poche des eaux se produit avant 8 mois de grossesse, la femme enceinte est hospitalisée et surveillée en raison des complications possibles (infection, risque d'accouchement prématuré). Il est parfois nécessaire de recourir à un accouchement déclenché.

Post-partum

VOIR : SUITES DE COUCHES

Prééclampsie

Cette complication de la grossesse associe une ***hypertension artérielle***, une ***albuminurie*** ainsi qu'une rétention d'eau dans les tissus (œdèmes) entraînant une prise de poids excessive. Elle peut être parfois grave pour la mère et pour l'enfant, ce qui justifie la surveillance systématique, à chaque consultation prénatale, de l'albuminurie (analyse d'urine réalisée par bandelette réactive) et de la tension artérielle.

> Des causes mal connues. L'origine de la prééclampsie, également appelée « toxémie gravidique », est encore mal connue et fait probablement intervenir des facteurs immunologiques. Il s'agit d'une affection relativement fréquente, puisqu'elle survient au cours d'environ 5 % des grossesses. Elle apparaît plus souvent en cas de première grossesse, de grossesse multiple, de ***diabète***, d'obésité, ainsi que chez les femmes âgées de moins de 18 ans et de plus de 40 ans. La prééclampsie débute généralement au cours du 3e trimestre de grossesse. Elle peut être modérée ou grave d'emblée.

> Les risques éventuels. Ils concernent tant le fœtus que la mère. Chez le fœtus, la prééclampsie peut être responsable d'un retard de croissance intra-utérin ; elle comporte aussi un risque accru de mort in utero. Chez la mère, le risque est une aggravation de l'hypertension artérielle susceptible d'entraîner des atteintes des reins, du foie ou du cerveau avec des séquelles parfois définitives. Les complications majeures sont la survenue d'une ***éclampsie*** ou d'un ***hématome rétroplacentaire***.

Si votre médecin constate une albuminurie, une augmentation anormale de votre tension ou la présence d'œdèmes, il vous prescrira des examens biologiques complémentaires pour confirmer le diagnostic et évaluer la gravité de l'affection : mesure du taux d'acide urique dans le sang, étude de la fonction rénale, numération des plaquettes sanguines, mesure du taux des enzymes hépatiques, etc. La sensation de mouches devant les yeux, les bourdonnements d'oreilles, les douleurs ressenties dans la région de l'estomac sont autant de signes de gravité qui doivent faire craindre une aggravation de l'affection.

> Les traitements. Une prééclampsie nécessite une surveillance médicale stricte ; une hospitalisation peut être nécessaire. Le traitement consiste à faire baisser la tension en prescrivant du repos, éventuellement des médicaments hypotenseurs. Dans certains cas, la sévérité de l'atteinte peut justifier une réanimation intensive et une césarienne en urgence. Après l'accouchement, la prééclampsie disparaît rapidement et spontanément. Elle ne récidive pas systématiquement lors d'une nouvelle grossesse.

Prélèvement des villosités choriales

VOIR : BIOPSIE DE TROPHOBLASTE

Prématurité

Un enfant est dit « prématuré » s'il naît avant le début du 9e mois de grossesse (37 semaines d'aménorrhée). En France, environ 5 % des enfants naissent prématurés. Le nombre de grands prématurés (bébés nés à 32 semaines d'aménorrhée et au-dessous) a augmenté, mais ce phénomène est surtout lié aux progrès de la réanimation néonatale, qui permettent désormais de garder en vie des bébés nés très tôt, parfois dès 5 mois de grossesse (24 semaines d'aménorrhée).

> Signaux d'alerte et causes possibles. La menace d'accouchement prématuré se traduit soit par une ouverture du col de l'utérus, associée ou non à des contractions, soit par une rupture prématurée de la poche des eaux avec écoulement du liquide amniotique.

Les causes de prématurité sont multiples. Il peut s'agir d'une anomalie liée au contenu utérin (grossesse multiple, placenta prævia, ***hydramnios***...). Ce peut être aussi une affection de la mère, tantôt locale (malformation de l'utérus, exposition au ***Distilbène®***, béance du col de l'utérus), tantôt générale (infection, prééclampsie, diabète, altération de l'état général, activité physique inadaptée...).

> Prévention et traitement. En cas de risque d'accouchement prématuré, le médecin prescrit du repos et traite, s'il le peut, l'éventuelle affection en cause. Quand le problème est lié au col de l'utérus (béance, exposition au Distilbène®), un ***cerclage*** peut également prévenir l'accouchement prématuré.

En cas de menace réelle, on administre parfois un traitement médicamenteux (bêtamimétiques, anti-inflammatoires, inhibiteurs calciques, inhibiteurs de l'ocytocine...). Mais le progrès majeur de ces dernières années est l'utilisation de médicaments glucocorticoïdes, qui permettent d'accélérer la maturation pulmonaire du fœtus. Ils sont prescrits si besoin à partir de 24-25 semaines d'aménorrhée.

> Après la naissance. À partir de la fin du 8e mois de grossesse, les poumons du fœtus sont assez développés pour qu'il respire correctement de manière autonome. Mais le nouveau-né venant au monde avant cette date, et plus particulièrement avant 34 semaines d'aménorrhée, risque d'être atteint de la maladie des membranes hyalines (affection broncho-pulmonaire pouvant entraîner une asphyxie progressive). Plus l'enfant est prématuré, moins ses fonctions respiratoire, cardio-vasculaire, neurologique et digestive sont élaborées.

Les progrès de la réanimation à la naissance permettent désormais d'assurer la survie d'un fœtus né alors qu'il est à peine viable, mais au prix d'une mortalité ou de conséquences néfastes encore bien lourdes. Le nouveau-né doit être entouré d'une équipe spécialisée afin d'être assisté 24 heures sur 24. La longue séparation nécessitée par ces soins spécifiques est une épreuve difficile pour les parents et pour l'enfant lui-même. C'est pourquoi le vrai traitement de la prématurité réside dans la prévention des facteurs de risques au cours de la grossesse.

VOIR : MONITORAGE

Primipare

Ce terme désigne une femme qui accouche pour la première fois. Quand une femme a accouché plus d'une fois, elle est dite «***multipare***».

Procréation médicalement assistée

En cas de stérilité, différentes techniques de procréation médicalement assistée permettent d'obtenir une grossesse du fait d'une intervention médicale et non d'un rapport sexuel. Ce sont l'insémination artificielle, la fécondation in vitro et l'injection intra-cytoplasmique du spermatozoïde, ou ICSI.

> L'insémination artificielle. Elle consiste à déposer du sperme dans l'utérus, soit au niveau du col de l'utérus, soit directement dans l'utérus. Le sperme utilisé est celui du conjoint ou celui d'un donneur. L'insémination artificielle avec donneur est préconisée quand la stérilité est d'origine masculine (absence ou anomalie des spermatozoïdes) ou lorsque l'homme risque de transmettre une maladie héréditaire grave.

L'insémination du sperme du conjoint est utilisée en cas de qualité insuffisante du sperme ; celui-ci est alors amélioré après son recueil. L'insémination artificielle peut également être proposée lorsque la cause de la stérilité se situe au niveau du col de l'utérus ; le fait de déposer le sperme directement dans l'utérus permettant de résoudre la cause de l'infertilité.

> La fécondation in vitro et l'ICSI. La *fécondation in vitro* consiste schématiquement à prélever des ovules par ponction puis à les féconder en laboratoire, en les mettant en contact avec des spermatozoïdes, et enfin à les implanter de nouveau dans l'utérus de la patiente.

L'ICSI obéit au même principe, mais, dans ce cas, l'ovule est fécondé par micro-injection d'un spermatozoïde sélectionné. Ces techniques permettent de résoudre différentes causes de stérilité, dont au premier chef la stérilité d'origine tubaire (affection incurable des trompes de Fallope).

Il faut savoir que les techniques de la fécondation in vitro et de l'ICSI sont complexes et coûteuses. Le couple qui en fait la demande doit en accepter au préalable les contraintes. Les échecs ne sont pas rares et il est souvent nécessaire de procéder à plusieurs tentatives.

Progestérone

Cette hormone est sécrétée pendant la seconde phase du *cycle menstruel* et pendant la grossesse. Son rôle principal est de favoriser la nidation de l'*ovule* fécondé dans la paroi de l'utérus ainsi que la gestation.

La progestérone est sécrétée par le *corps jaune* (follicule ovarien ayant expulsé l'ovule) lors de la seconde phase du cycle menstruel, par le placenta pendant la grossesse et, à un moindre degré, par les glandes corticosurrénales et les ovaires.

Pendant la grossesse, la progestérone exerce un effet relaxant sur l'utérus, augmente les sécrétions du col de l'utérus, maintient la vascularisation de la muqueuse utérine et prépare les glandes mammaires à la lactation.

Une insuffisance de sécrétion de progestérone peut être responsable d'une incapacité à concevoir (difficulté à obtenir la nidation de l'œuf). Cette insuffisance est traitée par administration de progestérone pendant la seconde phase du cycle menstruel.

Prolactine

Hormone sécrétée par la partie antérieure de l'hypophyse, la prolactine permet le déclenchement et le maintien de la lactation (sécrétion de lait par les seins de la mère).

En cas de désir d'allaitement artificiel au biberon, un médicament inhibant la production de cette hormone pourra être prescrit par le médecin. En cas de contre-indications (par exemple, présence d'une hypertension), la prévention de la montée de lait se fera par la restriction des boissons, le bandage et la vidange manuelle des seins en évitant la tétée, ou le recours à un tire-lait. En effet, c'est la stimulation du mamelon du sein qui favorise la sécrétion de prolactine.

Pyélonéphrite

La pyélonéphrite est une infection du bassinet et du tissu interstitiel d'un rein, beaucoup plus rarement des deux. Chez les femmes enceintes, elle constitue le plus souvent la complication d'une *cystite* non traitée. La meilleure prévention possible consiste ainsi à dépister et à soigner le plus tôt possible toute infection de la vessie.

La pyélonéphrite est une complication relativement fréquente de la grossesse puisqu'elle touche environ 9 % des femmes enceintes, le plus souvent durant le 3e trimestre. Il s'agit d'une affection grave, qui peut être responsable d'une fausse couche ou d'un accouchement prématuré.

Une pyélonéphrite se manifeste tout d'abord par des signes identiques à ceux de la cystite, parfois peu intenses : besoins fréquents et impérieux d'uriner, brûlure lors des mictions, urines troubles. Puis survient une fièvre élevée (38-39 °C) et des frissons, associés à une fatigue importante et à des douleurs d'intensité variable siégeant généralement dans le bas du dos, d'un seul côté.

Si vous présentez de tels signes, votre médecin vous prescrira un examen cytobactériologique des urines (ECBU), qui permettra de déterminer la bactérie responsable de l'infection. Le traitement repose sur la prescription d'antibiotiques, en général d'abord administrés par perfusions au cours d'une hospitalisation, puis pris par voie orale pendant environ 10 à 15 jours. En cas de contractions ou de risque d'accouchement prématuré, ces complications seront également traitées.

VOIR : ANALYSE D'URINE

[Q,R]

Rachianesthésie

Cette anesthésie locorégionale, c'est-à-dire limitée à une région du corps, permet, comme la *péridurale*, de rester conscient.

Lorsqu'une césarienne est programmée avant le début de l'accouchement ou décidée sans qu'il existe d'urgence extrême, on recourt souvent à une rachianesthésie. Il s'agit d'une technique qui s'apparente à la péridurale, et, là aussi, la mère peut assister à la naissance de son bébé. Il existe toutefois quelques différences : la simplicité technique – la solution anesthésiante étant injectée en une seule fois dans le liquide céphalorachidien –, et la durée d'analgésie (1 à 2 heures) qu'elle entraîne.

Les contre-indications sont les mêmes que pour la péridurale : on ne peut pas en bénéficier, entre autres, si on souffre d'un trouble de la coagulation du sang.

Radiographie et grossesse

La radiographie est fondée sur l'utilisation de rayons X et permet de visualiser les structures calcifiées de l'organisme (os) ainsi que certains tissus. L'exposition d'un embryon ou d'un fœtus aux rayons X pouvant induire des malformations, on lui préfère l'*échographie* durant toute la grossesse.

L'exposition d'un fœtus aux rayons X peut entraîner une mutation de ses gènes, surtout en cas de radiothérapie (pendant laquelle une quantité importante de rayons X est délivrée) ; en revanche, en cas de radiographie, le risque est exceptionnel. Toutefois, par précaution, si une radiographie doit impérativement être pratiquée chez une femme enceinte, on protège son abdomen à l'aide d'un tablier de plomb et on limite le nombre de clichés.

> Au 1er trimestre. La période la plus dangereuse pour le futur bébé est le début de grossesse (période de l'embryogenèse au cours de laquelle se forment ses organes), le risque de mutation pouvant alors induire des malformations. C'est pourquoi, en l'absence de contraception, la plupart des examens radiologiques à fort potentiel d'irradiation de la zone de l'utérus doivent être pratiqués dans les dix jours qui suivent le 1er jour des règles, et cela avant toute nouvelle possibilité de fécondation. En cas d'irradiation de l'embryon dans les premiers mois de la grossesse – notamment lorsqu'une radiographie a été réalisée en tout début de grossesse, alors que la femme ne se savait pas encore enceinte –, on cherche à préciser la date de la radiographie par rapport à celle de la fécondation et le nombre de clichés effectués, et on calcule au besoin la dose de rayons X qui a été administrée. Une échographie permettra d'éliminer les risques de malformation.

> Aux 2e et 3e trimestres. Le risque pour l'enfant diminue à mesure de l'avancée dans la gestation. Il est alors possible de pratiquer, si nécessaire, des clichés du petit bassin (urographie intraveineuse en cas de maladie des reins, par exemple), en limitant le nombre de clichés. Pour la même raison, les clichés de radiopelvimétrie, qui servent à prendre les mesures du bassin en prévision de l'accouchement, sont réalisés après le 8e mois de grossesse.

Radiopelvimétrie

Ce sont des radiographies pratiquées chez la femme enceinte en fin de grossesse (fin du 8e mois-début du 9e mois). Elles permettent de mesurer les dimensions de son bassin osseux, et de vérifier ainsi si l'accouchement peut se dérouler par les voies naturelles ou s'il nécessite éventuellement une césarienne.

Au cours de la radiopelvimétrie, les différents diamètres par lesquels l'enfant doit passer sont mesurés à l'aide de plusieurs clichés ; les résultats sont comparés à des normes et aux dimensions du fœtus, lesquelles ont été estimées à l'échographie.

Cet examen peut être pratiqué par radiologie conventionnelle (rayon X) ou par scanner ; il est parfaitement indolore. Il peut vous être prescrit en cas de doute sur les dimensions et la forme de votre bassin, d'antécédents de césarienne, si le fœtus se présente par le siège et dans certains cas de grossesse gémellaire. Cet examen est surtout pratiqué en France.

VOIR : ESTIMATION DE POIDS FŒTAL

Rayons ultraviolets

VOIR : PHOTOTHÉRAPIE

Rééducation du périnée

Lors de l'accouchement, il se produit un étirement important des muscles du *périnée* et du vagin, ce qui peut entraîner une *incontinence urinaire* (fuites involontaires d'urine). La rééducation des muscles du périnée a pour but de prévenir et/ou de traiter ce trouble.

> Quel en est l'intérêt ? Il est important d'effectuer une rééducation du périnée après un accouchement, même par césarienne, car une grossesse altère la tonicité du périnée.

En l'absence de rééducation, une incontinence urinaire est toujours possible. Elle peut s'accompagner en outre d'un prolapsus (descente d'organe), qui peut rendre nécessaire une intervention chirurgicale aux alentours de la ménopause.

> Différentes méthodes. Lors de la visite postnatale, le gynécologue ou la sage-femme effectue une estimation de la qualité de contraction des muscles du périnée. En fonction du résultat, vous serez orientée vers tel ou tel type de rééducation : kinésithérapie classique, ou biofeedback (technique faisant appel à un appareillage qui enregistre et transcrit les fonctions à contrôler et à modifier), électrostimulation à l'aide d'une sonde, la CMP (connaissance et maîtrise du périnée)... Cette rééducation comprend dix séances éventuellement renouvelables. Il est important de débuter les séances de rééducation 6 à 8 semaines après l'accouchement ; c'est alors qu'elles sont le plus efficaces.

Si, après quelques séances, vos muscles ont retrouvé leur tonus, la rééducation se poursuit par un travail des abdominaux. Mais elle ne doit jamais commencer par un travail abdominal, ce qui risquerait d'aggraver l'état du périnée.

> Des cas particuliers. Certaines situations pendant la grossesse et l'accouchement constituent un risque accru d'altération du périnée et nécessitent une rééducation intensive, parfois associée à une préparation avant l'accouchement : fuites urinaires ou prise de poids excessive pendant la grossesse, antécédent de traumatisme du sphincter de l'anus, malformation du périnée, accouchement d'un gros bébé, extraction du bébé à l'aide de forceps, déchirure du périnée pendant l'accouchement, etc.

Reflux gastro-œsophagien

Il arrive que des sécrétions acides de l'estomac remontent vers l'oesophage et la gorge, le plus souvent après les repas. Ce reflux gastro-œsophagien est une affection sans gravité, très fréquente chez les femmes enceintes, surtout au cours du dernier trimestre.

Le reflux gastro-œsophagien, également appelé «pyrosis», provoque une sensation de brûlure débutant au niveau de l'estomac et remontant derrière le sternum vers la bouche. Il peut s'accompagner d'une sensation de saveur acide dans la bouche. Il est favorisé par les bouleversements hormonaux de la grossesse, responsables d'une béance du sphincter inférieur de l'œsophage (cardia). La pression du bébé en fin de grossesse aggrave cette béance, favorisant la remontée acide. Le reflux est accentué par la position allongée après le repas, le port d'une ceinture abdominale compressive, l'ingestion de substances acides, pimentées, les repas copieux, les boissons gazeuses, le thé et le café.

En dehors des cas où il s'accompagne de vomissements importants, un reflux gastro-œsophagien ne nécessite aucun examen particulier. Les troubles régressent quand on élimine les facteurs favorisants mentionnés plus haut. En outre, le médecin peut prescrire des médicaments antireflux à prendre après les repas. Le phénomène disparaît le plus souvent après l'accouchement.

Règles

Les règles correspondent à la chute de fragments de muqueuse de l'utérus mêlés de sang. Elles surviennent lors de la chute hormonale de la fin du ***cycle menstruel***, en dehors des périodes de grossesse, depuis la puberté jusqu'à la ménopause.

Les premières règles, ou ménarche, débutent en moyenne en France à l'âge de 13 ans ; leur fréquence moyenne est de 28 jours, avec des saignements pendant 4 ou 5 jours. Une absence prolongée de règles est appelée «***aménorrhée***». Il s'agit de l'un des premiers signes de la grossesse.

En cas de règles douloureuses, de règles abondantes et de saignements survenant en dehors des règles, on parle respectivement de «dysménorrhée», de «ménorragies» et de «***métrorragies***».

VOIR : CYCLE MENSTRUEL

Retard de croissance intra-utérin (RCIU)

Il arrive qu'un fœtus ne se développe pas selon l'évolution normale. Le nouveau-né vient alors au monde avec un poids inférieur à la normale (moins de 2,5 kg à terme). Cela traduit un retard de croissance intra-utérin, ou hypotrophie.

› Avant la naissance. Un retard de croissance intra-utérin peut être lié à une anomalie du fœtus ou à l'incapacité du placenta à lui fournir les nutriments nécessaires. Le dépistage du retard de croissance intra-utérin repose essentiellement sur la mesure de la ***hauteur utérine*** et sur l'échographie du 3e trimestre, au cours de laquelle sont effectuées différentes mesures de l'abdomen et de la tête du futur bébé. Pendant les deux premiers trimestres, en effet, la croissance des fœtus est assez uniforme et les retards de croissance sont rares.

Des examens complémentaires (***Doppler*** de l'utérus et Doppler ombilical) permettent de déterminer l'origine du retard de croissance et orientent le traitement en fonction des résultats.

› Après la naissance. Un nouveau-né de petit poids est plus fragile qu'un autre. Il doit être surveillé par une équipe spécialisée, car il peut présenter certains troubles métaboliques. Le nombre de ses repas est augmenté (sept ou huit par jour) pour éviter une hypoglycémie ; une sonde gastrique peut être nécessaire pour maintenir une alimentation en continu. Pour prévenir une éventuelle hypocalcémie (taux trop faible de calcium dans le sang), on administre en prévention de la vitamine D. Enfin, si sa température est trop basse, le nouveau-né est placé en couveuse.

Quelles que soient les causes du retard de croissance intra-utérin, le développement de ces enfants doit être tout particulièrement surveillé sur le plan médical, car si certains reprennent du poids assez rapidement et grandissent normalement, d'autres peuvent parfois présenter une certaine fragilité.

VOIR : ESTIMATION DE POIDS FŒTAL

Rétention placentaire

VOIR : DÉLIVRANCE

Retour de couches

C'est la réapparition des règles après un accouchement.

Si la femme n'allaite pas au sein, le retour de couches survient entre 6 et 8 semaines en moyenne après l'accouchement. Si elle allaite, il a lieu environ 4 à 6 semaines après l'arrêt de l'allaitement. Toutefois, en cas d'allaitement prolongé, les règles reparaissent le plus souvent 5 à 6 mois après la naissance du bébé, même si la femme allaite toujours.

L'abondance et l'aspect de ces premières règles sont très variables et souvent différents des règles habituelles. Leur survenue signifie qu'il existe une reprise du phénomène de l'ovulation, et donc qu'une nouvelle grossesse est possible en l'absence de ***contraception***. L'ovulation peut toutefois survenir avant le retour de couches.

Révision utérine

VOIR : DÉLIVRANCE

Rhésus (facteur)

VOIR : GROUPES SANGUINS, INCOMPATIBILITÉ RHÉSUS, MALADIE HÉMOLYTIQUE DU NOUVEAU-NÉ

Rubéole congénitale

La rubéole est une maladie virale contagieuse. Il s'agit d'une affection sans gravité chez l'enfant et chez l'adulte mais très dangereuse pour le fœtus : ainsi, si une femme contracte la rubéole pendant les premiers mois de sa grossesse, son bébé risque d'être atteint de graves malformations.

Avant le 3e mois de grossesse, la rubéole congénitale provoque chez le fœtus des malformations cérébrales, cardiaques, oculaires et auditives. À plus de 3 mois, elle peut entraîner un retard de croissance intra-utérin ou une hépatite, une atteinte des poumons ou des os...

Au début de la grossesse, le médecin vérifie ainsi systématiquement si la femme enceinte est immunisée contre la rubéole. Si elle ne l'est pas, il lui faut éviter tout contact avec des personnes susceptibles de porter le virus.

Une femme enceinte non immunisée contre la rubéole et ayant été en contact avec une personne atteinte de rubéole doit se faire faire une première analyse de sang dans les 10 jours ; une deuxième analyse s'imposera 15 ou 20 jours plus tard. C'est cette dernière qui permettra de savoir si elle est contaminée ou non et de conduire à d'autres investigations si tel était le cas.

Le seul traitement possible est préventif et réside dans une vaccination systématique des enfants. Toute femme en âge d'avoir des enfants, qui n'est pas certaine d'avoir eu la rubéole ou d'être vaccinée, doit faire vérifier son immunité. En l'absence de celle-ci, elle doit se faire vacciner, sous couvert d'une contraception orale efficace ou juste après son accouchement. Il est contre-indiqué de se faire vacciner pendant la grossesse, même si aucune conséquence n'a été recensée.

Rythme cardiaque fœtal (RCF)

C'est le tracé étudiant la variabilité du rythme cardiaque du fœtus in utero et permettant d'évaluer son bien-être. Le recueil se fait soit à l'aide d'un capteur externe placé sur le ventre de la maman en regard du cœur du fœtus, soit à l'aide d'une électrode placée sur le cuir chevelu du fœtus. C'est un des éléments d'appréciation du bien-être fœtal, mais il doit toujours être replacé dans le contexte de la grossesse et de l'accouchement et interprété avec les autres éléments.

> Au cours de la grossesse. Le rythme cardiaque fœtal est analysé s'il existe une anomalie du fœtus ou de la mère (retard de croissance, pathologie maternelle, dépassement de *terme*...) ; l'enregistrement dure environ 30 min et est renouvelé autant de fois que nécessaire. Avant 30 semaines d'aménorrhée, l'interprétation du rythme cardiaque fœtal est très discutée.

> Durant l'accouchement. L'enregistrement est en général continu. On l'associe au tracé des contractions utérines (*tocographie*) : c'est le *monitorage* de l'accouchement, qui apprécie la tolérance du travail par le fœtus. Certaines anomalies du tracé peuvent amener l'équipe obstétricale à déclencher l'accouchement, à recourir au forceps ou à effectuer une césarienne.

D'autres techniques, telles que l'analyse du pH sanguin du fœtus ou des lactates, l'oxymétrie fœtale, l'analyse de l'électrocardiogramme fœtal, sont parfois associées au RCF durant le travail, pour affiner sa valeur diagnostique, notamment en cas de souffrance fœtale.

Le rythme cardiaque normal du fœtus varie entre 120 et 160 battements par minute. On parle de bradycardie fœtale si le rythme de base descend en dessous de 100 battements par minute pendant plus de 10 min, et de tachycardie fœtale s'il est au-dessus de 160 battements pendant au moins 10 min. On apprécie également l'allure globale du tracé et l'existence de ralentissements brefs appelés aussi décélérations (ou DIP) qui, en fonction du contexte et de leur importance, sont plus ou moins pathologiques.

VOIR : SOUFFRANCE FŒTALE

[S]

Saignements

VOIR : MÉTRORRAGIE

Sciatique

Il s'agit d'une douleur, provoquée par la compression du nerf sciatique : partant du haut de la fesse droite ou gauche, elle irradie la totalité ou une partie de la jambe le long du trajet de ce nerf.

> Principales causes. Les sciatiques sont provoquées soit par une saillie du disque intervertébral (hernie discale), soit par une altération de l'articulation entre la dernière vertèbre lombaire et la première vertèbre sacrée.

Ces modifications sont favorisées par la grossesse : d'une part, l'imprégnation hormonale rend les ligaments intervertébraux plus étirables ; d'autre part, il y a une bascule du bassin et une augmentation de la cambrure du dos liées au développement de l'utérus vers l'avant.

Les sciatiques, plus fréquentes en fin de grossesse, sont favorisées par une prise de poids importante et par des antécédents de sciatiques ou de douleurs lombaires. La douleur peut être modérée (elle est alors avivée par les mouvements, les torsions du bassin et les changements de position) ou très aiguë, ce qui rend tout mouvement difficile et peut même empêcher la patiente de dormir.

> Prévention et traitement. Le traitement est assez limité durant la grossesse, les médicaments anti-inflammatoires étant contre-indiqués. Il repose d'abord sur la prévention : limiter la prise de poids, le port de charges lourdes, ne soulever de poids que les jambes biens fléchies (notamment pour soulever un enfant en bas âge), pratiquer régulièrement de la natation, s'asseoir dans une position correcte, dos bien droit. En cas de sciatique, le repos (en position allongée sur un plan dur, en mettant une planche sous son matelas, par exemple) et, éventuellement, un arrêt de travail durant la phase la plus douloureuse, sont en général nécessaires. Des médicaments antidouleur peuvent être prescrits, ainsi que des infiltrations locales de corticoïdes (uniquement en cas de sciatique grave).

Une fois passée la phase aiguë, des séances de kinésithérapie avec massages ou un traitement positionnel par osthéopathie sont parfois bénéfiques. Attention, la pratique de gestes manipulatoires (chiropraxie) est à déconseiller. Les sciatiques ne constituent pas une contre-indication à la péridurale.

VOIR : MAL DE DOS

Seins

Les seins sont constitués d'un tissu graisseux et glandulaire soutenu par de la peau et par un réseau fibreux. Leur augmentation de volume est l'un des signes de la grossesse.

Les canaux galactophores issus des glandes qui sécrètent le lait convergent vers le mamelon, qui est entouré d'une zone pigmentée appelée «aréole».

Dès le début de la grossesse, les seins augmentent de volume. Ils peuvent devenir douloureux ; cette gêne, le plus souvent passagère, disparaît à la fin du 1er trimestre. Pendant les deux derniers trimestres de la grossesse, ils continuent à se développer, et les mamelons augmentent de relief ; l'absence de relief (on parle de «mamelons ombiliqués») peut dans certains cas gêner l'allaitement.

Juste après l'accouchement, parfois avant, les glandes du sein produisent un liquide séreux, le colostrum, qui précède la montée de lait. Celle-ci survient en général au 3e jour, sous l'influence d'une hormone, la ***prolactine***. Une préparation du mamelon par massage ou dispositif d'étirement (Nipette®) pendant la grossesse peut alors être utile.

Pendant la grossesse, la ***radiographie*** des seins (mammographie) est contre-indiquée en raison du risque potentiel des rayons X sur le fœtus. On lui préfère l'échographie-Doppler mammaire.

VOIR : ENGORGEMENT MAMMAIRE, LYMPHANGITE, SEVRAGE

Sevrage

Dans un premier temps, le sevrage consiste à remplacer l'allaitement au sein par l'allaitement au biberon. Dans un second temps, ce terme désigne aussi le passage progressif d'une alimentation seulement lactée à des repas plus diversifiés : cette seconde phase intervient en général entre l'âge de 3 et 6 mois.

Pour arrêter un allaitement en cours, il suffit de baisser progressivement le nombre des tétées en les remplaçant par un biberon de lait artificiel (allaitement mixte). La sécrétion lactée diminue alors et finit par cesser d'elle-même. Cette étape correspond en général à la fin du congé maternité et à la reprise du travail. La maman peut toutefois décider de pratiquer un allaitement mixte et allaiter, par exemple, le matin et le soir.

Sexe du futur bébé

Le sexe du bébé est déterminé dès la fécondation, lors de la fusion du spermatozoïde et de l'ovule, qui apportent chacun un chromosome sexuel: la paire de chromosomes sexuels des filles est XX, et celle des garçons, XY.

Le sexe du futur bébé peut être connu par l'étude de son ***caryotype***, réalisée après une ***biopsie de trophoblaste*** ou une ***amniocentèse***. Mais de tels prélèvements ne sont en aucun cas réalisés pour le seul diagnostic du sexe. On peut également connaître le sexe du futur bébé dès l'échographie du 1er trimestre (12-13 semaines d'aménorrhée) en visualisant ses organes génitaux externes. Mais, même à cette date, une erreur est toujours possible (clitoris de grande taille ou pénis de petite taille), et le praticien préfère alors s'abstenir de tout pronostic. L'échographie du 2e trimestre permet un diagnostic beaucoup plus sûr... sauf si la posture du fœtus ne permet pas de visualiser son sexe (cordon ombilical entre les jambes, par exemple).

Sida

Le sida, ou syndrome d'immunodéficience acquise, est dû au virus de l'immunodéficience humaine, le *VIH*, dont la particularité est d'infecter les cellules du système immunitaire.

> Séropositivité et maladie. La présence d'anticorps dans le sang, décelés par des techniques immunologiques (Western Blot), signifie que le virus est présent dans l'organisme (alors que, dans pratiquement toutes les autres maladies infectieuses, cette présence d'anticorps signifie que l'agent pathogène a été éliminé et assure une protection contre une nouvelle contamination). C'est cela qui définit la séropositivité envers le VIH. Il peut exister un temps de latence de plusieurs années entre la contamination et les premiers symptômes de la maladie.

Celle-ci se manifeste par des infections bactériennes, virales ou parasitaires, dont le caractère inhabituel ou à répétition et la multiplicité des atteintes (poumons, tube digestif, cerveau) révèlent le déficit immunitaire. En l'absence actuelle de traitement curatif, le pronostic de cette affection reste aussi grave chez l'enfant que chez l'adulte.

Siège (présentation par le)

Quand le fœtus se présente fesses en avant, on parle de «présentation par le siège». Cette position peut être favorisée par un excès de liquide amniotique, un obstacle vers la sortie (***placenta prævia*** par exemple), un grand nombre d'accouchements ayant distendu la paroi de l'utérus...

Si le fœtus est assis en tailleur vers la sortie, on parle de «siège complet». Si ses jambes sont dépliées et ramenées vers son buste, on parle de «siège décompléte». L'accouchement par le siège implique une prise en charge particulière ; en effet, la partie la plus volumineuse et peu compressible du bébé est sa tête, qui sort en dernier en cas d'accouchement par le siège. La possibilité d'un accouchement par les voies naturelles est discuté par l'équipe médicale au cas par cas.

En France, une radiographie du bassin dite «***radiopelvimétrie***» est réalisée en fin de grossesse pour vérifier que le bassin de la mère n'est pas un obstacle à la naissance, en raison d'une taille réduite ou d'une forme inhabituelle.

Dans ce cas, une césarienne est proposée de manière systématique.

Sonde urinaire

Il s'agit d'un tube en plastique souple que l'on introduit dans l'urètre (orifice de sortie des urines), afin de vider la vessie.

La sage-femme utilise souvent une sonde urinaire avant l'accouchement, pour éviter la gêne d'une vessie pleine au passage de la tête du bébé. Lors des accouchements sous ***péridurale***, la sensation de vessie pleine disparaît.

La sonde est laissée en place pour plusieurs heures, par exemple lors d'une césarienne. On parle alors de sonde urinaire à demeure.

Pour éviter toute infection urinaire ultérieure, la pose de la sonde se fait toujours dans des conditions strictes d'asepsie.

Souffrance fœtale

C'est la diminution de l'oxygénation et de l'alimentation du fœtus au cours de la grossesse ou de l'accouchement. La souffrance fœtale peut être aiguë ou chronique.

> La souffrance fœtale chronique. Elle est le plus souvent secondaire à un ***retard de croissance intra-utérin***. Selon les cas, la cause est d'origine maternelle (dénutrition très importante), due au placenta, (défaut d'irrigation lors d'une ***prééclampsie***, par exemple) ou liée au fœtus (malformation, anomalie fonctionnelle, etc.). Une souffrance fœtale chronique importante justifie parfois d'interrompre avant le terme la grossesse afin de sauver l'enfant.

> La souffrance fœtale aiguë. Elle survient le plus souvent pendant l'accouchement. Ses causes sont multiples : compression du cordon (procidence), décollement placentaire, hypertonie de l'utérus... Elle se traduit par un ralentissement du ***rythme cardiaque du fœtus***, détecté par monitorage. Parfois, le liquide amniotique se colore en vert, le fœtus éliminant trop tôt le méconium, substance contenue dans son intestin.

Mais des anomalies du rythme cardiaque du fœtus ne signifient pas forcément qu'il existe une souffrance fœtale. C'est pourquoi, en cas d'anomalies, le monitorage peut être complété dans certains cas par un autre examen : le pH au scalp (mesure de l'acidité du sang du fœtus, le sang étant prélevé par voie vaginale, au moyen d'une petite incision pratiquée dans son crâne) ou l'oxymétrie de pouls fœtal (surveillance de l'oxygénation du fœtus grâce à un capteur placé au contact de sa peau).

La privation d'oxygène peut avoir de graves conséquences sur le fonctionnement cérébral du bébé. Une souffrance fœtale justifie donc d'accélérer la naissance, par césarienne ou par les voies naturelles (***extraction instrumentale***) lorsque c'est possible.

VOIR : AMNIOSCOPIE

Spatules

VOIR : EXTRACTION INSTRUMENTALE

Spermatozoïde

Contenue dans le sperme, le spermatozoïde est la cellule sexuelle masculine, responsable de la fécondation de l'ovule.

La production des spermatozoïdes (spermatogenèse) débute à la puberté et ne cesse qu'à la mort. Cette production, qui plusieurs étapes, se déroule dans les tubes séminifères des testicules sous l'action de la testostérone (hormone sexuelle mâle. Une fois produits, les spermatozoïdes gagnent les vésicules séminales, d'où ils sont chassés lors de l'éjaculation, mélangés au liquide séminal, sous forme de sperme.

Chaque éjaculation représente 2 à 6 millilitres et contient de 30 à 150 millions de spermatozoïdes, dont un seul sera fécondant. Un spermatozoïde survit de 24 à 48 heures (voire 4 ou 5 jours) dans les voies génitales féminines. Il s'y déplace à raison de 3 millimètres par minute, à la rencontre de l'ovule, qu'il féconde dans une des trompes de Fallope.

Stérilet

Ce dispositif en plastique souple (Dispositif Intra Utérin ou DIU) est placé dans l'utérus dans un but contraceptif. Il est constitué soit d'un fil de cuivre, soit d'un réservoir de ***progestérone***, créant dans les deux cas un climat défavorable à la nidation d'on œuf.

Le stérilet est indiqué pour la contraception d'une femme ayant déjà eu des enfants, n'ayant pas de désir rapide d'une prochaine grossesse et n'ayant pas de facteurs de risques vis-à-vis des maladies sexuellement transmissibles (rapports sexuels sans préservatif avec des partenaires multiples).

Le stérilet est posé en consultation par le gynécologue ou le médecin généraliste, pendant les règles ou dans les 10 jours qui suivent le début des règles. S'il s'agit d'une contraception après un accouchement, on attendra au minimum 6 semaines après la naissance ou 8 semaines après une césarienne. Le stérilet n'est pas contre-indiqué en cas d'allaitement. Sa durée d'efficacité est de 5 ans, mais il impose une surveillance régulière annuelle.

Stérilité

La stérilité, ou infertilité, est l'incapacité pour un couple de concevoir un enfant. Elle peut survenir chez un couple ayant déjà eu un ou plusieurs enfants (stérilité qualifiée de « secondaire ») ou n'ayant jamais eu d'enfant (stérilité « primaire »).

> Une définition un peu arbitraire. On ne parle de stérilité qu'après 2 ans de tentatives régulières et vaines pour concevoir un enfant. Cette définition est toutefois un peu arbitraire, mais elle repose sur le fait que 80 % des grossesses surviennent spontanément dans un délai de 18 mois. On considère donc que, au-delà de 2 ans, les chances d'obtenir une grossesse spontanée sont faibles, ce qui justifie de pratiquer un bilan médical pour rechercher la cause d'une stérilité.

Toutefois, ce délai de 2 ans est modulable, et peut être écourté en fonction de l'âge de la femme ou des antécédents du couple. En effet, le désir de grossesse étant de plus en plus tardif (âge maternel plus élevé), le délai ne doit pas pénaliser le couple en diminuant les chances de succès d'un *procréation médicalement assistée* : la baisse de fécondité s'accélère en effet avec l'âge de la femme.

Les chances de conception sont de 25 % par cycle menstruel. Elles sont maximales pendant la période qui précède et suit l'opération : de 4 jours avant à 2 jours après, soit, théoriquement, du 10e au 16e jour d'un cycle de 28 jours.

> Causes et traitement. La stérilité a des causes diverses et nombreuses. Elle peut trouver son origine dans une anomalie féminine (40 % des cas), masculine (40 %), voire être liée aux deux partenaires-elle est dite alors « mixte » (20 %) ; certaines situations demeurent inexpliquées en l'état actuel des connaissances médicales.

Pour rechercher une cause de stérilité, le médecin s'intéresse au sperme, à l'ovulation, aux voies génitales féminines et masculines ainsi qu'à une éventuelle incompatibilité entre le sperme et le milieu génital féminin. Il interroge d'abord le couple, puis effectue ou prescrit différents examens.

La prise en charge de la stérilité a bénéficié des récents progrès de la *cœlioscopie*, des médicaments induisant l'ovulation et de l*a procréation médicalement assistée*.

VOIR : FÉCONDATION IN VITRO

Suites de couches

Cette période, également appelée post-partum, s'étend du jour de l'accouchement au retour des règles, ou *retour de couches*.

La période des suites de couches est très fatigante pour la maman : découverte de son enfant, manque de sommeil dû aux tétées régulières, nouvelle modification de l'organisme sur les plans anatomique et hormonal. C'est durant cette période que les organes génitaux retrouvent progressivement leur état antérieur et que, en cas d'allaitement, la lactation s'instaure. Le soutien de la famille et des proches est alors très important, tant du point de vue matériel que psychologique.

> Modifications physiologiques et cicatrisations. L'utérus retrouve ses dimensions initiales au bout de deus mois environ ; le col de l'utérus se referme aux alentours du 20e jour. En cas d'accouchement sous césarienne, l'utérus a besoin en moyenne de 30 jours pour se cicatriser.

Le vagin se rétracte et reprend ses sécrétions physiologiques au bout de 15 jours (plus tard en cas d'allaitement). La vulve et le périnée ne retrouvent leur tonus antérieur que progressivement ; le retour à la normal est facilité par les séances de *rééducation du périnée*, environ 6 à 8 semaines après l'accouchement. Si une épisiotomie a été pratiquée, elle est complètement cicatrisée au bout de 15 à 20 jours environ.

La lactation, qui fait suite à l'émission de *colostrum*, s'installe avec la montée laiteuse aux environs du 3e jour après l'accouchement.

> La surveillance à la maternité. La période de suites de couches est étroitement surveillée. La sage-femme (ou l'obstétricien) vérifie la bonne involution (diminution de volume) de l'utérus, l'aspect et l'abondances des *lochies* (pertes de sang qui suivent l'accouchement), la cicatrisation en cas d'épisiotomie, et surveille le déroulement de l'allaitement. Enfin, elle s'assure aussi que l'accouchée est dans un bon état psychologique (recherche d'un éventuel état dépressif).

VOIR : BABY BLUES, RETOUR DE COUCHES, SEVRAGE.

Syndrome d'alcoolisation fœtale (SAF)

VOIR : ALCOOL ET GROSSESSE

Synéchies utérines

Les synéchies utérines sont un accolement des parois de l'utérus par un tissu fibreux. Elles peuvent être responsables, selon leur gravité, d'une diminution ou d'une absence de règles, de règles douloureuses, ou d'une stérilité totale ou sous forme de fausses couches à répétition. Leur traitement nécessite une intervention chirurgicale.

Les synéchies utérines sont consécutives à une abrasion de la muqueuse de l'utérus, survenue lors d'un traumatisme (conséquence d'une interruption de grossesse par curetage, par exemple) ou d'une infection (tuberculose génitale). Un antécédent de synéchies peut être à l'origine, lors de la grossesse, d'un décollement ou d'une insertion anormale du placenta (*placenta praevia ou placenta accreta*).

Cette anomalie est diagnostiquée par *radiographie* de l'utérus. Le traitement, chirurgical, est réalisé par hystéroscopie (intervention sous anesthésie conduisant à introduire un système optique muni d'instruments opératoires dans la cavité utérine par le col de l'utérus).

Tabac et grossesse

Le tabagisme, actif ou passif (inhalation de la fumée de l'entourage), est nocif pour la femme enceinte et pour son fœtus, les risques étant proportionnels au nombre de cigarettes fumées. Il a aussi des effets négatifs durant l'allaitement, la nicotine étant jusqu'à trois fois plus concentrée dans le lait maternel que dans le sang de la mère.

> Quels sont les effets sur le fœtus ? Les substances toxiques de la cigarette comme la nicotine ou l'oxyde de carbone se retrouvent rapidement dans le sang de la mère puis dans celui de l'enfant qu'elle porte. Pendant la grossesse, l'inhalation de la fumée provoque des modifications dans la circulation sanguine de l'utérus et du cordon ombilical et une diminution des mouvements actifs du fœtus. Ces modifications durent jusqu'à 30 min après la consommation de la cigarette.

Les effets chroniques de la consommation de tabac sur l'enfant à naître sont plus difficiles à vérifier. Actuellement, le tabagisme maternel est rendu responsable d'un retard de croissance de l'enfant, influant sur son poids (en moyenne-200 g), sa taille et son ***périmètre crânien*** ; mais il n'entraîne aucune malformation. La consommation de tabac est en outre également mise en cause sans l'augmentation de grossesses extra-utérines et de fausses couches précoces, ainsi que dans la diminution de fécondité.

> Les traitements de substitution. Si un arrêt brutal du tabac est difficile à envisager pour certaines fumeuses, une nette diminution est indispensable. Une aide psychologique peut être utile. Pendant la grossesse, les traitements de substitution (patch de nicotine) ne sont pas contre-indiqués. Ils sont, de toute façon, moins dangereux que le tabac, qui apporte non seulement de la nicotine mais aussi d'autres produits de dégradation plus toxiques. Comme autre traitement de substitution, on peut avoir recours durant la grossesse à l'homéopathie, à l'acupuncture et à l'auriculothérapie.

Terme de la grossesse

Avant l'ère de l'échographie, le terme de la grossesse était déterminé en fonction de la date du premier jour des dernières règles et comptabilisé en semaines d'aménorrhée, c'est-à-dire en semaines de retard des règles. Les habitudes sont restées, et les obstétriciens de tout pays s'expriment en semaines d'aménorrhée.

> Le mode de calcul utilisé. Avant la naissance, la date fixée pour l'accouchement est purement théorique ; elle est fixée arbitrairement à 41 semaines d'aménorrhée, soit 287 jours après la date des dernières règles.

Sur un cycle menstruel de 28 jours, la fécondation a lieu 14 jours après le début des règles ; il faut donc retirer 2 semaines au nombre total de semaines d'aménorrhée pour obtenir la durée réelle de la grossesse. Mais le calcul se complique quand le début de grossesse, déterminé par exemple lors d'une échographie, ne correspond pas à la date des dernières règles. L'obstétricien ajoute alors arbitrairement 14 jours au nombre de semaines de grossesse, pour respecter la tradition des semaines d'aménorrhée.

> Qu'est-ce qu'une naissance à terme ? Les naissances considérées comme à terme s'échelonnent entre 37 semaines et 42 semaines d'aménorrhée, avec un pic de fréquence situé à 40,5 semaines d'aménorrhée. Avant, on parle de prématurité et, après, de terme dépassé (on utilise surtout cette expression, mais il serait plus juste de parler de grossesse prolongée).

Ce système ne doit cependant pas cacher les multiples imprécisions qui s'y rattachent : la duré moyenne d'une grossesse est de 287 jours plus ou moins 10, auxquels s'ajoutent plus ou moins 4 à 7 jours (précision maximale de détermination de la date de fécondation par échographie).

Il ne faut donc pas confondre la date d'accouchement administrative et la date réelle de l'accouchement, qui est soumise à de nombreuses imprécisions et est variable en fonction de chaque grossesse.

> En cas de terme dépassé. Quand la grossesse se prolonge, le fœtus est exposé à un risque accru de souffrance. Pour évaluer cet état, on le surveille alors en examinant son ***rythme cardiaque*** (RCF) par monitorage et en évaluant la quantité de ***liquide amniotique*** au moyen de l'échographie. Un déclenchement est parfois nécessaire. Les fins de grossesse prolongées bénéficient toujours d'une prise en charge particulière, même si les modalités peuvent varier en fonction des équipes médicales.

Test de grossesse

Les principes des tests de grossesse consiste à dépister, dans le sang ou dans les urines, la présence de l'***hormone de grossesse*** (HCG) : l'organisme d'une femme en fabrique en effet dès qu'elle est enceinte.

> Les tests effectués sur de l'urine. Ils sont en vent libre en pharmacie (et non remboursés en France). Ils ne peuvent être utilisés qu'à partir de 2 ou 3 jours de retard de règles. Il s'agit de tests à réaliser soi-même, en plaçant de l'urine fraîchement émise au contact d'une substance qui prend une couleur spécifique en cas de grossesse. C'est tests ne sont pas fiables à 100 %. Les faux négatifs sont dus soit à des erreurs de manipulation soit à une grossesse trop jeune pour être dépistée ; les faux positifs sont plus rares, et peuvent être dus à une infection urinaire ou à la prise de certains médicaments.

> Les tests effectués sur un prélèvement sanguin. Ils sont réalisés en laboratoire, peuvent être pratiqués dès le 9e jour de fécondation, donc avant tout retard de règles, et sont fiables à 100 %. Ces tests sont remboursés par la Sécurité sociale s'ils sont été prescrits par un médecin.

Test de Guthrie

En France, on pratique le test de Guthrie chez tous les nouveaux-nés. Son but est de vérifier que l'enfant n'est pas atteint d'une ***maladie héréditaire***, la phénylcétonurie, due à l'accumulation dans l'organisme d'une substance appelée phénylalanine et responsable d'un retard mental si elle n'est pas traitée.

Le test de Guthrie est en général pratiqué au 4e ou 5e jour de la vie. Il consiste à prélever quelques gouttes de sang du bébé, puis à mettre le sang au contact d'une culture de bactéries dont la croissance est stimulée par la phénylalanine : la pousse des bactéries est proportionnelle à la concentration de phénylalanine dans le sang. En cas de résultat positif, le diagnostic est confirmé par d'autres examens plus précis.

Si le bébé est atteint de phénylcétonurie, il est soumis à un régime alimentaire pauvre en protéines d'origine animale, ce qui permet d'éviter l'apparition des signes de la maladie.

Une fois en âge de procréer, les filles atteintes de phénylcétonurie ne pourront envisager une grossesse qu'en suivant un régime sévère sous strict contrôle médical.

Thrombose veineuse

VOIR : PHLÉBITE

Tocographie

C'est l'enregistrement des contractions de l'utérus. Cet examen peut être réalisé pendant la grossesse et lors de l'accouchement. Dans ce cas, il est souvent associé à un enregistrement du *rythme cardiaque fœtal*.

La tocographie renseigne sur la force, la durée et la fréquence des contractions. L'examen consiste à placer un capteur de pression sur l'abdomen. Parfois, après la rupture de la poche des eaux et en cas de difficultés d'enregistrement, un capteur spécial peut être positionné dans l'utérus.

La tocographie est utilisée en cours de grossesse en cas de modifications du col de l'utérus, pour déterminer la présence éventuelle de contractions si la femme n'en ressent pas. Elle permet aussi de surveiller l'efficacité d'un traitement destiné à inhiber les contractions en cas de menace d'accouchement prématuré. Enfin, lors de l'accouchement, elle est utilisée de manière systématique et permet de détecter une insuffisance ou un excès de contractions ; on peut alors intervenir immédiatement par l'injection de médicaments appropriés.

VOIR : MONITORAGE

Torticolis congénital

Le torticolis congénital, visible à la naissance, se manifeste par une déviation latérale permanente de la tête. Le nouveau-né ne présente aucun trouble.

Ce torticolis congénital correspond à une mauvaise position du fœtus dans l'utérus, ayant provoqué soit un hématome, soit la rétraction d'un muscle du cou, le sterno-cléidomastoïdien. Cette rétraction entraîne une inclinaison permanente de la tête, le menton étant tourné vers le côté opposé.

Des séances de kinésithérapie permettent de remettre la tête dans la position normale. Plus elles sont effectuées tôt, plus elles sont efficaces et durables.

Toxémie gravidique

VOIR : PRÉÉCLAMPSIE

Toxicomanie et grossesse

Les effets des drogues sur la grossesse et le fœtus ne sont pas tous connus. Le principe de précaution prévaut, et leur usage est vivement déconseillé. De façon générale, la consommation de drogues par une femme enceinte est responsable à la naissance d'un très grave état de mal-être chez l'enfant, qui manifeste ainsi les signes du manque.

> L'heroïne. Elle entraîne une augmentation des accouchements prématurés et des *retards de croissance intra-utérins*. Le syndrome de sevrage des enfants nés de mères héroïnomanes est en général grave, et nécessite de prescrire à l'enfant des drogues de substitution.

> La cocaïne et le crack. La consommation de ces drogues entraînerait une augmentation des fausses couches et des *hématomes rétroplacentaires*.

> Le cannabis et la marijuana. Ils auraient des effets sur la grossesse comme sur l'enfant s'apparentant à ceux du tabac, sans certitude cependant.

> Le LSD. Il serait responsable d'un taux accru de malformations des membres lorsque la mère s'adonne à sa consommation pendant les premiers mois de sa grossesse.

> L'ectasy. Les risques sont mal connus mais s'apparenteraient à ceux des amphétamines, avec des risques de mort fœtale in utero et d'anomalies congénitales (cœur, muscles, squelette).

> Les médicaments psychotropes. Un syndrome de sevrage peut se rencontrer en cas d'utilisation importante de médicaments agissant sur le psychisme, employés dans le cadre d'un traitement ou en automédication. À la naissance, l'enfant est d'abord somnolent, puis présente un état important d'agitation.

Outre ces différents effets, la grossesse des femmes toxicomanes est souvent difficile à suivre, celles-ci refusant dans certains cas de consulter. De plus, d'autres affections liées à la toxicomanie peuvent se surajouter : ***sida***, ***hépatite*** B ou C, malnutrition. Une grossesse bien suivie, même dans ce contexte, éviterait bien des complications pour la mère et l'enfant.

Toxoplasmose congénitale

La toxoplasmose congénitale est une maladie transmise au fœtus à travers le placenta par une femme atteinte de toxoplasmose.

> Les effets sur la maman et le fœtus. La toxoplasmose est une maladie infectieuse provoquée par un parasite présent, entre autres, dans la viande mal cuite ; le parasite se multiplie dans l'intestin du chat. L'infection peut totalement inaperçue ou se traduire par une fièvre, une fatigue, un gonflement des ganglions (adénopathies) et des douleurs musculaires. La guérison de produit sans traitement.

Transmise par vois placentaire, la toxoplasmose congénitale est beaucoup plus grave, car elle peut provoquer chez le fœtus des troubles neurologiques et sensoriels. Il faudra surveiller le développement d'un nouveau-né contaminé, et en particulier ses capacités visuelles. Cela justifie la surveillance mensuelle des femmes enceintes non immunisées contre la toxoplasmose : un traitement (antibiotiques et corticostéroïdes) est prescrit si les anticorps témoignant de l'infection sont retrouvés dans le sang.

> Les mesures préventives. Pour prévenir cette maladie, différentes mesures d'hygiènes sont possibles : maintenir son réfrigérateur toujours propre ; bien laver les fruits et les légumes : cuire les viandes à point, et surtout le bœuf et le mouton ; éviter tout contact avec les chats et encore plus avec leur litière ; se laver soigneusement les mains après avoir touché la terre.

Tranchées

Les tranchées sont des contractions utérines douloureuses survenant après l'accouchement.

Les tranchées durent environ 2 ou 3 jours et s'accompagnent d'une augmentation des pertes de sang, avec éventuellement des caillots. Les contractions sont le signe que l'utérus est en train de se rétracter, pour retrouver sa taille d'avant la grossesse et pour limiter les pertes sanguines. Elles sont accrues par les tétées, qui favorisent la libération d'***ocytine***. Elles sont plus douloureuses quand le nombre d'accouchements augmente.

La douleur des tranchées est calmée par l'application d'une bouillotte chaude sur l'utérus au moment de la tétée, et par la prise d'antalgiques simples (Paracétamol, antispasmodiques ou anti-inflammatoires non stéroïdiens).

Transfusion sanguine

Du fait des progrès de l'obstétrique, les risques de l'hémorragie sont aujourd'hui très réduits. Mais l'hémorragie est la première cause de mortalité maternelle. Une transfusion de produits sanguins, bien que rare, reste donc une possibilité.

La décision d'effectuer une transfusion sanguine est toujours bien pesée. Les alternatives existent comme l'apport de fer, par voie orale et éventuellement par perfusion. Mais quand le besoin est urgent et vital, la transfusion reste le moyen le plus adapté.

Les risques induits par une transfusion sanguine ont été nettement diminués par les progrès effectués (pour les ***hépatites***, le sida..). La transfusion reste en France un don anonyme et gratuit et on ne peut donc pas choisir son donneur.

L'autotransfusion, c'est-à-dire le prélèvement de sang chez une personne pour lui être réinjecté en cas de besoin, ne semble pas être adapté au cas de l'accouchement où les besoins de transfusions sont rares, souvent imprévisibles et très importants quand ils surviennent.

Transmission génétique

Certaines maladies congénitales sont dues à la transmission, lors de la conception, d'une anomalie génétique. Cette dernière peut concerner un chromosome entier en surnombre (trisomie) ou manquant (monosomie), un groupe de gènes, un seul gène isolé ou une partie d'un gène.

> Transmission autosomique dominante. Si une anomalie est transmise par un gène d'un seul parent, celui-ci est dit « dominant ». L'étude de l'arbre généalogique permet de retrouver un certain nombre d'éléments tendant à prouver ce mode de transmission : apparition du caractère à chaque génération, transmission par un aïeul atteint à environ la moitié de sa descendance, absence de consanguinité, transmission indépendante du sexe.

> Transmission autosomique récessive. Dans ce cas, l'anomalie ne s'exprime que lorsque le gène en cause a été transmis par les deux parents. L'étude de l'arbre généalogique révèle des parents indemnes, mais porteurs de l'anomalie, une consanguinité plus fréquente, une transmission par un aïeul atteint à environ un quart de sa descendance, un transmission indépendante du sexe.

> Transmission liée à l'X. Dans ce cas, l'anomalie est transmise par un gène situé sur un des chromosomes sexuels, le chromosome X. L'hémophilie est un exemple de maladie liée à l'X.

Travail

Le travail est la période précédant l'accouchement proprement dit. Celle-ci est marquée par des ***contractions*** régulières et douloureuses de l'utérus, associées à une ***dilatation*** du col de l'utérus. La perception de ces contractions indique à la future maman que l'accouchement est proche.

Les contractions qui caractérisent le travail sont régulières, douloureuses, ne cèdent pas lorsque l'on se repose. L'évaluation de la douleur étant variable d'une femme à l'autre, ces critères peuvent être incomplets. Parfois, de telles contractions surviennent sans s'associer à une dilatation du col ; on parle alors de faux travail. Leur persistance, malgré une prise en charge adaptée, peut conduire l'obstétricien à déclencher l'accouchement ou à pratiquer une césarienne.

La durée moyenne du travail est de 10 à 12 heures pour un premier bébé, souvent moins pour les grossesses suivantes. Chez les femmes ayant déjà eu plus de cinq enfants, le phénomène peut s'inverser, les contractions peuvent alors être moins efficaces.

Triple test

VOIR : MARQUEURS SÉRIQUES (DOSAGE DES)

Trisomie 21

La trisomie 21 (nommée anciennement « mongolisme ») est une maladie congénitale provoquée par une anomalie chromosomique (trois chromosomes au lieu de deux dans la 21e paire). Un enfant trisomique est un handicapé mental dont l'aspect physique est caractéristique.

> L'enfant trisomique. Il est reconnaissable à travers divers signes : visage arrondi et plat, mains larges et courtes avec un seul pli au milieu de la paume, yeux obliques dirigés vers le haut, grosse langue.

Environ 25 % des enfants trisomiques souffrent à la naissance d'une anomalie du cœur, d'autres, d'une anomalie digestive. Ils ont un risque supérieur à la moyenne de contracter des infections et des maladies du sang (leucémie). La trisomie 21 expose en outre à un vieillissement précoce. Mais le handicap le plus important est une déficience du développement intellectuel (quotient intellectuel variant de 30 à 80). Les capacités peuvent être néanmoins améliorées par de constants efforts d'éducation et de stimulation. Ces difficultés nécessitent souvent une prise en charge spécialisée (institut médico-pédagogique puis, à l'âge adulte, médico-professionnel) et, dans la plupart des cas, elles ne permettent pas d'envisager une vie d'adulte autonome.

> Le dépistage après 38 ans ou en cas d'antécédents. Le principal facteur favorisant l'apparition de la trisomie est l'âge de la mère : statistiquement, le risque d'avoir un enfant trisomique est de 1/1 600 avant l'âge de 30 ans, de 1/750 entre 31 et 34 ans, de 1/250 entre 35 et 39 ans, de 1/100 entre 40 et 44 ans, et de plus de 1/50 au-delà de 45 ans. Cela provient probablement du vieillissement des ***ovules***, qui sont présents dès la naissance dans les ovaires des petites filles. C'est pourquoi un dépistage par l'étude du ***caryotype*** fœtal, après prélèvement par ***amniocentèse***, est proposé en France de manière systématique aux femmes de 38 ans et plus à la date de la ponction.

On recommande aussi cet examen quand une femme a déjà porté un fœtus atteint de trisomie 21. Le risque est pourtant en général le même que pour une femme du même âge sans antécédent, car la plupart des trisomies 21 sont dites « libres », c'est-à-dire qu'elles ne présentent pas un risque accru de récidiver lors d'une prochaine grossesse. Mais cette proposition de dépistage est une réponse possible à une anxiété générée par un tel antécédent.

> Le dépistage avant 38 ans. Pour éviter de pratiquer inutilement une amniocentèse, alors que cet examen comporte des risques de fausses couches (0,5 à 1 %), on propose aux femmes de moins de 38 ans deux tests de dépistages dont les résultats orienteront la décision de pratiquer ou non une amniocentèse. Ce sont la mesure de la nuque du fœtus (elle est effectuée lors d'une échographie entre 11 et 13 semaines d'aménorrhée) et le dosage, dans un échantillon de sang de la mère, des ***marqueurs sériques***.

> Pas d'obligation. Ces dépistages (mesures de la nuque fœtale lors de l'échographie du 1er trimestre, dosage des marqueurs sériques, amniocentèse) ne sont pas obligatoires, et la décision d'une éventuelle interruption médicale de grossesse qui en découlerait n'appartient qu'aux parents, les médecins se limitant à proposer la prise en charge la plus adaptée.

Trompes

VOIR : UTÉRUS

Trophoblaste

C'est une couche cellulaire formée autour de l'œuf entre le cinquième et le septième jour après la fécondation.

Le trophoblaste est présent au tout début du développement de l'embryon. Il est constitué de replis creux de petite taille, les villosités choriales, et sécrète des enzymes qui permettent aux cellules de pénétrer dans la muqueuse de l'utérus et de permettre la nidation de l'œuf.

Dès le 8e ou le 9e jour de grossesse, le trophoblaste assure un rôle nourricier de l'embryon. Plus tard, il se différencie en deux couches, qui forment la membrane externe de l'œuf, appelée « chorion ». À partir du 3e mois de grossesse, le trophoblaste prend le nom de placenta.

VOIR : BIOPSIE DE TROPHOBLASTE

[U, V]

Utérus

L'utérus, logé dans le petit bassin entre la vessie (en avant) et le rectum (en arrière), est un organe creux, aux parois constituées d'un épais tissu musculaire. C'est dans l'utérus que se loge l'œuf en cas de fécondation et que se développe le futur bébé jusqu'à sa naissance.

> Précisions anatomiques. L'utérus mesure environ 8 cm de long. Il est constitué d'une zone renflée, le corps, et d'une partie inférieure ouverte sur le vagin, le col ; la jonction située entre les deux se nomme l'isthme. Aux angles de l'utérus (appelés aussi cornes) s'abouchent les deux trompes de Fallope aux extrémités desquelles se situent les deux ovaires.

L'utérus est le plus souvent basculé vers l'avant, plus rarement vers l'arrière ; on parle respectivement d'antéversion et de rétroversion de l'utérus. L'utérus rétroversé n'est pas une anomalie mais une simple particularité anatomique.

La cavité utérine est tapissée d'une muqueuse, l'endomètre, qui se détache tous les mois sous l'influence du cycle hormonal, entraînant le saignement des règles.

> Pendant la grossesse. En tout début de grossesse, l'œuf fécondé migre jusqu'à la cavité utérine, où il s'implante sans la muqueuse. Au fur et à mesure des semaines, la grossesse entraîne une augmentation progressive de l'utérus : à terme, celui-ci atteint le niveau du foie.

À partir du 3e trimestre, sous l'effet de la distension utérine et de ***contractions*** physiologiques (dites « de Braxton-Hicks »), la zone située entre l'utérus et le col de l'utérus s'allonge et s'amincit. C'est à cet endroit, appelé segment inférieur, qu'est le plus souvent pratiquée l'incision chirurgicale en cas de ***césarienne***.

Après l'accouchement, l'utérus a besoin de deux mois environ pour retrouver son volume initial.

VOIR : TRAVAIL

Vagin

Le vagin est un conduit qui s'étend de l'utérus à la vulve. Sa paroi est souple et contractile, et forme des replis très extensibles qui permettent le passage du fœtus lors de l'accouchement.

Le vagin mesure de 8 à 12 cm de longueur. Le somment de la cavité vaginale est occupé par la saillie du col de l'utérus, qui est entourée d'un manchon appelé cul-de-sac vaginal. L'extrémité inférieure du vagin est séparée de la vulve par une membrane, l'hymen, qui est déchiré lors du premier rapport sexuel et remplacé après l'accouchement par de petites excroissances appelées « caroncules myrtiformes ».

Vaginite

Une vaginite est une infection aigüe du vagin. Elle est en général associée à une infection de la vulve (vulvo-vaginite) ou du col de l'utérus (cervico-vaginite). Dans le vagin, il existe une flore microbienne normale qui crée un équilibre et empêche la prolifération des germes pathologiques.

En cas de vaginite, la femme a des pertes vaginales anormales et/ou leur odeur, et éprouve une irritation ou une démangeaison. Les germes les plus souvent mis en cause sont : les champignons (*Candida albicans*), très fréquents durant la grossesse ; les *Gardnarella vaginalis* ; les streptocoques, souvent asymptomatiques (sans symptômes).

Le diagnostic repose sur l'examen clinique, souvent associé à un prélèvement vaginal analysé en laboratoire. Le traitement consiste à prendre des antimycotiques ou des antibiotiques, prescrits soit localement (ovules vaginaux), soit en traitement général, en fonction du germe retrouvé.

Varices

C'est une dilatation anormale et permanente des veines. La grossesse favorise leur survenue, surtout sur les jambes, plus rarement sur les cuisses ou la vulve.

> Les causes et les symptômes. Les varices sont une des conséquences de la dilatation veineuse globale qui affecte les femmes enceintes, et dont l'origine serait un mécanisme hormonal modifiant la paroi des veines. La compression des veines par l'utérus aggrave cette dilatation, et la localise de préférence à la partie inférieure du corps.

Les varices sont plus fréquentes en cas de grossesses rapprochées, de stations debout prolongées. Enfin, il existe un facteur héréditaire qui prédispose à ce trouble. Les varices apparaissent en général assez tôt au cours de la grossesse et peuvent s'accentuer au 3e trimestre. Elles se traduisent par des cordons veineux bleutés, dilatés, au niveau des mollets, de la face interne des cuisses ou de la vulve ; les ***hémorroïdes*** sont une forme de varice siégeant autour de l'anus.

Les varices peuvent être accompagnées de signes cutanés : très fines dilatations veineuses formant un réseau violacé, œdème de la cheville ou du pied. Chez certaines femmes, elles entraînent seulement un préjudice esthétique. Chez d'autres, elles sont responsables d'une sensation de jambes lourdes et de crampes nocturnes.

> Complications possibles et traitement. Les varices peuvent éventuellement se compliquer au cours de la grossesse d'une ***phlébite*** superficielle ; un traitement local simple (application d'une crème anti-inflammatoire sous contrôle obstétrical) suffit en général à faire disparaître ce trouble. Un mauvais état veineux antérieur à la grossesse favorise toutefois le risque de phlébite profonde, qui peut justifier la prise d'***anticoagulants***.

Le traitement des varices est assez limité. Les médecins conseillent le port de collants ou de bas de contentions (« bas à varices »), des douches froides sur les mollets et le bas des cuisses, la surélévation des pieds du lit. Les médicaments veinotoniques n'ont qu'une efficacité limitée. En général, après la naissance du bébé, les varices régressent progressivement.

Veine cave

La veine cave inférieure est le tronc collecteur de tout le sang veineux de la partie inférieure du corps (membres inférieurs, petit bassin, abdomen). Quand elle est comprimée par l'utérus en fin de grossesse, la future mère peut éprouver un malaise temporaire.

La veine cave longe le côté droit de la colonne vertébrale. Elle naît de la réunion des deux veines iliaques primitives, en regard de la cinquième vertèbre lombaire, et se termine dans le cœur au niveau de l'oreillette droite. Durant la grossesse, l'utérus est situé juste devant ce gros tronc veineux. En cas de position allongée sur le dos, il comprime les parois veineuses peu résistantes, gênant le retour veineux vers le cœur et créant une baisse de la tension.

Il en résulte un malaise de la future maman avec nausées, sueurs froides, voile noir devant les yeux, malaise qui disparaît dès que l'on bascule sur le côté gauche : c'est le syndrome cave, qui est sans gravité et se manifeste surtout enfin de grossesse. En cas de persistance malgré la bascule sur le côté gauche, la surélévation des jambes favorisera le retour veineux.

Ventouses

VOIR : EXTRACTION INSTRUMENTALE

Vergetures

Ces stries longilignes sur la peau, plus ou moins larges, sont provoquées par une rupture des fibres élastiques du derme. Elles surviennent chez près de 75 % des femmes enceintes, en général à partir du 6e mois de grossesse.

Les vergetures sont le plus souvent localisées sur l'abdomen, les fesses, les hanches, les cuisses et les seins, et sont d'abord violacées puis prennent une couleur blanc nacré. Elles sont irréversibles, mais deviennent moins visibles après avoir cicatrisé et blanchi. L'apparition de vergetures est plus fréquente chez les femmes de moins de 20 ans, chez les femmes ayant une carnation blonde ou rousse, en cas de prise de poids excessive et lors de la première grossesse.

L'efficacité des crèmes antivergetures est loin d'être prouvée. Il n'existe aucun traitement curatif.

Vernix

Le bébé vient au monde recouvert d'un enduit blanchâtre, épais et très adhérent à la peau : c'est le vernix. Cet enduit lui sert de couche protectrice pour affronter la naissance et le premier contact avec l'air.

Cet enduit, également appelé vernix caseosa, est sécrété par les glandes sébacées du fœtus au cours du 8e mois. À mesure de l'évolution de la grossesse vers son terme, le vernix se résorbe progressivement.

Après la naissance, le vernix, généralement plus abondant dans les plis de la peau, se résorbe spontanément au cours des 24 premières heures. Il ne faut pas l'éliminer artificiellement en frottant la peau d'un nouveau-né.

VIH

Le VIH (virus de l'immunodéficience humaine), qui est responsable du sida, fait partie d'un groupe particulier de virus dénommés rétrovirus. Ce virus est capable de convertir la molécule d'ARN, sur laquelle son matériel génétique est inscrit, en molécule d'ADN, qui peut alors s'intégrer dans le génome humain.

Les virus actuellement identifiés avec certitude, le VIH 1 et le VIH 2, sont transmis par voie sexuelle, sanguine et de la mère à l'enfant, en fin de grossesse, lors de l'accouchement ou de l'allaitement. Des protocoles thérapeutiques utilisant une césarienne systématique et certains médicaments antiviraux donnés à la mère en fin de grossesse ou pendant l'accouchement, puis au nouveau-né pendant les premiers jours de vie, permettent de diminuer le risque de transmission du virus (3 % des cas). En cas de séropositivité, l'allaitement maternel est déconseillé, car le virus peut passer par le lait.

Le seul moyen de lutte contre l'épidémie que provoque ce virus est préventif (utilisation de préservatifs, entre autres), car il n'existe pas encore, à ce jour, de traitement efficace qui permette de l'éliminer d'une personne contaminée.

> La transmission mère/fœtus. Le virus VIH peut être transmis au fœtus par une mère séropositive, en fin de grossesse ou lors de l'accouchement. En l'absence de prise en charge médicale, le risque est de l'ordre de 20 à 30 % et varie en fonction du stade de la maladie. Des protocoles thérapeutiques sont proposés pour diminuer le risque de transmission du fœtus ; ils se sont révélés efficaces, sans toutefois annuler totalement le risque (3 %).

> Après la naissance. Le nouveau-né de mère positive (porteuse de virus) est toujours séropositif, mais pas nécessairement porteur du virus. En effet, tous les anticorps de sa mère lui ont été transmis, y compris les anticorps dirigés contre le VIH : il est donc toujours séropositif à la naissance et ce, jusqu'à l'âge de 6 mois environ. L'enfant sera régulièrement suivi et éventuellement traité dans des centres spécialisés.

Quand la mère est séropositive, on procède, dès la naissance, à des examens (détection de la présence du virus par culture ou recherche directe de son génome) pour déterminer si le bébé a été ou non contaminé par le virus et commencer très vite, si besoin, un traitement antiviral.

> VIH et allaitement. La transmission du VIH par le lait maternel est possible : l'allaitement maternel est donc déconseillé.

VOIR : SIDA

Vomissements

VOIR : NAUSÉES.

Médecines douces et grossesse

Il ne s'agit en aucun cas de vous passer du suivi obstétrical régulier du médecin qui vous accompagne. Cependant, pour vous soulager de certains petits maux inhérents à la grossesse et pour vivre au mieux ce moment privilégié, pourquoi ne pas avoir recours aux médecines douces ? Homéopathie, acupuncture, ostéopathie, phytothérapie... autant de pratiques qui peuvent s'avérer utiles à côté des traitements médicaux classiques.

L'homéopathie

L'homéopathie est une médecine particulière reposant sur une certaine vision de la santé et de l'état d'équilibre qui l'accompagne. Des médicaments homéopathiques spécifiques peuvent prévenir et traiter un certain nombre de petits maux de la grossesse.

Comment ça marche ?

L'homéopathie n'est pas si récente qu'on pourrait le croire. C'est dès la fin du XVIIe siècle que Samuel Hahnemann, un médecin allemand déçu par la médecine de son temps, a entrepris de mettre au point ce nouveau mode de traitement. Ce qu'il inventa, c'est une médecine globale cherchant à soigner l'individu dans son ensemble et à lui permettre de retrouver son équilibre. L'homéopathie se fonde sur trois principes essentiels : la loi de la similitude, l'individualisation des symptômes et la prise en compte de ceux-ci dans leur globalité.

LA SIMILITUDE : « LE MÊME GUÉRIT LE MÊME » • Pour l'homéopathe, un remède n'est efficace que s'il provoque chez une personne saine des symptômes identiques à ceux qui caractérisent la maladie à guérir, ou mieux encore, des symptômes identiques à ceux que présente le malade. En d'autres termes, plus le traitement ressemble à la maladie à guérir, plus il est efficace.

L'INDIVIDUALISATION : RECHERCHER LES SYMPTÔMES PERSONNELS • Chaque malade est différent et présente des symptômes qui lui sont propres. Le médecin homéopathe va ainsi traiter de façon spécifique les maux ressentis par le patient et lui donner un remède parfaitement adapté.

LA GLOBALITÉ : PRENDRE EN COMPTE TOUS LES SYMPTÔMES • Tous les symptômes ressentis par le patient sont importants à détecter pour soigner au mieux. En homéopathie, on cherche plus à guérir le malade que la maladie.

Dans quels cas recourir à l'homéopathie ?

L'homéopathie cherche à écouter le patient et à être au plus proche des modifications de son corps. En ce sens, le traitement homéopathique est tout particulièrement indiqué pour aider la femme enceinte à soulager les petits maux inhérents à la grossesse, à l'accouchement et à l'allaitement. Le gros avantage de l'homéopathie, c'est qu'elle est dénuée de tout risque toxique pour le fœtus.

La prise de remèdes homéopathiques ne peut pas se substituer au suivi médical pratiqué par votre gynécologue ou votre obstétricien. Mais vous pouvez choisir de recourir à cette forme de médecine dans trois principaux cas :

• pour lutter contre les affections courantes qui ne sont pas propres à la grossesse (un rhume, par exemple) : les médicaments homéopathiques vous permettent alors d'éviter, dans la mesure du possible, les médicaments classiques qui peuvent être contre-indiqués dans votre état ;

• pour lutter contre les troubles typiques de la grossesse (nausées, crampes, brûlures d'estomac, jambes lourdes, etc.) : l'homéopathie peut vous aider à soulager ces maux parfois fort désagréables en vous évitant, là aussi, de recourir à des médicaments classiques qui pourraient avoir des contre-indications ;

• pour améliorer votre état général : l'homéopathie prévient et limite les problèmes liés à la grossesse et à l'accouchement, et, grâce à elle, vous pouvez vous rétablir plus vite après la naissance de votre bébé. En ce sens, l'homéopathie joue ici son rôle essentiel de prévention.

La consultation chez l'homéopathe

Si vous choisissez de recourir à l'homéopathie, ne le faites jamais par vous-même sans consulter au préalablement un médecin. L'automédication est absolument à proscrire durant la grossesse, et après l'accouchement si vous allaitez. Par ailleurs, si vous consultez plusieurs médecins, vous devez les informer de tous vos traitements en cours.

La démarche est la même pour une femme consultant un médecin homéopathe pour une grossesse que pour tout autre motif : seul un interrogatoire approfondi de la patiente permet de déterminer les symptômes les plus personnels et

L'HOMÉOPATHIE PENDANT LA GROSSESSE

Troubles	Description des symptômes	Remède
Nausées	• Nausées intenses et incessantes, salivation abondante, langue propre (sans dépôt), nombreuses éructations et vomissements ne soulageant pas. Épuisement, tristesse et grande irritabilité. • Nausées et vomissements matinaux, dégoût alimentaire, ballonnements, grande fatigue, irritabilité, voire dépression. • État nauséeux, dégoût de toute nourriture, désir d'aliments acides et amers, frilosité, transpiration, constipation, tristesse, épuisement et besoin de solitude, chez des femmes hyperactives habituellement.	*Ipeca* 5 CH *Cocculus* 5 CH *Sepia* 5 CH
Jambes lourdes	• Jambes lourdes soulagées par l'eau froide et aggravées par la station debout dans une atmosphère chaude. • Varices douloureuses enflammées et sensibles au toucher. • Varices et mauvaise circulation sanguine au niveau des jambes, aggravées par le froid et l'air confiné. Troubles améliorés par l'exercice physique	*Pulsatilla* 5 CH *Hamamelis* 5 CH *Sepia* 5 CH
Constipation et hémorroïdes	• Constipation avec état nauséeux, épuisement, tristesse chez les femmes hyperactives. • Selles dures avec hémorroïdes ayant tendance à saigner. • Constipation, hémorroïdes douloureuses, soulagées par des bains de siège froids et aggravées par la station debout.	*Sepia* 5 CH *Collinsonnia* 5 CH *Aesculus hippocastanum* 5 CH
Crampes	• Crampes musculaires aggravées la nuit et par temps froid.	*Cuprum metallicum* 5 CH
Brûlures d'estomac	• Sensation de brûlure remontant le long de l'œsophage avec renvois de liquide acide et brûlant.	*Iris versicolor* 5 CH
Troubles urinaires	• Miction fréquente et douloureuse avec sensation de brûlure suivie parfois d'une douleur au pubis. • Perte involontaire et intermittente d'urine entre les mictions, déclenchée par la toux, le rire ou les changements de position.	*Populus tremuloides* 5 CH *Causticum* 5 CH
Douleurs abdominales	• Contractions survenant les derniers jours de grossesse, avec crampes et spasmes.	*Caulophyllum* 5 CH

L'HOMÉOPATHIE PENDANT LE TRAVAIL

Description des symptômes	Remède
• Grande nervosité se manifestant par un bavardage incessant, douleurs ininterrompues décrites comme « déchirantes », douleur dans le bas du dos, crampes.	*Actaea racemosa* 5 CH
• Douleurs inefficaces en début de travail avec nausées et douleurs à l'estomac. Soif et sensation de fièvre.	*Caulophyllum* 5 CH
• Contractions inefficaces qui remontent dans le dos, rigidité du col, anxiété.	*Gelsemium* 5 CH
• Douleurs extrêmement violentes ressenties dans le dos, s'accompagnant de crampes dans les mollets, d'une envie de déféquer et d'uriner, éventuellement d'évanouissements. La patiente est très irritable.	*Nux vomica* 7 CH
• Douleurs ressenties dans le dos, irradiant vers les fesses. La patiente a besoin d'une pression sur le dos ; elle a la sensation que son corps est creux. Éructations fréquentes.	*Kalium carbonicum* 7 CH
• Facilite le travail s'il existe des douleurs rhumatismales (notamment aux hanches et sous le sein gauche), en fin de grossesse ou pendant les contractions. Préconisé en cas de contractions accompagnées de crampes, de frissons nerveux, d'une grande excitation, avec dilatation irrégulière du col utérin.	*Cimicifuga racemosa* 7 CH

ainsi de choisir un remède efficace. Seule spécificité, l'accent est particulièrement mis sur toutes les modifications survenues depuis le début de votre grossesse : les changements dans votre comportement, les envies, les dégoûts alimentaires caractéristiques, etc.

Le médecin homéopathe, pour déterminer le remède le plus approprié, a besoin de connaître tous les symptômes que vous avez pu remarquer en vous. Exprimez vous simplement et dites ce que vous ressentez : à quoi ressemble la douleur (tiraillement, crampe, point de côté...), où vous la situez (ventre, jambes...) ; quand et comment elle apparaît (de façon progressive ou brutale...).

Ne soyez pas étonnée si le médecin vous demande « quoi d'autre ? », « et encore ? » : plus un symptôme est énoncé de façon claire et détaillée, plus il donne d'indications importantes. Ouvrez votre cœur et n'hésitez pas à tout dire – même ce qui vous semble ridicule ou sans importance. D'une certaine façon, l'un des rôles de l'homéopathie est d'apprendre au patient à mieux se connaître lui-même.

Soigner les petits maux de la grossesse

L'homéopathie peut facilement soulager de nombreux troubles mineurs mais fréquents : nausées, fatigue, douleurs des jambes, hémorroïdes, constipation... Ces petits maux sont bénins, mais ils peuvent être particulièrement difficiles à supporter, d'autant plus qu'il est souvent contre-indiqué pour une femme enceinte d'avoir recours aux médicaments classiques.

Dans le tableau page précédente, vous trouverez une liste des principaux remèdes utilisés pendant la grossesse. Cette liste vous permet seulement de mieux comprendre la prescription médicale émanant de votre médecin et ne se substitue en aucun cas à elle. Seul le médecin homéopathe pourra déterminer quel médicament choisir et quelle posologie adopter.

Préparer l'accouchement

Un traitement homéopathique peut vous aider à aborder l'accouchement de façon sereine. L'idéal est de vous prescrire, à titre préventif, un remède qui vous est spécifique – qui est propre à votre « similimum », comme disent les médecins homéopathes pour désigner le remède correspondant exactement au mode réactionnel d'une personne donnée. Ce traitement pourra être pris peu de temps avant l'accouchement et, si le besoin s'en fait sentir, pendant l'accouchement lui-même.

À titre d'exemple, on peut citer quelques médicaments pour préparer à l'accouchement :

- *Actaea racemosa* 5 CH calme l'agitation et l'anxiété des femmes dans le mois précédant l'accouchement ainsi que les douleurs du ventre associées à des courbatures dorsales ;
- *Arnica montana* 5 CH limite le traumatisme physique de l'accouchement ;
- *Caulophyllum* 5 CH soulage les contractions des derniers jours.

L'homéopathie peut soulager la souffrance provoquée par les contractions et accélérer le travail naturel. Les traitements peuvent être administrés pendant le travail (voir tableau ci-contre).

Après l'accouchement : bien récupérer

L'homéopathie peut vous accompagner dans la période parfois délicate des suites de couches. Elle vous aide en particulier à passer le cap d'un éventuel baby blues (dépression passagère survenant fréquemment après la naissance).

Il existe aussi de nombreux remèdes en cas de difficultés pour allaiter. Certains favorisent la sécrétion lactée (*Urtica urens* 5 CH), tandis que d'autres traitent différents incidents tels que les crevasses du mamelon (*Castor equi* 5 CH) ou les montées laiteuses douloureuses (*Phytolocca* 5 CH).

L'acupuncture

L'acupuncture est une médecine chinoise traditionnelle. Elle consiste à stimuler des points énergétiques à l'aide de fines aiguilles placées en différents endroits du corps. Le but est de maintenir ou rétablir un équilibre énergétique. Cette médecine peut être employée tout au long de la grossesse, mais aussi au cours de l'accouchement et durant les suites de couches.

Une médecine des énergies reposant sur une philosophie de vie

L'acupuncture est une médecine ancestrale dont les lois, décrivant la place de l'homme au sein de l'univers, existent depuis des millénaires. Une des lois principales est celle de la dualité exprimée par le couple bien connu *Yin/Yang*. Le *Yin* et le *Yang* sont opposés, et pourtant, ils sont unis par un principe de complémentarité, puisqu'ils n'existent chacun que l'un par rapport à l'autre.

Tout dans la nature est soumis à ce couple de contraires et peut être classé *Yin* et *Yang* : le froid et la chaleur, la nuit et le jour, l'immobile et le mobile, le nord et le sud… L'acupuncture est une médecine énergétique : pour elle, tout n'est qu'énergie plus ou moins *Yin* ou plus ou moins *Yang*. L'énergie la plus *Yin* se matérialise par le sang (Xue), tandis que l'énergie la plus *Yang* est immatérielle et renvoient aux souffles (*Qi*). Les souffles traversent le corps humain dans des canaux immatériels appelés « méridiens ». Leurs trajets sont décrits très précisément et affleurent la peau à de nombreuses parties du corps, qui sont nommées « points ».

Le traitement par acupuncture consiste ainsi à stimuler certains points par la pose d'une aiguille. La stimulation d'un ou de plusieurs points permet de maintenir ou de rééquilibrer la circulation de l'énergie, le but étant de garder ou de retrouver l'harmonie. L'acupuncture est donc une médecine curative, mais surtout pour les Chinois une médecine préventive : on ne va pas voir son médecin acupuncteur seulement pour guérir, mais simplement pour rester en bonne santé.

Comment se déroule une consultation ?

Vous pouvez ressentir le besoin de consulter un acupuncteur aux différentes étapes de votre grossesse : durant les premiers mois pour mieux supporter les petits maux occasionnés par le changement d'état et, à partir du 8e mois, pour mieux vous préparer à l'accouchement. Mais vous pouvez aussi faire appel à un acupuncteur pendant votre accouchement, ou encore à la suite des couches afin de mieux récupérer après la naissance de votre enfant. Dans tous les cas, ce sera un médecin acupuncteur ou bien une sage-femme acupunctrice qui pratiquera ces séances.

Lors de la première consultation, l'acupuncteur va établir un diagnostic énergétique. Pour cela, il pratique un interrogatoire minutieux et poursuit son observation par un examen clinique obstétrical classique, suivi d'un examen énergétique. Lors de celui-ci, le médecin prend les pouls de l'artère radiale et observe votre langue. À partir de ce diagnostic énergétique, l'acupuncteur choisit soigneusement les points sur lesquels il pose les aiguilles. Il utilise des aiguilles associées ou non à des « moxibustions » (cigare d'armoise – *moxa* – que l'on chauffe à distance de la peau). Durant le traitement, vous êtes allongée et détendue. Ne vous inquiétez pas, la pose des aiguilles est quasiment indolore, même pour les plus sensibles d'entre vous. En effet,

UNE SÉCURITÉ MAXIMALE

- **Si vous pratiquez l'acupuncture chez un médecin sérieux et compétent, vous pouvez être sûre de suivre un traitement qui ne présente aucun danger.** Les aiguilles utilisées sont chacune emballées individuellement et sont à usage unique. Elles seront jetées aussitôt après votre séance de traitement. Elles ne présentent donc aucun risque de contamination et sont parfaitement stériles.
- **L'acupuncture n'occasionne aucun effet secondaire négatif** et peut être pratiquée en parallèle d'un traitement plus « classique ».

les aiguilles de l'acupuncteur sont beaucoup plus fines que celles qui sont utilisées pour les tests sanguins ou les vaccins et elles ne laissent aucune marque. Elles sont retirées quinze minutes après leur pose.

Retrouver un équilibre bouleversé par la grossesse

Votre grossesse modifie tout votre équilibre énergétique. En effet, le rapport énergie/sang (*Qi/Xue*) est bouleversé. Les acupuncteurs disent qu'on assiste au fil des mois à une « yinnisation » du petit bassin qui se matérialise par une plénitude de sangpar rapport à l'énergie. Ce nouvel équilibre peut être plus ou moins bien vécu par la femme et se traduire alors par différents maux. Ces petits maux typiques de la grossesse correspondent, pour l'acupuncteur, à des stagnations de sang dans le petit bassin : des troubles digestifs (nausées, vomissements, gastralgies, constipation...), des troubles circulatoires (varices, hémorroïdes, œdèmes...) ou encore des douleurs (lombalgies, sciatiques, douleurs intercostales...). Il s'agira donc d'harmoniser le rapport énergie/sang pour retrouver l'équilibre perdu.

Mais l'acupuncture est une médecine qui se veut complète et qui prétend soigner le corps dans sa totalité et non pas simplement s'attaquer aux symptômes les plus apparents. L'acupuncture est ainsi considérée également comme une médecine de l'esprit. En effet, en régularisant la circulation de l'énergie, elle permet une amélioration de troubles fréquents durant la grossesse. Vous pouvez donc consulter un acupuncteur si vous vous sentez anxieuse ou si souffrez d'insomnie.

L'acupuncture peut également aider à mieux préparer l'accouchement. Au cours du 8e mois de grossesse, le bébé se positionne en vue de l'accouchement et se présente généralement la tête en bas. Cependant, il arrive que certains bébés restent en présentation du siège. Dans ce cas, un point d'acupuncture peut aider le fœtus à se retourner de lui-même pour se mettre dans la bonne position. Ce point se situe au niveau du cinquième orteil des pieds de la maman. La stimulation se fait à l'aide de *moxa* (voir page 449). Cette méthode a fait ses preuves d'efficacité.

Cependant, s'il survient des complications, il faut aussitôt consulter votre gynécologue. Dans tous les cas, l'acupuncture ne peut être envisagée que comme traitement complémentaire d'une prise en charge en médecine classique.

L'acupuncture peut aussi être utilisée pendant l'accouchement

Comme le printemps succède à l'hiver (c'est le cycle immuable des saisons), par analogie, à une apogée du *Yin* (la grossesse) va succéder une montée du *Yang* (l'accouchement). Le surgissement du *Yang* se traduit par l'apparition des contractions utérines qui, grâce à leur puissance et leur répétition, vont permettre au col utérin de s'ouvrir, puis au bébé de descendre dans le petit bassin et de naître. Vous pouvez ainsi utiliser l'acupuncture au cours du 9e mois, afin d'aider le col de l'utérus à s'ouvrir. L'acupuncture est également efficace si le terme est dépassé, car son action aide à déclencher le travail. Enfin, l'acupuncture utilisée lors de l'accouchement lui-même contribue à diminuer la douleur des contractions. Malheureusement, en France, l'acupuncture est encore peu développée dans les maternités, et donc rarement proposée.

Continuer l'acupuncture après l'accouchement ?

Les suites de couches correspondent sur le plan énergétique à un grand vide pouvant se traduire par de la fatigue, de l'anxiété ou des difficultés à allaiter. Dans les mois qui suivent l'accouchement, l'acupuncture peut accompagner une rééducation périnéale : en effet, la stimulation de l'énergie facilite une bonne récupération des différentes fonctions du périnée. De façon plus globale, l'acupuncture apporte une remise en forme plus rapide.

L'ostéopathie

L'ostéopathie, par un toucher respectueux et à l'écoute de la personne, répond au besoin grandissant d'un accompagnement global de la femme enceinte et du bébé. Elle se définit comme un mode de pensée et de soins ; elle élabore son approche fondamentale de la santé et de la pathologie à partir de la « théorie des systèmes ». Les systèmes sur lesquels agit l'ostéopathie sont les différents systèmes du corps humain : viscéral, respiratoire, articulaire, circulatoire, crânien. Le but est de permettre à la personne de maintenir ou de retrouver un état de bien-être physique, mental et affectif.

APRÈS L'ACCOUCHEMENT

- **Dans les semaines qui suivent l'accouchement, la maman peut souffrir de certains désagréments :** troubles urinaires, mauvaises postures, douleurs du dos, périnée relâché, baby blues. L'ostéopathie peut aider à soigner ces différents symptômes.
- En outre, **il est conseillé de revoir l'ostéopathe quelque temps après la naissance** pour vérifier que le corps a retrouvé un nouvel équilibre. Cette médecine douce peut aussi être utile pour soulager les nourrissons, en particulier, en cas de déformations crâniennes liées à la grossesse ou à l'accouchement, de troubles du sommeil, de régurgitations, d'obstruction du canal lacrymal.

Le toucher ostéopathique fait appel aux ressources naturelles du corps: le traitement manuel travaille toujours dans le respect de la physiologie. Il relance le mouvement et le rythme du ou des système(s) à traiter. Le geste technique est à la fois doux et précis, adapté aux différents dysfonctionnements rencontrés.

Pourquoi faire appel à l'ostéopathie ?

À chaque trimestre de la grossesse, le corps de la femme va être amené à s'adapter à des changements ostéo-articulaires et hormonaux. Le cadre osseux (bassin et colonne vertébrale) doit s'ajuster au volume toujours croissant de l'utérus. On observe, par exemple, une modification du centre de gravité. Durant la grossesse, le suivi ostéopathique a pour objectif l'harmonisation du corps.

Les symptômes soignés par l'ostéopathie

Si l'ensemble du tissu conjonctif et ostéo-articulaire (os, tendons, ligaments, muscles) résiste à ce mouvement de transformation que vit la femme enceinte, des symptômes peuvent apparaître à différentes étapes de la grossesse. Ceux-ci peuvent être traités par l'ostéopathie, à condition qu'ils ne soient pas en rapport avec une complication de la grossesse. Il est donc important de consulter, au préalable, la sage-femme ou l'obstétricien.

AVANT LA GROSSESSE • Lorsqu'on envisage une grossesse, il peut être utile de consulter un ostéopathe pour préparer le corps à accueillir une nouvelle vie et à prévenir les petits maux qui apparaissent parfois au cours de cette période.

DURANT LE 1er TRIMESTRE • L'ostéopathie peut aider en cas de nausées, de reflux oesogastrophagien, de vomissements, de vertiges, de douleurs abdominales. Les douleurs le long de la colonne vertébrale et les maux de tête sont également soulagés par cette médecine douce.

PENDANT LES 2e ET 3e TRIMESTRES • Les douleurs de la colonne vertébrale, les sciatiques, la constipation, les jambes lourdes sont autant de symptômes que l'ostéopathie peut prendre en charge. Cette médecine est également utile en cas d'alitement prolongé.

LA PRÉPARATION À L'ACCOUCHEMENT • Le travail sur le bassin et le petit bassin a pour objectif de favoriser un accouchement naturel. L'ostéopathe vérifie ainsi que le bassin est bien mobile (mobilité de l'articulation sacro-iliaque) et que le bébé ne butera pas contre une structure rigide; son passage dans le bassin sera alors facilité.

Comment se passe une consultation ?

La consultation se déroule en plusieurs étapes. Dans un premier temps, l'ostéopathe interroge longuement la patiente. Il prend connaissance de son dossier obstétrical. En effet, un traitement ostéopathique se fait toujours en collaboration avec un suivi obstétrical classique.

L'ostéopathe procède ensuite à l'examen clinique, basé sur des tests de mobilité: il observe comment le corps se mobilise, articulation par articulation, puis dans sa globalité. Il saura ainsi quel traitement entreprendre. L'examen clinique a lieu, le plus souvent, en position allongée. Que le travail ostéopathique soit effectué sur le crâne, sur l'abdomen ou sur le cadre osseux, les techniques employées sont toujours adaptées à la femme enceinte et au bébé; les mobilisations sont toujours douces et sans à-coups. Le praticien peut aussi, au cours de la consultation, montrer à sa patiente des exercices corporels, qui, pratiqués ensuite avec régularité, pourront soulager son corps.

Les ostéopathes accordent une place prépondérante au facteur humain et sont particulièrement à l'écoute du ressenti et des besoins de la future maman. Le nombre de séances varie selon le déroulement de la grossesse; en général, trois séances sont nécessaires.

La phytothérapie

Au cours des siècles, des plantes médicinales ont toujours été prescrites pendant la grossesse. Très tôt, les peuples se sont rendus compte que certaines espèces végétales possédaient des vertus thérapeutiques et contenaient des principes actifs aidant la femme enceinte à mieux vivre sa grossesse. Aujourd'hui encore, vous pouvez traiter les petits maux de la grossesse par des remèdes simples et naturels.

Quelques précautions à prendre

Même si vous avez fait l'acquisition d'un bon manuel de phytothérapie, ne prenez aucune initiative sans consulter au préalable votre médecin. Contrairement à ce qu'on pourrait avoir tendance à croire, certaines plantes, si elles sont mal utilisées ou si les doses ne sont pas respectées, peuvent présenter un danger réel. Ainsi, quelques plantes, dotées de

ATTENTION, DANGER !

> **Il est fortement déconseillé de consommer les plantes suivantes pendant la grossesse,** car elles sont dangereuses: cohosh bleu (*Caulophyllum thalictroides*); hydraste du Canada (*Hydrastis canadensis*); genevrier (*Juniperus communis*) ; menthe pouliot (*Mentha pulegium*); millefeuille (*Achillea millefolium*); sauge (*Salvia officinalis*).

constituants stimulant les muscles de l'utérus, risquent, à fortes doses, de provoquer des fausses couches.

En règle générale, il est conseillé d'éviter tout traitement médicinal, y compris aux huiles essentielles, durant les trois premiers mois de la grossesse. Un certain nombre de plantes sont même à proscrire pendant toute la durée de la grossesse (voir encadré page 451).

Veillez également à ne pas consommer les plantes durant une période trop longue. En effet, si certaines plantes comme la camomille allemande, le tilleul ou le maïs sont très efficaces, elles peuvent toutefois avoir des effets secondaires si on les utilise pendant plus de trois semaines. La prudence est donc de mise.

Comment se procurer des remèdes à base de plantes ?

Vous pouvez consommer les plantes médicinales sous différentes formes (gélules, comprimés) ou bien préparer chez vous des infusions ou des décoctions. Dans tous les cas, veillez à vous rendre chez un herboriste dont la compétence est reconnue et évitez d'acheter par correspondance, sauf si le fournisseur est réputé. Autant que faire se peut, procurez-vous des plantes et leurs produits dérivés certifiés d'origine biologique. Si vous achetez des plantes séchées, faites attention à ce qu'elles n'aient pas été conservées dans des bocaux transparents exposés à la lumière (car cela provoque une rapide dégradation des principes actifs) et qu'elles aient conservé leur parfum et leur couleur. N'hésitez pas à demander conseil à votre pharmacien et à en parler au médecin qui suit votre grossesse.

Quelles plantes consommer pendant la grossesse ?

Des remèdes simples, à base de plantes médicinales, peuvent être pris pour soulager les petits maux que vous rencontrez au fil des mois. Un grand nombre de ces remèdes sont à consommer sous forme d'infusion. Une infusion se prépare exactement comme le thé et peut se boire chaude ou froide. Veillez à bien mettre un couvercle sur votre théière ou votre tasse, car les vertus médicinales de la plupart des plantes s'évaporent rapidement à la chaleur.

Le tableau ci-dessous répertorie de façon non exhaustive quelques remèdes médicinaux pouvant être utilisés pour lutter contre les maux de la grossesse.

LA PHYTOTHÉRAPIE PENDANT LA GROSSESSE

Troubles	Plante	Remède et posologie
Nausées matinales	• Camomille allemande (*Chamomilla recutita*) • Fenouil (*Foeniculum vulgare*)	• Faire une infusion dans un récipient fermé. Boire par petites quantités pendant la journée (pas plus de 5 tasses). • Boire une infusion de 1/2 c. à c. de graines par verre d'eau (3 tasses par jour).
Constipation	• Psyllium (*Plantago*) • Graines de lin (*Linum usitatissimum*)	• Verser 1 ou 2 c. à c. de chacune de ces graines dans un grand verre d'eau ou laisser macérer une nuit dans l'eau froide avant de boire.
Migraines et tension nerveuse	• Tilleul (*Tilia*)	• Boire 3 ou 4 tasses d'infusion par jour.
Vergetures	• Aloès (*Aloe vera*), • Olive (*Olea europaea*)	• Appliquer du gel d'aloès ou masser la peau avec l'huile d'olive 1 ou 2 fois par jour.
Sommeil difficile	• Camomille allemande (*Chamomilla recutita*) • Tilleul (*Tilia*) • Lavande (*Lavandula angustifolia*) • Passiflore (*Passiflora incarnata*)	• Les plantes ci-contre sont citées par ordre croissant d'efficacité. Commencer par la plus faible : la camomille allemande ; en l'absence de résultats concluants, passer à la plante suivante. Boire avant de se coucher une infusion préparée avec 1 ou 2 c. à c. par tasse d'eau.

Formalités pratiques

Votre grossesse et la naissance de votre enfant vous donnent droit à de nombreux avantages, tant matériels que pratiques. Pour les obtenir, il vous faut cependant remplir certaines formalités administratives et légales. Comment faire face à ces situations nouvelles pour vous ? Vous le saurez en consultant ces pages.

LES FORMALITÉS

La grossesse et la naissance d'un enfant donnent droit à de nombreux avantages, à condition de remplir les formalités requises dans les délais voulus:
– auprès de la Sécurité sociale, qui accorde aux futures mères toute une série d'avantages (voir ci-après);
– auprès de la Caisse d'allocations familiales (CAF), qui octroie, pendant la grossesse et après la naissance, une prestation d'accueil du jeune enfant (PAJE.)

LA DÉCLARATION DE GROSSESSE

Une fois sa grossesse confirmée, la femme enceinte doit effectuer un premier examen auprès de son médecin traitant, un gynécologue ou une sage-femme, qui fera le point sur son état de santé, indiquera la date présumée de début de grossesse et prescrira des examens complémentaires.
À l'issu de cet examen, la femme enceinte reçoit un document en trois volets intitulé « Premier examen prénatal » qu'elle doit adresser au plus tard avant la fin du 3e mois de grossesse aux organismes concernés:
- le feuillet rose à sa caisse d'Assurance maladie, avec les feuilles de soins correspondant aux examens médicaux et de laboratoire passés, afin d'obtenir la prise en charge du suivi de sa grossesse et son accouchement. Plus tôt la grossesse est déclarée, plus vite les soins seront pris en charge à 100 % au titre de l'assurance maternité.
- les deux feuillets bleus à sa caisse d'allocations familiales (CAF).

Dès réception de cette déclaration de grossesse, la caisse d'Assurance maladie envoie à la femme enceinte:
- un calendrier personnalisé des examens médicaux et des droits (dates des principaux examens médicaux, période de prise en charge à 100 % des soins et dates du congé maternité);
- un premier guide pratique qui informe la femme enceinte sur ses droits, les démarches qu'elle aura à faire et le choix de la maternité; il donne également des conseils santé.
- un aide-mémoire aidant à préparer la prochaine consultation avec le médecin ou la sage-femme qui suit la grossesse.

Il est conseillé de se renseigner dès ce moment auprès de la Protection maternelle et infantile (PMI) et/ou de la mairie sur les modes de garde proposés près du domicile.

L'ACCOMPAGNEMENT ET LE SUIVI MÉDICAL

Sur le plan médical, la grossesse peut être suivie par un médecin ou une sage-femme (en libéral, à l'hôpital ou en PMI). À partir du 6e mois, le suivi prénatal est réalisé par une sage-femme ou un gynécologue-obstétricien. Qu'il suive ou non la grossesse, le médecin traitant peut conseiller, informer et accompagner la femme enceinte.

La sage-femme peut assurer, en toute autonomie, la surveillance de la grossesse (si celle-ci ne présente pas de risques particuliers) et de l'accouchement, ainsi que celle de l'enfant après la naissance. Avec l'accord de la future maman, elle informe le médecin traitant de l'évolution de l'état de santé, afin d'assurer un suivi après l'accouchement.

Si nécessaire, pour des raisons médicales, psychologiques ou sociales, le médecin ou la sage-femme peuvent orienter la femme enceinte vers d'autres professionnels: médecin spécialiste, infirmier, puéricultrice, diététicien, psychologue, assistante sociale, technicienne d'intervention sociale et familiale...

Le gynécologue est en accès direct pour le suivi de la grossesse, mais il faut déclaré le médecin traitant pour être bien remboursée.

L'accompagnement et le suivi médical comprennent notamment:

- sept consultations de suivi, dont la première effectuée avant la fin du 3e mois (voir La déclaration de naissance) inclut des analyses telles que prise de sang, analyse d'urines, recherche d'immunité contre la syphilis, la rubéole, la toxoplasmose et du virus du sida (VIH); les six autres se succèdent du 4e mois jusqu'à l'accouchement, au rythme de un examen par mois.
- trois échographies, dont les deux premières, au premier trimestre et au 5e mois, sont prises en charge à 70 % et la troisième, au 8e mois, est prise en charge à 100 %, dans les limites des tarifs remboursables;
- des séances de préparation à la naissance et à la parentalité. La première séance est un entretien d'information individuel ou en couple, qui peut avoir lieu dès le 4e mois; les 7 séances suivantes peuvent être individuelles, mais sont souvent collectives (maximum 6 personnes).
- une consultation pré-anesthésique au 8e mois;
- deux séances de suivi postnatal que la sage-femme peut effectuer à domicile ou dans son cabinet entre le 8e jour suivant la naissance et la date de la consultation postnatale prévue entre la 6e et 8e semaine après l'accouchement.
- une consultation postnatale obligatoire, prise en charge à 100 %, auprès d'un médecin ou d'une sage-femme (si la grossesse a été normale et l'accouchement a eu lieu sans aide mécanique ou chirurgicale).
- le nouveau-né doit être impérativement examiné dans les huit jours qui suivant sa naissance, puis subir neuf examens au cours de la première année, trois au cours de la seconde, et deux au cours de chacune des années suivantes jusqu'à l'âge de 6 ans.
- dix séances de rééducation périnéale auprès d'une sage-femme ou un masseur-kinésithérapeute, en cabinet ou à l'hôpital. Elles ne peuvent débuter avant un délai de deux mois après la naissance et sont prises en charge à 100 %, sous réserve de l'accord préalable du service médicale de la caisse Assurance Maladie.

S'il le juge nécessaire, le professionnel de santé suivant la grossesse peut en outre prescrire des examens médicaux et de laboratoire supplémentaires, dont notamment :
- un frottis pour dépister un éventuel cancer du col de l'utérus, pris en charge à 70 % ;
- un caryotype fœtal et une amniocentèse pour la recherche de certaines maladies génétiques, pris en chargé à 100 %, sous réserve, pour le premier, de l'accord préalable du service médical de la caisse d'Assurance Maladie.

Enfin, le futur papa peut bénéficier d'un examen de santé complet avant la fin du 4e mois de la grossesse, pris en charge à 100 %.

LA DÉCLARATION DE REPOS PRÉ- ET POSTNATAL

Avant leur départ en congé de maternité, les femmes qui travaillent doivent envoyer à leur centre de Sécurité sociale une attestation de salaire remplie par l'employeur.

LA DÉCLARATION DE NAISSANCE

La naissance de l'enfant doit être déclarée à l'état civil dans les trois jours à compter du lendemain de l'accouchement, prorogeables si le délai expire un week-end ou un jour férié. (Ce délai est de quinze jours pour une déclaration aux agents diplomatiques ou consulaires, en pays étranger.) Une fois ce délai dépassé, l'acte de naissance doit obligatoirement être établi au tribunal, et les parents sont passibles d'une amende ou d'une peine de prison ferme (de deux jours à un mois). La déclaration peut être faite par le père, la mère ou toute personne majeure présente à l'accouchement, soit à la mairie, soit directement à la maternité auprès d'un officier d'état civil. Certaines maternités prennent elles-mêmes en charge cette déclaration.

Les parents d'un enfant mort-né ont désormais la possibilité de demander que cette naissance soit mentionnée sur le registre de l'état civil et sur leur livret de famille, et ainsi d'opter pour un traitement funéraire du fœtus.

Les modalités

L'acte de naissance est établi sur présentation :
– du livret de famille (ou d'une pièce d'identité) ;
– du certificat de naissance du médecin ou de la sage-femme qui a procédé à l'accouchement.

Il mentionne notamment le jour, l'heure et le lieu de naissance, le sexe, les noms et prénoms de l'enfant, ainsi que les noms, prénoms, dates de naissance, domiciles et professions des parents.

L'officier d'état civil doit obligatoirement communiquer l'extrait d'acte de naissance de l'enfant à la PMI, qui en informera la Direction de l'action sociale de l'enfance et de la santé (DASES) du département, et ce dans les 48 heures.

AUTRES FORMALITÉS APRÈS LA NAISSANCE

– Le bulletin d'hospitalisation et le certificat d'accouchement, accompagnés d'un extrait d'acte de naissance ou d'une photocopie de votre livret de famille, sont à adresser à la Sécurité sociale dans les 48 heures après la naissance. Il permet l'enregistrement de l'enfant sur le dossier de la mère et/ou du père.

Cette démarche permet le remboursement des frais supplémentaires et la perception des indemnités journalières de maternité de la période postnatale.
– L'attestation du premier certificat de santé de l'enfant, délivrée par la maternité, est à adresser à la CAF avec un extrait d'acte de naissance ou photocopie des pages du livret de famille, pour toucher éventuellement la PAJE.
– Enfin, un extrait d'acte de naissance de l'enfant doit être adressé à la mutuelle.

LA RECONNAISSANCE DE L'ENFANT POUR LES COUPLES NON MARIÉS

Cet acte concerne les enfants nés hors mariage. Il engage la responsabilité du parent et établit un lien juridique avec l'enfant. La mention du nom de la mère sur l'acte de naissance n'a pas valeur de reconnaissance. Pour un enfant né hors mariage, la filiation de l'enfant ne s'établit pas automatiquement. Il faut que chacun des parents ou l'un des deux le reconnaisse. La déclaration de reconnaissance peut être faite dans n'importe quelle mairie, même pendant la grossesse et à tout moment de la vie, sans obligation d'avertir l'autre parent. Elle n'est pas obligatoire, mais lorsqu'elle est prononcée, elle est irrévocable. L'enfant portera le nom du parent qui l'a reconnu en premier. En cas de déclaration conjointe, l'enfant pourra porter au choix : soit le nom de son père, soit le nom de la mère ou encore les deux noms accolés.

La reconnaissance s'effectue devant un officier d'état civil ou un notaire, quelque soit le lieu de naissance de l'enfant. Si la reconnaissance est faite après la naissance, le parent doit fournir une copie ou l'extrait d'acte de naissance.

L'autorité parentale

Quand le père reconnaît l'enfant au plus tard dans l'année qui suit la naissance, il exerce automatiquement l'autorité parentale au même titre que la mère. Mais s'il dépasse ce délai, il faudra que les deux parents fassent une déclaration conjointe devant le greffier en chef du tribunal de grande instance. à défaut, seule la mère exercera l'autorité parentale.

L'ASSURANCE MATERNITÉ

Toute femme enceinte assurée sociale (ou ayant droit) bénéficie, en plus de son assurance maladie, d'une assurance maternité. Il lui suffit pour cela de déclarer sa grossesse dans les 14 premières semaines au centre de sécurité sociale. L'assurance maternité inclut :
– des prestations en nature (la prise en charge à 100 % des soins de la femme enceinte, de la mère et de son enfant) ;
– des prestations en espèces destinées aux femmes exerçant une activité professionnelle (indemnités journalières ou allocations de maternité).

COMMENT BÉNÉFICIER DU REMBOURSEMENT DES SOINS

Les femmes ayant droit au remboursement des soins dans le cadre du suivi médical de la grossesse sont :
– la femme assurée sociale ;
– l'épouse légitime ou la compagne d'un assuré social ;
– la fille à charge d'un(e) assuré(e) social(e) à titre personnel ;
– la veuve ou la divorcée depuis moins d'un an à charge d'un assuré social (délai prolongé jusqu'à ce que le dernier enfant ait l'âge de 3 ans).

Pour les salariées

La salariée (ou l'assuré si la future maman est ayant droit) doit justifier depuis moins d'un an soit d'un montant minimal de cotisations, soit d'un nombre minimal d'heures de travail. La CPAM en précisera le détail. Ces conditions ne sont pas requises durant les trois premiers mois d'activité d'un salarié bénéficiaire d'un régime obligatoire. Les conditions d'ouverture des droits à l'Assurance maternité sont identiques à celles des droits à l'Assurance maladie.

Pour les travailleuses intermittentes

Les conditions sont à vérifier auprès des techniciens de leur centre de Sécurité sociale, selon les Codes de la Sécurité sociale et du

Travail. Les conditions précises sont examinées cas par cas.

Pour les femmes exerçant une profession agricole, libérale, artisanale ou commerciale

Les assurées (ou ayants droit) doivent avoir été immatriculées à la Sécurité sociale dix mois avant la date présumée de l'accouchement et être en règle avec leurs cotisations lors de la première consultation médicale.

Pour les femmes non assurées

Les femmes enceintes qui ne relèvent ni du régime de la sécurité sociale ni de celui des Allocations familiales doivent avoir une assurance personnelle. Leurs cotisations doivent être à jour pour permettre le remboursement des frais médicaux liés à la maternité.

En cas de difficultés financières importantes, l'Aide sociale en général (bureaux dans les mairies) ou la CAF peuvent prendre en charge leurs cotisations, sous certaines conditions.

Pour les demandeuses d'emploi

Si une femme vient de perdre son emploi, les droits sont maintenus un an à compter de la date d'expiration de l'Assurance sociale et tant qu'elle est inscrite à l'Agence nationale pour l'emploi.

Pour les femmes en difficulté

– Les femmes mariées (ou ayants droit) touchant le Revenu minimum d'insertion (RMI) bénéficient de l'Assurance maternité. Se renseigner au Centre communal d'action sociale des mairies.

– Les femmes en difficulté financière et qui ne sont pas assurées sociales peuvent bénéficier d'aides (allocations mensuelles, CMU, accueil en centre maternel avant et après la naissance, aide médicale gratuite...). Se renseigner au Centre communal d'action sociale des mairies.

Pour bénéficier de la CMU

La CMU, la couverture maladie universelle, permet aux personnes aux faibles ressources d'être prises en charge à 100 % (avec la CMU complémentaire) lors de consultations ou des soins médicaux dispensés dans un cabinet ou à l'hôpital. Se renseigner auprès de la caisse d'assurance maladie ou prendre contact avec un centre d'action sociale (CAS).

LES DIFFÉRENTS TAUX DE REMBOURSEMENT

Pour être remboursée, l'assurée doit, après chaque examen, envoyer à la Sécurité sociale la feuille de soins dûment remplie par le médecin ou la sage-femme, et sur laquelle elle aura collé l'étiquette correspondante. Si nécessaire, elle devra adresser les pièces justificatives d'ouverture des droits (feuilles de paie, attestation de versement de cotisations...).

- **Du 1er au 5e mois,** les frais médicaux sont remboursés aux tarifs habituels. Seuls les examens médicaux obligatoires (consultations de suivi, séances de préparation à l'accouchement, etc.) sont pris en charge à 100 % dans la limite des tarifs de base de l'Assurance maladie, avec exonération de la participation forfaitaire de 1 € et de la franchise médicale sur les médicaments, les actes paramédicaux et les transports sanitaires.
- **À partir du 1er jour du 6e mois de grossesse,** tous les frais médicaux remboursables (pharmaceutiques, d'analyses, d'examens de laboratoire, d'hospitalisation) sont pris en charge à 100 % dans la limite des tarifs de base de l'Assurance maladie, avec exonération de la participation forfaitaire de 1 €, de la franchise médicale sur les médicaments, les actes paramédicaux et les transports sanitaires, et du forfait de 18 € concernant les actes médicaux lourds dont le montant est égal ou supérieur à 91 €. Les éventuels dépassement d'honoraires peuvent éventuellement être pris en charge par la complémentaire santé, si le contrat souscrit le prévoit.

Les frais liés à l'accouchement sont remboursés directement à 'établissement par la caisse d'Assurance Maladie. Les actes suivants sont pris en charge à 100 % : honoraires d'accouchement, péridurale et frais de séjour à l'hôpital ou en clinique conventionnée, dans la limite de douze jours, sauf les frais pour confort personnel (chambre particulière, télévision, etc.). Les frais de transport à l'hôpital ou à la clinique, en ambulance ou par un autre moyen, peuvent être pris en charge sur prescription médicale. En revanche, le forfait hospitalier, d'un montant journalier de 18 €, reste à la charge de la parturiente, sauf :

- en cas d'hospitalisation durant les quatre derniers mois de la grossesse (exonération du forfait pour l'accouchement et les douze jours qui suivent) ;
- si le nouveau-né est hospitalisé dans les trente jours suivant sa naissance ;

pour les femmes relevant du régime d'Assurance Maladie d'Alsace-Moselle ;

- pour les femmes bénéficiaires de la couverture maladie universelle de base (CMU) ou complémentaire (CMUC), ou de l'Aide médicale de l'État (AME).

Lorsque l'accouchement a lieu dans un établissement non conventionné, les remboursements sont calculés sur la base des tarifs de l'Assurance Maladie. Sachez que les cliniques privées non conventionnées pratiquent des tarifs plus élevés que ceux en vigueur et que vous devrez faire l'avance des frais.

LES INDEMNITÉS JOURNALIÈRES DE REPOS ET LES ALLOCATIONS DE MATERNITÉ

Les prestations en espèces (indemnités journalières de repos ou allocations de maternité) ne s'adressent qu'aux femmes qui exercent une activité professionnelle et qui sont par conséquent personnellement assurées sociales. Elles compensent le manque à gagner occasionné par la cessation d'activité liée à la maternité. Les conditions d'attribution diffèrent selon le statut de l'assurée.

Les conditions générales de prise en charge

– Si l'assurée exerce une activité salariée, elle doit être immatriculée à la Sécurité sociale depuis au moins dix mois avant la date présumée de l'accouchement et doit respecter l'interdiction de travailler pendant huit semaines. Elle doit justifier d'un certain nombre d'heures de travail dans les mois précédant la grossesse. Il faut aussi adresser au centre de Sécurité sociale l'attestation de salaire remplie par l'employeur.

– Les femmes exerçant une profession agricole, libérale, artisanale, ou les travailleuses intermittentes, doivent justifier, au 42e jour avant la date présumée de l'accouchement, d'un certain nombre d'heures d'activité, pour avoir droit aux indemnités journalières de repos. Chaque centre de paiement le précisera cas par cas.

LA PRESTATION D'ACCUEIL DU JEUNE ENFANT (PAJE)

Depuis le 1er janvier 2004, la prestation d'accueil du jeune enfant (PAJE) s'est substituée à l'ensemble des prestations liées à la petite enfance (APJE, AFEAMA, AGED, APE, AAD) pour tous les enfants nés ou adoptés à partir de cette date.

DÉTAILS DU DISPOSITIF ET CONDITIONS D'OBTENTION

La PAJE est constituée :

– d'une prime à la naissance ou à l'adoption ;

– d'une allocation de base (non cumulable avec le complément familial) ;

– d'un complément de libre choix d'activité ou de complément optionnel de libre choix d'activité (si la mère réduit ou cesse son activité pour s'occuper de son enfant);
– d'un complément de libre choix du mode de garde (si la mère fait garder son enfant par une assistante maternelle agréée ou une garde à domicile et si elle passe pour cela par une association ou une entreprise habilitée qui emploie des assistantes maternelles ou des gardes à domicile).

La prime à la naissance

Pour bénéficier de la prime à la naissance, il est obligatoire d'envoyer la déclaration de grossesse à la CAF dans les 14 premières semaines de grossesse. Il faut également que les revenus n'excèdent pas un certain plafond.

L'allocation de base

Pour percevoir l'allocation de base, versée chaque mois, de la naissance jusqu'aux 3 ans de l'enfant, il faut se situer au-dessous d'un certain plafond de revenus.

Le maintien des droits est conditionné aux visites médicales que les parents doivent faire passer à leur enfant. Ces examens, donnant lieu à l'établissement d'un certificat de santé, sont inscrits dans le guide de surveillance médicale de l'enfant, délivré par la maternité (ou disponible dans les centres de PMI): ce livret indique, point par point, les examens à effectuer jusqu'à l'âge de 6 ans. Les trois premiers doivent avoir lieu:
– durant les 8 premiers jours
– à l'âge de 9 ou 10 mois
– à l'âge de 24 ou 25 mois.
Si vous ne respectez pas ces délais, vous risquez de perdre une partie de vos droits.

Le libre choix du mode de garde

Pour obtenir le complément du libre choix du mode garde, il faut en faire la demande auprès de la caisse d'allocations familiales. Le centre Pajemploi vous adresse alors un carnet de volets déclaratifs destinés à déclarer chaque mois la rémunération de votre salarié.

Adresses utiles

LES SOINS DE LA FEMME ET DE L'ENFANT

SUIVI DES FEMMES ENCEINTES

Les sages-femmes des centres de PMI et des hospitaliers se déplacent gratuitement au domicile en cas d'immobilisation durant la grossesse et sur prescription médicale.

- Conseil national de l'ordre des sages-femmes
  56, rue de Vouillé
  75015 Paris
  Tél.: 01 45 51 82 50

- Confédération des mouvements français pour le planning familial
  4 square Sainte-Irénée
  75011 Paris
  Tél.: 01 48 07 29 10
  mfpf@planning-familial.org
  www.planning-familial.org

POUR LES ENFANTS

- DASES de Paris
  94-96, quai de la Rapée
  75570 Paris CEDEX 12
  Tél.: 01 43 47 72 02
  www.paris.fr

En province, voir à la Direction régionale des affaires sanitaires et sociales (DRASS) de votre région.

- Association nationale des puéricultrices diplômées d'État
  132, avenue du Général-Leclerc
  75014 Paris
  Tél.: 01 45 39 97 62
  www.anpde.asso.fr

PROBLÈMES DE SANTÉ

- Les Alcooliques anonymes
  21, rue Trousseau
  75011 Paris
  Tél.: 01 48 06 43 68
  www.alcooliques-anonymes.fr
  Permanence téléphonique
  24 heures sur 24: 01 43 25 75 00

- CNCT (Comité national contre le tabagisme)
  31, avenue du Général Michel Bizot
  75012 Paris
  Tél.: 01 55 78 85 10
  www.cnct.org

- Réseau hôpital sans tabac
  Hôpital Broussais
  102, rue Didot
  75014 Paris
  Tél.: 01 40 44 50 26
  www.hopitalsanstabac.org

- Office français de prévention du tabagisme
  66, boulevard Saint-Michel
  76006 Paris
  Tél.: 01 43 25 19 65
  www.oft-asso.fr

- Tabac Info Service au 0800 309 310 (0,15 €/min)

- Drogue Info Service
  24 heures/24 au 0800.23.13.13 (n° vert)

- Sida Info Service au 0800 840 800 (n° vert)
  www.sida-info-service.org

INFORMATIONS, DROITS ET CONSEILS

ORGANISMES DE SANTÉ

- Ministère de la santé, de la jeunesse, des sports et de la vie associative
  14, avenue Duquesne
  75350 Paris 07 SP
  Tél.: 01 40 56 60 00

- Ministère du travail, des relations sociales, de la famille et de la solidarité
  Tél.: 01 44 38 38 38
  Travail Info Emploi 0825 347 347 (0,15 €/m)

ALLOCATIONS FAMILIALES

- Caisse nationale d'allocations familiales (CNAF)
  32, avenue de la Sibelle
  75685 Paris CEDEX 14
  Tél.: 01 45 65 52 52
  Fax: 01 45 65 53 77
  Pour connaître les adresses locales: www.caf.fr

- Centre Pajemploi
  43013 Le Puy en Velay CEDEX
  Tél.: 0820 00 72 53 (0,12 €/min)
  www.pajemploi.urssaf.fr

SÉCURITÉ SOCIALE

- Siège des Caisses primaires d'assurance maladie (CPAM)

21, rue Georges-Auric
75948 Paris CEDEX 19
Tél.: 01 53 38 70 00
www.ameli.fr

En province, voir les adresses des centres locaux de Sécurité sociale en mairie.

- Mutualité Sociale Agricole (MSA)
  Les Mercuriales / 40, rue Jean-Jaurès
  93547 Bagnolet cedex
  Tél.: 01 41 63 77 77
  www.msa.fr

HAPTONOMIE

- Centre international de recherche et de développement de l'haptonomie (CIRDH)
  Mal del ore
  66400 Oms
  Tél.: 04 68 39 42 23
  www.haptonomie.org

DROITS

- Centre national d'information sur les droits des femmes et des familles (CNIDFF)
  7, rue du Jura - 75013 Paris
  Tél.: 01 42 17 12 00
  www.infofemmes.com

DES AIDES PENDANT ET APRÈS LA GROSSESSE

ALLAITEMENT

- Solidarilait, siège de Paris
  01 40 44 70 70 (on vous communiquera les numéros en province).
  www.solidarilait.org
- La Leche League France
  Tél. : 01 39 58 45 84 (serveur vocal)
  www.lllfrance.org
- Lactarium de la Région Île-de-France
  26, boulevard Brune - 75014 Paris
  01 40 44 39 14
  www.lactarium-marmande.fr/autres_lacta.htm

POUR LES FEMMES ENCEINTES ET LES MÈRES EN DIFFICULTÉ

En cas de difficultés financières et matérielles, consultez les services sociaux ou municipaux de votre quartier.

- F.E.A. Secours aux futures mères
  (Les Femmes et les enfants d'abord)
  6, cour Saint-Éloi
  75012 Paris
  01 43 41 55 65 (14 h 30 à 17 h 30)
- SOS urgence mamans
  56, rue de Passy
  75016 Paris
  01 46 47 89 98
- Dépanne famille
  01 42 96 58 32
  (service écoute de 9 h 00 à 13 h 00)
- SOS grossesse
  51, rue Jeanne-d'Arc
  75013 Paris
  01 45 84 55 91
  www.sosgrossesse.org
  info@sosgrossesse.org
  05 63 35 80 70
- Violence conjugale
  Femmes Info Service
  01 40 33 80 60
- Halte Aide femmes battues
  14, rue Mendelssohn
  75020 Paris
  01 43 48 20 40

POUR LES PÈRES

- Mouvement de la condition paternelle (MCP)
  Siège social de la fédération:
  144, avenue Daumesnil - 75012 Paris
  01 43 41 45 18
  Accueil: le lundi de 19 h 00 à 23 h 00
  9, rue Jacques-Hillairet
  75012 Paris
  01 44 73 47 50
  www.fmcp.org

POUR LES FAMILLES

- Association française des centres de consultation conjugale (AFCCC)
  228, rue de Vaugirard - 75015 Paris
  01 45 66 50 00
  www.afccc.fr
- Association nationale des conseillers conjugaux et familiaux (ANCCEF)
  BP 60 241 - 60722 Pont Sainte-Maxence
  03 44 31 00 20
  http://anccef.free.fr
- SOS familles en péril
  9 bis, cour des Petites-Écuries
  75010 Paris
  01 42 46 66 77
  Appel anonyme et gratuit
  du Lundi au Vendredi de 8h30 à 18h30
  au 01 42 46 66 77
- Fédération nationale couple et famille
  28, place Saint-Georges - 75009 Paris
  01 42 85 25 98
  www.couples-et-familles.com
- Inter-service parents
  École des parents et des éducateurs
  5, impasse Bon-Secours - 75011 Paris
  01 44 93 44 93
  www.epe-idf.com
- Numéro Vert national pour l'Enfance maltraitée (gratuit et anonyme) 119
- Croix-Rouge écoute parents/enfants, Numéro Vert gratuit: 0800 85 88 58
- Union nationale des associations familiales (UNAF)
  28, place Saint-Georges - 75009 Paris
  01 49 95 36 00
  www.unaf.fr
- Familles rurales
  7, cité d'Antin - 75009 Paris
  01 44 91 88 88
  www.famillesrurales.org

AIDE À DOMICILE

- Fédération nationale des aides à domicile en activités regroupées (FNADAR)
  68, rue d'Hauteville - 75010 Paris
  Tél.: 01 55 33 14 30
  www.aidadomicil.com
- Jumeaux, triplés
  Jumeaux et plus, l'association
  28, place Saint-Georges - 75009 Paris
  Tél.: 01 44 53 06 03
  Fax: 01 44 53 06 23
  www.jumeaux-et-plus.asso.fr
- Adoption
  Enfance et familles d'adoption
  221, rue La Fayette - 75010 Paris
  01 40 05 57 70
  http://adoptionefa.org
- Éveil des enfants
  Fédération des activités aquatiques d'éveil et de loisir (FAAEL)
  5, cité Griset - 75011 Paris
  01 43 55 98 76
  www.fael.asso.fr

PRÉVENTION DES RISQUES DOMESTIQUES ET ALIMENTAIRES

- 18, rue Marcel-Paul, - 79000 Niort
  Tél.: 05 49 04 66 77
  Fax: 05 49 04 66 76
  www.calyxis.fr

Index

Les chiffres en gras renvoient aux entrées du dictionnaire médical.

A

B

C

D

E

F

G

H

I

J-K

L

M

N

O

P

R

S

T

U

V-Z

Crédits Photographiques

P. 11 : Ph. © Christine Schneider/Zefa/Corbis
P. 13 : Ph. © Rick Gomez/Corbis
P. 16 ht g : Ph. © Phototake/Kunkel/BSIP
P. 16 ht d : Ph. © Clouds Hill imaging Ltd/Corbis
P. 18 : Ph. © O. Ploton/Archives Larousse/Test Clearblue
P. 21 : Ph. © O. Ploton/Archives Larousse/T
P. 23 : Ph. © Baptiste Lignel
P. 28 : Ph. © Turbo/Zefa/Corbis
P. 31 : Ph. © Jochen Tack/Docstock/BSIP
P. 33 : Ph. © Peggy Herbeau
P. 35 : Ph. © Campiglio Alfonso/Orédia
P. 37 : Ph. © Baptiste Lignel
P. 39 : Ph. © Zave Smith/UpperCut Images/Gettyimages
P. 41 : Ph. © Arden/Camerapress/Orédia
P. 45 : Ph. © O. Ploton/Archives larousse/T
P. 47 : Ph. © Michael A. Leller/Corbis
P. 48 : Ph. © Chassenet/BSIP
P. 51 : Ph. © JLP/Sylvia Torres/Zefa/Corbis
P. 53 : Ph. © Milada/Campigliophoto/Orédia
P. 54 : Ph. © Nikas/Phototake/BSIP
P. 55 : Ph. © Claude Edelmann/Petit Format/Hoa Qui/Eyedea Press
P. 56 bas g : Ph. © Baptiste Lignel
P. 56 bas dP. Ph. © CSMP/BSIP/T
P. 57 : Ph. © Hola Images/Gettyimages
P. 59 : Ph. © LWA et Dann Tardif/Corbis
P. 61 : Ph. © Diane Macdonald/Stockbyte/Gettyimages
P. 69 : Ph. © LWA-Stephen Welstead/Corbis
P. 73 : Ph. © Christa Renee/Stone/Getty Images
P. 75 : Ph. © Be&W/Orédia
P. 77 : Ph. © Claude Edelmann/Petit Format/Hoa Qui/Eyedea Press
P. 78 : Ph. © CSMP/BSIP/T
P. 78 bas g Ph. © Baptiste Lignel
P. 79 : Ph. © Lemoine/BSIP
P. 81 : Ph. © Chassenet/BSIP
P. 82 et 85 : Ph. © Baptiste Lignel
P. 86 : Ph. © De Angelis/Photomasi/Orédia
P. 89 : Ph. © Ian O'Leary/Dorling Kindersley/Getty Images
P. 91 : Ph. © Baptiste Lignel
P. 93 : Ph. © Milada/Campigliophoto/Orédia
P. 95 et 97 : Ph. © Baptiste Lignel
P. 99 : Ph. © Ian Hooton/MBP/BSIP
P. 101 : Ph. © Claude Edelmann/Petit Format/Hoa Qui/Eyedea Press
P. 102 bas g : Ph. © Baptiste Lignel
P. 102 bas d : Ph. © CSMP/BSIP/T
P. 103 et 105 : Ph. © Baptiste Lignel
P. 107 : Ph. © Docteur Pierre GODARD
P. 109 : Ph. © Joseph/Iconos/Orédia
P. 111 : Ph. © ER Productions/Corbis
P. 113 : Ph. © Astier/BSIP
P. 115 : Ph. © Baptiste Lignel
P. 117 : Ph. © Gyssels/BSIP
P. 118 : Ph. © Ablestock/BSIP/T
P. 121 : Ph. © Peggy Herbeau
P. 123 : Ph. © Antoine Juliette/Orédia
P. 125 : Ph. © Dave J. Anthony/MBL/BSIP
P. 126 : Ph. © Mother & Baby PI/BSIP
P. 129 : Ph. © Baptiste Lignel
P. 131 : Ph. © Larry Williams/Zefa/Corbis
P. 133 : Ph. © Claude Edelmann/Petit Format/Hoa Qui/Eyedea Press
P. 134 bas g : Ph. © Baptiste Lignel
P. 134 bas d : Ph. © CSMP/BSIP/T
P. 137 ht g et d : Ph. © Villareal/BSIP/T
P. 139 et 142 : Ph. © Baptiste Lignel
P. 145 : Ph. © Andersen Ross/Iconica/Getty Images
P. 147 et 149 : Ph; © Baptiste Lignel
P. 151 : Ph. © Will & Deni McIntyre/Corbis
P. 153 : Ph. © Bernd Opitz/Taxi/Getty images
P. 154 : Ph. © Baptiste Lignel
P. 156 : Ph. © Peggy Herbeau
P. 159 : Ph. © Claude Edelmann/Petit Format/Hoa Qui/Eyedea Press/T
P. 160 bas g : Ph. © Baptiste Lignel
P. 160 bas d : Ph. © CSMP/BSIP/T
P. 162 : 2 Ph. © Pierre GODARD
P. 164 : Ph. © Baptiste Lignel
P. 167 : Ph. © Gyssels/BSIP
P. 171 : Ph. © Stefanie Sudek/Stock4B/Getty Images
P. 175 : Ph. © Peggy Herbeau
P. 178 : Ph. © Baptiste Lignel
P. 179 : Ph. © Sandra Seckinger/Zefa/Corbis
P. 181 : Ph. © Stockbyte/Getty Images
P. 183 : Ph. © Peggy Herbeau
P. 185 : Ph. © Jackelin Slack/AGE fotostock/Hoa Qui/Eyedea Press
P. 187 : Ph. © Claude Edelmann/Petit Format/Hoa Qui/Eyedea Press
P. 189 ht g : Ph. © Baptiste Lignel
P. 189 bas d : Ph. © CSMP/BSIP/T
P. 191 : 4 Ph. © Baptiste Lignel
P. 193 et 195 : Ph. © Ian Hooton/MBPL/BSIP
P. 197 : Ph. © Villareal/BSIP/T
P. 198 à 203 : Ph. © Baptiste Lignel
P. 205 : Ph. © Collet/BSIP/T
P. 207 : Ph. © Daycare Coat Rack/Masterfile
P. 209 : Ph. © Baptiste Lignel
P. 211 : Ph. © Peggy Herbeau
P. 213 : Ph. © Claude Edelmann/Hoa-Qui/Eyedea Press
P. 215 ht g : Ph. © Baptiste Lignel
P. 215 ht g : Ph. © CSMP/BSIP/T
P. 215 bas : Ph. © Peggy Herbeau
P. 217 : 4 Ph. © Docteur Pierre GODARD
P. 219 : Ph. © Markus Moellenberg/Zefa/Corbis
P. 221 : Ph. © Alena HrblovB/Getty Images
P. 222 à 227 : Ph. © Baptiste Lignel
P. 229 : Ph. © Simon Dearden/Corbis
P. 231 : Ph. © Baptiste Lignel
P. 234 : Ph. © Peggy Herbeau
P. 237 : Ph. © Lennart Nilsson/Albert Bonnier Fôrlag/T
P. 239 ht : Ph. © Peggy Herbeau
P. 239 bas g : Ph. © Baptiste Lignel
P. 239 bas d : Ph. © CSMP/BSIP
P. 243 : Ph. © Del Amo/PHOTOTAKE/BSIP
P. 245 et 247 : Ph. © Peggy Herbeau
P. 249 : Ph. © Jose Luis Pelaez/Getty Images
P. 251 : Ph. © Ted Levine/Zefa/Corbis
P. 253 et 254 : Ph. © Peggy Herbeau
P. 257 : Ph. © Cameron/Corbis
P. 259 : Ph. © Christina Simons/Corbis
P. 261 ht g : Ph. © Baptiste Lignel
P. 261 ht d : Ph. © CSMP/BSIP/T
P. 265 : Ph. © Jose Luis Pelaez/Getty Images
P. 267 à 271 : Ph. © Peggy Herbeau
P. 273 : 2 Ph. © Baptiste Lignel
P. 275 : Ph. © Rune Hellestad/Corbis
P. 277 : Ph. © Ramare/BSIP
P. 279 : Ph. © Baptiste Lignel
P. 281 : Ph. © Hervé Gyssels/Archives Larousse/T
P. 283 : Ph. © Eddie Lawrence/MBPL/BSIP
P. 285 : Ph. © Owen Franken/Corbis/T
P. 289 : Ph. © Astier/BSIP
P. 295 : Ph. © Mendil/BSIP
P. 297 : Ph. © Tom Galliher/Corbis
P. 299 : Ph. © Profimedia/Oredia
P. 301 : Ph. © Ciot/BSIP
P. 302 : Ph. © Frank Herholdt/Getty Images
P. 305 : Ph. © Nancy Pastor/Getty Images
P. 307 : Ph. © Joseph/Iconos/Oredia
P. 309 : Ph. © Owen Franken/Corbis/T
P. 311 : Ph. © Chassenet/BSIP
P. 312 : Ph. © Tom Grill/Getty Images
P. 315 : Ph. © Rob Goldman/Corbis
P. 317 : Ph. © Larry Williams/Corbis
P. 319 : 3 Ph. © Anne-Sophie BOST
P. 321 : 2 Ph. © Hervé Gyssels/Archives Larousse/T
P. 323 : Ph. © Profimedia/Oredia
P. 325 : Ph. © Hervé Gyyssels/Archives Larousse/T
P. 327 : Ph. © Chassenet/BSIP
P. 329 : Ph. © Humbert/BSIP
P. 331 : Ph. © MBPL/Ruth Jenkinson/BSIP
P. 334 : Ph. © Baptiste Lignel
P. 337 : Ph. © AJphoto/Oredia
P. 339 : Ph. © Peggy Herbeau
P. 341 : Ph. © Kaz Mori/Getty Images
P. 343 : 2 Ph. © Hervé Gyssels/Archives Larousse/T
P. 345 : Ph. © S. Villeger/Hoa-Qui/Eyedea Press
P. 346 et 347 : 10 Ph. © Hervé Gyssels/Archives Larousse/T
P. 349 : Ph. © Purestock/BSIP
P. 351 : Ph. © Peggy Herbeau
P. 353 : 3 Ph. © Hervé Gyssels/Archives Larousse
P. 355 : 2 Ph. © Anne-Sophie Bost
P. 357 : Ph. © Hervé Gyssels/Archives Larousse
P. 359 : Ph. © Olivier Ploton/Archives Larousse
P. 361 : Ph. © B. Boissonnet/BSIP
P. 363 : Ph. © Jose Luis Pelaez, Inc./Corbis
369 : Ph. © Altrendo Images/Getty Images
371 : Ph. © Peggy Herbeau
P. 372 : Ph. © Peggy Herbeau
P. 379 : Ph. © Hervé Gyssels/Archives Larousse
P. 381 : Ph. © Rob Lewine/Zefa/Corbis
P. 383 : Ph. © Owen Franken/Corbis/T
P. 385 à 393 : Ph. © Peggy Herbeau

1ère de couverture : htg Ph. © WireImageStock/Masterfile ; htm, htd, mg, md, basm, basd Ph. © Masterfile Royalty Free ; basg Ph. © Jerzyworks/Masterfile

Remerciements

À Marion Pipart pour son amicale participation aux prises de vue

Photogravure IGS, l'Isle d'Espagnac Imprimé en Espagne par Graficas Estella, Estella
Dépôt légal : décembre 2008 / 302094/02-11010229 janvier 2010